INTERNATIONAL COMMITTEE OF HISTORICAL SCIENCES
COMITÉ INTERNATIONAL DES SCIENCES HISTORIQUES
LAUSANNE — PARIS

INTERNATIONAL BIBLIOGRAPHY OF HISTORICAL SCIENCES

INTERNATIONALE BIBLIOGRAPHIE DER GESCHICHTSWISSENSCHAFTEN
BIBLIOGRAFIA INTERNACIONAL DE CIENCIAS HISTORICAS
BIBLIOGRAPHIE INTERNATIONALE DES SCIENCES HISTORIQUES
BIBLIOGRAFIA INTERNAZIONALE DELLE SCIENZE STORICHE

**VOLUME LIII
1984**

Edited with the Contribution of the National Committees
by Jean Glénisson and Michael Keul

Published with the assistance of Unesco
and under the patronage of the
International Council for Philosophy and Humanistic Studies

K·G·SAUR   MÜNCHEN · NEW YORK · LONDON · PARIS

CIP-Titelaufnahme der Deutschen Bibliothek

International bibliography of historical sciences = Internationale Bibliographie der Geschichtswissenschaften = Bibliografia internacional de ciencias historicas / Internat. Committee of Historical Sciences, Lausanne, Paris. Ed. with the contribution of the National Committees. — München, New York, London, Paris: Saur.
 ISSN 0074-2015
 Erscheint jährl.

Vol. 45/46. 1976/77 ff. — 1980 ff.
 Auf d. Haupttitels. auch: Comité International des Sciences Historiques. — Bis Vol. 43/44. 1974/75 im Verl. Colin, Paris.

NE: International Committee for Historical Sciences; 1. PT; 2. PT

Alle Rechte vorbehalten / All Rights Strictly Reserved
K. G. Saur Verlag, München 1988
(A member of the international Butterworths-Group, London)
Printed in the Federal Republic of Germany)

Printed by grafik + druck GmbH & Co, München
Bound by Thomas Buchbinderei GmbH, Augsburg

ISSN 0074-2015
ISBN 3-598-20408-6

The International Bibliography of Historical Sciences is published under the supervision of a « Bibliographical Commission » composed of :

Monsieur Boyd C. SHAFER, Tucson, Arizona (U.S.A.),
Monsieur Ernesto de LA TORRE VILAR, México
Honorary President ;

Madame Hélène AHRWEILER, Paris
Monsieur Jean GLÉNISSON, Paris
President ;

Monsieur Michael KEUL, Paris
Secretary ;

Mademoiselle Odile GRANDMOTTET, Paris
Treasurer ;

Monsieur Girolamo ARNALDI, Rome
Monsieur Eric H. BOEHM, Santa Barbara, Calif.
Monsieur G. EDWARDS, Londres
Monsieur Hermann HEIMPEL, Göttingen
Monsieur Thomas T. HELDE, Washington, D.C.
Monsieur Vasilij N. BABENKO, Moscou
Monsieur Takeshi KIDO, Tokyo
Monsieur Jaroslav PURS, Prague
Monsieur Stefan STEFANESCU, Bucarest
Members

This volume was edited by Mr. **Jean GLÉNISSON**, directeur de l'Institut de Recherche et d'Histoire des Textes, and Mr. **Michael KEUL**, Paris.

A list of correspondents of the International Committee of Historical Sciences who have collaborated in the preparation of this volume is given on pages XV-XVIII.

NOTICE

The UNESCO general conference adopted, during its second session in Mexico City, in november 1947, the following resolution :

« The Director General is instructed to develop international co-operation in the field of philosophy and humanistic studies by grants-in-aid or contracts for financial assistance to the International Council of Philosophy and Humanistic Studies.

In return, the Director-General shall secure the Council's collaboration with a view to :

a) Encouraging the creation of international organizations in branches of humanistic studies, where such organizations do not exist and where the need for them has been felt ;

b) Facilitating the dissemination of ideas and the spread of knowledge, more particularly by the organization of congresses and committees of enquiry, the publication of works of reference, information or synthesis throwing light upon insufficiently known aspects of certain cultures ;

c) Promoting and co-ordinating, within each subject field, bibliographical work in accordance with resolution 6.52 and studying the possibility of establishing rules for abstracting which may be applied within the fields of philosophy and humanistic studies ;

d) Obtaining the help of international organizations and specialists in humanistics studies in the carrying out of UNESCO's programme ».

The subvention which was given in fulfillement of this resolution has, only for a part, permitted the International Committee of historical Sciences to publish the present volume.

INDICE DEL VOLUME

	Pag.
AVVERTENZE..	IX
MEMBRI O DELEGATI DEI COMITATI STORICI NAZIONALI E DELLE ORGANIZZAZIONI INTERNATIONALI CHE HANNO COLLABORATO AL VOLUME LIII DELL' "INTERNATIONAL BIBLIOGRAPHY OF HISTORICAL SCIENCES"...	XIII
ORDINAMENTO GENERALE	XVII
BIBLIOGRAFIE STORICHE GENERALI	XXIII
BIBLIOGRAFIA	1
INDICE DEGLI AUTORI E DELLE PERSONE...............................	325
INDICE GEOGRAFICO	379

AVVERTENZE

L'*International Bibliography of Historical Sciences* è una bibliografia « selettiva » e « segnaletica » o più esplicitamente una efficiente scelta bibliografica ad informazione di tutto quello che vale d'essere segnalato, dal punto di vista scientifico universale, nel vasto campo della produzione storica annuale mondiale. Gli studi ch'essa seleziona e segnala, bibliografie specializzate, collezioni, miscellanee, ricerche individuali ed articoli di rivista, vengono classificati secondo il piano sistematico-cronologico-topografico creato dalla Commissione Bibliografica del Comitato Internazionale delle Scienze Storiche, che le dette vita, quello stesso che la summenzionata Commissione Bibliographica ha giudicato utile di conservare nella sua integralità, salvo qualche irrilevante ritocco di dettaglio, nelle sue reunioni di Bruxelles, nel Giugno 1952, et di Roma, nel Settembre 1955. I due paragrafi che seguono ne danno i principii di scelta ed i metodi di classifica e di presentazione, impiegati nel presente volume.

A. Principi e modalità di selezione

Conformemente al voto espresso dalla I.B.O.H.S., il suo Ufficio di redazione è animato dalla duplice preoccupazione seguente : conservare all' I.B.O.H.S. il suo carattere fondamentale di *Bibliografia generale comprendente la totalità delle Scienze storiche* e fornire, agli storici ed ai bibliotecari, in un solo volume annuale maneggevole, l'essenziale della produzione storica mondiale.

Essa, potrebbe anche dirsi *filia temporis*. Infatti, dinanzi al moltiplicarsi delle specialità e delle bibliografie specializzate relative, è apparso quasi come inderogabile dovere, al più alto consenso bibliografico internazionale, di fornire agli storici isolati ed alle Istituzioni scientifiche e culturali, che non potessero procurarsi la totalità delle suaccenate bibliografie specializzate, uno strumento bibliografico capace di tenerli informati, d'anno in anno, sull'avanzamento delle scienze storiche. Ma l'I.B.O.H.S. si sarebbe rivelata inadeguata agli scopi prefissi, se le sue indicazioni non permettessero agli studiosi, in caso di bisogno, di riportarsi alle summenzionate bibliografie specializzate. All'uopo : all'infuori ed innanzi allo stesso spoglio sistematico, sono state selezionate ed indicate le più importanti ed esaurienti bibliografie internazionali e nazionali relative ad una disciplina o alla totalità della produzione storica d'un dato paese. Sono state invece riportate in testa d'ogni divisione o sottodivisione logica dello spoglio sistematico, le bibliografie particolari proprie ad una questione, ad un autore o ad una data località, facendole precedere da un asterisco (*) distintivo. Crediamo superfluo insistere sul fatto che l'I.B.O.H.S. verrebbe meno alla sua ragione d'essere, se non continuasse a presentarsi come un efficace strumento di lavoro d'alte ispirazioni ed esigenze scientifiche di portata internazionale. Ciò esplica perchè, nelle sue colonne, non ci s'imbatte in opere ed articoli di carattere o di respiro strettamente locale, oppure in recensioni di segnalazione o compiacenza. Inoltre, sono state, in generale e volontariamente, eliminate le reedizioni, le traduzioni e le descrizioni di scavi, gli cataloghi d'esposizioni non ragionati, o che non apportavano nuove e sostanziali contribuzioni al patrimonio storico internazionale. Sono state, egualmente, eliminate le opere dattilografate, roneotipate, come pure quelle di volgarizazione e di propaganda. Ci siamo, invece, resignati ed a malincuore di non menzionare quelle opere, le di cui schede segnaletiche incomplete o erronee non potettero essere completate o corrette dal nostro Ufficio di redazione e che, per conseguenza, non potevano trovare ragionata e giustificata collazione bibliografica. Sono stati invece ritenuti e segnalati studi od articoli, anche se brevi, qualora apportavano evidenti contribuzioni alla storia generale o alla soluzione di dibattuti problemi e controversie scientifiche. A mo' d'esempio : ciò è stato, spesso, il caso riconfortante d'un certo numero di relazioni, articoli, o communicazioni su scavi e ricerche relative alla storia delle istituzioni e della civiltà. In tali casi, l'Ufficio di Redazione della I.B.O.H.S. non ha esitato di far seguire, al titolo dato, e tra parentesi quadre, quelle precisioni utili ad una più appropriata utilizzazione scientifica della communicazione o dell' articolo in questione.

Senza attardarci sugli innumerevoli meriti scientifici dell' I.B.O.H.S., che ci sia permesso di sottolineare i suoi felicissimi sforzi di precisione, che potranno essere moltiplicati nei volumi a venire. Cio facendo, la I.B.O.H.S. non intende affatto invadere il campo delle Bibliografie specializzate, ma assicurar loro una più larga ed intensa diffusione ad utilizzazione a proffitto d'una più efficiente ricerca storica mondiale.

A complementato, infine, della maggior parte delle Bibliografie Nazionali, la I.B.O.H.S. non limita il suo spoglio a date fisse o di salvaguardia ; essa intende, invece, spingere le sue esplorazioni sino alla storia la più recente. Le conferme tipiche di quanto sottalineamo si trovano, per esempio, nella divisione P 8 concernente le relazioni e gli scambi internazionali. In proposito, crediamo superfluo aggiungere che la vicinanza degli avvenimenti storici, degli uomini e della vita non hanno affatto influito a deterioramento dell'inderogabile e più rigorosa selezione scientifica.

Cosi operando, la I.B.O.H.S. vuol conservare la sua inconfondibile fisionomia d'alta ed intransigente Bibliografia generale mondiale a sostegno ed incoraggiamento della Ricerca Storica Internazionale, rigettando come nociva qualsiasi ombra di sostituzione e di concorrenza a qualsiasi bibliografia specializzata o generale esistente. Cio la garantisce contro la creazione d'inutili e dispendiosi doppioni. Essa ammette, ricerca ed incoraggia, invece, le naturali e feconde intercomunicazioni della vita dello spirito, dalle quali gli scienziati e le loro ricerche non potranno che avvantaggiarsi a profitto di tutti.

B. Norme e modalità di presentazione

All'interno d'ogni divisione e sottodivisione logica, gli studi ritenuti dalla I.B.O.H.S. sono presentati nell'ordine alfabetico dei loro nomi d'autori.

Aggiungiamo, subito, che i nomi slavi sono stati trascritti in caratteri latini ed inseriti secondo l'ordine delle lettere dell'alfabeto latino senza tener conto dei segni *diacritici* che comportano, tali che c, l, s, etc.

Sempre, in vista di facilitare la consultazione della sua selezione bibliografica, l'I.B.O.H.S. ha sviluppato il valore delle lettere a inflessioni, contenute nei nomi germanici e scandinavi, di modo che le *ä*, le *ö*, le *ü*, etc., sono diventate *ae, oe, ue*. Le opere anonime o collettive sono classificate secondo l'ordine alfabetico dell'iniziale del nome tipico significativo, contenuto nei loro titoli rispettivi ; cosi, per esempio : Congresso (X°) Internazionale delle Scienze Storiche di Roma (Settembre 1955). Ciò nonostante, se ci si riporta alla sottodivisione (B3c) consacrata alle *Miscellanee*, noi constatiamo che queste sono classificate secondo l'ordine alfabetico dei cognomi degli scienziati ai quali esse sono dedicate. In proposito, si noti, che i cognomi degli scienziati sono stampati in grassetto, a fine di distenguerli da quelli dei collaboratori concorrenti all'omaggio. Con gli stessi caratteri grassetti sono stampati i patronimici dei santi, in generale, (G § 4, I § 13 d) e di quegli scienziati, che possono prevalersi di notizie biografiche importanti (B3b) ; si noti, in proposito, che nell' un come nell'altro caso, gli studi relativi sono classificati nel loro implicito ordine alfabetico.

Sacrificando, inoltre, a delle preoccupazioni di semplificazioni d'ordine pratico, allorquando una sottodivisione logica comporta una classificazione di natura topografica (B6b, K2), i toponimi in essa ritenuti sono ordinati alfabeticamente, ma in francese, anche se la lingua della località, come pure quella del volume in cui è redatta l'annuale I.B.O.H.S., è un'altra.

A fine di porre in particolare rilievo le publicazioni documentarie, esse sono state contraddistinte da 2 asterischi (**), e stampate in capo alle divisioni e sottodivisioni logiche, immediatamente dopo le opere bibliografiche specializzate. Cosi facendo, la I.B.O.H.S. ha voluto accomunare, il più intimamente possibile, bibliografie e documenti i più recenti, riferentisi ad epoche e questioni storiche particolari. Avvertiamo, subito, che il distintivo dei 2 asterischi (**) non è stato utilizzato nei capitoli : E, F, G, H, ed I, perchè questi capitoli hanno già una divisione bibliografica speciale consacrata alle publicazioni di documenti.

Avvertiamo, anche, che le pubblicazioni d'ordine commemorativo sono raggruppate, sotto il loro titolo specifico, alla fine della loro sottodivisione logica, dove l'avvenimento troverebbe la inserzione propria. Ma all'infuori di queste celebrazioni commemorative, si verifica, spesso, che un certo numero di pubblicazioni sono consacrate ad uno stesso problema o personaggio storico ; in tali casi, questi studi sono raggruppati ed inseriti nella sottodivisione logica in cui il problema o il personaggio in questione sarebbero stati posti e disposti nel loro ordine alfabetico naturale.

Per facilitare, infine, l'indispensable identificazione e percezione dell'importanza degli studi ritenuti, l'enumerazione delle pagine, come pure l'indicazione dei grafici, delle carte e delle tavole illustrative in genere, sono state espresse in francese oppure in inglese, pel fatto che queste due lingue contengono il più di parole e d'iniziali comune all'idioma bibliografico.

I rinvii, per la consultazione d'opere ad interesse molteplice, sono stati raggruppati alla fine della sezione logica principale, sotto la formula di rinvio Cf. n°

Terminando, si noti ancora che, in generale, nell' indice alfabetico per nome d'autore e di persone, in patronimici dei santi, dei papi e degli imperatori romani sono stati trascritti nella loro forma latina.

MEMBRI O DELEGATI

DEI COMITATI STORICI NAZIONALI E DELLE ORGANIZAZIONI INTERNAZIONALI CHE HANNO COLLABORATO AL VOLUME LIII DELL' « INTERNATIONAL BIBLIOGRAPHY OF HISTORICAL SCIENCES »[1]

REPUBBLICA DEMOCRATICA TEDESCA

Dr. Peter WICK, Leiter der Abteilung Information und Dokumentation des Zentralinstituts für Geschichte der Akademie der Wissenschaften der DDR (Berlin).- Dr. Lutz NOACK, Deutsche Bücherei (Leipzig).

REPUBBLICA FEDERALE TEDESCA

Dr. Dr. h.c. Hermann HEIMPEL, em. o. Prof., ehem. Direktor des Max-Planck-Institut für Geschichte (Göttingen).- Frau Gisela ENGELSING-SCHICK (Bielefeld).- Erich GREVELDING (Bielefeld).

ARGENTINA

Mme María del Carmen RIOS, Comité argentino de ciencias históricas, Paraná.

AUSTRIA

Univ.-Prof. Dr. Wolfdieter BIHL, Institut für Geschichte, Universität Wien (Wien).

BELGIO

Léon ZYLBERGELD, archiviste adjoint de la ville de Bruxelle (Bruxelles).

BULGARIA

Mme Emilia KOSTOVA, attachée de recherches à l'Institut d'Histoire auprès de l'Académie Bulgare des Sciences (Sofia).

CANADA

Normand St. PIERRE, directeur de la Bibliothèque des archives publiques du Canada (Ottawa).

DANIMARCA

Bent JORGENSEN, Chief Librarian, Aalborg Universitetsbibliothek (Aalborg).

---

[1] Classificazione alfabetica secondo la forma francese dei nomi dei paesi.

STATI UNITI D'AMERICA

Thomas T. HELDE, professor of history, Georgetown University (Washington, D.C.).

FINLANDIA

Mme Pirjo NEUVONEN, conservateur à la Bibliothèque de l'université de Turku (Turku).- Mme Ilse VÄHÄKYRÖ, conservateur à la Bibliothèque de l'université de Turku (Turku).

FRANCIA

Michael KEUL (Paris).

GRAN BRETAGNA

Louis B. FREWER, formerly librarian, Rhodes House Library (Oxford).

GRECIA

Mme Loukia DROULIA, directeur du Centre de Recherche néo-helléniques de la Fondation Nationale de la Recherche Scientifique (Athènes).

UNGHERIA

Prof. Emil NIEDERHAUSER, directeur adjoint de l'Institut des sciences historiques de l'Académie des Sciences de Hongrie (Budapest).

IRLANDA

Dr. Art COSGROVE, on behalf of the Irish Committee of Historical Sciences, University College (Dublin).

ISRAELE

Mrs Libby KAHANE, Reference Service, The Jewish National and University Library (Jerusalem).

ITALIA

Giunta Centrale per gli Studi Storici (Roma).- Prof. Margherita BETTONI, ordinaria di Lettere Italiane e Storia negli Istituti superiori.- Prof. Manuela AIRES, ordinaria di Lettere Italiane e Storia Istituti superiori.

GIAPPONE

Takeshi KIDO, professor of history, the University of Tokyo (Tokyo).- Katsumi FUKASAWA, Kamakura.

LUSSEMBURGO

Gilbert TRAUSCH, directeur de la Bibliothèque nationale (Luxembourg).

NORVEGIA

Dr. Wilhelm K. STOREN, conservateur en chef de la Bibliothèque de l'université de Trondheim (Trondheim).

PAESI BASSI

Th. S.H. BOS, membre du Bureau de la Commission de l'État pour l'histoire néerlandaise (Gouda).

POLONIA

Doc. dr hab. Wieslaw BIENKOWSKI, directeur du Service de Documentation scientifique de l'Institut d'Histoire de l'Académie polonaise des Sciences (Krakow).

PORTOGALLO

José Gentil DA SILVA, maître de conférences à la Faculté des Lettres et des Sciences Humaines, université de Nice (Nice).

ROMANIA

Dr. phil. Michael KEUL (Paris).

SVEZIA

Adam HEYMOWSKI, docteur ès lettres, conservateur en chef de la bibliothèque Bernadotte (Stockholm).

SVIZZERA

Pierre SURCHAT, docteur ès lettres, Bibliothèque nationale Suisse (Berne).

CECOSLOVACCHIA

Prof. Dr. Jaroslav PURS, membre titulaire de l'Académie Tchécoslovaque des Sciences, directeur de l'Institut d'Histoire tchécoslovaque et mondiale de l'Académie Tchécoslovaque des Sciences.

U.R.S.S.

Dr. R. MDIVANI, Chef de la Division pour l'information bibliographique de l'Institut d'Information scientifique en sciences sociales. Académie des Sciences de l'U.R.S.S. (Moscou).

VENEZUELA

Prof. Nikita HARWICH VALLENILLA, Secretario general del Comité nacional venezolano de ciencias históricas, Caracas.

ORDINAMENTO GENERALE

BIBLIOGRAFIE STORICHE GENERALI
(p. XXIII-XXV)

A
SCIENZE AUSILIARI DELLA STORIA
(p. 1-11)

§ 1. Paleografia. 1-18.- § 2. Diplomatica. 19-25.- § 3. Storia del libro. 26-66.- § 4. Cronologia. 67-72.- § 5. Genealogia. 73-83.- § 6. Sfragistica ed araldica. 84-103.- § 7. Numismatica e metrologia. 104-156.- § 8. Storia delle lingue. 157-189.- § 9. Geografia storica e storia della geografia. 190-230.- § 10. Iconografia. 231-240.

B
MANUALI, OPERE GENERALI E LAVORI D'INSIEME
(p. 12-45)

§ 1. Congressi ed organizzazioni storiche. 241-271.- § 2. Archivi, biblioteche e musei (*a*. Archivi ; *b*. Biblioteche ; *c*. Musei). 272-328.- § 3. Storia della storiografia (*a*. Generalità ; *b*. Biografie ; *c*. Miscellanee). 329-519.- § 4. Metodologia, filosofia ed insegnamento della storia. 520-617.- § 5. Etnografia e tradizioni populari. 618-676.- § 6. Storia generale (*a*. Generalità ; *b*. Singoli stati). 677-793).- § 7. Teoria dello Stato e della società. 794-805.- § 8. Storia del diritto e delle istituzioni. 806-816.- § 9. Storia economica e sociale. 817-851.- § 10. Storia della civiltà, delle scienze e della scuola. 852-893.- § 11. Storia dell'arte e delle arti applicate. 894-920.- § 12. Storia delle religioni e della Chiesa (*a*. Opere generali ; *b*. Studi particolari). 921-985.- § 13. Storia della filosofia. 986-997.- § 14. Storia della letteratura. 998-1016.

C
PREISTORIA E PROTOSTORIA
(p. 46-51)

§ 1. Opere generali. 1017-1052.- § 2. Paleolitico e mesolitico. 1053-1061.- § 3. Neolitico. 1062-1072.- § 4. Età del bronzo. 1073-1097.- § 5. Età del ferro. 1098-

1122.- § 6. Popoli protostorici dell'Europa, eccetuati quelli della Grecia e dell'Italia antica. 1123-1144.

D

POPOLI DELL'ANTICO ORIENTE
(comprese le monarchie ellenistiche)
(p. 52-58)

§ 1. Antichità in generale. 1145-1158.- § 2. Asia anteriore in generale. 1159-1172.- § 3. Egitto. 1173-1217.- § 4. Cirene. 1218-1219.- § 5. Mesopotamia. 1220-1245.- § 6. Ittiti. 1246-1250.- § 7. Ebrei e stirpi semitiche sino alla fine dell'antichità. 1251-1298.- § 8. Iran. 1299-1301.

E

STORIA GRECA
(p. 59-69)

§ 1. Mondo classico in generale. 1302-1325.- § 2. L'età preellenica. 1326-1329.- § 3. Fonti e critica delle fonti. 1330-1352.- § 4. Storia generale e politica. 1353-1383.- § 5. Storia del diritto e delle istituzioni. 1384-1400.- § 6. Storia economica e sociale. 1401-1415.- § 7. Storia della letteratura, della filosofia e delle scienze. 1416-1513.- § 8. Religione e mitologia. 1514-1526.- § 9. Archeologia e storia dell'arte. 1527-1578.

F

STORIA DI ROMA, DELL'ITALIA ANTICA E DEL IMPERO ROMANO
(p. 70-81)

§ 1. Popolazioni dell'Italia antica. 1579-1582.- § 2. Etruscologia. 1583-1609.- § 3. Fonti e critica delle fonti. 1610-1631.- § 4. Storia generale e politica. 1632-1699.- § 5. Storia del diritto e delle istituzioni. 1700-1783.- § 6. Storia economica e sociale. 1739-1775.- § 7. Storia della letteratura, della filosofia e delle scienze. 1776-1812. § 8. Religione e mitologia. 1813-1831.- § 9. Archeologia e storia dell'arte. 1832-1895.

G

STORIA DELLA CHIESA ANTICA SINO A GREGORIO MAGNO
(p. 82-87)

§ 1. Fonti. 1896-1921.- § 2. Opere generali. 1922-1937.- § 3. Studi particolari. 1938-2008.- § 4. Agiografia. 2009-2024.

XIX

H

STORIA BIZANTINA (DA GIUSTINIANO IN POI)
(p. 88-91)

§ 1. Fonti. 2025-2044.- § 2. Opere generali. 2045-2053.- § 3. Studi particolari. 2054-2113.

I

STORIA DEL MEDIO EVO
(p. 92-131)

§ 1. Fonti e critica delle fonti. 2114-2227.- § 2. Opere generali. 2228-2267.- § 3. Storia politica (*a*. Opere generali ; *b*. 476-900 ; *c*. 900-1300 ; *d*. 1300-1500). 2268-2417.- § 4. Ebrei. 2418-2436.- § 5. Islam. 2437-2450.- § 6. Vichinghi. 2451-2456.- § 7. Storia del diritto e delle istituzioni. 2457-2526.- § 8. Storia economica e sociale. 2527-2677.- § 9. Storia della civiltà, della letteratura, della scuola, delle scienze e della tecnica. 2678-2777.- § 10. Storia dell'arte (*a*. Opere generali ; *b*. Studi particolari). 2778-2832.- § 11. Storia della musica. 2833-2844.- § 12. Storia della filosofia. 2845-2881.- § 13. Storia della Chiesa (*a*. Opere generali ; *b*. Storia del Papato ; *c*. Storia monastica ; *d*. Agiografia). 2882-3062.- § 14. Storia degli stanziamenti. Toponomastica. Urbanismo. 3063-3102.

K

STORIA DELL'ETA MODERNA, OPERE GENERALI
(p. 132-185)

§ 1. Generalità. 3103-3170.- § 2. Singoli stati. 3171-4427.- § 3. Scoperte geografiche ed esplorazion. 4428-4440.

L

STORIA DELLE RELIGIONI DELL'ETA' MODERNA
(p. 186-198)

§ 1. Generali. 4441-4468.- § 2. Cattolicesimo (*a*. Opere generali ; *b*. La Santa Sede ; *c*. Studi particolari ; *d*. Ordini religiosi ; *e*. Misioni). 4469-4561.- § 3. Chiesa ortodossa. 4562-4569.- § 4. Protestantesimo. 4570-4708.- § 5. Religioni e sette non christiane. 4709-4742.

M

STORIA DEL MOVIMENTO INTELLETTUALE NELL'ETA' MODERNA
(p. 199-229)

§ 1. Opere generali. 4743-4814.- § 2. Accademie ed istituti di cultura. 4815-4820.- § 3. Pedagogia ed insegnamento. 4821-4933.- § 4. Giornalismo. 4934-4979.- § 5. Filosofia. 4980-5102.- § 6. Scienze esatte, tecnica, scienze naturali e medicina. 5103-5218.- § 7. Letteratura (*a*. Opere generali ; *b*. Rinascimento ; *c*. Classicismo ; *d*. Romanticismo ed età contemporanea). 5219-5374.- § 8. Arti ed arti applicate (*a*. Opere generali ; *b*. Archittetura ; *c*. Scultura, pittura, stampe e disegni ; *d*. Arti applicate et arti popolari). 5375-5470.- § 9. Musica, teatro e cinema. 5471-5551.

N

STORIA ECONOMICA E SOCIALE DELL'ETA' MODERNA
(p. 230-268)

§ 1. Economica politica. 5552-5581.- § 2. Storia economica generale. 5582-5695.- § 3. Industria, miniere e traffici. 5696-5808.- § 4. Commercio. 5809-5859.- § 5. Agricoltura e problemi agrari. 5860-5967.- § 6. Moneta e finanza. 5968-6027.- § 7. Demografia ed urbanismo. 6028-6084.- § 8. Storia sociale e dei costumi. 6085-6319.- § 9. Movimento operaio e socialismo. 6320-6488.

O

STORIA DEL DIRITTO E DELLE ISTITUZIONI DELL'ETA' MODERNA
(p. 269-275)

§ 1. Storia generale del diritto. 6489-6527.- § 2. Storia del diritto costituzionale. 6528-6554.- § 3. Diritto pubblico e istituzioni pubbliche. 6555-6592.- § 4. Diritto civile e penale. 6593-6622.- § 5. Diritto internazionale. 6623-6626.

P

STORIA DELLE RELAZIONI TRA GLI STATI MODERNI
(p. 276-310)

§ 1. Opere generali. 6627-6703.- § 2. Storia coloniale (*a*. Opere generali ; *b*. Asia ; *c*. Africa ; *d*. America ; *e*. Oceania). 6704-6881.- § 3. Storia dal 1500 al 1789 (*a*. Opere generali ; *b*. 1500-1648 ; *c*. 1648-1789). 6882-6939.- § 4. Storia dal 1789 al 1815. 6937-6963.- § 5. Storial dal 1815 al 1910. 6964-7034.- § 6. Dal 1910 al 1935. La prima guerra mondiale. 7035-7140.- § 7. Dal 1935 al 1945. La seconda guerra mondiale (*a*. Opere generali ; *b*. Diplomazia. Economia ; *c*. Operazioni militari ; *d*. Resistenza). 7141-7375.- § 8. Storia dal 1945 in poi. 7376-7483.

R

ASIA
(p. 311-319)

§ 1. Opere generali. 7484-7491.- § 2. Asia occidentale e centrale. 7492-7529.- § 3. India. Ceylon. 7530-7560.- § 4. Indocina. Insulindia. 7561-7581.- § 5. Cina. 7582-7646.- §. 6. Giappone (fino al 1868). 7646-7688.- § 7. Corea. 7689-7692.

S

AFRICA
(dalle origini alla colonizzazione)
(p. 320)

N⁰ˢ 6793-7703

T

AMERICA
(dalle origini alla colonizzazione)
(p. 321-322)

N⁰ˢ 7708-7742

U

OCEANIA
(dalle origini alla colonizzazione)
(p. 323)

N⁰ˢ 7743-7755

BIBLIOGRAFIE STORICHE GENERALI

I. Année (L') philologique. Bibliographie critique et analytique de l'antiquité gréco-latine (fondée par J. MAROUZEAU). [T. 52. Cf. Bibl. 83, n° *II*] T. 53 : Bibliographie de l'année 1982 et compléments des années antérieures. Publ. par Juliette ERNST et par Viktor POESCHL et William C. WEST, avec la collab. de Marianne DUVOISIN-BAMMATE, Ingrid ROBBE-GRILLET, Pierre LANGLOIS, Claude-Lise FOULT, Pierre-Paul CORSETTI et Helga GAERTNER. Paris, Les Belles Lettres, 84, in-8, XXXVII-875 p.

II. [Art et archéologie] : Archäologische Bibliographie Deutsches Archäologisches Institut. [1982. Cf. Bibl. 83, n° *III*] 1983. Von Werner HERMANN in Zusammenarbeit mit Hubertus MANDERSCHEID u. C. BRAUN. Berlin, de Gruyter, 84, in-4, XXXVIII-343 p.— Répertoire d'art et d'archéologie (de l'époque paléo-chrétienne à 1939). Publ. sous la dir. du Comité Français d'Histoire de l'Art, avec une subvention de l'UNESCO sur la recommandation du Conseil International de la Philosophie et des Sciences Humaines. [1983. Cf. Bibl. 83, n° *III*.] 1984. Nouv. sér., t. 20, n° 1-5. Paris, Centre de Documentation Sciences humaines (C.N.R.S.), 84, 5 vol., in-4, 212, 203, 198, 200, 225 p.

III. [Autriche] : Österreichische historische Bibliographie. Austrian historical Bibliography. Hrsg. v. Günther HÖDL u. Wolfdieter BIHL. [1981. Cf. Bibl. 83, n° *IV*.] 1982. Bearb. v. Günther HÖDL, Herbert PAULHART, Wolfdieter BIHL, Ulrike WINKLER, Salzburg, Neugebauer ; Santa Barbara, Calif., Clio, 84, in-8, 370 p.

IV. [Celtes] : Bibliographie (livres, périodiques). *Et. celtiques*, 84, vol. 21, p. 357-378. [cf. Bibl. 83, n° *VII*].

V. [Finlande] : PENTTI (Raili). Finländsk historisk litteratur. Bibliografiskt urval. 1983. (La littérature historique de la Finlande. Une sélection bibliographique. [1981, 1982. Cf. Bibl. 1983, n° *VIII*.] 1983.) *Hist. T. f. Finland*, 84, t. 69, p. 178-200.

VI. [France] : Bibliographie annuelle de l'histoire de France, du cinquième siècle à 1958. [Année 1982. Cf. Bibl. 83, n° *VIII*.] Année 1983. Fondée à l'initiative du Comité français des Sciences historiques, rédigée principalement à partir des collections de la Bibliothèque nationale par Colette ALBERT-SAMUEL, Brigitte MOREAU et Sylvie POSTEL-LECOCQ. Paris, Ed. du C.N.R.S., 84, in-8, XCI-926 p.

VII. [Grande-Bretagne] : Annual bibliography of British and Irish history. Royal historical society. General editor : G.R. ELTON. Publications of [1982. Cf. Bibl. 83, n° *X*.] 1983. Brighton, Harvester Press ; New York, St. Martin's Press, 84, in-8, IX-180 p.— Writings on British history, [1967-1968. Cf. Bibl. 82, n° 82, n° *IX*.] 1969-1970. A bibliography of books and articles on the history of Great Britain from about 450 A.D. to 1939, published during the years 1969-1970 inclusive with an Appendix containing a select list of publications in these years on British history since 1939.

Ed. by Heather H. CREATON. London, Univ. of London, Inst. of Hist. Research, 84, in-8, XVIII-238 p.

VIII. [Hongrie] : Bibliographie choisie d'ouvrages d'histoire publiés Hongrie en [1980. Cf. Bibl. 82, n° *X.*] 1981 [et] 1982. *Acta hist. Acad. Sci. hungaricae,* 83, vol. 29, n° 2-4, 337-352 ; 84, vol. 30, n° 3-4, p. 425-438.— JAKABFFY (Imre). Bibliographia Archaeologica Hungarica.- Magyar régészeti irodalom. [1981. Cf. Bibl. 82, n° *X.*] 1982, 1983. Archaeol. Ért., 83, vol. 110, n° 1, p. 146-157 ; 84, vol. 111, n° 1, p. 125-140.— Magyarországon (A) megjelent történelmi munkák (önálló kötetek, tanulmányok, cikkek) válogatott jegyzéke, 1982. Összeáll. ROZSNYOI (Agnes), Sz. GYIVICSAN (Mária). (Liste choisie des ouvrages historiques - [monographies, études, articles] - parus en Hongrie [1981. Cf. Bibl. 82, n° *X.*] 1982. Publ. par -.]. *Századok,* 84, vol. 118, n° 1, p. 190-270. 1980. évi (Az) Magyarországon megjelent hadtörténelmi irodalom bibliográfiája. II. Összeáll. VINICZAI (István), WINDISCH (Aladárné). (Bibliographie de la littérature de l'histoire militaire parus en Hongrie en 1980, [I. Cf. Bibl. 82, n° *X.*] II, 1981. Publ. par -.) *Hadtört. Közl.,* 83, vol. 30, n° 1, p. 150-165 ; 84, vol. 31, n° 1, p. 167-197.— 1982. évi (Az) magyar hadtörténelmi irodalom bibliográgiája. Összeáll. DAMO (Csilla), VINICZAI (István). (Bibliographie de la littérature de l'histoire militaire parus en Hongrie, 1982. Publ. par-.) *Ibid.,* n° 4, p. 795-823.

IX. International Committee of Historical Sciences. Comité International des Sciences Historiques. Lausanne-Paris. International bibliography of historical sciences. Internationale Bibliographie der Geschichtswissenschaften. Bibliografía internacional de ciencias históricas. Bibliographie internationale des sciences historiques. Bibliografia internazionale delle scienze storiche. [Vol. LI. Cf. Bibl. 83, n° *XI.*] Vol. LII. 1983. Ed with the contribution of the national committees by Jean GLÉNISSON and Michael KEUL. Publ. with the assistance of UNESCO and under the patronage of the International Council for Philosophy and Humanistic Studies. München, New-York, London a. Paris, K.G. Saur, 87, in-8, XXV-380 p.

X. [Luxembourg] : Bibliographie d'histoire luxembourgeoise pour l'année [1982. Cf. Bibl. 83, n° *XIII.*] 1983 (avec compléments des années précédentes). Luxembourg, Bibliothèque nationale, 84, in-8, 64 p.

XI. [Norvège] : Norsk bokfortegnelse. (The Norwegian national bibliography.) Årskatalog [1982. Cf. Bibl. 83, n° *XIV.*] 1983. Utarb. ved Universitetsbiblioteket i Oslo, Norske avd. Utg. av Den norske bokhandlerforening. Oslo, 84, in-4, 648 p.— Norske tidsskriftartikler. Årskatalog 1983. (Norwegian periodical articles. Index 1983). Utg. av Universitetsbiblioteket i Oslo. Oslo, 84, in-4, 358 p.

XII. [Pays-Bas] : Repertorium van boeken en tijdschriftartikelen betreffende de geschiedenis van Nederland verschenen in 1982 (Met aanvullingen uit voorafgaande jaren). (Annual bibliography of Dutch history, [1981. Cf. Bibl. 83, n° *XV.*] 1982, with additions from the preceding years). Samengesteld door Th.S.H. BOS. 's-Gravenhage, Nijhoff, 84, in-8, LXXIX-453 p. (Rijks Geschiedl. Publ.) - Kroniek. [CR d'ouvrages sur l'histoire des Pays-Bas et de la Belgique]. *Bijdr. Meded. Gesch. Ned.,* 81, vol. 96, p. 126-172, 389-449, 557-599 ; 82, vol. 97, p. 127-168, 312-381 ; 83, vol. 98, p. 105-157, 265-312, 631-675.— Survey of recent historical works on Belgium and the Netherlands published in Dutch. Ed. by C.R. EMERY and J.A. KOSSMANN-PUTTO. *Low Countries Hist. Yearb.*, 82, vol. 15, p. 137-204.

XIII. [Pologne] : GLUSZEK (Stanislaw), MALCOWNA (Anna), PERZANOWSKA (Irena). Bibliografia historii polskiej za rok 1981. (Bibliographie de l'histoire polonaise de l'année [1979, 1980. Cf. Bibl. 82, n° *XVI.*] 1981) Réd. Wieslaw BIENKOWSKI. Wroclaw, Zakl. Narod. im Ossolinskich, 84, in-8, VII-448 p. (Pol. Akad. Nauk, Inst. Hist. Pracownia Informacji Nauk).

XIV. [Suisse] : Bibliographie der Schweizergeschichte. Bibliographie de l'histoire suisse. [1981. Cf. Bibl. 83, n° *XVIII.*] 1982. Bearb. von / Établie par Pierre Louis SURCHAT. Hrsg. v. d. Schweizer Landesbibliothek / Publ. par la Bibliothèque nationale suisse. Bern, Eidgenöss. Druck- u. Materialzentrale, 84, in-8, XXIV-222 p.

A

SCIENZE AUSILIARI DELLA STORIA

§ 1. Paleografia. 1-18. - § 2. Diplomatica. 19-25. - § 3. Storia del libro. 26-66. - § 4. Cronologia. 67-72. - § 5. Genealogia. 73-83. - § 6. Sfragistica ed araldica. 84-103. - § 7. Numismatica e metrologia. 104-156. - § 8. Storia delle lingue. 157-189. - § 9. Geografia storica e storia della geografia. 190-230. - § 10. Iconografia. 231-240.

§ 1. Paleografia.

* 1. BOYLE (L. E.). Medieval Latin palaeography. A bibliographical introduction. Toronto, Univ. of Toronto Press, 84, in-8, 416 p. (Toronto medieval bibliographies, 8)

* 2. TJADER (Jan-Olof). Latin palaeography [1980-1981. Cf. Bibl. 82, n° 1] 1982-1983. Eranos, 84, vol. 82, p. 66-95.

3. ADORISIO (Antonio Maria). Per la storia della scrittura latina in Calabria dopo la conquista normanna. Scrittura e Civ., 84, a. 8, p. 105-127 (ill.).

4. BAMMEL (C.P.H.). Products of fifth-century scriptoria preserving conventions used by Rufinus of Aquileia. J. theol. Stud., 84, vol. 35, p. 347-393.

5. CROWN (Alan D.). Studies in Samaritan scribal practices and manuscript history. [1. Cf. Bibl. 83, n° 1311.] 2: The rate of writing Samaritan manuscripts and scribal output. 3: Columnar writing and the Samaritan Massorah. B. John Rylands Library, 84, vol. 66, p. 97-123; vol. 67, p. 349-381.

6. DOLEZALEK (Gero), WEIGAND (Rudolf). Das Geheimnis der roten Zeichen. Ein Beitrag z. Paläographie jurist. Handschriften d. 12. Jh. Z. d. Savigny-Stiftung f. Rechtsgesch., Kanon. Abt., 83, Bd 100 (69), p. 143-199.

7. GODART (L.). Appunti per una storia delle scritture minoico-micenee. A. Istit. univ. orient. Napoli, Ling., 83, a. 5, p. 227-240.

8. HERRMANN (Erwin). Zur Schriftentwicklung in Oberfranken. Arch. f. Gesch. v. Oberfranken, 84, Bd 64, p. 109-185 (Ill.).

9. HOZ (J. de). Origine ed evoluzione delle scritture ispaniche. A. Istit. univ. orient. Napoli, Ling., 83, a. 5, p. 27-61.

10. MALLET (Jean), THIBAUT (André). Les manuscrits en écriture bénéventaine de la bibliothèque capitulaire de Bénévent. T. 1: Manuscrits 1-18. Paris, Ed. du C.N.R.S., 84, in-4, 374 p. (16 fig., 18 pl.). (Doc., études et répertoires publ. par l'Institut de Recherche et d'Hist. des Textes)

11. MAZAL (Otto). Paläographie und Paläotypie. Zur Gesch. d. Schrift im Zeitalter d. Inkunabeln. Stuttgart, Hiersemann, 84, in-8, VIII-404 p. (140 Ill.). (Bibl. d. Buchwesens, 8)

12. PAGE (R.I.). On the transliteration of English runes. Med. Archaeol., 84, vol. 28, p. 22-45 (ill.).

13. PAUTASSO (A.). L'alfabeto di Lugano nelle monetazioni preromane. Numismatica e Antichità class., 84, a. 13, p. 95-125.

14. PERI (Vittorio). Note preliminari e profane sull'origine paleografica degli alfabeti slavi. Scrittura e Civ., 84, a. 8, p. 31-67 (ill.).

15. PETRESCU (Ioan D.). Studii de paleografie muzicală bizantină. (Etudes de paléographie musicale byzantine.) Vol. 2. Ediţie îngrijită şi adnotată de Titus MOISESCU. Bucureşti, Ed. muzicală, 84, in-8, 318 p.

16. PETRUCCI (Armando). La descrizione del manuscritto: storia, problemi, modelli. Roma, NIS, 84, in-8, 214 p. (Aggiornamenti, 45)

17. RICKARD (Peter). Système ou arbitraire? Quelques réflexions sur la soudure des mots dans les manuscrits français du moyen âge. Romania, 82 [84], vol. 103, n° 4, p. 470-512.

18. ZERDOUN BAT-YEHOUDA (Monique). Les encres noires au moyen âge (jusqu'à 1600). Préf. par Colette SIRAT. Paris, Ed. du C.N.R.S., 83, in-8, 440 p. (8 pl.). (Doc., études et répertoires publ. par l'Institut de Recherche et d'Hist. des Textes)

Cf. n° 5033.

§ 2. Diplomatica.

19. BAUTIER (Robert-Henri). La chancellerie et les actes royaux dans les royaumes carolingiens. Bibl. Ec. Chartes, 84, t. 142, livr. 1, p. 5-80.

20. CIHODARU (Constantin). Considerații asupra unor acte autentice declarate false în colecția "Documente privind istoria României", Seria A: Moldova. (Considérations sur quelques actes authentiques déclarés faux dans la collection "Documents concernant l'histoire de la Roumanie", Sér. 1: Moldavie.) A. științ. Univ. "Al. I. Cuza" [Iași], Istorie, 84, vol. 30, p. 25-41.

21. FALCONI (Ettore). L'edizione diplomatica del documento e del manoscritto. Parma, Casanova, 84, in-8, 173 p. (tav.). (Collana didattica, 8)

22. KÖLZER (Theo). Die sizilische Kanzlei von Kaiserin Konstanze bis König Manfred (1195-1266). Deutsch. Arch. f. Erforsch. d. M.-A., 84, Jg. 40, p. 532-561. [Cf. Bibl. 83, n° 23]

23. Landesherrliche Kanzleien im Spätmittelalter. Referate zum 6. Internat. Kongreß f. Diplomatik, München 1983. Bd 1, 2. München, Arbeo-Ges., 84, 2 vol. in-8, 765 p. (Münchener Beiträge z. Mediävistik u. Renaissance-Forsch., 35)

24. RABY (Julian). Mehmed the Conqueror's Greek scriptorium. In: Dumbarton Oaks papers, n° 37 [Cf. n° 2047], p. 15-34.

25. ZIEGLER (Hans-Ulrich). Der Bamberger Erzpriester Gotebold, Hauptkraft in der Beurkundungsstelle Bischof Eberharts II (1146-1170) und Hermanns (1170-1177) und Verfasser von Urkunden Friedrich Barbarossas. Mitt. d. Inst. f. österr. Gesch.-Forsch., 84, Bd 92, H. 1-2, p. 35-72. - IDEM. Das Urkundenwesen der Bischöfe von Bamberg von 1007 bis 1139. T. 1. Arch. f. Diplomatik, 81 [84], Bd 27, p. 1-110.

§ 3. Storia del libro.

* 26. A.B.H.B. Annual bibliography of the history of the printed book and libraries. [Vol. 8. Cf. Bibl. 81, n° 25.] Vol. 9: Publications of 1978 and additions from the preceding years. Vol. 10: Publications of 1979 ... Vol. 11: Publications of 1980 ... Vol. 12: Publications of 1981 ... Ed. by H. D. L. VERVLIET. s'Gravenhage, Nijhoff, 82-84, 4 vol. in-8, X-314, X-339, X-334, X-343 p.

* 27. Arte tipografica del sec. XVI in Italia: bibliografia italiana, 1800-1983. A cura di L. SERENI. Roma, Istit. centrale per il catalogo unico delle biblioteche ital. e per le informazioni bibliografiche, 84, in-8, 107 p.

* 28. CHOJNACKI (Władysław), CHOJNACKI (Wojciech). Bibliografia kalendarzy polonijnych 1838-1982. (Bibliographie des calendriers de l'émigration polonaise 1838-1982.) Wrocław, Zakł. Narod. im. Ossolińskich, 84, in-8, 365 p. (Pol. Akad. Nauk, Zakł. Narod. im. Ossolińskich. Bibl.)

* Cf. n° 190.

** 29. Prameny a literatura k počátkům českého knihtisku. (Quellen und Literatur zu den Anfängen des tschechischen Buchdrucks.) Bd 1, Teil 1: Texty 15.-18. století. (Texte d. 15.-18. Jh.) Ed.: Emma URBÁNKOVÁ. Praha, Státní knihovna ČSR, 84, in-8, VII-340 p.

30. ALLONY (Nehemiah). Ha-sefer u-melekhet ha-sefer ... (Books and their manufacture in mediaeval Palestine.) Shalem, 84, vol. 4, p. 1-25. [Eng. summary]

31. AMBROSOLI (Mauro). Lettori e chiosatori delle edizioni a stampa di Pier de' Crescenzi tra 1474 e 1561. Arch. stor. ital., 84, a. 96, p. 360-413.

32. ASSOULINE (Pierre). Gaston Gallimard: un demi-siècle d'édition française. Paris, Balland, 84, in-8, 456 p. (Cahier de photos).

33. BALAGNA (Josée). L'imprimerie arabe en Occident, XVIe, XVIIe et XVIIIe siècles. Paris, Maisonneuve, 84, in-8, 160 p. (Islam et Occident)

34. BALSAMO (Luigi). Commercio librario attraverso Ferrara fra 1476 e 1481. Bibliofilia, 83 [84], a. 85, n° 3, p. 277-298.

35. BARBIER (Frédéric). Le livre imprimé au XVe siècle dans la France du Nord. R. Nord, 84, t. 66, n° 261-262, p. 633-651.

36. BLACK (M.H.). The Cambridge University Press, 1584-1984. London,Cambridge U.P., 84, in-8, 343 p. (ill.).

37. BLUM (Rudolf). Die Literaturverzeichnung im Altertum und Mittelalter. Versuch e. Gesch. d. Bibliographie von d. Anfängen bis z. Beginn d. Neuzeit (mit Reg.). Arch. f. Gesch. d. Buchwesens, 83, Bd 24, Sp. 1-256.

38. BOZZOLO (Carla), COQ (D.), ORNATO (Ezio). La production du livre en quelques pays d'Europe occidentale aux XIVe et XVe siècles. Scrittura e Civ., 84, a. 8, p. 129-159.

39. CAREY (Frances), GRIFFITHS (Antony). Print in Germany, 1880-1933: the age of expressionism. London, Brit. Mus., 84, in-4, 272 p. (ill., pl.).

40. DEROLEZ (Albert). Codicologie des manuscrits en écriture humanistique sur parchemin. T. 1: Textes. T. 2: Catalogue. Turnhout, Brepols, 83, 2 vol., 175, 172 p. (Bibliographia, 5, 6)

41. DEVRIES (Anik). La maison Brandus [à Baris]. Heurs et malheurs d'un commerce d'éditions musicales au XIXe siècle. R. Musicol., 84, t. 70, n° 1, p. 51-82.

42. DOMERGUE (Lucienne). Le livre en Espagne au temps de la Révolution fran-

§ 3. STORIA DEL LIBRO

çaise. Lyon, Press univ. Lyon, 84, in-8, 310 p.

43. GANDA (Arnaldo). I primordi della tipografia milanese: Antonio Zarotto da Parma, 1471-1507. Pres. di L. BALSAMO. Firenze, Olschki, 84, in-4, X-245 p.

44. GID (Denise). Catalogue des reliures françaises estampées à froid (XVe-XVIe siècles) de la Bibliothèque Mazarine [à Paris]. Paris, Ed. du C.N.R.S., 84, 2 vol. in-4, XVI-725 p. (fig., pl.). (Doc., études et répertoires publ. par l'Institut de Recherche et d'Hist. des Textes)

45. GORECKI (Danuta Maria). Books, production of books and reading in Byzantium. Libri, 84, vol. 34, n° 2, p. 113-139.

46. GRAFF (Theodor). Georg Widmannstetters erster Grazer Druck von 1586. Z. d. hist. Ver. f. Steiermark, 84, vol. 75, p. 87-90.

47. HAIMAN (György). Nicholas Kis. A Hungarian punch-cutter and printer, 1650-1702. Bibliography comp. by Elisabeth SOLTÉSZ. Budapest, Akad. Kiadó; San Francisco, Greenwood, 83, in-8, 450 p.

48. HENRY (A.). The forty-page blockbook Biblia Pauperum: Schreiber Editions I and VIII reconsidered. Oud-Holland, 81, vol. 95, p. 127-150 (15 pl.).

49. Histoire de l'édition française. Sous la dir. de Roger CHARTIER et Henri-Jean MARTIN. [T. 1. Cf. Bibl. 83, n° 43.] T. 2: Le livre triomphant, 1660-1830. Paris, Promodis, 84, in-4, 700 p.

50. Incunabula in Dutch libraries. A census of fifteenth-century printed books in Dutch public collections. Vol. 1: Catalogue, Vol. 2: Indexes and concordances. [Ed. by G. VAN THIENEN.] Nieuwkoop, De Graaf, 83, 2 vol. in-8, VIII-698, 374 p. (Bibliotheca Bibliographica Neerlandica, 17)

51. Kniga: Issledovanija i materialy. (The book. Research and materials.) Sbornik. [Vol. 44, 45. Cf. Bibl. 82, n° 46.] Vol. 48, 49. Redkol.: N. M. SIKORSKIJ (gl. red.) i dr. Moskva, Kniga, 84, 2 vol. in-4, 255, 238 p. (ill.).

52. KÖNIG (Eberhard). Möglichkeiten kunstgeschichtlicher Beiträge zur Gutenberg-Forschung: die 42-zeilige Bibel in Cologny, Heinrich Molitor u. d. Einfluß d. Klosterreform um 1450. Gutenberg-Jb., 84, Jg. 59, p. 83-102 (Ill.).

53. KÖSTLER (Hermann). Stundenbücher. Zur Gesch. u. Bibliographie. Philobiblon, 84, Bd 28, n° 2, p. 95-128.

54. KOLLER (Heinrich). Die Reformen im Reich und ihre Bedeutung für die Erfindung des Buchdrucks. Gutenberg-Jb., 84, Jg. 59, p. 117-127.

55. KRAMER (Henriette). Georg von Cotta (1796-1863) als Verleger. Arch. f. Gesch. d. Buchwesens, 84, Bd 25, Sp. 1093-1276.

56. LANGENFELD (Ludwin). Aldus Manu-

tius und sein Verlag. Bibl. u. Wiss., 83, Bd 17, p. 27-55 (Abb.).

57. McKITTERICK (David). Four hundred years of University printing and publishing in Cambridge, 1584-1984: catalogue of the exhibition in the University Library, Cambridge. London, Cambridge U.P., 84, in-4, 183 p. (ill.).

58. MELLOT (Jean-Dominique). Le régime des privilèges et permissions d'imprimer à Rouen au XVIIe siècle. Bibl. Ec. Chartes, 84, t. 142, livr. 1, p. 137-152.

59. MOLLIER (Jean-Yves). Michel et Calmann Lévy ou la naissance de l'édition moderne (1836-1891). Paris, Calmann Lévy, 84, in-8, 560 p.

60. MYLLYNTAUS (Timo). The growth and structure of Finnish print production, 1840-1900. Helsinki, 84, in-8, II-34 p. (ill.). (Communications. Inst. of econ. a. soc. Hist., Univ. of Helsinki, 16)

61. NEMIROVSKIJ (E.L.). Sud'by pervopečatnika. (Histories of Ivan Fyodorov's first printed books.) Vopr. Ist., 84, n° 11, p. 79-92.

62. PODGORNOVA (A.I.). Sovetskoe knigoizdanie v 20-e gody. Ist.-pravovoe issledovanie. (Soviet book-publishing in the 20s.) Moskva, Nauka, 84, 111 p. (AN SSSR. In-t gosudarstva i prava)

63. POTKOWSKI (Edward). Książka rękopiśmienna w kulturze Polski średniowiecznej. (Le livre manuscrit dans la culture de la Pologne médiévale.) Warszawa, Lud. Spółdz. Wydawn., 84, in-8, 301 p.

64. RÖSSL (Joachim), BRUCK (Meta). Descriptiones codicum historicorum medii aevi (2) - Codex Mellicensis 391. Mitt. a. d. Niederösterr. Landesarch., 84, Bd 8, p. 31-44.

65. Typographia Universitatis Hungaricae Budae, 1777-1848. Actes du colloque intitulé "Le rôle de l'Imprimerie Universitaire de Buda dans le dévéloppement culturel, social et politique des peuples d'Europe centro-orientale", Budapest, 1977. Publ. par Péter KIRÁLY. Budapest, Akad. Kiadó, 83, in-8, 503 p.

66. Verzeichnis der im deutschen Sprachbereich erschienenen Drucke des 16. Jahrhunderts. VD 16. Hrsg. v. d. Bayer. Staatsbibliothek München u. d. Herzog-August-Bibliothek Wolfenbüttel. Abt. 1: Verfasser - Körperschaften - Anonyme. [Bd 1. Cf. Bibl. 83, n° 64.] Bd 2, 3. Stuttgart, Hiersemann, 83, 2 vol. in-fol., 801, 779 p.

66a. ZEČEV (Nikolaj). Bucarest - centre de production et de diffusion de livres et de la presse périodique bulgare pendant le Réveil national. In: Etudes hist., n° 11 [Cf. n° 689], p. 129-158.

Cf. n°s 11, 308, 309, 892, 2025, 2187, 3004, 4603, 4722, 5229, 5261, 5797, 5824.

§ 4. Cronologia.

** 67. Calendario siciliano. Il testo del codice messinese greco 107. A cura di L. MELAZZO. Milano, Jaca Book, 84, in-8, 80 p. (Lithoi, Testi ant. e mediev., 1)

68. BERGMANN (W.). Der römische Kalender. Zur soz. Konstruktion der Zeitrechnung. Saeculum, 84, Bd 35, p. 1-15.

69. FERRARI (M.). Il calendario gregoriano nel IV centenario della riforma. Atti Accad. roveretana Agiati, Cl. Sci. umane, 83, B, p. 17-41.

70. FLAMANT (J.). L'année lunaire aux origines du calendrier pré-julien. Mél. Éc. franç. Rome, Antiquité, 84, t. 96, p. 175-193.

71. KOLL (Thomas). "Mer ist zewissen von dem schalt jar ..." Der Beitrag d. Stamser Mönches Vitus de Augusta zur Kalenderreform d. J. 1582. In: Studia Stamsensia [Cf. n° 980], p. 45-63 (Ill.).

72. VAN DER WAERDEN (B.L.). Greek astronomical calendars. 1: The parapegma of Euctemon. 2: Callippos and his calendar. 3: The calendar of Dionysios. Arch. for Hist. exact Sci., 83-84, vol. 29, p. 101-130.

Cf. n°s 1915, 1959.

§ 5. Genealogia.

73. BARZOS (Konstantinos). Hē Genealogia tōn Komnēnōn. T. 1, 2. (La généalogie des Comnènes.) Thessalonique, Kentron Byzantinōn Ereunōn, 84, 2 vol. in-8. (Byzantina keimena kai meletai, 20 a, 20 b)

74. BOUVRIS (Jean-Michel). Pour une étude prosopographique des familles nobles d'importance moyenne en Normandie au XIe siècle: l'exemple du lignage des Dastin. R. Avranchin, 84, a. 102, t. 61, n° 319, p. 65-101.

75. BÜHLER (Heinz). Studien zur Geschichte der Grafen von Achalm und ihrer Verwandten. Z. f. württemb. Landesgesch., 84, Bd 43, p. 7-88.

76. DICKAU (Otto). Der tirolische Kanzler Oswald v. Hausen und seine tirolische Verwandtschaft. Tiroler Heimatbl., 84, vol. 59, n° 3, p. 66-81.

77. GREEN (David). The Churchills of Blenheim. London, Constable, 84, in-8, 256 p. (ill., pl.).

78. JORDAN (Karl). Heinrich der Löwe und seine Familie. Arch. f. Diplomatik, 81 [84], Bd 27, p. 111-144.

79. LADERO QUESADA (Miguel Ángel). De Per Afán a Catalina de Ribera: siglo y medio en la historia de un linaje sevillano (1371-1514). In: Estudios dedicados al prof. D. A. Ferrari Núñez [Cf. n° 488], vol. 1, p. 447-498.

80. LAVERGNE (André). Les Foucault, un millénaire d'histoire. Fontainebleau, Ile-de-France Ed., 84, in-8, 125 p.

81. OEZELT (Gertrud). Die Familie Natmeßnig in Villach 1620-1757. Neues aus Alt-Villach, 84, Bd 21, p. 77-158.

82. PARSONS (John Carmi). The year of Eleanor of Castil's birth and her children by Edward I. Med. Stud., 84, vol. 46, p. 245-265.

83. SCHMIDT (Ludwig). Luthers Seitenverwandte. Eine Ergänzung zum Luther-Nachkommenbuch von Ludwig Schmidt. Neustadt (Aisch), Degener, 84, in-8, 567 p. (Genealogie u. Landesgesch., 38)

Cf. n° 3112.

§ 6. Sfragistica ed araldica.

* 84. Bibliographie zur Heraldik. Schrifttum Deutschlands und Österreichs bis 1980. Bearb. v. Eckart HENNING u. Gabriele JOCHUMS. Köln u. Wien, Böhlau, 84, in-8, XXIV-546 p. (Bibl. d. hist. Hilfswiss., 1)

* 85. DEGERMAN (Henrik). Suomen heraldinen bibliografia. - Finlands heraldiska bibliografi. 1706-1981. (Bibliographie héraldique de la Finlande, 1706-1981.) Vantaa, Airut, 84, in-8, 79 p.

86. Armorial général et nobiliaire français. Publ. par Hubert LAMANT. [T. 9, 10. Cf. Bibl. 83, n° 76.] T. 11, fasc. 1: Despatures - Despréaux de Saint-Sauveur de Bougainville. Fasc. 2: Desprechins - Des Roys. Eaubonne, l'auteur, 83-84, 2 vol. in-8, 84 p., p. 85-158.

87. BAUMERT (Herbert Erich). Die Wappen der Städte, Märkte und Gemeinden Oberösterreichs. Oberösterr. Heimatbl., 84, vol. 38, n° 3, p. 211-269.

88. BERTÉNYI (Iván). Kis magyar cimertan. (Petit traité de la héraldique de Hongrie.) Budapest, Gondolat Kiadó, 83, in-8, 128 p. - IDEM. Sources oubliées de la sigillographie moderne: les matrices de sceau des archives hongroises, leur conservation, quelques problèmes de recherche. A. Univ. Sci. Budapestiensis, Sectio hist., 82, vol. 22, p. 261-266.

89. Corpus der minoischen und mykenischen Siegel. Begr. v. Friedrich MATZ, hrsg. v. Ingo PINI. Bd 2: Iraklion, Archäologisches Museum. T. [2. Cf. Bibl. 78-79, n° 88.] 3: Die Siegel der Neupalastzeit. Bearb. v. Nikolaos PLATON u. Ingo PINI. Berlin, Mann, 84, in-4, LXXXII-460 p. (Ill.). [Cf. Bibl. 83, n° 82]

90. DOGARU (Maria). Colecţia de matrice sigilare a Arhivelor Statului. (La collection de moules sigillaires des Archives d'Etat [de la Roumanie]. Bucureşti, Direcţia Arhivelor Statului, 84, 304 p.

91. DU MESNIL DU BUISSON (Robert). L'origine des deux léopards de Normandie. R. généal. normande, 84, t. 3, n° 9, p. 14-19.

92. Gnaden und Rechte. Das Steirische Siegelbuch (Steierisches Sigl Buech), ein Privilegienprotokoll der innnerösterreichischen Regierung 1592-1619. Hrsg. v. Reiner PUSCHNIG. Graz, Landesarch., 84, in-8, 190 p. (Veröff. d. Steiermärk. Landesarch., 14)

93. GOROVEI (Ştefan S.). Armoiries et rapports politiques: le "cas" moldave au XIVe siècle. R. roumaine Hist., 84, vol. 23, n° 2, p. 117-128.

94. GUTH (Morand). Die franziskanischen Siegel in der Straßburger Ordensprovinz, von den Anfängen bis zum Ende des 16. Jahrhunderts. [1. Cf. Bibl. 83, n° 85.] 2: Die Siegel der Klarissen. Arch. Egl. Alsace, 84, t. 43, sér. 3, t. 4, p. 51-72.

95. HONOLD (Konrad). Die Bedeutung der Wappenrolle von Zürich für Vorarlberg. Montfort, 84, Bd 36, p. 226-233 (Abb.).

96. HORVÁTH (Lajos). Pest megye városi, községi és megyei pecsétjei, 1381-1876. (Les sceaux du comitat de Pest, de ses villes et de ses communes, 1381-1876.) Budapest, Pest m. Levéltár, 82 [83], in-8, 378 p. (ill.). (Pest megyei levéltári füzetek, 4)

97. KARRER (Geōrgios T.). Ta oikosēma tou kastrou tēs Kō. (Les armoiries de la forteressse de Cos.) Deltion herald. kai geneal. Hetairias Hellados, 84, t. 4, p. 70-90.

98. MAKKAY (János). Early stamp seals in South-East Europe. Budapest, Akad. Kiadó, 84, in-4, 151 p. (35 fig., map).

99. OSWALD (Gert). Lexikon der Heraldik. Leipzig, Bibliogr. Inst., 84, in-8, 478 p. (Abb.).

100. PINOTEAU (Hervé). Les sceaux des ordres du roi [de France] (1469-1830). Mémoire, 84, n° 1, p. 69-102 (9 fig.).

101. POUTIERS (Jean-Christian). Eisagōgē stē sigillographia kai heraldikē tōn Hippotōn tēs Rhodou. (Introduction à la sigillographie et à l'héraldique des Chevaliers de Rhodes.) Deltion herald. kai geneal. Hetairias Hellados, 84, t. 4, p. 9-69.

102. Provincie (Le) d'Italia: araldica e sedi storiche. Presentazione di G. MASTROLEO; testi di A. CESARI d'ARDEA e V. ANGIOLINI. Roma, Editalia, 84, in-4, 335 p. (ill.).

103. STURM (Caspar). Das Wappenbuch des Reichsherolds Caspar Sturm. Bearb. v. Jürgen ARNDT. Mit Beitr. v. Heinz ANGERMEIER et al. Neustadt (Aïsch), Bauer u. Raspe, 84, in-4, 341 p. (zahlr. Ill.). (Wappenbücher d. Mittelalters, 1)

Cf. n° 319.

§ 7. Numismatica e metrologia.

* 104. CLAIN-STEFANELLI (Elvira E.). The numismatic bibliography. München, Battenberg; München, New York, London u. Paris, K. G. Saur, 84, in-8, XXII-1848 p.

* 105. GOLIMAS (Aurel H.), CRISTACHE (Gheorghe C.). Bibliografia numismatică românească. (Bibliographie numismatica Daco-Romana.) Bucureşti, Ed. ştiinţ. şi enciclop., 84, in-8, 320 p.

106. ARNOLD-BUCCI (C.). Appunti sulla zecca di Messana dal 480 al 450 a. C. Numismatica e Antichità class., 83, a. 12, p. 49-64.

107. ARSLAN (E.A.). Goti, Bizantini e Vandali. A proposito di ripostigli enei del VI secolo in Italia centrale. Numismatica e Antichità class., 83, a. 12, p. 213-228.

108. BANTI (Alberto). I grandi bronzi imperiali. Selezione di sesterzi e medaglioni classificati secondo il sistema Cohen. Selections of sesterces and medallions classified according to Cohen's system. Trad. inglese a cura di Anna BANTI. Vol. 2, t. 2: Hadrianus, Sabina. Firenze, A. Banti, 84, in-4, 427 p. (ill.).

109. BERNAREGGI (Ernesto). Moneta Langobardorum. Milano, Cisalpino-La Goliardica, 83, in-8, 237 p.

110. BRENOT (C.), MORRISSON (C.). La circulation du bronze en [Maurétanie] Césarienne occidentale à la fin du IVe siècle av. J. C. Numismatica e Antichità class., 83, a. 12, p. 191-211.

111. CARUSO (T.). La monetazione di Copia Lucaniae. Misc. greca e rom., 84, a. 9, p. 117-149.

112. DELESTREE (Louis-Pol). Les monnaies gauloises de Bois l'Abbé: contribution à l'étude de la circulation monétaire gauloise dans l'ouest du Belgium après la conquête romaine. Paris, Les Belles Lettres, 84, in-8, 380 p. (A. lltt. Univ. Besançon. Centre de recherche d'hist. anc., 56)

113. DEROC (A.). Les monnaies gauloises d'argent de la vallée du Rhône. Paris, Les Belles Lettres, 84, in-8, 115 p. (ill., cartes). (A. litt. Univ. Besançon, 281. Centre de recherche d'hist. anc., 48)

114. DICK (Franziska). Burgenland. Fundmünzenkatalog. Wien, Verl. d. Österr. Akad. d. Wiss., 84, in-4, 717 p. (25 p. Abb.). (Die Fundmünzen d. röm. Zeit in Österr., 1, 2. Veröff. d. Numism. Komm., 15)

115. DOGARU (Ion). Emisiuni de monede şi bancnote româneşti din perioada 1853-1984. (Emissions de monnaies et de billets de banque roumains de la période 1853-1984.) [Prezentate de] Gh. POENARU-BORDEA. Cuvînt înainte de Aurica SMARANDA. Bucureşti, Ed. RECOOP, 84, 163 p.

116. ELIAS (E.R.D.). Anglo-Gallic coins. London, Spink, 84, in-8, 274 p. (ill.).

117. ETIENNE (Robert), RACHET (Marguerite). Le trésor de Garonne. Essai sur la circulation monétaire en Aquitaine à la fin du règne d'Antonin le Pieux (159-161). Avec la collab. de Jean-Noël BARRANDON,

C. BRENOT, Ch. CARCASSONE et al. Bordeaux, Féd. hist. du Sud-Ouest, 84, in-4, 466 p. (78 pl.). (Etudes et Doc. d'Aquitaine, 6)

118. Etudes d'histoire monétaire, XIIe-XIXe siècles. Sous la dir. de John DAY. Lille, Presses univ. de Lille, 84, in-8, 450 p.

119. FLENSMARCK (Tor). Skånska mynt och deras mästare. (Scanian coins and their mint-masters.) Degeberga, Ultima Thule, 84, in-8, 128 p. (ill.).

120. FÖRSCHNER (Gisela). Die Münzen der Kelten. Melsungen, Gutenberg, 84, in-8, 88 p. (ill.). (Kl. Schr. d. Hist. Museums Frankfurt a. M., 18)

121. FROLOVA (N.A). Monetnoe delo Foforsa (285-308 gg. n. e.). (Coinage under Phophors [king of the Bosporus], 285-308 A.D.) Sovet. Arkheol., 84, n° 2, p. 34-53.

122. GAUTIER (G.). Le monnayage d'argent d'Alexandrie après la réforme de Dioclétien: essai de classement. R. numism., 84, t. 26, p. 125-144.

123. GÖBL (Robert). System und Chronologie der Münzprägung des Kusanreiches. Wien, Verl. d. Österr. Akad. d. Wiss., 84, in-4, 153 p. (180 p. Abb., 39 Taf., 1 Kt.). (Veröff. d. Numism. Komm., Sonderband)

124. GRASMANN (G.) a. others. Keltische Numismatik und Archäologie. London, Brit. Archaeol. Rep., 84, in-4, 512 p. (fig.).

125. HAMANAKA (Noboru). Kôrai Zenki no Ryôden Sei ni tsuite. (A study on the measuring system of fields in the former period of the Koryo dynasty [of Korea, 10th cent.].) Chôsen Gakuhô, 83, vol. 109, p. 1-27. [Eng. summary]

126. HANS (Linda-Marie). Der Kaiser mit dem Schwert. Zu einigen byzant. Münzbildern d. 11. Jh. Jb. f. Numism. u. Geldgesch., 83 [84], Bd 33, p. 57-66. (Ill.).

127. HASELGROVE (C.). Celtic coins found in Britain, 1977-1982. B. Inst. Archaeol. Univ. London, 83, vol. 20, p. 107-154.

128. HIERNARD (J.). Monnaies d'or et histoire de l'empire gallo-romain. R. belge Numism., 83, t. 129, p. 61-90.

129. HOBSON (Burton), OBOJSKI (Robert). Illustrated encyclopaedia of world coins. London, Hale, 84, in-8, 528 p. (ill.).

130. HOFMANN (Gustav). Metrologická příručka pro Čechy, Moravu a Slezsko do zavedení metrické soustavy. (Metrologisches Handbuch für Böhmen, Mähren und Schlesien bis zur Einführung des metrischen Systems.) Plzeň, Stát. oblastní archív, 84, in-8, 100 p.

131. ILIESCU (O.). Questions d'iconographie monétaire géto-dace. Numismatica e Antichità class., 84, a. 13, p. 183-198.

132. JUNGE (Ewald). World coin encyclopaedia. London, Barrie a. Jenkins, 84, in-8, 297 p. (ill., pl.).

133. Katalog zbioru numizmatycznego Biblioteki Gdańskiej Polskiej Akademii Nauk. (Catalogue de la collection numismatique de la Bibliothèque de l'Académie Polonaise des Sciences à Gdańsk.) Auteur: Helena DZIENIS. Wrocław, Zakł. Narod. im. Ossolińskich, 84, in-8, 154 p.

134. KOLNÍKOVÁ (Eva). Náčrt problematiky keltského mincovníctva na Slovensku. (Abriß der Problematik des keltischen Münzwesens in der Slowakei.) Slov. Num., 84, vol. 8, p. 27-74.

135. KROLL (J.H.), WAGGONER (N.M.). Dating the earliest coins of Athens, Corinth and Aegina. Am. J. Archaeol., 84, vol. 88, p. 325-340.

136. LENORMANT (François). L'organisation politique et économique de la monnaie dans l'antiquité. Amsterdam, Gieben, 83, in-8, 192 p.

137. LONDEI (Luigi). Fonti per la storia della Zecca di Roma. B. Numismatica, 84, n° 2-3, ser. 1, a. 2, p. 331-346.

138. McCAMMON (A.L.T.). Currencies of the Anglo-Norman Isles. London, Spink, 84, in-8, 358 p. (ill.).

139. MacKAY (J.P.). History of modern English coinage: Henry VII to Elizabeth II. London, Longman, 84, in-8, 224 p. (ill.).

140. MANN (J.F.), REECE (Richard). Roman coins from Lincoln, 1970-1979. London, Council for Brit. Archaeol., 84, in-4, 26 p. (ill.).

141. MERSON (R.A.). Un monnayage anglo-breton au XIVe siècle? B. Soc. franç. Numism., 84, a. 39, n° 6, p. 508-511.

142. Mesures (Les) et l'histoire. Table ronde Witold Kula, mai 1984. [Publ. par Bernard GARNIER et Krysztof POMIAN.] Paris, Ed. du C.N.R.S., 84, in-8, 77 p. (Cah. de Métrologie, n° spécial)

143. MUSSOT-GOULARD (Renée). Les monnaies carolingiennes de Dax. B. Soc. Borda, 84, a. 109, n° 395, p. 447-464.

144. NEGEV (Avraham). Numismatiqa we-ha-khronologya ha-nabatit. (Numismatics and Nabatean chronology.) Eretz Israel, 84, vol. 17, p. 263-271. [Eng. summary]

145. NOONAN (Thomas S.). The regional composition of ninth-century dirham hoards from European Russia. Numsim. Chron., 84, vol. 144, p. 153-165.

146. Numizmatika i èpigrafika. (Numismatics and epigraphy.) [Fasc. 13. Cf. Bibl. 80, n° 105.] Fasc. 14. Otv. red. D. B. ŠELOV. Moskva, Nauka, 84, in-4, 183 p. (ill.). (AN SSSR. In-t arkheologii)

147. PAPADOPOULOS (G.K.). Ta hellēnika nomismata 1828-1985. (Les monnaies grec-

ques 1828-1985.) Athènes, Tsakirēs-Karamētsos, s. d., in-8, 135 p.

148. POPOVIĆ (Petar). Le monnayage des Scordisques. Et. celtiques, 83, vol. 20, n° 1, p. 59-80 (30 fig.).

149. RONCIN (D.). Mise en application du système métrique [en France] (7 avril 1795 - 4 juillet 1837). Cah. Métrol., 84, t. 2, p. 3-86.

150. RUEDA SABATER (Mercedes). El florín: un dolar bajomedieval. In: Estudios dedicados al prof. D. A. Ferrari Nuñez [Cf. n° 488], vol. 2, p. 865-874.

151. SERVET (Jean-Michel). Nomismata. Etat et origines de la monnaie. Lyon, Presses univ. Lyon, 84, in-8, 191 p. (ill., cartes).

152. Sylloge nummorum Graecorum. [Österreich.] Sammlung Dreer, Klagenfurt, im Landesmuseum für Kärnten. Bd 2: Spanien, Gallien, Keltenländer. Bearb. v. Leopoldine SPRINGSCHITZ. Klagenfurt, Landesmuseum, 84, in-fol., 8 p. (9 Taf.). (Buchr. d. Landesmuseums f. Kärnten, 38) [Bd 1: 1967]

153. SZAIVERT (Wolfgang). Die Münzprägung der Kaiser Tiberius und Caius (Caligula) 14-41. Wien, Verl. d. Österr. Akad. d. Wiss., 84, in-4, 68 p. (7 p. Abb.). (Veröff. d. Numism. Komm., 13. Denkschr. d. Österr. Akad. d. Wiss., philos.-hist. Kl., 171)

154. TINGSTRÖM (Bertel). Sveriges plåtmynt 1644-1776: en undersökning av plåtmyntens roll som betalningsmedel. (Sweden's plate currency, 1644-1776: an investigation of the plate coins' rôle as means of payment.) Stockholm, Almqvist o. Wiksell internat., 84, in-8, 246 p. (ill.). (Studia hist. Upsaliensia, 135) [Eng. a. Finnish summary]

155. TURCAN (Robert). Trésors monétaires de Tipasa et d'Announa. Lyon, Centre d'études romaines et gallo-rom.; diff. Paris, de Boccard, 84, in-4, 88 p. (pl.). (Coll. du Centre d'Et. rom. et gallo-rom. de l'Univ. de Lyon III, Nouv. sér., 2)

156. WITTHÖFT (Harald). Münzfuß, Kleingewichte, Pondus Caroli und die Grundlegung des nordeuropäischen Maß- und Gewichtswesens in fränkischer Zeit. Ostfildern, Scripta Mercaturae, 84, in-8, IV-203 p. (Siegener Abh. z. Entwicklung d. materiellen Kultur, 1)

Cf. n°s 13, 1639, 1747, 1865, 2061, 2406.

§ 8. Storia delle lingue.

* 157. Bibliographie zur lateinischen Wortforschung. Hrsg. v. O. HILTBRUNNER. [Bd 1. Cf. Bibl. 81, n° 125.] Bd 2: Adeo - atrocitas. Bern u. München, Francke, 84, in-8, 323 p.

158. BAMMESBERGER (A.). Lateinische Sprachwissenschaft. Regensburg, Pustet, 84, in-8, 128 p. (Ill., Kte). (Eichstätter Materialien, 6)

159. BERINDEI (Aurel), LUGOJAN (Simion). Contribuții la cunoaștera limbii dacilor. (Contributions à la connaissance de la langue des Daces.) Prefață de Ariton VRACIU. Timișoara, Facla, 84, in-8.

160. BLAKEMORE (Steven). Burke and the fall of language: the French revolution as linguistic event. Eighteenth-Cent. Stud., 84, vol. 17, n° 3, p. 284-307.

161. BBOISGONTIER (Jacques). Atlas linguistique et ethnographique du Languedoc oriental. [Vol. 1. Cf. Bibl. 82, n° 152.] Vol. 2. Paris, Ed. du C.N.R.S., 84, in-fol., 344 p. (332 cartes). (Atlas linguist. de la France par régions)

162. BRASSEUR (Patrice). Atlas linguistique et ethnographique normand. [Vol. 1. Cf. Bibl. 80, n° 120.] Vol. 2. Paris, Ed. du C.N.R.S., 84, in-fol., p. 374-227 (406 cartes). (Atlas linguist. de la France par régions)

163. BRIXHE (C.). Essai sur le grec anatolien au début de notre ère. Nancy, Presses univ. Nancy, 84, in-8, 165 p. (Trav. et Mém., Et. anc., 1)

164. CARAYOL (Michel), CHAUDENSON (Robert), BARAT (Christian). Atlas linguistique et ethnographique de la Réunion. Vol. 1. Paris, Ed. du C.N.R.S., 84, in-fol., 248 p. (314 cartes).

165. CHARPENTIER (Jean-Michel). Atlas linguistique du Sud-Malakula = Linguistic atlas of South Malakula (Vanuatu). Préf. de D. T. TRYON. Vol. 1, 2. Paris, SELAF, 83, 2 vol., 176, 997 p. (2000 cartes). (Langues et cultures du Pacifique)

166. CIUDAD REAL (Antonio de). Calepino maya de Motul. Ed. de René ACUÑA. Vol. 1, 2. México, Univ. Nacional Autónoma de México, 84, 2 vol. in-8. (Inst. de Invest. Filol. Gramáticas y diccionarios, 1)

167. Deutsches Rechtswörterbuch. Wörterbuch d. älteren deutschen Rechtssprache. In Verbindung mit d. Akad. d. Wiss. hrsg. v. d. Heidelberger Akad. d. Wiss. [Bd 7, H. 10. Cf. Bibl. 83, n° 155.] Bd 8, H. 1: Krönungsakt - Kürgericht (Anfang). Weimar, Böhlau, 84, in-4, 160 Sp.

168. DONDAINE (Colette). Atlas linguistique et ethnographique de la Franche-Comté. T. 3. Paris, Ed. du C.N.R.S., 84, in-fol., 364 p. (20 pl., 500 cartes). (Atlas linguist. de la France par régions)

169. FEHÉRTÓI (Katalin). Árpád-kori kis személynévtár. (Petit inventaire des noms patronymiques de l'époque arpadienne.) Budapest, Akad. Kiadó, 83, in-8, 388 p. (Nyelvészeti tanulmányok, 25)

170. GARDET (Pierre). Atlas linguistique et ethnographique du Lyonnais. [T. 5. Cf. Bibl. 76-77, n° 129.] T. 3: La maison, l'année, la parenté. Paris, Ed. du C.N. R.S., 84, in-fol., 400 p. (608 cartes). (Atlas linguist. de la France par régions)

171. GAUR (Albertine). The history of writing. London, British Library, Rev. Div., 84, in-4, 208 p. (ill., pl.).

172. GUKHMAN (M.M.), SEMENJUK (N.N.), BABENKO (N.S.). Istorija nemeckogo literaturnogo jazyka XVI-XVIII vv. (History of the German literary language, 16th - 18th cent.) Moskva, Nauka, 84, 248 p. (AN SSSR. In-t jazykoznanija)

173. HEBERT (Catherine A.). The French element in Pennsylvania in the 1790's: the francophone immigrants' impact. Pennsylvania Mag. Hist., 84, vol. 108, n° 4, p. 451-470.

174. Histoire et linguistique. Actes de la table ronde "Langage et société" (Paris, 1983). Sous la dir. de Pierre ACHARD, Max-Peter GRUNAIS, Dolores JAULIN. Paris, Ed. de la Maison des Sci. de l'Homme, 84, in-8, XIV-293 p. (ill.).

175. IONESCU (Ion). L'évolution sémantique du mot latin "Solidus" dans la langue roumaine et la continuité de la Romanité au Nord du Danube. Byzantiaka, 84, t. 4, p. 85-95.

176. KOOIJMAN (S.). The Netherlands and Oceania: a summary of research. Contributions to the anthropology, linguistics and demography of Oceania by Dutch social scientists after the Second World War. Bijdr. Taal-, Land-, Volkenkde, 83, vol. 139, p. 199-246.

177. KOSELLECK (Reinhardt). Vergangene Zukunft. Zur Semantik geschichtl. Zeichen. 2. Aufl. Frankfurt (Main), Suhrkamp, 84, in-8, 388 p. [1. Aufl. Cf. Bibl. 78-79, n° 160]

178. LAAKSONEN (Hannu). Turun latinankieliset piirtokirjoitukset. Latinska inskrifter i Åbo. (Les inscriptions latines à Turku [Finlande].) Turku, 84, in-4, 92 p. (ill.). (Turun maakuntamuseo. Raportteja. - Åbo landskapsmuseum. Rapporter, 7)

179. Latino volgare, latino medioevale, lingue romanze. Atti del convegno della Società italiana di glottologia (Perugia, 28 e 29 marzo 1982). Testi raccolti a cura di E. VINEIS. Pisa, Giardini, 84, in-8, 82 p. (Bibl. della Soc. ital. di glottologia, 5)

180. Lingue (Le) indoeuropee di frammentaria attestazione. Die indogermanischen Restsprachen. Atti del convegno della Società italiana di glottologia e della Indogermanische Gesellschaft (Udine, 22-23 settembre 1981). Testi raccolti a cura di E. VINEIS. Pisa, Giardini, 83, in-8, 226 p. (ill.). (Bibl. della Soc. ital. di glottologia, 4)

181. MASSIGNON (Geneviève). Atlas linguistique et ethnographique de l'Ouest (Poitou, Aunis, Saintonge, Angoumois). Vol. 3. Paris, Ed. du C.N.R.S., 84, in-fol., 256 p. (244 cartes, 4 pl.). (Atlas linguist. de la France par régions) [Vol. 1. Cf. Bibl. 70-71, n° 218]

182. MEILLET (Antoine). Les dialectes indo-européens. Paris, Champion, 84, in-8, 168 p.

183. PRITSAK (Omeljan). The Hunnic language of the Attila clan. Harvard ukrainian Stud., 82 [84], vol. 6, n° 4, p. 428-476.

184. PROMPONAS (Iōannes K.). Syntomos eisagōgē eis tēn mykēnaīkēn philologian. (Brève introduction à la philologie mycénienne.) Athènes, l'auteur, 84, in-8, 137 p.

185. RAFERTY (Ellen). Languages of the Chinese of Java: an historical review. J. asian Stud., 84, vol. 43, n° 2, p. 247-272.

186. RICHARDSON (Brian). Trattati sull'ortografia del Volgare, 1524-1526. Italian text. Exeter, Univ., 84, in-8, XLVIII-175 p.

187. Sprachgeschichte. Ein Handbuch z. Gesch. d. deutschen Sprache u. ihrer Erforschung. Hrsg. v. Werner BESCH, Oskar REICHMANN, Stefan SONDEREGGER. Halbband 1. Berlin u. New York, de Gruyter, 84, in-4, XXXIII-948 p. (graph. Darst., Kt.). (Handbücher z. Sprach- u. Kommunikationswiss., 2)

188. TAVERDET (Gérard). Atlas linguistique et ethnographique de Bourgogne. Index français des notions et des formes étudiées. Paris, Ed. du C.N.R.S., 84, in-8, 24 p.

189. VAN STERKENBURG (P.G.J.). Van woordenlijst tot woordenboek. Inleiding tot de geschiedenis van woordenboeken van het Nederlands. (From wordlist to dictionary. Introduction into the history of dictionaries of the Dutch language.) Leiden, Brill, 84, in-4, XV-212 p. (ill.).

Cf. n°s 67, 243, 497, 2151, 2755, 7500, 7584, 7627, 7748, 7755.

§ 9. Geografia storica e storia della geografia.

* 190. Atlas français (Les), XVIe-XVIIe siècle. Répertoire bibliographique. Ed. par Mireille PASTOUREAU. Paris, Bibliothèque nationale, 84, in-4, 698 p. (ill., 126 pl.).

* 191. Bibliographie zur Geschichte der deutschen Kartographie. Bearb. v. Lothar ZÖGNER unter Mitarbeit v. Evelyn SCHULTE. München, New York, London u. Paris, K. G. Saur, 84, in-8, 270 p. (Bibliographia cartographica, Sonderh., 2)

192. ARNAUD (Pascal). Les villes des cartographes: vignettes urbaines et réseaux urbains dans les mappemondes de l'Occident médiéval. Mél. Ec. franç. Rome, Moyen Age, Temps mod., 84, t. 96, n° 1, p. 537-602.

193. BAZZANA (A.), HUMBERT A.). Prospections aériennes, les paysages et leur histoire. Cinq campagnes de la Casa de Velázquez en Espagne (1978-1982). Madrid, Casa de Velázquez; diff. Paris, de Boccard, 84, in-4, 200 p. (112 fig.). (Recherches en sci. soc., 7)

§ 9. GEOGRAFIA STORICA E STORIA DELLA GEOGRAFIA

194. BELISSARIOU (Panayiōtou). Topographika Beligostidos. Kritikē theōrēsis epopseōs Stephanou Dragoume. (Topographie de Beligosti. Examen critique du point de vue de Stéphane Dragoumis.) Epetēris Hetaireias byzantinōn Spoudōn, 81-82 [84], t. 45, p. 239-252.

195. ČERNÝ (Ervín). Deserted medieval villages and their field patterns as a historico-geographical factor in the image of the medieval and present landscape. Hist. Geogr. [Praha], 84, vol. 23, p. 131-142.

196. Climatic changes on a yearly to millennial basis: geological, historical and instrumental records. [Proceedings of the 2nd Nordic Symposium on Climatic changes and related problems, Stockholm, 16-20 may 1983.] Ed. by N.-A. MÖRNER a. W. KARLÉN. Dordrecht, Reidel, 84, in-8, XVIII-667 p.

197. DESTEFANI (Laurio Hedelvio). Lo que debe saberse sobre el Beagle. Buenos Aires, Platero, 84, in-8, 100 p.

198. DÖRFLINGER (Johannes). Die österreichische Kartographie im 18. und zu Beginn des 19. Jahrhunderts. Unter bes. Berücksichtigung d. Privatkartographie zw. 1780 u. 1820. Bd 1: Österreichische Karten des 18. Jahrhunderts. Wien, Verl. d. Österr. Akad. d. Wiss., 84, in-8, 351 p. (24 p. Abb.). (Veröff. d. Komm. f. Gesch. d. Mathematik, Naturwiss. u. Medizin, 42. - S.-B. d. Österr. Akad. d. Wiss., philos.-hist. Kl., 427)

199. ESSAR (D.F.), PERNAL (A.B.). Beauplan's Description d'Ukranie: a bibliography of editions and translations. Harvard ukrainian Stud., 82 [84], vol. 6, n° 4, p. 485-499.

200. ESTEPA DÍEZ (Carlos). El alfoz castellano en los siglos IX al XII. In; Estudios dedicados al prof. D. A. Ferrari Nuñez [Cf. n° 488], vol. 1, p. 305-342.

201. Explorations in historical geography: interpretative essays. Ed. by Alan R. H. BAKER a. Derek GREGORY. London a. New York, Cambridge U.P., 84, in-8, VIII-252 p. (Cambridge Stud. in hist. geography, 5)

202. GALBIATI (E.R.), ALETTI (A.). Atlante storico della Bibbia e dell'antico Oriente, dalla prehistorica alla caduta di Gerusalemme nell'anno 70 d.C. Milano, Jaca Book, 83, 256 p. (71 carte). (Enciclopedia per tutti, 7)

203. Geografia e geografi nel mondo antico. Guida storica e critica. A cura di F. PRONTERA. Bari, Laterza, 83, in-8, XXXIII-277 p. (Universale Laterza, 638)

204. Geographie (La) historique des villes d'Europe occidentale. Colloque, Paris-Sorbonne, 12 janv. 1981. T. 1. Cah. Centre Rech. Et. Paris Ile-de-France, 84, n° 4, 200 p.

205. GOL'DENBERG (L.A.). Meždu dvumja ekspedicijami Beringa. (Between two expeditions of Bering.) Magadan, Kn. izd-vo, 84, 238 p. (ill. (Dal'nevost. ist. b-ka)

206. GORMLEY (C.M.), ROUSE (M.A.), ROUSE (R.H.). The medieval circulation of the De chorographia of Pomponius Mela. Med. Stud., 84, vol. 46, p. 266-320.

207. HARBERS (P.), MULDER (J.R.). Een poging tot reconstructie van het Rijnstelsel in het Oostelijk rivierengebied tijdens het holoceen, in het bijzonder in de Romeinse tijd. (The course of the Rhine River in the Betuwe and the Liemers, particularly in the Roman period.) Geogr. T., 81 [82], n. s., vol. 15, p. 404-421 (10 fig.).

208. HINES (John). The Scandinavian character of Anglian England in the pre-Viking period. London, Brit. Archaeol. Rep., 84, in-4, 426 p. (fig.).

209. Historický místopis Moravy a Slezska v letech 1848-1960. (Topographie historique de la Moravie et de la Silésie des années 1848-1960.) [Vol. 8. Cf. Bibl. 82, n° 196.] Vol. 9: Okresy (Arrondissements): Znojmo, Moravský Krumlov, Hustopeče, Mikulov. Ostrava, Profil, 84, in-8, 345 p. (9 cartes).

210. Historische stedenatlas van Nederland. (Historical atlas of Dutch towns.) Ed. by G. VAN HERWIJNEN, C. VAN DE KIEFT, J. C. VISSER, et al. Vol. 1: Haarlem. [By B. M. J. SPEET, Th. ROTHFUSZ.] Vol. 2: Amersfoort. [By B. M. J. SPEET, Th. ROTHFUSZ.] Vol. 3: Zutfen. [By M. M. DOORNINK-HOOGENRAAD, Th. ROTHFUSZ.] Delft, Delftse Univ. Pers, 82-83, 3 vol. in-4, 39, 27, 23 p. (maps). (Acta Collegii Historiae Urbanae Societatis Historicorum Internationalis)

211. HOCHBERG (Leonard). The English civil war in geographical perspective. J. interdisc. Hist., 84, vol. 14, n° 4, p. 729-750.

212. Issledovanija russkikh na Tikhom okeane v XVIII - pervoj polovine XIX v. (Research work of Russians in the Pacific Ocean in the 18th - first half of the 19th cent.) V 6-ti t. Gl. redkol.: A. L. NAROČNICKIJ (gl. red.) i dr. T. 1: Russkie ekspediciii po izučeniju severnoj časti Tikhogo okeana v pervoj polovine XVIII v. (Russian expeditions for the exploration of the northern parts of the Pacific Ocean in the first half of the 18th cent.) Sbornik dokumentov. Redkol.: A. I. ALEKSEEV i dr. Moskva, Nauka, 84, 320 p. (ill.). (AN SSSR. In-t istorii SSSR. Centr. gos. arkh. VMF SSSR)

213. JACQUES (F.), BOUSQUET (B.). Le raz de marée du 21 juillet 365. Du cataclysme local à la catastrophe cosmique. Mél. Archéol. Hist. Ec. franç. Rome, 84, t. 96, 423-461.

214. JELEČEK (Leoš). Nástin vývoje československé historické geografie. (The outline of the development of Czechoslovakian historical geography.) Hist. Geogr. [Praha], 84, vol. 22, p. 11-51.

215. Kaspijskaja ekspedicija K. M. Běra,

1853-1857. (The Caspian expedition of Karl Ernst von Baer.) Dnevniki i materialy. Otv. red.: A. N. SVETOVIDOV. Leningrad, Nauka, 84, 557 p. (ill.). (Naučnoe nasledstvo AB SSSR. In-t istorii estestvoznanija i tekhniki, 9)

216. KEEL (Othmar), KÜCHLER (Max). Orte und Landschaften der Bibel. Ein Handbuch u. Studienreiseführer z. Heiligen Land. [Bd 2. Cf. Bibl. 82, n° 199.] Bd 1: Geographisch-geschichtl. Landeskunde. Göttingen, Vandenhoeck u. Ruprecht, 84, in-8, 751 p.

217. LA RONCIERE (Monique), MOLLAT DU JOURDIN (Michel). Les portulans. Cartes marines du XIIIe et XVIIe siècles. Paris, Nathan, 84, in-4, 295 p. (ill.).

218. MAGIDOVIČ (I. P.), MAGIDOVIČ (V. I.). Očerki po istorii geografičeskikh otkrytij. (Essays on the history of geographical discoveries.) V 5-ti t. T. 3: Geografičeskie otkrytija i issledovanija novogo vremeni (seredina 17-18 vv.). (Geographical discoveries and explorations of modern times, middle of the 17th - 18th cent.) 3-e izd., pererab. i dop. Moskva, Prosveščenie, 84, 319 p. (ill.).

219. NEHRING (Karl). Iter Constantinopolitanum. Ein Ortsnamenverzeichnis zu d. kaiserl. Gesandschaftsreisen an die Ottoman. Pforte 1530-1618. München, Finnisch-Ugrisches Seminar an d. Univ., 84, IV-60 p. (Veröff. d. Finnisch-Ugr. Seminars a. d. Univ. München, Serie C: Miscellanea, 12)

220. OLSHAUSEN (E.), BILLER (J.), WAGNER (J.). Historisch-geographische Aspekte der Geschichte des Pontischen und Armenischen Reiches. Bd 1: OLSHAUSEN (E.), BILLER (J.). Untersuchungen zur historischen Geographie von Pontos unter den Mithradatiden. Wiesbaden, Reichert, 84, 276 p. (43 Abb., 4 Kt.). (Beih. z. Tübinger Atlas d. Vorderen Orients, Reihe B, 29)

221. PASECKIJ (V.M.). Russkie otkrytija i issledovanija v Arktike, pervaja polovina XIX v. (Russian discoveries and exploration in the Arctic, first half of the 19th cent.) Leningrad, Gidrometeoizdat, 84, 275 p. (Gos. kom. SSSR po gidrometeorologii i kontrolju prirod. sredy, Gl. geofiz. observatorija im. A. I. Voejkova)

222. PASTOUREAU (Mireille). Collections et collectionneurs de cartes en France sous l'Ancien Régime. R. Bibl. nationale, 84, a. 4, n° 12, p. 6-15.

223. POPE (K.O.), VAN ANDEL (T.H.). Late quaternary alluviation and soil formation in the southern Argolid. Its history, causes, and archaeological implications. J. archaeol. Sci., 84, vol. 11, p. 281-306.

224. POSCH (Fritz). Die siedlungsgeschichtlichen Grundlagen der steirischen Agrarlandschaft. Z. f. Agrargesch. u. Agrarsoziol., 84, Bd 32, p. 31-42.

225. Vacat.

226. SHIRLEY (Rodney). Mapping of the world: early printed world maps, 1472-1700. London, Holland Press, 84, in-4, 718 p. (ill., pl.).

227. Tabula Imperii Byzantini. [Bd 2, 3. Cf. Bibl. 81, n° 171, 186.] Bd 4: BELKE (Klaus). Galatien und Lykaonien. Mit e. Beitr. v. Marcell RESTLE. Wien, Verl. d. Österr. Akad. d. Wiss., 84, in-4, 272 p. (5 Abb., 32 TAf., 2 Kt.). (Österr. Akad. d. Wiss., philos.-hist. Kl., Denkschr., 172)

228. TIKHOMIROV (G.S.). Geroj Arktiki Ivan Papanin. (Ivan Papanin - the hero of the Arctic.) Dokum. očerk. Moskva, Mysl', 84, 188 p. (ill.). (Zamečat. geografy i putešestvenniki)

229. WACHSMANN (S.), RAUCH (K.). A concise nautical history of Dor/Tantura. Int. J. nautical Archaeol., 84, vol. 13, p. 223-241.

230. WASHBURN (Wilcomb E.). The Canary Islands and the question of the prime meridian: the search for precision in the measurement of the earth. Am. Neptune, 84, vol. 44, n° 2, p. 77-81.

Cf. n°s 1265, 1304, 1755, 2234, 3051, 4291, 4817, 5803.

§ 10. Iconografia.

231. BANACH (Jerzy). Hercules Polonus. Studium z ikonografii sztuku nowożytnej. (Etude sur l'iconographie de l'art moderne [XIIe-XVIIIe s.].) Warszawa, Państw. Wydawn. Nauk., 84, in-8, 254 p.

232. BEAULIEU (Michèle). Essai sur l'iconographie des statues-colonnes de quelques portails du premier art gothique. B. monumental, 84, t. 142, n° 3, p. 273-307.

233. CHAPEAUROUGE (Donat de). Einführung in die Geschichte der christlichen Symbole. Darmstadt, Wiss. Buchges., 84, in-8, VI-159 p. (49 Taf.). (Die Kunstwiss.)

234. GARNIER (François). Thesaurus iconographique: système descriptif des représentations. Paris, Léopard d'Or, 84, in-4, 239 p. (ill.).

235. HARBISON (Peter). Earlier Carolingian narrative iconography. Ivories, manuscripts, frescoes and Irish High Crosses. Jb. d. röm.-german. Zentralmus. Mainz, 84, Bd 31, p. 455-471 (ill.).

236. JUNCKER (H.). Ikonographische Anmerkungen zu frühkaiserlichen Porträtkameen. B. ant. Besch., 82 [83], vol. 57, p. 100-117 (40 fig.).

237. NAUMANN (Friederike). Die Ikonographie der Kybele in der phrygischen und der griechischen Kunst. Tübingen, Wasmuth, 84, in-4, 394 p. (49 Taf.). (Istambuler Mitt., Beih., 28)

238. PRIGENT (P.). Orphée dans l'icono-

graphie chrétienne. R. Hist. Philos. relig., 84, vol. 64, p. 205-221.

239. RICHER (Jean). Iconologie et tradition: symboles cosmiques dans l'art chrétien. Paris, Maisnie-Trédaniel, 84, in-8, 255 p. (pl.).

240. ZAKI (Omar Hag El). The iconography of Meroe. In Arabic. London, Ithaca Press, 84, in-8, 170 p. (ill.).

Cf. n^{os} *131, 1298, 1525, 1854, 1866, 2791, 2821.*

B

MANUALI, OPERE GENERALI E LAVORI D'INSIEME

§ 1. Congressi ed organizzazioni storiche. 241-271. - § 2. Archivi, biblioteche e musei (a. Archivi; b. Biblioteche; c. Musei). 272-328. - § 3. Storia della storiografia (a. Generalità; b. Biografie; c. Miscellanee). 329-519. - § 4. Metodologia, filosofia ed insegnamento della storia. 520-617. - § 5. Etnografia e folclore. 618-676. - § 6. Storia generale (a. Generalità; b. Singoli stati). 677-793. - § 7. Teoria dello Stato e della società. 794-805. - § 8. Storia del diritto e delle istituzioni. 806-816. - § 9. Storia economica e sociale. 817-851. - § 10. Storia della civiltà, delle scienze e della scuola. 852-893. - § 11. Storia dell'arte e delle arti applicate. 894-920. - § 12. Storia delle religioni (a. Opere generali; b. Studi particolari). 921-985. - § 13. Storia della filosofia. 986-997. - § 14. Storia della letteratura. 998-1016.

§ 1. Congressi ed organizzazioni storiche.

241. Actas del I Simposio internacional de historia de Cuenca. Edad media. Anu. Est. mediev., 82 [84], t. 12, p. 15-487. [Cf. n°s 730, 2457, 2530, 2571, 2580, 2585, 2649.]

242. Actes du 105e Congrès national des Sociétés savantes, Caen, 1980. Section d'histoire moderne et contemporaine. [T. 1. Cf. Bibl. 83, n° 222.] T. 2: Histoire de la Normandie et questions diverses. Paris, Comité des travaux hist. et scientif., 84, in-8, 486 p.

243. Actes du 105e Congrès national des Sociétés savantes, Caen, 1980. Section de philologie et d'histoire jusqu'à 1610. T. 1: Les pouvoirs de commandement jusqu'à 1610. T. 2: Questions d'histoire et de dialectologie normande. Paris, Comité des travaux hist. et scientif., 84, 2 vol. in-8, 232, 223 p.

244. Actes du 106e Congrès national des Sociétés savantes, Perpignan, 1981. Section d'histoire moderne et contemporaine. T. 1: Les boissons, production et consommation aux XIXe et XXe siècles. T. 2: Histoire de Roussillon et questions diverses. Paris, Comité des travaux hist. et scientif., 84, 2 vol. in-8, 234, 364 p.

245. Actes du 107e Congrès national des Sociétés savantes, Brest, 1982. Section d'histoire moderne et contemporaine. T. 1 [Cf. n° 6594], 2 [Cf. n° 3709]. - Section de philologie et d'histoire jusqu'en 1610. [Cf. n° 735.]

246. Actes du 108e Congrès national des Sociétés savantes, Grenoble, 1983. Section d'histoire moderne et contemporaine. [Cf. n° 3710.]

247. Actes du Colloque Lamennais [Paris, Collège de France, 18-19 juin 1982]. Ed. par Louis LE GUILLOU. Brest, Soc. des amis de Lamennais, 84, in-8, 305 p.

248. Ämterhandel im Spätmittelalter und im 16. Jahrhundert. Referate e. internat. Colloquiums in Berlin v. 1.-3. Mai 1980. Hrsg. v. Ilja MIECK. Berlin, Colloquium-Verl., 84, in-8, XII-293 p. (Einzelveröff. d. Hist. Komm. zu Berlin, 45. Studien aus d. Forschungsschwerpunkt "Soziale Mobilität im Frühmodernen Staat: Bürgertum u. Ämterwesen" am Fachbereich Geschichtswiss. d. Freien Univ. Berlin, 3)

249. Agricoltura (L') romana: atti del 1° Convegno, Tolfa, 10-11 nov. 1979. Relazioni di Gianfranco GAZZETTI et al. Impaginazione: Maurizio BALZANO. Roma, Gruppo archeologico romano, 84, in-8, 108 p. (ill.). (Quaderni del G.A.R., 24)

250. Altro (Un) Veneto: saggi e studi di storia dell'emigrazione nei secoli XIX e XX. A cura di E. FRANZINA. Atti di un convegno tenuto a Treviso nel 1981. Abano Terme, Francisci, 84, in-8, 598 p. (Triveneta, 1)

251. Annual meeting of the History of Science Society. Isis, 84, vol. 75, n° 277, p. 353-357.

252. Atti del XVII Congresso internazionale di papirologia (Napoli, 19-26 maggio 1983). Napoli, Centro internaz. per lo studio di papiri ercol., 84, 3 vol., XXIII-1425 p. compless.

253. Bäuerliche Sachkultur des Spätmittelalters. Internat. Kongreß Krems an der Donau, 21. bis 24. Sept. 1982. Wien, Verl. d. Österr. Akad. d. Wiss., 84, in-8, 328 p. (61 Abb.). (S.-B. d. Österr. Akad. d. Wiss., philos.-hist. Kl., 439. Veröff. d. Inst. f. mittelalterl. Realienkunde Österr., 7) [Cf. n°s 2498, 2543, 2608, 2613, 2623, 2631, 2634, 2641, 2650, 2666, 2702, 2718, 2744, 2753, 2764.]

254. BRANDON (Betty). The forty-ninth annual meeting [of the Southern Historial Association]. J. south. Hist., 84, vol. 50, n° 1, p. 75-98. [Cf. Bibl. 83, n° 236]

255. Chronique (La) et l'histoire au moyen âge. Univ. de Paris-Sorbonne, Colloque des 24 et 25 mai 1982. Textes réunis par Daniel POIRON. Av.-propos par Jacques HEERS. Paris, Univ. de Paris-Sorbonne, 84, in-8, 151 p. (Cultures et civilisations médiév., 2) [Cf. n° 2750]

256. DAUX (G.). Rapport sur l'état et les activités de l'Ecole française d'Athènes pendant l'année 1983-1984. C. R. Acad. Inscript., 84, p. 522-538. [Cf. Bibl. 83, n° 228]

257. Deutscher Historikertag. Bericht über d. 34. Versammlung Deutscher Historiker in Münster/Westf., 6. bis 10. Okt. 1982. Stuttgart, Klett, 84, in-8, 226 p.

257a. Deutsches Historisches Institut. Institut Historique Allemand, Paris 1958-1983. [Text: Karl Ferdinand WERNER.] Paris, Deutsches Hist. Inst., 83, 71 p. (Abb.).

258. General meeting (The eighty-fifth) of the Archaeological Institute of America. Am. J. Archaeol., 84, vol. 88, n° 2, p. 233-264.

259. Giornate di studio su Alf Ross, Lecce, 1981. Scienza e politica nel pensiero di Alf Ross: atti delle Giornate di studio su Alf Ross, Lecce, 14-15 maggio 1981. A cura di Antonio TARANTINO. Milano, Giuffrè, 84, in-8, XIII-312 p. (Studi giuridici. Sezione di filos. del diritto e della politica. Univ. degli studi, Lecce, 2)

260. Jahresbericht 1983 des Deutschen Archäologischen Instituts. Archäol. Anz., 84, p. 673-735.

261. KING (Philip J.). American archaeology in the Mid-East. A history of the American Schools of Oriental Research. Philadelphia, Pa., Am. Schools of Oriental Research, 83, XVI-292 p.

262. Marxismo (Il) e la cultura meridionale. Saggi raccolti e ordinati da P. DI GIOVANNI. Atti del Congresso tenuto a Palermo nel 1983. Palermo, Palumbo, 84, in-8, 336 p. (Il punto. Serie rilegata, 3)

263. POCOCK (Emil). Presidents of the American Historical Association: a statistical analysis. Am. hist. R., 84, vol. 89, n° 4, p. 1016-1036.

264. Praktika B' Diethnous Synedriou Thessalikon Spoudon, 17-21 Septembriou 1980. Epimeleia N. ZOUMBOS. (Actes du IIe Congrès International des Etudes Thessaliennes, 17-21 sept. 1980. Ed. par N. ZOUMBOS.) Athènes, Soc. d'Hist. et du Folklore des Thessaliens, 84, in-8, 507 p. (Thessalika Chronika, 15) [Cf. n° 4991]

265. Proceedings of the tenth Annual meeting of the Western Society of French History, 14-16 October 1982, Winnipeg, Manitoba, Canada. Ed. by John F. SWEETS.

Lawrence, Univ. of Kansas Press, 84, in-8, XII-546 p.

266. Proceedings of the seventh International conference of Ethiopian studies, University of Lund, 26-29 April, 1982. Ed. by Sven RUBENSON. Addis Abeba, Inst. of Ethiopian Stud.; Uppsala, Scand. Inst. of African Stud.; East Lansing, African Stud. Center, Michigan State Univ., 84, in-8, XXI-710 p. (ill., maps).

267. Rapports sur les travaux de l'Ecole française en Grèce en 1983. B. Corresp. hellén., 84, t. 108, p. 845-891 (fig.). [Cf. Bibl. 82, n° 247]

268. SALIMBENI (Fulvio). I centri italiani di ricerche di storia regionale. Quad. giuliani, 84, a. 5, p. 183-238.

269. Sixty-fourth (The) annual meeting of the American Catholic Historical Association. Cath. hist. R., 84, vol. 70, n° 2, p. 268-285. [Cf. Bibl. 83, n° 247]

270. 1667 [Tusen sex hundra sextiosju] års sjölag i ett 300-årigt perspektiv: ett rättshistoriskt symposium i Göteborg den 16-18 mars 1981. Red. Kjell A. Modéer. (Das schwedische Seegesetz von 1667 aus der Sicht von drei Jahrhunderten: ein rechtshist. Symposium. Red. v. Kjell A. MODÉER.) Stockholm, Nordiska bokh., 84, in-8, 217 p. (ill.). (Skr. utg. av Inst. för rättshist. forskning. Ser. 2: Rättshist. studier, 8) [Texte schwed., dän., norweg. u. deutsch]

271. VAN TASSEL (David D.). From learned society to professional organization: the American Historical Association, 1884-1900. Am. hist. R., 84, vol. 89, n° 4, p. 929-956.

Cf. n°s 204, 289, 362, 389, 551, 743, 753, 896, 937, 958, 975, 1069, 1303, 1305, 1307, 1487, 1489-1491, 2015, 2232, 2244, 2533, 2669, 2751, 2874, 3121, 3264, 4046, 4060, 4445, 4583, 4744, 4767, 5050, 5151, 5251, 5880, 5884, 5998, 6031, 6516, 6527, 6659, 6678, 7703.

§ 2. Archivi, biblioteche e musei.

a. Archivi.

* 272. Bibliografia archiwistyki polskiej do roku 1970. (Bibliographie de l'archivistique polonaise de l'année 1970.) Auteurs: Jan PAKULSKI, Regina PIECHOTA, Bohdan RYSZEWSKI, sous la réd. d'Andrzej TOMCZAK. Warszawa, Państw. Wydawn. Nauk., 84, in-8, 272 p. (Naczelna Dyr. Archiwów Państw.)

* 273. National union catalog of manuscript collections. [Vol. 22. Cf. Bibl. 83, n° 250.] [Vol. 23:] Catalog 1983. Washington, D.C., Libr. of Congr., 83 [84], IX-229 p.

* Cf. n° 4327.

274. [Archives in the Netherlands: inventories.] De archiven in Groningen. [Ed.

by] J. F. J. VAN DEN BROEK, O. A. M. W. HARTON, A. L. HEMPENIUS et al. - De archieven in Overijssel. [Ed. by] H. de BEER, C. VAN HEEL, W. A. HUIJSMANS et al. - De Archiven in Noord-Holland (behalve Amsterdam). - De archiven van Amsterdam. [Ed. by] J. H. VAN DEN HOEK OSTENDE, P. H. J. VAN DER LAAN, E. LIEVENSE-PELSER. - De archiven in het Algemeen Rijksarchief. With an Engl. summary. [Ed. by] J. A. M. Y. BOS-ROPS, H. A. J. VAN SCHIE, B. J. SLOT et al. - De archiven in Zuid-Holland [Ed. by] J. A. M. Y. BOS-ROPS, J. A. VAN DEN HOEK, T. P. M. HUIJS et al. Alphen aan den Rijn, Samsom, 80-83 [84], 6 vol. in-8, 216, XLII-205, 407, 222, 559, XXVIII-872 p. (Overzichten, 5-10)

275. [Archives Nationales, Paris.] Archives du cabinet de Louis Bonaparte, roi de Hollande, 1806-1810. Inventaire des articles AF IV 1719 à 1832. Paris, Archives nat., 84, in-4, 204 p.

276. [Archives Nationales, Paris]. Cour des pairs. Procès politiques. Inventaire. [T. 1, 2. Cf. Bibl. 83, n° 256.] T. 3: La Monarchie de Juillet, 1835-1848. Paris, Archives nat., 84, in-4, 252 p.

277. [Archives Nationales, Paris.] Inventaire de la série Colonies C 8: Martinique. Correspondance à l'arrivée. T. 3: Articles Colonies C 8 b 1 à 27 et index. Paris, Archives nat., 84, in-4, 508 p.

278. [Archives Nationales, Paris.] Registres du Trésor des chartes. T. 3, [1, 2. Cf. Bibl. 80, n° 231.] 3: Règne de Philippe de Valois, JJ 76 à 79. Inventaire analytique et index généraux. Par Jules VIARD et Aline VALLEE. Paris, Archives nat., 84, in-4, XX-588 p.

279. Archivwesen der Deutschen Demokratischen Republik. Theorie u. Praxis. Von e. Autorenkoll. unter Leitung v. Botho BRACHMANN. Hrsg. vom Wiss. Beirat f. Geschichtswiss. beim Ministerium f. Hoch- und Fachschulwesen unter Leitung v. Manfred KOSSOK. Berlin, Deutsch. Verl. d. Wiss., 84, in-8, 480 p. (Abb., Kt.).

280. AUBRY (Marie-Thérèse), LANGLOIS (Monique), REYDELLET (Chantal). Les Parlements de France et leurs archives. Gaz. Arch., 84, n. sér., n° 125-126, p. 125-143.

281. BORSA (Iván). A Magyar Országos Levéltár Mohács előtti gyüjteményei 1882-1982. (Les collections des Archives nationales de Hongrie d'avant Mohács 1526.) Levéltári Közl., 82, vol. 53, n° 1, p. 3-19.

282. CAMPFENS (M.). De Nederlandse archieven van het Internationaal Instituut voor Sociale Geschiedenis te Amsterdam. (Inventory of the Dutch archives in the International Institute for Social History at Amsterdam.) Amsterdam, Van Gennep, 84, in-8, 294 p. (De Nederlandse Arbeidersbeweging, 15)

283. EMBER (Győző). A levéltártudomány. (L'archivistique.) Századok, 84, vol. 118, n° 1, p. 125-145.

284. Gids voor de documentatie van het Katholiek Documentatie Centrum. (Guide for the collections in the archive, library and categorical documentation sections of the KDC.) Jb. kath. Doc. Centr., 83, vol. 13, p. 133-211.

285. GMEINER (Emmerich), NIEDERSTÄTTER (Alois). Zur Bregenzer Archivgeschichte. Scrinium, 84, vol. 30, p. 461-465.

286. GÓMEZ CANEDO (Lino). Archivos franciscanos de México. México, Univ. Nacional Autónoma e Inst. de Est. y Doc. hist., 82, in-8, 209 p. (ill.).

287. GRACY (David B.) II. Archives and society: the first archival revolution. Am. Archivist, 84, vol. 47, n° 1, p. 7-10.

288. Guide des sources de l'histoire de l'Amérique latine et des Antilles dans les archives françaises. Paris, Archives nat., 84, in-4, 712 p. (ill.).

289. HAGENEDER (Othmar). Die wissenschaftliche Ausbildung der österreichischen Archivare und das Institut für österreichische Geschichtsforschung. Arch. f. Diplomatik, 81 [84], Bd 27, p. 232-298.

290. HAM (F. Gerald). Archival choices: managing the historical record in an age of abundance. Am. Archivist, 84, vol. 47, n° 1, p. 11-22.

291. HILDESHEIMER (Françoise). Les archives ... Pourquoi? Comment? La recherche aujourd'hui dans les archives de France. Préf. de Jean FAVIER. Paris, Ed. de l'Erudit, 84, in-8, 192 p. (Patrimoines)

292. HÖLZL (Sebastian). Gemeindearchiv Kauns, Gerichtsarchiv Laudegg. Innsbruck, Landesarchiv, 84, in-8, 96 p. (Tiroler Geschichtsquellen, 14)

293. KURIAKĒ (Daphnē I. D.). Kerkyraïko archeio Guilford. Katalogos. Ektakto Deltio Anagnostikēs Hetaireias Kerkyras. (Archives Guilford de Corfou. Bulletin spécial de l'Assoc. de Lecture de Corfou.) Corfou, 84, in-8, 182 p.

294. Magyar Országos Levéltár. A diplomatikai fényképgyüjtemény. (Archives nationales de Hongrie. La collection de photos des Diplomatica.) Réd. par SZENTGYÖRGYI Mária. Budapest, 83, in-8, 236 p. (Levéltári leltárak, 80)

295. Magyarország levéltárai. Szerk. BALÁZS Péter. (Les archives de Hongrie. Réd. par - .) Budapest, Uj Magyar Központi Levéltár, 83 [84], 391 p.

296. Manuscrits (Les) des Météores. Catalogue descriptif des manuscrits conservés dans les monastères des Météores. Oeuvre posthume de Nikos A. BEES. Vol. 2: Les manuscrits du monastère de Barlaam. Athènes, Acad. d'Athènes, Centre de Recherches Médiévales et Néo-Helléniques, 84, in-8, 476 p. (212 ill.).

297. MATTHAEI (Hans). Das Archiv für Geschichte der Siemens AG Österreich. Scrinium, 84, vol. 30, p. 445-457.

§ 2. ARCHIVI, BIBLIOTECHE E MUSEI

298. MINCHINTON (Walter Edward), HARPER (Peter). American papers in the House of Lords Record Office, 1621-1917, a guide. Wakefield, Microform, 84, in-4, LVIII-670 p. (Brit. Records relating to America in microform)

299. RITTER (Ernst). Quellen zur Geschichte Nordafrikas, Asiens und Ozeaniens in der Bundesrepublik Deutschland bis 1945. München, New York, London u. Paris, K. G. Saur, 84, in-8, XLVI-386 p. (Quellenführer z. Gesch. d. Nationen, Reihe 3: Nordafrika, Asien u. Ozeanien, 6) [Cf. Bibl. 83, n° 275]

300. SKLABENITĒS (Triantaphyllos). Euretērio Dēmotikou Archeiou Naupliou 1828-1899. (Liste des archives communales de Nauplie, 1828-1899.) Athènes, 84, in-8, 147 p. (Centre de Recherches Néo-Helléniques FNRS, 29)

301. VINOGRADOV (V.M.), GEL'MAN-VINOGRADOV (K.B.), ČEREŠNJA (A.G.). Mašinočitaemye dokumenty (nekotorye aspekty istočnikovedčeskogo analiza i formirovanija arkhivnykh kompleksov). (Documents read by machines: some aspects of source analysis and formation of archival complexes.) Ist. SSSR, 84, n° 4, p. 92-104.

302. WALD (Wilhelm). Wissenschaftliche Forschung im Archiv des Geschichtsvereins für Kärnten vor 100 Jahren. Carinthia I, 84, Bd 174, p. 479-490.

303. WELTIN (Max). Die Urkunden des Archivs der niederösterreichischen Stände (6). Mitt. a. d. niederösterr. Landesarch., 84, Bd 8, p. 45-74. [Cf. Bibl. 80, n° 234]

Cf. n° 3269.

b. Biblioteche.

304. Bibliothek (Die) Dernschwamm. Bücherinventar eines Humanistes in Ungarn. Hrsg. v. Jenő BERLÁSZ. Red. u. d. Register zsgest. v. Katalin KEVEHAZI, István MONOK. Szeged, József Attila Tudományegyetem, 84, in-8, 303 p.

305. BOTTASSO (Enzo). Storia della biblioteca in Italia. Milano, Bibliografica, 84, in-8, 355 p. (Bibliografia e biblioteconomia, 16)

306. CASTELEYN (Mary). History of literacy and libraries in Ireland: the long traced pedigree. Epping, Gower, 84, in-8, 264 p.

307. Catalogue général des manuscrits des bibliothèques publiques de France. T. 63: Suppléments Dijon, Pau, Troyes. Paris, Ed. du C.N.R.S., 84, in-8, 306 p. [Cf. Bibl. 83, n° 286]

308. Catalogues régionaux des incunables des bibliothèques publiques de France. [3. Cf. Bibl. 82, n° 289.] 4: Bibliothèques de la région Basse-Normandie. Par Alain GIRARD. Bordeaux, Soc. des bibliophiles de Guyenne, 84, in-8, 186 p. (pl.).

309. Handschriften en oude drukken van de Utrechtse Universiteitsbibliotheek. (Manuscripts and incunables in the University Library of Utrecht.) Samengesteld bij het 400-jarig bestaan van de Bibliotheek der Rijksuniversiteit. [By K. VAN DER HORST, L. C. KUIPER-BRUSSEN, P. N. G. PESCH et al.] Utrecht, Universiteitsbibliotheek, 84, in-8, 392 p. (ill.).

310. Manuscrits enluminés d'origine italienne. [Paris,] Bibliothèque Nationale, Dépt. des manuscrits, Centre de recherche sur les manuscrits enluminés. Vol. [1. Cf. Bibl. 80, n° 247.] 2: XIIIe siècle. Par François AVRIL et M.-T. GOUSSET, avec la collab. de C. RABEL. Paris, Bibliothèque nat., 84, in-fol. XVIII-210 p. (144 pl.).

311. NEMETH (Istvan). Handschriften und Inkunabeln Kärntner Provenienz in der Österreichischen Nationalbibliothek [Wien]. Carinthia I, 84, Bd 174, p. 173-192.

312. Öffentliche Bücherei (Die) der Weimarer Zeit. Quellen u. Texte. Hrsg. v. Wolfgang THAUER. Wiesbaden, Harrassowitz, 84, in-8, 176 p. (Buchwiss. Beitr. aus d. Deutschen Bucharch. München, 10)

313. PETITMENGIN (Pierre). La Bible à travers les inventaires de bibliothèques médiévales. In: Le Moyen Age et la Bibl [Cf. n° 3021], p. 31-53.

314. 50 [Pięćdziesiat] lat Biblioteki Narodowej, Warszawa 1928-1978. (50 ans de la Bibliothèque Nationale, Varsovie, 1928-1978.) Comm. de réd.: Witold STANKIEWICZ et al. Warszawa, Bibl. Narod., 84, in-8, 361 p.

315. SEPP (Sieglinde). Neuzeitliche Quellen zur Stamser Bibliotheksgeschichte. In: Studia Stamsensia [Cf. n° 980], p. 81-127 (Ill.).

316. SLADEK (Paulus). Die Bibliothek des Prager Augustinerklosters St. Thomas um 1418. Bohemia, 84, Bd 25, p. 25-47.

317. STAJNOVA (Mikhaila). Osmanskite biblioteki v bǎlarskite zemi XV - XIX vek. (Les bibliotheques ottomanes dans les terres bulgares, XVe - XIXe s.) Sofija, Nar. Bibl. Kiril i Metodij, 82, in-8, 206 p.

318. TÓTH (András), VÉRTESY (Miklós). A Budapesti Egyetemi Könyvtár története, 1561-1944. - Historia Bibliothecae Universitatis Budapestinensis, 1561-1944. Budapest, Egyetemi Könyvtár, 82 [84], in-8, 585 p.

Cf. n°s 10, 2161, 2181.

c. Musei.

319. Catalogue of ancient Near Eastern seals in the Ashmolean Museum [Oxford]. Vol. 1: BUCHANAN (Briggs). The prehistoric stamp seals. London, Oxford U.P., 84, in-4, 80 p. (ill.).

320. Corpus vasorum antiquorum. Deutschland. [51. Cf. Bibl. 83, n° 305.] 52: Tübingen, Antikensammlung des Archäologischen Instituts der Universität, 4. Bearb. v. Elke BOHR. München, Beck, 84, in-8, 118 p.

321. Corpus vasorum antiquorum. France. [32. Cf. Bibl. 83, n° 306.] 33: Musée du Louvre. Fasc. 22: Style étrusque à figures rouges, par Vincent JOLIVET, François VILLARD. Paris, de Boccard, 84, in-4, 110 p. (pl.).

322. Corpus vasorum antiquorum. Schweiz = Suisse = Svizzera. 6: Basel, 2: Antikenmuseum und Sammlung Ludwig. Von. S. SLEHOVEROVA. Bern, Lang, 84, in-4, 80 p. (56 Taf.). [Cf. Bibl. 81, n° 266]

323. Corpus vasorum antiquorum. United States of America. 20: The Toledo Museum of Art, 2: Non Attic and new Attic vases. By C. G. BOULTER a. K. T. LUCKNER. Mainz, von Zabern, 84, in-4, X-37 p. (181 ill., 66 pl.).

324. DUNLOP (M.H.). Curiosities too numerous to mention: early regionalism and Cincinnati's Western Museum. Am. Quar., 84, vol. 36, n° 4, p. 524-548.

325. Musei (I) di Aquileia: arti applicate, ceramica, epigrafia, numismatica: atti della 13° Settimana di studi aquileiesi, 24 aprile - 1 maggio 1982. Udine, Arti graf. friulane, 84, in-8, 303 p. (tav., ill.). (Antichità altoadriatiche, 24)

326. NEVEROV (O.). The Lyde Browne collection and the history of ancient sculpture in the Hermitage museum. Am. J. Archaeol., 84, vol. 88, n° 1, p. 33-42.

327. SEYRL (Harald). Kriminalpolizeiliches Museum der Bundespolizeidirektion Wien. Wien, Bundespolizeidir., 84, in-4, 136 p.

328. VAN THIEL (P.J.). De inrichting van de Nationale Konst-Galery in het openingsjaar 1800. (The arrangement of the Nationale Konst-Galery in 1800, the year of its opening.) Oud-Holland, 81 [82], vol. 95, p. 170-227 (224 pl.). [Eng. summary]

Cf. n° 5461.

§ 3. Storia della storiografia.

a. Generalità.

329. AFANAS'EV (Ju. N.). Včera i segodnja francuzskoj "novoj istoričeskoj nauki". (The past and present of the Nouvelle Histoire.) Vopr. Ist., 84, n° 8, p. 32-50.

330. ALAGOA (Ebiegberi J.). Oral tradition and cultural history in Nigeria. Stor. della Storiogr., 84, n° 5, p. 66-76. [Deutsche Zsfassung. - Rés. franç.]

331. AMALVI (Christian). L'érudition française face à la révolution d'Etienne Marcel: une histoire mythologique? (1814-1914). Bibl. Ec. Chartes, 84, t. 142, p. 287-311.

332. ANDERSON (Judith H.). Biographical truth: the representation of historical persons in Tudor-Stuart writing. New Haven, Conn., Yale U.P., 84, in-8, IX-243 p.

333. Balto-slavjanskie issledovanija. (Balto-Slavic research.) 1983. Otv. red.: V. V. IVANOV. Moskva, Nauka, 84, 200 p. (AN SSSR. In-t slavjanovedenija i balkanistiki)

334. BANN (Stephen). The clothing of Clio: a study of the representation of history in 19th-century Britain and France. London, Cambridge U.P., 84, in-8, 196 p. (ill.).

335. BLAAS (P.B.M.). La storiografia nei Paesi Bassi dal 1945 in poi. Panorama critico, non bibliografico. R. stor. ital., 83 [84], a. 95, fasc. 3, p. 593-647.

336. BLANKE (Horst Walter), FLEISCHER (Dirk), RÜSEN (Jörn). Historik als akademische Praxis. Eine Dokumentation d. geschichtstheoret. Vorlesungen an deutschsprachigen Universitäten v. 1750 bis 1900. Dilthey-Jb., 83, Bd 1, p. 182-255. - IIDEM. Theory of history in historical lectures: the German tradition of "Historik", 1750-1900. Hist. a. Theory, 84, vol. 23, n° 3, p. 331-356.

337. BREZEANU (Stelian). La continuité daco-roumaine. Science et politique. Roumanie, 84, t. 9, n° 2, p. 91-103.

338. BRUCE (Dickson D.) Jr. Ancient Africa and the early black American historians, 1883-1915. Am. Quar., 84, vol. 36, n° 5, p. 684-699.

339. CALDER (W.M.). Studies in the modern history of classical scholarship. Napoli, Jovene, 84, in-8, X-328 p. (Antiqua, 27)

340. ČEREPNIN (L.V.). Otečestvennye istoriki XVIII-XX vv. (Historians of our country of the 18th-20th cent.) Sbornik statej, vystuplenij, vospominanij. Moskva, Nauka, 84, 342 p. (AN SSSR. Otd-nie istorii. In-t istorii SSSR)

341. Čítanka k dějinám dějepisectví. (Lesebuch zur Geschichte der Geschichtsschreibung.) Zusammengest. v. Jaroslav KUDRNA v. Josef PETRÁN. Bd 1, 2. Praha, Stát. pedagog. naklad., Filoz. fak. Univ. Karlovy, 83, 2 vol. in-8, 192, 266 p.

342. DÖPMANN (Hans-Dieter). Die Entwicklung eines bulgarischen Geschichtsbewußtseins und seine Widerspiegelung in der bulgarischen Historiographie von den Anfängen bis zum 14. Jahrhundert. Jb. f. Gesch. d. Feudalismus, 84, Bd 8, p. 63-72.

343. FRYDE (Edmund B.). Humanism and Renaissance historiography. London, Hambledon, 84, in-8, 254 p.

344. FUCHS (W.). 100 Jahre Klassische Archäologie an der Westfälischen Wilhelms-Universität Münster. Boreas, 84, Bd 7, p. 7-14.

345. GREPPI OLIVETTI (Alessandra). Immagini della storia: dal pragmatismo americano alle filosofie analitiche. Milano, Angeli, 84, in-8, 222 p. (Istit. Filosofia, Univ. Parma, 6)

346. HAAVALDSEN (Per). Den bosetningshistoriske forskingstradisjon i Norge. En forskningshistorisk skisse. (Research tradition in the field of settlement archaeology in Norway.) Viking, 84, vol. 47, p. 165-183 (ill.). [Eng. summary]

347. HERAIL (Francine). Regards sur l'historiographie de l'époque Meiji. Stor. della Storiogr., 84, n° 5, p. 92-114. [Riassunto ital. - Eng. summary]

348. HERMAN (Karel). Trente-cinq ans d'études slavistes historiques tchécoslovaques (1945-1980). Historica [Praha], 84, vol. 24, p. 227-259.

349. HUČKO (Ján). On the questions of the historical work of Štúr's generation. Studia hist. slov., 84, vol. 13, p. 165-199.

350. Istorija i istoriki. (History and historians.) Istoriogr. ežegodnik. [1979. Cf. Bibl. 82, n° 343.] 1980. Redkol.: M. V. NEČKINA (otv. red.) i dr. Moskva, Nauka, 84, in-8, 356 p. (AN SSSR. Nauč. sovet po probl. "Istorija ist. nauki" pri Otdelenii istorii AN SSSR. In-t istorii SSSR. In-t vseobšč. istorii)

351. JÄGER (Wolfgang). Historische Forschung und politische Kultur in Deutschland: die Debatte 1914-1980 über d. Ausbruch d. Ersten Weltkrieges. Göttingen, Vandenhoeck u. Ruprecht, 84, in-8, 322 p. (Krit. Studien z. Geschichtswiss., 61)

352. JANSEN (J.C.G.M.). Bezig zijn met geschiedenis. (Engaged in history.) Stud. soc.- econ. Gesch. Limburg, 84, vol. 29, p. 1-35.

353. Kantelend geschiedbeeld. Nederlandse historiografie sinds 1945. (Dutch historiography since 1945.) Ed. by W. W. MIJNHARDT. Utrecht, Het Spectrum, 83, in-8, 387 p. (Aula paperback, 86) - CR: E. H. Kossmann, Bijdr. Meded. Gesch. Ned., 84, vol. 99, p. 55-62.

354. KARSTEN (Peter). The "new" American military history: a map of the territory, explored and unexplored. Am. Quar., 84, vol. 36, n° 3, p. 389-418.

355. KELLEY (Donald R.). Historians and the law in post-revolutionary France. Princeton, N.J., Princeton U.P., 84, in-8, 184 p.

356. KRIESER (Hannes). Die Abschaffung des "Feudalismus" in der französischen Revolution: revolutionärer Begriff und begriffene Realität in der Geschichtsschreibung Frankreichs (1815-1914). Frankfurt (Main), Bern u. New York, Lang, 84, in-8, 390 p. (Schr. z. europ. Sozial- u. Verfassungsgesch., 2)

357. KUDRNA (Jaroslav). Positivism and historiography. Historica [Praha], 84, vol. 24, p. 148-185.

358. MEIER (August), RUDWICK (Elliott). J. Franklin Jameson, Carter G. Woodson, and the foundations of black historiography. Am. hist. R., 84, vol. 89, n° 4, p. 1005-1015.

359. MICHELSON (Paul E.). The birth of critical historiography in Romania: the contributions of Ioan Bogdan, Dimitrie Onciul, and Constantin Giurescu. A. Univ. București, Ist., 83, vol. 32, p. 59-76.

360. MOGIL'NICKIJ (B.G.). K. Marks i F. Engel's - istoriki istoričeskoj nauki. (Marx and Engels - historians of historical science.) Nov. novejš. Ist., 84, n° 1, p. 3-18.

361. MOMIGLIANO (Arnaldo). Settimo contributo alla storia degli studi classici e del mondo antico. Roma, Ed. di storia e lett., 84, in-8, 544 p. (Storia e lett., 161) - IDEM. Sui fondamenti della storia antica. Torino, Einaudi, 84, in-8, 505 p. (Einaudi Paperbacks, 157)

362. MÜTTER (Bernd). Geschichtswissenschaft und historisch-politische Bildung. Zur Gesch. d. Hist. Vereins in Münster während des 19. Jh. Westfalen, 83, Bd 61, H. 2, p. 24-44.

363. NIEDERHAUSER (Emil). A marxista történetírás kezdetei Kelet-Európában. (Les débuts de l'historiographie marxiste en Europe de l'Est.) Tört. Szle, 84, vol. 27, n° 1-2, p. 172-181.

364. POTEMRA (Michal). Slovak historiography at the turn of the 19th and 20th centuries (1880-1918). Studia hist. slov., 84, vol. 13, p. 217-271.

365. ROSS (Dorothy). Historical consciousness in nineteenth-century America. Am. hist. R., 84, vol. 89, n° 4, p. 909-928.

366. SCHÄDLICH (Karlheinz). Die Imperialismusdiskussion in der britischen Geschichtsschreibung (1953 bis 1980). Jb. f. Gesch., 84, Bd 29, p. 359-398.

367. SCHLATTER (Richard) a. others. Recent views on British history: essays on historical writing since 1966. New Brunswick, N.J., Rutgers U.P., 84, in-8, XIII-525 p.

368. SCHMIDT (Walter). Zur Konstituierung der DDR-Geschichtswissenschaft in den fünfziger Jahren. Berlin, Akad.-Verl., 84, in-8, 30 p. (S.-B. d. Akad. d. Wiss., G, 1983, 8)

369. SCHORN-SCHÜTTE (Luise). Territorialgeschichte - Provinzialgeschichte - Landesgeschichte - Regionalgeschichte. Ein Beitr. zu Wissenschaftsgesch. d. Landesgeschichtsschreibung. In: Festschr. f. H. Stoob [Cf. n° 510], Bd 1, p. 390-416.

370. SCHRÖDER (Brigitte). Die Initiative Max' II. zur Stadtgeschichtsschreibung. Ein Beitr. zu Entwicklung u. Praxis d. Stadtgeschichtsschreibung im Zeitalter d. Historismus. In: Feschr. f. H. Stoob [Cf. n° 510], Bd 1, p. 417-455.

371. SILVA (Maria Beatriz Nizza da). Histoire empirique et histoire théorique: deux chemins de l'historiographie brésilienne au XIXe siècle. Stor. della Storiogr., 84, n° 5, p. 46-56. [Riassunto ital. - Eng. summary]

372. SMITH (Bonnie G.). The contribution of women to modern historiography in Great Britain, France, and the United States, 1750-1940. Am. hist. R., 84, vol. 89, n° 3, p. 709-732.

373. SOKOLOVA (M.N.). Žurnal "Annaly" i ego évoljucija. (The review "Annales" and its evolution.) Nov. novejš. Ist., 84, n° 4, p. 76-87.

374. SOPKO (Július). Humanistic historiography from the end of the 15th till the 17th century and the history of Slovakia. Studia hist. slov., 84, vol. 13, p. 53-91.

375. SPICCIANI (Amleto). Agli inizi della storiografia economica medioevistica in Italia: la corrispondenza di Giuseppe Toniolo con Victor Brants e Godefroid Kurth. Presentazione di Cinzio VIOLANTE. Roma, Jouvence, 84, in-8, 117 p. (Pubbl. Dip. di medievistica Univ. di Pisa)

376. STOLPIAK (Barbara). Rozwój prahistorii polskiej w okresie 20-lecia międzywojennego. Cz. 1: 1918-1928. (Le développement de la préhistoire polonaise dans la période des 20 ans de l'entre-deux-guerres. P. 1: 1918-1928.) Poznań, 84, in-8, 193 p. (Uniw. Pozn. im. Adama Mickiewicza w Poznaniu. Archeologia, 23)

377. Storiografia (La) confraternale e le confraternite romane. Ric. Stor. relig. Roma, 84, n° 5, p. 19-70. [Scritti di Alberto MONTICONE, Gabriele DE ROSA, Giuseppe ALBERIGO, et al.]

378. Stosunki polsko-niemeckie w historiografii. Studia z dziejów historiografii polskiej i niemieckiej. (Les relations polono-allemandes dans l'historiographie. Etudes sur l'histoire de l'historiographie polonaise et allemande.) Sous la réd. de Jerzy KRASUSKI, Gerard LABUDA, Antoni Władysław WALCZAK. [Cz. 1. Cf. Bibl. 74-75, n° 467.] Cz. 2. Poznań, Inst. Zach., 84, in-8, 475 p. (Studium Niemcoznawcze Inst. Zach., 41)

379. SZELĄGOWSKA (Grażyna). Narodowość i naród w romantycznych koncepcjach norweskiej szkoły historycznej. (La nationalité et la nation dans les conceptions romantiques de l'école historique norvégienne [1e moitié du XIXe s.].) Przegl. zach., 84, a. 40, n° 1, p. 63-85.

380. TIBENSKÝ (Ján). Slovak historiography in the period of the beginnings of the Slovak national revival (1780-1830). Studia hist. slov., 84, vol. 13, p. 107-135.

381. TOPOLSKI (Jerzy). Główne tendencje rozwojowe historiografii XIX i XX w. (Principales tendances du développement de l'historiographie aux XIXe et XXe s.) Kwart. hist., 83 [84], a. 90, n° 4, p. 839-858.

382. VAN KESSEL (P.). De Italiaanse geschiedschrijving na 1945. (Italian historiography since 1945.) T. Gesch., 84, vol. 97, p. 1-27.

383. VOJTĚCH (Tomáš). Česká historiografie a pozitivismus. Světonázorové a metodologické aspecty. (Die tschechische Geschichtsschreibung und der Positivismus. Weltanschauliche u. methodolog. Aspekte.) Praha, Academia, 84, in-8, 168 p.

384. Von der Aufklärung zum Historismus. Zum Strukturwandel d. hist. Denkens. Horst Walter BLANKE, Jörn RÜSEN (Hrsg.). Paderborn, München, Wien u. Zürich, Schöningh, 84, in-8, 324 p. (Hist.-polit. Diskurse, 1)

385. Voprosy istorii istoričeskoj nauki. (Problems of the history of historical science.) Sbornik statej. Redkol.: V. V. MAVRODIN, I. Ja. FROJANOV (otv. red.) i dr. Leningrad, Izd-vo LGU, 84, 150 p.

386. WALTHER (Peter Th.). Emigrierte deutsche Historiker in den USA. Berichte z. Wissenschaftsgesch., 84, Bd 7, p. 41-52.

387. WEBER (Christoph). Kirchengeschichte, Zensur und Selbstzensur. Ungeschriebene, ungedruckte u. verschollene Werke vorwiegend liberal-kathol. Kirchenhistoriker aus d. Epoche 1860-1914. Köln u. Wien, Böhlau, 84, in-8, XVII-177 p. (Kölner Veröff. z. Religionsgesch., 4)

388. WEBER (Wolfgang). Biographisches Lexikon zur Geschichtswissenschaft in Deutschland, Österreich und der Schweiz. Die Lehrstuhlinhaber f. Gesch. v. d. Anfängen d. Faches bis 1970. Frankfurt (Main), Bern, New York u. Nancy, Lang, 84, in-8, 697 p. - IDEM. Priester der Klio. Hist.-sozialwiss. Studien z. Herkunft u. Karriere deutscher Historiker u. z. Gesch. d. Geschichtswissenschaft 1800-1979. Frankfurt (Main), Bern, New York u. Nancy, Lang, 84, in-8, 613 p. (14 graph. Darst.). (Europ. Hochschulschriften, Reihe 3: Gesch. u. ihre Hilfswiss., 216)

389. Wien und die Entwicklung der kunsthistorischen Methode. Leiter der Sektion: Leopold D. ETTLINGER. Red.: Stefan KRENN, Martina PIPPAL. Köln u. Wien, Böhlau, 84, in-8, 127 p. (Akten d. 25. Internat. Kongresses f. Kunstgesch., Wien, 4.-10 Sept. 1983. Bd 1, Sektion 1)

390. WIERZBICKI (Andrzej). Wschód-Zachód w koncepcjach dziejów Polski. Z dziejów polskiej myśli historycznej w dobie porozbiorowej. (Orient-Occident dans les conceptions de la pensée historique polonaise dans la période après les partages.) Warszawa, Państw. Inst. Wydawn., 84, in-8, 346 p.

391. ZHANG (Zhilian). Aspects of Chinese historiography at the end of the XIXth and beginning of the XXth century. Stor. della Storiogr., 84, n° 5, p. 86-91. [Deutsche Zsfassung. - Rés. franç.]

Cf. n°s 1291, 4993, 5635.

b. Biografie[1].

392. MURPHY (Terrence). Lord **Acton** and the question of moral judgments in history: the development of his position. Cath. hist. R., 84, vol. 70, n° 2, p. 225-249.

393. HIGHAM (John). Herbert Baxter **Adams** and the study of local history. Am. hist. R., 84, vol. 89, n° 5, p. 1225-1239.

394. CHAUNU (Pierre). Sur le chemin de Philippe **Ariès**, historien de la mort. Hist., Econ. et Soc., 84, a. 3, n° 4, p. 651-664.

395. McCONNELL (Scott). Hommage to Raymond **Aron**. Commentary, 84, vol. 77, n° 5, p. 39-46. - MESURE (Sylvie). Raymond Aron et la raison historique. Paris, Vrin, 84, in-8, 128 p. (Problèmes et controverses) - Raymond Aron, 1905-1983. Cah. V. Pareto, 84, t. 22, n° [spécial] 66, p. 5-40. - SAINT-SERNIN (Bertrand). Raymond Aron. Etudes, 84, juill.-août, p. 7-17. - SCHIEDER (Theodor). Raymond Aron, 14.3.1905 - 17.10.1983. Hist. Z., 84, Bd 239, H. 2, p. 491-496.

396. DĒMĒTRAKOPOULOS (Phōtios Ar.). **Arsenios** Elassonos 1550-1626. Bios kai ergo. (Arsénios d'Elasson. Sa vie et son oeuvre.) Athènes, Imago, 84, in-8, 238 p. (ill.).

397. MONTADOR (Jean). Jacques **Bainville**, historien de l'avenir. Paris, Ed. France-Empire, 84, in-8, 266 p. (8 pl.).

398. BERINDEI (Dan). Pe urmele lui Nicolae **Bălcescu**. (Sur les traces de N. Bălcescu.) București, Sport-Turism, 84, in-8, 312 p.

399. HANDLIN (Lilian). George **Bancroft**: the intellectual as democrat. London a. New York, Harper a. Row., 84, in-8, XVI-415 p.

400. IORDACHE (Anastasie). Dan **Berindei** à soixante ans. Bibliographie scientifique. R. roumaine Hist., 84, vol. 23, n° 2, p. 179-193.

401. PARENTE (F.). Il contributo di E. J. **Bickerman** allo studio del diritto antico. B. Istit. Dir. romano, 82 [84], a. 85, p. 1-13.

402. CAMERON (Averill), HERRIN (Judith). Robert **Browning**. In: Maistor [Cf. n° 484], p. XI-XIII. - Publications (The) of Robert Browning. Comp. by Jan MARTIN. Ibid., p. 1-23.

403. KOOREMAN (A.). Bibliography of Dr. Lili **Byvanck-Quarles van Ufford**. B. ant. Besch., 82 [83], vol. 57, p. IX-XXII.

404. DEMOLEN (Richard L.). The library of William **Camden**. Proc. am. philos. Soc., 84, vol. 128, n° 4, p. 327-409.

405. BABIJ (A.I.). Dmitrij Kantemir. (Dimitrie **Cantemir**.) Moskva, Mysl', 84, 173 p. (Mysliteli prošlogo)

406. KAPLAN (Fred). Thomas **Carlyle**, a biography. London, Cambridge U.P., 84, in-8, 614 p. (ill., diagr.). [Am. ed. Cf. Bibl. 83, n° 395]

407. Federico **Chabod** e la "nuova storiografia" italiana dal primo al secondo dopoguerra (1919-1950). A cura di Brunello VIGEZZI. Milano, Jaca Book, 84, in-8, 752 p.

408. CARBONELL (Charles-Olivier). L'autre Champollion: Jacques-Joseph **Champollion-Figeac** (1778-1867). Toulouse, Presses de l'Inst. d'études polit., 84, in-8, 331 p.

409. CHAUNU (Pierre). L'historien dans tous ses états. Paris, Perrin, 84, in-8, 680 p. (Pour l'histoire)

410. SAARI (Heikki). Re-enactment: a study in R. G. **Collingwood**'s philosophy of history. Åbo, 84, in-8, 141 p. (Acta Acad. Aboensis, Humaniora, 63:2)

411. CSETRI (Elek). Kőrösi **Csoma** Sándor. București, Kriterion, 84, in-8, 257 p. [en hongrois] - ZÁGONI (Jenő). Kőrösi Csoma Sándor. Bibliográfia. București, Kriterion, 84, in-8, 200 p. [Cf. n° 7500]

412. GAMBINO (Luigi). Enrico Caterino **Davila** storico e politico. Milano, Giuffrè, 84, in-8, 245 p. (Pubbl. Fac. Sci. pol., Univ. studi di Cagliari)

413. SCOTT (Christina). An historian and his world: the life of Christopher **Dawson**, 1889-1970. London, Sheed a. Ward, 84, in-8, 240 p. (ill.).

414. TEODOR (Pompiliu). Nicolae **Densușianu**, istoric al răscoalei lui Horea. (N. Densușianu, historien de la révolte de Horea.) Studia Univ. Babeș-Bolyai [Cluj], Hist., 84, vol. 29, p. 19-35.

415. KORNBICHLER (Thomas). Deutsche Geschichtsschreibung im 19. Jahrhundert: Wilhelm **Dilthey** u. d. Begründung d. modernen Geschichtswissenschaft. Pfaffenweiler, Centaurus, 84, in-8, VIII-332 p. (Reihe Geschichtswiss., 1)

416. SZELIŃSKA (Wacława). Jan **Długosz**, storico e primo geografo polacco. Wrocław, Zakł. Narod. im. Ossolińskich, 84, in-8, 118-IV p. (Accad. Pol. delle Scienze. Bibl. e Centre di Studi a Roma. Conferenze, 88)

417. GRANASZTÓI (György). Egy történész időszerüsége: **Domanovszky** Sándor [1877-1955]. (L'actualité d'un historien: S. Domanovszky.) Tört. Szle, 84, vol. 27, n° 1-2, p. 303-312.

418. McGLEW (James F.). J. G. **Droysen** and the Aeschylean hero. Class. Philol., 84, vol. 79, n° 1, p. 1-14.

419. CAMPANILE (E.). Georges **Dumézil** indoeuropeista. Opus, 83, a. 2, p. 355-363. - MOMIGLIANO (Arnaldo). Georges Dumézil

---

[1]. Gli scritti sono registrati nell'ordine alfabetico dei nomi degli storici studiati.

and the trifunctional approach to Roman civilization. Hist. a. Theory, 84, vol. 23, n° 3, p. 331-356. - SCHEID (J.). G. Dumézil et la méthode expérimentale. Opus, 83, a. 2, p. 343-354.

420. DELOBEL (J.). Jean **Duplacy**. Sa contribution à la critique textuelle du Nouveau Testament. R. théol. Louvain, 84, vol. 60, p. 98-108.

421. SZNYCER (Maurice). André **Dupont-Sommer** (1900-1983). J. asiatique, 84, t. 272, n° 1-2, p. 1-23.

422. HARDEN (D.B.). Sir Arthur **Evans** 1851-1941. A memoir. Oxford, Ashmolean Museum, 83, 47 p. (25 pl.).

423. DEMARGNE (Pierre). Notice sur la vie et les travaus de Robert **Flacelière** [1904-1982], membre de l'Académie. C. R. Acad. Inscript., 84, janv.-mars, p. 139-147.

424. GEUSS (Eva), KREICH (Heidi). Veröffentlichungen von Josef **Fleckenstein**. In: Institutionen, Kultur u. Gesellschaft im Mittelalter [Cf. n° 491], p. 747-752.

425. BARBICHE (Bernard). Michel **François** (1906-1981) [avec: Bibliographie des principaux travaux de Michel François]). Bibl. Ec. Chartes, 83 [84], t. 141, livr. 2, p. 383-403.

426. DARROUZÈS (Jean). L'activité scientifique de Paul **Gautier**. R. Et. byzant., 84, t. 42, p. 365-370. - FAILLER (Albert). Bibliographie de Paul Gautier. Ibid., p. 371-378.

427. MENJOT (Denis). Jean **Gautier-Dalché** [avec Bibliographie de J. Gautier-Dalché]. Anu. Est. mediev., 82 [84], t. 12, p. 641-651.

428. HÜBINGER (Gangolf). Georg Gottfried **Gervinus**. Histor. Urteil u. polit. Kritik. Göttingen, Vandenhoeck u. Ruprecht, 84, in-8, 257 p. (Schriftenr. d. Hist. Komm. bei d. Bayer. Akad. d. Wiss., 23)

429. WORST (I.J.H.). De laatste Loevesteiner. Liberalisme en nationalisme bij Pieter **Geyl** (1887-1966). (Liberalism and nationalism of P. Geyl.) Bijdr. Meded. Gesch. Ned., 84, vol. 99, p. 201-218.

430. GIBBON (Edward). Memoirs of my life. Ed. by Betty RADICE. Harmondsworth, Penguin, 84, in-8, 240 p. (Engl. Libr.)

431. SELMECZI-KOVÁCS (Attila). **Györffy** István élete és munkássága. (La vie et l'activité d'István Györffy [1884-1939].) Budapest, 84, in-8, 80 p. (Néprajzi füzetek)

432. HALLER VON HALLERSTEIN (Hans). ... und die Erde gebar ein Lächeln: der erste deutsche Archäologe in Griechenland Carl **Haller von Hallerstein**, 1774-1817. München, Süddeutscher Verl., 83, in-8, 317 p. (Ill., Kt.).

433. VAN HOBOKEN (W.J.). Simon **Hart**, Zaandam 24 maart 1911 - Amsterdam 27 september 1981. Econ.-soc. hist. Jb., 82 [83], vol. 45, p. 293-297.

434. HARNISCH (Hartmut). August Freiherr von **Haxthausen**. Zum Standort eines Wegbereiters d. Agrargesch. u. d. Volkskunde. Jb. f. Volkskde u. Kulturgesch., 84, Bd 12, p. 27-67.

435. HENZEN (Wilhelm). Wilhelm **Henzen** und das Institut auf dem Kapitol. Aus Henzens Briefen an Eduard Gerhard. Ausgew. u. hrsg. v. Hans-Georg KOLBE. Deutsches Archäol. Institit. Mainz, v. Zabern, 84, in-4, XX-425 p. (43 ill.). (Das Deutsche Archäol. Institut, 5)

436. MEIER (Christian). Laudatio auf Alfred **Heuss**. Hist. Z., 84, Bd 239, p. 1-10.

437. SCHIEDER (Theodor). Otto **Hintze** und die moderne Geschichtswissenschaft. Hist. Z., 84, Bd 239, p. 615-620.

438. SINGAL (Daniel Joseph). Beyond consensus: Richard **Hofstadter** and American historiography. Am. hist. R., 84, vol. 89, n° 4, p. 976-1004.

439. Table ronde consacrée au recteur Pierre **Huard** (1901-1983), 10 déc. 1983. Hist. Sci. méd., 83 [84], t. 17, n° 4, p. 381-402.

440. N. **Iorga** şi Marea răscoala țăraneasca din 1907. Mărturii documentare. (N. Iorga et la Grande révole paysanne de 1907. Témoignages documentaires.) Ed. întocmită şi îngrijită, studiu introductiv şi note de Nicolae LIU. Iaşi, Junimea, 84, in-8, 317 p.

441. ROTHBERG (Morey D.). "To set a standard of workmanship and compel men to conform to it": John Franklin **Jameson** as editor of the American Historical Review. Am. hist. R., 84, vol. 89, n° 4, p. 957-975.

442. GARZMANN (Manfred R. W.). Karl **Jordan** zum Gedächtnis. Bl. f. deutsche Landesgesch., 84, Jg. 120, p. 461-467.

443. SENATOROV (A.I.). Sen Katajama kak istorik. (Sen **Katayama** as historian.) Vopr. Ist., 84, n° 11, p. 49-58.

444. Bibl. 83, n° 429. **KLJUČEVSKIJ** (V.O.). Neopublikovannye proizvedenija. (Unpublished works.) - CR: A. I. Klibanov, Vopr. Ist., 84, n° 10, p. 130-133; A. N. Camutali, Ist. SSSR, 84, n° 3, p. 175-176.

445. NOVÝ (Rostislav). Kurt Konrad a počátky československé marxistické historiografie. (Kurt **Konrad** y los comienzos de la historiograffa marxista checoslovaca.) Acta Univ. Carolinae, Philos. et Hist., 82, n° 2: Studia historica, 84, vol. 24, p. 35-77.

446. PINČUK (Ju.A.). Istoričeskie vzgljady N. I. Kostomarova. (Historical views of N. I. **Kostomarov**.) Krit. očerk. Kiev, Nauk. dumka, 84, 190 p. (AN SSSR. In-t istorii)

§ 3. STORIA DELLA STORIOGRAFIA

447. ANGELOMATĒ-TSOUNGARAKĒ (Helenē-Nikē). Nikolaos **Kritias**. Biographika kai ergographika. (N. Kritias. Etude de sa vie et de son oeuvre.) Mesaiōnika kai Nea Hellēnika, 84, t. 1, p. 281-402.

448. PATZE (Hans). Herbert **Küas** zum Gedächtnis. Bl. f. deutsche Landesgesch., 84, Jg. 120, p. 497-503.

449. CZOK (Karl). Karl **Lamprecht**s Wirken an der Universität Leipzig. Berlin, Akad.-Verl., 84, in-8, 30 p. (S.-B. d. Sächs. Akad. d. Wiss. zu Leipzig, Philol.-hist. Kl., Bd 124, H. 6) - SCHORN-SCHÜTTE (Luise). Karl Lamprecht: Kulturgeschichtsschreibung zwischen Wissenschaft und Politik. Göttingen, Vandenhoeck u. Ruprecht, 84, in-8, 373 p. (Schriftenr. d. Hist. Komm. bei d. Bayer. Akad. d. Wiss., 22)

450. OLIVA (Gianni). Les enseignements républicains de l'école laïque dans la formation intellectuelle de Georges **Lefebvre**. A. hist. Révol. franç., 84, a. 56, n° 257, p. 303-313.

451. GOCKEL (Michael), MICHEL (Annerose). Bibliographie Rudolf **Lehmann** 1916-1984. Bl. f. deutsche Landesgesch., 84, Jg. 120, p. 473-495. - MODERHACK (Richard). Rudolf Lehmann zum Gedächtnis. Ibid., p. 469-472.

452. LEONZO (Nanci). Un critico di Buckle in Brasile: il giurista Petro **Lessa**. Stor. della Storiogr., 84, n° 5, p. 57-65. [Deutsche Zsfassung. - Rés. franç.]

453. GALKIN (I.S.). N. M. **Lukin** - revoljucioner, učenyj. (N. M. Lukin - revolutionary, scholar.) Moskva, Izd-vo MGU, 84, 203 p.

454. PHILLIPS (Mark). Barefoot boy makes good: a study of **Machiavelli**'s historiography. Speculum, 84, vol. 59, n° 3, p. 585-605.

455. FRANÇOIS (Etienne). Robert **Mandrou**. Hist. Z., 84, Bd 239, p. 496-498.

456. NEUMANN (Victor). Vasile **Maniu** [1824-1901]. Monografie istorică. Timişoara, Facla, 84, in-8, 212 p.

457. SALIMBENI (Fulvio). Francesco di **Manzano** e la storiografia del suo tempo. Arch. stor. ital., 84, a. 142, n° 520, p. 283-313.

458. KOSSOK (Manfred). Karl **Marx** und der Begriff der Weltgeschichte. Berlin, Akad.-Verl., 84, in-8, 33 p. (S.-B. d. Akad. d. Wiss. d. DDR, G, 1984, 4)

459. KUNKEL (Wolfgang). Theodor **Mommsen** Als Jurist (mit e. Vorw. v. Christian MEIER u. Dieter NÖRR). Chiron, 84, Bd 14, p. 369-380.

460. BAGNOLI (Paolo). Nuovi studi su Gaetano **Mosca**. Ric. stor. Piombino, 84, a. 14, p. 601-608.

461. SAUL (Samir). Ali **Moubarak**, un historien égyptien et son oeuvre. Stor. della Storiogr., 84, n° 5, p. 77-85. [Riassunto ital. - Eng. summary]

462. Barthold Georg **Niebuhr**, Historiker und Staatsmann. Vortr. bei d. anläßl. seines 150. Todestages in Bonn veranst. Kolloquiums, 10.-12 Nov. 1981. Hrsg. v. Gerhard WIRTH. Bonn, Röhrscheid, 84, in-8, 369 p. (Ill.). (Bonner hist. Forschungen, 52)

463. LINDBERG (Sten G.). Johan **Nordström**s seminarier och 1600-talet. (J. Nordström's seminars and the seventeenth century.) Lychnos, 84, vol. 50, p. 1-25. [Eng. summary]

464. FOGLAROVÁ (Eva). Estetika Františka Palackého. (Die Aesthetik František **Palackýs**.) Praha, Univ. Karlova, 84, in-8, 114 p. (Acta Univ. Carolinae. Philosophica et Historica. Monographia, 88)

465. Vasile **Pârvan**. Antologie, notă asupra ediţiei şi indice de Ştefan LEMNY. Introd., tabel cronologic, bibliografie de Alexandru ZUB. Bucureşti, Ed. Eminescu, 84, in-8, 432 p.

466. Academician profesor doctor docent Stefan **Pascu** la vîrsta de 70 ani. (L'académicien professeur docteur Ştefan Pascu à son 70e anniversaire.) Introd. de Pompiliu TEODOR. Bibliografia operei (1979-1984) de Nicolae EDROIU, Iolanda KÁROLYI şi Maria TECUŞAN. Cluj-Napoca, Dacia, 84, in-8, 37 p.

467. Gerhard **Ritter**. Ein polit. Historiker in seinen Briefen. Hrsg. v. Klaus SCHWABE u. Rolf REICHHARDT. Unter Mitw. v. Reinhard HAUF. Boppard (Rhein), Boldt, 84, in-8, XVII-830 p. (Schr. d. Bundesarch., 33)

468. Ruggiero **Romano** au pays de l'histoire et des sciences humaines. Genève, Droz, 83, in-8, 204 p. (Cah. Vilfredo Pareto, 64)

469. SCHÖFFER (I.). Daniel Jean **Roorda**, Enschede 22 januari 1923 - Leiden 8 mei 1983. Econ.-soc. hist. Jb., 83 [84], vol. 46, p. 313-316.

470. TIKHVINSKIJ (S.L.), KOVAL'ČENKO (I.D.), PLETNEVA (S.A.). K 75-letiju akademika B. A. Rybakova. (75 years af academician B. A. **Rybakov**.) Ist. SSSR, 84, n° 3, p. 216-218.

471. BAUTIER (Robert-Henri). Notice sur la vie de Charles **Samaran** (1879-1982), membre de l'Académie. C. R. Acad. Inscript., 83 [84], nov.-déc., p. 582-604. - FAVIER (Jean). Charles Samaran (1879-1982). Bibl. Ec. Chartes, 83 [84], t. 141, livr. 2, p. 410-426.

472. **SCHACHERMEYR** (Fritz). Ein Leben zwischen Wissenschaft und Kunst. Hrsg. v. Gerhard DOBESCH u. Hilde SCHACHERMEYR. Wien, Köln u. Graz, Böhlau, 84, in-8, 290 p.

473. S. M. **Solov'ev**. Personal'nyj ukazatel' literatury (1838-1981). (S. M. Soloviev. Personal index of literature, 1838-1981.) Sost.: K. S. KUJBYŠEVA, M. G.

STEPANOVA. Moskva, Izd-vo MGU, 84, 200 p.

474. LACKÓ (Miklós). Szekfű Gyula és kortársai. (Gyula Szekfű [1883-1955] et ses contemporains.) Valóság, 83, vol. 26, n° 8, p. 11-22.

475. TAYLOR (Alan J. P.). An old man's diary. London, H. Hamilton, 84, in-8, 192 p.

476. FURET (François). L'idée du voyage américain chez le jeune Tocqueville (1825-1831). Cultura, 84, a. 22, n° 1, p. 172-189. - IDEM. Naissance d'un paradigme: Tocqueville et le voyage en Amérique (1825-1831). A. Ec., Soc., Civ., 84, a. 39, n° 2, p. 225- 239. - JARDIN (André). Alexis de Tocqueville, 1805-1859. Paris, Hachette, 84, in-8, 520 p.

477. VOLPI (Giorgio). Storiografia della non-storia e modernità storiografica nell'Inca Carcilaso de la Vega. Stor. della Storiogr., 84, n° 5, p. 19-45. [Rés. franç. - Deutsche Zsfassung]

478. Verzeichnis der wissenschaftlichen Schriften Adam Wandruszkas. Zusammengestellt v. Wolfgang HAUSLER u. Karl VOCELKA. Mitt. d. Inst. f. österr. Gesch.-Forsch., 84, Bd 92, H. 1-2, p. 147-163.

479. [Benedykt Zientara 15 VI 1928 - 11 V 1983. Cahier spéc. en souvenir du prof. B. Zientara, par ses amis, collègues, disciples. Przegl. hist., 84, vol. 75, p. 389-596. [Avec bibliographie de ses travaux, 1951-1984] - ZERNACK (Klaus). Deutschlands Osten - Polens Westen. Zum Lebenswerk d. poln. Mediävisten Benedykt Zientara (1928-1983). Jb. f. d. Gesch. Mittel- u. Ostdeutschlands, 84, Bd 33, p. 92-111.

c. Miscellanee[1].

480. Alesaandria e il mondo ellenistoromano. Studi in onore di Achille Adriani. A cura di Nicola BONACASA e Antonio DI VITA. T. 1-3. Roma, L'Erma di Bretschneider, 83-84, 3 vol. in-8, XIX-877 p. compless. (146 tav.).

481. Amētos. Stē mnēmē Phōtē Apostolopoulou. (Amētos. A la mémoire de Phōtēs Apostolopoulou.) Athènes, Kentro Mikrasiatikōn Spoudōn, 84, in-8, 510 p. [Cf. n°s 5153, 5490, 6273, 6610]

482. Összehasonlító jogtörténet. Bolgár Elek emlékkönyv. Szerk. HORVÁTH Pál, RÉVÉSZ T. Mihály. (L'histoire comparée du droit. Mélanges Elek Bolgár. Réd. par - .) Budapest, Akad. Kiadó, 83 [84], in-8, 256 p.

483. BORST (Otto). Babel oder Jerusalem? 6 Kap. Stadtgesch. Im Auftr. d. Arbeitsgemeinschaft Die Alte Stadt z. 60. Geburtstag d. Autors hrsg. v. Helmut BÖHME u.

a. Stuttgart, Theiss, 84, in-8, 1. Gli studi sono registrati nell'ordine alfabetico dei nomi degli storici ai quali sono dedicati i volumi delle Miscellanee.637 p.

484. Maistor: classical, Byzantine and Renaissance studies for Robert Browning. Ed. by Ann MOFFAT. Canberra, Australian Assoc. for Byzantine Stud., 84, in-8, XX-358 p. [Cf. n°s 402, 966, 2027, 2038, 2055, 2058, 2060, 2067, 2070, 2081, 2699, 2736]

485. Historie nedenfra. (History from beneath.) Festskrift til Edvard Bull på 70-årsdagen. (In honour of E. Bull at his 70th anniversary.) Red. (Ed.): Per FUGLUM og Jarle SIMENSEN. Oslo, Univ.forl., 84, 250 p.

486. Churrätisches und sanktgallisches Mittelalter. Festschrf. f. Otto P. Clavadetscher zu seinem 65. Geburtstag. Helmut MAURER (Hrsg.). Sigmaringen, Thorbecke, 84, in-8, X-279 p. (Ill., 1 Kt.).

487. Orientalia J. Duchesne-Guillemin emerito oblata. Leiden, Brill, 84, VII-543 p. (64 pl.). (Acta iranica, 23. Hommages et Opera minora, 9)

488. Estudios dedicados al profesor D. Ángel Ferrari Nuñez. Publ. por Miguel Ángel LADERO QUESADA. Vol. 1, 2. Madrid, Univ. Complutense, 84, 2 vol. in-8, 564 p., p. 565-1077. [Vol. 1. Cf. n°s 79, 200, 2290, 2307, 2373, 2392, 2439, 2458, 2460, 2465, 2468, 2469, 2482, 2492, 2535, 2549, 2686, 2694, 2725, 2859, 2929, 2930. - Vol. 2. Cf. n°s 150, 813, 845, 984, 2399, 2414, 2430, 2503, 2508, 2517, 2633, 2640, 2658, 2673, 2761, 3024, 3032, 3040, 3097]

489. Mémorial André-Jean Festugière. Antiquité païenne et chrétienne. Vingt-cinq études réunies et prés. par E. LUCCHESI et H. D. SAFFREY. Genève, Cramer, 84, in-8, XXXIV-292 p. (ill.). (Cah. d'orientalisme, 10

490. Thiasos tōn Mousōn. Studien zu Antike u. Christentum. Festschrift f. Josef Fink zum 70. Geburtstag. Hrsg. v. Dieter AHRENS. Köln u. Wien, Böhlau, 84, in-8, XVIII-244 p. (Ill.). (Beih. z. Arch. d. Kulturgesch., 20)

491. Institutionen, Kultur und Gesellschaft im Mittelalter. Festschrift f. Josef Fleckenstein zu seinem 65. Geburtstag. Hrsg. v. Lutz FENSKE u. a. Sigmaringen, Thorbecke, 84, in-8, XVIII-752 p. (Ill., graph. Darst., Kt.). [Cf. n°s 2131, 2134, 2171, 2274, 2295, 2298, 2316, 2321, 2327, 2341, 2348, 2359, 2473, 2502, 2572, 2603, 2611, 2635, 2650, 2657, 2660, 2670, 2677, 2724, 2740, 2828, 2865, 2904, 2922, 2926, 2974, 2977, 2995, 3060]

492. France (La) d'Ancien Régime. Etudes réunies en l'honneur de Pierre Goubert. Vol. 1, 2. Toulouse, Privat, 84, 2 vol. in-8, 365 p., p. 367-737 (fig.).

493. Rättshistoriska perspektiv: en bukett uppsatser från fem decennier: festskrift tillägnad Gerhard Hafström på 80-årsdagen. Red. av Kjell A. MODÉER.

---

1. Gli studi sono registrati nell'ordine alfabetico dei nomi degli storici ai quali sono stati dedicati i volumi delle Miscellanee.

§ 3. STORIA DELLA STORIOGRAFIA

(Legal history point of view: a bouquet of essays from five decades: memorial volume dedicated to Gerhanrd Hafström on his 80th anniversary. Ed. by ...) Stockholm, Nord. bokh., 84, in-8, XII-244 p. (Skr. utg. v. Inst. för rättshist. forskning, Ser. C: Rättshist. studier, 10)

494. Städer i utveckling: tolv studier kring stadsförändringar tillägnade Ingrid **Hammarström**. Red. Thomas HALL. (Towns in development: twelve studies about urban transformations dedicated to Ingrid Hammarström. Ed. by ...) Stockholm, Stadshist. inst., 84, in-8, 231 p. (ill.). [Swedish, Danish, English a. Norwegian texts]

495. THANE (Pat) a. others. The power of the past: essays for Eric **Hobsbawm**. London, Cambridge U.P., 84, in-8, 308 p. (tab.).

496. Byzantios. Festschrift für Herbert **Hunger** zum 70. Geburtstag. Hrsg. v. W. HÖRANDER, J. KODER, O. KRESTEN u. E. TRAPP. Wien, Becvar, 84, in-8, LXII-350 p. (46 Taf.).

497. Antichare. Aphieroma ston kathegete Stamate Karatza. (Anticharès. Mélanges offerts au professeur Stamatēs **Karatzas**.) Athènes, Hellēniko Logotechniko kai Historiko Archeio, 84, in-8, 498 p. [surtout des études d'intérêt linguist.]

498. Vivarium. Festschrift Theodor **Klauser** zum 90. Geburtstag. Hrsg. v. Ernst DASSMANN u. Klaus TRAEDE. Münster, Aschendorff, 84, V-384 p. (37 Taf.). (Jb. f. Ant. u. Christentum, Erg.-Bd, 11)

499. Mente e litteris. O kulturze i społeczeństwie wieków średnich. (Sur la culture et la société du Moyen Age.) Comm. de réd.: Helena CHŁOPOCKA et al. Poznań, 84, in-8, 376 p. (Uniw. im. Adama Mickiewicza w Poznaniu, Historia, 117) [Pour le 30e anniversaire du travail scientifique du prof. Brygida **Kürbis**, 1952-1983]

500. Gedächtnisschrift für Wolfgang **Kunkel**. Hrsg. v. Dieter NÖRR u. Dieter SIMON. Frankfurt (Main), Klostermann, 84, in-8, 627 p. [mit Bibliographie W. Kunkel, p. 611-627]

501. Hommages à Lucien **Lerat**. Réunis par H. WALTER. T. 1, 2. Paris, Les Belles Lettres, 84, 2 vol. in-8, ens. 896 p. (A. litt. Univ. Besançon, 294)

502. **Mályusz** Elemér Emlékkönyv. Társadalom- és müvelődéstörténeti tanulmányok. Szerk. BALÁSZ Éva, H., FÜGEDI Erik, MAKSAY Ferenc. (Mélanges E. Mályusz. Etudes d'hist. soc. et culturelle. Réd. par - .) Budapest, Akad. Kiadó, 84, in-8, 455 p.

503. Prace ofiarowane Henrykowi Markiewiczowi. (Travaux offerts à Henryk **Markiewicz**.) Sous la réd. de Tomasz WEISS. Kraków, Wydawn. Liter., 84, in-8, 395 p.

504. Studi forogiuliesi in onore di Carlo Guido **Mor**. Udine, Deputazione di storia patria per il Friuli, 84, in-8, XXXII-387 p. (ill., tav., 1 ritr.). (Pubbl. Dep. Stor. pa. per il Friuli, 13)

505. Beiträge zur niedersächsischen Landesgeschichte. Zum 65. Geburtstag v. Hans **Patze** im Auftr. d. Hist. Komm. f. Niedersachsen u. Bremen hrsg. v. Dieter BROSIUS u. Martin LAST. Hildesheim, Lax, 84, in-8, VII-544 p. (Ill., Kt.). (Veröff. d. Hist. Komm. f. Niedersachsen u. Bremen, Sonderband)

506. Mnēmē Georgiou A. Petropoulou, 1897-1964. ("Mémoire" de Georgios A. **Petropoulos**.) Athènes, Sakkoulas, 84, 2 vol. in-8, 464, 455 p. [Cf. n° 1387]

507. Estudios en homenaje a Don Claudio **Sánchez-Albornoz** en sus 90 años. Vol. 1, 2. Buenos Aires, Inst. de Hist. de España, Fac. de Filos. y Letras, Univ. de Buenos Aires, 83, 2 vol. in-8, 472, 487 p. (ill.).

508. Studi in onore di Cesare **Sanfilippo**. Vol. 5. Milano, Giuffrè, 84, in-8, IV-804 p. (Pubbl. Fac. giuris., Univ. di Catania, 96)

509. Land und Reich, Stamm und Nation. Probleme u. Perspektiven bayer. Gesch. Festgabe f. Max **Spindler** z. 90. Geburtstag. Im Auftr. d. Komm. f. Bayer. Landesgesch. hrsg. v. Andreas KRAUS. Bd 1: Forschungsberichte Antike und Mittelalter. Bd 2: Frühe Neuzeit. Bd 3: Vom Vormärz bis zur Gegenwart. München, Beck, 84, 3 vol. in-8, XVII-485, VII-481, VII-613 p. (Ill.). (Schriftenreihe z. bayer. Landesgesch., 78-80)

510. Civitatum communitas. Studien zum europ. Städtewesen. Festschr. Heinz **Stoob** z. 65. Geburtstag. In Verbindung mit Friedrich Bernward FAHLBUSCH u. Berndt-Ulrich HERGEMOLLER hrsg. v. Helmut JAGER et al. T. 1, 2. Köln u. Wien, Böhlau, 84, 2 vol. in-8, XL-455 p., p. 459-904 (Ill., graph. Darst., Kt.). (Städteforschung, Reihe A, 21/1, 2) [Bd 1. Cf. n°s 369, 370, 2211, 2330, 2661, 3073, 3081, 3082, 3096. - Bd 2. Cf. n°s 2494, 6067, 6072]

511. Magyar polgári átalakulás (A) kérdései. Tanulmányok **Szabad** György 60. születésnapjára. Szerk. DENES Iván Zoltán, GERGELY András, PAJKOSSY Gábor. (Les problèmes de la transformation bourgeoise en Hongrie. Mélanges G. Szabad. Réd. par - .) Budapest, Eötvös Loránd Tudományegyetem, 84, in-8, 480 p.

512. Charisteion Serapheim **Tika**, Archiepiskopou Athenon kai pases Hellados. (Hommage à S. Tika, Archevêque d'Athènes et de toute la Grèce.) Thessalonique, Edition privée, 84, in-8, 628 p. (ill.). [Cf. n° 5854]

513. Ad fontes. Opstellen aangeboden aan prof. dr. C. **Van de Kieft** ter gelegenheid van zijn afscheid als hoogleraar in de middeleeuwse geschiedenis aan de Universiteit van Amsterdam. (Mélanges offerts au prof. C. Van de Kieft, professeur d'histoire médiévale à l'Univ. d'Amsterdam.) [Ed. par C. M. CAPPON, P. C. VAN DER EERDEN, G. VAN HERWIJNEN et al.] Amsterdam, Verloren, 84, in-8, 479 p.

514. Verstuivingen in de economische en sociale geschiedenis. Bundel opstellen aangeboden aan Prof. dr. J. H. **Van Stuijvenberg** ter gelegenheid van zijn afscheid als hoogleraar in de economische geschiedenis aan de Universiteit van Amsterdam op 26 november 1984. (Mélanges offerts au prof. J. H. Van Stuijvenberg, professeur d'histoire économique.) Ed. par H. F. J. M. VAN DEN EERENBEEMT, P. W. KLEIN, R. C. W. VAN DER VOORT. 's-Gravenhage, Nijhoff, 84, in-8, XVIII-246 p. (Econ.-hist. Jb., 47)

515. **WERNER** (Karl Ferdinand). Vom Frankenreich zur Entfaltung Deutschlands und Frankreichs. Ursprünge - Strukturen Beziehungen. Ausgew. Beitr. Festgabe zu seinem 60. Geburtstag. Sigmaringen, Thorbecke, 84, in-8, XVI-502 p.

516. Logos Islamikos. Studia islamica in honorem Georgii Michaelis **Wickens**. Ed. by Rober M. SAVORY a. Dionisius A. AGIUS. Toronto, Ont., Pontifical Institute of mediaeval Stud., 84, in-8, XII-351 p. [Cf. n°s 979, 2437, 2442-2445]

517. Welsh history and nationhood. Historical essays presented to Glanmor **Williams**. Ed. by R. R. DAVIES, Ralph A. GRIFFITHS, Ieuan Gwynedd JONES a. Kenneth O. MORGAN. Cardiff, Univ. of Wales Press, 84, in-8, X-274 p. (19 fig., portr., 8 pl.).

518. **Wittman** Tibor [1923-1972] emlékkönyv. Szerk. ANDERLE Ádám. (Mélanges T. Wittman. Réd. par - .) Szeged, 83, in-8, 181 p. (Acta Univ. Szegediensis, Acta hist., 77)

519. Timētikos tomos stē mnēmē Georgious Th. **Zōra**. (Volume honorifique à la mémoire de G. Zora.) Publ. sous la dir. de G. K. POURNAROPOULOU et P. A. MASTRODEMETRE. Athènes, Ed. du Philol. Syllogou "Parnassos", 84, in-8, 850 p.

Cf. n°s 1189, 1293, 1354, 1804, 2267, 2285, 2746, 3870, 4634, 5245, 5480, 5686, 6712, 7490, 7584]

§ 4. Metodologia, filosofia ed insegnamento della storia.

* 520. DAVID (Zdenek V.), STRASSFIELD (Robert). Bibliography of works in the philosophy of history: 1978-1982. Hist. a. Theory, 84, Beiheft 23, p. 1-107.

** 521. DILTHEY (Wilhelm). Texte zur Kritik der historischen Vernunft. Hrsg. u. eingel. v. Hans-Ulrich LESSING. Göttingen, Vandenhoeck u. Ruprecht, 84, in-8, 306 p. (Slg Vandenhoeck)

522. ÅMARK (Klas). Karl Popper, vetenskapsteorin och historieforskningen. (Karl Popper, scientific theory and historical research.) Scandia, 84, vol. 50, p. 79-101. [Eng. summary, p. 109]

522a. BARG (M.A.). Kategorii i metody istoričeskoj nauki. (Categories and methods of historical science.) Moskva, Nauka, 84, 342 p. (AN SSSR. In-t vseobšč. istorii)

523. BEDNAREK (Stefan). Metodologiczne problemy badań nad charakterem narodowym. (Les problèmes méthodologiques des recherches sur le caractère national.) Komunikaty maz.-warm., 84, a. 32, n° 1-2, p. 13-27.

524. Beiträge zur Organisation der historischen Forschung in Deutschland. Aus Anlaß d. 25jährigen Bestehens d. Hist. Komm. zu Berlin am 3. Febr. 1984. Hrsg. v. Otto BÜSCH u. Hermann HEIMPEL. Berlin u. New York, de Gruiter, 84, in-8, VI-137 p.

525. BERGLAR (Peter). Geschichte als Tradition - Geschichte als Fortschritt. Aufsätze u. Vorträge. Graz, Wien u. Köln, Styria, 84, in-8, 274 p.

526. BOER (P. den). Mentaliteitsgeschiedenis: een begripsbepaling. (Histoire des mentalités: le contenu.) Bijdr. Meded. Gesch. Ned., 83, vol. 98, p. 318-336.

527. BOUCHER (David). The creation of the past: British idealism and Michael Oakeshott's philosophy of history. Hist. a. Theory, 84, vol. 23, n° 2, p. 193-214.

528. BRENTANO (Robert). The historian and preservation: "A shallow village tale". Cath. hist. R., 84, vol. 70, n° 2, p. 217-224.

529. CACCIATORE (Giuseppe). Neue Sozialgeschichte e teoria della storia. Stud. stor., 84, a. 25, p. 119-130.

540. CASTELLAN (Angel). Tiempo e historiografia. Buenos Aires, Biblos, 84, in-8, 192 p.

541. COFFMAN (Edward M.). The new American military history. Milit. Affairs, 84, vol. 48, n° 1, p. 1-5.

542. CURTIN (Philip D.). Depth, span, and relevance. Am. hist. R., 84, vol. 89, n° 1, p. 1-9. [Presidential adress, Am. Hist. Assoc., dec. 1983]

543. DAUMARD (Adeline). Les généalogies sociales: un des fondements de l'histoire sociale comparative et quantitative. A. Démogr. hist., 84, p. 9-24.

544. DAVIS (Kenneth S.). FDR as a biographer's problem. Am. Scholar, 84, vol. 53, n° 1, p. 100-108.

545. DEAC (Mircea). Arta în oglinda istoriei. (L'art reflété dans l'histoire.) Bucureşti, Ed. Meridiane, 84, in-8, 240 p.

546. DEL COL (Andrea). I processi dell'Inquisizione come fonte: considerazioni diplomatiche e storiche. Annu. Istit. stor. ital. Età mod. contemp., 83-84, vol. 35-36, p. 31-52.

547. DICKINSON (A.K.) a. others. Learning history. London, Heinemann Educ., 84, in-8, 230 p.

§ 4. METODOLOGIA, FILISOFIA ED INSEGNAMENTO DELLA STORIA

548. DIGGINS (John Patrick). The oyster and the pearl: the problem of contextualism in intellectual history. Hist. a. Theory, 84, vol. 23, n° 2, p. 151-169.

549. DUPAQUIER (Jacques). Pour la démographie historique. Préf. de Pierre CHAUNU. Paris, Presses univ. France, 84, in-8, 188 p.

550. EICHHORN (Wolfgang). Gesetzmäßigkeiten von Revolutionen. Berlin, Akad.-Verl., 84, in-8, 29 p. (S.-B. d. Akad. d. Wiss. d. DDR, G, 1984, 11)

551. Erforschung (Die) von Alltag und Sachkultur des Mittelalters: Methode - Ziel - Verwirklichung. Internat. Round-Table-Gespräch Krems an der Donau, 20. Sept. 1982. Hrsg. v. Harry KÜHNEL. Wien, Verl. d. Österr. Akad. d. Wiss., 84, in-8, 230 p. (Veröff. d. Inst. f. mittelalterl. Realienkunde Österreichs, 6)

552. ESCH (Arnold). Zeitalter und Menschenalter. Die Perspektiven hist. Periodisierung. Hist. Z., 84, Bd 239, p. 309-351.

553. FINLEY (Moses I.). Soziale Modelle zur antiken Geschichte. 1: Wie es eigentlich gewesen. 2: Krieg und Herrschaft. Hist. Z., 84, Bd 239, p. 265-308.

554. FISCH (Jörg). Der märchenhafte Orient. Die Umwertung e. Tradition von Marco Polo bis Macaulay. Saeculum, 84, Bd 35, p. 246-266.

555. GARNIER (Bernard), HUBSCHER (Ronald). Recherches sur une présentation quantifiée des revenus agricoles. Hist. Econ. et Soc., 84, a. 3, n° 3, p. 427-452.

556. Geschichte von unten. Fragestellungen, Methoden und Projekte einer Gesch. d. Alltags. Hrsg. v. Hubert Ch. EHALT. Köln u. Wien, Böhlau, 84, in-8, 375 p. (Abb., Taf.). (Kulturstudien, 1)

557. GILLESPIE (Michael Allen). Hegel, Heidegger, and the ground of history. Chicago, Univ. of Chicago Press, 84, in-8, XV-217 p.

558. GLATZ (Ferenc). Marxi elmélet és történeti szaktudomány. (Théorie de Marx et science historique.) Tört. Szle, 83, vol. 26, n° 3-4, p. 353-366. - IDEM. A marxizmus pozicióí a magyar történettudományban. (Les positions du marxisme dans la science historique hongroise.) Magy. Tudom., 83, vol. 28, n° 7-8, p. 518-528.

559. GOLDSTEIN (Jan). Foucault among the sociologists: the "disciplines" and the history of the profession. Hist. a. Theory, 84, vol. 23, n° 2, p. 170-192.

560. GOTTLIEB (Roger S.). Feudalism and historical materialism: a critique and a synthesis. Sci. a. Soc., 84, vol. 48, n° 1, p. 1-37.

561. GUREVIČ (A. Ja.). Ètnologija i istorija v sovremennoj francuzskoj medievistike. (Ethnology and history in present-day French mediaeval studies.) Sov. Ètnogr., 84, n° 5, p. 36-48.

562. HERRMANN (Joachim). Geschichtstriade und Gesellschaftsformationen. Karl-Marx-Vorlesung. Berlin, Akad.-Verl., 84, in-8, 21 p. (S.-B. d. Akad. d. Wiss. d. DDR, G, 17)

563. HEUSS (Alfred). Versagen und Verhängnis. Vom Ruin deutscher Geschichte u. ihres Verständnisses. Berlin, Siedler, 84, in-8, 212 p. - IDEM. Vom geschichtlichen Wissen. Hist. Z., 84, Bd 239, p. 11-21.

564. Historia ¿para qué? Por Carlos PEREYRA y otros. Buenos Aires, Siglo XXI, 84, in-8, 246 p.

565. HOEGES (Dirk). Der vergessene Rest. Tocqueville, Chateaubriand und der Subjektwechsel in der französischen Geschichtsschreibung. Hist. Z., 84, Bd 238, p. 287-310.

566. HOFFMANN (Peter), KÜTTLER (Wolfgang). Tendenzen, Probleme und Aufgabe beziehungsgeschichtlicher Forschungen Dargestellt am Beisp. d. deutsch-russ. Beziehungen d. 17. u. 18. Jh. Jb. f. Gesch. d. sozialist. Länder Europas, 84, Bd 28, p. 31-43.

567. HUCKER (Ulrich). Historische Merkverse als Quellen der Landesgeschichte. Mit e. Sammlung norddeutscher Merkverse. Bl. f. deutsche Landesgesch., 84, Jg. 120, p. 293-328.

568. IMBAULT-HUART (Marie-José). Histoire de la médecine: luxe ou nécessité de la fin du XXe siècle. Hist., Econ. et Soc., 84, a. 3, n° 4, p. 629-640.

569. KANTZENBACH (Friedrich Wilhelm). Was muß christliche Geschichtsauffassung leisten? Zu Ende u. Anfang einer Fragestellung. Z. f. Religions- u. Geistesgesch., 04, Dd 36, p. 289 304.

570. KARLSSON (Klas-Göran). Historieundervisningen i Sverige och Sovjetunionen: några aspekter. (Some aspects of the teaching of history in Sweden and the Soviet Union.) Scandia, 84, vol. 50, p. 171-189. [Eng. summary p. 213-214]

571. KAUFMAN (Peter Iver). "Unnatural" sympathies? Acton and Döllinger on the Reformation. Cath. hist. R., 84, vol. 70, n° 4, p. 547-559.

572. KEDOURIE (Elie). History, the past and the future. Am. Scholar, 84, vol. 53, n° 1, p. 109-115.

573. KNAPE (Joachim). "Historie" in Mittelalter und früher Neuzeit. Begriffs- u. gattungsgesch. Unters. im interdisziplinären Kontext. Baden-Baden, Koerner, 84, in-8, 589 p. (Saecula spiritalia, 10)

574. KNAPP (Peter). Can social theory escape from history? Views of history in social science. Hist. a. Theory, 84, vol. 23, n° 1, p. 34-52.

575. Količestvennye metody v istoričeskikh issledovanijakh. (Quantitative methods in historical studies.) Pod. red. I. D. KOVAL'ČENKO. Moskva, Vysš. škola, 84,

370 p. - CR: E. I. Popova, Nov. novejš. Ist., 85, n° 4, p. 167-170.

576. KOSÁRY (Domokos). A magyar történettudomány teendői és szervezeti kérdései. (Les tâches de la science historique hongroise et ses problèmes d'organisation.) Századok, 84, vol. 118, n° 4, p. 832-859.

577. KOSELLECK (Reinhart). Lernen aus der Geschichte Preußens? Gesch. in Wiss. u. Unterr., 84, Jg. 35, p. 822-836.

578. KOSSOK (Manfred). Der spanische Revolutionszyklus des 19. Jahrhunderts. Probleme d. Erforsch. u. Interpretation im Lichte d. vergleichenden Methode. Z. f. Gesch.-Wiss., 84, Jg. 32, Bd 6, p. 490-499.

579. KOVAL'ČENKO (I.D.). Primenenie količestvennykh metodov i EVM v istoričeskikh issledovanijakh. (Use of quantitative methods and computers in historical studies.) Vopr. Ist., 84, n° 9, p. 61-73.

580. LABUDA (Gerard). Innowacje w nauce i kulturze. (Les innovations dans la science et la culture.) Nauka polska, 84, a. 32, n° 2, p. 13-27. [méthodologie de l'historiographie de la culture]

581. LACAPRA (Dominick). Is everyone a mentalité case? Transference and the "culture" concept. Hist. a. Theory, 84, vol. 23, n° 3, p. 296-311.

582. LEVINE (Norman). Dialogue within the dialectic. Boston, George Allen a. Unwin, 84, in-8, 416 p.

583. LINDGREN (Håkan). Om internationella företag och behovet av ett historiskt angreppssätt. (On international corporations and the need for an historical approach.) [Svensk] Hist. T., 84, vol. 103, p. 47-65. [Eng. summary]

584. LIVEANU (Vasile). Matematica şi istoria social-economică. Inceputul impactului. (Les mathématiques et l'histoire socio-économique. Le début de l'impact.) R. Ist., 84, vol. 37, p. 269-278; n° 4, p. 365-372.

585. McLEMORE (Lelan). Max Weber's defense of historical inquiry. Hist. a. Theory, 84, vol. 23, n° 3, p. 277-295.

586. MAIER (Franz Georg). Der Historiker und die Texte. Hist. Z., 84, Bd 238, p. 83-94.

587. MANN (Ralph). Frontier opportunity and the new social history. Pacific hist. R., 84, vol. 53, n° 4, p. 463-492.

588. MAY (Ernest R.). Writing contemporary international history. Dipl. Hist., 84, vol. 8, n° 2, p. 103-114.

589. MIRONOV (B.N.). Istorik i sociologija. (The historian and sociology.) Leningrad, Nauka, 84, 174 p. (Sovrem. tendencii razvitija nauki. AN SSSR)

590. MOBERG (Carl-Axel). Den nyttiga fornforskningen: en skiss till åskådningshistoria och karakteristik. (Useful antiquity: on the history and character of a view.) Lychnos, 84, vol. 50, p. 133-157. [Eng. summary]

591. MOMMSEN (Wolfgang J.). Die Sprache des Historikers. Hist. Z., 84, Bd 238, p. 57-81.

592. Neue Ansätze in der Geschichtswissenschaft. Hrsg. v. Herta NAGL-DOCEKAL u. Franz WIMMER. Wien, Verband d. Wiss. Ges. Österr., 84, in-8, 167 p. (Conceptus-Stud., 1)

593. NICHOL (Jon). Teaching history. London, Macmillan, 84, in-4, 72 p.

594. OEXLE (Otto Gerhard). Die Geschichtswissenschaft im Zeichen des Historismus. Bemerkungen z. Standort d. Geschichtsforschung. Hist. Z., 84, Bd 238, p. 17-55. - IDEM. Sozialgeschichte - Begriffsgeschichte - Wissenschaftsgeschichte. Anm. z. Werk Otto Brunners. Vjschr. f. Soz.- u. Wirtschaftsgesch., 84, Bd 71, p. 305-341.

594a. PILZ (Erich). Maoistische Geschichtsschreibung. Bochum, Brockmeyer, 84, in-8, 278 p. (Chinathemen, 21)

595. POMIAN (Krzysztof). L'ordre du temps. Paris, Gallimard, 84, in-8, 384 p. (Bibl. des histoires)

596. POMORSKI (Jan). O klasycznym i teoretycznym pojmowaniu przedmiotu poznania historycznego. (Sur les perceptions classique et théorique de l'objet de la connaissance historique.) Historyka, 83 [84], vol. 13, p. 101-118.

597. RORTY (Richard M.) a. others. Philosophy in history. Essays on the historiography of philosophy. London, Cambridge U.P., 84, in-8, 403 p.

598. ROUSSO (Henry), ZYSBERG (André). La micro-informatique en territoire historien. XXe Siècle, 84, n° 4, p. 109116.

599. RULOFF (Dieter). Geschichtsforschung und Sozialwissenschaft. Eine vergl. Unters. zur Wissenschafts- u. Forschungskonzeption in Historie u. Politologie. München, Oldenbourg, 84, in-8, X-467 p. (graph. Darst.).

600. SAITTA (Armando). Guida critica alla storia contemporanea. Roma, Laterza, 84, in-8, 289 p. (Universale Laterza, 641)

601. SANDKÜHLER (Hans Jörg). Geschichte, gesellschaftliche Bewegung und Erkenntnisprozeß. Studien z. Dialektik d. Theorieentwicklung in d. bürgerl. Gesellschaft. Berlin, Akad.-Verl., 84, in-8, 301 p.

602. SANTAMARIA (Ulysses), BAILEY (Anne M.). A note on Braudel's structure as duration. Hist. a. Theory, 84, vol. 23, n° 1, p. 78-83.

603. SCHIEDER (Theodor). Über den Beinamen "der Große". Reflexionen über hist. Größe. Opladen, Westdeutsch. Verl., 84, in-8, 33 p. (Vorträge, Rhein.-westf. Akad. d. Wiss., Geisteswiss., G, 271)

§ 5. Etnografia e folclore

604. SEGETH (Wolfgang). Materialistische Dialektik als Methode und Methodologie. Berlin, Akad.-Verl., 84, 348 p. (Schr. z. Philos. u. ihrer Gesch., 34)

605. SHAW (William H.). Marx and Morgan. Hist. a. Theory, 84, vol. 23, n° 2, p. 215-228.

606. SIBORA (Janusz). Historyk wobec problemów badanie elit (Przegląd problematyki badawczej). (L'historien face aux problèmes de l'étude des élites. Révision de la problématique des recherches scientifiques.) Historyka, 84, vol. 14, p. 27-47.

607. SIMONTON (Dean Keith). Genius, creativity, and leadership: historiometric inquiries. Cambridge, Mass., Harvard U.P., 84, in-8, IX-231 p.

608. Történeti antropológia. Tanulmánykötet. (Anthropologie historique. Recueil d'études.) Réd. par HOFER Tamás. Budapest, 84, in-8, 366 p. (Anthropológiai írások, 8-10)

609. TOSH (John). The pursuit of history: aims, methods and new directions in the study of modern history. London, Longman, 84, in-8, X-206 p.

610. VÁLEK (Vlastimil. K specifičnosti memoárové literatury. (Zur Spezifität der Memoirenliteratur.) Brno, Univ. J. E. Purkyně, 84, in-8, 160 p. (Spisy filoz. fakulty, 254)

611. VIKØR (Knut). Mystikk og politikk - eit problemfelt for historisk forskning. (Mystery and politics - a problem area for historical research.) [Norsk] Hist. T., 84, vol. 63, p. 1-27. [Eng. summary]

612. Von kommenden Zeiten. Geschichtsprophetien im 19. u. 20. Jh. Hrsg. v. Joachim H. KNOLL, Julius H. SCHOEPS. Mit Beiträgen v. Wolfgang SCHIRMACHER u. a. Stuttgart u. Bonn, Burg-Verl., 84, in-8, 316 p. (Ill., graph. Darst.). (Studien z. Geistesgesch., 4)

613. VON LEYDEN (Wolfgang). Categories of historical understanding. Hist. a. Theory, 84, vol. 23, n° 1, p. 53-77.

614. WHITE (Hayden). The question of narrative in contemporary historical theory. Hist. a. Theory, 84, vol. 23, n° 1, p. 1-33.

615. WORSTER (Donald). History as natural history: an essay on theory and method. Pacific hist. R., 84, vol. 53, n° 1, p. 1-19.

616. YETMAN (Norman R.). Ex-slave interviews and the historiography of slavery. Am. Quar., 84, vol. 36, n° 2, p. 181-210.

617. ZOELLNER (Erich). Probleme und Aufgaben der österreichischen Geschichtsforschung. Ausgew. Aufsätze. Hrsg. v. Heide DIENST u. Gernot HEISS. München, Oldenbourg, 84, in-8, 458 p.

Cf. n°s 21, 3771, 5149.

§ 5. Etnografia e folclore.

* 618. Folklore and folklife research in Finland. Suomen perinnetieteellinen bibliografia. Finnish Ethnological bibliography. [1927-1934, 1977-1979. Cf. Bibl. 81, n° 553.] 1980-1982. Toim.-ed. Henni ILOMÄKI, Helena JÄRVINEN, Terttu KAIVOLA. Helsinki, Finnish Literature Soc., 84, in-8, 91 p. (Studia fennica, 29)

619. ALEKSANDROV (V.A.). Obyčnoe pravo krepostnoj derevni Rossii, XVII - načalo XIX v. (Common law of Russia's serfdom countryside, 18th - beginning of the 20th cent.) Moskva, Nauka, 84, 255 p. (AN SSSR. In-t ètnografii)

620. ANTONOVA (E.V.). Očerki kul'tury drevnikh zemledel'cev Perednej i Srednej Azii: Opyt rekonstrukcii mirovosprijatija. (Essays on the culture of ancient landowners in southwest a. central Asia.) Moskva, Nauka, 84, 262 p. (AN SSSR. In-t vostokovedenija)

621. Bibl. 82, n° 659. BENSA (Alban), RIVIERRE (Jean-Claude). Les chemins de l'alliance. - CR: J. Guiart, s. le titre: "Ethnologie mélanésienne: questions de méthode". Homme, 84, t. 24, n° 1, p. 91-99. - Suivi de BENSA (Alban), RIVIERRE (Jean-Claude). Jean Guiart et l'ethnologie. Ibid., p. 100-105.

622. BERCE (Yves-Marie). Le chaudron et la lancette: croyances populaires et médécine préventive (1798-1830). Paris, Presses de la Renaissance, 84, in-8, 336 p.

623. BESLAY (François). Les Réguibats: de la paix française au front Polisario. Paris, L'Harmattan, 84, in-8, 189 p. (Alternatives paysannes)

624. Bibl. 83, n° 621. BROMLEJ (Ju.V.). Očerki istorii ètnosa. (Essays on the history of "ethnos".) - CR: I. R. Grigulevič, E. A. Rikman, Nov. novejš. Ist., 84, n° 2, p. 182-186.

625. CÂRSTEAN (Stelian). Balada în folclorul Moldovei de Nord. (La ballade dans le folklore de la Moldavie du Nord.) Bucureşti, Minerva, 84, in-8, 224 p.

626. CROGNIER (Emile), BLEY (Daniel), BOETSCH (Gilles). Mariage en Limousin. Evolution séculaire et identité d'une population rurale: le canton de Chateauponsac (1870-1979). Paris, Ed. du C.N.R.S., 84, in-8, 138 p. (18 fig., 43 tabl., 13 pl., 4 cartes).

627. DUNĂRE (Nicolae). Civilizaţie tradiţională românească în curbura carpatică nordică. (La civilisation traditionnelle roumaine dans la courbure nord des carpates.) Bucureşti, Ed. ştiinţ. şi enciclop., 84, in-8, 312 p.

628. DURING (Jean). La musique iranienne: tradition et évolution. Paris, Recherche sur les civilisations, 84, in-4, 244 p. (ill.). (Mémoire, 38. - Biblioth. iranienne, Inst. franç. d'Iranologie de Téhéran, 29)

629. Encyclopédie berbère. Union internat. des sciences pré- et protohist., Union internat. des sci. anthropol. et ethnol., Laboratoire d'anthropol. et de préhist. des pays de la Méditerranée occidentale. T. 1: Abadir - acridophagie. Paris, Edisud, 84, in-8, 112 p.

630. Ètničeskaja kul'tura: dinamika osnovnykh èlementov. (Ethnic culture: dynamics of basic elements.) Sbornik statej. Redkol.,: I. I. KRUPNIK (otv. red.) i dr. Moskva, In-t istorii SSSR AN SSSSR, 84, 196 p. (AN SSSR. In-t istorii SSSR. In-t ètnografii)

631. FÉNER (Tamás). ... and you shall tell your son ... Jewish customs and ceremonies in Hungary. Photographs by - , text by Sándor SCHEIBER. Budapest, Corvina, 84, in-8, 155 p.

632. FERNÁNDEZ LATOUR DE BOTAS (Olga). Atlas histórico de la cultura tradicional argentina: prospecto. Buenos Aires, Oikos, 84, in-fol., 50 p.

633. FOCHI (Adrian). Paralele folclorice. Coordonatele culturii carpatice. (Parallèles folkloriques. Les coordonnées de la culture carpatique.) Bucureşti, Minerva, 84, in-8, 325 p.

634. GEMUEV (I.N.). Sem'ja u sel'kupov (XIX - nač. XX v.). (The Selcup family in the 19th - beginning of the 20th cent.) Novosibirsk, Nauka, 84, 156 p. (AN SSSR. Sib. otd-nie. In-t ist., filol. i filos.)

635. GERMAIN (Jacques). Peuples de la forêt de Guinée. Paris, Acad. des Sciences d'Outre-Mer, 84, 304 p.

636. GIRENKO (N.M.). Vostočno-afrikanskie kul'tury v processe formacionnykh izmenenij (XIX-XX vv.). (East-African cultures in the process of formative changes, 19th - 20th cent.) Sovet. Ètnogr., 84, n° 2, p. 38-50.

637. GUILCHER (Jean-Michel). La tradition de danse en Béarn et pays basques français. Publ. avec le concours du Ministère de la Culture, Mission du patrimoine ethnol., et du C.N.R.S. Paris, Ed. de la Maison des Sci. de l'Homme, 84, in-8, 725 p.

638. GUNDERT (Sybille). Der historische Rahmen der wirtschaftlichen und politischen Entwicklung von Vanuatu. München, Minerva, 84, in-8, 275 p. (Münchner ethnol. Abh., 4)

639. HAIDING (Karl). Beitrag zur Sachvolkskunde des steirischen Ennsbereiches. Österr. Z. f. Volkskde, 84, Bd 87, p. 187-198.

640. Historische Anthropologie. Der Mensch in d. Geschichte. Mit Beiträgen v. Michael ERBE u. a. Hrsg. v. Hans SÜSSMUTH. Göttingen, Vandenhoeck u. Ruprecht, 84, in-8, 166 p. (Kleine Vandenhoeck-Reihe, 1499)

641. HUBERT (Annie). Le pain et l'olive. Aspects de l'alimentation en Tunisie. Paris, Ed. du C.N.R.S., 84, in-4, 156 p. (3 fig., 6 phot., 2 cartes).

642. JARVIE (Ian C.). Rationality and relativism: in search of philosophy and history of anthropology. London, Routledge, 84, in-8, 188 p. (Internat. Libr. of Soc.)

643. KABO (V.R.). Aborigeny Avstralii. (Australian aborigines.) Vopr. Ist., 84, n° 6, p. 101-112.

644. Kavkazskij ètnografičeskij sbornik. (Caucasian ethnographical collection.) T. 112, Vyp. 8. Otv. red. V. K. GARDANOV. Moskva, Nauka, 84, 269 p. (ill.). (Novaja serija. AN SSSR. In-t ètnografii)

645. KONKKA (U.S.). Put' Lennrota k "Kalevale" (k 150-letiju "Kalevaly"). (The path traversed by Lönnrot on his way towards the "Kalevala". On the occasion of the 150th anniversary of the "Kalevala".) Sovet. Ètnogr., 84, n° 3, p. 23-35.

646. LECOUTEUX (Claude). Fantômes et revenants germaniques: essai de présentation. Et. germaniques, 84, vol. 39, n° 3, p. 227-250.

647. LEHTOSALO-HILANDER (Pirkko-Liisa). Ancient Finnish costumes. Helsinki, Finnish Archaeol. Soc., 84, in-8, 80 p. (ill.).

648. LHOTE (Henri). Le Hoggar. Espace et temps. Postface de Maxim RODINSON. Paris, Armand Colin, 84, in-8, 240 p. (ill.). (Civilisations) - IDEM. Les Touaregs du Hoggar. Paris, Armand Colin, 84, in-8, 256 p. (ill.). (Civilisations)

649. LIKHAČEV (D.S.), PANČENKO (A.M.), PONYRKO (N.V.). Smekh v Drevnej Rusi. (Laughter in ancient Russia.) Leningrad, Nauka, 84, 295 p. (AN SSSR. Otd-nie lit. i jazyka)

650. LOUKOPOULOS (Dēmētrēs). Aitōlikai oikēseisskeuē kai trophai. (Ustensiles domestiques et alimentation d'Etolie.) Athènes, Dōdōnē, 84, in-8, 145 p.

651. MAIERBRUGGER (Matthias). Lebendiges Brauchtum in Kärnten. Klagenfurt, Heyn, 84, in-8, 126 p.

652. MALINOWSKI (Bronisław). Dzieła. (Oeuvres.) Com. de réd.: Antonina KŁOSKOWSKA et al. Réd. en chef: Władysław MARKIEWICZ. T. 1: Wierzenia pierwotne i formy ustroju społecznego. Pogląd na genezę religii ze szczególnym umzględnieniem totemizmu. O zasadzie ekonomii myślenia. (T. 1: Les croyances primitives et les formes du régime social. L'opinion sur la genèse de la religion avec une spéciale prise en considération du totémisme. Sur le principe de l'économie de la pensée.) Textes revus, avant-propos et annotations par Andrzej Krzysztof PALUCH. T. 2: Zwyczaj i zbrodnia w społeczności dzikich. (La coutume et le crime dans la société des sauvages.) Trad. de l'anglais par Józef OBRĘBSKI;. av.-propos de Czesław ZNAMIEROWSKI. Życie seksualne dzikich w północno-zachodniej Melanezji. Miłość, małżeństwo i życie rodzinne u krajowców z Wysp Trobrianda Brytyjskiej Nowej Gwinei.

§ 5. ETNOGRAFIA E FOLCLORE

(La vie sexuelle des sauvages en Mélanésie du Nord-Ouest. Amour, mariage et vie familiale chez les indigènes des Iles Trobriand de la Nouvelle-Guinée Anglaise.) Trad. de l'anglais par Józef CHAŁASIŃSKI et Andrzej WALIGÓRSKI. Av.-propos: Havelock ELLIS. Warszawa, Państw. Wydawn. Nauk., 84, 2 vol. in-8, 397, 624 p.

653. MASSARD (Josiane). Nous gens de Ganchong. Environnement et échanges dans un village malais. Paris, Ed. du C.N.R.S., 84, in-8, 456 p. (4 fig., 2 cartes).

654. MAUR (Eduard). Chodové. Historie a historické tradice. (Die Choden. Gesch. u. hist. Tradition.) Praha, Univ. Karlova, 84, in-8, 126 p. (Acta Univ. Carolinae, Philosophica et historica, Monographia, 90)

655. MAZIN (A.I.). Tradicionnye verovanija i obrjady ėvenko-oročonov (konec XIX - nač. XX v.). (Traditional beliefs and rites of the Evenki-Orochi, end of the 19th - beginning of the 20th cent.) Novosibirsk, Nauka, 84, 201 p. (ill.). (AN SSSR. Sib. otd-nie. In-t ist., filol. i filos.)

656. MOTZ (Lotte). Gods and demons of the wilderness. A study in Norse tradition. Ark. f. nordisk Filol., 84, vol. 99, p. 175-187.

657. NEKRYLOVA (A.F.). Russkie narodnye gorodskie prazdniki, uveselenija i zrelišča: konec XVIII - nač. XIX v. (Russian urban folk holidays, entertainments and performances, end of the 18th - beginning of the 19th cent.) Leningrad, Iskusstvo, 191 p. (ill.).

658. PETREQUIN (Pierre), PETREQUIN (Anne-Marie). Habitat lacustre du Bénin. Une approche ethno-archéologique. Préf. d'Alain GALLAY. Paris, Recherche sur les civilisations, 84, in-4, 214 p. (ill.). (Mémoire, 39)

659. Polevye issledovanija: Russkij fol'klor. (Field research: Russian folklore.) Vyp. 22. Otv. red.: P. S. VYKHODCEV. Leningrad, Nauka, 84, 207 p.

660. Polevye issledovanija Instituta ėtnografii. 1980-1981. (Field research of the Institute of ethnography.) Otv. red.: S. I. VAJNŠTEJN. Moskva, Nauka, 84, 260 p. (AN SSSR. In-t ėtnografii)

661. POLITIS (Alexis). Hē Anakalypsē tōn Hellēnikon dēmotikōn tragoudiōn. (La découverte des chants populaires grecs.) Athènes, Thememlio, 84, in-8, 390 p.

662. POP (Denise). Evolution d'un système vestimentaire dans les sociétés rurales roumaines. Homme, 84, t. 24, n° 1, p. 43-64 (7 phot.).

663. RABINOVIČ (M.G.), ŠMELEVA (M.N.). Gorod i ėtničeskie processy (iz opyta ėtnografičeskogo izučenija vostočnoslavjynskikh gorodov). (Town and ethnic processes: on the base of ethnographic study of East Slav cities.) Sovet. Ėtnogr., 84, n° 2, p. 3-14.

664. Rasy i narody. Sovremennye ėtničeskie i rasovye problemy. (Races and peoples. Contemporary ethnic and racial problems.) Eżegodnik. Vyp. [13. Cf. Bibl. 83, n° 656.] 14. Redkol.: I. R. GRIGULEVIČ (otv. red.) i dr. Moskva, Nauka, 84, 294 p. (AN SSSR. In-t ėtnografii)

665. Rol' geografičeskogo faktora v istorii dokapitalističeskikh obščestv (po ėtnografičeskim dannym). (The role of the geographical factor in the history of pre-capitalist societies in the light of ethnographic data.) Sbornik nauč. tr. Otv. red.: V. N. BORJAZ, L. P. POTAPOV. Leningrad, Nauka, 84, 263 p. (AN SSSR. Leningr. kaf. filosofii, Leningr. čast' In-ta ėtnografii)

666. SAVINOV (D.G.). Narody južnoj Sibiri v drevnetjurkskuju ėpokhu. (Peoples of Southern Siberia in the ancient Turkic epoch.) Leningrad, LGU, 84, 160 p.

667. SECOȘAN (Elena), PETRESCU (Paul). Portul popular de sărbătoare din România. (Le costume de dimanche populaire en Roumanie.) București, Meridiane, 84, 316 p.

668. ŠEJNBAUM (L.S.). Argentinskij ėtnos: Ėtapy formirovanija i razvitija. (The Argentine people: stages of its forming and development.) Moskva, Nauka, 84, 168 p. (AN SSSR. In-t ėtnografii)

669. Slavjanskij i balkanskij fol'klor. (Slavic and Balkan folklore.) Sbornik. Redkol.: N. I. TOLSTOJ (otv. red.) i dr. Moskva, Nauka, 84, 278 p. (ill.). (AN SSSR. In-t slavjanovedenija i balkanistiki)

670. SOLOMINA (V.P.). Unikal'nyj pamjatnik severnogo srednevekovogo šit'ja. (A unique sample of mediaeval northern embroidery.) Sovet. Arkheol., 84, n° 2, p. 91-101.

671. STEL'MAKH (V.G.). Khozjajstvo indejcev SŠA na rubeže XIX-XX stoletij. (The economy of the United States' Indians at the turn of the 20th cent.) Sovet. Ėtnogr., 84, n° 4, p. 41-53.

672. STOICA (Georgeta). Romanian peasant houses and households. București, Meridiane, 84, 151 p. [also in German, Russian, Spanish]

673. Strany i narody. (Countries and peoples.) Nauč.-popular. geogr.-ėtnogr. izd. Gl. redkol.: Ju. V. BROMLEJ (predsedatel') i dr. V 20-ti t. Sovetskij Sojuz: Respubliki Pribaltiki. Belorussija. Ukraina. Moldavija. Redkol.: G. M. LAPPO (otv. red., sost.) i dr. Moskva, Mysl', 84, 349 p. (ill. [Cf. Bibl. 82, n° 711]

674. STUDSTILL (John D.). Les desseins d'arc-en-ciel: épopée et pensée chez les Luba du Zaïre. Paris, Ed. du C.N.R.S., 84, in-8, 176 p. (5 pl., 2 cartes).

675. TOLSTOVA (L.S.). Istoričeskie predanija južnogo Priaral'ja: k istorii rannikh ėtnokul't. svjazej narodov Aralo-Kasp. regiona. (Historical legends of the South Aral region. On the history of early ethno-cultural contacts of the peoples of the Aral-Caspian region.) Moskva, Nauka,

84, 246 p. (AN SSSR. In-t ètnografii)

676. Tracht in Österreich. Geschichte und Gegenwart. Hrsg. v. Franz Carl LIPP, Elisabeth LÄNGLE. Wien, Brandstätter, 84, in-4, 263 p.

Cf. n°s 6089, 6258.

§ 6. Storia generale.

<u>a</u>. Generalità.

* 677. Bibliographie internationale de l'Humanisme et de la Renaissance. [T. 14. Cf. Bibl. 83, n° 664.] T. 15: Travaux parus en 1979. T. 16: Travaux parus en 1980. Genève, Droz, 84, 2 vol. in-8, CXVIII-731, CX-766 p.

* 678. Historical periodicals directory. [Vol. 2. Cf. Bibl. 83, n° 665.] Vol. 3: Europe: east and southeast; USSR. Ed. by Eric H. BOEHM a. others. Santa Barbara, Calif., ABC-Clio, 84, in-8, XV-252 p. (Clio Periodicals Directories)

* 679. International bibliography of Jewish history and thought. Ed. by Jonathan KAPLAN. Rothberg School for Overseas Students, the Hebrew Univ., Dor Hemschech Inst., the World Zionist Organization. München, New York, London u. Paris, K. G. Saur, 84, in-8, XVIII-483 p.

* 680. MEHAUD (Catherine). Mer et Outre-Mer. Bibliographie des travaux intéressant l'histoire maritime publiés en France de 1962 à 1975. Préf. de Jean BAILLOU. Paris, Ed. de l'Erudit, 84, in-4, 380 p. (ill.). (Gens de terre - gens de mer)

* 681. Pacific history bibliography and comment. [1983. Cf. Bibl. 83, n° 666.] 1984. Canberra, The Journal of Pacific History, Australian National Univ., 84, in-4, 68 p.

* 682. Slovanský přehled 1968-1980. Bibliografický soupis. (Register z. Zeitschrift "Slovanský přehled" für d. J. 1968-1980.) Zsgest. v. Milada BOHÁČOVÁ. Praha, Československo-sovětský institut ČSAV, 84, in-8, 279 p.

* Cf. n° IX.

---

683. BADER (Karl Siegfried). Ausgewählte Schriften zur Rechts- und Landesgeschichte. Bd 1, 2: Schriften zur Rechtsgeschichte. Ausgew. u. hrsg. v. Clausdieter SCHOTT. Bd 3: Schriften zur Landesgeschichte. Ausgew. u. hrsg. v. Helmut MAURER. Sigmaringen, Thorbecke, 83-84, 3 vol. in-8, 639, 620, 747 p. (Ill.).

684. BURIAN (Jan), OLIVA (Pavel). Civilizace starověkého Středomoří. (Die Zivilisation des Mittelmeerraumes im Altertum.) Praha, Svoboda, 84, in-4, 547 p.

685. Cambridge (The) history of Africa. [Vol. 1. Cf. Bibl. 82, n° 732.] Vol. 8: From c. 1940 to c. 1975. Ed. by Michael CROWDER. London a. New York, Cambridge U.P., 84, in-8, XVI-1011 p.

686. Člověk, zbraň a zbroj v obraze doby. (Mensch, Waffe und Rüstung im Bilde der Zeit.) Teil 1: 5.-17. století. (Jahrhundert.) [Von] Petr KLUČINA, Andrej ROMAŇÁK. Teil 2: 17.-20. století. (Jahrhundert.) [Von] Petr KLUČINA, Andrej ROMAŇÁK, Karel RICHTER. Praha, Naše vojsko, 83-84, 2 vol. in-8, 288, 337 p. (fig.).

687. DAVIS (David Brion). Slavery and human progress. London a. New York, Oxford U.P., 84, in-8, XIX-374 p.

688. Egypt and Palestine: a millenium of association (868-1948). Ed. by Amnon COHEN a. Gabriel BAER. Jerusalem, Ben Zvi Institute, 84, in-8, 390 p.

689. Etudes historiques. Vol. 11. A l'occasion du IXe Congrès international des études slaves, Kiev, 1983. Comité de réd.: Dimitrina PETROVA, Vesela ČIČOVSKA, Zina MARKOVA, et al. Sofia, BAN, 83, in-8, 239 p. [Cf. n°s 66a, 2277, 2281, 4348, 4566, 4810, 5317, 5369, 5926, 7476]

689a. GRAVIER (Maurice). Les Scandinaves. Hist. des peuples scandinaves. Epanouissement de leur civilisation, des origines à la Réforme. Paris, Lidis; Turnhout, Brepols, 84, in-4 686 p. (32 p. de pl., 15 cartes). (Hist. anc. des peuples)

690. GROUSSET (René). Histoire de l'Arménie. Paris, Payot, 84, in-8, 660 p. (Biblioth. hist.)

691. Istoriografičeskie issledovanija po slavjanovedeniju i balkanistike. (Historiographical research on Slav and Balkan history.) Otv. red.: V. A. D'JAKOV. Moskva, Nauka, 84, 373 p. (AN SSSR. In-t slavjanovedenija i balkanistiki)

692. Jointly in the struggle for peace against war. Papers of the research fellows of the Institute of Czechoslovak and General History of the Czechoslovak Academy of Sciences. Ed. by Jaroslav PURŠ. Prague, Inst. of Czechosl. a. World Hist. of the CZAS, 84, in-8, 128 p. [Cf. n°s 2403, 3148, 5152, 5201, 6442]

693. Judentum und Antisemitismus von der Antike bis zur Gegenwart. Im Auftr. d. Fachbereichs Geschichtswiss. d. Philipps-Univ. Marburg hrsg. v. Thomas KLEIN, Volker LOSEMANN u. Gunther MAI. Düsseldorf, Droste, 84, in-8, 189 p.

694. KUCZYNSKI (Jürgen). Gesellschaften im Untergang. Vergleichende Niedergangsgesch. vom Röm. Reich bis z. d. Vereinigten Staaten v. Amerika. Mit Beitr. v. Hans-Heinrich MÜLLER u. Karl-Heinz RÖDER. Berlin, Akad.-Verl., 84, in-8, 216 p.

695. LEVI DELLA VIDA (Giorgio). Arabi ed ebrei nella storia. A cura di F. GABRIELI e F. TESSITORE. Napoli, Guida, 84, in-8, 324 p. (Biblioteca di saggistica, 17)

696. Lexikon früher Kulturen. Hrsg. v. Joachim HERRMANN. Bd 1: A-L. Bd 2: M-Z. Leipzig, Bibliogr. Inst., 84, 2 vol. in-4, 533, 447 p. (128 p. Abb.).

§ 6. STORIA GENERALE

697. NIEDERHAUSER (Emil), GONDA (Imre). Die Habsburger. Ein europäisches Phänomen. Budapest, Corvina, 83, in-8, 431 p. (32 Taf.).

698. Nomád társadalmak és államalakulatok. Tanulmányok. Szerk. TŐKEI Ferenc. (Sociétés nomades et leur organisation en Etats. Etudes. Réd. par - .) Budapest, Akad. Kiadó, 83, in-8, 390 p. (Körösi Csoma Kiskönyvtár, 18)

699. SHIMIZU (Matsuo). Suravu Minzokushi no Kenkyû. (Histoire des peuples slaves.) Tokyo, Yamakawa, 83, in-8, 464 p.

700. SZŰCS (Jeno). The three historical regions of Europe. An outline. Acta hist. Acad. Sci. hungaricae, 83, vol. 29, n° 2-4, p. 131-184.

701. TAUER (Felix). Svět islámu. Jeho dějiny a kultura. (Die Welt des Islams. Geschichte und Kultur.) Praha, Vyšehrad, 84, in-8, 301 p. (25 fig.).

702. TUCHMAN (Barbara W.). The march of folly: from Troy to Vietnam. New York, A. A. Knopf, 84, in-8, XIV-447 p.

703. Umma we-toldoteha. (Nation and history. Studies in the history of the Jewish people. Based on papers delivered at the Eight World Congress of Jewish Studies, Jerusalem, 1981.) Ed. by Menachem STERN a. Shmuel ETTINGER. Jerusalem, Zalman Shazar Center, 83-84, 2 vol. in-8.

704. WEDGWOOD (C.V.). Spoils of time: a short history of the world. Vol. 1: From earliest times to the 16th century. London, Collins, 84, in-8, 384 p.

Cf. n° 409.

b. Singoli stati[1].

Germania.

* 705. Berlin-Bibliographie. [1961-1966. Cf. Bibl. 73, n° 582.] 1967 bis 1977. Vorwort v. Wolfgang TREUE, Rainald STROMEYER. Bearb. v. Ursula SCHOLZ, Raynald STROMEYER. Berlin u. New York, de Gruyter, 84, in-8, XXII-893 p. (Veröff. d. Hist. Komm. zu Berlin, 58. Bibliographien, 5)

* 706. Mecklenburgische Bibliographie. Regionalbibliographie f. d. Bezirke Rostock, Schwerin u. Neubrandenburg. Berichtsjahr [1981. Cf. Bibl. 83, n° 692.] 1982. Nachtr. 1945-1981. Bearb. v. Grete GREWOLLS. Schwerin, Wissenschaftl. Allgemeinbibliothek d. Bez Schwerin, 84, in-8, 135 p.

* 707. Quellenkunde der deutschen Geschichte. Bibliographie d. Quellen u. d. Lit. z. deutsch. Gesch. Dahlmann-Waitz. Unter Mitw. zahlr. Gelehrter hrsg. im

---

1. Classificazione alfabetica secondo la forma francese dei nomi degli stati.

Max-Planck-Inst. f. Gesch. v. Hermann HEIMPEL u. Herbert GEUSS. 10. Aufl. Allgemeiner Tail: Landesgesch. [Lfg 43-45. Cf. Bibl. 83, n° 693.] Lfg 46: Abschn. 115 (Schluß) - Abschn. 116. Lfg 47: Abschn. 116 (Schluß) - Abschn. 119. Stuttgart, Hiersemann, 83-84, 2 vol. in-4, 40, 40 Bl.

* 708. Sachsen-Anhalt. Regionalbibliographie f. d. Bezirke Halle u. Magdeburg. Bearb. v. Peter HENNING. [Berichtsjahre 1979 u. 1980. Cf. Bibl. 82, n° 759.] Berichtsjahre 1981 u. 1982. Nachträge 1965-1980. Halle, Univ.- u. Landesbibliothek Sachsen-Anhalt, 84, in-8, XI-404 p. (Arbeiten aus d. Univ.- u. Landesbibliothek Sachsen-Anhalt in Halle an d. Saale, 29)

* 709. Sächsische Bibliographie. Regionalbibliographie f. d. Bezirke Dresden, Karl-Marx-Stadt u. Leipzig. Hrsg. v. d. Sächs. Landesbibliothek Dresden. [Berichtsjahr 1982. Cf. Bibl. 83, n° 694.] Berichtsjahr 1983. Nachträge aus früheren Jahren. Zusammengest. v. Johannes JANDT, Hans-Joachim MÜLLER u. Rosemarie WÜNSCHE. Dresden, Sächs. Landesbibliothek, 84, in-8, VI-158 p.

* 710. Thüringen-Bibliographie. Regionalbibliographie für die Bezirke Erfurt, Gera u. Suhl. Bearb. v. Doris KUHLES. [1979-1980. Cf. Bibl. 83, n° 696.] 1981-1982. Mit Nachtr. Weimar, Nationale Forsch.- u. Gedenkstätten d. klass. deutsch. Literatur, 84, in-8, 384 p.

** 711. PIEL (Heinrich). Das Chronicon domesticum et gentile des Heinrich Piel. Hrsg. v. Martin KRIEG. Münster, Aschendorff, 81, in-8, XXXIII-229 p. (Veröff. d. Hist. Komm. f. Westfalen, 13. Geschichtsquellen d. Fürstentums Minden, 4)

712. Deutsche Geschichte. Hrsg. v. Heinrich PLETICHA. [Bd 1-10. Cf. Bibl. 83, n° 699.] Bd 11: Republik und Diktatur 1918-1945. Bd 12: Geteiltes Deutschland nach 1945. Gütersloh, Lexikothek, 84, 2 vol. in-8, 384, 384 p. (Abb.).

713. Deutsche Geschichte. In 12 Bd. Hrsg. vom Zentralinst. f. Gesch. d. Akad. d. Wiss. d. DDR. Herausgeberkollegium: Horst BARTEL u. a. [Bd 3. Cf. Bibl. 83, n° 700.] Bd 2: Die entfaltete Feudalgesellschaft von der Mitte des 11. bis zu den siebziger Jahren des 15. Jahrhunderts. Autorenkoll.: Evamaria ENGEL. Bd 4: Die bürgerliche Umwälzung von 1789-1981. Autorenkoll.: Walter SCHMIDT u. a. Berlin, Deutsch. Verl. d. Wiss., 84, 2 vol. in-4, 476, 536 p. (Abb.).

714. Ežegodnik Germanskoj istorii. (Yearbook of German history.) [1982. Cf. Bibl. 83, n° 701.] 1983. Redkol.: A. AJZIN (gl. red.) i dr. Moskva, Nauka, 84, 256 p. (AN SSSR. In-t vseobšč. istorii. Komis. istorikov SSSR i GDR)

715. Geschichte der Stadt Augsburg von der Römerzeit bis zur Gegenwart. Hrsg. v. G. GOTTLIEB u. a. Stuttgart, Theiss, 84, in-4, XI-708 p. (Ill., Kt.).

716. Geschichte der Stadt Stralsund. Im Auftr. d. Rates d. Stadt Stralsund hrsg. v. Herbert EWE. Weimar, Böhlau, 84, in-4, 520 p. (Abb., Kt.). (Veröff. d. Stadtarchivs Stralsund, 10)

717. GROOTE (Wolfgang.) Der Gestaltwandel der Wehrpflicht in der deutschen Geschichte. Gesch. in Wiss. u. Unterr., 84, Bd 35, p. 273-293.

718. HOLMSTEN (Georg). Die Berlin-Chronik. Daten, Personen, Dokumente. Düsseldorf, Droste, 84, in-8, 560 p. (Ill., Kt.).

719. Neunhundert Jahre Haus Württemberg. Leben u. Leistung f. Land u. Volk. Hrsg. v. Robert UHLAND. Mit Beitr. v. Willi A. BOELCKE u. a. Stuttgart, Kohlhammer, 84, in-8, 791 p. (Ill.).

Austria.

* 720. RAUSCH (Wilhelm). Bibliographie zur Geschichte der Städte Österreichs. Linz, Österr. Arbeitskreis f. Stadtgeschichtsforschung, 84, in-8, XVII-329 p. (1 Kt.).

* 721. SCHIMBÖCK (Maximilian). Historische Bibliographie der Stadt Enns. Linz, Ludwig Boltzmann Inst. f. Stadtgeschichtsforschung, 84, in-8, 118 p.

* Cf. n° III.

722. BRANDSTETTER (Bruno). Der Markt Hitzendorf. Ortsgeschichte und Häuserbuch. Hitzendorf, Marktgemeinde, 84, in-8, 254 p.

723. FORCHER (Michael). Tirols Geschichte in Wort und Bild. Innsbruck, Haymon, 84, in-8, 280 p.

724. FRASS-EHRFELD (Claudia). Geschichte Kärntens. Bd 1: Das Mittelalter. Klagenfurt, Heyn, 84, in-8, 814 p.

725. GUTKAS (Karl). Geschichte Niederösterreichs. Wien, Verl. f. Gesch. u. Pol., 84, in-8, 309 p. (Gesch. d. österr. Bundesländer)

726. KREISSLER (Felix). Der Österreicher und seine Nation. Ein Lernprozeß mit Hindernissen. Wien, Köln u. Graz, Böhlau, 84, in-8, 732 p. (Forsch. z. Gesch. d. Donauraumes, 5)

727. Volk, Land und Staat - Landesbewußtsein, Staatsidee u. Nationale Fragen in d. Gesch. Österreichs. Hrsg. v. Erich ZÖLLNER. Red. v. Heinrich MÖCKER. Wien, Bundesverl., 84, in-8, 184 p. (Schr. d. Inst. f. Österreichkunde, 43)

Bulgaria.

728. Bulgaria. Past and present. Studies in history, literature, sociology, folklore, music and linguistics. Proceedings of the Second Internat. Conf. on Bulgarian Studies held at Družba, Varna, 13-17 June 1978. Sofia, BAN, 82, in-8, 272 p.

729. Istorija na Bălgarija. V 14 toma. (L'histoire de la Bulgarie. En 14 vol.) Com. de réd., Dimităr KOSEV, Khristo KHRISTOV, Nikolaj TODOROV, et al. T. 3: Vtora bălgarska dăržava. (Le Deuxième Etat bulgare.) T. 4: Bălgarskijat narod pod osmansko vladičestvo ot XV do načaloto na XVIII vek. (Le peuple bulgare sous la domination ottomane, depuis le XVe jusqu'au début du XVIIIe s.) Sofija, BAN, 82-83, 2 vol. in-4, 526, 401 p. [T. 1. Cf. Bibl. 78-79, n° 785]

Spagna.

* 730. HERRERA GARCÍA (Antonio). Bibliografía básica para la historia de Cuenca. Anu. Est. mediev., 82 [84], t. 12, p. 421-487.

731. Problemy ispanskoj istorii. 1984. (Problems of Spanish history.) Sbornik. Redkol.: S. P. POLARSKAJA (otv. red.) i dr. Moskva, Nauka, 84, 288 p. (AN SSSR. In-t vseobšč. istorii)

Francia.

* 732. Bibliographie alsacienne. [1979-1980. Cf. Bibl. 82, n° 782.] 1981-1982. Sous la dir. de Gérard LITTLER. Strasbourg, Bibliothèque nationale et univ., 84, in-8, 771 p.

* 733. Bibliographie normande [1981. Cf. Bibl. 83, n° 723.] 1982 (bibliographie annuelle). Etablie par Michel NORTIER avec le concours de J.-J. BERTAUX. A. Normandie, 83 [84], a. 33, n° 4-5, p. 355-454.

* 734. VERNON (Claire). Bibliographie de la France méridionale: publications de l'année [1981. Cf. Bibl. 83, n° 728.] 1982. Toulouse, C.N.R.S., Laboratoire associé Etudes méridionales, 84, in-8, 116 p.

* Cf. n° VI.

735. Actes du 107e Congrès national des sociétés savantes, Brest, 1982. Section de philol. et d'hist. jusqu'en 1610. La faute, la répression et le pardon. Paris, Comité des travaux hist. et scientif., 84, in-8, 480 p.

736. Francuzskij ežegodnik. [1981. Cf. Bibl. 83, n° 731.] 1982. (French yearbook.) Stat'i i materialy po istorii Francii. Redkol.: V. V. ZAGLADIN (gl. red.) i dr. Moskva, Nauka, 84, in-4, 272 p. (AN SSSR. In-t vseobšč. istorii)

737. GOUBERT (Pierre). Initiation à l'histoire de France. Paris, Tallandier, 84, in-8, 320 p. (Approches)

738. Histoire de France. Sous la dir. de Jean FAVIER. T. 1: WERNER (Karl Ferdinand). Les origines: avant l'an mil. T. 2: FAVIER (Jean). Le temps des principautés (1000-1515). Paris, Fayard, 84, in-8, 540, 499 p.

739. Histoire de Montauban. Sous la dir.

de Daniel LIGOU. Toulouse, Privat, 84, in-8, 328 p. (16 pl.). (Pays et villes de France)

740. Histoire de Montpellier. Sous la dir. de Gérard CHOLVY. Toulouse, Privat, 84, in-8, 484 p. (Univ. de France et des pays francophones)

741. Histoire de Saint-Malo et du pays malouin. Sous la dir. d'André LESPAGNOL. Toulouse, Privat, 84, in-8, 328 p. (16 pl.). (Pays et villes de France)

742. JACKSON (Richard A.). Vive le Roi! A history of the French coronation from Charles V to Charles X. Chapel Hill a. London, Univ. of North Carolina Press, 84, in-8, XVI-310 p.

743. Proceedings of the 10th annual meeting of the Western Society for French history, 14-16 Oct. 1982, Winnipeg (Manitoba, Canada). Lawrence, Univ. of Kansas Press, 84, in-8, X-550 p.

744. Savoie (La), des origines à l'an mil. Histoire et archéologie. Par Jean PRIEUR, A. BOCQUET, M. COLARDELLE, et al. Rennes, Ouest-France, 83, in-4, 442 p. (ill.).

745. Toulousains (Les) dans l'histoire. Sous la dir. de Philippe WOLFF. Toulouse, Privat, 84, in-8, 432 p. (Les hommes dans l'histoire)

Cf. n°s 243, 265.

Gran Bretagna.

* 746. GRAHAM (T.W.). A list of articles on Scottish history published during the year 1983. Scottish hist. R., 84, vol. 63, n° 2, p. 174-183.

* Cf. n° VII.

747. ARNOLD (C.J.). Roman Britain to Saxon England. London, Croom Helm, 84, in-8, 224 p.

748. BRYANT (Sir Arthur). History of Britain and the British people. Vol. 1: Set in a silver sea. London, Collins, 84, in-8, 384 p. (ill.).

749. Church, politics and society: Scotland 1408-1929. Ed. by Norman MACDOUGALL. Edinburgh, J. Donald, 83, in-8, X-246 p.

750. HARRISON (John F. C.). The English common people: a social history from the Norman conquest to the present. London, Fontana; Totowa, N.J., Barnes a. Noble, 84, in-8, 445 p. (tab., maps).

751. Problemy Britanskoj istorii. (Problems of British history.) Sbornik. Redkol.: I. I. ŽIGALOV (otv. red.) i dr. Moskva, Nauka, 84. (AN SSSR. In-t vseobšč. istorii)

752. STEEL (Tom). Scotland's story. London, Collins, 84, in-8, 352 p. (ill., pl.).

Grecia.

753. Ionio (To). Periballon. Koinōnia. Politismos. Praktika Symposiou 1984. (La Mer Ionienne. Milieu. Société. Civilisation. Actes du Symposium 1984 [Athènes, 15-17 oct.].) Athènes, Kentro Meleton Ioniou, 84, in-8, 231 p. [Cf. n°s 3976, 4466, 6228]

754. KATSAROS (Spiros). A brief history of Corfu. Kerkyra, the author, 84, in-8, 114 p.

Ungheria.

* Cf. n° VIII.

** 755. SCHEIBER (Alexander). Jewish inscriptions in Hungary. From the 3rd century to 1686. Budapest, Akad. Kiadó; Leiden, Brill, 83, in-8, 433 p. (ill.).

756. Magyarország hadtörténete. 1. köt.: A honfoglalástól a kiegyezésig. Szerk. BORUS József. (L'histoire militaire de la Hongrie. Vol. 1: Depuis la conquête hongroise jusqu'au compromis austro-hongrois. Réd. par - .) Budapest, Zrinyi Kiadó, 84, in-8, 670 p. (176 pl.).

757. Magyarország története. 1/1, 2: Elözmények és magyar történet 1242-ig. Föszerk. SZÉKELY György, szerk. BARTHA Antal. (Histoire de la Hongrie. 1/1, 2: Débuts et histoire hongroise jusqu'à 1242. Réd. en chef: - , réd. par - .) Budapest, Akad. Kiadó, 2 vol. in-8, 888 p. (112 pl., 7 pl. fol.); p. 894-1812 (48 pl., 3 pl. fol.). (Magyarország története tiz kötetben, 1/1, 2) [Vol précédents: Cf. Bibl. 80, n° 3521]

Italia.

758. CONCINA (Ennio). L'arsenale della Repubblica di Venezia. Milano, Electa, 84, in-8, 243 p. (ill.).

759. MALLETT (Michael E.), HALE (John R.). The military organization of a Renaissance state: Venice c. 1400 to 1617. London a. New York, Cambridge U.P., 84, in-8, XIV-525 p. (diagr., maps). (Cambridge Stud. in early Mod. Hist.)

760. SERRA (Enrico). La diplomazia in Italia. Milano, Angeli, 84, in-8, 238 p. (Storia diplomatica, 1)

761. Storia d'Italia. Annali. Vol. 7: Malattia e medicina. A cura di F. DELLA PERUTA. Torino, Einaudi, 84, in-8, XX-1293 p. (tav.).

762. Storia della società italiana. Diretta da Giovanni CHERUBINI, et al. Coordinatore: Idomeneo BARBADORO. Vol. 5: L'Italia dell'alto Medioevo. A cura di O. CAPITANI, et al. Milano, Teti, 84, in-8, 379 p. [Vol. 7, 16. Cf. Bibl. 82, n° 826]

Giappone.

763. Japonija. Ežegodnik. (Japan. Year-

book.) Gl. red.: I. I. KOVALENKO. [1982. Cf. Bibl. 83, n° 755.] 1983. Moskva, Nauka, 83, 320 p. (ill.). (AN SSSR. In-t vseobšč. istorii)

Lussemburgo.

* Cf. n° X.

Messico.

764. WEYMULLER (François). Histoire du Mexique, des orgines à nos jours. Roanne, Horvath, 84, in-8, 389 p. (Hist. des nations, 14)

Paesi Bassi.

* 765. ALLEBLAS (J.). Regionaal-historische bibliografie van Holland 1980-1980. Met een overzicht van archiefinventarissen door T. N. SCHELHAAS. (Bibliography of the history of the provinces of North-Holland and South-Holland, 1980-1982, with a survey of inventories.) Dordrecht, Hist. Vereniging Holland, 84, in-8, 189 p. (Hollandse Studiën, 14)

* 766. BROOD (P.). Nieuw Drents Repertorium. Deel 1: Bibliografie van de Drentse geschiedenis. (Bibliography of the history of the province of Drenthe.) Assen, Het Drents Genootschap, 84, in-8, X-312 p.

* 767. Repertorium van boeken, alsmede van bijdragen in bundels en seriewerken, betreffende de geschiedenis van Noordholland (met uitzondering van Amsterdam en Haarlem) verschenen tot en met 31 december 1982. (Bibliography of books and contributions in collective works concerning the history of the province of North-Holland, excepting Amsterdam and Haarlem.) Ed. by S. BAARDA, P. BOON, Th. P. M. VAN DER FLUIT. IJmuiden, Culturele Raad Noord-Holland, 84, in-4, 171 p.

* 768. Repertorium van tijdrschriftartikelen betreffende de geschiedenis van Noord-Holland (met uitzondering van Amsterdam en Haarlem) verschenen tot 31 december 1979. (Bibliography of periodical literature concerning the history of the province of North-Holland, excepting Amsterdam and Haarlem.) Ed. by J. H. ROMBACH, et al. IJmuiden, Culturele Raad Noord-Holland, 82, in-4, 268 p.

Cf. n° XII.

** 769. Nederlandse historische Bronnen. (Dutch historical sources.) Uitg. door het Nederlands Historisch Genootschap. [Cf. Bibl. 80, n° 702] Deel 3. [Red.: C. DEKKER et al. Eindred.: T. S. BOS, J. P. de VALK. Amsterdam, Verloren, 83, in-8. [Cf. n°^{os} 2223, 4115, 4122, 4579, 5845, 6721]

770. Algemene Geschiedenis der Nederlanden. (General history of the Netherlands and Belgium.) [Ed. by D. P. BLOK, W. PREVENIER, D. J. ROORDA et al.] [Vol. 5, 7, 8. Cf. Bibl. 80, n° 703.] Vol. 1: Middeleeuwen. De Romeinen in de Nederlanden. Landschap en bewoning tot circa 1000. Het soc.-econ. leven tot circa 1000. Instellingen Merowingische en Karolingische tijd. Kerstening en kerkelijke instellingen tot circa 1070. Politieke ontwikkelingen tot het einde van de 11de eeuw. Cultuur en mentaliteit. (The middle ages from tho Romans to ca. 1000/1100. Socio-econ., polit., juridical a. religious history.) [Ed. by D. P. BLOK, A. VERHULST.] Vol. 2: Middeleeuwen. Het soc.-econ. leven circa 1000-1500. Het stedelijk leven circa 1000-1400. Politieke ontwikkeling circa 1100-1400. (Socio-econ. a. polit. history, 1000-1500.] Vol. 3: Middeleeuwen. Staatsinstellingen en recht circa 1100-1400. Kerkelijk en godsdienstig leven circa 1070-1384. Kunsten. Typolog. overzicht van het bronnenmateriaal. (Juridical a. religious history; arts, typology of the sources.) [Ed. by H. P. G. JANSEN, R. C. VAN CAENEGEM.] Vol. 4: Middeleeuwen. Soc.-econ. geschiedenis 1300-1482. Socio-culturele en intellectuele ontwikkeling 1384-1520. (Socio-econ., sociocultural a. religious history.) [Ed. by A. G. WEILER, W. PREVENIER.] Vol. 9: Nieuwe tijd. Politieke en religieuze geschiedenis 18de eeuw. Socio-culturele geschiedenis 1500-1800. Overzeese geschiedenis 17de en 18de eeuw. (Political, religious, socio-cultural a. overseas history.) [Ed. by M. CLOET, J. ROELINK, H. de SCHEPPER et al.] Vol. 10: Nieuwste tijd. Het soc.-econ. leven, geografie en demografie circa 1770-heden. Het soc.-econ. leven circa 1770 - circa 1848. (Socio-econ. history, geography, demography.) [Ed. by H. F. J. M. VAN DEN EERENBEEMT, J. HANNES, J. A. BORNEWASSER et al.] Vol. 11: Socio-culturele geschiedenis 1794/1795 - 1840/1846. De Nederlandse koloniën 1795-1914. (Socio-cultural, political a. colonial history.) [Ed. by H. F. M. VAN EERENBEEMT, J. HANNES, J. A. BORNEWASSER et al.] Vol. 15: Nieuwste tijd. De tweede wereldoorlog. Het econ. leven 1945-1980. Het maatschappelijk-politieke leven 1945-1980. Het socio-culturele leven 1945-1980. De internationale politiek 1945-1980. De kolonisatie. [Ed. by A. F. MANNING, H. BALTHAZAR, J. de VRIES.] Haarlem, Fibula-Van Dishoeck, 80-83, 8 vol. in-4, 458, 567, 488, 497, 548, 512, 417, 493 p.

770a. JANSEN (H.P.H.). Levend verleden. De Nederlandse samenleving van de prehistorie tot in onze tijd. (Living past. The history of the Netherlands from prehistorical times to the present.) Amsterdam, Sijthoff, 83, in-4, 248 p. (ill.).

771. Vergezichten op Drenthe. Opstellen over Drentse geschiedenis. (Essays on the history of the Dutch province of Drenthe.) Ed. by B. BROOD, G. A. COERT, F. KEVERLING BUISMAN et al. Meppel, Boom, 83, in-8, 251 p. (ill.).

772. VOLMULLER (H.W.J.). Nijhoffs geschiedenislexicon. Nederland en België. (Encyclopedia of the history of the Low Contries.) 's-Gravenhage, Nijhoff, 81, in-8, 655 p.

§ 6. STORIA GENERALE 35

Polonia.

* Cf. n° *XIII*.

773. DAVIES (Norman). The heart of Europe: a short history of Poland. London, Oxford U.P., 84, in-8, 420 p. (maps).

774. Historia Polski. (Histoire de la Pologne.) Ouvrage collectif réd. par Czesław MADAJCZYK. [T. 3. Cf. Bibl. 74-75, n° 1044.] T. 4: 1918-1939. Cz. 1: Rozdz. I-XIV (1e partie: Chapitres I-XIV), 1918-1921. Cz. 2: Rozdz. XV-XXVI (2e partie: Chapitres XV-XXVI), 1921-1926. Réd. par Tadeusz JĘDRUSZCZAK. Auteurs: Andrzej AJNENKIEL et al. Warszawa, Państ. Wydawn. Nauk., 84, 2 vol. in-8, 572, 531 p. (Pol. Akad. Nauk., Inst. Hist.)

775. Polski słownik biograficzny. (Dictionnaire biographique polonais.) Réd.: Emanuel ROSTWOROWSKI. T. [27, 1-2. Cf. Bibl. 82, n° 832.] 28, z. 1. Wrocław, Zakł. Narod. im. Ossolińskich, 84, in-4, 176 p. (Pol. Akad. Nauk, Inst. Ist.)

776. Tysiąc lat Przemyśla. Zarys historyczny. (Mille ans de Przemyśl. Précis historique.) Com. de réd.: Franciszek PERSOWSKI, Andrzej KUNYSZ, Julian OLSZAK. Cz. 1. (1e partie.) Rzeszów, Krajowa Agencja Wydawn., 84, in-8, 523 p.

Romania.

* 777. Anuarul Institutului de Istorie Naţională. Anuarul Institutului de Istorie şi Arheologie din Cluj-Napoca (1921-1981). Indice bibliografic. (L'Annuaire de l'Inst. d'Hist. nationale. L'Annuaire de l'Inst. d'Hist. et d'Archéol. Cluj-Napoca. Index bibliographique.) De Doina DIŢU et al. Introd. de Ştefan PASCU. Cluj-Napoca, Dacia, in-8, 124 p.

778. Beiträge zur Geschichte von Kronstadt in Siebenbürgen. Hrsg. v. Paul PHILIPPI. Köln u. Wien, Böhlau, 84, in-8, VII-336 p. (Siebenbürg. Archiv, 17)

779. CEAUŞESCU (Ilie). Transilvania - străvechi pămînt românesc. (La Transylvanie - terre roumaine de temps immémorial.) Bucureşti, Ed. militară, 84, in-8, 142 p.

780. Naţiunea română. Geneză. Affirmare. Orizont contemporan. (La nation roumaine. Genèze, affermissement, horizon contemporain.) Coordonator ştiinţific: Ştefan ŞTEFĂNESCU. Bucureşti, Ed. ştinţ. şi enciclop., 84, in-8, 686 p.

Cf. n°s 337, 919.

Svizzera.

* Cf. n° *XIV*.

781. LAVROV (V.S.). Švejcarskij nejtralitet. (Swiss neutrality: past and present.) Vopr. Ist., 84, n° 12, p. 44-62.

Turchia.

782. ROUX (Jean-Paul). Histoire des Turcs. Deux mille ans, du Pacifique à la Méditerranée. Paris, Fayard, 84, in-8, 350 p.

U.R.S.S.

783. BUGANOV (V.I.). Russkie letopisi. (Russian chronicles.) Vopr. Ist., 84, n° 6, p. 77-91.

784. EICH (Ulrike). Herrschaft im zaristischen Rußland. Saeculum, 84, Bd 35, p. 152-166.

785. Istorija Ukrainskoj SSR. (History of the Ukrainian SSR.) V 10-ti t. Gl. redkol.: Ju. Ju. KONDUFOR (gl. red.) i dr. [T. 3-5. Cf. Bibl. 83, n° 790.] T. 6: Velikaja Oktjabr'skaja socialističeskaja revoljucija i graždanskaja vojna na Ukraine. (The Great October Socialist Revolution and the civil war in the Ukraine.) Redkol.: N. I. SUPRUNENKO (otv. red.) i dr. T. 7: Ukrainskaja SSR v period postroenija i ukreplenija socialističeskogo obščestva. 1921-1941 gg. (The Ukrainian SSR in the period of the formation and consolidation of the socialist society.) Redkol.: S. V. KUL'ČICKIJ (otv. red.) i dr. T. 8: Ukrainskaja SSR v Velikoj Otečestvennoj vojne Sovetskogo Sojuza (1941-1945). (The Ukrainian SSR in the Great Patriotic War of the Soviet Union.) Redkol.: V. I. KLOKOV (otv. red.) i dr. Kiev, Nauk. dumka, 84, 3 vol., 655, 719, 639 p. (ill.).

786. Bibl. 81, n° 727. Itogi i zadači izučenija vnešnej politiki Rossii. Sov. istoriografija. (Results and problems of the study of Russia's foreign policy.) Redkol.: A. L. NAROČNICKIJ (otv. red.) i dr. - CR: K. B. Vinogradov, L. S. Semenov, Ist. SSSR, 84, n° 3, p. 168-171.

787. Letopisi i khroniki. 1984. (Annals and chronicles.) Sbornik statej. Otv. red.: V. I. BUGANOV. Moskva, Nauka, 84, 236 p. (AN SSSR. In-t istorii SSSR)

788. Novgorodskij istoričeskij sbornik. Vyp. [1. Cf. Bibl. 82, n° 852.] 2 (12). (Novgorodian historical collection.) Otv. red.: V. L. JANIN. Leningrad, Nauka, 84, 294 p. (AN SSSR. In-t istorii SSSR. Leningr. otd-nie)

789. OSTAPCHUK (Victor). The publication of documents on the Crimean khanate in the Topkapi Sarayi: new sources of the history of the Black Sea basin [à propos de: Le Khanat de Crimée ... Prés. par Alexandre BENNIGSEN et al. Cf. Bibl. 78-79, n° 880.]. Harvard ukrainian Stud., 82 [84], vol. 6, n° 4, p. 500-528.

790. PAXTON (John). The Batsford companion to Russian history. London, Batsford, 84, in-8, 520 p. (maps).

791. Problemy istočnikovedenija istorii SSSR i special'nykh istoričeskikh disciplin. (Problems of the study of sources of USSR' history and special historical disciplines.) Staty i materialy. Redkol.: I. D. KOVAL'-

ČENKO (otv. red.) i dr. Moskva, Nauka, 84, 280 p. (AN SSSR. In-t istorii SSSR)

Iugoslavia.

792. CABOGA (Herbert Comte de). Die zwölfhundertjährige Geschichte der Republik Ragusa (Dubrovnik). St. Michael, Bläschke, 84, in-8, 170 p.

793. SAMARDŽIĆ (Radovan). Le destin d'un peuple: les Serbes du XIVe au XIXe siècle. R. Et. slaves, 84, vol. 56, n° 3, p. 345-361.

§ 7. Teoria dello Stato e della società.

794. ANTHONY (F.D.). John Ruskin's labour, a study of Ruskin's social theory. London, Cambridge U.P., 84, in-8, 220 p.

795. BLACK (Anthony). Guilds and civil society in European political thought from the twelfth century to the present. Ithaca, N.Y., Cornell U.P., 84, in-8, XV-280 p.

796. Bibl. 82, n° 862. BRACHER (Karl-Dietrich). Zeit der Ideologien. - CR: H.-P. Schwarz, u. d. T.: Politische Ideenkreise des 20. Jahrhunderts. Hist. Z., 84, Bd 238, p. 353-359.

797. GEMMEKE (Anton). Die Mitglieder der Kalandsbruderschaft in Neuenheerse. Westf. Z., 84, Bd 134, p. 203-329.

798. GUHR (Günter). Das Wesen der militärischen Demokratie bei Morgan sowie bei Marx und Engels. Ethnogr.-archäol. Z., 84, Jg. 25, p. 229-256.

799. HAITSMA MULIER (E. O. G.). De Naeuwkeurige consideratie van staet van de gebroeders De la Court. Een nadere beschouwing. (The Naeuwkeurige consideratie van staet as a reprint of Gerard Wassenaar's Bedekte konsten, 1657.) Bijdr. Meded. Gesch. Ned., 84, vol. 99, p. 396-407.

800. PEARSON (R.), WILLIAMS (G.). Political thought and public policy in the 19th century. An introduction. London, Longman, 84, in-8, 200 p.

801. PURŠOVA (Jana). Vývoj sistémových teorií společnosti. Ke kritice buržoazní filozofie a sociologie. (Entwicklung der Systemtheorien der Gesellschaft. Zur Kritik d. bourgeoisen Philos. u. Soziologie.) Praha, Academia, 84, in-8, 288 p.

802. RAAFLAUB (Kurt). Freiheit in Athen und Rom. Ein Beispiel divergierender polit. Begriffsentwicklung in d. Antike. Hist. Z., 84, Bd 238, p. 529-567.

803. SEIDMAN (Steven). Liberalism and the origins of European social theory. Oxford, Blackwell, 84, in-8, 430 p.

804. SETON-WATSON (Hugh). Nationalbewußtsein als historisches Phänomen. Südost-Forsch., 84, Bd 43, p. 271-285.

805. SHELTON (George). Dean Tucker and 18th-century economic and political thought. London, Macmillan, 84, in-8, 304 p.

§ 8. Storia del diritto e delle istituzioni.

806. BARKAN (Omer Lütfi). Caractère religieux et caractère séculier des institutions ottomanes. In: Contrib. à l'hist. écon. et soc. de l'Empire ottoman [Cf. n° 5607], p. 11-58.

807. BARNAVI (Elie). Mythes et réalité historique: le cas de la loi salique. Hist., Econ. et Soc., 84, a. 3, n° 3, p. 323-337.

808. BELLAMY (John G.). Criminal law and society in late mediaeval and Tudor England. Gloucester, A. Sutton, 84, in-8, 244 p.

809. BRUHL (Carl Richard). Les auto-couronnements d'empereurs et de rois (XIIIe-XIXe s.). Remarques sur la fonction sacramentelle de la royauté au moyen âge et à l'époque moderne. C. R. Acad. Inscript., 84, janv.-mars, p. 102-118.

810. COING (Helmut). Das Recht als Element der europäischen Kultur. Hist. Z., 84, Bd 238, p. 1-15.

811. Istoria dreptului românesc. (Histoire du droit roumain.) Coordonator: Ioan CETERCHI. Vol. 1. Responsabil de vol.: Vladimir HANGA. Autori: Gheorghe CRONȚ, Ioan FLOCA, Valentin Al. GEORGESCU et al. Vol. 2. Responsabil de vol.: Dumitru FIROIU, Liviu P. MARCU. Autori: Barbu BERCEANU, Maria DVORACEK, Dumitru FIROIU et al. București, Ed. Acad., 80-84, 2 vol. in-8, 665, 440 p.

812. Bibl. 83, n° 816. PÉREZ-PRENDES (José Manuel). Curso de historia del derecho español. Vol. 1. - CR: A. Pérez Martín, Anu. Hist. Derecho español, 83 [84], t. 53, p. 642-651.

813. PORRAS ARBOLEDAS (Pedro A.). El legado de la edad media: el régimen señorial en el reino de Jaén (siglos XV-XVIII). In: Estudios dedicados al prof. D. Ferrari Núñez [Cf. n° 488], vol. 2, p. 797-832.

814. Rossijskaja zakonodatel'stvo X-XX vekov. (Russian law of the 10th - 20th centuries.) V 9-ti t. Pod obšč. red. O. I. ČISTJAKOVA. T. 1: Zakonodatel'stvo Drevnej Rusi. (The law of ancient Russia.) Otv. red. V. L. JANIN. Moskva, Jurid. lit., 84, 430 p. (ill.).

815. SCHMIED (Erich). Die Strafrechtswissenschaft an der Prager Universität. Bohemia, 84, Bd 25, p. 65-89.

816. THUILLIER (Guy), TULARD (Jean). Histoire de l'administration française. Paris, Presses univ. France, 84, in-8, 124 p. (Que sais-je? 2137)

Cf. n° 243.

§ 9. Storia economica e sociale.

* 817. ALDCROFT (Derek H.), RODGER (Richard). Bibliography of European economic and social history. Manchester, U. P., 84, in-8, 256 p.

* 818. Bibliographie internationale de démographie historique. [1983. Cf. Bibl. 83, n° 819.] 1984. Comité internat. des Sciences historiques, Société de démographie historique, Union internat. pour l'étude scientif. de la population. Paris, Soc. de Démographie hist., 84, in-8, XIV-168 p.

* 819. Bibliography of British economic and social history. Compiled by William Henry CHALONER a. R. C. RICHARDSON. Manchester, Univ. Press, 84, in-8, XIV-208 p.

* 820. VAN ZON (H.). Bibliografie van literatuur over Nederlandse agrarische geschiedenis, verschenen in de jaren 1978 tot en met 1980, met aanvullingen uit voorafgaande jaren. (Bibliography of Dutch agrarian history 1978-1980, with additions from preceding years.) Groningen, Nederlands Agron.-Hist. Instituut, 83, in-8, 115 p.

---

821. Agrarian (The) history of England and Wales. [Vol. 1, Pt. 1. Cf. Bibl. 81, n° 959.] Vol. 5: 1640-1750. Pt. 1: Regional farming systems. Ed. by Joan THIRSK. London a. New York, Cambridge U.P., 84, in-8, XXXI-480 p.

822. Arts en samenleving. (The physicians in the society.) [Ed. by J. VAN HERWAARDEN, C. OFFRINGA, H. W. PLEKET.] T Gesch., 83, vol. 96, p. 323-475. [Cf. n 1412, 2674, 6106, 6170, 6249, 6300]

823. BERGIER (Jean-François). Hermès et Clio: essais d'histoire économique. Lausanne, Payot, 84, in-8, 262 p. (ill.). - IDEM. Histoire économique de la Suisse. Paris, A. Colin, 84, in-8, 375 p. (ill., graph., tab., cartes).

824. BOITEUX (Martine). Les fêtes de San Sisto à Alatri [XIIe-XVIIIe s.]. Arch. Soc. rom. Stor. pa., 82 [84], a. 105, p. 57-143.

825. BOSWELL (John Eastburn). Expositio and oblatio: the abandonment of children and the ancient and medieval family. Am. hist. R., 84, vol. 89, n° 1, p. 10-33.

826. Dějiny hutnictví železa v Československu. (Geschichte des Eisenhüttenwesens in der Tschechoslowakei.) Wissenschaftl. Hauptredakteur: Jaroslav PURŠ. Bd 1: Od nejstarších dob do průmyslové revoluce. (Von den ältesten Zeiten bis zur industriellen Revolution.) Von Radomír PLEINER, Jan KOŘAN, Matúš KUČERA, Jozef VOZÁR. Praha, Academia, 84, in-8, 296 p. (11 fig.). [Rés. russe. - Deutsche Zsfassung]

827. DODGE (Bertha S.). Cotton: the plant that would be king. Austin, Univ. of Texas Press, 84, in-8, IX-175 p.

828. EMONS (Hans-Heinz), WALTER (Hans-Henning). Mit dem Salz durch die Jahrtausende. Gesch. d. weißen Goldes v. d. Urzeit bis z. Gegenwart. Leipzig, Deutsch. Verl. f. Grundstoffindustrie, 84, 226 p. (Abb., Tab.).

829. Energy in history. Papers of the fellows of the Institute of Czechoslovak and World History of the CZAS to the 11th Symposium of the International Cooperation in History of Technology Committee (ICOHTEC), Lerbach, Sept. 2-7, 1984. Ed. by Jaroslav PURŠ. Prague, Inst. of Czechosl. a. World Hist. of the CZAS, 84, in-8, 228 p. (Cf. n°s 2612, 5642, 5735, 5750, 5774, 5848, 5887]

830. Exportgewerbe und Außenhandel vor der Industriellen Revolution. Festschrift f. Univ.-Prof. Dr. Georg Zwanowetz. Hrsg. v. Franz MATHIS u. Josef RIEDMANN. Innsbruck, Österr. Kommissionsbuchhandlung Innsbruck, 84, in-8, 332 p. (Veröff. d. Univ. Innsbruck, 142)

831. Forêt (La) et l'homme en Languedoc-Roussillon, de l'antiquité à nos jours. Actes du LVIe Congrès de la Fédération hist. du Languedoc méditerranéen et du Roussillon organisé au Pont-de-Montvert, les 11 et 12 juin 1983. Montpellier, Publ. de la Féder. hist. du Languedoc méditerr. et du Roussillon, 84, in-8, 151 p. (ill.).

832. FOUCAULT (Michel). Histoire de la sexualité. [T. 1. Cf. Bibl. 76-77, n° 1025.] T. 2: L'usage des plaisirs. T. 3: Le souci de soi. Paris, Gallimard, 84, 2 vol. in-8, 285, 284 p. (Bibl. des histoires)

833. FURE (Odd-Bjørn). Hverdagshistorie i tysk historieforskning. (History of everyday life in German historical research.) [Norsk] Hist. T., 84, vol. 63, p. 349-383. [Eng. summary]

834. HOCQUET (Jean-Claude). Le sel et le pouvoir, de l'an mil à la Révolution française. Paris, A. Michel, 84, in-8, 517 p. (L'aventure humaine)

835. Horses in European economic history: a preliminary canter. Ed. by F. M. L. THOMPSON. Reading, Brit. Agric. Hist. Soc., 83, in-8, IV-206 p.

836. IRSIGLER (Franz), LASSOTTA (Arnold). Bettler und Gaukler, Dirnen und Henker. Randgruppe u. Außenseiter in Köln 1300-1600. Köln, Greven, 84, in-8, 320 p. (Ill., 1 graph. Darst.).

837. JANSEN (J.C.G.M.). Heren en boeren in Limburg 1150-1800. (Large landowners and farmers in the Dutch province of Limburg 1150-1800.) Stud. soc. econ. Gesch. Limburg, 82, vol. 27, p. 1-21. - IDEM. Lange golven in de economische geschiedenis van Limburg. (Long waves in the economic history of the Dutch province of Limburg.) Ibid., 81, vol. 26, p. 1-62 (2 tab.).

838. Land, kinship and life-cycle. Ed. by Richard M. SMITH. London a. New York, Cambridge U.P., 84, in-8, XIII-547 p.

(tables, graphs, maps). (Cambridge Stud. in Population, Econ. a. Soc. in Past Time, 1) [Cf. n°s 848, 2548, 2556, 2568, 2646, 2647, 2664, 6920]

839. LIETZMANN (Klaus-Dieter), SCHLEGEL (Joachim), HENSEL (Arno). Metallformung. Geschichte, Kunst, Technik. Leipzig, Deutsch. Verl. f. Grundstoffindustrie, 84, in-4, 255 p. (Abb.).

840. Loads and roads in Scotland and beyond. Land transport over 6000 years. Ed. by Alexander FENTON a. Geoffrey STELL. Edinburgh, J. Donald, 84, VIII-114 p.

841. MAGYAR (Eszter). A feudalizmus kori erdőgazdálkodás az alsó-magyarországi bányavárosokban, 1255-1747. (L'économie forestière de l'époque féodale dans les villes minières de la Basse Hongrie.) Budapest, Akad. Kiadó, 83, in-8, 227 p. (Értekezések a történeti tudományok köréből, 101)

842. METZ (Rainer). Long waves in coinage and grain price-series from the fifteenth to the eighteenth century: some theoretical and methodological aspects. Review, 84, vol. 7, n° 4, p. 599-664.

843. MÖRNER (Magnus) et al. Väpnade kollektiva rörelser i agrarhistorien: diskussion kring ett analysschema. (Armed collective movements in agrarian history: a discussion concerning an analytical scheme.) [Svensk] Hist. T., 84, vol. 103, p. 130-162. [Eng. summary]

844. NÄGLER (Thomas), SCHOBEL (Josef), DROTLEFF (Karl). Geschichte der siebenbürgisch-sächsischen Landwirtschaft. București, Kriterion, 84, in-8, 243 p.

845. PASTOR ZAPATA (José Luis). Censales y propiedad feudal: el Real de Gandía, 1407-1550. In: Estudios dedicados al prof. D. A. Ferrari Nuñez [Cf. n° 488], vol. 2, p. 735-766.

846. ROCHE (Daniel). Le temps de l'eau rare, du moyen âge à l'époque moderne. A. Ec., Soc., Civ., 84, a. 39, n° 2, p. 383-399.

847. Sacrificio, organizzazione del cosmo, dinamica sociale. Studi stor., 84, a. 25, p. 829-956. [Scritti di Cristiano GROTTANELLI, Nicola Franco PARISE, Piergiorgio SOLINAS, et al.]

848. SMITH (Richard M.). Some issues concerning families and their property in rural England 1250-1800. In: Land, kinship a. life-cycle [Cf. n° 838], p. 1-86.

849. SÖDERBERG (Johan). Teorier om klass i stadshistoria. (Theories of the classes in urban history.) Scandia, 84, vol. 50, p. 19-38. [Eng. summary, p. 107]

850. SWINGEWOOD (Alan). A short history of sociological thought. London, Macmillan Educ., 84, in-8, 368 p.

851. TITS-DIEUAIDE (Marie-Jeanne). Les campagnes flamandes du XIIIe siècle au XVIIIe siècle, ou les succès d'une agriculture traditionnelle. A. Ec., Soc., Civ., 84, a. 39, n° 3, p. 590-610.

Cf. n° 750.

§ 10. Storia della civiltà, delle scienze e della scuola.

* 852. Bibliographie d'histoire de l'éducation française. Titres parus au cours de l'année [1980. Cf. Bibl. 83, n° 873.] 1981 et suppléments des années antérieures. Bibliogr. établie par Martine SONNET. Hist. Education, 84, n° 23-24 [spécial], 210 p.

* 853. Bibliographie Geschichte der Technik. Hrsg. v. d. Sächs. Landesbibliothek Dresden. Bearb. v. Michael LETOCHA u. Peter HESSE unter Mitarb. v. Siegfried SAUER u. Fachberatung v. Rolf SONNEMANN. Jg. [22. Cf. Bibl. 83, n° 868.] 23: Berichtsjahr 1983. Nachträge ab 1971. Dresden, Sächs. Landesbibliothek, 84, in-8, XXX-384 p.

* 854. Bulletin signalétique 522: Histoire des sciences et des techniques. Vol. [37. Cf. Bibl. 83, n° 869.] 38: 1984. N°s 1-4 et tables annuelles. Paris, Ed. du C.N.R.S., 84, 5 vol. in-4, 91, 120, 89, 129, 227 p.

* 855. Critical bibliography (109th) of the history of science and its cultural influences (to January 1984). Ed. by John NEU. Isis, 84, vol. 75, n° 280, p. 5-206. [Cf. Bibl. 83, n° 5134]

* 856. CUTLIFFE (Stephen H.), ROYDSON (Christine M.), MISTICHELLI (Judith A.). Current bibliography in the history of technology [1980, 1981. Cf. Bibl. 83, n° 871.] 1982. Technol. a. Culture, 84, vol. 25, n° 2, p. 382-472.

* 856a. Histoire de l'éducation. Table quinquennale [de la revue], n° 1, déc. 1978 - n° 20, août 1983. Etablie par Anne-Marie FABRY. Hist. Education, 84, n° 21, Suppl., 22 p.

* 857. ISIS cumulative bibliography, a bibliography of the history of science formed from ISIS critical bibliographies, 1913-1965. Vol. [4, 5. Cf. Bibl. 83, n° 946.] 6: Author index. Ed. by Magda WITHROW. London, Mansell, 84, in-4, 360 p.

* 858. Istorija estestvoznanija. (History of natural science.) Lit. opubl. v SSSR. [T. 6. Cf. Bibl. 81, n° 805.] T. 7: 1971-1975. Otv. red. A. T. GRIGOR'JAN. Moskva, Nauka, 84, 484 p. (AN SSSR. In-t istorii estestvoznanija i tekhnki, INION)

859. Alma mater Lipsiensis. Geschichte d. Karl-Marx-Univ. Leipzig. Hrsg. v. Lothar RATHMANN. Autorenkoll. unter Leitung v. Siegfried HOYER. Leipzig, Edition Leipzig, 84, in-4, 353 p. (Abb.).

860. Archäologische und naturwissenschaftliche Untersuchungen an ländlichen und frühstädtischen Siedlungen im deut-

§ 10. STORIA DELLA CIVILTA', DELLE SCIENZE E DELLA SCUOLA

schen Küstengebiet vom 5. Jahrhundert v. Chr. bis zum 11. Jahrhundert n. Chr. Deutsche Forschungsgemeinschaft. Bd 1: Ländliche Siedlungen. Hrsg. v. Georg KOSSACK u. a. Mit Beitr. v. Albert BANTELMANN u. a. Bd 2: Handelsplätze des frühen und hohen Mittelalters. Hrsg. v. Herbert JANKUHN u. a. Mit Beitr. v. Henning Hellmuth ANDERSEN u. a. Weinheim, Acta Humaniora, 84, 2 vol. in-8, VIII-461, VII-453 p. (Ill., graph. Darst., Kt.).

861. BENKŐ (Samu). Permanență și devenire. Studii de istoria culturii. (Permanence et évolution. Etudes d'histoire de la culture [en Transylvanie].) București, Kriterion, 84, in-8, 435 p.

862. BROMLEJ (Ju. V.), PODOL'NYJ (R. G.). Sozdano čelovečestvom. (Created by mankind.) Moskva, Politizdat, 84, 272 p. (ill.).

863. BURNS (Edward McNall). Western civilizations, their history and their culture. 10th ed., ed. by Robert E. LERNER a. S. MEACHAM. London, W. W. Norton, 84, in-4, 1128 p.

864. CATTO (J.I.). History of the University of Oxford. Vol. 1: The early Oxford Schools. London, Oxford U.P., 84, in-8, 670 p. (ill., maps).

865. CIPRO (Miroslav). Průvodce dějinami výchovy. (Wegweiser durch die Geschichte der Erziehung.) Praha, Panorama, 84, in-8, 584 p.

866. Dalla selce al silicio: storia dei mass media. A cura di Giovanni GIOVANNINI. Saggi di Barbara GIOVANNINI, et al. Torino, Gutenberg 2000, 84, in-8, 266 p. (ill., tav.).

867. ERIKSSON (Gunnar). Olof Rudbeck d. ä. (Gestalter i svensk lärdomshistoria, 1). (Swedes in the history of science and learning, 1: Olof Rudbeck, sen. [1630-1702].) Lychnos, 84, vol. 50, p. 77-119. [Eng. summary]

868. GLOGER (Bruno), ZÖLLNER (Walter). Teufelsglaube und Hexenwahn. Wien, Köln u. Graz, Böhlau, 84, in-8, 252 p. (62 p. Abb.).

869. HILL (D.). A history of engineering in classical and medieval times. London, Croom Helm, 84, 263 p. (ill.).

870. Histoire de la médecine aux armées. Sous la dir. de Jean GUILLERMAND. T. [1. Cf. Bibl. 82, n° 955.] 2: De la Révolution française au conflit mondial de 1914. Paris, Lavauzelle, 84, in-4, 508 p. (ill., pl.). (Beaux livres d'histoire)

871. HOWATT (Anthony). History of English language teaching. London, Oxford U.P., 84, in-8, 408 p.

872. Istočnikovedčeskie i istoriografičeskie aspekty russkoj kul'tury. (Source study and historiographical aspects of Russian culture.) Sbornik statej. Redkol.: L. N. PUŠKAREV (otv. red.) i dr. Moskva, 84, 212 p. (AN SSSR. In-t istorii SSSR)

873. Istorija nauki. (History of science.) Sbornik. Redkol.: R. R. DVALI i dr. Tbilisi, Mecniereba, 84, 143 p. (ill.). (AN SSSR. Sovet istorikov estestvoznanija i tekhniki)

874. KITTELSON (James M.), TRANSUE (Pamela J.) a. others. Rebirth, reform, and resilience: universities in transition, 1300-1700. Columbus, Ohio State U.P., 84, in-8, 367 p.

875. KUDĚLKA (Milan). O pojetí slavistiky. Vývoj představ o jejím předmětu a podstatě. (Über die Auffassung von der Slawistik. Entwicklung d. Ideen v. ihrem Gegenstand u. Wesen.) Praha, Academia, 84, in-8, 288 p.

876. Kul'tura narodov Dal'nego Vostoka. Tradicii i sovremennost'. (The culture of the peoples of the Far East. Traditions and present.) Redkol.: N. K. STARKOVA (otv. red.) i dr. Vladivostok, CVNC AN SSSR, 84, 206 p. (ill.). (AN SSSR. Dal'nevost. nauč. cent. In-t istorii, arkheologii i ètnografii narodov Dal. Vostoka. M-vo kul'tury RSFSR. Dal'nevost. ped. in-t iskusstv)

877. Kul'tura narodov Indonezii i Okeanii. (Culture of the peoples of Indonesia and Oceania.) Otv. red.: N. A. BUTINOV, R. F. ITS. Leningrad, Nauka, 84, 189 p. (ill.). (Sbornik Muzeja antropologii i ètnografii. AN SSSR, 39)

878. Magyar hivatali irásbeliség (A) fejlődése, 1181-1981. Szerk. KÁLLAY István. (Le développement de l'emploi de l'écriture dans l'administration hongroise, 1181-1981. Réd. par - .) Budapest, Eötvös Loránd Tudományegyetem, 84, in-8, 676 p. (A Történelem Segédtudományai Tanszék kiadványai, 4)

879. Mentaliteitsgeschiedenis. (Histoire des mentalités.) Bijdr. Meded. Gesch. Ned., 83, vol. 98, p. 317-482. [Cf. n° 526, 2726, 2727, 2731, 4497, 6308]

880. MESCHKOWSKI (H.). Problemgeschichte der Mathematik. Mannheim, Bibliogr. Institut, 84, 206 p. (60 Abb.).

881. MURPHY (Rhoads). The Ottoman attitude towards the adoption of western technology: the role of the efrencî technicians in civil and military applications. In: Contrib. à l'hist. écon. et soc. de l'Empire ottoman [Cf. n° 5607], p. 287-298.

882. Pagini din gîndirea militară universală. (Pages de la pensée militaire universelle.) Vol. 1: Antichitatea. (L'antiquité.) Ed. îngrijită de Simion PITEA, Gheorghe TUDOR. Cuvînt înainte: Constantin ANTIP. București, Ed. militară, 84, in-8, 420 p.

883. Pamjatniki kul'tury. Novye otkrytija. Pis'mennost'. Iskusstvo. Arkheologija. (Monuments of culture. New discoveries. Written materials. Art. Archaeology.) Ežegodnik. 1981. Redkol.: D. S. LIKHAČEV (predsedatel') i dr. Leningrad, Nauka, 84,

534 p. (ill.). (AN SSSR. Nauč. sovet po istorii mir. kul'tury)

884. Pamjatniki nauki i tekhniki. (Monuments of science and engineering.) Sbornik. 1982-1983. Otv. red.: N. K. GAVRJUŠIN, L. E. MAJSTROV. Moskva, Nauka, 84, 220 p. (ill.). (AN SSSR. In-t istorii estestvoznanija i tekhniki)

885. PEIL (Dietmar). Untersuchungen zur Staats- und Herrschaftsmetaphorik in literarischen Zeugnissen von der Antike bis zur Gegenwart. München, Fink, 83, in-4, XIII-940 p. (29 Ill.). (Münstersche Mittelalter-Schriften, 50)

886. PETRÁŇ (Josef). Nástin dějin filozofické fakulty Univerzity Karlovy v Praze. Do roku 1948. (Abriß der Geschichte der Philosophischen Fakultät der Karls-Universität in Prag bis zum Jahre 1948.) Praha, Univ. Karlova, 83, in-8, 406 p. (29 fig.).

887. REITMAYER (Ladislav). Přehled vývoje tělesné výchovy ve světě. (Übersicht über die Entwicklung der Körpererziehung in der Welt.) Praha, Stát. pedagog. nakladat., 84, in-8, 204 p.

888. SCHWABE (Calvin W.). A unique surgical operation on the horns of African bulls in ancient and modern times. Agric. Hist., 84, vol. 58, n° 2, p. 138-156.

889. SCHWINGES (Rainer Christoph). Universitätsbesuch im Reich vom 14. zum 16. Jahrhundert. Wachstum u. Konjunkturen. Gesch. u. Ges., 84, Jg. 10, p. 5-30.

890. SREBRNY (Stefan). Teatr grecki i polski. (Le théâtre grec et polonais.) Choix et éd.: Szczepan GĄSOWSKI. Avant-propos: Jerzy ŁANOWSKI. Warszawa, Państw. Wydawn. Nauk., 84, in-8, 768 p.

891. Traum und Träumen. Traumanalysen in Wiss., Religion u. Kunst. Hrsg. v. Th. WAGNER-SIMON u. G. BENEDETTI. Göttingen, Vandenhoeck u. Ruprecht, 84, in-8, 289 p. (16. Abb.).

892. VIGINI (Giuliano). Il libro e la lettura: introduzione generale all'editoria libraria. Milano, Bibliografica, 84, in-8, 243 p. (Bibliografia e biblioteconomia, 17)

893. Vormen van communicatie. (Forms of communication.) [Ed. by A. BLOK, W. FRIJHOFF, H. SOLY, A. G. WEIGLER. T. Gesch., 84, vol. 97, p. 335-481. [Cf. n° 2773, 4448, 4586, 4321, 4748, 4807, 6239, 6597]

Cf. n° 346.

§ 11. Storia dell'arte.

* 894. MAASKANT-KLEIBRINK (M.). A critical survey of studies on glyptic art as published between ca. 1970 - 1980. B. ant. Besch., 83 [84], vol. 58, p. 132-178.

* 895. Repertorium betreffende Nederlandse monumenten van geschiedenis en kunst (voornamelijk tijdschriftartikelen). (Bibliography of articles on historical and artistic monuments in the Netherlands.) Vol. 5 (1961-1970). With an intr. a. table of contents in English. [S. l.,] Koninklijke Nederlandse Oudheidkundige Bond, 84, in-8, XX-358 p.

* Cf. n° II.

896. Aus dem Osten des Alexanderreiches. Völker u. Kulturen zwischen Orient u. Okzident. Iran, Afghanistan, Pakistan, Indien. [Festschr. z. 65. Geburtstag v. Klaus Fischer.] Jakob OZOLS, Volker THEWALT (Hrsg.). Köln, DuMont, 84, in-8, 297 p. (Ill., Pl., Kt.).

897. BLAGG (Thomas) a. others. Papers in Iberian archaeology. London, Brit. Archaeol. Rep., 84, in-4, 741 p. (ill., fig.).

898. CHARLESTON (Robert J.). English glass, and the glass used in England, circa 400 - 1940. London, Allen a. Unwin, 84, in-8, 216 p. (ill., dr.).

899. CROUCH (Dora P.). History of architecture, from Stonehenge to skyscrapers. London, McGraw, 84, in-8, 370 p.

900. DRĂGUȚ (Vasile). L'art roumain. Préhistoire, antiquité, moyen âge, Renaissance, baroque. București, Meridiane, 84, in-4, 520 p. (983 phot.). [Orig. roumain: Cf. Bibl. 82, n° 977]

901. Europäische Kunstgeschichte in Daten. Peter BETTHAUSEN u. a. Dresden, Verl. d. Kunst, 84, in-4, 653 p. (Abb.).

902. GILLON (Werner). A short history of African art. Harmondsworth, Penguin, 84, in-8, 384 p. (ill., maps). (Viking Penguin)

903. GODEFROY (Gisèle), GIRARD (Raymond). Les orfèvres du Dauphiné du moyen âge au XIXe siècle. Préf. de Pierre VERLET. Genève, Droz, 84, in-4, 690 p. (94 pl.). (Dictionnaire des poinçons d'orfèvres des provinces franç., 3)

904. Götterbild in Kunst und Schrift. Hrsg. v. H. J. KLIMKEIT. Bonn, Bouvier, 84, in-4, 180 p. (ill.). (Stud. univ., 2)

905. HENRY (Françoise). Studies in early christian and mediaeval Irish art. Vol. 1: Enamel and metalwork. London, Pindar Press, 84, in-8, 329 p. (ill.).

906. Hrady, zámky a tvrze v Čechách, na Moravě a ve Slezsku. (Burgen, Schlösser und Festen in Böhmen, Mähren und Schlesien.) [Bd 2. Cf. Bibl. 83, n° 922.] Bd 3: Severní Čechy. (Nordböhmen.) Ed.: Rudolf ANDĚL et al. Praha, Svoboda, 84, in-8, 661 p. (48 fig.).

907. Istorija iskusstva narodov SSSR. (History of art of the peoples of the USRR.) Redkol.: B. V. VEJMARN (gl. red.) i dr. V 9-ti t. T. 9: Iskusstvo narodov SSSR, 1960-1977 gg. [Kn. 1: Cf. Bibl. 82, n° 981.] Kn. 2. Pod red. B. V. VEJMARNA, L. S. ZINGERA. Moskva, Izobraz. iskusstvo, 84, 407 p. (ill.).

§ 12. STORIA DELLE RELIGIONI 41

908. Istorija russkoj muzyki. (History of Russian music.) V 10-ti t. [T. 1. Cf. Bibl. 83, n° 924.] T. 2: XVIII vek. Č. 1. (The 18th century. Part 1.) Ju. V. KELDYŠ, O. E. LEVAŠOVA. Moskva, Muzyka, 84, 335 p. (ill.). (VNII iskusstvoznanija M-va kul'tury SSSR)

909. KOLNÍK (Títus). Rímske a germánske umenie na Slovensku. (Die römische und germanische Kunst in der Slowakei.) Vorwort v. Ján DEKAN. Photogr.: Jozef KRÁTKÝ. Bratislava, Tatran, 84, in-4, 316 p. (195 Phot.).

910. LEACROFT (Richard), LEACROFT (Helen). Theatre and playhouse: an illustrated survey of theatre building from ancient Greece to the present day. London, Methuen, 84, in-4, 224 p. (ill.).

911. LLYOD (Ward), KLEIN (Dan). History of glass. London, Orbis, 84, in-4, 288 p. (ill., pl.).

912. MIHALCU (Mihail). Valori medievale românești. (Valeurs de la peinture roumaine du moyen âge.) Prefață: Răzvan THEODORESCU. București, Sport-Turism, 84, 169 p.

913. MOUTSOPOULOS (N.K.). Hē architektonikē mas klēronomia. Symbolē stēn theōria tēs anabiōseōs, anastēlōseōs kai anaplasseōs tōn mnēmeion tēs paradosiakēs mas architektonikēs. (Notre patrimoine architectural. Contribution à la théorie de la renaissance, de la restauration et de la rénovation de notre architecture traditionnelle.) Receuil d'articles, d'études, de cours et de conférences, 1965-1980.) Athènes, l'auteur, 83, in-8, 311 p. (ill.).

914. Musikgeschichte. Ein Grundriß. T. 1. Hrsg. v. Werner FELIX u. a. Leipzig, Deutsch. Verl. f. Musik, 84, in-8, 528 p. (Noten).

915. Musikgeschichte in Bildern. Begr. v. Heinrich BESSELER u. Max SCHNEIDER. Hrsg. v. Werner BACHMANN. Bd 2: Musik d. Altertums. Lfg [8. Cf. Bibl. 81, n° 864.] 2: RASHID (Subhi Anwar). Mesopotamien. Leipzig, Deutsch. Verl. f. Musik, 84, in-4, 182 p. (Abb.). [Cf. Bibl. 83, n° 928]

916. Muzyka narodov Azii i Afriki. (Music of the peoples of Asia and Africa.) Vyp. 4. Sost. i red. V. S. VINOGRADOVA. Moskva, Sov. kompozitor, 84, 328 p. (ill.).

917. Palais et maisons du Caire. [1. Cf. Bibl. 82, n° 985.] 2: Epoque ottomane, XVIe-XVIIIe siècles. Par Bernard MAURY, André RAYMOND, Jacques REVAULT, Mona ZAKARIYA. Préf. de Robert MANTRAN. Paris, Ed. du C.N.R.S., 84, in-4, 612 p. (fig., 110 pl.). (Groupe de recherches et d'études sur le Proche-Orient, Univ. de Poitiers)

918. Progetto (Il) della scuola in Italia. Testi e documenti dalle origini al fascismo. Raccolti e comment. da Mauro MUGNAI. Vol. 1-4. Firenze, CESIS, 84, 4 vol., 67, 115, 167, 239 p.

919. THEODORESCU (Răzvan). Arta și politica în țările române în secolele XV-XVII. (Art et politique dans les pays roumains aux XVe-XVIIe s.) R. Ist., 84, t. 37, n° 3, p. 259-268.

920. VANSINA (Jan). Art history in Africa. London, Longman, 84, in-8, 252 p. (ill.).

§ 12. Storia delle religioni.

a. Generalità.

* 921. Bulletin signalétique 527: Histoire et sciences des religions. Revue trimestrielle. [36. Cf. Bibl. 83, n° 933.] 37. N°s 1-4 et tables annuelles. Paris, Ed. du C.N.R.S., 84, 5 vol. in-4, 107, 109, 123, 135, 277 p.

* 922. DECONCHY (J.-P.), LETENDRE (M.-L.), CHAMPION (F.). Archives des sciences sociales des religions. [n°s 21-43. Cf. Bilb. 72, n° 922.] n°s 43 à 52: Tables signalétiques (1977-1981). Paris, Ed. du C.N.R.S., 84, in-8, 308 p.

* 923. Internationale Zeitschriftenschau für Bibelwissenschaft und Grenzgebiete. Begr. v. F. STIER, Hrsg. v. B. LANG. Bd [27-29. Cf. Bibl. 83, n° 935.] 30: 1983/ 1984. Düsseldorf, Patmos, 84, in-8, XIV-475 p.

* 924. Nordic research in comparative religion. A bibliography 1980-1981. Compiled by C. FLEMMING. Temenos, 82, vol. 18, p. 147-192.

925. ASTÅS (Reidar). Kirke i vekst og kirke i allmenn og norsk kirkehistorie. (General and Norwegian church history.) 3rd ed. Oslo, Gyldendal, 84, 431 p. (ill.).

926. Cambridge (The) history of Judaism. Vol. 1: Introduction. The Persian period. Ed. by William David DAVIES, Louis FINKELSTEIN. London a. New York, Cambridge U.P., in-4, XV-461 p.

927. Complementi alla Storia della Chiesa diretta da Hubert Jedin. A cura di E. GUERRIERO. Vol. 1: Le chiese d'Oriente, da Giustiniano alla caduta di Costantinopoli. A cura di G. FEDALTO. Milano, Jaca book, 84, in-8, XXVI-236 p. (Già e non ancora, 103)

928. Dictionnaire d'histoire et de géographie ecclésiastique. T. 20, fasc. [115-118. Cf. Bibl. 83, n° 937.] 119: Giffoni [suite] – Giry. Sous la dir. de Roger AUBERT, assisté de J.-P. HENDRICKX et J.-P. SOSSON. Paris, Letouzey and Ané, 84, in-4, vol. 1281-1520.

929. Dictionnaire de spiritualité ascétique et mystique. T. 12, fasc. [76-77. Cf. Bibl. 83, n° 938.] 78-79: Pays-Bas – Photius. Paris, Beauchesne, 84, in-8, col. 705-1408.

930. DI NOLA (Alfonso Maria). Antropologia religiosa: introduzione al problema e campioni di ricerca. Roma, Newton Compton, 84, in-8, 280 p. (Magia e religioni, 11)

931. Gestalten der Kirchengeschichte. Hrsg. v. Martin GRESCHAT. [Bd 3-8. Cf. Bibl. 83, n° 940.] Bd 1: Alte Kirche. 1: Ignatius von Antiochien u. a. Bd 2: Alte Kirche. 2: Basilius von Caesarea u. a. Berlin, Stuttgart, Köln u. Mainz, Kohlhammer, 84, 2 vol. in-8, 304, 304 p. (ill.).

932. HAHN (István). Hitvilág és történelem. Tanulmányok az ókori vallások köréből. (Croyances et histoire. Etudes sur les religions de l'Antiquité.) Budapest, Kossuth Kiadó, 82, in-8, 340 p.

933. Handbuch der Dogmengeschichte. Hrsg. v. Michael SCHMAUS u. a. Bd 4, [Fasz. 2. Cf. Bibl. 83, n° 941.] Fasz. 7c, T. 2: SCHÄFER (Philipp). Eschatologie. Trient und Gegenreformation. Freiburg (Breisgau), Basel u. Wien, Herder, 84, in-4, VI-85 p.

934. Handbuch der Dogmen- und Theologiegeschichte. Hrsg. v. Carl ANDRESEN. Bd [1, 2. Cf. Bibl. 83, n° 942.] 3: Die Lehrentwicklung im Rahmen der Ökumenizität. Göttingen, Vandenhoeck u. Ruprecht, 84, in-8, IX-673 p.

935. HERRERA (L.). Historia de la Orden de Cister. I: El monacato antes de Cister (bosquejo histórico). II: Occidente. Burgos, Monasterio de las Huelgas, 82, 276 p. (Espiritualidad monástica, 12)

936. HEYER (Friedrich). Kirchengeschichte des Heiligen Landes. Stuttgart, Berlin, Köln u. Mainz, Kohlhammer, 84, in-8, 287 p. (Urban-Taschenb., 357)

937. Incontro di religioni in Asia tra il III e il X secolo d. C. Atti del Convegno internazionale di studi storico-religiosi promosso e organizzato dalla Fondazione Giorgio Cini e dall'Istituto italiano per il Medio ed Estremo Oriente (Is. M. E. O.), Venezia, 16-18 novembre 1981. A cura di L. LANCIOTTI. Firenze, Olschki, 84, in-8, IX-242 p. (Civiltà veneziana, Studi, 39)

938. LURKER (Manfred). Lexikon der Götter und Dämonen. Namen, Funktionen, Symbole, Attribute. Stuttgart, Kröner, 84, in-8, 433 p. (Abb.).

939. SCHIMMELPFENNIG (B.). Das Papsttum. Grundzüge seiner Geschichte von der Antike bis zur Renaissance. Darmstadt, Wiss. Buchges., 84, in-8, IX-370 p. (Grundzüge, 56)

940. Series episcoporum Ecclesiae Catholicae occidentalis. Ab initio usque ad annum MCXCVIII. Comitibus Quintin ALDEA et al. Coadiuvante Edgar PACK. Ed. Odilo ENGELS et Stefan WEINFURTER. Ser. 5: Germania. T. [1. Cf. Bibl. 82, n° 1000.] 2: Archiepiscopatus Hammaburgensis sive Bremensis. Stuttgart, Hiersemann, 84, in-4, X-90 p.

941. SHIBATA (Minoru). Chosaku-shû. (Oeuvres complètes.) Vol. 1: Nihon Shomin Shinkô-shi. Minzoku-hen. (Histoire des religions populaires du Japon. Le folklore.) Vol. 2: Nihon Shomin Shinkô-shi. Bukkyô-hen. (Hist. des rel. pop. du Japon. Le bouddhisme.) Vol. 3: Nihon Shomin Shinkô-shi. Shintô-hen. (Hist. des relig. pop. du Japon. Le shintoïsme.) Kyoto, Hôzôkan, 84, 3 vol. in-8.

942. SZÁNTÓ (Konrád). A katolikus eghyház története. 1. köt. A katolikus egyház története alapításától a reformációig. (L'histoire de l'Eglise catholique. Vol. 1: De sa fondation jusqu'à la Réforme.) Budapest, Ecclesia, 83, in-8, 710 p. (ill., 20 pl.).

943. Theologische Realenzyklopädie. In Gemeinschaft mit Horst Robert BALZ hrsg. v. Gerhard KRAUSE u. Gerhard MÜLLER. [Bd 11. Cf. Bibl. 83, n° 947.] Bd 12: Gabler-Gesellschaft, Gesellscahft und Christentum V. Berlin u. New York, de Gruyter, 84, in-4, IV-801 p.

b. Studi particolari.

* 944. ARATÓ (Paolo). Bibliographia historiae pontificiae [1982-1983. Cf. Bibl. 83, n° 949.] 1983-1984. Arch. Hist. pontificiae, 84, t. 22, p. 441-710.

* 945. Bulletin de spiritualité monastique. [Cf. Bibl. 83, n° 954.] Collectanea cisterc., 84, t. 46, 452 p.

* 946. Elenchus bibliographicus biblicus. T. [61. Cf. Bibl. 83, n° 955.] 62: 1981. Ed. Robert NORTH. Roma, Pontif. Inst. Bibl., 84, in-8, 784 p.

* 947. LEDOYEN (Henri). Bulletin d'histoire bénédictine. T. X: Table générale [suite de Bibl. 83, n° 957]. R. bénédictine, 84, t. 94, n° p. 861*-918*.

* 948. MOLIN (Jean-Baptiste), AUSSEDAT-MINVIELLE (Annick). Répertoire des rituels et processionnaux imprimés conservés en France. Paris, Ed. du C.N.R.S., 84, in-4, 720 p. (2 cartes).

* 949. VAN BELLE (A.). Bibliographie. [Cf. Bibl. 83, n° 936.] R. Hist. ecclés., 84, t. 79, p. 5*-652*.

** 950. Acta conciliorvm oecvmenicorvm ivssv atqve mandato Societatis Scientiarum Argentoratensis edenda institvit Edvardvs SCHWARTZ. Continvavit Johannes STRAUB. T. 4, vol. 3: Index generalis tomorvm I-IV. Pars [2. Cf. Bibl. 83, n° 2105.] 3: Index topographicvs. Congessit Rvdolfvs SCHIEFFER. Berlin u. New York, de Gruyter, 84, XII-320 p. [T. I-IV: 1914-1940]

** 951. Acta conciliorum oecumenicorum. Series 2a. 1: Concilium Lateranense a[nno] 649 celebratum. Ed. R. RIEDINGER. Berlin u. New York, de Gruyter, 84, XXVIII-467 p.

952. BENIN (Stephen D.). The "cunning of God" and divine accommodation: the history of an idea. J. Hist. Ideas, 84, vol. 45, n° 2, p. 179-192.

953. CHAUNU (Pierre). Le temps des réformes. Hist. relig. et système de

§ 12. STORIA DELLE RELIGIONI 43

civilisation. T. 1: La crise de la chrétienté, 1250-1550. T. 2: La Réforme protestante. Bruxelles, Complexe, 84, 2 vol. in-8, 292, 288 p. (cartes). (Historiques, 4, 5)

954. CULIANU (Ioan P.). Expériences de l'extase (extase, ascension et récit visionnaire, de l'Hellénisme au moyen âge). Préf. de Mircea ELIADE. Paris, Payot, 84, in-8, 215 p. (Biblioth. hist.)

955. Culti dei santi. Istituzioni e classi sociali in età preindustriale. A cura di Sofia BOESCH GAIANO, Lucia SEBASTINI. L'Aquila e Roma, Japadre, 84, in-8, 996 p.

956. Culto (Il) dei santi. Scritti di Paolo DESIDERI, Marcella FORLIN PATRUCCO, Sofia BOESCH GAIANO, Adriano PROSPERI. Quad. stor., 84, a. 19, n. ser., p. 941-969.

957. CUOQ (Joseph). L'Eglise d'Afrique du Nord. Du deuxième au douzième siècle. Paris, Centurion, 84, in-8, 211 p. (8 p. de pl., cartes). (Chrétiens dans l'histoire)

958. Du berceau à la tombe: les rites de passage. Actes du 18e Congrès des Sociétés hist. et archéol. de Normandie tenu à Saint-Lô, du 1er au 6 sept. 1983. R. Dépt. Manche, 84, t. 26, fasc. 101-103, 285 p.

959. EUGENE (Christian). Saint Bernardin de Sienne et la France. Arch. francisc. hist., 84, a. 77, fasc. 1-3, p. 181-217.

960. FUHRMANN (Horst). Von Petrus zu Johannes Paul II. Das Papsttum: Gestalt u. Gestalten. 2., verb. u. ergänzte Aufl. München, Beck, 84,in-8, 256 p. (146 Ill.). (Beck'sche schwarze Reihe, 233) [1. Aufl. Cf. Bibl. 80, n° 888]

961. GARDET (Louis). Les hommes de l'Islam. Approche des mentalités. Bruxelles, Complexe, 84, in-8, 450 p. (Historiques, 8)

962. GLADIGOW (B.). Die Teilung des Opfers. Zur Interpretation v. Opfern in vor- u. frühgeschichtl. Epochen. Frühmittelalterl. Stud., 84, Bd 18, p. 19-43.

963. GROTTANELLI (C.). Temi duméziliani fuori dal mondo indoeuropeo. Opus, 83, a. 2, p. 365-389.

964. KLEOMBROTOS (Iakōbos). Synoptikē historia tēs Ekklēsias tēs Lesbou apo tōn prōtōn chritianikōn chronōn mechri tōn kath'hēmas. (Histoire synoptique de l'Eglise de Lesbos depuis les premiers temps du christianisme jusqu'à nos jours.) Mytilène, l'auteur, 84, in-8, 152 p.

965. KORZUN (M.S.). Russkaja pravoslavnaja cerkov' na službe ėkspluatatorskikh klassov, X v. - 1917 g. (The Russian orthodox church at the exploiter classes' service, 10th century - 1917.) Minsk, Belarus', 84, 255 p.

966. LIEU (Samuel N. C.). The holy men and their biographers in early Byzantium [4th - 7th cent.] and medieval China: a preliminary comparative study in hagiography. In: Maistor [Cf. n° 484], p. 113-147.

967. LINDHARDT (Poul Georg). Kirchengeschichte Skandinaviens. Göttingen, Vandenhoeck u. Ruprecht, 84, in-8, 182 p.

968. Meshihiyyut we-eskhatologia. (Messianism and eschatology. A collection of essays.) Jerusalem, Zalman Shazar Center, 83, in-8, 448 p.

969. MILLETT (Benignus). The Friars Minor in County Wicklow, Ireland, 1260-1982. Arch. francisc. hist., 84, a. 77, p. 110-136.

970. Mouvements franciscains et société française, XIIe - XXe siècles. Etudes prés. à la table ronde du C.N.R.S., 23 oct. 1982. Publ. par André VAUCHEZ. Paris, Beauchesne, 84, in-8, 198 p. (Beauchesne Religions, 14)

971. NAESS (Hans Eyvind). Med bål og brann: trolldomsprosessene i Norge. (With stake and fire: sorcery processes in Norway.) Stavanger og Oslo, Univ.forl., 84, in-8, 165 p. (ill.).

972. NEILL (Stephen). History of Christianity in India: the beginnings to A.D. 1707. London, Cambridge U.P., 84, in-8, 583 p.

973. PENCO (Gregorio). Storia del monachesimo in Italia. Dalle origini alla fine del medioevo. Milano, Jaca book, 83, in-8, 538 p. (Compl. alla Storia della Chiesa dir. da Hubert Jedin)

974. Probleme der religiösen Sprache. Hrsg. v M. KÄMPFERT. Darmstadt, Wiss. Buchges., 83, in-8, VI-391 p. (Wege d Forschung, 442)

975. Relations (Les) intercommunautaires juives en Méditerranée occidentale, XIII-XXe siècles. Actes du Colloque internat. de l'Institut d'hist des pays d'outre-mer et du Centre de recherches sur les Juifs d'Afrique du Nord, sous la dir. de J. L. MIEGE, Abbaye de Sénanque, mai 1982. Paris, Ed. du C.N.R.S., 84, in-8, 300 p. (23 tabl., 4 cartes).

976. Salem. 850 Jahre Reichsabtei und Schloß. Hrsg. v. Reinhard SCHNEIDER. Unter Mitarb. v. Albert KNOEPFLI u. a. Konstanz, F. Stadler, 84, in-4, 376 p. (Ill., Kt.).

977. SALMON (W.A.). Churches and royal patronage, a history of the royal patronage in the churches of England and Wales. Cowbridge, S. Glam., D. Brown, 84, in-8, 88 p.

978. SIEBEN (Hermann Josef). Traktate und Theorien zum Konzil. Von Beginn d. Großen Schismas bis zum Vorabend d. Reformation (1378-1521). Frankfurt (Main), Knecht, 84, in-8, 296 p. (Frankfurter theol. Studien, 30)

979. SMITH (R. Morton). Meeting of

opposites: Islam and hinduism. In: Logos Islamikos [Cf. n° 516], p. 307-324.

980. Studia Stamsensia. Beiträge z. 700. Wiederkehr d. Weihe von Kirche u. Zisterze Stams. Hrsg. v. Alfred A. STRNAD, Werner KÖFLER u. Katherine WALSH. Innsbruck, Inn-Verl., 84, in-8, 144 p. [Cf. n°s 71, 315]

981. Temples et sanctuaires. Séminaire de recherche 1981-1983, organisé à la Maison de l'Orient. Sous la dir. de Georges ROUX. Lyon, Maison de l'Orient; diff. Paris, de Boccard, 84, in-4, 202 p. (55 ill., carte). (Trav. de la Maison de l'Orient, Univ. de Lyon, 7)

982. Temps chrétien (Le), de la fin de l'antiquité au moyen âge, IIIe - XIIIe siècles. [Colloque internat. du C.N.R.S.,] Paris, 9-12 mars 1981. Publ. par Jean-Marie LEROUX. Paris, Ed. du C.N.R.S., 84, in-8, 584 p. (Colloques internat. du C.N.R.S., 604)

983. VERDON (Timothy Gregory) a. others. Monasticism and the arts. Foreword by John W. COOK. Syracuse, N.Y., Syracuse U.P., 84, IX-354 p.

984. VILLALOBOS Y MARTÍNEZ-PONTRÉMULTI (María Luisa de). Una manifestación del cristianismo ortodoxo oriental: los iconos. In: Estudios dedicados al prof. D. A. Ferrari Nuñez [Cf. n° 488], vol. 2, p. 1063-1077.

985. ZABOROV (M.A.). Joannity. (The hospitallers.) Vopr. Ist., 84, n° 9, p. 92-102.

Cf. n°s 749, 891, 7647.

§ 13. Storia della filosofia.

* 986. Bibliographie de la philosophie. T. 30 (1983). Paris, Vrin, 84, in-8, 494 p.

* 987. Bulletin signalétique 519: Philosophie. 38: 1984. N°s 1-4 et tables annuelles. Paris, Ed. du C.N.R.S., 84, 5 vol. in-8, 71, 94, 79, 100, 135 p.

* 988. Répertoire bibliographique de la philosophie. 36. Louvain-la-Neuve, Ed. de l'Inst. Sup. de Philos., 84, in-8, XXXII-810 p.

989. ASMUS (V.F.). Istoriko-filosofskie ètjudy. (Historical and philosophical studies.) Moskva, Mysl', 84, 318 p.

990. BEÏKOS (Theophilos). Historia kai philosophia. Dokimia gia mia koinōnikē katanoēsē tēs philosophias. (Histoire et philosophie. Essai sur une conception sociale de la philosophie.) Athènes, Themelio, 84, in-8, 308 p.

991. BRANDT (R.). Die Interpretation philosophischer Werke. Eine Einführung in d. Studium antiker u. neuzeitl. Philosophie. Stuttgart-Bad Cannstatt, Fromman-Holzboog, 84, in-8, 240 p. (Problemata, 99)

992. Dictionnaire des philosophes. Vol. 1, 2. Sous la dir. de Denis HUISMAN. Paris, Presses univ. France, 84, 2 vol. in-4, ens. 2768 p. (Grands dictionnaires)

993. HUNTER (Graeme), INWOOD (Brad). Plato, Leibniz, and the furnished soul. J. Hist. Philos., 84, vol. 22, n° 4, p. 423-434.

994. Lexikon der Erkenntnistheorie und Metaphysik. Hrsg. v. F. RICKEN. München, Beck, 84, in-8, XIII-256 p. (Beck'sche schwarze Reihe, 288)

995. OAKLEY (Francis). Omnipotence, covenant, and order: an excursion in the history of ideas from Abelard to Leibniz. Ithaca, N.Y., Cornell U.P., 84, in-8, 165 p. [Cf. n° 2892]

996. Seele. Ihre Wirklichkeit, ihr Verhältnis zum Leib und zur menschlichen Person. Hrsg. v. K. KREMER. Leiden, Brill, 84, in-8, 235 p. (Studien z. Problemgesch. d. ant. u. mittelalterl. Philos., 10)

997. SIMON (Heinrich), SIMON (Maria). Geschichte der jüdischen Philosophie. Berlin, Union-Verl., 84, in-8, 233 p.

§ 14. Storia della letteratura.

* 998. Bibliografie van de Nederlandse taal- en literatuurwetenschap 1975-1979, 1980, 1981. Aangevuld met de bibliografie van de Friese taal- en literatuurwetenschap 1975-1979, 1980, 1981. Met aanvullingen vanaf 1975. (Bibliography of the Dutch and Frisian literature a. linguistics, with additions from 1975.) [Ed. by M. S. GEESINK, P. M. DOORENBOSCH, H. VAN ASSCHE et al.] 's-Gravenhage, Koninkl. Bibliotheek, 81-83, 4 vol. in-4, 1171, 455; 397; 408 p. - Bibliografie ... 1982. ... [Ed. by M. S. GEESINK, P. M. DOORENBOSCH, M. de SCHEPPER et al.] 's-Gravenhage, Koninkl. Bibliotheek, 84, in-4, 436 p. [Cf. Bibl. 80, n° 919]

* 999. BROUDIC (F.). Langue et littérature bretonnes: bibliographie 1973-1982. Brest, Brud Nevez, 84, in-8, 288 p.

* 1000. Internationale Bibliographie zur Geschichte der deutschen Literatur von den Anfängen bis zur Gegenwart. Erarb. v. deutsch., sowjet., bulg., jugoslaw., poln., rumän., tschechoslowak. u. ungar. Wissenschaftlern unter Leitung v. Günter ALBRECHT. Hrsg. v. Kollektiv f. Literaturgesch. im Volkseigenen Verl. Volk u. Wissen unter Leitung v. Kurt BÖTTCHER u. d. Maxim-Gorki-Inst. f. Weltliteratur d. Akad. d. Wiss. d. UdSSR zu Moskau unter d. Verantwortung v. Dimitri W. ZATOWSKIJ. Zehnjahres-Erg.-Bd. Berichtszeitraum 1963-1974. Nachträge zum Grundwerk. Halbbd 1: Allgemeiner Teil (Lit.- u. Sprachwiss., Weltliteratur u. a.). Deutschsprachige Lit. von d. Anfängen bis zum Ausgang d. 19. Jh. Halbbd 2: Deutschsprachige Lit. d. 20. Jh. Sachregister u. Personen-Werk-Register. Berlin, Volk u. Wissen, 84, 2 vol. in-8, 918, 963 p. [Cf. Bibl. 76-77, n° 1205]

§ 14. STORIA DELLA LETTERATURA 45

* 1001. Internationale germanistische Bibliographie. [1981. Cf. Bibl. 82, n° 1057.] 1982. [Hrsg. v.] Hans-Albrecht KOCH, Uta KOCH. München, London, New York u. Paris, K. G. Saur, 84, in-8, LXVIII-1398 p.

1002. Antike Tradition und neuere Philologien. Symposium zu Ehren d. 75. Geburtstages v. Rudolf SÜHNEL. Hrsg. v. Hans-Joachim ZIMMERMANN. Heidelberg, Winter, 84, in-8, 224 p. (1 Ill.). (Suppl. zu den S.-B. d. Heidelberger Akad. d. Wiss., Phil.-hist. Kl., Jg. 1983, 1)

1003. BARNARD (Robert). A short history of English literature. Oxford, Blackwell, 84, in-8, 209 p.

1004. BRAGINSKIJ (I.S.). Iranskoje literaturnoje nasledie. (Iranian literary heritage.) Moskva, Nauka, 84, 296 p.

1005. CZIGANY (Lorant). Oxford history of Hungarian literature from the earliest times to the present. London, Oxford U.P., 84, in-8, 592 p.

1006. EADE (J.C.). The forgotten sky: a guide to astrology in English literature [from Chaucer to Dryden a. Congreve]. London a. New York, Oxford U.P., 84, in-8, XIV-230 p. (ill.).

1007. Functions of literature. Essays presented to Erwin Wolff on his sixtieth birthday. Ed. by Ulrich BROICH, Theo STEMMLER a. Gerd STRATMANN. Tübingen, Niemeyer, 84, in-8, VI-328 p.

1008. GOEDEKE (Karl). Grundriß zur Geschichte der deutschen Dichtung aus den Quellen. 2., ganz neu bearb. Aufl. Hrsg. v. d. Deutsch. Akad. d. Wiss. d. DDR, Zentralinst. f. Literaturgeschichte. [Bd 15. Cf. Bibl. 66, n° 1270.] Bd 16. Von Herbert JACOB. Lfg. 1-3. Berlin, Akad.-Verl., 83-84, in-8, 828 p.

1009. Istorija vsemirnoj literatury. (History of world literature.) V. 9-ti t. Gl. redkol.: G. P. BERDNIKOV (gl. red.) i dr. [T. 1. Cf. Bibl. 83, n° 1003.] T. 2. Redkol. Kh. G. KOROGLY, A. D. MIKHAIJLOV (otv. red.) i dr. Moskva, Nauka, 84, 672 p. (ill.). (AN SSSR. In-t mirovoj lit. im. A. M. Gor'kogo)

1010. Literatura polska. Przewodnik encyklopedyczny. (La littérature polonaise. Guide encyclopédique.) Com. de réd.: Julian KRZYŻANOWSKI (président), de 1976: Czeslaw HERNAS; membres: Artur HUTNIKIEWICZ et al. T. 1: A-M. Warszawa, Państw. Wydawn. Nauk, 84, in-4, XV-702 p.

1011. REY-FLAUD (Bernadette). La farce ou la machine à rire. Théorie d'un genre dramatique, 1450-1550. Genève, Droz, 84, in-8, 340 p. (Publ. romanes et franç., 167)

1012. SIENERTH (Stefan). Geschichte der siebenbürgisch-deutschen Literatur. Von den Anfängen bis z. Ausgang d. 16. Jh. Cluj-Napoca, Dacia, 84, in-8, 240 p.

1013. SIMONESCU (Dan). Contribuții (literatura română medievală). (Contributions concernant la littérature roumaine médiévale.) București, Ed. Eminescu, 84, in-8, 212 p.

1014. TICHÁ (Zdeňka). Cesta starší české literatury. (Der Weg der älteren tschechischen Literatur.) Praha, Panorama, 84, in-8, 295 p.

1015. Verse und Lieder bei den Ostslaven, 1650-1720. Incipitarium. Zusammengest. v. Franz SCHÄFER u. Joachim BRUSS. Bd 1: Anonyme Texte. Hrsg. v. Hans ROTHE. Köln u. Wien, Böhlau, 84, in-8, XI-327 p. (Bausteine z. Gesch. d. Lit. bei d. Slaven, 23)

1016. VINCE (R.W.). Ancient and medieval theatre. A historical handbook. Westport, Conn., Greenwood, 84, in-8, XI-157 p.

C

PREISTORIA E PROTOSTORIA

§ 1. Opere generali. 1017-1052. - § 2. Paleolitico e mesolitico. 1053-1061. - § 3. Neolitico. 1062-1072. - § 4. Età del bronzo. 1073-1097. - § 5. Età del ferro. 1098-1122. - § 6. Popoli protostorici dell'Europa, eccetuati quelli della Grecia e dell'Italia antica. 1123-1144.

§ 1. Opere generali.

* 1017. APPLEBOOM (Th. G.), BOURGEOIS (J.), DE LAET (S.J.), GOB (A.), LESENNE (H.), VERHAEGHE (F.). Bibliographie archéologique [1982. Cf. Bibl. 83, n° 1008.] 1983 (et compléments des années antérieures). Helinium, 84, t. 24, p. 164-182, 271-291.

* 1018. Bibliographie [générale sur la préhistoire et la protohistoire de l'Asie du Sud-Ouest]. Paléorient, 83 [84], vol. 9, n° 2, p. 105-127. [Cf. Bibl. 83, n° 1009]

* 1019. Bibliographie zur Archäo-Zoologie und Geschichte der Haustiere [1980-1981. Cf. Bibl. 83, n° 1010.] (1981-1982). Hrsg. v. H. H. MÜLLER. Berlin, Akad. d. Wiss. d. DDR, Zentralinst. f. Alte Gesch. u. Archäol., 83, in-8, 46 p.

* 1020. Bibliographie zur Ur- und Frühgeschichte [der DDR]. [1982-1983. Cf. Bibl. 1983, n° 1011.] 1.3.1983 - 29.2.1984. Zusammengest. v. E. GRINGMUTH-DALLMER. Ausgrabungen u. Funde, 84, Bd 29, H. 6, p. 269-307.

* 1021. HEMANS (Frederick P.). Index to Journal of Field Archaeology, volumes 1-10 (1974-1983). J. Field Archaeol., 84, vol. 11, suppl., 45 p.

* Cf. n° II.

1022. AMADEI SALA (Ada). Vita nella preistoria. Livorno, Nuova Fortezza, 84, in-8, 83 p. (ill.). (Documenti Livorno, 4)

1023. AMBLARD (Sylvie). Tichitt-Walata (R. I. Mauritanie). Civilisation et industrie lithique. Publ. par l'Institut mauritanien de recherche scientif. Préf. de Jiyd Ould ABDI et Henri-Jean HUGOT. Paris, Recherche sur les civilisations, 84, in-4, 321 p. (ill.). (Mémoire, 35)

1024. Archäologische Forschungen [in Ungarn] im Jahre 1982, 1983. Hrsg. v. Ilona CZEGLÉDY. Archaeol. Ért., 83, vol. 110, n° 2, p. 287-316; 84, vol. 111, n° 2, p. 257-285.

1025. Arkheologičeskie otkrytija 1982 goda. (Archaeological discoveries of [1981. Cf. Bibl. 83, n° 1012.] 1982.) Otv. red.: B. A. RYBAKOV. Moskva, Nauka, 84, 527 p. (AN SSSR. In-t arkheologii)

1026. Arkheologija SSSR. (Archaeology of the USSR.) Redkol., B. A. RYBAKOV (otv. red.) i dr. V 20-ti t. Antičnye gosudarstva Severnogo Pričernomor'ja. (The ancient states of the northern Black Sea area.) - Paleolit SSSR. (The paleolithic of the USSR.) Moskva, Nauka, 84, 2 vol. 392, 383 p. (ill.). (AN SSSR. In-t arkheologii) [Cf. Bibl. 82, n° 1074]

1027. ÅSTRÖM (Paul), PALMER (L.R.), POMERANCE (Leon). Studies in Aegean chronology. Göteborg, Paul Åström, 84, 119 p. (25 fig., 7 phot., table). (Studies in Mediterr. Archaeol., Pocket Book, 25)

1028. BARDET (A.C.), KOOI (P.B.), WATERBOLK (H.T.), WIERINGA (J.). Peelo, historisch-geografisch en archeologisch onderzoek naar de ouderdom van een Drents dorp. (An historico-geographical and archaeological inquiry into Peelo, a village in the province of Drenthe.) Meded. Akad. Wet., Afd. Letterkde, 83, N. R., vol. 46, p. 1-25 (map).

1029. BAUER-MANNDORFF (Elisabeth). Das frühe Armenien. Grundlagen der Archäologie und Urgeschichte. Wien, Verl.-Buchhandlung d. Mechitharisten-Congregation, 84, in-4, 176 p.

1030. BRADLEY (Richard). The social foundation of prehistoric Britain: themes a. variations in the archaeology of power. New York, Longman, 84, in-8, XII-195 p. (14 fig., 17 tables, 11 maps).

1031. CASPARI (W.A.), GROENMAN-VAN WAATERINGE (W.). Palynological analysis of Dutch barrows. Palaeohistoria, 80 [83], vol. 22, p. 7-65 (22 fig.). [Eng. summary]

1032. CLOSE (Angela E.). Current research and recent radiocarbon dates from Northern Africa, 2. J. afr. Hist., 84, vol. 25, p. 1-24. [Cf. Bibl. 80, n° 941]

1033. DUPRE (S.). Possuk 1: la céramique de l'âge du bronze et de l'âge du fer. Paris, Recherche sur les civilisations, 83, in-4, 132 p. (99 pl.). (Mémoire, 20)

1034. DŽAFAROV (G.F.). Svjazi Azerbajdžana so stranami Perednej Azii v épokhu pozdnej bronzy i rannego železa. (Azerbaijan's contacts with countries of the Near East in the late bronze and early iron ages.) Po arkheol. materialam Azerbajdžana. Baku, Elm, 84, 107 p. (ill.). (Ist. svjazi. AN AzSSR. Sektor arkheologii i ètnografii In-ta istorii)

1035. ECHT (Rudolf). Kāmid el-Lōz. Die Stratigraphie. Bonn, Habelt, 84, in-4, 202 p. (22 Fig., 15 Taf.). (Saarbrücker Beitr. z. Altertumskunde, 34)

1036. ERICSON (Jonathon E.), PURDY (Barbara A.). Prehistoric quarries and lithic production. London, Cambridge U.P., 84, in-4, 149 p. (ill., dr., tab.). (New directions in archaeol.)

1037. ESPERANDIEU (Emile), ROLLAND (Henri). Bronzes antiques de la Saine-Maritime. Paris, Ed. du C.N.R.S., 84, in-4, 101 p. (pl.). (Gallia, Suppl., 13)

1038. From hunters to farmers: the causes and consequences of food production in Africa. Ed. by J. Desmond CLARK a. Steven A. BRANDT. Berkeley, Univ. of California Press, 84, in-8, XI-433 p. (82 fig., 30 tables).

1039. HÄUSLER (A.). Neue Belege zur Geschichte von Rad und Wagen im nordpontischen Raum. Ethnogr.-archäol. Z., 84, Bd 25, p. 629-682.

1040. HEDGES (John W.). Tomb of the Eagles: a window on Stone Age tribal Britain. London, J. Murray, 84, in-8, 224 p. (ill., tab.).

1041. HERRMANN (Joachim). Die Menschwerdung. Zum Ursprung d. Menschen u. d. menschl. Gesellschaft. Berlin, Dietz, 84, in-8, 256 p. (Abb., Kt.).

1042. JAŻDŻEWSKI (Konrad). Urgechichte Mitteleuropas. Wrocław, Zakł. Narod. im. Ossolińskich, 84, in-8, 528 p.

1043. KOBYLIŃSKI (Zbigniew). Problemy metody reprezentacyjnej w archeologicznych badaniach osadniczych. (Les problèmes de la méthode représentative dans les recherches archéologiques sur l'occupation du sol.) Archeol. Polski, 84, vol. 29, fasc. 1, p. 7-40.

1044. KOHL (Philip L.). L'Asie Centrale, des origines à l'âge du fer = Central Asia, palaeolithic beginnings to the iron age. Avec des contrib. de Henri-Paul FRANCFORT et J.-C. GARDIN. Paris, Recherche sur les civilisations, 84, in-4, 313 p. (ill.). (Synthèse, 14)

1045. KOSAREV (M.F.). Zapadnaja Sibir' v drevnosti. (Western Siberia in ancient times.) Moskva, Nauka, 84, 244 p. (ill.). (AN SSSR. In-t arkheologii)

1046. LUOTO (Jukka). Liedon Vanhanlinnan mäkilinna. (The archaeological discoveries of the hillfort Vanhalinna in Lieto [Finland].) Helsinki, 84, in-4, 235 p. (ill.). (Suomen muinaismuistoyhd. aikakausk., 87)

1047. NOVGORODOVA (E.A.). Mir petroglifov Mongolii. (The world of Mongolia's petroglyphs.) Moskva, Nauka, 84, 168 p. (ill.). (AN SSSR. In-t vostokovedenija)

1048. OLAMI (Ya'aqov). Prehistoric Carmel. Jerusalem, Israel Exploration Soc., 84, in-4, 216 p. (ill., maps).

1049. RENFREW (Colin). The prehistory of Orkney. Edinburgh, Univ. Press, 84, in-8, 300 p. (ill.).

1050. ROBERTSHAW (Peter). Archaeology in Eastern Africa: recent development and more dates. J. afr. Hist., 84, vol. 25, p. 369-393.

1051. SEMENOV (Ju. I.). Osnovnye ètapy èvoljucii pervobytnoj èkonomiki. (Primitive economy and main stages of its evolution.) Nar. Azii Afr., 84, n° 1, p. 56-67.

1052. ZVELEBIL (Marek), ROWLEY-CONWY (Peter). Transition to farming in Northern Europe: a hunter-gatherer perspective. Norwegian archaeol. R., 84, vol. 17, p. 104-128 (fig.).

Cf. n°s 98, 319, 376, 897, 7696.

§ 2. Paleolitico e mesolitico.

1053. BEREGOVAJA (N.A.). Paleolitičeskie mestonakhoždenija SSSR (1958-1970 gg.). (Paleolithic sites in the USSR, 1950-1970.) Leningrad, Nauka, 84, 171 p. (ill.). (AN SSSR. In-t arkheologii)

1054. DEREVNJANKO (A.P.). Paleolit Japonii. (The paleolithic of Japan.) Novosibirsk, Nauk, 84, 272 p. (ill.). (AN SSSR. Sib. otd-nie. In-t ist., filol. i filos.)

1055. KOBUSIEWICZ (Michel). Le problème des contacts des peuples du paléolithique final de la plaine européenne avec le territoire français. B. Soc. préhist. franç., 83 [84], t. 80, n° 10-12, p. 308-321 (8 fig.).

1056. PRICE (T.D.). Swifterbant, Oost-Flevoland, Netherlands: excavations at the river dune sites, S. 21 - S 24, 1976. Palaeohistoria, 81 [84], vol. 23, p. 75-104 (15 fig., 6 tab.). [Eng. summary]

1057. SCHMIDER (Béatrice). Les industries lithiques du paléolithique supérieur en Ile-de-France. Paris, Ed. du C.N.R.S., 84, in-8, 242 p. (ill.). (Gallia Préhist., Suppl., 6)

1058. STAPERT (D.). A site of the Hamburg tradition on the Wadden island of Texel (province of North-Holland, Netherlands). Palaeohistoria, 81 [84], vol. 23, p. 1-27 (15 fig., 10 tab.). [Eng. summary]

1059. VAN ZEIST (W.), PALFENIER-VEGTER (R.M.). Seeds and fruits from the Swifterbant S 3 site [Netherlands]. Palaeohistoria, 81 [84], vol. 23, p. 105-168 (33 fig., 20 tab.).

1060. VAN ZEIST (W.), VAN DER SPOEL-VALVIUS (M.R.). A palynological study of the late-glacial and the post-glacial in the Paris Basin. Palaeohistoria, 80 [83], vol. 22, p. 67-109 (15 fig., map). [Eng. summary]

1061. ZALIZNJAK (L.L.). Mezolit Jugo-Vostočnogo Poles'ja. (The mesolithic of the south-eastern Poles'ye lowland.) Kiev, Nauk. dumka, 84, 120 p. (ill.). (AN SSSR. In-t arkheologii)

Cf. n° 1026.

§ 3. Neolitico.

1062. Age (L') du cuivre européen. Civilisations à vases campaniformes. Sous la dir. de Jean GUILAINE. Paris, Ed. du C.N.R.S., 84, in-4, 256 p. (69 pl., 14 cartes).

1063. CABLE (Charles). The economy and technology in the Late Stone Age of Southern Natal. London, Brit. Archaeol. Rep., 84, in-4, 268 p. (ill.).

1064. CHEVALIER (Yves). L'architecture des dolmens entre Languedoc méditerranéen et centre-ouest de la France. Préf. de Gérard BAILLOUD. Bonn, Habelt, 84, in-4, 290 p. (pl.). (Saarbrücker Beitr. z. Altertumskunde, 44)

1065. DUMITRESCU (Vladimir). L'art de la culture Cucuteni. R. roumaine, 84, a. 38, n° 9, p. 36-63.

1066. Inventaire des mégalithes de la France. [7. Cf. Bibl. 83, n° 1093.] 8: Puy-de-Dôme. Par Sylvie AMBLARD. Paris, Ed. du C.N.R.S., 84, in-4, 110 p. (46 fig., 3 tabl., 8 pl.). (Gallia Préhist., Suppl., 1)

1067. MILISAUSKAS (Sarunas), KRUK (Janusz). Settlement organization and the appearance of low level hierarchical societies during the Neolithic in the Bronocice microregion, southeastern Poland. Germania, 84, Jg. 62, p. 1-30 (fig., tables).

1068. OLSEN (Asle Bruen), ALSAKER (Sigmund). Greenstone and diabase utilization in the Stone Age of Western Norway: technological a. socio-cultural aspects of axe a. adze production a. distribution. Norwegian archaeol. R., 84, vol. 17, p. 71-103 (ill.).

1069. Origin and early development of food-producing cultures in North-Eastern Africa. Proceedings of the Internat. Symposium, Dymaczewo n. Poznań, 9-13 Sept. 1980. Ed. by Lech KRZYŻANIAK a. Michał KOBUSIEWICZ. Poznań, 84, in-8, 503 p. (Pol. Acad. of Sciences. Poznań Branch, Poznań Archaeol. Museum)

1070. SAMPSON (A.). The neolithic of the Dodecanese and Aegean neolithic culture. Annu. brit. School Athens, 84, vol. 79, p. 239-249.

1071. VAN DEN BROEKE (W.P.). Neolithic bone and antler objects from the Hazendonk. Oudh. Meded. Leiden, 83 [84], vol. 64, p. 163-195 (1 fig.).

1072. VOSS (J.A.). A study of Western TRB social organization. Ber. Rijksd. oudh. Bodemonderz., 82 [84], vol. 32, p. 9-102 (14 fig.).

§ 4. Età del bronzo.

1073. Alasia III: COURTOIS (Jacques-Claude). Les objets des niveaux strafifiés d'Enkomi. Fouilles C. F.-A. Schaeffer 1947-1970. Paris, Recherche sur les civilisations, 84, in-4, 244 p. (ill.). (Mémoires, 32)

1074. BAURAIN (C.). Chypre et la Méditerranée au bronze récent. Synthèse historique. Préf. de V. KARAGHEORGHIS. Athènes, Ecole franç. d'Athènes; Paris, diff. de Boccard, 84, in-4, VIII-388 p. (29 ill., 17 tableaux, 4 pl., 12 cartes). (Etudes chypriotes, 6)

1075. BIETAK (Manfred). Problems of middle bronze age chronology: new evidence from Egypt. Am. J. Archaeol., 84, vol. 88, n° 4, p. 471-485.

1076. BONEV (Aleksandăr). Trakijskite zemi i formaciite Troja VI i Troja VII. Obšta kharakteristika i vzaimni vrăzki. (Les terres thraces et les formations Troie VI et Troie VII. Caractéristique générale et liens réciproques.) Vekove, 83, n° 2, p. 22-31.

1077. BRIARD (Jacques). Les tumulus d'Armorique. Paris, Picard, 84, in-4, 302 p. (ill.). (L'âge du bronze en France, 3) [Cf. Bibl. 82, n° 1186]

1078. BROSHI (Magen), GOPHNA (Ram). Yishuva shel Erez-Israel ... Eretz-Israel, 84, vol. 17, p. 147-157. - In Eng.: The settlements and population of Palestine during the Early Bronze Age II-III. B. am. Schools orient Research, 84, n° 253, p. 41-53 (2 fig., 11 tables).

1079. Vacat.

1080. CHAMBON (Alain). Tell el-Far'ah. 1: L'âge du fer. Paris, Recherche sur les civilisations, 84, in-4, 296 p. (84 pl., 5 plans). (Mémoire, 31)

1081. CHERRY (J.F.). The emergence of the state in the prehistoric Aegean. Proc. Cambridge philos. Soc., 84, vol. 210, p. 18-48.

1082. ČLENOVA (N.L.). Arkheologičeskie materialy k voprosu ob irancakh doskifskoj èpokhi i indoirancakh. (Archaeological materials on the Iranians of pre-Scythian times and the Indo-Iranians.) Sovet. Arkheol., 84, n° 1, p. 88-103.

1083. Cyprus at the close of the late Bronze Age. Ed. by Vassos KARAGHEORGHIS a. J. D. MUHLY. Nicosia, Greece, A. G. Leventis Foundation, 84, VIII-56 p. (5 fig., 6 plans, 10 pl., map).

1084. GONEN (Rivka). Urban Canaan in

§ 5. Età del ferro.

the Late Bronze period. B. am. Schools orient. Research, 84, n° 253, p. 61-73 (2 fig., 4 tables).

1085. KEMENCZEI (Tibor). Die Spätbronzezeit Nordostungarns. Budapest, Akad. Kiadó, 84, in-4, 430 p. (2 Taf.). (Archaeologica hungarica, 51)

1086. KILIAN-DIRLMEIER (I.). Nadeln der frühhelladischen bis archaischen Zeit von der Peloponnes. München, Beck, 84, in-4, XI-325 p. (Ill., 16 Taf.). (Prähist. Bronzefunde, Abt. 13, 8)

1087. KLICHOWSKA (Melania). Struktury uprawne w epoce brązu i wczesnej epoce żelaza na ziemiach polskich w świetle badań archeobotanicznych. (Les surfaces cultivables à l'âge du bronze et au début de l'âge du fer en Pologne à la lumière des études archéo-botaniques.) Archeol. Polski, 84, vol. 29, fasc. 1, p. 69-108.

1088. KNIGHT (David). Late Bronze Age settlement in the Nene and Great Ouse basin. London, Brit. Archaeol. Rep., 84, in-4, 554 p. (fig.).

1089. LIEBOWITZ (Harold), FOLK (Robert). The dawn of iron smelting in Palestine: the Late Bronze Age smelter at Tel Yin'am. Preliminary report. J. Field Archaeol., 84, vol. 11, p. 265-280 (16 fig.).

1090. LONGWORTH (Ian H.). Collared urns of the Bronze Age in Great Britain and Ireland. London, Cambridge U.P., 84, in-4, 584 p. (ill., dr.). (Gulbenkian Archaeol. Ser.)

1091. MARINATOS (N.). Art and religion in Thera. Reconstructing a Bronze Age society. Athens, Mathioulakis, 84, 128 p. (83 ill.).

1092. MAZZONI (Stefania). Seal impressions on jars from Ebla in the late Early Bronze Age. Am. J. Archaeol., 84, vol. 88, n° 4, p. 488.

1093. PEARCE (Susan M.). Bronze Age metalwork of Southwestern Britain. London, Brit. Archaeol. Rep., 84, in-4, 740 p. (ill.). - EADEM. Bronze Age metalwork in Southern Britain. Aylesbury, Shire Publ., 84, in-8, 64 p. (ill.).

1094. POTTIER (Marie-Hélène). Matériel funéraire de la Bactriane méridionale de l'âge du bronze. Paris, Recherche sur les civilisations, 84, in-4, 232 p. (ill.). (Mémoire)

1095. SAGONA (A.G.). The Caucasian region in the early Bronze Age. London, Brit. Archaeol. Rep., 84, in-4, 850 p. (ill.).

1096. SCHAAF (U.). Ein bronzezeitliches Sistrum aus Rheinhessen. Jb. d. röm.-german. Zentralmus. Mainz, 84, Bd 31, p. 237-246.

1097. THEMELIS (P.G.). Early Helladic monumental architecture. Mitt. d. deutsch. archäol. Inst., Athen, 84, Bd 99, p. 335-351.

§ 5. Età del ferro.

* 1098. LOICQ (Jean), LOICQ-BERGER (Marie-Paule). La Gaule méridionale, 1968-1980. Et. celtiques, 83, vol. 20, n° 1, p. 303-333; 84, vol. 21, p. 329-355.

* 1099. LORENZ (Herbert). Forschungen zur Archäologie der Kelten in der Bundesrepublik Deutschland (1976-1980). Et. celtiques, 83, vol. 20, n° 1, p. 269-301; 84, vol. 21, p. 287-327.

1100. AHLSTRÖM (G.W.). An archaeological picture of Iron Age religions in ancient Palestine. Studia orientalia, 84, t. 55, p. 115-145.

1101. ČINDINA (L.A.). Drevnjaja istorija Srednego Priob'ja v ėpokhu železa. Kulajs. kul'tura. (Ancient history of the middle Ob' River area in the Iron Age. Culay culture.) Tomsk, Izd-vo Tom. un-ta, 84, 255 p. (ill.).

1102. CUNLIFFE (Barry). Danebury, an Iron Age hillfort in Hampshire. London, Council for Brit. Archaeol., 84, 2 vol. in-4, 586 p. (ill.). [Cf. Bibl. 83, n° 1131]

1103. CUNLIFFE (Barry), MILES (David). Aspects of the Iron Age in Central Southern Britain. Oxford, Oxbow Books, 84, in-4, 215 p. (fig.). (Oxford Univ. Comm. for Archaeol.)

1104. Drevnosti Evrazii v skifo-sarmatskoe vremja. (Eurasian antiquities in the Scythian-Sarmatian period.) Pod red. A. I. MELJUKOVOJ i dr. Moskva, Nauka, 84, 263 p. (ill.). (AN SSSR. In-t arkheologii)

1105. FISCHER (Th.), RIECKHOFF-PAULI (S.), SPINDLER (K.). Grabungen in der spätkeltischen Siedlung im Sulztal bei Berching-Pollanten, Landkreis Neumarkt, Oberpfalz. Mit e. Beitr. v. A. von den DRIESCH. Germania, 84, Jg. 62, p. 311-372.

1106. FREY (Otto-Herman). Die Bewaffnung im Hallstattkreis. Et. celtiques, 83, vol. 20, n° 1, p. 7-21 (5 Abb.). [Rés. franç.]

1107. FUGAZZOLA DELPINO (Maria Antonietta). La cultura villanoviana: guida ai materiali della prima età del ferro nel Museo di Villa Giulia. Roma, Ateneo, 84, in-8, 205 p.

1108. JOVANOVIC (Borislav). Les chaînes de ceinture chez les Scordisques [IIIe-IIe s. av. J.-C.]. Et. celtiques, 83, vol. 20, n° 1, p. 43-55 (10 fig.). - Avec un appendice: ERDELJI (Joszef). La matière et le procédé de fabrication de la chaîne de ceinture de Hrtkovci [Voïvodine, Yougoslavie], p. 55-57.

1109. JOVANOVIĆ (Borislav). Les sépultures de la nécropole celtique de Pécine près de Kostolac (Serbie du Nord). Et. celtiques, 84, vol. 21, p. 63-93 (9 fig., 6 pl.).

1110. KRUTA (Venceslas). Deux fourneaux marniens décorés du Ve siècle avant notre ère. Et. celtiques, 83, vol. 20, n° 1, p. 24-41 (7 fig.).

1111. KRUTA POPPI (Luana). Contacts transalpins de Celtes cispadans au IIe siècle avant J.-C.: le fourreau de Saliceta San Giuliano (province de Modène). Et. celtiques, 84, vol. 21, p. 51-61 (7 fig.).

1112. OEFTIGER (Klaus). Mehrfachbestattungen im Westhallstattkreis: zum Problem der Totenfolge. Bonn, Habelt, 84, in-4, VII-223 p. (graph. Darst., 2 Kt.). (Antiquitas, Reihe 3, 26)

1113. PETRÉ (Bo). Arkeologiska undersökningar på Lovö. Del 1, 2, 4. (Archaeological investigation on Lovö. Part 1, 2, 4.) Stockholm, Almqvist o. Wiksell internat., 84, 3 vol. in-4, 81, 404, 236 p. (ill.). (Stud. in North-Europ. archaeol., 7, 8, 10) [Eng. summary]

1114. PY (Michel). La Liquière (Calvisson, Gard): village du premier âge du fer en Languedoc oriental. Avec la collab. de François PY, Patrick SAUZET, Catherine TENDILLE. Annexes de Philippe COLUMEAU, Jean ERROUX, Henri DUDAY. Paris, Ed. du C.N.R.S., 84, in-4, 368 p. (189 fig.). (R. archéol. Narbonnaise, Suppl., 11)

1115. RAFTERY (Barry). La Tène in Ireland. Problems of origin and chronology. Marburg, Vorgeschichtl. Seminar d. Univ. Marburg, 84, in-4, XXIV-398 p. (152 fig., 113 pl., 27 maps). (Veröff. d. Vorgeschichtl. Seminars Marburg, Sonderband, 2)

1116. RUTA SERAFINI (Angela). Celtismo nel Veneto: materiali archeologici e prospettive di ricerca. Et. celtiques, 84, vol. 21, p. 7-33 (13 fig.). [Rés. franç.]

1117. SIEVERS (Susanne). Die Kleinfunde der Heuneburg. Die Funde aus den Grabungen von 1950-1979. Mit Beitr. v. Hans DRESCHER u. Otto ROCHNA. Text. Tafeln. Mainz, von Zabern, 84, 2 vol. in-4, 256, 250 p. (2179 Ill.). (Heuneburgstudien, 5. Röm.-german. Forschungen, 42)

1118. SKRIPKIN (A.S.). Nižnee Povolž'e v pervye veka našej èry. (The lower Volga area in the early centuries A.D.) Saratov, Izd-vo Sarat. un-ta, 84, 150 p. (ill.).

1119. TIZZONI (Marco). Le marche delle spade La Tène conservate al Civico Museo Archeologico di Milano. Et. celtiques. 84. vol 21, p. 95-110 (12 fig.). [Rés. franç.]

1120. VITALI (Daniele). Un fodero celtico con decorazione a lira zoomorfa da Monte Bibele (Monterenzio, provincia di Bologna). Et. celtiques, 84, vol. 21, p. 35-49 (4 fig.).

1121. Vooruženie skifov i sarmatov. (Weapons of the Scythians and Sarmatians.) Sbornik nauč. tr. Redkol.: E. A. ČERNENKO (otv. red.) i dr. Kiev, Nauk. dumka, 84, 158 p. (ill.). (AN SSSR. In-t arkheologii)

1122. WELLS (Peter S.). Farms, villages and cities: commerce and urban origins in late prehistoric Europe. Ithaca, N.Y.,
Cornell U.P., 84, in-8, 270 p. (10 phot., 29 fig., 2 tables, 11 plans, 15 maps).

Cf. n°s 1080, 1129.

§ 6. Popoli protostorici dell'Europa, eccetuati quelli della Grecia e dell'Italia antica.

** 1123. Quellen zur Geschichte der Alamannen. [5. Cf. Bibl. 83, n° 1149.] 6: Inschriften und Münzen. Mit e. Zeittafel v. 213 bis etwa 530. Wolfgang KUHOFF. Corrigenda u. Addenda z. d. Bdn I u. II. Gunther GOTTLIEB u. Wolfgang KUHOFF. Sigmaringen, Thorbecke, 84, in-4, 115 p. (8 Ill., 4 Taf.). (Schr. d. Heidelberger Akad. d. Wiss., Komm. f. Alamann. Altertumskunde, 9)

1124. ANTONESCU (Dinu). Introducere în arhitectura dacilor. (Introduction à l'architecture des Daces.) Cuvînt înainte de Răzvan THEODORESCU. București, Ed. tehnică, 84, in-8, 219 p.

1125. BUKOWSKI (Zbigniew). Problematyka osadnicza dorzecza Odry, Wisły i Bugu w II i I poł. I tysiąclecia p.n.e. jako jeden z elementów poznawczych dla badań nad topogenezą Słowian. (La problématique de la colonisation des bassins de l'Odra, de la Vistule et du Bug dans le IIe et la 1e moitié du Ier millénaire av. J.-C. comme l'un des éléments cognitifs pour les études concerant la topogenèse des Slaves.) Archeol. Polski, 84, vol. 29, fasc. 2, p. 291-315.

1125a. DAIM (Falko), LIPPERT (Andreas). Das awarische Gräberfeld von Sommerein am Leithagebirge, Niederösterreich. Wien, Verl. d. Österr. Akad. d. Wiss., 84, in-8, 256 p. (23 Zeichungen, 3 Tab., 144 Taf., 37 Kartenskizzen, 1 Kt.). (Studien z. Archäol. d. Awaren, 1. Denkschr. d. Österr. Akad. d. Wiss., philos.-hist. Kl., 170)

1126. FEDOROV (G.B.), POLEVOJ (L.L.). "Carstva" Burebisty i Decebala: sojuzy plemen ili gosudarstva? (I v. do n.è. - načalo II v. n. è.). (The kingdoms of Burebista and Decebalus - tribal unions or states?) Vopr. Ist., 84, n° 7, p. 59-80.

1127. FODOR (István). In search of a new homeland. The prehistory of the Hungarian people and the conquest. Budapest, Corvina, 82, in-8, 414 p. (ill.).

1128. FOL (Aleksandăr). Traki i skiti. (Thraces et Scythes.) Ist. Pregled, 83, n° 2, p. 39-48.

1129. FURGER GUNTI (Andres). Die Helvetier. Kulturgeschichte eines Keltenvolkes. Zürich, Neue Zürcher Zeitung, 84, in-4, 180 p.(261 Abb., 4 Kt.).

1130. GARAM (Éva), PATAY (Pál), SOPRONI (Sándor). Sarmatisches Wallsystem im Karpatenbecken. Budapest, M. Nemzeti Múzeum, 83 [84], in-4, 140 p. (Régészeti füzetek, Ser. 2, 23)

§ 6. POPOLI PROTOSTORICI DELL'EUROPA

1131. GOSTAR (Nicolae), LICA (Vasile). Societatea geto-dacică de la Burebista la Decebal. (La société géto-dace de Burébista à Décebale.) Prefaţă de Radu VULPE. Iaşi, Junimea, 84, in-8, 199 p.

1132. HENSEL (Witold). Skąd przyszli Słowianie? (D'où sont venus les Slaves?) Warszawa, Epoka, 84, in-8, 303 p. (Bibl. Tow. Twórców i Działaczy Kultury im. Gustawa Morcinka, 5)

1133. Historiallisen ajan arkeologia Suomessa. - Den historiska tidens arkeolgi i Finland. (L'archéologie de la période historique en Finlande.) Turku, 84, in-4, 171 p. (Turun maakuntamuseo. Raportteja. - Åbo landskapsmuseum. Rapporter, 6)

1134. KHLEBNIKOVA (T.A.). Keramika pamjatnikov Volžskoj Bolgarii. K voprosu ob étnokul'turnom sostave naselenija. (Ceramics of monuments of Volga Bulgaria. On the ethnocultural structure of the population.) Moskva, Nauka, 84, 241 p. (ill.). (AN SSSR. Kazan. fil. In-t jaz., lit. i istorii)

1135. OLTEANU (Ştefan). Cu privire la structura socială a comunităţilor săteşti dintre Carpaţi şi Dunăre în secolul al IV-lea e.n. (A propos de la structure sociale des communautés villageoises entre les Carpates et le Danube au IVe siècle de n. è.) R. Ist., 84, vol. 37, n° 4, p. 326-345.

1136. PESCHEL (K.). Kriegergrab, Gefolge und Landnahme bei den Latènekelten. Ethnogr.-archäol. Z., 84, Bd 25, p. 445-469.

1137. Pulpudeva. T. 4: Semaines Philippopolitaines de l'histoire et de la culture thraces, Plovdiv, 3-17 oct. 1980. Red. Aleksandar FOL. Sofia, BAN, 83, in-8, 330 p. (Acad. bulg. des sciences. Inst. de Thracologie)

1138. SPRINGER (Matthias). Der Eintritt der Alemannen in die Weltgeschichte. Abh. u. Ber. d. staatl. Mus. f. Völkerkde Dresden, 84, Bd 41, p. 99-137.

1139. STRZELCZYK (Jerzy). Goci. Rzeczywistość i legenda. (Les Goths. Réalité et légende.) Warszawa, Państw. Inst. Wydawn., 84, in-8, 460 p.

1140. SZYDŁOWSKI (Jerzy). Naczynia drewniane w poźnej starożytności na ziemiach polskich. (Les récipients de bois dans l'antiquité tardive sur les terres polonaises.) Katowice, 84, in-8, 245 p. (Prace Nauk. Uniw. Śląskiego w Katowicach, 645) [1er s. av. J.-C. - Ve s.]

1141. Thracia Pontica. 1. Premier symposium international. Thème général: "La Mer Noire et le Monde Méditerranéen", Sozopol, 9-12 oct. 1979. Sofija, BAN, 82, in-8, 316 p.

1142. TOLSTIKOV (V.P.). K probleme obrazovanija Bosporskogo gosudarstva (Opyt rekonstrukcii voenno-političeskoj situacii na Bospore v konce VI - pervoj polovine V v. do n.è.). (Factors leading to the formation of the Bosporan state. Attempt at a reconstruction of the military-political situation in the Bosporus, end of the 6th - first half of the 5th cent. B.C.) Vestn. drevn. Ist., 84, n° 3, p. 24-48.

1143. VENEDIKOV (Ivan). Mednoto gumno na prabălgarite. (L'âge du cuivre des Protobulgares.) Sovija, BAN, 83, in-8, 270 p.

1144. WINKELMANN (Wilhelm). Beiträge zur Frühgeschichte Westfalens. Ges. Aufsätze. Münster, Aschendorff, 84, in-4, 182 p. (109 p. Abb., graph. Darst., Kt.-Beil.). (Veröff. d. Altertumskomm. im Provinzialinst. f. Westfäl. Landes- u. Volksforsch., Landschaftsverband Westfalen-Lippe, 8)

Cf. n°s 689, 1026, 1817.

D

POPOLI DELL'ANTICO ORIENTE

(comprese le monarchie ellenistiche)

§ 1. Antichità in generale. 1145-1158. - § 2. Asia anteriore in generale. 1159-1172. - § 3. Egitto. 1173-1217. - § 4. Cirene. 1218-1219. - § 5. Mesopotamia. 1220-1245. - § 6. Ittiti. 1246-1250. - § 7. Ebrei e stirpi semitiche sino alla fine dell'antichità. 1251-1298. - § 8. Iran. 1299-1301.

§ 1. Antichità in generale.

* 1145. Bibliographie papyrologique, [1983. Cf. Bibl. 83, n° 1173.] 1984. Rédigée par Marcel HOMBERT et Georges NACHTERGAEL. Bruxelles, Fondation égyptol. Reine Elisabeth, 84, 6 envois de fiches.

* 1146. CAPLICE (R.), KLENGEL (H.). Keilschriftbibliographie. [43. Cf. Bibl. 82, n° 1284.] 44: 1982. 45: 1983 (mit Nachträgen aus früheren Jahren). Orientalia, 83 [84], n.s., vol. 52, fasc. 4, p. 1*-135*; 84, n.s., vol. 53, fasc. 4, p. 1*-108*.

* 1147. MODRZEJEWSKI (Joseph). Chronique. Droits de l'antiquité. Egypte gréco-romaine et monde hellénistique. [Cf. Bibl. 83, n° 1257.] R. hist. Droit franç. étr., 84, a. 62, n° 3, p. 423-488.

* 1148. MODRZEJEWSKI (Joseph). Papyrologie juridique. [20e rapport. Cf. Bibl. 81, n° 1157.] 21e rapport: textes et travaux publiés de sept. 1979 à sept. 1982. Studia Doc. Hist. et Iuris, 83, t. 49, p. 513-699.

* 1149. Testi recentemente pubblicati. [Cf. Bibl. 83, n° 1176.] Aegyptus, 84, a. 64, p. 241-269.

* Cf. n° I.

1150. Arbeitswelt (Die) der Antike. Von einer Autorengruppe d. Martin-Luther-Univ. Halle-Wittenberg. Weimar, Böhlau, 84, in-8, 274 p. (75 Abb., Fig., Kt.).

1151. BRIANT (Pierre). L'Asie centrale et les royaumes proche-orientaux du premier millénaire, c. VIIIe - IVe siècle avant notre ère. Paris, Recherche sur les civilisations, 84, in-4, 118 p. (ill.). (Mémoire, 42)

1152. Contribution française à l'archéologie jordanienne. Beyrouth, Institut franç. d'archéol. du Proche-Orient, 84, in-4, 80 p. (ill.).

1153. Du châtiment dans la cité. Supplices corporels et peine de mort dans le monde antique. Table ronde organisée par l'Ecole française de Rome avec le concours du Centre National de la Recherche Scientifique (Rome, 9-11 nov. 1982). Introd. d'Yvan THOMAS. Roma, Ecole franç. de Rome; diff. Paris, de Boccard, 84, in-8, 590 p. (Coll. de l'Ec. franç. de Rome, 79)

1154. EBERT (Joachim). Die Arbeitswelt der Antike. Wien, Köln u. Graz, Böhlau, 84, in-8, 247 p.

1155. HUMBERT (Michel). Institutions politiques et sociales de l'antiquité. Paris, Dalloz, 84, in-8, 454 p. (cartes). (Précis Dalloz, Sér. politique)

1156. KOLB (Frank). Die Stadt im Altertum. München, Beck, 84, in-8, 306 p. (40 graph. Darst. u. Kt.).

1157. Problemy social'nykh otnošenij i form zavisimosti na Drevnem Vostoke. (Problems of social relations and forms of dependence in the ancient East.) Sbornik statej. Otv. red.: M. A. DANDAMAEV. Moskva, Nauka, 84, 269 p. (AN SSSR. In-t vostokovedenija)

1158. SZABÓ (Árpád), KÁDÁR (Zoltán). Antik természettudomány. (La science naturelle dans l'antiquité.) Budapest, Corvina, 84, in-8, 425 p. (16 pl.).

§ 2. Asia anteriore in generale.

* 1159. CARDASCIA (Guillaume). Chronique. Droits de l'antiquité. Droits cunéiformes. [Cf. Bibl. 83, n° 1204.] R. hist. Droit franç. étr., 84, a. 62, n° 1, p. 97-118.

1160. AKOPJAN (G.P.). Drevnjaja Armenija v torgovle Zapada s Vostokom (pervye veka našej ery). (Ancient Armenia in east-west trade relations in the early centuries of our era.) Sovet. Arkheol., 84, n° 2, p. 70-90.

1161. Arabie orientale, Mésopotamie et Iran méridional, de l'âge du fer au début de la période islamique. Réunion de travail, Lyon, 1982, Maison de l'Orient. Sous la dir. de Rémy BOUCHARLAT et Jean-François SALLES. Paris, Recherche sur les civilisations, 84, in-4, 379 p. (ill.). (Mémoire, 37)

1162. ARAK'ELYAN (B.N.). Archaeological excavations in Soviet Armenia. J. Soc. armenian Stud., 84, vol. 1, p. 3-21.

1163. BESENVAL (Roland). Technologie de la voûte dans l'Orient ancien. Préf. de Jean-Louis HUOT. Paris, Recherche sur les civilisations, 84, 2 vol. in-4, 196 p., 224 pl.). (Synthèse)

1164. Cambridge (The) ancient history. [Vol. 3, Pt. 1, 2. Cf. Bibl. 82, n° 1264.] Vol. 7, Pt. 1: The Hellenistic world. Ed. by F. W. WALBANK a. others. 2nd ed. London a. New York, Cambridge U.P., 84, in-8, XIV-641 p.

1165. GAÁL (Ernő). On the chronology of Alalah level VII. A. Univ. Sci. Budapestiensis, Section hist., 82, vol. 22, p. 3-53 (1 pl.).

1166. GAUBE (Heinz), WIRTH (Eugen). Aleppo. Hist. u. geogr. Beiträge zur baulichen Gestaltung, zur sozialen Organisation u. zur wirtschaftl. Dynamik einer vorderasiat. Fernhandelsmetropole. Wiesbaden, Reichert, 84, in-4, 478 p. (71 Fig., 7 Taf., 18 Tab., 6 Kt.). (Tübinger Atlas d. Vorderen Orients. Beihefte, Reihe B: Geisteswiss., 58)

1167. Historisch-geographische Aspekte der Geschichte des Pontischen und Armenischen Reiches. 1: BILLER (Joseph), OLSHAUSEN (Eckart). Untersuchungen zur historischen Geographie von Pontos unter den Mithradatiden. Wiesbaden, Reichert, 84, in-8, 276 p. (43 Abb., 1 Kt.). (Tübinger Atlas d. Vorderen Orients, Beihefte, Reihe B: Geisteswiss., 29)

1168. MOISEEVA (T.A.). Midas kak simvol bogatstva v antičnoj tradicii. (Midas as a symbol of wealth in ancient tradition.) Vestn. drevn. Ist., 84, n° 4, p. 12-30.

1169. PIČIKJAN (I.R.). Malaja Azija - Severnoe Pričernomor'e. Antič. tradicii i vlijanija. (The Asia Minor - North Black Sea region. Ancient traditions and impacts.) Moskva, Nauka, 84, 294 p. (ill.). (AN SSSR. In-t vostokovedenija)

1170. POGREBOVA (M. N.). Les Scythes en Transcaucasie. Dialogues Hist. anc., 84, t. 10, p. 269-284.

1171. WAGNER (J.). Dynastie und Herrscherkult in Kommagene. Forschungsgeschichte u. neuere Funde. Mitt. d. deutsch. archäol. Inst., Istanbul, 83, Bd 33, p. 177-224.

1172. WEIMERT (H.). Wirtschaft als landschaftsgebundenes Phänomen. Die antike Landschaft Pontos: eine Fallstudie. Frankfurt (Main), Lang, 84, in-8, 259 p. (Europ. Hochschulschr., Reihe 3: Gesch. u. ihre Hilfswiss., 242)

§ 3. Egitto.

* 1173. Annual egyptological bibliography. Bibliographie égyptologique annuelle. Jährliche ägyptologische Bibliographie. [1979. Cf. Bibl. 83, n° 1216.] 1980. Compiled by / Composé par / Zusammenst. von L. M. J. ZONHOVEN, with the collab. / avec la collab. / unter Mitwirkung von W. BRUNSCH and / et / und Inge HOFMANN. Warminster, Wilts., Aris a. Phillips, 84, in-8, XI-191 p.

* 1174. Bibliografia metodica degli studi di egittologia e di papirologia. [Cf. Bibl. 83, n° 1217.] Aegyptus, 84, a. 64, p. 287-383.

* 1175. MENU (Bernadette). Chronique. Droits de l'antiquité. Egypte pharaonique. [Cf. Bibl. 83, n° 1219.] R. hist. Droit franç. étr., 84, a. 62, n° 1, p. 118-146.

* 1176. VITTMANN (G.). Ägypten [Bibliographie] 1980-1981 (mit Nachträgen zu früherer Literatur). Arch. f. Orientforsch., 83/84, Bd 29/30, p. 498-593.

* Cf. n°s 1145, 1147-1149, 1330.

** 1177. Urkunden der 18. Dynastie. Bearb. v. Kurt SETHE. Übersetzungen zu den Heften 5-16. Hrsg. v. Elke BLUMENTHAL. Berlin, Akad.-Verl., 84, in-8, 509 p. (Urkunden d. ägypt. Altertums, Abt. 4) [H. 17-22. Cf. Bibl. 61, n° 1677]

1178. ABD el-RAZIQ (Mahmud). Die Darstellungen und Texte des Sanktuars Alexanders des Großen im Tempel von Luxor. Mainz, von Zabern, 84, in-fol., 62 p. (zahlr. Ill., graph. Darst., 16 Taf.). (Archäol. Veröff., 16)

1179. Ancient Egypt. A social history. Ed. by B. G. TIGGER, B. J. KEMP, D. O'CONOR a. A. B. LLOYD. London a. New York, Cambridge U.P., 83, in-8, XIII-450 p. (ill., pl., maps).

1180. BECKERATH (Jürgen). Handbuch der ägyptischen Königsnamen. München u. Berlin, Deutscher Kunstverl., 84, in-8, XXII-314 p. (Münchner ägyptolog. Studien, 20)

1181. BELL (Lanny), JOHNSON (Janet H.), WHITCOMB (Donald). The eastern desert of Upper Egypt: routes and inscriptions. J. near east. Stud., 84, vol. 43, n° 1, p. 27-46.

1182. BLUMENTHAL (Elke). Die Lehre des Königs Amenemhet (Teil I). Z. f. ägypt. Sprache, 84, Bd 111, p. 85-107. [Cf. Bibl. 80, n° 1157]

1183. BOGAERT (R.). Les banques affermées ptolémaïques. Historia [Wiesbaden], 84, Bd 33, p. 181-198. - IDEM. Banques et banquiers à Thèbes à l'époque romaine. Z. f. Papyrol. u. Epigr., 84, Bd 57, p. 241-296.

1184. CASANOVA (Gerardo). Epidemie e fame nella documentazione greca d'Egitto. Aegyptus, 84, a. 64, p. 163-200.

1185. Contributi egittologici. Pref. di S. CURTO. Torino, Giappichelli, 84, in-8, 83 p. (ill., tav.).

1186. DAVIES (W.V.) a. others. Saqqara tombs I: Mastabas of Mereri and Wernu. London, Egypt Exploration Soc., 84, in-4, 40 p. (ill.).

1187. EIGNER (Diethelm). Die monumentalen Grabbauten der Spätzeit in der thebanischen Nekropole. Wien, Verl. d. Österr. Akad. d. Wiss., 84, in-4, 210 p. (51 p. Abb.). (Untersuchungen d. Zweigstelle Kairo d. Österr. Archäol. Inst., 6. Denkschr. d. Gesamtakad. d. Österr. Akad. d. Wiss., 8)

1188. El-KHASHAB (A. El-M.). The cocks, the cats, and the chariots of the sun. Z. f. Papyrol. u. Epigr., 84, Bd 55, p. 215-222.

1189. Festschrift Wolfgang Helck zu seinem 70. Geburtstag. Hamburg, Buske, 84, in-4, XV-662 p. (32 p. Ill.). (Studien z. altägypt. Kultur, 11)

1190. FRANKE (Detlef). Personendaten aus dem Mittleren Reich (20.-16. Jahrhundert v. Chr.). Dossiers 1-796. Wiesbaden, Harrassowitz, 84, in-8, 486 p. (Ägyptolog. Abh., 41)

1191. FRASER (Peter Marshall). Ptolemaic Alexandria. Vol. 1-3. London, Oxford U.P., 84, 3 vol. in-8, 2102 p. (ill.).

1192. GARENNE-MAROT (L.). Le cuivre en Egypte pharaonique: sources et métallurgie. Paléorient, 84, vol. 10, n° 1, p. 97-126 (19 fig.).

1193. GREEN (M.). A private archive of Coptic letters and documents from Teshlot. Oudh. Meded. Leiden, 83 [84], vol. 64, p. 61-122 (17 fig.).

1194. JAMES (T.G.H.). Pharaoh's people: scenes from life in imperial Egypt. Chicaco, Univ. ov Chicago Press; London, Bodley Head, 84, 282 p. (ill.).

1195. KANAZAWA (Yoshiki). Ragosu-chō Chika ni okeru Hi-shihai Min Ejiputo-jin no Teikō Undō. (Le mouvement de résistance parmi les Egyptiens sous la dynastie des Lagides.) Rekishi-Hyōron, 83, vol. 403, p. 15-28.

1196. LASKOWSKA-KUSZTAL (Ewa). Le sanctuaire ptolémaïque de Deir el-Bahari. Varsovie, Ed. scient. de Pologne, 84, in-8, 140 p. (Centre d'archéol. méditerr. de l'Acad. pol. des sciences et Centre pol. d'archéol. méditerr. dans la Rép. Arabe d'Egypte au Caire. Deir el-Bahari, 3)

1197. LECLANT (Jean). Fouilles et travaux en Egypte et au Soudan. [1980-1981. Cf. Bibl. 82, n° 1324.] 1981-1982, 1982-1983. Orientalia, 83 [84], vol. 52, fasc. 4, p. 461-542; 84, vol. 53, fasc. 3, p. 350-416 (pl.).

1198. LIPIŃSKA (Jadwiga). The temple of Tuthmosis III [at Deir el-Bahari]. Statuary a. votive monuments. Varsovie, Ed. scient.

de Pologne, 84, in-8, 125 p. (Centre d'archéol. méditerr. de l'Acad. pol. des sciences et Centre pol. d'archéol. méditerr. dans la Rép. Arabe d'Egypte au Caire. Deir el-Bahari, 4)

1199. LITTAUER (M.A.), CROWELL (J.H.). Chariots and related equipment from the tomb of Tutankhamen. Oxford, Griffith Inst., Ashmolean Mus., 84, in-4, 112 p. (ill.).

1200. Löwentempel (Der) von Naq'a in der Butana (Sudan). [1, 2. Cf. Bibl. 83, n° 1247.] 3: GAMER-WALLERT (Ingrid). Die Wandreliefs. Mit Beitr. v. Johanna DITTMAR. 4: ZIBELIUS (Karola). Die Inschriften. Wiesbaden, Reichert, 83-84, 2 vol. in-4, 82, 100 p. (Abb., Taf.). (Tübinger Atlas d. Vorderen Orients. Beihefte, Reihe B: Geisteswiss., 48/3, 4)

1201. NIWIŃSKI (Andrzej). Mity i symbole religijne starożytnego Egiptu. (Mythes et symboles religieux de l'Egypte antique.) Warszawa, Iskry, 84, in-8, 342 p.

1202. OCKINGA (B.). Die Gottebenbildlichkeit im alten Ägypten und im Alten Testament. Wiesbaden, Harrassowitz, 84, in-8, 175 p. (Ägypten u. Altes Testament, 7)

1203. PAVLOVA (O.I.). Amon Fivanskij: Rannjaja istorija kul'ta (V-VII dinastii). (Amon the Theban: early history of the cult, 5th-7th dynasties.) Moskva, Nauka, 84, 176 p. (ill.). (AN SSSR. In-t vostokovedenija)

1204. PEREPELKIN (Ju. Ja.). Perevorot Amen-khotpa IV. (The coup d'état of Amenhotep IV.) Č. 2. Moskva, Nauka, 84, 287 p.

1205. RAVEN (M.J.). Corn-mummies. Oudh. Meded. Leiden, 82 [83], vol. 63, p. 7-38 (4 fig.). - IDEM. Wax in Egyptian magic and symbolism. Ibid., 83 [84], vol. 64, p. 7-47 (7 fig.).

1206. SADEEK (Wafaa el-). Twenty sixth dynasty necropolis at Gizeh. An analysis of the tomb of Thery and its place in the development of Saite funerary art and architecture. Wien, Afro-Pub, 84, in-8, IX-277 p. (Abb.). (Beitr. z. Ägyptologie, 5. Veröff. d. Inst. f. Afrikanistik u. Ägyptologie d. Univ. Wien, 29)

1207. SPENCER (Patricia). The Egyptian temple, a lexicographical study. London, K. Paul Internat., 84, in-8, 312 p.

1208. STEINMANN (Frank). Untersuchungen zu den in der handwerklich-künstlerischen Produktion beschäftigten Personen und Berufsgruppen des Neuen Reiches. [T. 1. Cf. Bibl. 80, n° 1191.] T. 2-4. Z. f. ägypt. Sprache, 82, Bd 109, p. 66-72, 149-156; 84, Bd 111, p. 30-40.

1209. STROUHAL (Eugen), JUNGWIRTH (Johann). Die anthropologische Untersuchung der C-Gruppen- und Pan-Gräber-Skelette aus Sayala, Ägyptisch-Nubien. Wien, Verl. d. Österr. Akad. d. Wiss., 84, in-4, 198 p. (33 p. Abb.). (Ber. d. Österr.

Nationalkomitees d. UNESCO-Aktion f. d. Rettung d. Nubischen Altertümer, 7. Denkschr. d. Österr. Akad. d. Wiss., philos.-hist. Kl., 176)

1210. STUČEVSKIJ (I.A.). Ramses II i Kharikhor: iz istorii drev. Egipta épokhi Ramessidov. (Ramses II and Harihor: from the history of ancient Egypt in the epoch of the Ramessids.) Moskva, Nauka, 84, 247 p. (AN SSSR. In-t vostokovedenija)

1211. TAYLOR (John H.). A priestly family of the 25th Dynasty. Chron. d'Egypte, 84, t. 59, fasc. 117, p. 27-57.

1212. TÖROK (László). Economy in the Empire of Kush: a review of the written evidence. Z. f. ägypt. Sprache, 84, Bd 111, H. 1, p. 45-69.

1213. TULHOFF (Angelika). Thutmosis III., 1490-1436 v. Chr. Das ägypt. Weltreich auf d. Höhepunkt d. Macht. München, Callwey, 84, in-8, 279 p.

1214. VAN DIJK (J.). A Ramesside naophorous statue from the Teti pyramid cemetery. Oudh. Meded. Leiden, 83 [84], vol. 64, p. 49-60 (2 fig.).

1215. VILA (André). La prospection archéologique de la vallée du Nil au sud de la cataracte de Dal (Nubie soudanaise). Fasc. [13. Cf. Bibl. 82, n° 1337.] 14: Nécropole de Missiminia. 3: Les sépultures ballanéennes. 4: Les sépultures chrétiennes. Paris, Ed. du C.N.R.S., 84, in-4, 240 p. (177 fig., 39 phot., 42 pl., 2 cartes).

1216. WATTERSON (Barbara). Gods of ancient Egypt. London, Batsford, 84, in-8, 224 p. (ill.)

1217. WILLEMS (H.O.). A description of Egyptian kinship terminology of the Middle Kingdom c. 2000-1650 B.C. Bijdr. Taal-, Land-, Volkenkde, 83, vol. 139, p. 152-168.

Cf. n°s 240, 252, 480, 1075, 7703.

§ 4. Cirene.

1218. Agora (L') di Cirene. II, [1. Cf. Bibl. 81, n° 1228.] 2, 4. Roma, L'Erma di Bretschneider, 83, 2 vol. in-4, 138 p. (16 tav.); 140 p. (84 ill.). (Monogr. di Archeol. libica, 17, 18)

1219. Excavations at Sidi Krebish, Benghazi (Berenice). [1. Cf. Bibl. 83, n° 1261.] 2. Ed. by J. A. LLOYD. Tripoli, Dept. of Antiquities, 83, 467 p. (114 ill., 43 pl.).

§ 5. Mesopotamia.

* 1220. HIRSCH (H.), HUNGER (H.). Assyriologie: Register. 1: Realien; 2: Wörter; 3: Textstellen (1981 - Februar 1982, mit Nachträgen). Arch. f. Orientforsch., 84, Bd 29/30, p. 336-448.

* 1221. Mesopotamien und Nachbargebiete. [Bibliographie,] 1981 - Februar 1983 (mit Nachträgen). Arch. f. Orientforsch., 83/84, Bd 29/30, p. 449-497.

* Cf. n°s 1146, 1159.

** 1222. Archives administratives de Mari 1. Réd. par G. BARDET, F. JOANNES, B. LALONT. Paris, Recherche sur les civilisations, 84, in-8, X-652 p. (Archives royales de Mari, 23) [Cf. Bibl. 83, n° 1266]

** 1223. ATTINGER (P.). Enki et Ninhursaĝa. Z. f. Assyriol., 84, Bd 74, Halbbd 1, p. 1-52.

** 1224. KÄRKI (Ilmari). Die sumerischen und akkadischen Königsinschriften der altbabylonischen Zeit. [1. Cf. Bibl. 80, n° 1214.] 2: Babylon. Studia orientalia, 84, t. 55, p. 37-94.

** 1225. Leggi (Le) della Mesopotamia: tradotte dai testi originali. A cura di C. SAPORETTI. Collaborazione di C. PALADINI. Firenze, Le lettere, 84, in-4n 168 p. (Studi e manuali di archeologia, 2)

** 1226. SIGRIST (Marcel). Textes économiques néo-sumériens de l'Université de Syracuse. Etudes assyriologiques. Paris, Recherche sur les civilisations, 84, in-4, 76 p. (91 pl.). (Mémoire, 29)

** 1227. VAN SOLDT (W.H.). The cuneiform texts in the Rijksmuseum van Oudheiden, Leiden. Oudh. Meded. Leiden, 82 [83], vol. 63, p. 43-59 (8 fig.); 83 [84], vol. 64, p. 143-162 (8 fig.).

1228. BARRELET (Marie-Thérèse). Problèmes concernant les Hurrites 2. Paris, Recherche sur les civilisations, 84, in-4, 261 p. (ill.). (Mémoire, 49)

1229. BOTTERO (Jean). Les morts et l'au-delà dans les rituels en accadien contre l'action des "revenants". Z. f. Assyriol., 83 [84], Bd 73, Halbbd 2, p. 153-203.

1230. BRAUN-HOLZINGER (E.A.). Figürliche Bronzen aus Mesopotamien. München, Beck, 84, in-4, VIII-127 p. (75 Taf.). (Prähist. Bronzefunde, Abt. 1, 4)

1231. BRINKMAN (J.A.). Settlement surveys and documentary evidence: regional variation and secular trend in Mesopotamian demography. J.near east. Stud., 84, vol. 43, n° 3, p. 169-180.

1232. BROCK (Sebastian). Syriac perspectives on late antiquity. London, Variorum Repr., 84, in-8, 336 p.

1233. CALLOT (Olivier). Huileries antiques de la Syrie du Nord. Paris, Geuthner, 84, in-4, 120 p. (fig., 138 pl.). (Inst. franç. d'archéol. du Proche-Orient, Biblioth. archéol. et hist., 118)

1234. DALLEY (Stephanie). Mari and Karana, two Old Babylonian cities. Essex, Longman, 84, XII-218 p. (27 fig., 35 phot., table, 3 plans, 6 maps).

1235. FALKOWITZ (Robert S.). Round Old Babylonian school tablets from Nippur. Arch. f. Orientforsch., 83/84, Bd 29/30, p. 18-45 (fig.).

1236. FINKEL (Irving L.). Necromancy in ancient Mesopotamia. Arch. f. Orientforsch., 83/84, Bd 29/30, p. 1-17 (fig.).

1237. FUNCK (Bernd). Uruk zur Seleukidenzeit. Eine Untersuchung zu d. spätbabylon. Pfründentexten als Quelle f. d. Erforsch. d. sozialökonom. Entwicklung d. hellenist. Stadt. Berlin, Akad.-Verl., 84, in-8, 308 p. (Schr. z. Gesch. u. Kultur d. alten Orients, 16)

1238. GALTER (Hannes D.). Die Zerstörung Babylons durch Sanherib. Studia orientalia, 84, t. 55, p. 159-173.

1239. KLENGEL (Horst). Sumar/Simyra und die Eleutheros-Ebene in der Geschichte Syriens. Klio, 84, Bd 66, p. 5-18.

1240. KOZYREVA (N.V.). Nekotorye problemy tovarno-denežnykh otnošenij v starovavilonskoj Mesopotamii. (Some problems of commodity-money relations in old Babylonian Mesopotamia.) Vestn. drevn. Ist., 84, n° 2, p. 3-14.

1241. LEMAIRE (André), DURAND (Jean-Marie). Les inscriptions araméennes de Sfiré et l'Assyrie de Shamshi-Ilu. Genève, Droz, 84, in-8, IV-154 p. (Publ. de l'Ecole prat. des Hautes Etudes, IVe section: Hist. et Philol., Hautes Et. orient., 20)

1242. ŠARAŠENIDZE (DŽ. M.). Èngary drevnej Mesopotamii. (The engars of ancient Mesopotamia.) Vestn. drevn. Ist., 84, n° 4, p. 98-114.

1243. SOMMERFELD (Walter). Untersuchungen zur Geschichte von Kisurra. [Bespr. v. KIENAST (Burkhart). Die altbabylon. Briefe u. Urkunden aus Kisurra. Cf. Bibl. 78-79, n° 1349.] Z. f. Assyriol., 83 [84], Bd 73, Halbbd 2, p. 204-231.

1244. STUCKY (Rolf A.). Ras Shamra. Leukos Limen. Die nach-ugaritische Besiedlung von Ras Shamra. Paris, Geuthner, 83, in-4, IV-185 (87 Taf., 3 Kt.). (Inst. franç. d'archéol. du Proche-Orient, Biblioth. archéol. et hist., 110)

1245. VAN DER SPEK (R.J.). Cyrus de Pers in Assyrisch perspectief. Een vergelijking tussen de Assyrische en Perzische politiek ten aanzien van onderworpen volken. (Cyrus the Persian in Assyrian perspective. Assyrian policy towards subjected peoples compared with the Persian policy.) T. Gesch., 83, vol. 96, p. 1-27.

Cf. n° 915.

§ 6. Ittiti.

** 1246. Keilschrifturkunden aus Boghazköi. Akad. d. Wiss. d. DDR, Zentralinst. f. Alte Gesch. u. Archäol. [H. 52, 53. Cf. Bibl. 83, n° 1283.] H. 54: KLENGEL (Horst). Hethitische Rituale u. Festbeschreibungen. Berlin, Akad.-Verl., 84, in-4, X-50 p.

** 1247. Texte zum hethitischen Recht. Eine Auswahl v. Richard HAASE. Wiesbaden, Reichert, 84, in-8, 93 p.

1248. GÜTERBOCK (Hans G.). Hittites and Akhaeans: a new look. Proc. am. philos. Soc., 84, vol. 128, n° 2, p. 114-122.

1249. NEVE (P.). Die Ausgrabungen von Boğazköy-Hattuša [1982. Cf. Bibl. 83, n° 1291.] 1983. Archäol. Anz., 84, p. 329-381.

1250. SINGER (Itamar). The Hittite KI.LAM festival. Part 1 (Commentary). Part 2 (Text). Wiesbaden, Harrassowitz, 83-84, 2 vol. in-8, XVII-179, VIII-251 p. (Studien zu d. Boğazköy-Texten, 27, 28)

§ 7. Ebrei e popoli semitici sino alla fine dell'antichità.

* 1251. FELDMAN (Louis H.). Josephus and modern scholarship (1937-1980). Ed. by Wolfgang HAASE. (Berlin a. New York, de Gruyter, 84, in-8, XVI-1055 p.

** 1252. BEYER (Klaus). Die aramäischen Texte vom Toten Meer. Samt d. Inschriften aus Palästina, d. Testament Levis aus d. Kairoer Geniza, d. Fastenrolle u. d. alten talmud. Zitaten; aramaist. Einl., Text, Übers., Deutung, Grammatik, Wörterbuch, deutsch-aram. Wortliste, Reg. Göttingen, Vandenhoeck u. Ruprecht, 84, in-8, 779 p.

** 1253. Geniza-Fragmente zur Hekhalot-Literatur. Hrsg. v. Peter SCHÄFER. Tübingen, Mohr, 84, in-4, 191 p. (Texte u. Stud. z. antiken Judentum, 6)

1254. ADERET (Avraham). Hurban bayit sheni we-hashpa'ato ... (The Second Temple's destruction and its effect on religious practice and modes of living in the Jewish community through the generations after the destruction.) Jerusalem, 84, in-4, 613 p. [Thesis. Hebrew Univ. of Jerusalem. Eng. summary]

1255. ARNALDEZ (Roger). La Bible de Philon d'Alexandrie. In: Le Monde grec anc. et la Bible [Cf. n° 1981], p. 37-54.

1256. BIENAIME (G.). Moïse et le don de l'eau dans la tradition ancienne. Targum et midrash. Roma, Instit. Bibl. Pontif., 84, in-8, XX-328 p. (Analecta biblica, 98)

1257. CAMBRONNE (P.). Loi et législateur chez Philon d'Alexandrie. Remarques sur la formation d'un concept judéo-hellénistique. Cah. Centre George-Radet, 84, n° 4, p. 45-63.

1258. CAMPONOVO (Odo). Königtum, Königsherrschaft und Reich Gottes in den frühjüdischen Schriften. Göttingen u. Zürich, Vandenhoeck u. Ruprecht, 84, in-8, XIV-492 p. (Orbis biblicus et orientalis, 58)

1259. COLLINS (J.). Between Athens and Jerusalem. Jewish identity in the Hellenistic diaspora. New York, Crossroad, 83, in-8, XIV-258 p.

1260. DONNER (Herbert). Geschichte des Volkes Israel und seiner Nachbarn in Grundzügen. T. 1: Von den Anfängen bis zur Staatenbildungszeit. Göttingen, Vandenhoeck u. Ruprecht, 84, in-8, 232 p. (3 Kt.). (Grundrisse z. Alten Testament, 4)

1261. Etudes sur le judaïsme hellénistique. Congrès de Strasbourg (1983). Sous la dir. de R. KUNTZMANN et J. SCHLOSSER. Paris, Ed. du Cerf, 84, in-8, 358 p. (Lectio divina, 119)

1262. Excavations at Carthage. The British Mission. Vol. I, Part 1: The Avenue du Président Habib Bourguiba, Salammbo. The site and finds other than pottery. By H. R. HURST, S. P. KOSKAMD et al. Part 2: The pottery and other ceramic objects from the site. By M. G. FULFORD, D. P. PEACOCK et al. Sheffield, Univ., Dept. of Prehist. a. Archaeol.; Leiden, Brill, 84, 2 vol. in-4, XIV-271 p. (78 ill., 30 pl.); XI-284 p. (96 ill., 6 pl., tables). (Inst. nat. d'Archéol. et d'Art de Tunisie. British Acad., Carthage Committee)

1263. FANTAR (Mhamed). Kerkoune, cité punique du Cap Bon (Tunisie). T. 1. Tunis, Inst. nat. d'Archéol. et d'Art, 84, in-4, 577 p. (fig., plan, pl.).

1264. GALIL (Gershon). Nahalat shevet Dan. (The land of Dan.) Tarbiz, 84, vol. 54, n° 1, p. 1-19 (map). [Eng. summary]

1265. GOLDINGAY (John). Diversity and unity in Old Testament theology. Vetus Testamentum, 84, vol. 34, p. 153-168.

1266. GRANT (Michael). History of ancient Israel. London, Weidenfeld a. Nicolson, 84, in-8, 328 p. (maps). (Hist. of Civilization)

1267. GRINTZ (Yehoshua M.). Yihudo we-qadmuto shel sefer bereshit. (The Book of Genesis; its uniqueness and antiquity.) Jerusalem, Magnes Press, 83, in-8, 168 p.

1268. HACHLILI (Rachel). Shemot we-khinuyim ezel yehudim ... (Names and nicknames of Jews in Second Temple times.) Eretz-Israel, 84, vol. 17, p. 188-211 (pl.). [Eng. summary]

1269. HADAS-LEBEL (M.). La fiscalité romaine dans la littérature rabbinique jusqu'à la fin du IIIe siècle. R. Et. juives, 84, vol. 143, p. 5-29. - IDEM. La tradition rabbinique sur la première révolte contre Rome à la lumière du De Bello Iudaico de Flavius Josèphe. Sileno, 83 [84], a. 9, p. 155-173.

1270. ISSERLIN (B.S.). Israelite architectural planning and the question of the level of secular learning in ancient Israel. Vetus Testamentum, 84, vol 34, p. 169-178.

1271. KASHER (Aryeh). Yahase yehudim we-yaturim ... (Jews and Ituraeans in the Hasmonean period.) Cathedra, 84, vol. 33, p. 18-41 (ill., maps).

1272. KENYON (Kathleen Mary). Archaeology of the Holy Land. 4th rev. ed. London, Methuen, 84, in-4, 382 p.

1273. KNAUF (Ernst Axel). Ismael. Unters. z. Gesch. Palästinas u. Nordarabiens im 1. Jahrtausend v. Chr. Wiesbaden, Harrassowitz, 84, in-8, 133 p. (1 Kt.).

1274. KOCH (Michael). Tarschisch und Hispanien. Hist.-geograph. u. namenkundl. Untersuchungen z. phönik. Kolonisation d. Iberischen Halbinsel. Berlin u. New York, 84, in-4, XLIX-170 p. (10 Kt.). (Madrider Forsch., 14)

1275. LACOCQUE (A.). Daniel et son temps. Recherches sur le mouvement apocalyptique juif au IIe siècle avant Jésus-Christ. Préf. de R. MRTIN-ACHARD. Genève, Labor et Fides, 83, in-8, 234 p. (Le monde de la Bible)

1276. LAMARCHE (Paul). La Septante. In: Le monde grec anc. et la Bible [Cf. n° 1981], p. 19-35.

1277. LANGE (N. de). Jüdische Welt. München, Christian, 84, 239 p. (Weltatlas d. alten Kulturen)

1278. LEANEY (A.R.C.). The Jewish and Christian world, 200 B.C. to A.D. 200. London, Cambridge U.P., 84, in-8, 259 p. (maps).

1279. [Latest excavations in Jerusalem.] Qadmoniot, 84, vol. 17, n° 4 (ill.).

1280. LINDER (Amnon). Ha-hoq haromi. (Roman law as a source for research in Jewish history.) Israel Acad. of Sci. a. Humanities, Proc. [Heb.], 84, vol. 6, p. 243-257.

1281. MARTOLA (Nils). Capture and liberation. A study in the composition of the first Book of Maccabees. Abo, 84, in-8, 330 p. (Acta Acad. Aboensis, Humaniora, 63:1)

1282. Me'arot qevura mime bayit sheni birushalayim. (Tombs of the Second Temple period in Jerusalem.) Atiqot, 82, vol. 8, p. 35-81 (ill., 16 pl., plans). [Eng. summaries]

1283. Mered Bar Kokhva. (The Bar Kokhva revolt: a new approach.) Ed. by Aaron OPPENHEIMER a. Uriel RAPPAPORT. Jerusalem, Yad Izhak Ben Zvi, 84, in-8, 254-XVIII p. (ill., tables). [Eng. summaries]

1284. MEYERS (Eric M.), STRANGE (James F.). Les rabbins et les premiers chrétiens. Archéologie et histoire. Paris, Ed. du Cerf, 84, in-8, 232 p. (Et. annexes de la Bible de Jérusalem)

1285. NAGEL (Peter). Studien zur Textüberlieferung des sahidischen Alten Testaments. T. 1B: Der Stand der Wiederherstellung der alttestamentlichen Kodizes der Sammlung Borgia. Z. f. ägypt. Sprache, 84, Bd 111, p. 138-164.

1286. NEUSNER (Jacob). Judaism in the beginning of Christianity. Philadelphia, Fortress Press, 84, in-8, 112 p.

1287. NIEMEYER (H.G.). Die Phönizier und die Mittelmeerwelt im Zeitalter Homers. Jb. d. röm.-german. Zentralmus. Mainz, 84, Jg. 31, p. 3-94.

1288. OREN (Eliezer D.), RAPPAPORT (Uriel). The Necropolis of Maresha-Beth Govrin. Israel Explor. J., 84, vol. 34, vol. 34, p. 114-153 (ill., plans, pl. 10-18).

1289. RAJAK (Tessa). Was there a Roman charter for the Jews? J. roman Stud., 84, vol. 74, p. 107-123.

1290. RAKOB (F.). Deutsche Ausgrabungen in Karthago. Die punischen Befunde. Mitt. d. deutsch. archäol. Inst., Rom, 84, Bd 91, p. 1-22.

1291. ROGERSON (John). Old Testament criticism in the 19th century: England and Germany. London, S.P.C.K., 84, in-8, 344 p.

1292. SAFRAI (Ze'ev). Hayeridem be-Erez-Israel ... (Fairs in the land of Israel in the Mishna and Talmud period.) Zion, 84, vol. 49, p. 139-158.

1293. Sefer Yizhaq Arye Seeligmann; ma'amarim bemiqra u-v'olam ha-atiq. (Isaac Leo Seeligmann volume: essays on the Bible and the Ancient World.) Ed. by Yair ZAKOVITCH a. Alexander ROFE. Jerusalem, E. Rubinstein, 83, in-8, 3 vol. [vol. III: non-Hebrew section]

1294. SHILOH (Yigal). Excavations at the City of David. I: 1978-1982. Interim report of the first five seasons. Jerusalem, Hebrew Univ., Inst. of Archeol., 84, in-4, XII-72 p. (ill., 41 pl., diagrams, plans). (Qedem: monogr. of the Hebrew Univ.,

Inst. of Archeol., 19)

1295. SOGGIN (Jan Alberto). Storia d'Israele: dalle origini a Bar Kochbà. Con due appendici di D. CONRAD et H. TADMOR. Brescia, Paideia, 84, in-8, 572 p. (Bibliot. di cultura relig., 44)

1296. URMAN (Dan). Ketovot yehudiyyot ... (Jewish inscriptions of the Mishna and Talmud period from Kazrin in the Golan.) Tarbiz, 84, vol. 53, n° 4, p. 513-545 (8 p. of pl., ill.). [Eng. summary]

1297. VEGAS (M.). Archaische Keramik aus Karthago. Mitt. d. deutsch. archäol. Inst., Rom, 84, Bd 91, p. 215-237.

1298. WINTER (Urs). Frau und Göttin. Exegetische u. ikonograph. Studien z. weibl. Gottesbild im alten Israel u. in dessen Umwelt. Göttingen, Vandenhoeck u. Ruprcht, 84, in-8, XVIII-928 p. (521 Abb.). (Orbis biblicus et orient., 53)

Cf. n°s 144, 216, 703, 968, 1202, 1324, 1961, 1931.

§ 8. Iran.

1299. BREEBAART (A.B.). From victory to peace: some aspects of Cyrus' state in Xenophon's Cyropaedia. Mnemosyne, 83, ser. 4, vol. 36, p. 117-134.

1300. BUCCI (Onorato). L'impero persiano come ordinamento giuridico sovranazionale, [I. II. Cf. Bibl. 83, n° 1364.] III. Apollinaris, 84, a. 57, p. 359-437.

1301. FREI (Peter), KOCH (Klaus). Reichsidee und Reichsorganisation im Perserreich. Göttingen, Vandenhoeck u. Ruprecht, 84, in-8, 119 p. (15 Ill.). (Orbis biblicus et orientalis, 55)

Cf. n°s 487, 1245, 1822.

E

STORIA GRECA

§ 1. Mondo classico in generale. 1302-1325. - § 2. L'età preellenica. 1326-1329. - § 3. Fonti e critica delle fonti. 1330-1352. - § 4. Storia generale e politica. 1353-1383. - § 5. Storia del diritto e delle istituzioni. 1384-1400. - § 6. Storia economica e sociale. 1401-1415. - § 7. Storia della letteratura, della filosofia e delle scienze. 1416-1513. - § 8. Religione e mitologia. 1514-1526. - § 9. Archeologia e storia dell'arte. 1527-1578.

§ 1. Mondo classico in generale.

* 1302. DESANGES (Jean), LANCEL (Serge). Bibliographie analytique de l'Afrique antique. [14. Cf. Bibl. 83, n° 1371.] 15: 1980. Rome, Ecole franç. de Rome; diff. Paris, de Boccard, 84, in-4, 50 p.

* Cf. n° 1.

1303. Actes du 7e Congrès de la Fédération internationale des associations d'études classiques, Budapest, 3-8 sept. 1979. Publ. par János HARMATTA. Vol. 1-2. Budapest, Akad. Kiadó, 84, 2 vol. in-8, 464, 613 p. (pl.).

1304. CHEVALLIER (Raymond) La vision du Nord dans l'antiquité gréco-romaine, de Pythéas à Tacite. Latomus, 84, t. 43, p. 85-96.

1305. Crinale (Il) d'Europa: l'area illirico-danubiana nei suoi rapporti con il mondo classico. Roma, Istit. della Enciclopedia ital., 84, in-8, 185 p. (ill., tav.). (Bibliot. Internz. di cultura, 13) [Contiene gli atti di due convegni tenuti a Roma nel 1981-1982]

1306. DIHLE (Albrecht). Antike und Orient. Gesammelte Aufsätze. Hrsg. v. Viktor PÖSCHL u. Hubert PETERSMANN. Heidelberg, Winter, 84, in-8, 234 p. (1 Ill.). (Suppl. zu d. S.-B. d. Heidelberger Akad. d. Wiss., Phil.-hist. Kl., 2)

1307. Equality and inequality of man in ancient though. Papers read at the Colloquium in connection with the Assemblée générale of the Fédération internat. des Etudes Classiques held in Helsinki in August, 1982. Ed. by Iiro KAJANTO. Helsinki, Finnish Soc. of Sci. a. Letters, 84, in-8, 75 p. (Comment. hum. litt., 75)

1308. FUHRMANN (Manfred). Antike Rhetorik. Eine Einführung. München u. Zürich, Artemis, 84, in-8, 160 p. (Artemis Einführungen, 10)

1309. Grecia, Italia e Sicilia nell'VIII e VII secolo a. C. T. 1, 2. Roma, L'Erma, 84, 2 vol., 347, 414 p. (ill.).

1310. GRUEN (Erich S.). The Hellenistic world and the coming of Rome. Vol. 1, 2. Berkeley a. Los Angeles, Univ. of California Press, 84, 2 vol. in-8, X-356 p.; V p., p. 359-862.

1311. HADOT (Ilsetraut). Arts libéraux et philosophie dans la pensée antique. Paris, Etudes augustiniennes, 84, in-8, 390 p.

1312. HEGYI (Dolores). Das ionische Ethnikum. Homonoia, 83, vol. 5, p. 15-51.

1313. HEINSOHN (Gunnar). Privateigentum, Patriarchat, Geldwirtschaft. Eine sozialtheoret. Rekonstruktion z. Antike. Frankfurt (Main), Suhrkamp, 84, in-8, 218 p. (Suhrkamp-Taschenbuch Wiss., 455)

1314. HELLINGE (Barbara), JOURDAN (Manfred), MAIERHEIN (Hubertus). Kleine Pädagogik der Antike. Frankfurt (Main), Bern u. New York, Lang, 84, in-8, 165 p. (Kt.). (Erziehungskonzeption u. Praxis, 1) [Bibliographie p. 146-165]

1315. KRAUS (Walther). Aus Allem Eines. Studien zur antiken Geistesgeschichte. Hrsg. v. Hubert PETERSMANN. Heidelberg, Stiehm, 84, in-8, 485 p. (1 Ill., 7 p. Beil.).

1316. MARCHESE (Ronald T.). Aspects of Graeco-Roman urbanism. London, Brit. Archaeol. Rep., 84, in-4, 161 p. (ill., fig.).

1317. OLESON (J.P.). Greek and Roman water-lifting devices. The history of a technology. Toronto, Univ. of Toronto Press, 84, CL-459 p. (170 ill., 3 pl.). (Phoenix, Suppl., 16)

1318. OPPERMANN (Manfred). Thraker zwischen Karpathenbogen und Ägäis. Leipzig, Urania, 84, 268 p. (Ill., Kte).

1319. PIPPIDI (D.M.). Parerga. Ecrits de philologie, d'épigraphie et d'histoire ancienne. Bucureşti, Ed. Acad.; Paris, Les Belles lettres, 84, in-8, 296 p.

1320. REYNOLDS (L.D.), WILSON (N.G.). La transmission des classiques grecs et latins. Nouv. éd. revue et augmentée. Trad. [de l'anglais] par C. BERTRAND et mise à jour par P. PETITMENGIN. Paris, Ed. du C.N.R.S., 84, in-8, 278 p. (20 pl. phot.).

1321. SPAHN (P.). Die Anfänge der antiken Ökonomik. Chiron, 84, Bd 14, p. 301-323.

1322. STÜCKELBERGER (A.). Vestigia Democritea: die Rezeption der Lehre von d. Atomen in d. antiken Naturwiss. u. Medizin. Basel, Einhardt, 84, in-8, 215 p. (Schweizer Beitr. z. Altertumswiss., 17)

1323. WHITE (R.D.). Greek and Toman technology. London, Thames a. Hudson, 84, in-4, 272 p. (ill.). (Aspects of Greek a. Roman Life)

1324. WHITTAKER (Molly). Jews and Christian: Graeco-Roman views. London, Cambridge U.P., 84, in-8, 286 p. (maps).

1325. WINIARCZYK (M.). Wer galt im [heidnischen] Altertum als Atheist? Philologus, 84, Bd 128, p. 157-183.

Cf. n°s 498, 553, 1154.

§ 2. L'età preellenica.

1326. FEVER (Bryan). The northern Mycenaean frontier in Thessaly. London, Brit. Archaeol. Rep., 84, in-4, 234 p. (ill.)

1327. POPHAM (M.R.). Minoan unexplored mansion at Knossos. Plates. London, Thames a. Hudson, 84, in-4, 243 p. (ill.). (Brit. School of Archaeol., Athens, Publ.)

1328. SCHACHERMEYR (Fritz). Griechische Frühgeschichte. Ein Versuch, frühe Geschichte wenigstens in Umrissen verständlich zu machen. Wien, Verl. d. Österr. Akad. d. Wiss., 84, in-8, 334 p. (12 Kt.). (S.-B. d. Österr. Akad. d. Wiss., phil.-hist. Kl., 425)

1329. STRICKER (B.H.). De praehelleense ascese. (L'ascétisme préhellénique.) [Cf. Bibl. 76-77, n° 1708.] Oudh. Meded. Leiden, 80 [81], vol. 61, p. 209-251.

Cf. n° 1076.

§ 3. Fonti e critica delle fonti.

* 1330. BERNAND (E.). Inscriptions grecques d'Egypte et de Nubie. Répertoire bibliographique des IGRR. Paris, Les Belles lettres, 84, in-8, 129 p. (A. litt. Univ. Besançon, 286. Centre de recherches d'hist. anc., 51)

* 1331. METTE (Hans Joachim). Epikuros 1980-1983. Zweiter Nachtrag zu Lustrum 21, 45-116 (vgl. Lustrum 22, 109-114). Lustrum, 84, Bd 26, p. 5-6.

* 1332. METTE (Hans Joachim). Krates von Pergamon, [1953-1983. Lustrum, 84, Bd 26, p. 95-104.

* 1333. TACHINOSLIS (N.). Handschriften und Ausgaben der Odysee [Homers]. Mit einem Handschriftenapparat zu Allen's Odysseeausgabe. Frankfurt (Main), Lang, 84, in-8, 142 p. (Stud. z. klass. Philos., 13)

* Cf. n°s 1145, 1149, 2114.

1334. ALEXANDRE D'APHRODISE. Du destin et de la liberté. Ed. et trad. par P. THILLET. Paris, Les Belles lettres, 84, in-8, 348 p. (Universités de France)

1335. [ARISTOTELES] Aristotle. The Athenian constitution. Tr. from the Greek by P. J. RHODES. Harmondsworth, Penguin, 84, in-8, 208 p. (Classical Ser.)

1336. ARISTOTELES. Metaphysica: Index verborum, listes de fréquence. Ed. par Louis DELATTE et al. Hildesheim, Zürich u. New York, Olms-Weidmann, 84, in-8, XIII-520 p. (Alpha-Omega, Reihe 1, 42)

1337. ARRIEN. Histoire d'Alexandre. L'Anabase d'Alexandre le Grand et l'Inde. Trad. par P. SAVINEL. [Suivi de:] VIDAL-NAQUET (Pierre). Flavius Arrien entre deux mondes. Paris, Ed. de Minuit, 84, in-8, 400 p. (Arguments)

1338. Carmina Anacrontea. Ed. by Martin L. WEST. Leipzig, Teubner, 84, in-8, XXVI-65 p. (Biblioth. script. graec. et lat.) - Cf. WEST (M.L.). Problems in the Anacreontica. Class. Quar., 84, vol. 34, p. 206-221.

1339. Chaeremon: Egyptian priest and stoic philosopher. The fragments coll. a. trans. with explanatory notes by Pieter Willem VAN DER HORST. Leiden, Brill, 84, in-8, XIV-80 p. (Et. prélim. aux religions orient. dans l'Empire romain, 101)

1340. DIOGENE D'ENOANDA. I frammenti di Diogene d'Enoanda. Introd., testo con appar. crit., trad. a cura di A. CASANOVA. Firenze, Univ. degli Studi, Dip. di Sci. dell'Antichità, 84, in-8, 465 p. (Studi e testi, 6)

1341. FOL (Aleksandǎr). Proučvanija vǎrkhu grǎckite izvori za drevna Trakija. 7: Konon: "Razkazi". (Recherches sur les sources grecques de la Thrace antique. 7: Conon: "Récits".) God. sofijsk. Univ. 1st. Fak., 83, n° 74, p. 5-22.

1342. GALEN. On respiration and the arteries. Ed. with tr. a. comm. of De usu respirationis, An in arteriis natura sanguis contineatur, De usu pulsuum, and De causis respirationis, by D. J. FURLEY a. J. S. WILKIE. Princeton, N.J., Princeton U.P., 84, in-8, VIII-289 p.

1343. HALLEUX (R.). Index chemicorum Graecorum. Papyrus Leidensis, Papyrus Homiensis. Firenze, Olschki, 83, in-8, XXVIII-136 p. (Lessico intell. europ., 31)

1344. HERACLITE D'EPHESE. Fragments. Texte bilingue. Prépar. et trad. du grec par Frédéric ROUSSILLE, avec la collab. d'Eliane GAILLARD et François BARBOUX. Paris, L'Harmattan, 84, in-8, 118 p.

§ 4. STORIA GENERALE E POLITICA

1345. HIPPOCRATE. Du régime. Ed., trad. et comm. par R. JOLY, avec la collab. de S. BYL. Berlin, Akad.-Verl., 84, in-8, 332 p. (Corpus med. Graec., I, 2, 4)

1346. LANG (Mabel L.). Herodotus: oral history with a difference. Proc. am. philos. Soc., 84, vol. 128, n° 2, p. 93-103.

1347. Lexicon in Bacchylidem. Curavit Douglas E. GERBER. Hildesheim, Zürich u. New York, Olms-Weidmann, 84, in-8, VI-270 p. (Alpha-Omega, Reihe A, 69)

1348. MAESAWA (Nobuyuki). "Akireusu no Tate" Kaidoku. (Un décryptage du "Bouclier d'Achille".) Seiyôshi Kenkyû, 82, vol. 11, p. 25-43.

1349. ORWIN (Clifford). The just and the advantageous in Thucydides: the case of the Mytilenian debate. Am. pol. Sci. R., 84, vol. 78, n° 2, p. 485-494.

1350. [PARMENIDE.] Les Deux chemins de Parménide. Ed. crit., trad., études et bibliographie par N. L. CORDERO. Paris, Vrin; Bruxelles, Ousia, 84, in-8, 292 p. (Biblioth. d'hist. et de philos., Cah. de philos. anc., 2)

1351. PEDECH (Paul). Historiens compagnons d'Alexandre: Callisthène, Onésicrite, Néarque, Ptolémée, Aristobule. Paris, Les Belles lettres, 84, in-8, 416 p. (Coll. d'Et. anc.)

1352. WILLIAMS (M.F.). Studies in the manuscript tradition of Aristotle's Analytica. Königstein, Hain, 84, in-8, VII-111 p. (Beitr. zu klass. Philol., 161)

Cf. n°s 1395, 1432.

§ 4. Storia generale e politica.

1353. ALONI (Antonio). L'intelligenza di Ipparco. Osservazioni sulla politica dei Pisistratidi. Quad. Storia, 84, a. 10, n° 19, p. 109-148.

1354. Aux origines de l'hellénisme: la Crète et la Grèce. Hommages à Henri Van Effenterre, prés. par le Centre G. Glotz. Paris, de Boccard, 84, in-8, XVI-384 p. (24 pl.). (Publ. de la Sorbonne, Hist. anc. et médiév., 15)

1355. BOCKISCH (G.). Die Griechen zur Heroenzeit. Ethnogr.-archäol. Z., 84, Bd 25, p. 415-436.

1356. CODINO (Fausto). L'origine dello stato nella Grecia antica. Roma, Editori riuniti, 84, in-8, 164 p.

1357. DAVID (E.). The oligarchic revolution at Rhodes, 391-89 B.C. Class. Philol., 84, vol. 79, n° 4, p. 271-284.

1358. DEMAN (Albert). Présence des Egyptiens dans la seconde guerre médique (480-479 av. J.-C.). Chron. d'Egypte, 85, t. 60, fasc. 119-120, p. 56-74.

1359. GEHRKE (Hans-Joachim). Zwischen Freundschaft und Programm. Polit. Parteiung im Athen d. 5. Jh. v. Chr. Alfred Heuss z. 75. Geburtstag. Hist. Z., 84, Bd 239, p. 529-564.

1360. HANSEN (Mogen Herman). The number of rhêtores in the Athenian ekklêsia, 355-322 B.C. Greek, roman a. byzant. Stud., 84, vol. 25, p. 123-155.

1361. LESCHHORN (Wolfgang). "Gründer der Stadt". Studien zu einem politisch-relig. Phänomen d. griech. Stadt. Wiesbaden, Steiner, 84, in-8, 436 p. (Palingenesia, 20)

1362. LONGO (Oddone). Le ciurme della spedizione ateniese in Sicilia [415-413 a.C.]. Quad. Storia, 84, a. 10, n° 19, p. 29-56.

1363. MENDELS (D.). Aetolia 331-301. Frustration, political power, and survival. Historia [Wiesbaden], 84, Bd 33, p. 129-180.

1364. MERITT (Benjamin D.). The Samian revolt from Athens in 440-439 B.C. Proc. am. philos. Soc., 84, vol. 128, n° 2, p. 123-133.

1365. MOGGI (M.). La superiorità navale degli Ateniesi e l'evoluzione tattica della naumachia. Opliti e marinai a confronto. Civiltà class. e crist., 84, a. 5, p. 239-269.

1366. MORITANI (Kimitoshi). Dai ni-ji Kaijô-domei ki Atene no Seiji to Gaiko. (Athenian politics and diplomacy in the period of the Second Sea League, 377-355 B.C.) Shigaku-Zasshi, 83, vol. 92, n° 11, p. 1-40. [Eng. summary]

1367. PARKE (H.W.). Croesus and Delphi. Greek, roman a. byzant. Stud., 84, vol. 25, p. 209-232.

1368. Problemi di storia e cultura spartana. A cura di E. LANZILOTTA. Roma, Bretschneider, 84, in-8, 179 p. (Pubbl. della Fac. di Lettere dell'Univ. di Macerata, 20)

1369. RAHE (Paul A.). The primacy of politics in classical Greece. Am. hist. R., 84, vol. 89, n° 2, p. 265-293.

1370. ROBERTS (J.W.). The city of Socrates: introduction to classical Athens. London, Routledge, 84, in-8, XI-265 p. (fig.).

1371. SALMON (J.B.). Wealthy Corinth, a history of the city to 338 B.C. London a. New York, Oxford U.P., 84, in-8, XVIII-464 p. (ill., pl.).

1372. SHRIMPTON (Gordon S.). When did Plataea join Athens? Class. Philol., 84, vol. 79, n° 4, p. 295-303.

1373. STANTON (G.R.). The tribal reform of Kleisthenes the Alkmeonid. Chiron, 84, Bd 14, p. 1-41.

1374. STEINBRECHER (Michael). Der Delisch-Attische Seebund und die athenisch-spartanischen Beziehungen in der Kimonischen Ära. Wiesbaden, Steiner, 84, in-8, 176 p. (Palingenesia, 21)

1375. STRAUSS (Barry S.). Thrasybulus and Conon: a rivalry in Athens in the 390s B.C. Am. J. Philol., 84, vol. 105, n° 1, p. 37-48.

1376. STROGECKIJ (V.M.). Antičnaja tradicija o pričinakh Peloponnesskoj vojny i otnošenie k nej v sovremennoj zapadnoevropejskoj istoriografii. (The ancient tradition on the causes of the Peloponnesian war and some modern views on the subject in West European historiography.) Vestn. drevn. Ist., 84, n° 4, p. 114-123.

1377. Studii ellenistici. I. A cura di B. VIRGILIO. Pref. di Emilio GABBA. Pisa, Giardini, 84, in-8, 169 p. (Bibl. di studi ant., 48)

1378. Studien zum Attischen Seebund. Jack Martin BALCER u. a. Konstanz, Univ.-Verl., 84, in-8, 103 p. (Xenia, 8)

1379. TUPLIN (C.). Timotheos and Corcyra. Problems in Greek history, 375-373 B.C. Athenaeum [Pavia], 84, a. 62, p. 537-568.

1380. VINOGRADOV (Ju. G.). Dekret v čest' Antesterija i krizis Ol'vijskogo polisa v èpokhu èllinizma. (The decree honouring Anthesterios and the critical situation of Olbia in the Hellenistic epoch.) Vestn. drevn. Ist., 84, n° 1, p. 51-80.

1381. VOX (O.). Solone: autoritratto. Padova, Antenore, 84, in-8, 171 p. (Proagones studi, 20)

1382. WALSER (G.). Hellas und Iran. Studien zu d. griech.-pers. Beziehungen vor Alexander. Darmstadt, Wiss. Buchges., 84, in-8, XI-141 p. (Erträge d. Forsch., 209)

1383. ZAHRNT (Michael). Die Entwicklung des makedonischen Reiches bis zu den Perserkriegen. Chiron, 84, Bd 14, p. 325-368.

Cf. n°s 802, 1164, 1309, 1560.

§ 5. Storia del diritto e delle istituzioni.

* Cf. n° 1147.

1384. BLEICKEN (Jochen). Verfassungsschutz im demokratischen Athen. Hermes, 84, Bd 112, p. 383-401.

1385. CALABI LIMENTANI (I.). Modalità della communicazione ufficiale in Atene: i decreti onorari. Quad. urbinati Cult. class., 84, n° 45, p. 85-115.

1386. CARLIER (P.). La royauté en Grèce avant Alexandre. Strasbourg, Assoc. pour l'Etude dela Civilisation romaine, 84, in-8, XIV-562 p. (6 ill., 4 cartes).

1387. CHRISTOPHILOPOULOS (Anastasios). Ta Lykourgeia ēthē eis tēn Spartēn kata tēn Rōmaïkēn periodon. (Les coutumes de Lycurgue à Sparte pendant la période romaine.) In: Mnēmē G. A. Petropolou [Cf. n° 506], vol. 2, p. 425-428.

1388. COHEN (D.). The Athenian law of adultery. R. int. Droits Antiquité, 84, vol. 31, p. 147-165.

1389. COLE (Susan Guettel). Greek sanction against secual assault. Class. Philol., 84, vol. 79, n° 2, p. 97-113.

1390. FIGUERIA (T.J.). The Lipari islanders and their system of communal property. Class. Antiquity, 84, vol. 3, p. 179-206.

1391. GALLO (Luigi). La democrazia ateniese del IV sec. a.C. e la paga dei funzionari pubblici. A. Sc. norm. sup. Pisa, 84, ser. 3, vol. 14, p. 395-440.

1392. HANSEN (Mogen Herman). Die athenische Volksversammlung im Zeitalter des Demosthenes. Konstanz, Univ.-Verl., 84, in-8, 211 p. (Xenia, 13)

1393. ITO (Sadao). Kotenki Atene no Furatoria. Sono Nyūseki Kitei o megutte. (Les phratries d'Athènes dans l'Antiquité. Le système d'affiliation aux phratries.) Hōseishi Kenkyū, 82, vol. 31, p. 35-60.

1394. MIGEOTTE (Lépold). L'emprunt public dans les cités grecques. Recueil de documents et analyse critique. Paris, Les Belles lettres, 84, in-4, 434 p. (pl.). (Etudes anc.)

1395. MISIOU (Dionysia). Poios ho Kōnstantinos tēs epigraphēs ar. 8788 tou CIG IV. Symbolē stēn meletē tōn Dēmōn kata tēn epochē tōn Hērakleidōn. (Qui est le Constantin de l'inscription n° 8788 du CIG IV? Contribution à l'étude des Communes durant l'époque des Héraclides.) Byzantiaka, 84, t. 4, p. 75-84.

1396. SEALY (Raphael). On lawful concubinage in Athens. Class. Antiquity, 84, vol. 3, p. 111-133.

1397. STEPHANĒS (I.E.). Ho euboïkos nomos gia tēn misthōsē tōn dionysiakōn technitōn - IG XII 9, 207. (La loi d'Eubée concernant les salaires des artistes des Dionysies - IG XII 9, 207.) Epistēmonikē Epetēris tēs philos. Scholēs, 84, t. 22, p. 499-565.

1398. VATIN (Claude). Citoyens et noncitoyens dans le monde grec. Paris, C.D.U. - SEDES, 84, in-8, 264 p. (Regards sur l'hist., 53. Hist. anc.)

1399. VIAL (Claude). Délos indépendante, 314-167 av. J.-C. Etudes d'une communauté civique et de ses institutions. Athènes, Ecole franç. d'Athènes; diff. Paris, de Boccard, 84, in-8, 433 p. (B. Corr. hellénique, Suppl., 10)

1400. WHEELER (E.L.). Sophistic interpretations and Greek treaties. Greek, roman a. byzant. Stud., 84, vol. 25, p. 253-274.

Cf. n°s 1153, 1335, 1373, 1446.

§ 6. Storia economica e sociale.

1401. ANDRE (Jean-Marie). Les loisirs en Grèce et à Rome. Paris, Presses univ. France, 84, in-8, 128 p. (Que sais-je? 2169)

1402. BALME (M.). Attitudes to work and leisure in ancient Greece. Greece a. Rome, 84, vol. 31, p. 140-152.

1403. BASLEZ (Marie-Françoise). L'étranger dans la Grèce antique. Paris, Les Belles lettres, 84, in-8, 372 p. (ill.). (Realia, 372)

1404. BRAŠINSKIJ (I.B.). Metody issledovanija antičnoj torgovli. (Research methods of ancient trade.) Leningrad, Nauka, 84, 248 p. (ill.). (AN SSSR. In-t arkheologii)

1405. BRAVO (Benedetto). Commerce et noblesse en Grèce archaïque. Dialogues Hist. anc., 84, t. 10, p. 99-160.

1406. ERICSSON (Christoffer H.). Navis oneraria. The cargo carrier of late antiquity. Studies in ancient ship carpentry. Åbo, 84, in-8, 108 p. (32 ill.). (Acta Acad. Aboensis, Humaniora, 63, 3)

1407. FRAGOMICHALOS (C.E.). The question of the existence of slaves in Plato's Republic. Platon, 84, t. 36, p. 77-96.

1408. FUKS (A.). Social conflict in ancient Greece. Jerusalem, Magnes Press; Leiden, Brill, 84, in-8, 363 p.

1409. GALLO (Luigi). Alimentazione e classi sociali: una nota su orzo e frumento in Grecia. Opus, 83, a. 2, p. 449-472. - IDEM. La donna greca e la marginalità. Quad. urbinati Cult. class., 84, n° 47, p. 7-51. - IDEM. Un problema di demografia greca: le donne tra la nascita e la morte. Opus, 84, a. 3, p. 37-62.

1410. HANSEN (Marianne V.). Athenian maritime trade in the 4th century B.C. Operation a. finance. Classica et Mediaevalia, 84, t. 35, p. 71-92.

1411. MAZEL (Jacques). Les métamorphoses d'Eros: l'amour en Grèce. Paris, Prsses de la Renaissance, 84, in-8, 294 p. (Hist. des hommes, 15)

1412. PLEKET (A.W.). Arts en maatschappij in het oude Griekenland. De sociale status van de arts. (The social status of the physician in ancient Greece.) In: Arts en samenleving [Cf. n° 822], p. 325-347.

1413. REED (C.M.). Maritime traders in the archaic Greek world. A typology of those engaged in the long-distance transfer of goods by sea. Anc. World, 84, vol. 10, p. 31-44.

1414. RUSCHENBUSCH (Eberhard). Zum letzen Mal: die Bürgerzahl Athens im 4.

Jahrhundert v. Chr. Z. f. Papyrol. u. Epigr., 84, Bd 54, p. 253-269. [Cf. Bibl. 83, n° 1478]

1415. VATAI (Frank L.). Intellectuals in the Greek world. London, Croom Helm, 84, in-8, 208 p.

Cf. n°s 1317, 1437.

§ 7. Storia della letteratura, della filosofia e delle scienze.

* 1416. DES PLACES (Edouard). Chronique de philosophie religieuse des Grecs (1982-1984). B. Assoc. G. Budé, 84, p. 408-425.

* 1417. METTE (Hans Joachim). Zwei Akademiker heute: Krantor und Arkesilaos. Lustrum, 84, Bd 26, p. 7-94.

1418. AMORY (F.). Socrates: the legend. Classica et Mediaevalia, 84, t. 35, p. 19-56.

1419. ANDREEV (Ju. V.). Ob istorizme gomerovskogo èposa. (The historical background of the Homeric epic.) Vestn. drevn. Ist., 84, n° 4, p. 3-11.

1420. Antičnaja kul'tura Severnogo Pričernomor'ja. (Ancient culture of the Northern Black Sea area. Sbornik nauč. tr. Redkol.: S. D. KRYŽICKIJ (otv. red.) i dr. Kiev, Nauk. dumka, 84, 216 p. (ill.). (AN SSSR. In-t arkheologii)

1421. Antike Geschichtsschreibung. Ideologische u. methodolog. Aspekte. [Beiträge einer Fachtagung d. Zentralinst. f. Alte Geschichte u. Archäologie d. Akad. d. Wiss. d. DDR v. 12. 15 1. 1983. Zsgest. u. veröff. v. Johannes IRMSCHER u. Reimar MÜLLER. Klio, 84, Bd 66, p. 233-649.

1422. ASMIS (Elizabeth). Epicurus' scientific method. Ithaca, N.Y., Cornell U.P., 84, in-8, 385 p.

1423. Atti del Symposium Heracliteum [Chieti,] 1981. A cura di Livio ROSSETTI. [1. Cf. Bibl. 83, n° 1549.] 2: La fortuna di Eraclito nel pensiero moderno. Roma, Ateneo, 84, in-8, 279 p.

1424. AUJAC (G.). Le langage formulaire dans la géométrie grecque. R. Hist. Sciences, 84, t. 37, p. 97-109.

1425. BALDINI (A.). Richerche sulla Storia di Eunapio di Sardi. Problemi di storiografia tardopagana. Bologna, Ed. Clueb, 84, in-8, 253 p. (Studi di Stor. ant., 10)

1426. BICHLER (R.). Zur historischen Beurteilung der griechischen Staatsutopie. Grazer Beitr., 84, Bd 11, p. 179-206.

1427. BLUMENTHAL (H.J.). Marinus' Life of Proclus: neoplatonist biography. Byzantion, 84, t. 54, p. 469-494.

1428. BOMPAIRE (J.). L'apothéose de Démosthène, de sa mort jusqu'à l'époque de la IIe Sophistique. B. Assoc. G. Budé, 84, p. 14-26.

1429. BONNAFE (Annie). Poésie, nature et sacré. T. 1: Homère, Hésiode et le sentiment grec de la nature. Lyon, Maison de l'Orient méditerranéen; diff. Paris, de Boccard, 84, in-8, 272 p. (Coll. de la Maison de l'Orient méditerr., 15. Sér. littéraire et philos., 3)

1430. BORRET (M.). L'Ecriture d'après le païen Celse. In: Le Monde grec anc. et la Bible [Cf. n° 1981], p. 171-193.

1431. BRASHEAR (William M.). Neue griechische Bruchzahlentabellen. Enchoria, 84, Bd 12, p. 1-6.

1432. CAPELLETTI (A.). La filosofía de Anaxagoras. 1: Testimonios y fragmentos. 2: Vida, obra y pensamiento de Anaxagoras. Caracas, Soc. Venezolana de Filos., 84, in-8, 316 p.

1433. CHARLES (D.). Aristotle's philosophy of action. Ithaca, Cornell U.P., 84, in-8, XII-282 p.

1434. CHOURMOUZIADĒS (Nikos Ch.). Horoi kai metaschēmatismoi stēn archaia hellēnikē tragōdia. (Règles et transformations dans la tragédie grecque antique.) Athènes, Gnōsē, 84, in-8, 263 p.

1435. CONNOR (W. Robert). Thucydides. Princeton, N.J., Princeton U.P., 84, in-8, XX-340 p.

1436. CORCELLA (Aldo). Erodoto e l'analogia. Palermo, Sellerio, 84, in-8, 316 p.

1437. DAVID (E.). Aristophanes and the Athenian society of the early fourth century B.C. Leiden, Brill, 84, in-8, IX-46 p. (Mnemosyne, suppl., 81)

1438. DESIDERI (Paolo). Il De genio Socratis di Plutarco: un esempio di "storiografia tragica"? Athenaeum [Pavia], 84, a. 62, p. 569-585.

1439. DIXSAUT (Monique). Le naturel philosophe. Essai sur les Dialogues de Platon. Paris, Les Belles lettres, 84, in-8, 428 p. (Etudes anc.)

1440. DÖRING (K.). Der Sokrates des Aischines von Sphettos und die Frage nach dem historischen Sokrates. Hermes, 84, Bd 112, p. 16-30.

1441. ELIAS (J.A.). Plato's defense of poetry. London, Macmillan, 84, in-8, XI-261 p.

1442. EUCKEN (Christoph). Reihenfolge und Zweck der olynthischen Reden [des Demosthenes]. Museum helvet., 84, Bd 41, p. 193-208.

1443. FERBER (R.). Platos Idee des Guten. Sankt Augustin, Richarz, 84, in-8, 254 p.

1444. FORTENBAUGH (William W.). Quellen zur Ethik Theophrasts. Amsterdam, Grüner, 84, in-8, X-380 p. (Stud. z. ant. Philos., 12)

1445. GARZÓN DÍAZ (J.). La belleza en la novela griega. Helmantica, 84, t. 35, p. 243-266.

1446. GASTALDI (S.). Legge e retorica. I proemi delle Leggi di Platone. Quad. Storia, 84, a. 10, n° 20, p. 69-109.

1447. GENTILI (Bruno). Poesia e pubblico nella Grecia antica. Bari, Laterza, 84, in-8, 414 p.

1448. GOUREVITCH (Danielle). Le triangle hippocratique dans le monde gréco-romain: le malade, sa maladie et son médecin. Roma, Ecole franç. de Rome; Paris, diff. de Boccard, 84, in-4, 569 p. (Biblioth. des Ec. franç. d'Athènes et de Rome, 261) [Cf. n° 1790]

1449. GRANGER (Herbert). Aristotle on genus and differentia. J. Hist. Philos., 84, vol. 22, n° 1, p. 1-24.

1450. GROSSI (G.). Frinico tra propaganda democratica e giudizio tucidideo. Roma, L'Erma, 84, in-8, 121 p. (Univ. degli studi di Padova, Pubbl. dell'Ist. di storia ant., 15)

1451. Vacat.

1452. HEITSCH (Ernst). Antiphon aus Rhamnus. Wiesbaden, Steiner, 84, in-8, 129 p. (Abh. d. Akad. d. Wiss. in Mainz, Geistes- u. sozialwiss. Kl., 1984, 3)

1453. HEUBECK (Alfred). Homer und Mykene. Gymnasium, 84, Bd 91, p. 1-14.

1454. HÖSLE (Vittorio). Die Vollendung der Tragödie im Spätwerk des Sophokles. Ästhetisch-hist. Bemerkungen z. Struktur d. attischen Tragödie. Stuttgart-Bad Cannstadt, Frommann-Holzboog, 84, in-8, 181 p. (Problemata, 105) - IDEM (Wahrheit und Geschichte. Studien zur Struktur d. Philosophiegesch. unter paradigmat. Analyse d. Entwicklung von Parmenides bis Platon. Stuttgart-Bad Cannstatt, Frommann-Holzboog, 84, in-8, 774-53 p. - IDEM. Zu Platons Philosophie der Zahlen und deren mathematischer und philosophischer Bedeutung. Theol. u. Philos., 84, Bd 59, p. 321-355.

1455. HÜBNER (Wolfgang). Der Mensch in Aelians Tiergeschichten. Antike u. Abendland, 84, Bd 30, p. 154.

1456. ISNARDI PARENTE (M.). Introduzione a Plotino. Roma e Bari, Laterza, 84, in-8, 210 p.

1457. Joint Association of Classical Teachers' Greek Course. The world of Athens, an introduction to classical Athenian culture. London, Cambridge U.P., 84, in-8, 407 p.

1458. Keimena gia to Dēmokrito. Apo to A' Diethnes Synedrio gia tōn Dēmokrito. (Textes sur Démocrite. D'après le 1er Congrès International consacré à Démocrite, 6-9 oct. 1983.) Xanthi, Diethnes Dēmokriteio Hidryma, 84, in-8, 254 p.

1459. KIM (N.D.). Die Gerechtigkeit und das Gute in Platons Politeia. Pfaffenweiler,

§ 7. STORIA DELLA LETTERATURA, DELLA FILOSOFIA E DELLE SCIENZE

Centaurus, 84, in-8, 203 p. (R. Philos., 2)

1460. KUCH (Heinrich). Euripides. Leipzig, Reclam, 84, in-8, 169 p. (42 Ill.). (Reclams Universal-Bibliothek, 1067)

1461. KUZNECOVA (T.I.), MILLER (T.A.). Antičnaja épičeskaja istoriografija: Gerodot, Tit Livij. (Ancient epic historiography: Herodotus, Titus Livius.) Moskva, Nauka, 84, 213 p. (AN SSSR. In-t mirovoj lit. im. A. M. Gor'kogo)

1462. LAMBERT (G.R.). Plato's household topos. A formative influence on ancient education and social theory. Prudentia, 84, vol. 16, p. 17-32.

1463. LEIMBACH (Rüdiger). Militärische Musterrhetorik. Eine Untersuchung zu d. Feldherrnreden d. Thukydides. Wiesbaden, Steiner, 84, in-8, 136 p. (Palingenesia, 22)

1464. LLEDÓ IÑIGO (E.). El epicureismo. Barcelona, Montesinos, 84, in-8, 120 p. (Bibliot. di divulgación temática)

1465. LÜBKE (D.). Platon. Leipzig, Urania, 84, in-8, 120 p. (Ill., Kte).

1466. MARTIN (R.P.). Hesiod, Odysseus, and the instruction of princes. Trans. am. philos. Soc., 84, vol. 114, p. 29-48.

1467. MEATTINI (V.). L'orizzonte etico e politico di Platone. Pisa, Vigo Cursi, 84, in-8, VIII-266 p.

1468. MELE (Alfred R.). Aristotle's wish. J. Hist. Philos., 84, vol 22, n° 2, p. 139-156.

1469. MEYERHOFF (D.). Traditioneller Stoff und individuelle Gestaltung. Untersuchungen zu Alkaios und Sappho. Hildesheim, Olms-Weidmann, 84, in-8, VIII-264 p. (Beitr. z. Altertumswiss., 3)

1470. MILLETT (P.). Hesiod and his world. Proc. Cambridge philol. Soc., 84, vol. 210, p. 84-115.

1471. MONSACRE (H.) Les larmes d'Achille. Le héros, la femme et la souffrance dans la poésie d'Homère. Préf. de Pierre VIDAL-NAQUET. Paris, A. Michel, 84, in-8, 256 p. (L'Aventure humaine)

1472. MONTUORI (M.). Socrate, un problema storico. Napoli, Soc. ed. napoletana, 84, in-8, 427 p. (Collana di ric. e analisi stor., 8)

1473. MOORE (J.M.). Aristotle and Xenophon on democracy and oligarchy. London, Chatto a. Windus, 83, in-8, 320 p. (3 maps).

1474. MURAV'EV (S.N.). Traditio Herclitea (A). Svod drevnikh istočnikov o Geraklite. (Tradition Heraclitea (A). Corpus fontium veterum de Heraclito.) Vestn. drevn. Ist., 84, n° 4, p. 31-44.

1475. NAGY (G.). Théognis et Mégare. Le poète dans l'âge de fer. R. Hist. Religions, 84, t. 201, p. 239-279.

1476. NARCY (Michel). Le philosophe et son double. Un commentaire de l'Euthydème de Platon. Paris, Vrin, 84, in-4, 242 p. (Hist. des doctrines de l'Antiquité class., 8)

1477. NERSESJANC (V.S.). Platon. Moskva, Jurid. lit., 84, 104 p. (Iz istorii polit. i pravovoj mysli) [en russe]

1478. NEWMAN (J.K.), NEWMAN (F.S.). Pindar's art: its tradition and aims. Hildesheim, Olms-Weidmann, 84, in-8, XIV-300 p. (ill.).

1479. NICOLAI (W.). Zu den politischen Wirkungsabsichten des Odysee-Dichters [Homer]. Grazer Beitr., 84, Bd 9, p. 1-20.

1480. NIEDDU (Gian Franco). Testo, scrittura, libro nella Grecia arcaica e classica: note e osservazioni sulla prosa scientifico-filosofica. Scrittura e Civ., 84, a. 8, p. 213-261.

1481. NUTTON (V.). Galen in the eyes of his contemporaries. B. Hist. Medicine, 84, vol. 58, p. 305-314.

1482. O'BRIEN (Denis). Theories of weight in the ancient world. [Vol. 1. Cf. Bibl. 81, n° 1436.] Vol. 2: Plato. Weight and sensation. The two theories of the Timaeus. Leiden, Brill, 84, in-8, VIII-484 p. (Philosophia antiqua, 41)

1483. ORANJE (H.). Euripides' Bacchae. The play and its audience. Leiden, Brill, 84, in-8, VII-200 p. (Mnemosyne, Suppl., 78)

1484. Oxford studies in ancient philosophy. Vol. [1. Cf. Bibl. 83, n° 1623.] 2. Ed. by Julia ANNAS. London, Oxford U.P., 84, in-8, 312 p.

1485. PEMBERTON (H.J.). Plato's Parmenides. The critical moment for Socrates. Darby, Pa., Norwood, 84, in-8, XII-184 p.

1486. PLACIDO (D.). Protagoras et la société athénienne. Le mythe de Prométhée. Dialogues Hist. anc., 84, t. 10, p. 161-178.

1487. Plotinus amid Gnostics and Christians. Papers presented at the Plotinus Symposium held at Free University, Amsterdam, on 25 January 1984. Ed. by D. T. RUNIA. Amsterdam, Free Univ. Press, 84, in-8, 112 p.

1488. PODLECKI (Anthony). The early Greek poets and their times. Vancouver, Univ. of British Columbia Press, 84, in-8, XIV-282 p. (map).

1489. Proceedings of the 1st International Congress on Democritus, Xanthi, 6-9 Oct. 1983. I. Xanthi, Intern. Democritean Found, 84, in-8, 544 p. (ill.). [Cf. n° 1458]

1490. Proceedings of the Second international week on the philosophy of Greek culture, Kalamata 1982. I. Diotima, 84, vol. 12, 230 p.

1491. Proceedings of the world congress on Aristotle, Thessaloniki, August 7-14,

1978. Vol. 1-4. Athens, Publ. of the Ministry of Culture a. Sciences, 81-84, 4 vol. in-8, 314, 468, 397, 404 p.

1492. RENGAKOS (Antonios). Form und Wandel des Machtdenkens der Athener bei Thukydides. Stuttgart, Steiner-Verl. Wiesbaden, 84, in-8, 149 p. (Hermes, Einzelschr., 48)

1493. ROBERTS (D.H.). Apollo and his oracle in the Oresteia [of Aischylus]. Göttingen, Vandenhoeck u. Ruprecht, 84, in-8, 136 p. (Hypomnemata, 78)

1494. ROISMAN (H.). Loyalty in early Greek epic and tragedy. Königstein, Hain, 84, in-8, X-230 p. (Beitr. z. klass. Philol., 155)

1495. ROMILLY (Jacqueline de). Patience, mon coeur. L'essor de la psychologie dans la littérature grecque classique. Paris, Les Belles lettres, 84, in-8, 244 p. (Etudes anc.)

1496. SARTORI (Marco). Storia, utopia e mito nei primi libri della Bibliotheca historica di Diodoro Siculo. Athenaeum, 84, a. 62, p. 492-536.

1497. SCARPA BONAZZA BUORA (A.). Libertà e tirannide in un discorso "siracusano" di Diodoro Siculo. Roma, L'Erma, 84, in-8, 110 p. (Univ. degli studi di Padova, Pubbl. dell'Istit. di stor ant., 14)

1498. SCHEIN (S.L.). The mortal hero. An introduction to Homer's Ilias. Berkeley, Univ. of California Press, 84, in-8, XII-223 p.

1499. SCHOULER (B.). La tradition hellénique chez Libanios. Vol. 1, 2. Paris, Les Belles lettres, 84, 2 vol. in-8, 440, 581 p. (Etudes anc.)

1500. SEECK (G.A.). Dramatische Strukturen der griechischen Tragödie. Untersuchungen zu Aischylos. München, Beck, 84, in-8, 85 p. (Zetemata, 81)

1501. SEIDEL (Helmut). Aristoteles und der Ausgang der antiken Philosophie. Berlin, Dietz, 84, in-8, 223 p. (Abb.).

1502. SEIDL (Horst). Beiträge zu Aristoteles' Erkenntnislehre und Metaphysik. Würzburg, Königshausen u. Neumann, 84, in-8, 214 p. (Elementa, 35)

1503. SISSA (G.). Une virginité sans hymen. Le corps féminin en Grèce ancienne. A. Ec., Soc., Civ., 84, a. 39, p. 1119-1139.

1504. Strabone. Contributi allo studio della personalità e dell'opera. 1. Editi a cura di F. PROTERA. Perugia, Univ. degli Studi; Rimini, Maggioli, 84, in-8, 264 p.

1505. Studia z zakresu antyku. (Etudes sur l'antiquité.) Réd.: Zofia ABRAMOWICZÓWNA. Toruń, 84, in-8, 168 p. (Uniw. Mikołaja Kopernika, Rozpr.) [Philosophie et littérature grecques]

1506. TRIEBEL-SCHUBERT (C.), MUSS (U.). Hippodamus von Milet. Staatstheoretiker oder Stadtplaner. Hephaistos, 83-84, Bd 5-6, p. 37-59.

1507. TSCHIEDEL (H.J.). Aristophanes und Euripides. Zu Herkunft u. Absicht d. Weiberkomödien. Grazer Beitr., 84, Bd 11, p. 29-49.

1508. VELLACOTT (Philip). The logic of tragedy. Morals and integrity in Aeschylus' Oresteia. Durham, N.C., Duke U.P., 84, in-8, X-290 p.

1509. VLĂDUŢESCU (Gheorghe). Filosofia in Grecia veche. (La philosophie en Grèce ancienne.) Bucureşti, Albatros, 84, in-8, 519 p.

1510. VRIES (G. D. de). Remarks on the historiography of Greek literature. Mnemosyne, 83, vol. 36, p. 241-259.

1511. WATERS (K.H.). Herodotus the historian, his politics, methods and originality. London, Croom Helm, 84, in-8, 208 p.

1512. WHITE (Nicholas). The classification of goods in Plato's Republic. J. Hist. Philos., 84, vol. 22, n° 4, p. 393-422.

1513. ZIMMERMANN (B.). Untersuchungen zur Form und dramatischen Technik der Aristophanischen Komödien. 1: Parodos und Amoibaion. Königstein, Hain, 84, in-8, 295 p. (Beitr. z. klass. Philol., 154)

Cf. n°s 1308, 1311, 1322, 1516, 1713.

§ 8. Religione e mitologia.

* Cf. n° 1416.

1514. BREMMER (J.N.). Greek maenadism reconsidered. Z. f. Papyrol. u. Epigr., 84, Bd 55, p. 267-286.

1515. BULLOCH (A.W.). The future of a Hellenistic illusion: some observations on Callimachus and religion. Mus. helveticum, 84, Bd 41, p. 203-230.

1516. BURKERT (W.). Die orientalisierende Epoche in der griechischen Religion und Literatur. Heidelberg, Winter, 84, in-8, 135 p. (S.-B. d. Heidelb. Akad. d. Wiss., philos.-hist. Kl., 1984, 1)

1517. COLE (Susan Guettel). Theoi Megaloi: the cult of the great gods at Samothrace. Leiden, Brill, 84, in-8, XIX-193 p. (8 pl.). (Et. prélim. aux religions orient. dans l'Empire romain, 96)

1517a. FLÜCKIGER-GUGGENHEIM (D.). Göttliche Gäste: die Einkehr v. Göttern u. Heroen in d. griech. Mythologie. Frankfurt (Main) u. Bern, Lang, 84, in-8, 225 p. (Europ. Hochschulschr., Reihe 3: Gesch. u. ihre Hilfswiss., 237)

1518. GARLAND (R.S.). Religious authority in archaic and classical Greece. Annu. british School Athens, 84, vol. 79, p. 75-123.

1519. LINDON (Denis). Les dieux s'amusent. Précis de mythologie grecque. Paris, Lattès, 84, in-8, 312 p.

1520. MAINOLDI (Carla). L'image du loup et du chien dans la Grèce ancienne, d'Homère à Platon. Paris, Ophrys, 84, in-8, 270 p. (6 pl.).

1521. SERGENT (Bernard). L'homosexualité dans la mythologie grecque. Préf. de Georges DUMEZIL. Paris, Payot, 84, in-8, 336 p. (Biblioth. hist.)

1522. SOMVILLE (P.). Le dauphin dans la religion grecque. R. Hist. Relig., 84, t. 201, p. 3-24.

1523. TYRRELL (W.B.). Amazons. A study in Athenian mythmaking. Baltimore, Md., Johns Hopkins U.P., 84, in-8, XIX-166 p. (ill.).

1524. VISSER (Margaret). Vengeance and pollution: Orestes' trail of blood. J. Hist. Ideas, 84, vol. 45, n° 2, p. 193-206.

1525. WEISS (Carina). Griechische Flußgottheiten in vorhellenistischer Zeit: Ikonographie u. Bedeutung. Würzburg, Triltsch, 84, in-4, 256 p. (16 Taf.). (Beitr. z. Archäol., 17)

1526. WEISS (P.). Lebendiger Mythos. Gründerheroen u. städtische Gründungstraditionen im griechisch-röm. Osten. Würzburger Jb. f. d. Altertumswiss., 84, Bd 10, p. 179-208.

Cf. n°s 489, 1324, 1493, 1535, 1559, 1703, 1818.

§ 9. Archeologia e storia dell'arte.

1527. AHLBERG-CORNELL (G.). Herakles and the sea-monster in Attic black-figure vase-painting. Göteborg, P. Åström, 84, in-4, 172 p. (ill., pl.). (Acta Inst. Atheniensis Regni Sueciae, Ser. in-4, 33)

1528. Altertümer von Pergamon. Bd 11: Das Asklepion. T.4: LUCA (Gioia de). Via tecta und Hallenstraße. [Bd 13. Cf. Bibl. 81, n° 1458.] Bd 14: Peristylhäuser westlich der unteren Agora. Von Doris PINKWART, Wolf STAMMNITZ et al. Berlin u. New York, de Gruyter, 84, 2 vol. in-fol., XII-163 p. (71 Taf.); X-166 p. (52 Taf.).

1529. Amathonte I. T. 1: AUPERT (Pierre), HELLMANN (Marie-Christine), AMANDRY (Michel). Testimonia. Auteurs anciens, monnayage, voyageurs, fouilles, origines, géographie. Paris, Recherche sur les civilisations, 84, in-4, 160 p. (ill., pl.). (Mémoire, 32)

1530. ANDRONIKOS (Manolēs). Bergina. Hoi basilikoi taphoi kai hoi alles archaiotētes. (Verghina. Les tombes royales et les autres antiquités.) Athènes, Ekdotikē Athēnōn, 84, in-4, 243 p.

1531. Antre (L') corycien. [1. Cf. Bibl. 81, n° 1460.] 2. Athènes, Ecole franç. d'Athènes; diff. Paris, de Boccard, 84, in-4, 453 p. (ill.). (B. Corr. hellénique, suppl., 9)

1532. Apamée de Syrie. Bilan des recherches archéologiques 1973-1983. Aspects de l'architecture domestique d'Apamée. Actes du Colloque tenu à Bruxelles les 29, 30 et 31 mai 1980. Ed. par Janine BALTY. Paris, de Boccard, 84, in-4, 524 p. (156 ill., 96 pl.). (Centre belge de rech. archéol. à Apamée en Syrie. Miscellanea, 13)

1533. AUPERT (Pierre), TYTGAT (C.). Deux tombes géométriques de la nécropole nord d'Amathonte (NT 226 I-II). B. Corr. hellénique, 84, t. 108, p. 616-649.

1534. BAMMER (Anton). Das Heiligtum der Artemis von Ephesos. Graz, Akad. Druck- u. Verl.-Anst., 84, in-8, 283 p. (Welt d. Wunder - Wunder d. Welt)

1535. BECK (Irmgard). Ares in Vasenmalerei, Relief und Rundplastik. Frankfurt (Main) u. Bern, Lang, 84, in-8, 197 p. (Abb.). (Archäol. Stud., 7)

1536. BOL (Renate). Das Statuenprogramm des Herodes-Atticus-Nymphäums [in Olympia]. Mit Beitr. v. A. HOFFMANN u. L. SCHUMACHER. Berlin u. New York, de Gruyter, 84, in-4, 298 p. (Ill.). (Olymp. Forsch., 15)

1537. BRAEMER (Frank). Prospections archéologiques dans le Ḥawrān (Syrie). Syria, 84, t. 61, fasc. 3-4, p. 218-250 (39 fig.).

1538. BRUNO (Vincent J.). Hellenistic painting techniques: the evidence of the Delos fragments. Leiden, Brill, 84, in-8, XX-66 p. (16 pl.). (Columbia Stud. in the class. tradition, 11)

1539. BÜSING (H.). Optische Korrekturen und Propyläen-Fronten. Vitruvs Empfehlungen verglichen mit dorischer Architektur der attischen Kunst. Jb. d. deutsch archäol. Inst., 84, Bd 99, p. 27-73.

1540. CARTER (Joseph Coleman). The sculpture of the sanctuary of Athena Polias at Priene. London, Soc. of Antiq., 84, in-4, XXIII-368 p. (47 p. of pl.).

1541. DAY (Leslie Preston). Dog burials in the Greek world. Am. J. Archaeol., 84, vol. 88, n° 1, p. 21-32.

1542. DEHL (Christiane). Die korinthische Keramik des 8. und frühen 7. Jahrhunderts v. Chr. in Italien. Unters. zu ihrer Chronologie u. Ausbreitung. Berlin, Mann, 84, in-4, 302 p. (9 Taf., Kt.). (Mitt. d. Deutsch. Archäol. Inst., Athen, Beiheft, 11)

1543. DIERICHS (A.). Korinth oder Ostgriechenland. Überlegungen zur kunsttopograph. Einordnung archaischer Bronzebleche. Boreas, 84, Bd 7, p. 15-33.

1544. FELLMANN (B.). Frühe olympische Gürtelschmuckscheiben aus Bronze. Berlin u. New York, de Gruyter, 84, in-4, X-128 p. (49 Taf.). (Olymp. Forsch., 16)

1545. FINSTER-HOTZ (U.). Der Bauschmuck des Athena-Tempels von Assos. Studien z. Ikonographie. Roma, Bretschneider, 84, in-4, 164 p. (23 Taf.). (Archaeologica, 34)

1546. Fouilles d'Aï Khanoum. III: Le sanctuaire du temple à niches indentées. 2: FRANCFORT (H.P.). Les trouvailles. Dessins de J. C. LIGER et R. de VALENCE. Paris, de Boccard, 84, in-4, 146 p. (73 pl.). (Mém. de la Délégation franç. en Afghanistan, 27)

1547. GALLET DE SANTERRE (Hubert). L'oikos des Naxiens à Délos était-il un temple? B. Corresp. hellénique, 84, t. 108, p. 671-693.

1548. GAUER (W.). Gerät- und Gefäßfüße mit Löwenpranken und figürlichem Schmuck aus Olympia. Mitt. d. deutsch. archäol. Inst., Athen, 84, Bd 99, p. 35-53.

1549. GEERTMAN (H.). Riflessioni sulle metope del tempio di Zeus a Olimpia. Disegno e esecuzione. B. ant. Gesch., 82 [83], vol. 57, p. 70-86 (3 fig.).

1550. HERMARY (Antoine). La sculpture archaïque et classique. T. 1: Catalogue des sculpteurs classiques de Délos. Athènes, Ecole franç. d'Athènes; diff. Paris, de Boccard, 84, in-4, 68 p. (pl.). (Exploration archéol. de Délos, 34)

1551. KANOWSKI (M.G.). Containers of classical Greece: a handbook of shapes. Brisbane a. New York, Univ. of Queensland Press, 84, IX-207 p. (157 fig., 9 phot.).

1552. KARAGHEORGHIS (Vassos). Chronique des fouilles et découvertes à Chypre en 1983. B. Corresp. hellénique, 84, vol. 108, p. 393-966 (fig.). [Cf. Bibl. 82, n° 1632]

1553. KARAGHEORGHIS (Vassos), GAGNIERS J.). La céramique chypriote de style figuré de l'âge du feu, 1050-500 av. J.-C. T. 1: Texte. T. 2: Illustrations et descriptions de vases. T. 3: Supplément. Roma, Ateneo, 84, 3 vol. in-4, 172, 520, 200 p. (ill., pl.).

1554. KLEINER (Gerhard). Tanagrafiguren. Untersuchungen z. hellenist. Kunst u. Gesch. Neu hrsg. v. Klaus PARLASCA unter Mitw. v. Andreas LINFERT. Erweiterte Neuaufl.. Berlin u. New York, de Gruyter, 84, in-4, XIV-368 p. (63 Taf.).

1555. KNIBBE (Dieter), IPLIKCIOGLU (Bülent). Ephesos im Spiegel seiner Inschriften. Wien, Schindler, 84, in-8, 123 p.

1556. KOENIGS (Wolf). Die Echohalle [in Olympia]. Berlin u. New York, de Gruyter, 84, in-4, XII-151 p. (93 Ill., 81 Taf.). (Olymp. Forsch., 14)

1557. LANGE (Fred W.). Recent developments in Isthmian archaeology. London, Brit. Archaeol. Rep., 84, in-4, 313 p. (ill., fig.).

1558. MAASKANT-KLEIBRINK (M.). Five Greek shallow reliefs. Some remarks on the sculptural form. B. ant. Besch., 82 [83], vol. 57, p. 12-24 (19 fig.).

1559. MARK (I.S.). The gods of the east frieze of the Parthenon [in Athens]. Hesperia, 84, vol. 53, p. 289-342.

1560. Megara Hyblaea. 3: Guide des fouilles. Introd. à l'histoire d'une cité coloniale d'Occident. Par G. VALLET, F. VILLARD, P. AUBERSON. Rome, Ecole franç. de Rome; diff. Paris, de Boccard, 84, in-4, VIII-186 p. (81 ill.). (Mél. d'archéol. et d'hist., suppl., 1)

1561. MELLINK (Machteld J.). Archaeology in Asia Minor. Am. J. Archaeol., 84, vol. 88, n° 4, p. 441-459.

1562. MUHLY (Polymnia Metaxa). Minoan hearths. Am. J. Archaeol., 84, vol. 88, n° 2, p. 107-122.

1563. NORMAN (Naomi J.). The temple of Athena Alea at Tegea. Am. J. Archaeol., 84, vol. 88, n° 2, p. 169-194.

1564. PAQUETTE (Daniel). L'instrument de musique dans la céramique de la Grèce antique. Etudes d'organologie. Préf. de J. CHAILLEY. Paris, de Boccard, 84, 262 p. (25 ill., 70 pl.). (Univ. de Lyon II, Publ. Bibl. Salomon Reinach, 4)

1565. PAUL (Eberhard). Griechische Vasenmalerei. Wien, Tusch, 83, in-8, 132 p. (112 Abb., 8 Taf., 1 Kt.).

1566. PELAGATTI (P.). Siracusa. Le ultime ricerche in Ortigia. Annu. Scuola archeol. Atene, 82 [84], a. 44, p. 117-163.

1567. RABAN (Avner). The Thera ships: another interpretation. Am. J. Archaeol., 84, vol. 88, n° 1, p. 11-19 (11 ill., 2 pl.).

1568. RÜHFEL (Hilde). Das Kind in der griechischen Kunst. Von d. minoisch-myken. Zeit bis z. Hellenismus. Mainz, von Zabern, 84, in-8, 378 p. (141 Abb., 16 Taf.). (Kulturgesch. d. ant. Welt, 18) - EADEM. Kinderleben im klassischen Athen. Bilder auf klass. Vasen. Mainz, von Zabern, 84, in-8, 232 p. (100 Abb.). (Kulturgesch. d. ant. Welt, 19)

1569. Salamine de Chypre, 12: MONLOUP (Th.). Les figurines de terre cuite de tradition archaïque. Paris, de Boccard, 84, in-fol., 238 p. (292 dessins, 14 ill., 34 pl.). (Maison de l'Orient méditerr., Univ. de Lyon II) [Cf. Bibl. 81, n° 1480]

1570. SCHAUENBURG (K.). Unterweltsbilder aus Großgriechenland. Mitt. d. deutsch. archäol. Inst., Rom, 84, Bd 91, p. 359-387.

1571. SGUIAITAMATTI (M.). L'offrante de porcelet dans la coroplathie géléenne. Etude typologique. Mainz, von Zabern, 84, in-4, VIII-193 p. (151 ill., 44 pl., carte).

1572. SHEAR (T.L.). The Athenian Agora. Excavations of 1980-1982. Hesperia, 84, vol. 53, p. 1-57.

1573. SYDOW (W. von). Die hellenistischen Gebälke in Sizilien. Mitt. d. deutsch. archäol. Inst., Rom, 84, Bd 91, p. 239-358.

1574. TOUCHAIS (Gilles). Chronique des fouilles et découvertes archéologiques en Grèce en 1983. B. Corresp. hellénique, 84, t. 108, p. 735-845. [Cf. Bibl. 82, n° 1642]

1575. WAELE (J. A. de). Der Entwurf des Heraion von Olympia. B. ant. Besch., 82 [83], vol. 57, p. 27-37 (4 fig.).

1576. WINTER (Frederick E.). The study of Greek architecture. Am. J. Archaeol., 84, vol. 88, n° 2, p. 103-106.

1577. WYATT (William F.) Jr., EDMONSON (Colin N.). The ceiling of the Hephaisteion [in Athens]. Am. J. Archaeol., 84, vol. 88, n° 2, p. 135-167.

1578. YON (M.). Fouilles françaises à Kition-Bamboula (Chypre), 1976-1982. C.R. Acad. Inscript., 84, p. 80-99.

Cf. n^{os} *237, 323, 1073, 1086, 1596, 1886.*

F

STORIA DI ROMA, DELL'ITALIA ANTICA E DEL IMPERO ROMANO

§ 1. Popolazioni dell'Italia antica. 1579-1582. - § 2. Etruscologia. 1583-1609. - § 3. Fonti e critica delle fonti. 1610-1631. - § 4. Storia generale e politica. 1632-1699. - § 5. Storia del diritto e delle istituzioni. 1700-1738. - § 6. 1739-1775. - § 7. Storia della letteratura, della filosofia e delle scienze. 1776-1812. - § 8. Religione e mitologia. 1813-1831. - § 9. Archeologia e storia dell'arte. 1832-1895.

§ 1. Popolazioni dell'Italia antica.

1579. BRACCESI (Lorenzo). La leggenda di Antenore: da Troia a Padova. Padova, Signum, 84, in-8, 162 p. (ill., tav.). (Il mito e la storia, 1)

1580. BRIQUEL (Dominique). Les Pelasges en Italie. Recherches sur l'histoire de la légende. Rome, Ecole franç. de Rome; diff. Paris, de Boccard, 84, in-8, 658 p. (Biblioth. des Ec. franç. d'Athènes et de Rome, 252)

1581. D'ANDRIA (Francesco). Il Salento nell'VIII e VII sec. a.C. Nuovi dati archeologici. Annu. Scuola archeol. Atene, 82 [84], a. 44, p. 101-116.

1582. SABBIONE (C.). Le aree di colonizzazione di Crotone e Locri Epizefiri nell'VIII e VII sec. a.C. Annu. Scuola archeol. Atene, 82 [84], a. 44, p. 251-299.

Cf. n°s 1309, 1856.

§ 2. Etruscologia.

* 1583. CANOCCHI (D.), MARCHESE BASTIANINI (M.P.). Rassegna bibliografica. Studi etruschi, 82 [84], a. 50, p. 395-443. [Cf. Bibl. 81, n° 1491]

1584. ADAM (Anne-Marie). Bronzes étrusques et exotiques. Paris, Bibliothèque nationale, 84, in-4, 250 p. (603 ill.).

1585. BOCCI PACCINI (P.). Il pittore di Sommavilla Sabina ed il problema della nascita delle figure rosse in Etruria. Studi etruschi, 82 [84], a. 50, p. 23-39.

1586. BUZZI (Giancarlo). Guida alla civiltà etrusca. Segrate (Milano), Mondadori, 84, in-8, 240 p. (ill.).

1587. CAMPOREALE (G.). La caccia in Etruria. Roma, Bretschneider, 84, in-4, 204 p. (25 fig., 70 tav.). (Archaeologica, 50)

1588. CATENI (Gabriele), FIASCHI (Fabio). Le urne di Volterra e l'artigianato artistico degli Etruschi. Firenze, Sansoni, 84, in-4, 196 p. (fig., tav.).

1589. COLONNA (G.). Per una cronologia della pittura etrusca di età ellenistica. Dialoghi Archeol., 84, 3a ser., t. 2, p. 1-24.

1590. CRISTOFANI (Mauro). Nuovi spunti sul tema della talassocrazia etrusca. Xenia, 84, n° 8, p. 3-20.

1591. CRISTOFANI (Mauro), MARTELLI (Martina). L'oro degli etruschi. Novara, De Agostini, 83, in-4, 244 p. (fig., tav.).

1592. D'AVERSA (Arnaldo). Gli etruschi di Chiusi. Brescia, Paideia, 84, in-8, 393 p. (21 fig., 32 tav.).

1593. DOVERE (E.). Contributi alla lettura delle fonti su Porsenna. At. Accad. Sci. mor. pol. Napoli, 84, a. 95, p. 69-126.

1594. HASE (F. W. von). Die goldene Prunkfibel aus Vulci, Ponte Sodo. Mit e. Beitr. v. M. FECHT. Jb. d. röm.-german. Zentralmus. Mainz, 84, Jg. 31, p. 247-304 (Abb., Taf.).

1595. HOWES SMITH (P.H.G.). Bronze ribbed bowls from central Italia and Etruria. Import and imitation. B. Kennis ant. Besch., 84, vol. 59, p. 73-112.

1596. ISLER (H.P.). Ceramisti greci in Etruria in epoca tardogeometrica. Numism. e Ant. class., 83, a. 12, p. 9-48.

1597. JANNOT (Jean-René). Les reliefs archaïques de Chiusi. Roma, Ecole franç. de Rome; diff. Paris, de Boccard, 84, in-4, XV-446 p. (fig., 3 pl.). (Coll. de l'Ec. franç. de Rome, 71) - IDEM. Sur les fausses portes étrusques. Latomus, 84, t. 43, p. 273-283.

1598. JOLIVET (Vincent). Aspects du théâtre comique en Etrurie préromaine et romaine. A propos d'un vase étrusque à figures rouges au Musée du Louvre [à Paris]. R. archéol., 83, p. 13-50.

1599. MAGGIANI (A.). Qualche osservazioni sul fegato di Piacenza. Studi etruschi, 82 [84], a. 50, p. 53-88.

1600. MAVLEEV (E.V.). Ėtrusskie zerkala. (Etruscan mirrors.) Sovet. Arkheol., 84, n° 2, p. 22-33.

1601. MOSCATI (Paola). Ricerche matematico-statistiche sugli specchi etruschi. Roma, Acad. Naz. dei Lincei, 84, in-8, 265 p. (ill.).

1602. NEMIROVSKIJ (A.I.). Ėtrusskaja zagadka. (The enigma of the Etruscans.) Vopr. Ist., 84, n° 3, p. 95-107.

1603. NEMIROVSKIJ (A.I.), CYMBURSKIJ (V.L.). F. Engels o rimskom rode i nekotorye problemy sovremennoj ėtruskologii. (F. Engels on the Roman clan and problems of modern etruscology.) Vestn. drevn. Ist., 84, n° 3, p. 3-23.

1604. Rivista di epigrafia etrusca. A cura di Mauro CRISTOFANI et al. Studi etruschi, 82 [84], a. 50, p. 259-374.

1605. Scavi e scoperte. Studi etruschi, 82 [84], a. 50, p. 445-537.

1606. SCHWARZ (S.J.). Etruscan black-figure vases in the U.S. National Museum of Natural History [Washington, D.C.]. Mitt. d. deutsch. archäol. Inst., Rom, 84, Bd 91, p. 47-77.

1607. SPRENGER (M.), BARTOLINI (G.). The Etruscans, their history, art and architecture. London, Abrams, 84, in-4, 471 p.

1608. STRANDBERG-OLOFSSON (Margaret). The head antefixes and relief plaques. Part 1: A reconstruction of terracotta decoration and its architectural setting. Rom, Svenska inst. i Rom; Lund. P. Åström, 84, in-4, 157 p. (47 fig., 4 pl.). (Acquarossa, 5/1) [Cf. Bibl. 83, n°s 1715, 1717]

1609. TESTA (A.). Considerazione sull'uso del candelabro in Etruria nel V e IV secolo. Mél. Archéol. Hist. Ec. franç. Rome, 83, t. 95, p. 599-616.

Cf. n° 321.

§ 3. Fonti e critica delle fonti.

* 1610. RUTZ (Werner). Lucan 1964-1983. Lustrum, 84, Bd 26, p. 105-203.

* Cf. n°s 1149, 2114.

1611. BEN ABDALLA (Z.), LADJIMI SEBAI (L.). Index onomastique des inscriptions latines de la Tunisie. [Suivi de:] Index onomastique des inscriptions latines d'Afrique. Paris, Ed. du C.N.R.S., 84, in-4, 96 p.

1612. Corpus cultus equitis Thracii (CCET). 2: Monumenta inter Danubium et Haemum reperta. [Pars 1. Cf. Bibl. 81, n° 1514.] Pars 2: Regio oppidi Tărgovište, Abrittus et vicinia, Sexaginta Prista et vicinia, Nicopolis ad Istrum et vicinia, Novae. Ed. Zlatozara GOČEVA et Manfred OPPERMANN. Leiden, Brill, 84, in-8, XV-142 p. (79 pl., carte). (Et. prélim. aux religions orient. dans l'Empire romain, 74)

1613. CRAWFORD J.W.). M. Tullius Cicero. The lost and unpublished orations. Göttingen, Vandenhoeck u. Ruprecht, 84, in-8, X-324 p. (Hypomnemata, 80)

1614. FUCHS (Manfred), UBL (Hannsjörg). Neufunde römischer Inschriften in Pörtschach am Berg und Poggersdorf. Carinthia, 84, vol. 174, p. 49-54.

1615. GIUFFRIDA (C.). Per una datazione dell'Epitoma rei militaris di Vegezio. Politica e propaganda nell'età di Onorio. Siculorum Gymnasium, 81 [84], a. 34, p. 25-56.

1616. Historia Apollonii regis Tyri. Hrsg. v. G. A. A. KORTEKAAS. Groningen, Bouma, 84, in-8, XXX-470 p. (Mediaevalia Groning., 3) ([Cf. n° 1630]

1617. Historische Inschriften zur römischen Kaiserzeit. Von Augustus bis Konstantin. Übers. u. hrsg. v. Helmut FREIS. Darmstadt, Wiss. Buchges., 84, in-8, XVII-270 p. (Texte z. Forschung, 49)

1618. Inscripţiile antice din Dacia şi Scythia Minor. (Les inscriptions antiques de Dacie et de Scythie Mineure.) Colecţie îngrijită de D. M. PIPPIDI şi I. I. RUSSU. Seria I: Inscripţiile Daciei Romane. Vol. 3: Dacia Superior. [2. Cf. Bibl. 80, n° 1467.] 3: Zona centrală (teritoriul dintre Ulpia Traiana, Micia, Apulum, Alburnus Maior, Valea Crişului). Adunate, însoţite de comentarii şi indice, trad. de Ioan I. RUSSU, în colab. cu Octavia FLOCA, Volker WOLLMANN. Bucureşti, Ed. Acad., 84, in-8, 471 p.

1619. KEITEL (Elizabeth). Principate and civil war in the Annals of Tacitus. Am. J. Philol., 84, vol. 105, n° 3, p. 306-325.

1620. MAIER (Jean-Louis). Genavae Augustae. Les inscriptions romaines de Genève. Genève, Droz, 84, 168 p. (25 ill.). (Hellas et Roma, 2)

1621. Minor declamations (The) ascribed to Quintilian. Critical ed. with intr. a. comment. by Michael WINTERBOTTOM. Berlin a. New York, 84, in-8, XXXIII-622 p. (Texte u. Komm., 13)

1622. PAUL (G.M.). A historical commentary on Sallust's Bellum Jugurthinum. Liverpool, Cairns, 84, in-8, XXVI-276 p. (ARCA, 13)

1623. REMY (B.). Les inscriptions de médecins en Gaule. Gallia, 84, t. 42, p. 115-152.

1624. SALVATORE (A.). Edizione critica e critica del testo. Roma, Jouvence, 84, in-8, 127 p. (Guide allo studio della civ. romana, IV, 6)

1625. STYLOW (A.U.). Inscripciones latinas del sur de la provincia de Córdoba. Gerión, 83, t. 1, p. 267-303.

1626. VÄISÄNEN (Maija). La musa poliedrica. Indagine storica su Catull. carm. 4. Helsinki, 84, in-8, 48 p. (A. Acad. Sci. Fennicae, Ser. B, 224)

1627. VITRUVE. De architectura. Concordance: documentation bibliographique, lexicale et grammaticale. Vol. 1, 2. [Centre d'Etudes et de Recherches des langues anciennes, Univ. de Caen.] Ed. par Louis CALLEBAT. Hildesheim, Zürich u. New York, Olms-Weidmann, 84, 2 vol. in-4, LXXXI-662 p., p. 663-1383. (Alpha-Omega, Reihe A, 43)

1628. WALLACE-HADRILL (Andrew). Suetonius: the scholar and his Caesars. New Haven, Conn., Yale U.P., 84, VIII-216 p.

1629. ZETZEL (G.). Servius and triumviral history in the Eclogues. Class. Philol., 84, vol. 79, n° 2, p. 139-141.

1630. ZIEGLER (R.). Die Historia Apollonii Regis Tyri und der Kaiserkult in Tarsos. Chiron, 84, Bd 14, p. 219-234. [Cf. n° 1616]

1631. ZWIERLEIN (O.). Prolegomena zu einer kritischen Ausgabe der Tragödien Senecas. Wiesbaden, Steiner, 84, in-8, 269 p. (14 Abb., 13 Tab., 22 Taf.). (Abh. d. Akad. d. Wiss. in Mainz, Geistes- u. sozialwiss. Kl., 1983, 3)

§ 4. Storia generale e politica.

1632. ALBERT (Gerhard). Goten in Konstantinopel. Untersuchungen zur oström. Gesch. um d. Jahr 400 n. Chr. Paderborn, Schöningh, 84, in-8, 211 p. (Studien zu Gesch. u. Kultur d. Altertums, N.F., Reihe I, 2)

1633. ALFÖLDI (Andreas). Caesariana. Ges. Aufsätze z. Gesch. Caesars u. seiner Zeit. Aus d. Nachlaß hsrg. v. Elisabeth ALFÖLDI-ROSENBAUM. Bonn, Habelt, 84, in-4, 354 p. (ill.). (Antiquitas, Reihe 3, 27)

1634. ARCE MARTÍNEZ (Javier). Estudios sobre el emperador Fl. Cl. Juliano (fuentes literarias). Madrid, Consejo Superior de Investig. Cient., 84, in-4, 260 p. (Anejos del Arch. español de Arqueol.)

1635. Aufstieg und Niedergang der römischen Welt. Geschichte u. Kultur Roms im Spiegel d. neueren Forschung. Hrsg. v. Hildegard TEMPORINI u. Wolfgang HAASE. 2: Principat. [Bd 10, 2; 29, 1, 2; 30. Cf. Bibl. 83, n° 1769.] Bd 17: Religion. Hrsg. v. Wolfgang Haase. Teilbd 3 (Heidentum. Röm. Götterkulte, oriental. Kulte in d. röm. Welt [Forts.]). Bd 21: Religion, Halbbd 1, 2 (Hellenist. Judentum in röm. Zeit. Philon u. Josephus). Bd 25: Religion. Teilbd 2 (Vorkonstantin. Christentum. Leben u. Umwelt Jesu. Neues Testament [Forts.]. Kanonische Schriften u. Apokryphen]. Bd 32: Sprache u. Literatur. Hrsg. v. Wolfgang Haase. Teilbd 1 (Literatur d. Julisch-Claudischen u. d. Flavischen Zeit).

Berlin u. New York, de Gruyter, 84, 5 vol. in-8, VIIIp., p. 1740-2357; IX-759 p.; IX p., p. 764-1342; X p., p. 894-1885; XI-650 p. (Ill., graph. Darst.).

1636. AUJOULAT (Noël). Eusébie, Hélène et Julien [suite et fin de Bibl. 83, n° 1770]. Byzantion, 83 [84], t. 53, fasc. 2, p. 421-452.

1637. BADIAN (Ernst). The death of Saturninus. Studies in chronology and prosopography. Chiron, 84, Bd 14, p. 101-147.

1638. BADIAN (Ernst). Foreign clientelae, 264-70 B.C. London, Oxford U.P., 84, in-8, 356 p.

1639. BALDUS (H.R.). Theodosius der Große und die Revolte des Magnus Maximus - das Zeugnis der Münzen. Chiron, 84, Bd 14, p. 175-192.

1640. BERNHARDT (Rainer). Polis und römische Herrschaft in der späten Republik (149-31 v. Chr.). Berlin, de Gruyter, 84, in-8, VIII-318 p. (Unters. z. ant. Lit. u. Gesch., 21)

1641. BIANCHI (A.). Aspetti della politica economic-fiscale di Filippo l'Arabo. Aegyptus, 83, a. 63, p. 185-198.

1642. BICHIR (Gheorghe). Geto-Dacii din Muntenia în epoca romană. (Les Géto-Daces de Munténie à l'époque romaine.) București, Ed. Acad., 84, in-8, 176 p.

1643. BLOIS (Lukas de). The third century crisis and the Greek elite in the Roman Empire. Historia [Wiesbaden], 84, Bd 33, p. 358-377.

1644. BRADFORD (Ernle). Julius Caesar, the pursuit of power. London, H. Hamilton, 84, in-8, 256 p.

1645. BRAUND (D.). Augustus to Nero: source book on Roman history, 31 B.C. - A.D. 68. London, Croom Helm, 84, in-8, 352 p. (ill.).

1646. CAMPBELL (John B.). The Emperor and the Roman army, 31 B.C. to A.D. 235. London, Oxford U.P., 84, in-8, XX-468 p.

1647. CESARETTI (Maria Pia). Nerone in Egitto. Aegyptus, 84, a. 64, p. 3-25 (12 tav.).

1648. CHAUMONT (M.L.). L'expédition de Pompée le Grand en Arménie et au Caucase (66 - 65 av. J.-C.). Quad. catanesi, 84, a. 6, p. 17-94.

1649. DAHLHEIM (Werner). Geschichte der römischen Kaiserzeit. München u. Wien, Oldenbourg, 84, in-8, X-257 p. (Oldenbourg Grundriß d. Gesch., 3)

1650. DALY (Lawrence J.). Augustus and the murder of Varro Murena (cos. 23 B.C.). His implication and its implications. Klio, 84, Bd 66, p. 157-169.

1651. DEMANDT (Alexander). Der Fall Roms. Die Auflösung d. röm. Reiches im

§ 4. STORIA GENERALE E POLITICA

Urteil d. Nachwelt. München, Beck, 84, in-8, 694 p.

1652. Demokratia et artistokratia. A propos de Caius Gracchus: mots grecs et réalités romaines. Sous la dir. de Claude NICOLET. Paris, Publ. de la Sorbonne, 83, in-8, 134 p. (Publ. de la Sorbonne, Sér. Hist. anc. et médiévale, 10)

1653. DITTRICH (U.B.). Die Beziehungen Roms zu den Sarmaten und Quaden im vierten Jahrhundert n. Chr. (nach der Darstellung des Ammianus Marcellinus). Bonn, Habelt, 84, in-8, VIII-276 p. (Habelts Diss.-Drucke, Reihe Alte Gesch., 21)

1654. EARL (Donald). The moral and political traditions of Rome. London, Thames a. Hudson, 84, in-8, 160 p. (Aspects of Greek a. Roman Life)

1655. ELBERN (Stephan). Usurpationen im spätrömischen Reich. Bonn, Habelt, 84, in-8, 255 p. (Habelts Diss.-Drucke, Reihe Alte Gesch., 18)

1656. EUZENNAT (Maurice). Les troubles de Maurétanie. C.-R. Acad. Inscript., 84, p. 372-391.

1657. GEIGER (Joseph). Contemporary politics in Cicero's De Republica. Class. Philol., 84, vol. 79, n° 1, p. 38-42.

1658. HALPERIN (J.L.). Tribunat de la plèbe et haute plèbe (493-218 av. J.-C.). R. hist. Droit franç. étr., 84, t. 62, p. 161-181.

1659. HARMAND (Jacques). Vercingétorix. Paris, Fayard, 84, in-8, 416 p.

1660. HÖLSCHER (Tonio). Staatsdenkmal und Publikum vom Untergang der Republik bis zur Festigung des Kaisertums in Rom. Konstanz, Univ.-Verl., 84, in-8, 87 p. (Xenia, 9)

1661. HORST (E.). Konstantin der Große. Eine Biographie. Düsseldorf, Claassen, 84, in-8, 395 p. (Ill.).

1662. HOYOS (B. Dexter). The Roman-Punic pact of 279 B.C.: its problems and its purpose. Historia [Wiesbaden], 84, Bd 33, p. 402-439.

1663. ISAAC (Benjamin). Bandits in Judaea and Arabia. Harvard Stud. class. Philol., 84, vol. 88, p. 171-203.

1664. JACQUES (François). Le privilège de liberté. Politique impériale et autonomie municipale dans les cités de l'Occident romain, 161-244. Rome, Ecole franç. de Rome; diff. Paris, de Boccard, 84, in-8, XXXVI-868 p. (Coll. de l'Ec. franç. de Rome, 76)

1665. JONES (Brian W.). The emperor Titus. London, Croom Helm, 84, in-8, 227 p.

1666. JONES (Brian W.), MILNS (R.D.). The use of documentary evidence in the study of Roman imperial history. Sydney, Univ. Press, 84, in-8, 202 p.

1667. KAMIENIK (Roman). Studia nad powstaniem Spartakusa. (Etudes sur l'insurrection de Spartacus.) Lublin, 84, in-8, 180 p. (Uniw. M. Curie-Skłodowskiej w Lublinie. Inst. Hist.)

1668. KEAVENEY (Arthur). Who were the Sullani? Klio, 84, Bd 66, p. 114-150.

1669. KEPPIE (Lawrence J. F.). The making of the Roman army. From Republic to Empire. London, Batsford, 84, in-8, 271 p. (ill., 16 pl.).

1670. KLOFT (Hans). Aspekte der Prinzipatsideologie im frühen Prinzipat. Gymnasium, 84, Bd 91, p. 306-326.

1671. KORSUNSKIJ (A.R.), GJUNTER (R.). Upadok i gibel' Zapadnoj Rimskoj imperii i vozniknovenie germanskikh korolevstv (do serediny VI v.). (The fall of the Roman Empire and the emergence of Germanic kingdoms till the middle of the 6th cent.) Moskva, Izd.-vo MGU, 84, 255 p.

1672. KOTULA (Tadeusz). Rozpad konfederacji czterech kolonii cyrteńskich: zjawisko kryzysowe? (La dissolution de la confédération des quatre colonies cirtéennes: phénomène de crise?) Przegl. hist., 84, vol. 75, p. 225-237.

1673. KUČMA (V.V.). O nekotorykh spornykh problemakh traktata Seksta Julija Frontina "Strategemy". (Some disputed questions concerning the Strategematica of Frontinus.) Vestn. drevn. Ist., 84, p. 45-55.

1674. LEVEAU (Philippe). Caesarea de Maurétanie. Une ville romaine et ses campagnes. Rome, Ecole franç. de Rome; diff. Paris, de Boccard, 84, in-4, X-556 p. (251 fig.). (Coll. de l'Ec. franç. de Rome, 70)

1675. LEVEQUE (Pierre), LEVEQUE (M.). Les villes dans l'Occient romain. Paris, Les Belles lettres, 84, in-8, 352 p. (A. litt.Univ. Besançon, 288. Centre de recherche d'hist. anc., 52)

1676. MALITZ (Jürgen). Caesars Partherkrieg. Historia [Wiesbaden], 84, Bd 33, p. 21-59.

1677. MARTIN (J.). Zum Selbstverständnis, zur Repräsentation und Macht des Kaisers in der Spätantike. Saeculum, 84, Bd 35, p. 115-131.

1678. MEIJER (F.J.). Cato's African figs. Mnemosyne, 84, ser. 4, vol. 38, p. 117-124.

1679. MILLAR (Fergus). The political character of the classical Roman republic, 200-151 B.C. J. roman Stud., 84, vol. 74, p. 1-19.

1680. MILLAR (Fergus), SEGAL (Erich). Caesar Augustus: seven aspects. London, Oxford U.P., 84, in-8, 230 p.

1681. ORENA (R.). Rivolta e rivoluzione. Il Bellum di Spartaco nella crisi della repubblica e la riflessione storiografica moderna. Milano, Giuffrè, 84, in-8, 308 p.

1682. PISO (Ioan), BENEA (Doina). Das Militärdiplom von Drobeta [1. April 179 n. Chr.]. Z. f. Papyrol. u. Epigr., 84, Bd 56, p. 263-295.

1683. POHLSANDER (H.A.). Crispus. Brilliant career a. tragic end. Historia [Wiesbaden], 84, Bd 33, p. 79-106.

1684. POMA (Gabriella). Tra legislatori e tiranni. Problemi storici e storiografici sull'età delle XII Tavole. Bologna, Pàtron, 84, in-8, 386 p. (Studi di storia, 2)

1685. RICH (J.W.). Roman aims in the first Macedonian war. Proc. Cambridge philol. Soc., 84, vol. 210, p. 126-180.

1686. RODDAZ (Jean-Michel). Marcus Agrippa. Rome, Ecole franç. de Rome; diff. Paris, de Boccard, 84, in-4, X-734 p. (42 ill., carte). (Biblioth. des Ec. franç. d'Athènes et de Rome, 253)

1687. SHAHID (Irfan). Rome and the Arabs. A prolegomenon to the study of Byzantium and the Arabs. Washington, D.C., Dumbarton Oaks Research Library, 84, in-8, XXXI-193 p. (2 pl., 5 maps). - IDEM. Byzantium and the Arabs in the fourth century. Washington, D.C., Dumbarton Oaks Research Library, 84, in-8, XXIII-632 p. (4 pl.).

1688. SHERWIN-WHITE (A.N.). Roman foreign policy in the East, 168 B.C. to A.D. 1. Norman, Univ. of Oklahoma Press; London, Duckworth, 84, in-8, VII-352 p. (3 maps).

1689. SIKORKSI (Janusz). Kanny 216 p. n. e. (Cannes, 216 av. J.-C.) Warszawa, Wydawn. Min. Obrony Narod., 84, in-8, 191 p. (Hist. Bitwy)

1690. SOMMER (C. Sebastian). The military vici of Roman Britain. London, Brit. Archaeol. Rep., 84, in-4, 200 p. (ill.).

1691. State and society in Roman Galilee, A.D. 132-212. Ed. by M. GOODMAN. Totowa, N.J., Rowman a. Allanheld, 83, in-8, X-305 p.

1692. STROBEL (Karl). Untersuchungen zu den Dakerkriegen Trajans. Studien zur Gesch. d. mittleren u. unteren Donauraumes in d. Hohen Kaiserzeit. Bonn, Habelt, 84, in-8, 284 p. (Kt.). (Antiquitas, Reihe 1: Abh. z. alten Gesch., 33)

1693. SYME (Sir Ronald). Roman papers. Vol. 3. Ed. by Anthony R. BIRLEY. London, Oxford U.P., 84, in-8, 702 p. - IDEM. Hadrian and the Senate. Athenaeum [Pavia], 84, a. 62, p. 31-60.

1694. TALBERT (Richard J. A.). The senate of imperial Rome. Princeton, N.J., Princeton U.P., 84, in-8, XVIII-583 p. (map).

1695. UTČENKO (S.L.). Julij Cezar'. (Julius Caesar.) 2-e izd. Moskva, Mysl', 84, 342 p.

1696. Villes et peuplement dans l'Illyricum protobyzantin. Actes du Colloque organisé par l'Ecole française de Rome (Rome, 12-14 mai 1982). Rome, Ecole franç. de Rome; diff. Paris, de Boccard, 84, in-8, 542 p. (ill.). (Coll. de l'Ec. franç. de Rome, 77)

1697. WARDMAN (Alan E.). Usurpers and internal conflicts in the 4th century A.D. Historia [Wiesbaden, 84, Bd 33, p. 220-237.

1698. WELLS (Colin Michael). The Roman Empire. London, Fontana, 84, in-8, X-354 p. (8 ill., 8 pl.). (Fontana Hist. of the Ancient World)

1699. WISSEMANN (M.). Rom und das Kaspische Meer. Rhein. Mus., 84, Bd 127, p. 166-173.

Cf. n°s 128, 802, 1310, 1593, 1803, 1880, 1992, 2777.

§ 5. Storia del diritto e delle istituzioni.

* 1700. Rassegna bibliografica [di diritto romano]. Iura, 80 [84], a. 31, p. 305-465.

* Cf. n°s 1147, 1148.

1701. AMELING (W.). Das Archontat in Bithynien und die Lex Provinciae des Pompeius. Epigraphica anatol., 84, Bd 3, p. 19-31.

1702. AVRAM (Alexandru). Observații cu privire la autonomiile rurale din Dobrogea romană (secolele I-III e.n.). (Considérations sur les autonomies rurales dans la Dobroudja romaine, Ier-IIIe s. de n. è.) Studii Cercet. Ist. veche Arheol., 84, t. 35, n° 2, p. 158-169.

1703. BELLONI (G.G.). Asylia e santuari greci dell'Asia Minore al tempo di Tiberio. Vita e Pensiero, 84, a. 10, p. 164-180.

1704. BIANCHI (E.). In tema d'usura. Canoni conciliari e legislazione del IV secolo. [I. Cf. Bibl. 83, n° 1866.] II. Athenaeum [Pavia], 84, a. 62, p. 136-153.

1705. BIANCHI FOSSATI VANZETTI (M.). Vendita ed esposizione degli infanti da Costantino a Giustiniano. Studia Doc. Hist. et Iuris, 83, t. 49, p. 179-224.

1706. BONA (F.). I Libri iuris civilis di Cassio e i Libri ex Cassio di Giavoleno. A proposito di U. Manthe, Die Libri ex Cassio des Iavolenus Priscus [Cf. Bibl. 82, n° 1809]. Studia Doc. Hist. et Iuris, 84, t. 50, p. 401-461.

1707. BRETONE (M.). Il giureconsulto e la memoria. Quad. Storia, 84, a. 10, n° 20, p. 223-255.

1708. CIMMA (Maria Rosa). De non numerata pecunia. Milano, Giuffrè, 84, in-4, 244 p. (Pubbl. Istit. di diritto roma-

§ 5. STORIA DEL DIRITTO E DELLE ISTITUZIONI

no e dei diritti dell'Oriente mediterraneo, Univ. di Roma, 61)

1709. Des ordres à Rome. Sous la dir. de Claude NICOLET. Paris, Publ. de la Sorbonne, 84, in-8, 280 p. (Publ. de la Sorbonne, Hist. anc. et médiév., 13)

1710. DI LELLA (L.). Formulae fictae. Contributo allo studio della riforma giudiziaria di Augusto. Napoli, Jovene, 84, in-8, 204 p. (Pubbl. della Fac. giur. dell'Univ. di Napoli, 177)

1711. DILIBERTO (O.). Studi sulle origini della cura furiosi. Napoli, Jovene, 84, in-8, 138 p. (Univ. di Cagliari, Pubbl. Fac. di Giurisprud., ser. 1, 32)

1712. DREW-BEAR (Marie). Les conseillers municipaux des métropoles au IIIe siècle après J.-C. [en Egypte]. Chron. d'Egypte, 84, t. 59, fasc. 118, p. 315-332.

1713. DUCOS (M.). Les Romains et la loi. Recherches sur les rapports de la philosophie grecque et de la tradtion romaine à la fin de la République. Paris, Les Belles lettres, 84, in-8, 520 p. (Coll. d'Etudes anc.)

1714. FASCIONE (Lorenzo). Crimen e quaestio ambitus nell'età repubblicana. Contributo allo studio del diritto criminale repubblicano. Milano, Giuffrè, 84, in-8, 161 p. (Univ. G. d'Annunzio di Teramo, Collana della Fac. di Giurisprud., 8)

1715. FOTI TALAMANCA (Giuliana). Ricerche sul processo nell'Egitto greco-romano. Vol. 2, t. [1. Cf. Bibl. 80, n° 1540.] 2: L'introduzione del giudizio. Napoli, Jovene, 84, in-8, XII-231 p. (Pubbl. della Fac. giur. dell'Univ. di Bari, 75)

1716. GASCOU (Jacques). Pagus et castellum dans la confédértion cirtéenne. Antiquités afr., 83 [84], t. 19, p. 175-207.

1717. GONZÁLEZ FERNÁNDEZ (J.). Itálica, municipium iuris Latini. Mél. Casa de Velázquez, 84, t. 20, p. 17-43.

1718. GUARINO (Antonio). Le ragioni del giurista. Giurisprudenza e potere imperiale nell'età del principato romano. Napoli, Jovene, 83, in-8, 522 p.

1719. HORSTKOTTE (H.J.). Die Theorie vom römischen "Zwangsstaat" und das Problem der "Steuerhaftung". Königstein, Hain, 84, in-8, XIV-135 p. (Beitr. z. klass. Philol., 159)

1720. KEPPIE (Lawrence). Colonization and veteran settlement in Italy in the first century A.D. Pap. brit. School Rome, 84, vol. 52, p. 77-114.

1721. KIENAST (Dietmar). Der augusteische Prinzipat als Rechtsordnung. Z. d. Savigny-Stiftung f. Rechtsgesch., Romanist. Abt., 84, Bd 101, p. 115-141.

1722. LITTMAN (R.J.). The plague at Syracuse, 396 B.C. Mnemosyne, 84, ser. 4, vol. 38, p. 110-116.

1723. MAGDELAIN (A.). Quirinus et le droit. Spolia opima, ius fetiale, ius Quiritium. Mel. Archéol. Hist. Ec. franç. Rome, 84, t. 96, p. 195-237.

1724. MANNINO (V.). Ricerche sul defensor civitatis. Milano, Giuffrè, 84, in-8, 250 p. (Univ. di Roma, Pubbl. dell'Istit. di diritto romano, 62)

1725. MILLAR (Fergus). Condemnation to hard labour in the Roman Empire, from the Julio-Claudians to Constantine. Pap. brit. School Rome, 84, vol. 52, p. 124-147.

1726. Bibl. 82, n° 1814. MÜLLER-EISELT (Klaus Peter). Divus Pius constituit. - CR: A. D'Ors, Anu. Hist. Derecho español, 83 [84], t. 53, p. 622-630.

1727. MURGA (J.L.). Un posible régimen jurídico especial para los sepulcros romanos en Egipto. R. int. Droits Antiquité, 84, vol. 31, p. 205-282.

1728. Bibl. 82, n° 1818. PARICIO (Javier). La denuncia de obra nueva en el derecho romano clásico. - CR: F. Betancourt, Anu. Hist. Derecho español, 83 [84], t. 53, p. 634-642.

1729. POLAY (E.). Iniuria-Tatbestände im archaischen Zeitalter des antiken Rom. Z. d. Savigny-Stiftung f. Rechtsgesch., Romanist. Abt., 84, Bd 101, p. 142-189.

1730. Ricerche sulla organizzazione gentilizia romana. A cura di G. FRANCIOSI. Vol. 1. Napoli, Jovene, 84, in-8, XV-294 p.

1731. SIRKS (A.J.B.). Sulpicius Severus' letter to Salvius. B. Diritto romano, 82 [84], a. 85, p. 143-170.

1732. SPAGNUOLO VIGORITA (T.). Exsecranda pernicies. Delatori e fisco nell'età di Costantino. Napoli, Jovene, 84, in-8, XV-257 p. (Pubbl. Fac. giurid. dell'Univ. di Napoli, 213)

1733. SPEIDEL (Michael P.). Roman army studies. Vol. 1. Foreword by E. BIRLEY. Amsterdam, Gieben, 84, in-8, 436 p. (ill.). - IDEM. Germani corporis custodes. Germania, 84, Jg. 62, p. 31-45 (4 fig.).

1734. VOCI (Pasquale). Storia della patria potestas da Augusto a Diocleziano. Iura, 80 [84], a. 31, p. 37-100.

1735. VÖLKL (Artur). Die Verfolgung der Körperverletzung im frühen römischen Recht. Studien z. Verhältnis v. Tötungsverbrechen u. Injuriendelikt. Köln u. Wien, Böhlau, 84, in-8, XII-240 p. (Forsch. z. röm. Recht, 35)

1736. WEYAND (S.). Kaufverständnis und Verkäuferhaftung im klassichen römischen Recht. R. Hist. Droit, 83, vol. 51, p. 225-279.

1737. WILLE (K.). Die Versur. Eine rechtshist. Abhandlung über d. Zinskapitalisierung im alten Rom. Berlin, Duncker u. Humblot, 84, in-8, 147 p. (Schr. z. Rechtsgesch., 33)

1738. WILLVONSEDER (Reinhard). Die Verwendung der Denkfigur der "conditio sine qua non" bei den römischen Juristen. Köln u. Wien, Böhlau, 84, in-8, 201 p. (Wiener rechtsgeschichtl. Arbeiten, 14)

Cf. n°s 1153, 1664, 1992.

§ 6. Storia economica e sociale.

1739. ANAGNOSTOU-CAÑAS (B.). La femme devant la justice provinciale dans l'Egypte romaine. R. hist. Droit franç. étr., 84, t. 62, p. 337-360.

1740. ANDREAU (Jean). Histoire des métiers bancaires et évolution économique. Opus, 84, a. 3, p. 99-114.

1741. BEDON (R.). Les carrières et les carriers de la Gaule romaine. Paris, Picard, 84, in-8, 248 p. (ill., pl.).

1742. BERARD (F.). La carrière de Plotius, Grypus et le ravitaillement de l'armée impériale en campagne. Mél. Archéol. Hist. Ec. franç. Rome, 84, t. 96, p. 259-324.

1743. Bourgeoisies (Les) municipales italiennes au IIe et Ier siècle avant J.-C. Naples, Inst. franç. de Naples, Centre Jean-Bernard; diff. Paris, Les Belles lettres, 84, in-4, 467 p.

1744. BRADLEY (K.R.). Slaves and masters in the Roman Empire. A study in social control. Bruxelles, Latomus, 84, in-4, 164 p. (Coll. Latomus, 185)

1745. BRUN (J.). L'oléiculture antique en Provence d'après les recherches archéologiques récentes. Echos Monde class., 84, vol. 28, p. 249-262.

1746. Cadastres et espace rural. Approches et réalités antiques. Table ronde de Besançon, mai 1980. Publ. sous la dir. de Monique CLAVEL-LEVEQUE. Paris, Ed. du C.N.R.S., 84, in-4, 356 p. (128 fig., 4 cartes).

1747. CARRADICE (Ian). Coinage and finances in the reign of Domitian. London, Brit. Archaeol. Rep., 84, in-4, 193 p. (ill.).

1748. CASTRITIUS (Helmut). Zur Sozialgeschichte der Heermeister des Westreichs. Einheitl. Rekrutierungsmuster u. Rivalitäten im spätröm. Militäradel. Mitt. d. Inst. f. österr. Gesch.-Forsch., 84, Bd 92, H. 1-2, p. 1-33.

1749. CAVALLARO (Maria Adele). Spese e spettacoli: aspetti economico-strutturali degli spettacoli nella Roma giulio-claudia. Bonn, Habelt, 84, in-8, X-286 p. (Antiquitas, Reihe 1, 34)

1750. CLAVEL-LEVEQUE (Monique). L'empire en jeux. Espace symbolique et pratique sociale dans le monde romain. Paris, Ed. du C.N.R.S., 84, in-4, 232 p. (7 phot.).

1751. DRINKWATER (J.F.). Peasants and Bagaudae in Roman Gaul. Echos Monde class., 84, vol. 28, p. 349-371.

1752. GRASSL (Herbert). Die ethnischen und sozialökonomischen Bedingungen für die Romanisierung des Ostalpenraumes in der Spätantike. Grazer Beitr., 84, Bd 11, p. 251-267.

1753. GRILLI (A.). La documentazione sulla provenienza dell'ambro in Plinio. Acme, 83, n° 36, p. 5-17.

1754. HASEGAWA (Hirotaka). Calles Kō. Iboku to Kokka Roma. (Réflexions sur calles. La transhumance et l'Etat romain.) Nagoya Daigaku Shigaku Kenkyū Ronshū, 84, vol. 30, p. 1-35.

1755. HAVERSATH (J.B.). Die Agrarlandschaft im römischen Deutschland der Kaiserzeit (1.-4. Jh. n. Chr.). Passau, Passavia, 84, 114 p. (5 Abb., 19 Kt.). (Passauer Schr. z. Geogr., 2)

1756. HOBSON (D.). The role of women in the economic life of Roman Egypt. A case study from 1st-century Tebtunis. Echos Monde class., 84, vol. 28, p. 373-390.

1757. KEPARTOVÁ (Jana). Kinder in Pompeji. Eine epigraph. Untersuchung. Klio, 84, Bd 66, p. 192-209.

1758. KUDLIEN (F.). Anniversarii vicini. Zur freien Arbeit im römischen Dorf. Hermes, 84, Bd 112, p. 66-84.

1759. KUHOFF (Wolfgang). Der Handel im römischen Süddeutschland. Münstersche Beitr. z. ant. Handelsgesch., 84, Bd 3, H. 1, p. 77-107.

1760. MacMULLEN (Ramsay). The legion as a society. Historia [Wiesbaden], 84, Bd 33, p. 440-456.

1761. NEEVE (P. W. de). Colonus. Private farm-tenancy in Roman Italy during the Republic and the early Principate. Amsterdam, Gieben, 84, in-8, VII-273 p. - IDEM. Peasants in peril. Location and economy in Italy in the second century B.C. Amsterdam, Gieben, 84, in-8, 44 p. (ill.).

1762. NERAUDEAU (Jean-Pierre). Etre enfant à Rome. Paris, Les Belles lettres, 84, in-8, 411 p. (ill.). (Realia)

1763. PELLETIER (André). La femme dans la société gallo-romaine. Paris, Picard, 84, in-8, 144 p. (32 pl.).

1764. PEYRAS (Jean). Paysages agraires et centuriations dans le bassin de l'Oued Tine (Tunisie du Nord). Antiquités afr., 83, t. 19, p. 209-253.

1765. RINKEWITZ (W.). Pastio villatica. Untersuchungen zur intensiven Haustierhaltung in d. röm. Landwirtschaft. Frankfurt (Main) u. Bern, Lang, 84, in-8, 221 p. (Europ. Hochschulschr., Reihe 3: Gesch. u. ihre Hilfswiss., 234)

1766. SALLER (Richard P.). Familia, domus, and the Roman conception of the

§ 7. STORIA DELLA LETTERATURA, DELLA FILOSOFIA E DELLE SCIENZE

family. Phoenix, 84, vol. 38, p. 336-355.

1767. SCHLEICH (T.). Überlegungen zum Problem senatorischer Handelsaktivitäten. [I. Cf. Bibl. 83, n° 1955.] II. Münstersche Beitr. z. ant. Handelsgesch., 84, Bd 3, H. 1, p. 36-76.

1768. SHAW (Brent D.). Latin funerary epigraphy and family life in the later Roman Empire. Historia [Wiesbaden], 84, Bd 33, p. 457-497.

1769. TOZZI (Pierluigi). Caratteristiche e problemi della viabilità nel settore meridionale del territorio di Mediolanum. Athenaeum [Pavia], 84, a. 62, p. 230-251.

1770. TREGGIARI (S.). Digna condicio. Betrothals in the Roman upper class. Echos Monde class., 84, vol. 28, p. 419-451.

1771. TRISOGLIO (F.). La quotidianità dei rapporti sociali in Cicerone epistolografo. Civiltà class. e crist., 84, a. 5, p. 95-143.

1772. VERA (D.). Strutture agrarie e strutture patrimoniali nella tarda antichità. L'aristocrazia romana fra agricoltura e commercio. Opus, 83, a. 2, p. 489-533.

1773. WALSER (G.). Summus Poeninus. Beiträge z. Gesch. d. Großen St. Bernhard-Passes in röm. Zeit. Wiesbaden, Steiner, 84, in-8, 140 p. (Abb.). (Historia, Einzelschriften, 46)

1774. WIERSCHOWSKI (Lothar). Heer und Wirtschaft. Das röm. Heer d. Prinzipatszeit als Wirtschaftsfaktor. Bonn, Habelt, 84, in-8, VIII-345 p. (Habelts Diss.-Drucke, Reihe Alte Gesch., 20)

1775. WISEMANN (James). A distinguished Macedonian family of the Roman imperial period. Am. J. Archaeol., 84, vol. 88, n° 4, p. 566-582.

Cf. n°s 249, 1317, 1401, 1406, 1696, 1870.

§ 7. Storia della letteratura, della filosofia e delle scienze.

* 1776. McKAY (A.G.). Vergilian bibliography, 1982-1983, 1983-1984. Vergilius, 83, vol. 29, p. 55-76; 84, vol. 30, p. 44-60.

* 1777. MILITERNI DELLA MORTE (P.). Rassegna di studi tibulliani (1971-1983). B. Studi latini, 84, a. 14, p. 83-119.

1778. AMELING (W.). Cassius Dio und Bithynien. Epigraphica anatol., 84, Bd 4, p. 123-138.

1779. BAUZA (H.F.). Mito e historia en la leyenda de Eneas. A. Hist. ant medieval, 82, t. 23, p. 409-430.

1780. BALDWIN (B.). Suetonius, the biographer of the Caesars. Amsterdam, Gieben, 83, in-8, 579 p.

1781. BARCHIESI (Alessandro). La traccia del modello. Effetti omerici nella narrazione virgiliana. Pisa, Giardini, 84, in-8, 125 p. (Bibliot. di materiali e discussioni per l'analisi dei testi classici, 1)

1782. BIRTH (H.W.). Sextus Aurelius Victor. A historiographical study. Liverpool, Cairns, 84, in-8, X-175 p. (ARCA, 14)

1783. BURCK (Erich). Historische und epische Tradition bei Silius Italicus. München, Beck, 84, in-8, 179 p. (Zetemata, 80) - IDEM. Silius Italicus. Hannibal in Capua und die Rückeroberung der Stadt durch die Römer. Wiesbaden, Steiner, 83, in-8, 53 p. (Abh. d. Akad. d. Wiss. in Mainz, Geistes- u. sozialwiss., Kl., 1984, 13)

1784. CAMBEIS (H.). Das monarchische Element und die Funktion der Magistrate in Ciceros Verfassungsentwurf. Gymnasium, 84, Bd 91, p. 237-260.

1785. D'ANNA (G.). Virgilio e le recenti scoperte archeologiche a Lavinium. Sandalion, 83-84, a. 6-7, p. 93-101.

1786. FILLION-LAHILLE (Janine). Le De Ira de Sénèque et la philosophie stoïcienne des passions. Paris, Klincksieck, 84, in-8, 360 p. (Etudes et commentaires, 94)

1787. FO (A.). Barbari, stranieri e genti di terre lontane nella poesia di Virgilio. Quad. catanesi, 83, a. 5, p. 323-340.

1788. GASCOU (Jacques). Suétone historien. Rome, Ecole franç. de Rome; diff. Paris, de Boccard, 84, in-4, XVI-874 p. (Biblioth. des Ecoles franç. d'Athènes et de Rome, 255)

1789. GAUGER (J.D.). Der Rom-Hymnos der Melinno (Anth. lyr. II^2 6, 209 f.) und die Vorstellung von der Ewigkeit Roms. Chiron, 84, Bd 14, p. 267-299.

1790. GOUREVITCH (Danielle). Le mal d'être femme, ou la femme et la médecine dans la Rome antique. Paris, Les Belles lettres, 84, in-8, 276 p. (30 ill.). (Realia) [Cf. n° 1448]

1791. HARRIES (J.). Prudentius and Theodosius. Latomus, 84, vol. 43, p. 69-84.

1792. HEUBNER (H.). Kommentar zum Agricola des Tacitus. Göttingen, Vandenhoeck u. Ruprecht, 84, in-8, 148 p.

1793. JOHNE (Klaus-Peter). Zum Geschichtsbild der Historia Augusta. Klio, 84, Bd 66, p. 431-440.

1794. LAMBRECHT (U.). Herrscherbild und Principatsidee in Suetons Kaiserbiographien. Untersuchungen z. Caesar- u. Augustus-Vita. Bonn, Habelt, 84, in-8, 176 p. (Habelts Diss.-Drucke, Reihe Alte Gesch., 19)

1795. LEHNER (J.). Poesie und Politik in Claudians Panegyrikus auf das vierte

Konsulat des Kaisers Honorius. Ein Kommentar. Königstein, Hain, 84, in-8, 126 p. (Beitr. z. klass. Philol., 163)

1796. LETTA (Cesare). L'Italia dei mores romani nelle Origines di Catone. Athenaeum [Pavia], 84, a. 62, p. 3-30, 416-439.

1797. LITTLE (G.). Civium ardor prava iubentium. Öffentl. Meinung in d. Satiren des Horaz. Gymnasium, 84, Bd 91, p. 379-411.

1798. MacCULLOCH (H. Y.). Narrative cause in the Annals of Tacitus. Königstein, Hain, 84, in-8, X-232 p. (Beitr. z. klass. Philol., 160)

1799. MARTINDALE (C.). The politician Lucan. Greece a. Rome, 84, vol. 31, p. 64-79.

1800. MITCHELL (Thomas N.). Cicero on the moral crisis of the Late Republic. Hermathena, 84, vol. 136, p. 21-41.

1801. MORESCHINI (C.). Livio e il mondo greco. Studi class. e orient., 84, a. 34, p. 27-57.

1802. NOE' (Eralda). Storiografia imperiale pretacitiana: linee di svolgimento. Firenze, La nuova Italia, 84, in-8, 156 p. (Pubbl. Fac. Lettere e Filos. Univ. Pavia)

1803. Poetry and politics in the age of Augustus. Ed. by T. WOODMAN a. D. WEST. London a. New York, Cambridge U.P., 84, in-8, VIII-262 p.

1804. Présence de Cicéron. Hommage à M. Testard. Ed. par Raymond CHEVALLIER. Paris, Les Belles lettres, 84, in-8, 305 p. (Caesarodunum, 19)

1805. RIDDLE (J.M.). Gargilius Martialis as a medical writer. J. Hist. Medicine, 84, vol. 39, p. 409-429.

1806. SABBAH (G.). De la rhétorique à la communication politique: les panégyriques latins. B. Assoc. G. Budé, 84, p. 363-388.

1807. SCUDERI (Rita). Commento a Plutarco, "Vita di Antonio". Firenze, La nuova Italia, 84, in-8, 144 p. (Pubbl. Fac. Lettere e Filos. Univ. Pavia, 33)

1808. SØRENSEN (Villy). Seneca, eine Humanist an Neros Hof. München, Beck, 84, in-8, 320 p. - In Eng.: Seneca, the humanist at the court of Nero. Transl. by W. Glyn JONES. Chicago, Univ. of Chicago Press, 84, in-8, 352 p.

1809. SYNDIKUS (H.P.). Catull. Eine Interpretation. 1: Einleitung. Die kleinen Gedichte. Darmstadt, Wiss. Buchges., 84, in-8, VIII-293 p. (Impulse d. Forsch., 46)

1810. UDAL'COVA (Z.V.). Die Auffassung von Philosophie der Geschichte in den Werken der frühbyzantinischen Autoren [4.-7. Jh.]. Byzantinoslavica, 84, vol. 45, n° 1, p. 3-26.

1811. Virgilio in Sicilia. Convegno nazionale nel bimillenario della morte del poeta, Trapani 1981. Trapani, Assoc. Ludi di Enea, 83, in-8, 198 p.

1812. WITKE (C.). Horace's Roman odes. A critical examination. Leiden, Brill, 83, in-8, 85 p. (Mnemosyne, suppl., 77)

Cf. n°s 1308, 1311, 1461, 1464, 1484, 1771, 1815.

§ 8. Religione e mitologia.

1813. ARMSTRONG (A.H.). The way and the ways. Religious tolerance a. intolerance in the fourth century A.D. Vigiliae christianae, 84, t. 38, p. 1-17.

1814. BĂRBULESCU (Mihai). Interferenţe spirituale în Dacia romană. (Inteférences spirituelles en Dacie romaine.) Cluj-Napoca, Dacia, 84, in-8, 240 p.

1815. EGGERS (T.). Die Darstellung von Naturgottheiten bei Ovid und früheren Dichtern. Paderborn, Schöningh, 84, in-8, 300 p. (Stud. z. Gesch. u. Kultur d. Altertums, Reihe 1: Monogr., 1)

1816. FREI-STOLBA (R.). Götterkulte in der Schweiz zur römischen Zeit unter besonderer Berücksichtigung der epigraphischen Zeignisse. B. Antiq. luxemb., 84, t. 15, p. 75-126.

1817. GREEN (M.J.). The wheel as a cult-symbol in the Romano-Celtic world. Bruxelles, Latomus, 84, in-4, 408 p. (85 pl.). (Coll. Latomus, 183)

1818. HATT (Jean-Jacques). Apollon guérisseur en Gaule. Ses origines, son caractère, les divinités qui lui sont associées. Caractères de l'Apollon gaulois d'après les principaux textes anciens: César, Lucain et les gloses de Berne. R. archéol. Centre, 83, vol. 22, p. 185-218.

1819. HENIG (M.). Religion in Roman Britain. London, Batsford, 84, in-4, 256 p. (ill.).

1820. LOICQ (Jean). Les cultes de la Civitas Tungrorum, carrefour ethno-culturel entre Escaut et Rhin. B. Antiq. luxemb., 84, t. 15, p. 127-185.

1821. MANDEL (J.). State religion and superstition as reflected in Cicero's philosophical works. Euphrosyne, 83-84, a. 12, p. 70-110.

1822. MERKELBACH (Reinhold). Mithras. Königstein, Hain, 84, in-4, XVI-412 p. (181 Abb.).

1823. MOMIGLIANO (Arnaldo). Sulla religione romana. R. stor. ital., 84, a. 96, p. 771-783. - IDEM. The theological efforts of the Roman upper classes in the first century B.C. Class. Philol., 84, vol. 79, n° 3, p. 199-211.

1824. OLDENSTEIN (Jürgen). Opferplätze auf provinzialrömischem Gebiet. Frühmittelalterl. Stud., 84, Bd 18, p. 173-186.

1825. PÜTSCHER (W.). Die Lupercalia: eine Strukturanalyse. Grazer Beitr., 84, Bd 11, p. 221-249.

1826. PRICE (S.R.F.). Rituals and power: the Roman imperial cult in Asia Minor. London a. New York, Cambridge U.P., 84, in-8, XXVI-289 p. (ill., maps).

1827. RAINER (M.). Die Mithrasverehrung in Ostia. Klio, 84, Bd 66, p. 104-113.

1828. SAULNIER (C.). Laurens Lauinas. Quelques remarques à propos d'un sacerdoce équestre à Rome. Latomus, 84, t. 43, p. 517-533.

1829. SCHUBERT (W.). Jupiter in den Epen der Flavierzeit. Frankfurt (Main), Lang, 84, in-8, 350 p. (Stud. z. klass. Philol., 8)

1830. TORELLI (Mario). Lavinio e Roma. Riti iniziatici e matrimonio tra archeologia e storia. Roma, Quasar, 84, in-8, 300 p. (68 ill.).

1831. TRIEBEL-SCHUBERT (Charlotte). Die Rolle der Heilkulte in der römischen Republik. Eine Einführung zu ihrer polit. Funktion. Medizinhist. J., 84, Bd 19, p. 303-311.

Cf. n°s 489, 1517, 1612, 1843, 1925, 1944.

§ 9. Archeologia e storia dell'arte.

1832. ADAM (Jean-Pierre). La construction romaine. Matériaux et techniques. Paris, Picard, 84, in-4, 368 p. (756 ill.). (Grands manuels Picard)

1833. AGUARDO OTAL (C.), MOSTALAC CARRILLO (A.). Notas arqueológicas sobre un nuevo yacimiento romano en Farasdués (Zaragoza). Caesaraugusta, 83, t. 56-57, p. 141-170.

1834. ANDERSON (J.C.). The historical topography of the imperial fora [in Rome]. Bruxelles, Latomus, 84, in-4, 201 p. (30 pl.). (Coll. Latomus, 182)

1835. Archéologie et rapports sociaux en Gaule. Protohistoire et antiquité. Table ronde, C.N.R.S. de Besançon, mai 1982. Actes. Ed. par Alain DAUBIGNEY. Paris, Les Belles lettres, 84, in-8, 243 p. (A. litt. Univ. Besançon, 290. Centre de rech. d'hist. anc., 54)

1836. ARTEAGA (O.). Zur stratigraphischen Entwicklung der punischen und römischen Amphoren auf dem Cerro del Mar (Málaga). Vorbericht über die Grabungskampagne 1982. Mitt. d. deutsch. archäol. Inst., Madrid, 84, Bd 25, p. 34-71.

1837. BARATTE (François). Les portraits impériaux de Markouna et la sculpture officielle dans l'Afrique romaine. Mél. Ec. franç. Rome, Antiquité, 83, t. 95, p. 785-815.

1838. Beiträge zur Archäologie des römischen Rheinlandes. 4. Hrsg. v. Dorothea HAUPT. Köln, Rheinland-Verl., 84, in-4, 476 p. (Abb., 201 Taf., Kt.). (Rhein. Ausgrabungen, 23)

1839. BLÄNSDORF (J.). Römischen Ruinenstädte in Tunesien. Ein philol.-Archäol. Bericht. Gymnasium, 84, Nd 91, p. 519-536.

1840. BOERSMA (J.S.). Goritsa: the residential district. B. ant. Besch., 83, vol. 58, p. 61-82 (3 fig., 2 maps). - IDEM. Large-sized Insulae in Italy and the Western Roman provinces. Ibid., 82, vol. 57, p. 38-51 (19 fig.).

1841. BOGAERS (J.E.), HAALEBOS (J.K.) et al. Opgravingen in de Romeinse legioensvestingen te Nijmegen. [II. Cf. Bibl. 78-79, n° 1825.] III. Canisiuscollege, Hoge Veld, 1975-1977). (Ausgrabungen in den römischen Legionslagern zu Nijmegen.) Oudh. Meded. Leiden, 80 [81], vol. 61, p. 30-111 (pl.).

1842. BROUWER (M.). Römische Phalerae und anderer Lederbeschlag aus dem Rhein. Oudh. Meded. Leiden, 82 [83], vol. 63, p. 145-199 (12 fig.).

1843. BUCHHOLZ (P.). Religious sculpture in Roman Germania and adjacent regions. J. indo-europ. Stud., 84, vol. 12, p. 31-75.

1844. BURNAND (Yves). Etudes d'architecture gallo-romaine. Nancy, Presses univ. Nancy, 84, in-4, 190 p. (ill.). (Etudes lorraines d'archéol. nationale)

1845. CARANCINI (G.L.). Le asce nell'Italia continentale. 2. München, Beck, 84, in-4, XV-258 p. (183 fig.). (Prähist. Bronzefunde, Abt. 9, 12)

1846. COPPOLA (M.R.). Il foro emiliano di Terracina. Rilievo, analisi tecnica, vicende storiche del monumento. Mél. Archéol. Hist. Ec. franç. Rome, 84, t. 96, p. 325-377.

1847. Corpus signorum Imperii Romani. Corpus of sculpture of the Roman world. Great Britain. Vol. 1, fasc. [2. Cf. Bibl. 82, n° 1950.] 4: Scotland. By Lawrence J. F. KEPPIE, Beverly J. ARNOLD. London, Oxford U.P., 84, in-4, 88 p. (pl.).

1848. CRICKMORE (Julie). Romano-British settlements in the West Midlands. London, Brit. Archaeol. Rep., 84, in-4, 136 p. (ill.). - EADEM. Romano-British urban defences. London, Brit. Archaeo. Rep., 84, in-4, 205 p. (ill.).

1849. CURTIS (Robert I.). A personalized floor mosaic from Pompeii. Am. J. Archaeol., 84, vol. 88, n° 4, p. 557-566.

1850. DIAS DIOGO (A.M.). O material romano de la campanha de escavações na Alcáçova de Santarém. Conimbriga, 84, a. 23, p. 111-141.

1851. DRURY (P.J.). The temple of Claudius at Colchester reconsidered. Britannia, 84, vol. 15, p. 7-50.

1852. DYSON (Stephen L.). The Roman villas of Buccino. London, Brit. Archaeol. Rep., 84, in-4, 360 p. (ill.).

1853. EMBLETON (Ronald), GRAHAM (Frank). Hadrian's Wall in the days of the Romans. Newcastle-upon-Tyne, F. Graham, 84, in-8, 320 p. (ill., pl.).

1854. ENNAÏFER (M.). Le thème des chevaux vainqueurs à travers la série des mosaïques africaines. Mél. Ec. franç. Rome, Antiquité, 83, t. 95, p. 817-858.

1855. EQUINI SCHNEIDER (E.). La Tomba di Nerone sulla Via Cassia. Studio sul sarcofago di Publio Vibio Mariano. Roma, Bretschneider, 84, in-4, 85 p. (18 fig., 15 tav.). (Archaeologica, 55)

1856. FRASCA (M.). Una nuova capanna sicula a Siracusa, in Ortigia. Tipologia dei materiali. Mitt. d. deutsch. archäol. Inst., Rom, 83, Bd 95, p. 565-598.

1857. FREMERSDORF (F.), POLONYI-FREMERSDORF (E.). Die farblosen Gläser der Frühzeit in Köln, 2. und 3. Jahrhundert. Bonn, Habelt, 84, XII-144 p. (Ill.). (Die Denkmäler d. röm. Köln, 9)

1858. FRERE (Sheppard S.). Verulamium excavations. Vol. [2. Cf. Bibl. 83, n° 2058.] 3. Oxford, Oxbow Books, 84, in-4, 300 p. (ill.). (Univ. of Oxford Comm. for Archaeol.)

1859. FÜLEP (Ferenc). Sopianae. The history of Pécs during the Roman era, and the problem of the continuity of the late Roman population. Budapest, Akad. Kiadó, 84, in-4, 391 p. (1 pl., 3 maps). (Archaeologica Hungarica, 50)

1860. GAWLIKOWKSI (Michał). Les principia de Dioclétien "Temple des Enseignes". Avec une contrib. de Maria KROGULSKA. Varsovie, Ed. Scient. de Pologne, 84, in-8, 133 p. (Univ. de Varsovie, Centre d'archéol. méditerr. dans la République Arabe d'Egypte au Caire, en collab. avec le Centre d'archéol. méditerr. de l'Acad. pol. des Sci.)

1861. GEVA (Hillel). The camp of th Tenth Legion in Jerusalem: an archaeological reconsideration. Israel Explor. J., 84, vol. 34, p. 239-254 (plans).

1862. GRAMATOPOL (Mihai). Arta imperialǎ a epocii lui Traian. (L'art impérial de l'époque de Trajan.) Bucureşti, Meridiane, 84, 266 p.

1863. GSCHWANTNER (K.). Donaureiter-Reliefs in Österreich. Neuerwerbung und Neufunde. Röm. Österreich, 83-84, Bd 11-12, p. 107-143.

1864. GYÉMÁNT (Amalia), GUDEA (Nicolae). Castrul roman de la Buciumi. Propuneri pentru o reconstituire graficǎ (I). (Le camp fortifié romain de Buciumi [Roumanie]. Propositions visant à une reconstitution graphique.) Acta Musei porolissensis, 84, t. 8, p. 165-209.

1865. JOLY (E.), TOMASELLO (F.). Il tempio a divinità ignota di Sabratha. Appendice: GARRAFFO (S.). Le monete. Premessa di G. CAPUTO. Roma, L'Erma, 84, 196 p. (55 ill., 35 tav.). (Monogr. di archeol. libica, 18)

1866. KRANZ (P.). Jahreszeiten-Sarkophage. Entwicklung u. Ikonographie d. Motivs d. vier Jahreszeiten auf kaiserzeitl. Sarkophagen u. Sarkophagendeckeln. Berlin, Mann, 84, 320 p. (128 Taf.). (Die antiken Sarkophagenreliefs, V, 4)

1867. LADENBAUER-OREL (Hertha). Mittelalterliche Quellen zur römischen Lagermauer von Vindobona. Wien. Gesch.-Bl., 84, Bd 39, p. 67-79.

1868. LANDER (James). Roman stone fortifications: variation and change from the 1st century A.D. to the 4th. London, Brit. Archaeol. Rep., 84, in-4, 363 p. (ill.).

1869. LEVEAU (Philippe). Recherches sur les nécropoles occidentales de Cherchel (Caesarea Mauretaniae), 1880-1961. Antiquités afr., 83, t. 19, p. 85-173.

1870. MAYET (Françoise). Les céramiques sigilées hispaniques. Contributions à l'histoire écon. de la péninsule ibérique sous l'Empire romain. Avec la collab. de M. PICON, A. TAVARES. T. 1, 2. Paris, de Boccard, 84, 2 vol. in-4, 356, 269 p. (ill., pl.). (Publ. du Centre P. Paris, 12)

1871. MERRIFIELD (Ralph). London, city of the Romans. London, Batsford, 83, XI-288 p. (ill., 60 pl.). [Am. ed. Cf. Bibl. 83, n° 1940]

1872. MOLIN (M.). Quelques considérations sur le chariot des vendanges de Langres (Haut-Marne). Gallia, 84, t. 42, p. 97-114.

1873. NÄSMAN (Ulf). Glas och handel i senromersk tid och folkvandingstid: en studie kring glas från Eketorp-II, Öland, Sverige. (Glass and trade in the late Roman and migration periods: a study on glasses found in Eketorp-II, Öland, Sweden.) Uppsala, Inst. för arkeol., 84, in-4, 166 p. (ill.). (Archaeol. stud., Uppsala univ. Inst. of North Europ. archaeol., 5) [Eng. summary]

1874. NOLL (R.). Zwei römerzeitliche Grabfunde aus Rumänien in der Wiener Antikensammlung. Mit e. Exkurs: Goldene Herkuleskeulen. Jb. d. röm.-german Zentralmus. Mainz, 84, Jg. 31, p. 435-454.

1875. OGGIANO-BITAR (Hélène). Bronzes figurés antiques des Bouches-du-Rhône. Paris, Ed. du C.N.R.S., 84, in-4, 286 p. (112 p. phot., carte). (Gallia, Suppl., 43)

1876. PARRISH (D.). Season mosaics of Roman North Africa. Roma, Bretschneider, 84, in-4, 272 p. (105 pl., 2 maps). (Archaeologica, 46)

1877. PETERS (W.J.Th.). Die Landschaftsbilder in der Wand- und Deckenmalerei der Domus Aurea [in Rom]. B. ant. Besch., 82, vol. 57, p. 52-69 (16 fig.).

§ 9. ARCHEOLOGIA E STORIA DELL'ARTE

1878. PILLINGER (Renate). Studien zu römischen Zwischengoldgläsern. 1: Geschichte der Technik und das Problem der Authentizität. Wien, Verl. d. Österr. Akad. d. Wiss., 84, in-4, 121 p. (144 Taf.). (Denkschr. d. Österr. Akad. d. Wiss., Phil.-hist. Kl., 110)

1879. POCHMARSKI (E.). Girlandentragende Eroten in Noricum und Pannonien. Röm. Österreich, 83-84, Bd 11-12, p. 225-277.

1880. RIDGWAY (Brunilde Sismondo). Roman copies of Greek sculpture: the problem of the originals. Ann Arbor, Univ. of Michigan Press, 84, XI-111 p. (142 phot.). (Jerome Lect., 15)

1881. RODZIEWICZ (Mieczysław). Les habitations romaines tardives d'Alexandrie [IVe - VIIe s.] à la lumière des fouilles polonaises à Kôm el-Dikka. Varsovie, Ed. scient. de Pologne, 84, in-8, 453 p. (Centre d'Archéol. Méditerr. de l'Acad. Pol. des Sci. et Centre Pol. d'Archéol. Méditerr. dans la République Arabe d'Egypte au Caire. Alexandrie, 3)

1882. SAKAŘ (Vladimír). Sídliště na území středoevropských provincií Římské říše a jejich typy. (Siedlungen auf dem Gebiet der mitteleuropäischen Provinzen des Römischen Reichs und ihre Typen.) Sborn. nár. Mus. v Praze. Rad A-Hist., 84, a. 38, p. 97-168. [Deutsche Zsfassung]

1883. SCHLEIERMACHER (M.). Römische Reitergrabsteine: die kaiserzeitlichen Reliefs des triumphierenden Reiters. Bonn, Bouvier, 84, in-4, 273 p. (Ill., Kt.). (Abh. z. Kunst-, Musik- u. Literaturwiss., 338)

1884. SCHURING (J.M.). Studies on Roman amphorae. B. ant. Besch., 84, vol. 59, p. 137-195.

1885. Spätrömische (Der) Silberschatz von Kaiseraugst. Red. v. H. A. CAHN u. A. KAUFMANN-HEINIMANN, mit Beitr. v. E. ALFÖLDI-ROSENBAUM et al. Bd 1, 2. Derendingen, Habegger, 84, 2 vol., zus. 451 p. (Abb., Taf.). (Basler Beitr. z. Ur- u. Frühgesch., 9)

1886. STOOP (M.W.). Nota sugli scavi nel santuario di Atena sul Timpone della Motta (Francavilla Marittima - Calabria), 4. B. ant. Besch., 83, vol. 58, p. 16-52 (40 fig.)

1887. SWAN (Vivian G.). Gazetteer of the pottery kilns of Roman Britain. Oxford, Oxbow Books, 84, in-4, 532 p.

1888. THOMAS (E.). Bemerkungen zum Circus im römischen Köln. Boreas, 84, Bd 7, p. 157-171.

1889. URBAN (Otto H.). Das Gräberfeld von Kapfenstein (Steiermark) und die römischen Hügelgräber in Österreich. München, Beck, in-4, 304 p. (244 Abb., Kte). (Münchener Beitr. z. Vor- u. Frühgesch., 35)

1890. VAN DER MEER (L.B.). Ludi scenici et gladiatorum munus. A terracotta Arula in Florence. B. ant. Besch., 82, vol. 57, p. 87-99 (6 fig.).

1891. VAN DER WIELEN-VAN OMMEREN (F.). Deux vases à entonnoir au Musée de Leyde et un group funéraire de Canosa. Oudh. Meded. Leiden, 82 [83], vol. 63, p. 77-131 (16 fig.).

1892. WALDA (H.), WALKER (S.). The art and architecture of Lepcis Magna. Marble origins by isotopic analysis. Lybian Stud., 84, vol. 15, p. 81-92.

1893. WESENBERG (Burkhardt). Augustusforum und Akropolis. Jb. d. deutsch. archäol. Inst., 84, Bd 99, p. 161-185.

1894. WIBLE (F.). Fouilles gallo-romaines de Martigny. A. valais., 84, vol. 59, p. 161-186.

1895. WILSON (D.R.). Defensive outworks of Roman forts in Britain. Britannia, 84, vol. 15, p. 51-61.

Cf. n°s 236, 1037, 1690.

G

STORIA DELLA CHIESA ANTICA
SINO A GREGORIO MAGNO

§ 1. Fonti. 1896-1921. - § 2. Opere generali. 1922-1937. - § 3. Studi particolari. 1938-2008. - § 4. 2009-2024.

§ 1. Fonti.

* 1896. LINDEMANN (A.). Literaturbericht zu den Synoptischen Evangelien 1978-1983. Theol. Rdschau, 84, Jg. 49, p. 223-276, 311-371.

* 1897. PLÜMACHER (Eckhard). Acta-Forschung 1974-1982. [Forts. u. Schluß von Bibl. 83, n° 2104.] Theol. Rdschau, 84, Jg. 49, p. 105-169.

* Cf. n°s 1149, 2114.

1898. Acts (The) of Phileas, bishop of Thmuis (including fragments of the Greek psalter): P. Chester Beatty XV (with a new edition of P. Bodmer XX and Halkin's Latin Acta). Ed. with intr., transl. a. comm. by Albert PIETERSMA. Genève, Cramer, 84, in-4, 116 p. (34 pl.). (Cah. d'orientalisme, 7)

1899. ASCHOFF (Diethard). Studien zu zwei anonymen Kompilationen der Spätantike: Anonymi Contra Philosophos et Contra Judaeos. Sacris erudiri, 84, t. 27, p. 37-127.

1900. BOISMARD (Marie-Emile), LAMOUILLE (Arnaud). Le texte occidental des Actes des Apôtres: reconstitution et réhabilitation. T. 1: Introduction et textes. T. 2: Apparat critique, index des caractéristiques stylistiques, index des citations patristiques. Paris, Recherche sur les civilisations, 84, 2 vol. in-4, XII-232, 356 p. (Synthèse, 17)

1901. CROKE (B.). Dating Theodoret's Church history and Commentary on the Psalms. Byzantion, 84, t. 54, p. 59-74.

1902. Didache. Apostellehre. Barnabasbrief. Zweiter Klemensbrief. Schrift an Diognet. Eingel., hrsg., übertr. u. erkl. v. K. WENGST. München, Kösel, 84, in-8, XII-356 p. (Schr. d. Urchristentums, 2)

1903. DUPONT (Jacques). Nouvelles études sur les Actes des Apôtres. Paris, Ed. du Cerf, 84, in-8, 541 p. (Lectio divina, 118) [suite de Bibl. 67, n° 2316]

1904. Ecrits gnostiques. Codex de Berlin. Trad. et notes de Michel TARDIEU. Paris, Ed. du Cerf, 84, in-8, 520 p.

(Sources gnostiques et manichéennes, 1)

1905. FEISSEL (Denis). La Bible dans les inscriptions grecques. In: Le Monde grec anc. et la Bible [Cf. n° 1981], p. 223-231.

1906. [GREGORY OF NYSSA.] Biographical (The) works of Gregory of Nyssa. Proceedings of the Fifth Internat. Colloquium on Gregory of Nyssa (Mainz, 6-10 sept. 1982). Ed. by A. SPIRA. Cambridge, Mass., Philadelphia Patristic Foundation, 84, in-8, VIII-274 p. (Patristic Monogr., 12)

1907. IRENEE DE LYON. Contre les hérésies. Dénonciation et réfutation de la gnose au nom menteur. Trad. intégrale et définitive d'Adelin ROUSSEAU. Paris, Ed. du Cerf, 84, in-8, 748 p.

1908. Lukas-Kommentare aus der Griechischen Kirche. Aus Katenenhandschriften ges. u. hrsg. v. Joseph REUSS. Berlin, Akad.-Verl., 84, in-8, XXXIII-372 p. (Texte u. Untersuchungen z. Gesch. d. altchristl. Literatur, 130)

1909. Markus-Philologie. Historische, literargeschichtl. u. stilist. Untersuchungen z. 2. Evangelium. Hrsg. v. H. CANCIK. Tübingen, Mohr, 84, in-8, V-227 p. (Wiss. Unters. z. Neuen Testament, 33)

1910. NAUTIN (Pierre). La lettre Diabolicae artis de Felix III aux moines de Constantinople et de Bithynie. Ed. critique et trad. annotée. R. Et. augustiniennes, 84, t. 30, p. 263-268.

1911. [ORIGENES ALEXANDRINUS.] Der Kommentar zum Evangelium nach Matthäus. Übers. u. mit Anm. versehen v. H. J. VOGT. Bd 1. Stuttgart, Hiersemann, 83, in-8, 344 p. (Biblioth. d. griech. Lit., 18)

1912. Recherches archéologiques franco-tunisiennes à Mactar. Ed. par l'Inst. nat. d'archéol. et d'art de Tunis. 5: PREVOT (Francoise). Les inscriptions chrétiennes. Préf. de Noël DUVAL. Rome, Ecole franç. de Rome; diff. Paris, de Boccard, 84, in-4, XII-261 p. (ill.). (Coll. de l'Ec. franç. de Rome, 34)

1913. REISER (M.). Syntax und Stil des Markusevangeliums im Licht der hellenistischen Volksliteratur. Tübingen, Mohr, 84, in-8, XIV-218 p. (Wiss. Unters. z. Neuen Testament, Reihe 2, 11)

1914. ROLLAND (Ph.). Les premières Evangiles. Un nouveau regard sur le problème synoptique. Paris, Ed. du Cerf, 84, in-8, 264 p. (Lectio divina, 116)

1915. STROBEL (A.). Texte zur Geschichte des frühchristlichen Osterkalenders. Münster, Aschendorf, 84, in-8, 169 p. (Liturgiewiss. Quellen u. Forsch., 64)

1916. TERTULLIEN. De la patience. Introd., texte crit., trad. et comm. par Jean-Claude FREDOUILLE. Paris, Ed. du Cerf, 84, in-8, 328 p. (Sources chrétiennes, 310)

1917. TERTULLIEN. La pénitence. Introd., texte crit., trad. et comm. par Charles MUNIER. Paris, Ed. du Cerf, 84, in-8, 276 p. (Sources chrétiennes, 316)

1918. "Testamentum Domini" éthiopien. Ed. et trad. par Robert BAYLOT. Louvain, Peeters, 84, in-8, XII-238 p.

1919. THEODORET DE CYR. Commentaire sur Isaïe. [T. 2. Cf. Bibl. 82, n° 2038.] T. 3: Sections 14-20. Texte crit., trad., notes et index par Jean-Noël GUINOT. Paris, Ed. du Cerf, 84, in-8, 480 p. (Sources chrétiennes, 315)

1920. THÜMMEL (Hans Georg). Eusebios' Brief an Kaiserin Konstantia. Klio, 84, Bd 66, p. 210-222.

1921. VAN DIETEN (Jan Louis). Ein falscher Basileios-Brief [CXV]. Vigiliae christianae, 84, vol. 38, p. 330-351.

§ 2. Opere generali.

* 1922. Bibliographia patristica. Internationale patristische Bibliographie. In Verbindung mit vielen Fachgenossen hrsg. v. Wilhelm SCHNEEMELCHER. [Bd 22/23. Cf. Bibl. 82, n° 2041.] Bd 24/25: Die Erscheinungen der Jahre 1979 und 1980. Berlin u. New York, de Gruyter, 84, in-8, LII-291 p.

* 1923. DURAND (G. M. de). Bulletin de patrologie. [Cf. Bibl. 83, n° 2103.] R. Sci. philos. théol., 84, t. 68, p. 587-620.

* 1924. KANNENGIESSER (Charles). Bulletin de théologie patristique. I: Gnoses antiques. II: Alexandrie chrétienne. III: Quatrième siècle grec. IV: Thèmes généraux. Mélanges. Encyclopédies. [Cf. Bibl. 83, n° 2160.] Rech. Sci. relig., 84, t. 72, p. 591-628.

1925. BARNES (Timothy D.). Early Christianity and the Roman Empire. London, Variorum Repr., 84, in-8, 300 p.

1926. DATTRINO (L.). Il primo monachesimo. Roma, Ed. Studium, 84, in-8, 258 p. (La spiritualità cristiana, Storia e testi, 3)

1927. FRANK (K.S.). Grundzüge der Geschichte der Alten Kirche. Darmstadt, Wiss.

Buchges., 84, in-8, X-192 p. (Grundzüge, 55)

1928. GAHBAUER (F.R.). Das anthropologische Modell: ein Beitrag zur Christologie der frühen Kirche bis Chalkedon. Würzburg, Augustinus-Verl., 84, in-8, 500 p. (Das östl. Christentum, N.F., 35)

1929. GRELOT (Pierre). Evangiles et tradition apostolique. Réflexion sur un certain Christ hébreu. Paris, Ed. du Cerf, 84, in-8, 176 p. (Théol. apostolique, 14) [Cf. n° 1935]

1930. Jesus and the politics of his days. Ed. by E. BAMMEL a. C. F. D. MOULE. London a. New York, Cambridge U.P., 84, in-8, XI-511 p.

1931. KATZ (S.). Issues in the separation of Judaism and Christianity. J. biblical Lit., 84, vol. 103, p. 43-70.

1932. PENNA (Romano). L'ambiente storico-culturale delle origini cristiane: una documentazione ragionata. Bologna, EDB, 84, in-8, 319 p. (La Bibbia nella storia, 7)

1933. Reallexikon für Antike und Christentum. Sachwörterbuch z. Auseinandersetzung d. Christentums mit d. antiken Welt. Im Auftr. d. Rhein.-Westf. Akad. d. Wiss. bearb. im Franz-Dölger-Inst. an d. Univ. Bonn. Hrsg. v. Theodor KLAUSER u. a. [Bd 12. Cf. Bibl. 83, n° 945.] Bd 13, Lfg 97: Gütergemeinschaft - Gymnasium. Lfg 98: Gymnasium (Forts.) - Hagel. Stuttgart, Hiersemann, 84, 2 vol. in-8, 160 Sp., Sp. 161-320.

1934. Studia patristica. Papers presented to the 7th International Conference on Patristic Studies, held in Oxford 1975. Ed. by Elizabeth A. LIVINGSTONE. [Vol. 14. Cf. Bibl. 76-77, n° 2234.] Vol. 15, Pt. 1: Inaugural lecture, editions, critica, biblica, historica, theologica, philosophica, liturgica. Berlin, Akad.-Verl., 84, in-8, XI-585 p. (Texte u. Unters. z. Gesch. d. altchristl. Lit., 128)

1935. TRESMONTANT (Claude). Le Christ hébreu. La langue et l'âge des Evangiles. Prés. de Mgr. Jean-Charles THOMAS. Paris, Office d'éditions et d'impressions du livre, 83, in-8, 317 p. [Cf. n° 1929]

1936. VERBRAKEN (Pierre Patrick). Les premiers siècles chrétiens. Du collège apostolique à l'empire carolingien. Paris, Ed. du Cerf, 84, in-8, 224 p.

1937. WILKEN (Robert L.). The Christians as the Romans saw them. New Haven, Conn., Yale U.P., 84, in-8, XIX-214 p.

§ 3. Studi particolari.

* 1938. BRAUN (René), FREDOUILLE (Jean-Claude), PETITMENGIN (P.). Chronica Tertullianea [1982. Cf. Bibl. 83, n° 2178.] 1983. R. Et. augustiniennes, 84, t. 30, p. 308-322.

* 1939. CROUZEL (Henri). Chronique ori-

génienne. [Cf. Bibl. 83, n° 2179.] B. Litt. ecclés., 84, t. 85, p. 141-151.

* 1940. OSBORN (Eric). Clement of Alexandria. A review of research 1958-1982. Second Cent., 83, vol. 3, p. 219-244.

1941. AGUIRRE (R.). La casa como estructura base del cristianismo primitivo. Las iglesias domésticas. Est. ecles., 84, t. 49, p. 27-51.

1942. AZEMA (Y.). La date de la mort de Théodoret de Cyr. Pallas, 84, t. 31, p. 137-155. [Eng. summary]

1943. BARNARD (Leslie). The Council of Serdica 343 A.D. Sovija, BAN, 83, in-8, 223 p.

1944. BARNES (Timothy D.). Constantine's prohibition of pagan sacrifice. Am. J. Philol., 84, vol. 105, n° 1, p. 69-72.

1945. BONNER (Gerald). The extinction of paganism and the church historian. J. eccles. Hist., 84, vol. 35, n° 3, p. 339-357.

1946. BRENNECKE (Hanns Christof). Hilarius von Poitiers und die Bischofsopposition gegen Konstantius II. Unters. z. 3. Phase d. Arian. Streites (337-361). Berlin u. New York, de Gruyter, 84, in-8, XX-400 p. (Patrist. Texte u. Studien, 26)

1947. CHARLET (Jean-Louis). Prudence et la Bible. Rech. augustiniennes, 83, t. 18, p. 3-149.

1948. CHRISTENSEN (T.). The so-called Edict of Milan. Classica et Medievalia, 84, t. 35, p. 129-175.

1949. CHURRUCA (J. de). Confesseurs non condamnés à mort dans le procès contre les chrétiens de Lyon l'année 177. Vigiliae christianae, 84, t. 38, p. 257-270.

1950. COLLINS (R.F.). Studies on the First Letter to the Thessalonians. Leuven, Univ. Press, 84, in-8, VIII-415 p. (Biblioth. Ephemerides Theologicae Lovanienses, 66)

1951. DALAMAIS (Irénée-Henri). Thèmes bibliques dans les anaphores eucharistiques de langue grecque. In: Le Monde grec anc. et la Bible [Cf. n° 1981], p. 95-106.

1952. DELMAIRE (R.). Les dignitaires laïcs au concile de Chalcédoine. Notes sur la hiérarchie et les préséances au milieu du Ve siècle. Byzantion, 84, t. 54, p. 141-175.

1953. DIETZFELBINGER (C.). Die Frömmigkeitsregeln von Mt 6 1-18 als Zeugnisse frühchristlicher Geschichte. Z. f. d. neutest. Wiss., 84, Bd 75, p. 184-201.

1954. DORIVAL (Gilles). Des commentaires de l'Ecriture aux chaînes. In: Le Monde grec anc. et la Bible [Cf. n° 1981], p. 361-386 (3 fig.).

1955. DRIJVERS (H.J.W.). East of Antioch: studies in early Syriac Christianity. London, Variorum Repr., 84, in-8, 340 p.

1956. DU BOURGET (Pierre). Premières scènes bibliques dans l'art chrétien. In: Le Monde grec anc. et la Bible [Cf. n° 1981], p. 233-256.

1957. DUVAL (Yvette). Densité et répartition des évêchés dans les provinces africaines au temps de Cyprien. Mél. Archéol. Hist. Ec. franç. Rome, 84, t. 96, p. 493-521.

1958. FAIVRE (Alexandre). Les laïcs aux origines de l'Eglise. Paris, Centurion, 84, in-8, 296 p. (ill.). (Chrétiens dans l'histoire)

1959. FIRPO (G.). Il problema cronologico della nascita di Gesù. Brescia, Paideia, 83, in-8, 302 p. (Bibliot. di Cultura relig., 42)

1960. FISCHER (Joseph A.). Das Konzil zu Karthago im Spätsommer 256 [Forts. v. Bibl. 83, n° 2208]. Annu. Hist. Conciliorum, 84, Jg. 16, p. 1-39.

1961. Gesù e la sua morte. Atti della XXVII Settimana biblica. Brescia, Paideia, 84, in-8, 480 p.

1962. GRATTAROLA (P.). Il problema dei lapsi fra Roma e Cartagine. R. Stor. Chiesa Italia, 84, a. 38, p. 1-26. - IDEM. Gli scismi di Felicissimo e di Novaziano. Ibid., p. 367-390.

1963. GRUSZKA (P.). Kommodian und seine sozialen Ansichten. Klio, 84, Bd 66, p. 230-256.

1964. GUILLET (Jacques). La Bible à la naissance de l'Eglise. In: Le Monde grec anc. et la Bible [Cf. n° 1981], p. 55-67.

1965. GUINOT (Jean-Noël). Un évêque exégète: Théodoret de Cyr. In: Le Monde grec anc. et la Bible [Cf. n° 1981], p. 335-360. - IDEM. L'importance de la dette de Théodoret de Cyr à l'égard de Théodore de Mopsueste. Orpheus, 84, a. 5, p. 68-109. - IDEM. Théodoret a-t-il lu les homélies d'Origène sur l'Ancien Testament? Vetera Christianorum, 84, t. 21, p. 285-312.

1966. HALLEUX (A. de). Hypostase et personne dans la formation du dogme trinitaire (ca. 373-381). R. Hist. ecclés., 84, t. 79, p. 313-369.

1967. HEINEN (H.). Der Christenprogrom von Lyon und die Anfänge des Christentums im römischen Gallien. B. Antiq. luxemb., 84, t. 15, p. 37-55.

1968. HOFFMANN (R.J.). Marcion. On the restitution of Christianity. An ssay on the development of radical Paulinist theology in the second century. Chico, Calif., Scholars Press, 84, in-8, XXVI-329 p. (Am. Acad. of rel., Acad. Ser., 46)

1969. HOMMEL (Hildebrecht). Sebasmata. Studien z. antiken Religionsgesch. u. zum frühen Christentum. [Bd 1. Cf. Bibl. 83,

§ 3. STUDI PARTICOLARI

n° 2217.] Bd 2. Tübingen, Mohr, 84, in-8, X-415 p. (28 Ill.). (Wiss. Unters. z. Neuen Test., 32)

1970. JILEK (A.). Bischof und Presbyterium. Zur Beziehung zw. Episkopat u. Presbyterat im Lichte d. Traditio Apostolica Hippolyts. Z. f. kath. Theol., 84, Bd 106, p. 376-401.

1971. JUNDZIŁŁ (Juliusz). Pieniądz w łacińskiej literaturze chrześcijańskiej późnego cesarstwa rzymskiego. (L'argent dans la littérature chrétienne latine du bas empire romain.) Warszawa, Akad. Teologii Kat., 84, in-8, 253 p. (Studia Antiquitatis Christianae, 3)

1972. KAMPLING (R.). Das Blut Christi und die Juden. Mt 27, 25 bei den lateinisch-sprachigen christl. Autoren bis zu Leo d. Großen. Münster, Aschendorff, 84, in-8, VIII-260 p. (Neutest. Abh., N.F., 16)

1973. KANNENGIESSER (Charles). La Bible et la crise arienne. In: Le Monde grec anc. et la Bible [Cf. n° 1981], p. 301-311.

1974. KINGSBURY (J.D.). The christology of Mark's Gospel. Philadelphia, Pa., Fortress Press, 83, in-8, XVII-203 p.

1975. KJAERGAARD (J.). From Memoria Apostolorum to Basilica Apostolorum. On the early Christian cult-centre on the Via Appia [in Rome]. Analecta romana, 84, t. 13, p. 59-76.

1976. KOCH-PETERS (Dorothea). Ansichten des Orosius zur Geschichte seiner Zeit. Frankfurt (Main) u. Bern, Lang, 84, in-8, 236 p. (Stud. z. klass. Philol., 9)

1977. LE BOLLUEC (Alain). La Bible chez les marginaux de l'orthodoxie. In: Le Monde grec anc. et la Bible [Cf. n° 1981], p. 153-170.

1978. LOMBARDI (G.). L'edito di Milano del 313 e la laicità dello stato. Studia Doc. Hist. et Iuris, 84, t. 50, p. 1-98.

1979. MARAVAL (Pierre). La Bible des pèlerins d'Orient. In: Le Monde grec anc. et la Bible [Cf. n° 1981], p. 387-397.

1980. MARTIN (Annick). Les premiers siècles du christianisme à Alexandrie. Essai de topographie religieuse (IIIe-IVe siècles). R. Et. augustiniennes, 84, vol. 30, p. 211-225.

1981. Monde (Le) grec ancien et la Bible. Sous la dir. de Claude MONTDESERT. Paris, Beauchesne, 84, in-8, 422 p. (Bible de tous les temps, 1) [Cf. n°s 1255, 1276, 1430, 1905, 1951, 1954, 1956, 1964, 1965, 1973, 1977, 1979, 1983, 1988, 1990, 1993, 1995, 2019, 2021, 2104]

1982. MÜLLER (M.). Der Ausdruck Menschensohn in den Evangelien. Voraussetzungen u. Bedeutung. Leiden, Brill, 84, in-8, XI-280 p. (Acta theol. danica, 17)

1983. OSBORN (Eric). La Bible inspiratrice d'une morale chrétienne d'après Clément d'Alexandrie. In: Le Monde grec anc. et la Bible [Cf. n° 1981], p. 127-144.

1984. PICCIRILLO (Michele). Una chiesa nell'wadi 'Ayoun Mousa ai piedi del monte Nebo. Studium biblicum francisc., 84, t. 34, p. 307-318 (ill., plans, pl. 21-32).

1985. PIETRI (Charles). Remarques sur la christianisation du nord de la Gaule (IVe-VIe siècles). R. Nord, 84, t. 66, n° 260, p. 55-68.

1986. PIETRI (Luce). La ville de Tours du IVe au VIe siècle. Naissance d'une cité chrétienne. Rome, Ecole franç. de Rome; diff. Paris, de Boccard, 84, in-8, VIII-854 p. (Coll. de l'Ec. franç. de Rome, 69)

1987. RECCHIA (V.). San Benedetto e la politica religiosa dell'Occidente nella prima metà del secolo VI, dai Dialoghi di Gregorio Magno. Romanobarbarica, 82-83, a. 7, p. 201-252.

1988. RENOUX (Charles). La lecture biblique dans la liturgie de Jérusalem. In: Le Monde grec anc. et la Bible [Cf. n° 1981], p. 399-420.

1989. RODRÍGUEZ CARMONA (A.). Tolerancia e intolerancia en el Nuevo Testamento. Est. ecles., 84, t. 69, p. 265-295.

1990. RORDORF (Willy). La Bible dans l'enseignement et la liturgie des premières communautés chrétiennes. In: Le Monde grec anc. et la Bible [Cf. n° 1981], p. 69-94.

1991. SALAMON (Maciej). Mnisi scytyjscy w Konstantinopolu (519-520 r.). (Les moines scythiques à Constantinople, 519-520.) Balcanica posnan., 84, t. 1, p. 325-337.

1992. SAULNIER (Chr.). La persécution des chrétiens et la théologie du pouvoir à Rome (Ier-IVe s.). R. Sci. relig., 84, t. 58, p. 251-279.

1993. SAXER (Victor). Leçons bibliques sur les martyrs. In: Le Monde grec anc. et la Bible [Cf. n° 1981], p. 195-221. - IDEM. Reflets de la culture des évêques africains dans l'oeuvre de saint Cyprien. Problèmes et certitudes. R. bénédictine, 84, t. 94, p. 257-284.

1994. SCHÖLLGEN (Georg). Ecclesia sordida? Zur Frage d. sozialen Schichtung frühchristl. Gemeinden am Beispiel Karthagos zur Zeit Tertullians. Münster, Aschendorff, 84, in-8, 342 p. (Jb. f. Antike u. Christentums, Erg.-Bd, 12)

1995. SIMON (Marcel). La Bible dans les premières controverses entre Juifs et chrétiens. In: Le Monde grec anc. et la Bible [Cf. n° 1981], p. 107-125.

1996. SPIESER (J.-M.). Thessalonique et ses monuments du IVe au VIe siècle. Contribution à l'étude d'une ville paléochrétienne. Athènes, Ecole franç. d'Athènes; diff. Paris, de Boccard, 84, in-4, 232 p. (11 ill., 35 p. de pl.). (Biblioth. des Ec. franç. d'Athènes et de Rome, 254)

1997. ŚRUTWA (Jan). Praca w starożytnym chrześcijaństwie afrykańskim. (Le travail dans le christianisme de l'Afrique romaine.) Lublin, 84, in-8, 325 p. (Tow. Nauk. Kat. Uniw. Lub. Rozprawy Wydz. Teolog.-Kanonicznego, 64)

1998. STANTON (G.N.). The Gospel of Matthew and Judaism. B. J. Rylands Libr., 84, vol. 66, p. 264-284.

1999. TETZ (M.). Zum altrömischen Bekenntnis. Ein Beitrag d. Marcellus v. Ancyra. Z. f. d. neutest. Wiss., 84, Bd 75, p. 107-127.

2000. THEE (F.C.R.). Julius Africanus and the early Christian view of magic. Tübingen, Mohr, 84, in-8, IX-538 p. (Hermeneut. Unters. z. Theol., 19)

2001. THEISSEN (G.). Lokal- und Sozialkolorit in der Geschichte von der syrophönikischen Frau (Mk 7, 24-30). Z. f. d. neutest. Wiss., 84, Bd 75, p. 202-225.

2002. THÜMMEL (Hans Georg). Aspekte und Probleme des sogenannten Arianischen Streites. Theol. Lit.-Ztg, 84, Bd 109, p. 413-423.

2003. TRIGG (J.). Origen. The Bible and philosophy in the third-century Church. Atlanta, John Knox Press, 83, in-8, 300 p. (map).

2004. VITTINGHOFF (Friedrich). "Christianus sum". Das "Verbrechen" v. Außenseitern d. röm. Gesellschaft. Historia [Wiesbaden], 84, Bd 33, p. 331-357.

2005. WEISER (A.). Das "Apostelkonzil" (Apg 15, 1-35). Ereignis, Überlieferung, lukanische Deutung. Bibl. Z., 84, N.F., Bd 28, p. 145-167.

2006. WENDEBOURG (D.). Die alttestamentlichen Reinheitsgesetze in der frühen Kirche. Z. f. Kirchengesch., 84, Bd 95, p. 149-170.

2007. WISCHMEYER (Wolfgang). Perspektiven frühchristlicher Kunst für die Geschichte der Kirche. Röm. Qschr. f. christl. Altertumskde, 84, Bd 79, p. 145-162.

2008. ZIMMERMANN (A.F.). Die urchristlichen Lehrer. Studien z. Tradentenkreis d. didaskaloi im frühen Christentum. Tübingen, Mohr, 84, in-8, IX-258 p. (Wiss. Unters. z. Neuen Test., Reihe 2, 12)

Cf. n°s 489, 490, 498, 1284, 1286, 1324, 1704, 1813.

§ 4. Agiografia[1].

* 2009. Bulletin augustinien pour [1982. Cf. Bibl. 83, n° 2255.] 1983 et compléments d'années antérieures. R. Et. augustiniennes, 84, vol. 30, p. 329-429.

2010. MONACI CASTAGNO (A.). Il vescovo, l'abate et l'eremita: tipologia della santità nel Liber Vitae Patrum di Gregorio di Tours. Augustinianum, 84, a. 24, p. 235-264.

2011. LAMIRANDE (Emilien). Paulin de Milan et la Vita Ambrosii. Aspects de la religion sous le bas empire. Paris, Desclée de Brouwer; Montréal, Bellarmin, 83, in-8, 204 p.

2012. DELMAIRE (R.), LEPELLEY (C.). Du nouveau sur Carthage: le témoignage des lettres de saint Augustin découvertes par Johannes Divjak. Opus, 83, t. 2, p. 473-487. - LANCEL (Serge). Saint Augustin et la Maurétanie Césarienne. 1: Les années 418-419 à la lumière des nouvelles lettres récemment publiées. 2: L'affaire de l'évêque Honorius (automne 419 - printemps 420) dans les nouvelles lettres 22*, 23* et 23*A. R. Et. augustiniennes, 84, t. 30, p. 48-59, 251-262. - RUBIO (L.). El ideal monástico di S. Agustín y otras cuestiones anejas. Ciudad de Dios, 83, t. 196, p. 3-56.

2013. NODES (D.J.). Avitus of Vienne's spiritual history and the semi-pelagian controversy. The doctrinal implications of books I-III. Vigiliae christianae, 84, vol. 38, p. 185-195.

2014. Atti del Congresso internazionale su Basilio di Cesarea, la sua età e il Basileanismo in Sicilia (Univ. delgi studi di Messina, Fac. di Lettere e Filos., 3-6 dic. 1979). 1. Messina, Centro di Studi umanistici, 83, in-8, 699 p. - GRIBOMONT (J.). Saint Basile. Evangile et Eglise. Mélanges. 1. Prés. d'E. BIANCHI. Abbaye de Bellefontaine, 84, in-8, XVIII-257 p. (carte). - POUCHET (J.R.). Eusèbe de Samosate, père spirituel de Basile le Grand. B. Litt. ecclés., 84, vol. 85, p. 179-195.

2015. COURSAULT (René). Sainte Catherine d'Alexandrie: le mythe et la tradition. Paris, Maisonneuve, 84, in-8, 134 p. (pl.).

2016. VOGT (H.J.). Cyprian, Hindernis für die Ökumene? Theol. Qschr., 84, Bd 164, p. 1-15.

2017. CHICOTEAU (Marcel). The journey to martyrdom of saints Felix and Regula circa 300 A.D. A study of sources a. significance. Brisbane, W. Ferguson, 84, in-4, 54 p. (16 fig., 2 maps).

2018. DOMBROWSKI (B.W.W.), DOMBROWSKI (F.A.). Frumentius/Abba Salama. Zu d. Nachrichten über d. Anfänge d. Christentums in Äthiopien. Oriens christ., 84, Bd 68, p. 114-169.

2019. GALLAY (Paul). La Bible dans l'oeuvre de Grégoire de Nazianze le Théologien. In: Le Monde grec anc. et la Bible [Cf. n° 1981], p. 313-334. - NORRIS (Frederick W.). Of thorns and roses: the logic of belief in Gregory Nazianzenus. Church Hist., 84, vol. 53, n° 4, p. 455-464.

---

1. Gli scritti sono registrati nell'ordine alfabetico dei nomi latini dei santi.

2020. FIGURA (M.). Das Kirchenverständnis des **Hilarius von Poitiers.** Freiburg i. Br., Herder, 84, in-8, 382 p. (Freiburger theol. Stud., 127)

2021. JOURJON (Maurice). Saint **Irénée** lit la Bible. In: Le Monde grec anc. et la Bible [Cf. n°s 1981], p. 145-151.

2022. STÜTZEL (A.). Kirche als neue Gesellschaft. Die humanist. Wirkung d. Christentums nach **Johannes Chrysostomus.** Münster, Aschendorff, 84, in-8, VI-240 p. (Münstersche Beitr. z. Theol., 51)

2023. LÜDEMANN (Georg). **Paulus,** der Heidenapostel. Bd [1. Cf. Bibl. 80, n° 1752.] 2: Antipaulinismus im frühen Christentum. Göttingen, Vandenhoeck u. Ruprecht, 83, in-8, 322 p. (Forsch. z. Relig. u. Lit. d. Alten u. Neuen Test., 130) -

PESCH (R.). Die Entdeckung des ältesten Paulusbriefes: Paulus neu gesehen. Die Briefe an die Gemeinde der Thessaloniker. Freiburg i. Br., Herder, 84, in-8, 127 p. (Herder-Bücherei, 1167) - RÄISÄNEN (H.). Paul and the law. Tübingen, Mohr, 83, in-8, XX-320 p. (Wiss. Unters. z. Neuen Test., 29) - SANDERS (E.P.). Paul, the law, and the Jewish people. Philadelphia, Pa., Fortress Press, 83, in-8, XI-227 p.

2024. KNAPP (Éva). Remete Szent Pál csodái. A budaszentlőrinci ereklyéhez kapcsolodó mirákulum-föl jegyzések elemzése. (Les miracles de saint **Paul l'Ermite.** L'analyse des enregistrements de miracles concernant la relique de Budaszentlőrinc.) Századok, 83, vol. 117, n° 3, p. 511-557.

Cf. n^{os} *1898, 1906, 1910, 1946, 1987.*

H

STORIA BIZANTINA (DA GIUSTINIANO IN POI)

§ 1. Fonti. 2025-2044. - § 2. Opere generali. 2045-2053. - § 3. Studi particolari. 2054-2113.

§ 1. Fonti.

* Cf. n° 2114.

2025. ALLARD (André). Les scolies aux Arithmétiques de Diophante d'Alexandrie dans le Matritensis Bibl. Nat. 4678 et les Vaticani Gr. 191 et 304. Byzantion 83 [84], t. 53, fasc. 2, p. 664-760.

2026. BARBU (Daniel). Manuscrise bizantine în colecţii din România. (Manuscrits byzantins dans les collections de Roumanie.) Bucureşti, Meridiane, 84, in-8, 99 p.

2027. CARRAS (Lydia). The life of St. Athanasia of Aegina: a critical edition with introduction. In: Maistor [Cf. n° 484], p. 199-224.

2028. Constantinople in the early eight century. The Parastaseis Syntomoi Chronikai. Introd., transl. a. comment. by Averil CAMERON a. J. HERRIN, in conjunction with Alan CAMERON, R. CORMACK a. Ch. ROUCHÉ. New York, Columbia U.P.; Leiden Brill, 84, in-8, XIV-291 p. (table, 2 maps). (Columbia Stud. in the class. tradition, 10)

2029. DAGRON (Gilbert). Constantinople imaginaire: études sur le recueil des Patria. Paris, Presses univ. France, 84, in-8, 360 p. (Biblioth. byzant.)

2030. DARROUZES (Jean). Le Traité des transferts [d'évêques]. Ed. critique et commentaire. R. Et. byzant., 84, vol. 42, p. 147-214.

2031. GEANAKOPLOS (Deno John). Byzantium: church, society, and civilization seen through contemporary eyes. Chicago, Univ. of Chicago Press, 84, in-8, XXXIX-485 p.

2032. JEFFREYS (M.). Iakovos Monachos, letter 3 [to Eirene, widow of Andronicus Comnenus]. In: Maistor [Cf. n° 484], p. 241-257.

2033. KAMBYLIS (Athansios). Prodromea. Textkrit. Beiträge zu d. hist. Gedichten des Theodoros Prodromos. [Cf. Bibl. 74-75, n° 2174.] Wien, Verl. d. Österr. Akad. d. Wiss., 84, in-8, 132 p. (Wiener byzantinist. Stud., 9, Suppl.)

2034. KEDAR (Benjamin Z.). Gerard of Nazareth, a neglected twelfth-century writer in the Latin East. A contribution to the intellectual and monastic history of the crusader states. In: Dumbarton Oaks papers, n° 37 [Cf. n° 2047], p. 55-77.

2035. [KRITOBOULOS.] Critobuli Imbriotae Historiae. Recensuit prolegomenisque et indicibus instruxit Diether REINSCH. Berlin u. New York, de Gruyter, 84, in-4, XI-114*-267 p. (7 Taf.). (Corpus fontium hist. byzantinae, Series berolinensis, 22)

2036. LAMPSIDĒS (O.). Ho "eis Trapezounta" logos tou Bēssariōnos. Kritikē ekdosē. (Le discours de Bessarion "A Trébizonde". Ed. critique.) Archeion Pontou, 84, t. 39, p. 3-72.

2037. MANOUSSAKAS (M.I.). Agnōsta argyroboulla tou Thōma Palaiologou kai anekdota benetika engrapha gia tous feodalikous thesmous stē frankokratoumenē, byzantinē kai benetokratoumenē Peloponnēso. (Bulles d'argent inconnues de Thomas Paléologue et documents vénitiens inédits concernant les institutions féodales dans le Péloponnèse franc, byzantin et vénitien.) Praktika tēs Akadēmias Athēnōn, 84, vol. 59, p. 343-357.

2038. MOFFAT (Ann). The after-life of the letters of Theophylaktos Simokatta. In: Maistor [Cf. n° 484], p. 345-358.

2039. NICEPHORUS BASILICAE. Orationes et epistolae. Ed. Antonius GARZYA. Leipzig, Teubner, 84, in-8, XIV-138 p.

2040. PACHYMERES (Georges). Relations historiques. Ed. et intr.: A. FAILLER. Trad.: V. LAURENT. Vol. 1: Livres I-III. Vol. 2: Livres IV-VI. Paris, Les Belles lettres, 84, 2 vol. in-8, 360, 348 p. (Corpus fontium hist. byzantinae)

2041. PAPADĒMĒTRIOU (Geōrg. Ant.). Hē "Kralaina tōn Tribalōn" kai ho kōdikographos Theoktistos + 1340. (La "Kralaina des Tribales" et le rédacteur du code, Théoktistos, + 1340.) Mesaiōnika kai Nea Hellēnika, 84, t. 1, p. 419-451.

2042. SKOULATOS (B.). Byzance dans l'Historia Francorum de S. Grégoire de Tour. Epetēris Hetaireias Byzantinōn Spoudōn, 81-82 [84], t. 45, p. 379-397.

2043. TĂPKOVA-ZAIMOVA (Vasilka). Die byzantinische Chronographie. Wesen und Tendenzen. Jb. f. Gesch. d. Feualismus, 84, Bd 8, p. 52-62.

2044. TSARAS (Giannēs). To cheirographo 192 tēs Monēs Koznitsas (Eikosiphoinissas) kai Markos ho Eugenikos. (Le manuscrit 192 du Monastère de Koznitsa (Eikosiphoinissas) et Marc le Noble.) Byzantiaka, 84, t. 4, p. 159-167.

Cf. n°s 2124, 2125.

§ 2. Opere generali.

* 2045. Bibliographische Notizen und Mitteilungen. Gesamtredaktion: A. HOHLWEG u. Stanislaus HÖRMANN-VON STEPSKI. [Cf. Bibl. 83, n° 2297.] Byzant. Z., 84, Bd 77, p. 82-231, 327-488.

2046. DOSTÁLOVÁ (Ružena). Die byzantinische Zeitgeschichtsschreibung. Jb. f. Gesch. d. Feudalismus, 84, Bd 8, p. 32-51.

2047. Dumbarton Oaks papers. [N° 36. Cf. Bibl. 83, n° 2301.] N° 37: 1983. Washington, D.C., Dumbarton Oaks Research Libr. a Collection, 84, XII-178 p. [Cf. n°s 24, 2034, 2063, 2080, 2529]

2048. KODER (Johannes). Der Lebensraum der Byzantiner. Hist.-geogr. Abriß ihres mittelalterl. Staates im östl. Mittelmeerraum. Graz, Wien u. Köln, Styria, 84, in-8, 190 p. (Kte). (Byzantin. Geschichtsschreiber, Erg.-Bd, 1)

2049. MANGO (Cyril A.). Byzantium and its image: history and culture of the Byzantine Empire and its heritage. London, Variorum Repr., 84, in-8, 360 p. (41 ill.).

2050. MAUROMMATĒS (Leōnidas). Hoi prōtoi Palaiologoi. Problēmata politikes praktikēs kai ideologias. (Les premiers Paléologues. Problèmes de pratique et d'idéologie politiques.) Athènes, l'auteur, 83, in-8, 147 p.

2051. OBOLENSKY (Dimitri). The Byzantine Commonwealth: Eastern Europe, 500-1453. Oxford, Mowbray, 84, in-8, 560 p.

2052. SABBIDĒS (Alexēs G.C.). Historia tou Byzantiou me apospasmata apo tis pēges. Tomos A: 284-717 m. Ch. (Histoire de Byzance avec des fragments tirés des sources. Vol. 1: 284-717 après J.-C.) Avec la collab. de L. A. DERIZIŌTĒS. Athènes, Patakē, 84, 304 p.

2053. Vizantijskij vremennik. (Byzantine review.) T. 45. Redkol.: Z. V. UDAL'COVA (otv. red.) i dr. Moskva, Nauka, 84, 293 p. (AN SSSR. In-t vseobšč. istorii) [T. 43. Cf. Bibl. 82, n° 2132]

§ 3. Studi particolari.

* 2054. KARABELIAS (Evanghelos). Chronique. Droits de l'antiquité. Monde byzantin. [Cf. Bibl. 83, n° 2309.] R. hist. Droit franç. étr., 84, a. 62, p. 489-521.

2055. ANGELOU (Athanassios). Matthias Gabalas and his kephalaia. In: Maistor [Cf. n° 484], p. 259-267.

2056. BISCOP (Jean-Luc), SODINI (Jean-Pierre). Qal'at Sem'an et les chevets à colonnes de Syrie du Nord. Syria, 84, t. 61, fasc. 3-4, p. 267-330 (103 fig.).

2057. BRUCE-MITFORD (Rupert L. S.). The Sutton Hoo ship burial. [Vol. 2. Cf. Bibl. 78-79, n° 2907.] Vol. 3: Late Roman Byzantine silver, hanging bowls, drinking vessels, cauldrons and other containers, textiles, the lyre, pottery bottles and other items. London, British Museum, 84, 2 vol. in-4, 544 p. (ill.).

2058. BRYER (Anthony A. M.). "The faithless Kabazitai and Scholarioi". In: Maistor [Cf. n° 484], p. 309-327. [Concerns the assassination in 1426 of Alexius IV Angelus]

2059. Byzantios. Festschrift für Herbert Hunger zum 70. Geburtstag. [Cf. n° 496]

2060. CARROLL (Margaret). Constantine XI Paleologus: some problems of image. In: Maistor [Cf. n° 484], p. 329-343.

2061. CHEYNET (Jean-Claude). Dévaluation des dignités et dévaluation monétaire dans la seconde moitié du XIe siècle. Byzantion, 83 [84], t. 53, fasc. 2, p. 453-477.

2062. CHRISTIDES (Vassilios). The conquest of Crete by the Arabs (ca. 824). A turning point in the struggle between Byzantium and Islam. Athens, Akadēmia Athēnon, 84, in-8, 265 p.

2063. CUTLER (Anthony). The aristocratic psalters in Byzantium. Av.-propos d'André GRABAR. Paris, Picard, 84, in-4, 128 p. (413 ill.). - IDEM. The Dumbarton Oaks psalter and New Testament. The iconography of the Moscow leaf. In: Dumbarton Oaks papers, n° 37 [Cf. n° 2047], p. 35-45. - IDEM. The making of the Justinian dyptichs. Byzantion, 84, vol. 54, p. 75-115 (ill.).

2064. DALEY (B.E.). Boethius' theological tracts and early Byzantine scholasticism. Med. Stud., 84, vol. 46, p. 158-191.

2065. DAY (Gerald W.). Italian churches in the Byzantine Empire to 1204. Cath. hist. R., 84, vol. 70, n° 3, p. 379-388.

2066. FEVRE (Francis). Théodora impératrice de Byzance. Paris, Presses de la Renaissance, 84, in-8, 325 p. (Hist. des hommes)

2067. FRENDO (Joseph D. C.). The poetic achievement of George of Pisidia: a literary and historical study. In: Maistor [Cf. n° 484], p. 159-187.

2068. GLABINAS (Apostolos). Hoi Normandoi stē Thessalia kai hē poliorkia tēs Larisas 1082-1083. (Les Normands en Thessalie et le siège de Larissa 1082-1083.) Byzantiaka, 84, t. 4, p. 33-45.

2069. HALDON (J.F.). Byzantine praetorians: an administrative, institutional and social survey of the Opsikion and Tagmata, c. 580-900. Bonn, Habelt, 84, in-8, 669 p. (Poikila byzantina, 3)

2070. HOWARD-JOHNSTON (J.D.). "Thema". In: Maistor [Cf. n° 484], p. 189-197. [Origins a. meaning of this term]

2071. JUREWICZ (Oktawiusz). Historia literatury bizantyńskiej. Zarys. (Histoire de la littérature byzantine. Précis.) Wrocław, Zakł. Narod. im. Ossolińskich, 84, in-8, 354 p.

2072. KAPLAN (Michel). Les monastères et le siècle à Byzance: les investissements des laïques au XIe siècle. Cah. Civ. méd., 84, vol. 27, p. 71-83.

2073. KARAGIANNOPOULOS (I.). Hē epikoinōnia Thessalonikēs-Kōnstantinopoleōs kata tous 7-9 ai. (La relation Thessalonique-Constantinople pendant les VIIe-IXe siècles.) Epistēmonikē Epetērida tēs philos. Scholēs, 84, t. 22, p. 211-229.

2074. KAZHDAN (Alexander), FRANKLIN (Simon). Studies in Byzantine literature of the 11th and 12th centuries. London, Cambridge U.P., 84, in-8, 299 p. (Past a. Present Publ.)

2075. KISLINGER (Ewald). Johann Schiltberger und Demetrios Palaiologos. Byzantiaka, 84, t. 4, p. 97-111.

2076. KOUROUSĒS (Stauros I.). Grēgoriou archiepiskopou Boulgarias 13-14 ai. Epistolai meta tinōn biographikōn exakribōseōn. (Grégoire, archevêque de Bulgarie, XIIIe-XIVe siècles. Lettres et quelques éclaircissements biographiques. Epetēris Hetaireias Byzantinōn Spoudōn, 81-82 [84], t. 45, p. 516-558.

2077. Kul'tura Vizantii: IV - pervaja polovina VII v. (The culture of Byzantium, 4th - first half of the 7th cent.) Otv. red.: Z. V. UDAL'COVA. Moskva, Nauka, 84, 725 p. (ill.). (AN SSSR. In-t vseobšč. istorii)

2078. LASSERE (Jean-Marie). La Byzacène méridionale au milieu du VIe siècle après J.-C., d'après la Johannide de Corippus. Pallas, 84, t. 31, p. 163-178. [Eng. summary, p. 194]

2079. LEV (Yaacov). The Fatimid navy, Byzantium, and the Mediterranean Sea 909-1036 C.E. / 297-427 A.H. Byzantion, 84, vol. 54, p. 220-252.

2080. McVEY (Kathleen E.). The domed church as microcosm: literary roots of an architectural symbol. In: Dumbarton Oaks papers, n° 37 [Cf. n° 2047], p. 91-121.

2081. MAGDALINO (Paul). The bath of Leo the Wise. In: Maistor [Cf. n° 484], p. 225-240.

2082. MALINGOUDI (Iana). Zur Adoption der Chronik von Nikephoros in Bulgarien und Rußland. Byzantiaka, 84, t. 4, p. 61-74.

2083. MATSCHKE (Klaus-Peter). Bemerkungen zu "Stadtbürgertum" und "stadtbürgerlichem Geist" in Byzanz. Jb. f. Gesch. d. Feudalismus, 84, Bd 8, p. 265-285.

2084. MEDVEDEV (Igor P.). Tendances vers une renaissance dans la culture byzantine tardive. Byzantiaka, 84, t. 4, p. 113-136.

2085. MIYAKAWA (H.), KOLLANTZ (A.). Ein Dokument zum Freihandel zwischen Byzanz und China zur Zeit Theophylakts. Byzant. Z., 84, Bd 77, p. 6-19.

2086. MOOREHEAD (John). Italian loyalties during Justinian's Gothic war. Byzantion, 83 [84], t. 53, fasc. 2, p. 575-596.

2087. ODORICO (Paolo). La politica dell'imaginario di Leone VI il Saggio. Byzantion, 83 [84], t. 53, fasc. 2, p. 597-631.

2088. OPELT (Ilona). Barbarendiskrimination in den Gedichten des Cresconius Flavius Corippus. Romanobarbarica, 82-83, a. 7, p. 161-179.

2089. OVADIAH (Asher), GÓMEZ DE SILVA (Carla). Supplementum to the Corpus of Byzantine churches in the Holy Land. Part [2. Cf. Bibl. 82, n° 2167.] 3: Appendices. Levant, 84, vol. 16, p. 129-165.

2090. OVČAROV (Dimităr). Vizantijski i bălgarski kreposti IX-XI vek. (Forteresses byzantines et bulgares, IXe-Xe s.) Sofija, BAV, 82, in-8, 172 p.

2091. Philadelphie et autres études. Centre de recherches d'hist. et de civilis. byzantines. Paris, Publ. de la Sorbonne, 84, in-8, 176 p. (ill.). (Publ. de la Sorbonne, sér. Byzantina Sorbonensia, 4)

2092. RICHTER (Gerhard). Des Georgios Akropolites Gedanken über Theologie, Kirche und Kircheneinheit. Byzantion, 84, vol. 54, fasc. 1, p. 279-299.

2093. ROUCHE (Charlotte). Acclamations in the later Roman Empire: new evidence from Aphrodisias. J. roman Stud., 84, vol. 74, p. 181-199 (ill.).

2094. SABBIDĒS (Alexēs G. K.). Hoi Megaloi Komnēnoi tou Pontou kai hoi Seltzoukoi tou Rum (Ikoniou) tēn periodo 1205/6 - 1222. Hē diēgēsē tou Ibn Bibi gia tēn katalēpsē tēs Sinopēs 1214. (Les Grands Comnènes du Pont et les Seldjoukides de Rum (Konya) durant la période 1205/6 - 1222. Le récit d'Ibn Bibi concernant la prise de Sinope 1214.) Archeion Pontou, 84, t. 39, p. 169-193.

2095. SANTERRE (Jean-Marie). Le pape Constantin Ier (708-715) et la politique religieuse des empereurs Justinien II et Philippikos. Arch. Hist. pontificae, 84, t. 22, p. 7-29.

2096. SCHREINER (Peter). Das Herrscherbild in der byzantinischen Literatur des 9. bis 11. Jahrhunderts. Saeculum, 84, Bd 35, p. 132-151.

2097. SEGAL (Arthur). The Byzantine city of Shivta. London, Brit. Archaeol. Rep., 84, in-4, 208 p. (ill.).

2098. SITZIA (Francesco). Le Rhopai. Napoli, Jovene, 84, in-8, VIII-203 p. (Pubbl. Fac. giuris. Univ. di Cagliari, Ser. 1: Giuridica, 30)

2099. SOULIOTĒS-NIKILAÏDĒS (Athanasios). Organōsis Kōnstantinoupoleōs. Eisagōgē - Epimeleia Th. BEREMES, K. BOURA. (Organisation de Constantinople. Introd. - Direction de la publication: - .) Athènes et Ioannina, Dōdōne, 84, in-8, 305 p. (pl.).

2100. SOULIS (George Christos). The Serbs and Byzantium during the reign of Tsar Stephen Dusan (1331-1335) and his successors. Washington, D.C., Dumbarton Oaks, 84, in-8, XXVI-353 p.

2101. SPEIGL (Jakob). Das Religionsgespräch mit den severianischen Bischöfen in Konstantinopel im Jahre 532. Annu. Hist. Conciliorum, 84, Bd 16, p. 264-285.

2102. STICHEL (Rainer). Nathanael unter dem Feigenbaum. Die Gesch. eines biblischen Erzählstoffes in Literatur u. Kunst d. byzant. Welt. Wiesbaden, Steiner, 84, in-8, 124 p. (4 Taf.).

2103. TALBOT (A.M.M.). Old age in Byzantium. Byzant. Z., 84, Bd 77, p. 267-287.

2104. THIERRY (Nicole). La Bible illustrée en Cappadoce: le témoignage des églises rupestres. In: Le Monde grec anc. et la Bible [Cf. n° 1981], p. 257-299 (pl.). - EADEM. Matériaux nouveaux en Cappadoce (1982). Byzantion, 84, vol. 54, p. 315-357.

2105. TRAVIS (John). In defense of the faith: the theology of patriarch Nikephoros of Constantinople. Brookline, Mass., Hellenic College Press, 84, in-8, XVIII-182 p.

2106. TRŌIANOS (S.). Hē amblōsē sto Byzantino Dikaio. L'avortement dans le droit byzantin.) Byzantiaka, 84, t. 4, p. 169-189.

2107. TZAFERIS (Vassilios). The excavations of Kursi-Gergesa. Atiqot, 83, vol. 16, p. 1-65 (ill., plans, 19 pl.)

2108. UDAL'COVA (Zinaide V.). Charakter und Formen der Historiographie des frühen Byzanz. Jb. f. Gesch. d. Feudalismus, 84, Bd 8, p. 23-31.

2109. Vizantijskij zemledel'českij zakon. (Byzantine agricultural law.) Pod red. I. P. MEVEDEVA. Leningrad, Nauka, 84, 280 p. (AN SSSR. Leningr. otd-nie In-ta istorii SSSR)

2110. VOLK (Robert). Gesundheitswesen und Wohltätigkeit im Spiegel der byzantinischen Klostertypika. München, Institut f. Byzantinistik u. neugriech. Philol. d. Univ., 83, in-8, LXXX-326 p. (Misc. byzant. Monacensia, 28)

2111. WALTER (Christoper). Expressionism and Hellenism. A note on stylistic tendencies in Byzantine figurative art from Spätantike to the Macedonian "Renaissance". R. Et. byzant., 84, vol. 42, p. 265-287.

2112. WINKELMANN (Friedrich). Rolle und Problematik der Behandlung der Kirchengeschichte in der byzantinischen Historiographie. Klio, 84, Bd 66, p. 257-269.

2113. WIPSZYCKA (Ewa). Le degré d'alphabétisation en Egypte byzantine. R. Et. augustiniennes, 84, vol. 30, n° 3-4, p. 279-296.

Cf. n°s 15, 45, 227, 496, 927, 1810, 2282, 2306, 2328, 2337, 2360, 2711, 2780, 2829.

I

STORIA DEL MEDIO EVO

§ 1. Fonti e critica delle fonti. 2114-2227. - § 2. Opere generali. 2228-2267. - § 3. Storia politica (a. Opere generali; b. 476-900; c. 900-1300; d. 1300-1500). 2268-2417. - § 4. Ebrei. 2418-2436. - § 5. Islam. 2437-2450. - § 6. Vichinghi. 2451-2456. - § 7. Storia del diritto e delle istituzioni. 2457-2526. - § 8. Storia economica e sociale. 2527-2677. - § 9. Storia della civiltà, della letteratura, della scuola, delle scienze e della tecnica. 2678-2777. - § 10. Storia dell'arte (a. Opere generali; b. Studi particolari). 2778-2832. - § 11. Storia della musica. 2833-2844. - § 12. Storia della filosofia. 2845-2881. - § 13. Storia della Chiesa (a. Opere generali; b. Storia del Papato; c. Storia monastica; d. Agiografia). 2882-3062. - § 14. Storia degli stanziamenti. Toponomastica. Urbanismo. 3063-3102.

§ 1. Fonti e critica delle fonti.

* 2114. Bulletin codicologique. [Cf. Bibl. 83, n° 2386.] Scriptorium, 84, vol. 38, n° 1, p. 1*-60*.

* 2115. CARASSO-KOK (M.). Repertorium van verhalende historische bronnen uit de middeleeuwen. Heiligenlevens, annalen, kronieken en andere in Nederland geschreven verhalende bronnen. (Inventory of narrative historical sources from the middle ages. Saints' lives, annals, chronicles and other narrative sources composed in the Netherlands.) 's-Gravenhage, Nijhoff, 81 [82], in-8, XIX-498 p. (Bibliogr. reeks van het Nederlands Hist. Genootschap, 2)

* 2116. PLACE (François de). Bibliographie raisonnée des premiers documents cisterciens (1098-1200). Cîteaux, 84, t. 35, fasc. 1-2, p. 7-54.

* 2117. Repertorium fontium historiae medii aevi. Primum ab Augusto POTTHAST digestum, nunc cura collegii historicorum e pluribus nationibus emendatum et auctum. 5: Fontes. Gh - H. Roma, Istituto stor. ital. per il Medio Evo, 84, in-8, XIX-625 p. [1. Cf. Bibl. 78-79, n° 2107]

2118. ADAMUS BREMENSIS. Historien om Hamburgstiftet och dess biskopar. Övers. av Emanuel SVENBERG; komment. av Carl Fredik HALLENCREUTZ (History of the diocese of Hamburg and its bishops. Transl. by E. SVENBERG; comment. by C. F. HALLENKREUTZ.) Stockholm, Proprius, 84, in-8, 532 p. (ill.). (Skr. utg. av Samfundet Pro fide et christianismo, 6)

2119. Admonter (Die) Briefsammlung. Nebst erg. Briefen. Monumenta Germaniae Historica. Hrsg. v. Günther HÖDL u. Peter CLASSEN. München, Monumenta Germaniae Historica, 83, in-4, 271 p. (Mon. Germ. Hist., Epistolae, 2: Die Briefe d. deutschen Kaiserzeit, 6)

2120. Anecdota novissima. Texte d. 4. bis 16. Jh. Hrsg. v. B. BISCHOFF. Stuttgart, Hiersemann, 84, in-8, XII-292 p. (Quellen u. Unters. z. lat. Philol. d. Mittelalters, 7)

2121. Anglo-Saxon (The) Chronicle. Tr. from Old English by A. SAVAGE. London, Papermac, 84, in-4, 228 p. (ill.).

2122. Anonima dzieje pierwszej krucjaty albo czyny Franków i pielgrzymów jerozolimskich. (Histoire de la première croisade ou les gestes des Francs et des pèlerins de Jérusalem par un anonyme.) Trad. [du latin], avant-propos et commentaires de Karol ESTREICHER. Warszawa, Państw. Wydawn. Nauk., 84, in-8, 128 p. [Titre orig.: Gesta Francorum et aliorum Hierosolymitanorum]

2123. Arthurian period sources. Vol. 1: Annals, Badon and charters. Vol. 2: People and places. Transl. from the Latin. Ed. by B. WHITE. Chichester, Phillimore, 84, 2 vol. in-8, 120, 120 p.

2124. Árpád-kori (Az) magyar történet bizánci forrásai. Fontes Byzantini historiae Hungaricae aevo ducum et regum ex stirpe Árpád descendentium. Összegyüjt., ford., bev. és jegyz. MORAVCSIK Gyula. Sajtó alá rend. RITOÓK Zsigmond, KAPITÁNFFY István. (Prés., trad., introd. et annot. par - . Mis sous presse par - .) Budapest, Akad. Kiadó, 84, in-8, 363 p.

2125. Avar történelem (Az) forrásai. (Die Quellen der Awarengeschichte.) [VI. Cf. Bibl. 82, n° 1226.] VII: SZÁDECZKY-KARDOSS (Samu), CSILLIK (Eva). Thessaloniké első avar ostroma. (Die erste awarische Belagerung von Thessalonike.) VIII: SZÁDECZKY-KARDOSS (Samu), unter Mitarbeit v. Teréz OLAJOS, Csaba FARKAS. Az avarok Maurikios császárságának utolsó éveiben. 597 végétől - 602 őszéig. (Die Awaren in den letzten Jahren des Kaisers Maurikios, Ende 597 - Herbst 602.) Archaeol. Ért., 83, vol. 110, n° 1, p. 89-99; 84, vol. 111, n° 1, p. 53-70.

2126. Aus Glossenhandschriften des achten bis vierzehnten Jahrhunderts. Quellen z. Gesch. e. Überlieferungsart. Hrsg. v. Irmgard FRANK. Heidelberg, Winter, 84, in-8, 170 p. (German. Bibliothek. Reihe 7: Quellen z. deutschen Sprach- u. Literaturgesch., N.F., 3)

2127. BAKÁCS (István). Iratok Pest megye történetéhez. Oklevélregeszták, 1002-1437. (Documents relatifs à l'histoire du comitat de Pest. Registres des chartes, 1002-1437.) Budapest, Pest megyei Levéltár, 82, in-8, 532 p. (Pest megye múltjából, 5)

2128. BARNISH (S.J.B.). The genesis and completion of Cassiodorus' Gothic History. Latomus, 84, vol. 33, n° 2, p. 336-361.

2129. BEKE (Johannes de). Croniken van den Stichte van Utrecht ende van Hollant. Chronicles of Utrecht and Holland.) Ed. by H. BRUCH. 's-Gravenhage, Nijhoff, 82, in-8, LXVI-490 p. (Rijks Geschiedk. Publ., gr. s., 180)

2130. BENNETT (Judith M.). Spouses, siblings and surnames: reconstructing families from medieval village court rolls. J. brit. Stud., 84, vol. 23, n° 1, p. 26-46.

2131. BEUMANN (Helmut). Zur Verfasserfrage der Vita Heinrici IV. In: Institutionen, Kultur u. Gesellschaft [Cf. n° 491], p. 305-319.

2132. BLOCH (Herbert). Der Autor der "Graphia aureae urbis Romae". Deutsch. Arch. f. Erforsch. d. M.-A., 84, Jg. 40, p. 55-175.

2133. BOOCKMANN (Hartmut). Eine Urkunde Konrads II. für das Damenstift Obermünster in Regensburg. Zu einem verschenkten Königsszepter und zum Königskanonikat. In: Institutionen, Kultur u. Gesellschaft [Cf. n° 491], p. 207-219.

2134. BORST (Anro). Ein Forschungsbericht Hermanns des Lahmen. Deutsch. Arch. f. Erforsch. d. M.-A., 84, Jg. 40, p. 379-477.

2135. "Buoch (Das) der tugenden". Ein Compendium d. 14. Jh. über Moral u. Recht nach d. "Summa theologiae" I-II d. Thomas von Aquin u. a. Werken d. Scholastik u. Kanonistik. Hrsg. v. Klaus BERG u. Monika KAPSER. Bd 1: Einleitung, mittelhochdeutscher Text. Bd 2: Lateinische Quellen. Tübingen, Niemeyer, 84, 2 vol. in-8, CXVII-467, 305 p. (Texte u. Textgesch., 7, 8)

2136. BURG (André-Marcel). Les Consuetudines de Baldolf (XIe siècle). Arch. Egl. Alsace, 84, t. 43, sér. 3, t. 4, p. 1-49.

2137. Cartulaire (Le) du chapitre du Saint-Sépulcre de Jérusalem. Ed. par Geneviève BRESC-BAUTIER. Paris, Geuthner, 84, in-8, 432 p. (Doc. relatifs à l'hist. des Croisades, 15)

2138. Catalogus baronum: commentario. A cura di Errico CUOZZO. Roma, Istit. stor. ital. per il Medio Evo, 84, in-8, XLIV-592 p. (Fonti per la storia d'Italia, 101) [In appendice: Definition of a Norman county in Apulia and Capua, di D. CLEMENTI]

2139. CAVINESS (Madeline H.). Saint-Yved of Braine: the primary sources for dating the Gothic church. Speculum, 84, vol. 59, n° 3, p. 524-548.

2140. CAZELLES (Raymond), MOLLAT DU JOURDIN (Michel). Catalogue de comptes royaux des règnes de Philippe VI et de Jean II, 1328-1364. T. 1: Comptes royaux. Paris, Acad. des Inscript. et Belles-Lettres; diff. de Boccard, 84, in-4, 276 p. (Recueil des historiens de la France)

2141. Chartes et documents de la Sainte-Chapelle de Vincennes, XIVe-XVe siècles. T. 1, 2. Par CLaudine BILLOT. Avec le concours de Josiane DI CRESCENZO. Avant-propos de Bernard BARBICHE. Paris, Ed. du C.N.R.S., 84, 2 vol. in-4, 507 p., p. 509-929 (18 p. de pl., cartes). (Inst. de Recherche et d'Hist. des Textes, Doc., études et répertoires)

2142. CHENEY (C.R.). Manx synodal statutes, A.D. 1230 (?) - 1051. Part 1: Introduction and Latin texts. Part 2: Translation of Latin texts. Cambridge med. celtic Stud., 84, n° 7, p. 63-89; n° 8, p. 51-63.

2143. Constitutiones et acta publica imperatorum et regum. Hrsg. v. d. Akad. d. Wiss. d. DDR, Zentralinst. f. Gesch. Dokumente zur Geschichte des Deutschen Reiches und seiner Verfassung. Bd 10: 1351-1353. Bearb. v. Margarete KUHN. [Lfg 1, 2. Cf. Bibl. 81, n° 1912.] Lfg 3. Bd 11: 1354-1356. Bearb. v. Wolfgang D. FRITZ. [Lfg 2, 3. Cf. Bibl. 81, n° 1912.] Lfg 4. Weimar, Böhlau, 84, 2 vol. in-4, p. 225-384, p. 265-376. (Monumenta Germaniae historica 2, sectio 4, t. 10, fasc. 3; t. 11, fasc. 4)

2144. Corpus des inscriptions de la France médiévale. [Fasc. 7, 8. Cf. Bibl. 82, n° 2196.] T. 9: Aveyron, Lot, Tarn. Textes établis et prés. par Robert FAVREAU, Jean MICHAUD, Bernadette LEPLANT, sous la dir. d'Edmond-René LABANDE. Paris, Ed. du C.N.R.S., 84, in-4, 216 p. (9 fig., 44 pl., 3 cartes).

2145. Documentos inéditos de Alfonso X el Sabio y del infante su hijo Don Sancho. Publ. por Juan Manuel del ESTAL. Alicante, Librería Univ., 84, in-8, XXIV-257 p.

2146. Documents linguistiques de la Belgique romane. Sous la dir. de Pierre RUELLE. Chartes en langue franç. antérieures à 1271 conservées dans la province de Hainaut. Publ. par Jacques MONFRIN. Paris, Ed. du C.N.R.S., 84, in-4, 216 p.

2147. Dokumente zum Passauer Bistumsstreit von 1423 bis 1428. Zur Kirchenpolitik Herzog Albrechts V. von Österreich (Paris, Bibl. Nat. lat. 1515). Hrsg. v. Paul UIBLEIN. Wien, Verl. d. Österr. Akad. d. Wiss., 84, in-8, 362 p. (Fontes rerum Austriacarum, Abt. 2, vol. 84)

2148. DOLBEAU (François). La vie en prose de saint Marcel, évêque de Die. Histoire du texte et édition critique. Francia, 83 [84], Bd 11, p. 97-130.

2149. DOLBEAU (François). Ratheriana I. Nouvelles recherches sur les manuscrits et l'oeuvre de Rathier. Sacris erudiri, 84, t. 27, p. 373-431.

2150. Drevnerusskaja literatura: Istočnikovedenie. (Old russian literature. Source study.) Sbornik nauč. tr. Otv. red. D. S. LIKHAČEV. Leningrad, Nauka, 84, 272 p. (AN SSSR. In-t rus. lit. Puškin. dom)

2151. DRÜPPEL (Christoph Josef). Altfranzösische Urkunden und Lexikologie. Ein quellenkrit. Beitr. z. Wortschatz d. d. frühen 13. Jh. Tübingen, Niemeyer, 84, in-8, VII-181 p. (Beih. z. Z. f. roman. Philologie, 203)

2152. DUMVILLE (David N.). On the dating of the early Breton lawcodes. Et. celtiques, 84, vol. 21, p. 207-221.

2153. DUNLOP (Annie L.) a. others. Calendar of Scottish supplications to Rome. Vol. 4: 1433-1447. Glasgow, Univ. Press, 84, in-8, 394 p.

2154. DUVAL (Yves-Marie). Un triple travail de copie effectué à Saint-Denis au IXe siècle et sa diffusion à travers l'Europe carolingienne et médiévale. A propos de quelques "Commentaires sur les petits prophètes" de saint Jérôme. Scriptorium, 84, vol. 38, n° 1, p. 1-49.

2155. Edition (An) of the Middle English grammatical texts. Ed. by David THOMSON. London a. New York, Garland, 84, in-8, XXXII-287 p. (Garland med. texts, 8)

2156. ERIKSSON (Nils-Erik). Det äldsta gränsdokumentet om Härjedalen och Jämtland, AM 114a, 4:o. (The oldest border document on Härjedalen and Jämtland in the Arnamagnaean collection in Copenhagen.) [Norsk] Hist. T., 84, vol. 63, p. 384-415.

2157. ESCH (Arnold). Gemeinsames Erlebnis - individueller Bericht. Vier Parallelberichte aus einer Reisegruppe von Jerusalempilgern 1480. Gerd Tellenbach zum 80. Geburtstag. Z. f. hist. Forsch., 84, Bd 11, p. 385-416.

2158. FAUSER (Winfrid). Albertus-Magnus-Handschriften. 2. Forts. B. Philos. méd., 83, vol. 23, p. 100-120.

2159. FENEŞAN (Costin). Un fals imaginar. Lămuriri necesare despre cnezii haţegani la 1435. (Un faux imaginaire. Eclaircissements nécessaires au sujet des cnèzes de Haţeg.) R. Arhivelor, 84, t. 6, n° 1, p. 80-93.

2160. FLODOARD. Historiae Remensis ecclesiae. Libri tertii continuatio et finis [Cf. Bibl. 83, n° 2412]. R. Moyen Age latin, 84, t. 40, n° 1-2, p. 201-408.

2161. Fragmenta Latina codicum in Bibliotheca Universitatis Budapestinensis. Recensuit Ladislaus MEZEY, cum sociis in opere Adriana FODOR et al. Budapest, Akad. Kiadó; Wiesbaden, Harrassowitz, 83, in-8, 286 p. (90 pl.). (Fragmenta codicum in bibliothecis Hungariae, 1/1)

2162. FRANTZEN (Allen J.). The penitentials attributed to Bede. Speculum, 83, vol. 58, p. 573-597.

2163. GRABOWSKI (Kathryn), DUMVILLE (David). Chronicles and annals of mediaeval Ireland and Wales. Ipswich, Boydell Press, 84, in-8, 160 p.

2164. Grăcki izvori za bălgarskata istorija. T. 10, 11. (Sources grecques de l'histoire bulgare. [Vol. 9. Cf. Bibl. 74-75, n° 2279.] Vol. 10, 11.) Red. Vasilka TĂPKOVA-ZAIMOVA, Mikhail VOJNOV, Ljubomir JONČEV. Sofija, BAN, 83, 2 vol. in-4, 419, 204 p. (Izvori za bălg. istorija, 22, 25)

2165. GRUB (J.). Das lateinische Traumbuch im Codex Upsaliensis C 664 (9. Jh.). Eine frühmittelalterl. Fassung d. lat. Somniale Danielis-Tradition. Krit. Erstedition mit Einl. u. Kommentar. Frankfurt (Main), Lang, 84, in-8, LVIII-370 p. (Lat. Sprache u. Lit. d. Mittelalters, 19)

2166. Guide (Le) du pèlerin de Saint-Jacques-de-Compostelle. Texte latin du XIIe siècle, ed. et trad. en franç. d'après les manuscrits de Compostelle et de Ripoll par Jeanne VIEILLARD. Paris, Vrin, 84, in-8, 182 p.

2167. GUIGUES Ier. Coutumes de Chartreux. Introd., texte critique, trad. et notes par un Chartreux. Paris, Ed. du Cerf, 84, in-8, 360 p. (Sources chrétiennes, 313)

2168. GYÖRFFY (György). Gyulafehérvár kezdetei, neve és káptalanjának registruma. (La naissance et le nom de Gyulafehérvár et le registre de son chapitre.) Századok, 83, vol. 117, n° 5, p. 1103-1134.

2169. HÄGELE (Günther). Das Paenitentiale Vallicellianum 1. Ein oberitalien. Zweig d. frühmittelalterl. kontinentalen Bußbücher. Überlieferung, Verbreitung u. Quellen. Sigmaringen, Thorbecke, 84, in-8, 107 p. (Quellen u. Forsch. z. Recht d. Mittelalters, 3)

2170. HART (C.). The B text of the Anglo-Saxon Chronicle. J. medieval Hist., 82, vol. 8, p. 241-299 (5 fig.). - IDEM. The early section of the Worcester Chronicle. Ibid., 83, vol. 9, p. 251-315 (9 fig.).

2171. HEIMPEL (Hermann). Eine unbekannte Schrift über die Kurfürsten auf dem Basler Konzil. In: Institutionen, Kultur u. Gesellschaft [Cf. n° 491], p. 469-482.

2172. HEINEMEYER (Walter). Die Handfeste der Stadt Freiburg i. U. Arch. f. Diplomatik, 81 [84], Bd 27, p. 145-176.

2173. HIESTAND (Rudolf). Papsturkunden für Templer und Johanniter. Göttingen, Vandenhoeck u. Ruprecht, 84, in-8, 340 p.

§ 1. FONTI E CRITICA DELLE FONTI 95

(Abh. d. Akad. Göttingen, 135. Vorarbeiten zum Oriens Pontificius, 2)

2174. HLEDÍKOVÁ (Zdeňka). Ke studiu a možnostem využití patronátních práv v předhusitských Čechách. (Zum Studium und den Nutzungsmöglichkeiten der Patronatsrechte im vorhussitischen Böhmen.) Folia hist. Bohem., 84, vol. 7, p. 43-99.

2175. Inquisiteur (L') Geoffroy d'Ablis et les cathares du comté de Foix (1308-1309). Texte établi, trad. et annoté par Annette PALES-GOBILLIARD. Paris, Ed. du C.N.R.S., 84, in-8, 428 p. (12 tabl., 4 pl., carte). (Sources d'hist. méd.)

2176. KAMINSKY (Hans Heinrich). Das unbekannte Original einer Straßburger Bischofsurkunde aus dem Jahre 1096. Arch. f. Diplomatik, 80 [83], Bd 26, p. 126-134.

2177. Konzilien (Die) der karolingischen Teilreiche 843-859. Hrsg. v. Wilfried HARTMANN. Hannover, Hahn, 84, in-4, XXX-653 p. (Monumenta Germaniae Historica. Leges: 4, Concilia, 3)

2178. KUITHAN (Rolf), WOLLASCH (Joachim). Der Kalender des Chronisten Bernold. Deutsch. Arch. f. Erforsch. d. M.-A., 84, Jg. 40, p. 478-631.

2179. LEMARIE (J.). La collection carolingienne de Luculentius restituée par les deux codices Madrid, Real Academia de la Historia Aemil. 17 et 21. Sacris erudiri, 84, t. 27, p. 221-371.

2180. Liber donationum Altae Ripae. Cartulaire de l'abbaye cistercienne d'Hauterive [Fribourg, Suisse] (XIIe-XIIIe siècles). Ed. critique par Ernst TREMP. Lausanne, Soc. d'hist. de la Suisse romande, 84, in-8, XII-430 p. (Mém. et doc., sér. 3, 15)

2181. LIST (Gerhard). Die Handschriften der Dombibliothek Fritzlar. Wiesbaden, Harrassowitz, 84, in-8, XXIV-333 p.

2182. MAJESKA (George F.). Russian travellers to Constantinople in the fourteenth and fifteenth centuries. Washington, D.C., Dumbarton Oaks, 84, XVII-463 p. (Dumbarton Oaks Stud., 19)

2183. Making (The) of King's Lynn: a documentary survey. Ed. by Dorothy M. OWEN. London, Oxford U.P. for The British Acad., 84, in-8, XIV-513 p. (2 maps). (Records of social a. econ. Hist., n. s., 9)

2184. MANTELLO (F.A.C.). Medieval diplomata in the library of the Catholic University of America, Washington, D.C. Cath. hist. R., 84, vol. 70, n° 4, p. 581-586.

2185. MARSINA (Richard). Medieval Hungarian narrative sources and Slovak historiography. Studia hist. slov., 84, vol. 13, p. 29-51.

2186. Martyrologue (Le) d'Adon, ses deux familles, ses trois recensions. Ed. par Jacques DUBOIS et Geneviève RENAUD.

Paris, Ed. du C.N.R.S., 84, in-8, 520 p. (Sources d'hist. du Moyen Age)

2187. Middelnederlandse Bijbelhandschriften. Codices manuscripti Sacrae Scripturae Neerlandicae. Descripti a J. A. A. M. BIEMANS. Leiden, Brill, 84, in-4, X-336 p. (Verzameling van Middelnederlandse Bijbelteksten)

2188. MILTENOVA (Anisava), KAJMAKAMOVA (Milijana). Neizvestno starobălgarsko letopisno săčinenie ot XI vek [Skazanie Isaevo]. (Une chronique vieille-bulgare inconnue du XIe s. ["Skazanie Isaevo"].) Palaeobulgarica, 83, n° 4, p. 52-73.

2189. Monumenta Germaniae Historica. Capitula episcoporum. T. 1. Hrsg. v. Peter BROMMER. Hannoverae, Hahn, 84, in-4, XX-268 p.

2190. MÜLLER (Hartmut). Quellen und Urkunden zur Geschichte der Benediktinerabtei St. Sixtus in Rettel. Jb. f. westdeutsche Landesforsch., 84, Jg. 10, p. 1-66.

2191. Nikonian (The) chronicle: from the beginning to the year 1132. Vol. 1. Ed. by Serge A. ZENKOVSKY. Transl. by Serge A. ZENKOVSKY, Betty Jean ZENKOVSKY. Princeton, N.J., Kingston, 84, LXXXI-255 p.

2192. PADEL (O. J.). Geoffrey of Monmouth and Cornwall. Cambridge med. celtic Stud., 84, n° 8, p. 1-28 (map).

2193. Papsturkunden 896-1046. Hrsg. v. Harald ZIMMERMANN. Bd 1. Wien, Verl. d. Österr. Akad. d. Wiss., 84, in-4, X-635 p. (Veröff. d. Hist. Komm., 3. Denkschr. d. Österr. Akad. d. Wiss., philos.-hist. Kl., 174)

2194. PARAVICINI (Werner). Die Hofordnungen Herzog Philipps des Guten von Burgund. [I. Cf. Bibl. 83, n° 2445.] II: Die verlorene Hofordnung von 1426/1427. Francia, 83 [84], Bd 11, p. 257-301.

2195. PARISSE (Michel). Inventaire des actes originaux du haut moyen âge conservés en France: un premier bilan. C. R. Acad. Inscript., 84, p. 352-369.

2196. PAULUS VENETUS. Logica parva. A translation of the 1472 edition. Tr. by Alan R. FEREIAH. München u. Wien, Philosophia; Washington, D.C., Catholic Univ. of America Press, 84, in-8, 372 p. (Analytica)

2197. Pergamene (Le) medievali di Orte, secoli X-XV. A cura di G. GIONTELLA, D. GIOACCHINI, A. ZUPPANTE. Orte, Ente Ottava medievale, 84, in-4, 155 p. (tav.).

2198. PEUNTNER (Thomas). Büchlein von der Liebhabung Gottes. Hrsg. v. Bernhard SCHNELL. München, Artemis, 84, in-8, X-427 p. (Münchener Texte u. Unters. z. deutsch. Lit. d. Mittelalters, 81)

2199. Polyptique (Le) et les listes de cens de l'abbaye de Saint-Remi de Reims (IXe-XIe siècles). Ed. par Jean-Pierre DEVROEY. Reims, Acad. Nat. de Reims, 84, in-8, CIV-164 p. (cartes). (Trav. de l'Académie Nat. de Reims, 163)

2200. Pommersches Urkundenbuch. [Bd 9. Cf. Bibl. 62, n° 2630.] Bd 10: 1336-1340. Bearb. v. Klaus CONRAD. T. 1: Urkunden. T. 2: Register. Köln u. Wien, Böhlau, 84, 2 vol. in-8, XIX-516, 95 p. (Veröff. d. Hist. Komm. f. Pommern, Reihe 2, Pommersches Urkundenbuch, 10)

2201. POULIN (Joseph-Claude). Les cinq premières Vitae de Sainte Geneviève. Analyse formelle, comparaison, essai de datation. J. Savants, 83 [84], n° 1-3, p. 81-150.

2202. Processo (Il) per la canonizzazione di S. Nicola da Tolentino. A cura di Nicola OCCHIONI. Pref. di André VAUCHEZ. Introd. di Domenico GENTILI. Rome, Ecole franç. de Rome et Patri Agostiniani di Tolentino, 84, in-8, XXX-725 p. (ill.). (Coll. de l'Ec. franç. de Rome, 74)

2203. Quatre sermons joyeux (XVe et XVIe siècles). Ed. par J. KOOPMANS. Genève, Droz, 84, in-8, 124 p. (Textes littéraires franç., 327)

2204. Quellen zum Investiturstreit. [T. 1. Cf. Bibl. 78-79, n° 2091.] T. 2: Schriften über den Streit zwischen Regnum und Sacerdotium. Übers. v. Irene SCHMALE-OTT. Darmstadt, Wiss. Buchges., 84, in-8, 613 p. (Ausgew. Quellen z. deutschen Gesch. d. Mittelalters, 12b)

2205. RATKOŠ (Peter). Deperditné listy Hadriána II. slovanským kniežatám z roku 869-870. (Die Deperdizbriefe Hadrians II. an die slawischen Fürsten aus d. J. 869-870.) Slov. Archiv., 84, vol. 19, n° 2, p. 75-95.

2206. RATKOŠ (Peter). Sources of Moravia Magna's history. Studia hist. slov., 84, vol. 13, p. 13-28.

2207. RIEDINGER (Rudolf). Erzbischof Arn von Salzburg und die Handschriften Vat. Regin. Lat. 1040 und Vindob. Lat. 418. Mitt. d. Ges. f. salzburg. Landeskde, 84, vol. 124, p. 305-318.

2208. Rise (The) of Gawain, nephew of Arthur (De ortu Walwanii nepotis Arturi). Ed. a. trans. by Mildred Leake DAY. New York a. London, Garland, 84, in-8, XLIII-131 p. (Garland Libr. of med. Lit., A/15)

2209. Romance (The) of Humbaut: an Arthurian poem of the thirteenth century. Ed. by Margaret WINTERS. Leiden, Brill, 84, in-8, XL-143 p. (Davis medieval texts a. studies, 4)

2210. Schlesisches Urkundenbuch. Bd 3: 1251-1266. Im Auftr. d. Hist. Komm. f. Schlesien hrsg. v. Heinrich APPELT u. Josef Joachim MENZEL. Bearb. v. Winfried IRGANG. Köln u. Wien, Böhlau, 84, in-4, X-502 p. [Bd 1, Lfg 2. Cf. Bibl. 68-69, n° 3196]

2211. SCHULER (Peter-Johannes). Formelbuch und Ars dictandi. Kaum genutzte Quellen zur politischen und sozialen Geschichte. In: Festschr. f. H. Stoob [Cf. n° 510], Bd 1, p. 374-389.

2212. SHARASTÂNI (Muhammad ben 'Abd al-Karim al-). Kitâb al-milal: les dissidences de l'Islam. Ed. et trad. par Jean-Calude VADET. Paris, Geuthner, 84, in-8, XII-348 p. (Biblioth. d'études islamiques, 14)

2213. SIGER DE BRABANT. Quaestiones in metaphysicam. Texte inéd. de la reportation de Cambridge. Ed. revue de la reportation de Paris. Publ. par Armand MAURER. Louvain-la-Neuve, Ed. de l'Institut Supérieur de Philos., 83, in-8, 478 p. (Philosophes médiévaux, 25)

2214. SIVERY (Gérard). La description du royaume de France par les conseillers de Philippe Auguste et par leurs successeurs. Moyen Age, 84, t. 90, sér. 4, t. 39, n° 1, p. 64-85.

2215. Sources (Les) de l'histoire économique et sociale du moyen âge. Par Robert-Henri BAUTIER, Janine SORNAY, avec la collab. de Françoise MURET. [I, vol. 3. Cf. Bibl. 74-75, n° 2343.] II: Les Etats de la maison de Bourgogne. Vol. 1: Archives des principautés territoriales. Fasc. 2: Les principautés du Nord. Paris, Ed. du C.N.R.S, 84, in-4, 736 p. (7 cartes). (Institut de Recherche et d'Hist. des Textes) [premier fasc. paru]

2216. Sources of social history: private acts of the late middle ages. Ed. by Paolo BREZZI a. Egmont LEE. Toronto, Pontifical Instit. of Mediaeval Stud., 84, in-8, XXVI-328 p.

2217. SPITZER (J. Schlomo). Hebräische Urkunden des 14. Jahrhunderts aus Kärnten. Carinthia, 84, Bd 174, p. 141-153.

2218. Stadsrekeningen (De) van Deventer. (Die Stadtrechnungen von Deventer.) Hrsg. v. G. M. de MEYER. [Vol. 5. Cf. Bibl. 78-79, n° 2117.] Vol. 6: 1435-1440. Utrecht, Rijksuniversiteit Utrecht, 84, in-8, XXI-411 p. (Teksten en documenten, 16)

2219. Tables alphonsines (Les), avec les canons de Jean de Saxe. Ed., trad. et commentaire par Emmanuel POULLE. Paris, Ed. du C.N.R.S., 84, in-8, 252 p.

2220. THOMAS (A.-H.). Un exemplaire glosé des statuts de Prémontré dans le manuscrit Laon 530. Analecta praemonstratensia, 84, t. 60, fasc. 1-2, p. 49-74.

2221. Tielse kroniek (De). Een geschiedenis van de Lage Landen van de volksverhuizingen tot het midden van de vijftiende eeuw met een vervolg over de jaren 1552-1566. (The chronicle of Tiel. A history of the Low Countries, 15th-16th cent.) Ed. by J. KUYS, L. de LEEUW, V. PACQUAY et al. Amsterdam, Verloren, 83, in-8, LXXI-199 p. (ill.).

2222. ULAŠČIK (N.N.). Belorussko-litovskoe letopisanie. (Byelorussian - Lithuanian chronicles.) Vopr. Ist., 84, n° 12, p. 63-72.

2223. VAN RIJ (H.), ed. De "Vita Heinrici II imperatoris" van bisschop Adelbold van Utrecht. In: Nederlandse hist. Bronnen [Cf. n° 769], vol. 3, p. 7-95.

2224. Via de lo Paraiso: un "modello" per le signore liguri della prima metà del Quattrocento. A cura di Luciana BORGHI CEDRINI. Alessandria, Ed. dell'Orso, 84, in-8, 102 p. (Filologia, linguistica, semiologia, 1)

2225. VODOFF (W.). Les publications et les catalogues de chartes russes et lituano-russes du moyen âge et du XVIe siècle. Arch. f. Diplomatik, 81 [84], Bd 27, p. 184-231.

2226. Výsady miest a mestečiek na Slovensku (1238-1350). (Die Stadt- und Marktprivilegien in der Slowakei.) Vol. 1. Edit. Ľubomír JUCK. Bratislava, Veda, 84, in-8, 200 p.

2227. ZWOLSKI (Edward). Kasjodor i Jordanes. Historia gocka czyli Scytyjska Europa. (Cassiodore et Jordanès. Histoire des Goths ou l'Europe des Scythes.) Lublin, 84, in-8, 171 p. (Tow. Nauk. Kat. Uniw. Lub. Rozpr. Wydz. Hist.-Filolog., 49)

Cf. n°s 10, 67, 255, 755, 2037, 2042, 2082, 2923.

§ 2. Opere generali.

* 2228. FOLZ (Robert). Histoire de l'Allemagne au moyen âge. [Cf. Bibl. 81, n° 1987.] R. hist., 83 [84], a. 107, t. 270, n° 548, p. 403-444.

* 2229. International medieval bibliography. Publications of [1982. Cf. Bibl. 83, n° 2480.] January-June, July-December 1983. Ed. by Richard J. WALSH. Leeds, Univ. of Leeds, 84, 2 vol. in-4, LV-279, XLIV-219 p.

* 2230. Istorija srednikh vekov. (History of the middle ages.) Sost.: I. I. KORNDORF i dr. T. 2, Č. 2: Ukazatel' literatury, izdannoj v SSSR (1958-1967). (Bibliography of the literature published in the USSR, 1958-1967.) Moskva, Izd-vo MGU, 84, 432 p.

* 2231. Medioevo latino. Bolletino bibliografico della cultura europea del secolo VI al XIII. A cura di Claudio LEONARDI, Rino AVESANI, Ferruccio BERTINI et al. [4. Cf. Bibl. 83, n° 2481.] 5: 1982. Spoleto, Centro ital. di Studi sull'alto medioevo, 84, in-8, XXXIX-783 p.

2232. Actes du 106e Congrès national des sociétés savantes, Perpignan, 1981. Section de philologie et d'histoire jusqu'à 1610. Les pays de la Méditerranée au moyen âge: études et recherches. Paris, Comité des travaux hist. et scientif., 84, in-8, 282 p.

2233. Alemannien und Ostfranken im Frühmittelalter. Hrsg. v. Franz QUARTHAL. Bühl (Baden), Konkordia-Druck, 84, in-8, 101 p. (Kt.). (Veröff. d. Alemannischen Inst. Freiburg i. Br., 48)

2234. ANGELOV (Dimităr), KAŠEV (Stefan), ČOLPANOV (Boris). Bălgarska voenna istorija ot antičnostta do vtorata četvărt na X vek. (Histoire militaire bulgare, depuis l'antiquité jusqu'au 2e quart du Xe siècle.) Sovija, BAN, 83, in-8, 340 p.

2235. ARABANTINOS (Panayiotēs). Perigraphē tēs Epeirou eis merē tria. Eisagōgē K. Th. Dimara. Epimeleia ekdoseos, heuretērio E. I. Nikolaïdou. (Description de l'Epire en trois parties. Introd. de C. Th. DIMARAS. Dir. de l'éd., index: E. I. NIKOLAIDOU.) Ioannina, Hetaireia Epeirotikōn Meletōn, 84, 3 vol. in-8, 238, 315, 444 p.

2236. ASEEV (I.V.), KIRILLOV (I.I.), KOVYČEV (E.V.). Kočevniki Zabajkal'ja v ėpokhu srednevekov'ja (po materialam pogrebenij). (Nomads of the Baikal lake region in the middle ages.) Novosibirsk, Nauka, 84, 201 p; (ill.). (AN SSSR. Sib. otd-nie. In-t ist., filol. i filos.)

2237. BARBER (Richard William). Penguin guide for mediaeval Europe. Harmondsworth, Penguin, 84, in-8, 384 p. (ill.).

2238. BOHÁČ (Zdeněk). The development of feudalism and territorial organization in the Czech lands up to the Hussite revolution. Hist. Geogr. [Praha], 84, vol. 23, p. 93-129 (5 maps).

2239. BOŽILOV (Ivan). Car Simeon Veliki 893-927. Zlatnijat vek na Srednovekovna Bălgarija. (Le tsar Siméon le Grand, 893-927. Le siècle d'or de la Bulgarie médiévale.) Sofija, BAN, 83, in-8, 224 p.

2240. BURNS (Robert I.). Muslims, Christians, and Jews in the Crusader Kingdom of Valencia: societies in symbiosis. London a. New York, Cambridge U.P., 84, in-8, XX-363 p. (9 ill., 3 maps). (Cambridge Iberian a. Latin Am. Stud.)

2241. Drevnejšie gosudarstva na territorii SSSR. (Ancient states on the territory of the USSR.) Materialy i issledovanija. [1981. Cf. Bibl. 83, n° 2486.] 1982, 1984. Otv. red.: V. T. PAŠUTO. Moskva, Nauka, 84, 2 vol., 263, 252 p. (AN SSSR. In-t istorii SSSR)

2242. Bibl. 82, n° 2331. DUBOV (I.V.). Severo-vostočnaja Rus' v ėpokhu rannego srednevekov'ja. (North-Eastern Russia in the early middle ages.) - CR: E. A. Šmidt, Vopr. Ist., 84, n° 5, p. 120-122.

2243. DUJČEV (Ivan). Stranici ot minaloto. (Pages du passé.) Sovija, Nauka i Izkustvo, 83, in-8, 368 p.

2244. English (The) in medieval Ireland. Proceedings of the first Joint Meeting of the Royal Irish Academy and the British Academy, Dublin, 1982. Ed. by James LYDON. Dublin, Royal Irish Acad., 84, in-8, IV-168 p. (8 pl.).

2245. Europa 1400. Die Krise d. Spätmittelalters. Hrsg. v. Ferdinand SEIBT u. Winfried EBERHARD. Stuttgart, Klett-Cotta,

84, in-8, 411 p. (14 Ill., graph. Darst.).

2246. Vacat.

2247. Glossar zur frühmittelalterlichen Geschichte im östlichen Europa. Hrsg. v. Jadran FERLUGA, Manfred HELLMANN u. Herbert LUDAT. Ser. A: Lateinische Namen bis 900. Bd 3, Lfg [1. Cf. Bibl. 83, n° 2490.] 2: Cenewe - Chotemir. Wiesbaden, Steiner, 84, in-8, p. 61-120.

2248. Glossar zur frühmittelalterlichen Geschichte im östlichen Europa. Hrsg. v. Jadran FERLUGA, Manfred HELLMANN u. Herbert LUDAT. Ser. B: Griechische Namen bis 1025. Bd 2, Lfg [5. Cf. Bibl. 83, n° 2491.] 6: Anastasiakon teichos - Axios. Wiesbaden, Steiner, 84, in-8, p. 189-248.

2249. Hessen im Frühmittelalter, Archäologie und Kunst. Ausstellung d. Museum f. Vor- u. Frühgesch. im Auftr. d. Dezernats Kultur u. Freizeit d. Stadt Frankfurt am Main u. d. Vorgeschichtl. Seminars de Philipps-Univ. Marburg a. d. L. Hrsg. v. Helmut ROTH u. Egon WAMERS. Sigmaringen, Thorbecke, 84, in-8, 380 p. (zahlr. Ill., graph. Darst., Kt.).

2250. Issledovanija po istorii obščestvennogo soznanija ėpokhi feodalizma v Rossii. (Research on the history of social consciousness in the epoch of feudalism in Russia.) Sbornik. Redkol.: N. N. POKROVSKIJ (otv. red.) i dr. Novosibirsk, Nauka, 84, 247 p. (Arkheografija i istočnikovedenie Sibiri, 8. AN SSSR. Sib. otd-nie. In-t ist., filol. i filos. Sib. otd-nie Arkheogr. komis.)

2251. IWAŃCZAK (Wojciech). Pasowanie rycerskie na ziemiach czeskich - ceremonia symboliczna i instrument polityki. (L'adoubement des chevaliers sur les terres tchèques: cérémonie symbolique et instrument politique.) Kwart. hist., 84, a. 91, n° 2, p. 255-277.

2252. Kaisergestalten des Mittelalters. Hrsg. v. Helmut BEUMANN. München, Beck, 84, in-8, 386 p. (15 Ill.).

2253. KELLEY (Donald R.). History, law and human sciences: mediaeval and Renaissance perspectives. London, Variorum Repr., 84, in-8, 330 p.

2254. KŁOCZKOWSKI (Jerzy). Europa słowiańska w XIV-XV wieku. (L'Europe slave aux XIVe-XVe siècles.) Warszawa, Państw. Inst. Wydawn., 84, in-8, 464 p.

2255. Lexikon des Mittelalters. Redaktion: Gloria AVELLA-WIDHALM, Liselotte LUTZ, Roswitha MATTEJIET, Ulrich MATTEJIET. Bd [1. Cf. Bibl. 83, n° 2498.] 2: Bettlerwesen - Codex von Valencia. München u. Zürich, Artemis, 83, in-4, VIII p., 2223 Sp.

2256. METZ (Wolfgang). Königshaus, Königsgut und Königskirchen. Bl. f. deutsch. Landesgesch., 84, Jg. 120, p. 1-18.

2257. MÜLLER-MERTENS (Eckhard). Zum Verhältnis von Struktur und Dynamik in der mittelalterlichen Feudalentwicklung.

Jb. f. Gesch. d. Feudalismus, 84, Bd 8, p. 9-22.

2258. NORDBERG (Michael). Den dynamiska medeltiden. (The dynamic middle ages.) Stockholm, Tiden, 84, in-8, 400 p. (ill.).

2259. PRINZ (Friedrich). Böhmen im mittelalterlichen Europa. Frühzeit, Hochmittelalter, Kolonisationsepoche. München, Beck, 84, in-8, 238 p.

2260. RYBAKOV (B.A.). Mir istorii: Načal'nye veka russkoj istorii. (The world of history. The first ages of Russian history.) Moskva, Molodaja gvardija, 84, 351 p. (ill.). (Literatura po istorii Rusi i rus. kul'tury IX-XIII vv.)

2261. SAITTA (Armando). Dalla Granada mora alla Granada cattolica: incroci e scontri di civiltà. Roma, Istit. stor. ital. per l'età moderna e contemporanea, 84, in-8, 232 p. (Studi di stor. mod. e contemp., 14)

2262. SCHILDHAUER (Johannes). Die Hanse. Geschichte u. Kultur. Leipzig, Edition Leipzig, 84, in-4, 246 p. (Abb.).

2263. Slovenský ľud po rozpade Veľkomoravskej ríše. (Das slowakische Volk nach dem Zerfall des Großmährischen Reiches.) Edit. Vladimír MATULA. Hist. Štúdie, 84, vol. 27, n° 2, 118 p.

2264. Srednie veka. (The middle ages.) Sbornik. [Vyp. 46. Cf. Bibl. 83, n° 2512.] 47. Redkol.: V. I. RUTENBURG (otv. red.) i dr. Moskva, Nauka, 84, 412 p. (AN SSSR. In-t vseobšč. istorii)

2265. TSURUSHIMA (Hirokazu). 11-12 seiki Ingurando ni okeru "miles" Geinen ni tsuite. Kento o shutaru Sozai to shite. (The "miles" in eleventh and twelfth-century England. The case of Kent.) Igirisushi Kenkyū, 83, vol. 34, p. 1-17.

2266. VARSIK (Branislav). O vzniku a rozvoji slovenskej národnosti v stredoveku. (On the origin and the development of Slovak nationality in the middle ages.) Hist. Čas., 84, vol. 32, p. 529-554.

2267. War and government in the middle ages. Essays in honour of J. O. Prestwich. Ed. by John Bennett GILLINGHAM a. James Clarke HOLT. Woodbridge, Boydell; Totowa, N.J., Barnes a. Noble, 84, in-8, XII-198 p.

Cf. n°s 486, 513, 689, 757, 2090, 2882.

§ 3. Storia politica.

a. Opere generali.

* 2268. EHLERS (Joachim). Frankreich im Mittelalter. Von d. Merowingerzeit bis z. Tode Ludwigs IX. (5./6. Jh. bis 1279). Neuerscheinungen v. 1961 bis 1979. Hrsg. v. Lothar GALL. München, Oldenbourg, 82, in-8, XII-306 p. (Hist. Z., Sonderh., 11)

2269. BURNS (Robert Ignatius). Muslims, Christians and Jews in the Crusader

§ 3. STORIA POLITICA

Kingdom of Valencia. London, Cambridge U.P., 84, in-8, 363 p. (ill., maps).

2270. Čechy v době slovanské. Archeologie o vzniku a počátcích českého státu. Teze. (Böhmen in der Slawen-Zeit. Die Archäologie über Entstehung u. Anfänge d. böhm. Staates, Thesen.) Red. Magdalena BERANOVÁ, Zdeněk VÁŇA, Zdeňka KRUMPHANZLOVÁ. Praha, Archeologický ústav ČSAV, 84, in-8, 196 p.

2271. COLLINS (Roger). Early mediaeval Spain. London, Macmillan, 84, in-8, 340 p.

2272. CONSTANTINESCU (Nicolae). Curtea de Argeș (1200-1400). Asupra începuturilor Țării Românești. (Curtea de Argeș. Sur les débuts de la Valachie.) București, Ed. Acad., 84, in-8, 171 p.

2273. COWAN (Edward J.). Myth and identity in early medieval Scotland. Scottish hist. R., 84, vol. 63, n° 2, p. 111-135.

2274. FUHRMANN (Horst). Rex canonicus - Rex clericus? In: Institutionen, Kultur u. Gesellschaft [Cf. n° 491], p. 321-326.

2275. GERLICH (Alois). Nassau in den politischen Konstellationen am Mittelrhein von König Adolf bis Erzbischof Gerlach (1292-1346). Nassau. A., 84, Bd 95, p. 1-37.

2276. GIVEN-WILSON (Charles). Royal bastards of mediaeval England. London, Routledge, 84, in-8, 208 p. (ill.).

2277. KOLEDAROV (Petăr). Bulgaria's place in the medieval world. In: Etudes hist., n° 11 [Cf. n° 689], p. 57-68.

2278. KUČKIN (V.A.). Formirovanie gosudarstvennoj territorii Severo-Vostočnoj Rusi v X-XIV vv. (The formation of the state territory of North-East Russia in the 10th-14th cent.) Moskva, Nauka, 84, 349 p.

2279. LOYN (Henry Royston). The governance of Anglo-Saxon England, 500-1087. Stanford, Calif., Stanford U.P.; London, E. Arnold, 84, in-8, XVII-222 p.

2280. MacQUARRIE (Alan). Scotland and the Crusades. Edinburgh, J. Donald, 84, in-8, 168 p.

2281. MIHAJLOV (Emil). Obrazovanie Kievskoj Rusi. (La genèse de la Russie de Kiev.) In: Etudes hist., n° 11 [Cf. n° 689], p. 69-86.

2282. NICOL (Donald M.). The despotate of Epiros, 1267-1479: a contribution to the history of Greece in the middle ages. London a. New York, Cambridge U.P., 84, in-8, XII-297 p.

2283. SCHAAB (Meinrad). Landgrafschaft und Grafschaft im Südwesten des deutschen Sprachgebiets. Z. f. d. Gesch. d. Oberrheins, 84, Bd 132, p. 31-55.

2284. SCHLESSER (Norman D.). Frontiers in medieval French history. Intern. hist. R., 84, vol. 6, n° 2, p. 159-173.

2285. SHORT (Ian). Mediaeval France: textual studies in memory of T. B. W. Reid. London, Birkbeck College, 84, in-8, 287 p. (Anglo-Norman Text Soc.)

2286. TODERAȘCU (Ion). Alianța politico-militară dintre țările române în Evul Mediu. Idee și fapta. (L'alliance politico-militaire entre les Pays Roumains au moyen âge. Idée e fait.) Iași, Universitatea, 84, in-8, 188 p.

2287. VÁRADY (László). Epochenwechsel um 476: Odoaker, Theoderich der Große und die Umwandlungen. Anhang: Pannonica. Budapest, Akad. Kiadó; Bonn, Habelt, 84, in-8, 123 p.

2288. WOLF (Armin). Des deux Lorraine et l'origine des princes-électeurs du Saint Empire. L'impacte de l'ascendance sur l'institution. Francia, 83 [84], Bd 11, p. 241-256.

b. 476-900.

2289. ABELS (Richard). The council of Whitby: a study in early Anglo-Saxon politics. J. brit. Stud., 84, vol. 23, n° 1, p. 1-25.

2290. BARBERO DE AGUILERA (Abilio). Los síntomas españoles y la política religiosa de Carlomagno. In: Estudios dedicados al prof. D. A. Ferrari Nuñez [Cf. n° 488], vol. 1, p. 87-138.

2291. BLAIR (Peter Hunter). Anglo-Saxon Northumbria. Ed. by Michael LAPIDGE a. Pauline Hunter BLAIR. London, Variorum Repr., 84, in-8, 338 p.

2292. BORGOLTE (Michael). Geschichte der Grafschaften Alemanniens in fränkischer Zeit. Sigmaringen, Thorbecke, 84, in-8, 308 p. (Vorträge u. Forsch., Sonderband, 31)

2293. BOWLUS (Charles R.). Two Carolingian campaigns reconsidered. Milit. Affairs, 84, vol. 48, n° 3, p. 121-125.

2294. BREITHOLTZ (Lennart). Vid medeltidens gryning: Rom under barbarernas svärd. (At the dawn of the middle ages: Rome under the barbarians' sword.) Stockholm, Svenska humanist. förb., 83 [84], in-8, 358 p.

2295. BULLOUGH (Donald). Alcuinus deliciosus Karoli regis. Alcuin of York and the shaping of the early Carolingian court. In: Institutionen, Kultur u. Gesellschaft [Cf. n° 491], p. 73-92.

2296. BURNS (Thomas S.). A history of the Ostrogoths. Bloomington, Indiana U.P., 84, in-8, XVII-299 p.

2297. EIBL (Elfi-Marita). Zur Stellung Bayerns und Rheinfrankens im Reiche Arnulfs von Kärnten. Jb. f. Gesch. d. Feudalismus, 84, Bd 8, p. 73-113.

2298. GAUERT (Adolf). Noch einmal Einhard und die letzten Merowinger. In: Institutionen, Kultur u. Gesellschaft [Cf. n° 491], p. 59-72.

2299. MARTINDALE (Jane). The kingdom of Aquitaine and the "dissolution of the Carolingian fisc". Francia, 83 [84], Bd 11, p. 131-191.

2300. MUSSOT-GOULARD (Renée). Charlemagne. Paris, Presses univ. France, 84, in-8, 128 p. (Que sais-je? 471)

2301. RUSU (Mircea). Frühformen der Staatsentstehung in Rumänien - Betrachtungen zur sozialökonomischen und politischen Lage. Z. f. Archäol., 84, Jg. 18, p. 189-207.

2302. SIMON (László). Nagykőrös és környéke avar kori topográfiája. A nagykőrösi avar fejedelmi kard. - Topography of Nagykőrös and its environs in the Avar period. The Avar princely sword from Nagykőrös. Nagykőrös, 84, in-8, 160 p. (Az Arany János Muzeum kismonográfiái, 4)

2303. TEILLET (S.). Des Goths à la notion gothique: les origines de l'idée de nation en Occident du Ve au VIIe siècle. Paris, Les Belles lettres, 84, in-8, 687 p. (2 cartes). (Etudes anc.)

2304. TÓTH (Sándor). Kabarok (kavarok) a 9. századi magyar törzsszövetségben. (Contribution à l'histoire des Kavars du IXe siècle.) Századok, 84, vol. 118, n° 1, p. 92-113.

2305. WEIBULL (Curt). Om det danska riket uppkomst. (Über die Entstehung des dänischen Reichs.) Scandia, 84, vol. 50, p. 5-18. [Deutsche Zsfassung, p. 105-106]

Cf. n°s 1138, 2086.

c. 900-1300.

2306. ABULAFIA (David). Ancona, Byzantium and the Adriatic 1155-1173. Pap. british School Rome, 84, vol. 52, p. 195-216.

2307. ACHÚCARRO LARRAÑAGA (Mercedes). La tierra de Guipúzcoa y sus valles: su incorporación al reino de Castilla. In: Estudios dedicados al prof. D. A. Ferrari Nuñez [Cf. n° 488], vol. 1, p. 13-46.

2308. BACHRACH (Bernard S.). Enforcement of the Forma Fidelitatis: the techniques used by Fulk Nerra, Count of the Angevins (987-1040). Speculum, 84, vol. 59, n° 4, p. 796-819. - IDEM. Henry II and the Angevin tradition of family hostility. Albion, 84, vol. 16, n° 2, p. 111-130.

2309. BISSON (Thomas N.). L'essor de la Catalogne: identité, pouvoir et idéologie dans une société du XIIe siècle. A. Ec., Soc., Civ., 84, a. 39, n° 3, p. 454-479.

2310. BOHM (Eberhard). Albrecht der Bär, Wibald von Stablo und die Anfänge der Mark Brandenburg. Jb. f. d. Gesch. Mittel- u. Ostdeutschlands, 84, Bd 33, p. 62-91.

2311. BOÜARD (Michel de). Guillaume le Conquérant. Paris, Fayard, 84, in-8, 492 p.

2312. BROWN (Reginald Allen). The Norman Conquests. London, E. Arnold, 84, in-8, 208 p. (Documents of Mediaeval Hist.) - IDEM. The Normans. Ipswich, Boydell, 84, in-8, 244 p. (ill., pl.).

2313. CAMPBELL (Miles W.). An inquiry into the troop strength of King Harald Hardrada's invasion fleet of 1066. Am. Neptune, 84, vol. 44, n° 2, p. 96-102.

2314. CLEMENTI (Dione). Stepping stones in the making of the "Regno". B. Ist. stor. Ital. Medio Evo, 82-83 [84], t. 90, p. 227-293.

2315. CORSTEN (Severin). Die Herren von Valkenburg (c. 1000-1364). Publ. Limbourg, 84, vol. 120, p. 162-200. - IDEM. Wassenberg während der Stauferzeit. Eine Fallstudie z. Territorialpolitik d. Kölner Erzbischöfe. A. d. hist. Ver. f. d. Niederrhein, 84, Bd 187, p. 9-29.

2316. CUVILLIER (Jean-Pierre). Milites in servitio: la sujétion de la haute noblesse à la bureaucratie dans le royaume de Sicile sous Frédéric II Hohenstaufen. In: Institutionen, Kultur u. Gesellschaft [Cf. n° 491], p. 639-664.

2317. DEWEY (H.W.), KLEIMOLA (A.M.). Russian collective consciousness: the Kievan roots [11th-12th cent.]. Slavonic east europ. R., 84, vol. 62, n° 2, p. 180-191.

2318. FAUSSNER (Hans Constantin). Zum Regnum Bavariae Herzog Arnulfs (907-938). Wien, Verl. d. Österr. Akad. d. Wiss., 84, in-8, 33 p. (S.-B. d. Österr. Akad. d. Wiss., philos.-hist. Kl., 426)

2319. FLECKENSTEIN (Josef). Das Bild der Staufer in der Geschichte. Bemerkungen über Möglichkeiten u. Grenzen nationaler Geschichtsschreibung. Festrede zur Feier d. 80. Geburtstages v. Gerhard Joppich am 5. Nov. 1983. Göttingen, Vandenhoeck u. Ruprecht, 84, in-8, 22 p. (Göttinger Universitätsreden, 72)

2320. GAUDEMET (Jean). Le dossier canonique du mariage de Philippe Auguste et d'Ingeburge de Danemark (1193-1213). R. hist. Droit franç. étr., 84, a. 62, n° 1, p. 15-20.

2321. GENICOT (Léopold). Sur la survivance de la notion d'Etat dans l'Europe du Nord au haut moyen âge. L'emploi de publicus dans les sources belges antérieures à l'an mil. In: Institutionen, Kultur u. Gesellschaft [Cf. n° 491], p. 147-164.

2322. GERICS (József). Über das Zeremoniell der ungarischen Königskrönung um die Mitte des 11. Jahrhunderts. A. Univ. Sci. Budapestiensis, Sectio hist., 83, vol. 23, p. 3-16.

2323. GIESE (Wolfgang). Der Reichstag vom 8. September 1256 und die Entstehung des Alleinstimmrechts der Kurfürsten. Deutsch. Arch. f. Erforsch. d. M.-A., 84, Jg. 40, p. 562-590.

2324. GILLINGHAM (John Bennett). The Angevin Empire. London, E. Arnold, 84,

§ 3. STORIA POLITICA

in-8, 112 p. (Foundations of Mod. Hist.)

2325. HART (Ray). William Rufus, the second Norman King. London, New Horizon, 84, in-8, 248 p. (maps).

2326. HAVERKAMP (Alfred). Aufbruch und Gestaltung, Deutschland 1056-1273. München, Beck, 84, in-8, 356 p. (Kte). (Neue deutsche Gesch., 2)

2327. HLAWITSCHKA (Eduard). Königin Richeza von Polen - Enkelin Herzog Konrads von Schwaben, nicht Kaiser Ottos? In: Institutionen, Kultur u. Gesellschaft [Cf. n° 491], p. 221-244.

2328. KAPITÁNFFY (István). Magyarbizánci kapcsolatok Szent László és Kálmán uralkodásának idején. (Relations hungaro-byzantines sous le règne de Saint Ladislas et de Coloman.) Acta Univ. szegediensis, Acta hist., 83, vol. 75, p. 19-28.

2329. KARPF (Ernst). Königserhebung ohne Salbung. Zur polit. Bedeutung von Heinrichs I. ungewöhnl. Verzicht in Fritzlar (919). Hess. Jb. f. Landesgesch., 84, Bd 34, p. 1-24.

2330. KELLER (Hagen). Mehrheitsentscheidung und Majorisierungsproblem im Verbund der Landgemeinden Chiavenna und Piuro (1151-1155). In: Festschr. f. H. Stoob [Cf. n° 510], Bd I, p. 2-41.

2331. KING (Edmund). The anarchy of King Stephen's reign. Trans. roy. hist. Soc., 84, vol. 34, p. 133-153.

2332. KÖHN (Rolf). Der Bauernaufstand von 922 bzw. 992 in Thomas Lirers Schwäbischer Chronik: Fiktion, Realität u. Projektion in einem Historienbuch d. 15. Jh. Z. f. Gesch. d. Oberrheins, 84, Bd 132, p. 57-105.

2333. KOSZTOLNYIK (Z.J.). The church and the Hungarian court under Colman the Learned [1095-1116]. East european Quar., 84, vol. 18, n° 2, p. 129-141.

2334. KRISTÓ (Gyula). Tanulmányok az Arpád-korról. (Etudes sur l'époque arpadienne.) Budapest, Magvető Kiadó, 83, in-8, 598 p. (Nemzet és emlékezet) - IDEM. Levedi törzsszövetségétől Szent István államáig. (De l'alliance des tribus de Levedi jusqu'à l'Etat de St. Etienne.) Budapest, Akad. Kiadó, 83, in-8, 155 p.

2335. LAWSON (M.K.). The collection of danegeld and heregeld in the reigns of Aethelred II and Cnut. Eng. hist. R., 84, vol. 99, p. 721-738.

2336. LUCHT (Dietmar). Pommern und das Reich vom Beginn des 12. Jahrhunderts bis zum Jahr 1181. Balt. Stud., 84, N. S., Bd 70, p. 7-21.

2337. MAKK (Ferenc). Relations hungarobyzantines entre 1156 et 1162. Homonoia, 83, vol. 5, p. 161-217.

2338. MAYER (Hans Eberhard). Mélanges sur l'histoire du royaume latin de Jérusa-lem. Paris, Acad. des Inscript. et Belles-Lettres, 84, in-8, 163 p. (Mém. de l'Acad. des Inscrip. et Belles-Lettres, n. s., 5)

2339. NTOUROU-HELIOPOULOU (Maria). Hē Andegavikē kyriarchia stēn Rōmania epi Karolou A' 1266-1285. (La souveraineté angevine en Romanie sous Charles Ier, 1266-1285.) Athènes, l'auteur, 84, in-8, 221 p.

2340. Obronność polskiej granicy zachodniej w dobie perwszych Piastów. (L'état de défense de la frontière polonaise occidentale à l'époque des premiers Piast.) Réd.: Lech LECIEJEWICZ. Wrocław, Zakł. Narod. im. Ossolińskich, 84, in-8, 126 p. (Pol. Akad. Nauk, Oddz. we Wrocławiu. Prace Komisji Archeolog., 1)

2341. PARISSE (Michel). L'évêque impérial dans son diocèse. L'exemple lorrain aux Xe et XIe siècles. In: Institutionen, Kultur u. Gesellschaft [Cf. n° 491], p. 179-193.

2342. POISSON (Jean-Michel). A Pise: Eglise et Etat à la conquête de la Sardaigne. Cah. Civ. méd., 84, vol. 27, p. 119-128.

2343. POZZA (Marco). Acri e Negroponte: un capitolo delle relazioni fra Venezia e Carlo I d'Angiò (1277-1282). Arch. stor. Prov. napol., 82 [84], a. 100, p. 27-74.

2344. Proceedings of the Battle Conference on Anglo-Norman studies. [V. Cf. Bibl. 83, n° 2591.] VI: 1983. Ed. by Reginald Allen BROWN. Woodbridge a. Dover, N.H., Boydell, 84, in-8, XII-246 p. (ill.).

2345. REIMANN (Norbert). "In Burgo Tremonia". Pfalz u. Reichsstadt Dortmund in d. Stauferzeit. Bl. f. deutsche Landesgesch., 84, Jg. 120, p. 79-104.

2346. REYNOLDS (Susan). Kingdoms and communities in western Europe, 900-1300. New York, Oxford U.P., 84, in-8, VIII-387 p.

2347. Bibl. 82, n° 3435. SAKHAROV (A.N.). Diplomatija Svjatoslava.(Svyatoslav's diplomacy.) - CR: Ju. A. Kizilov, Ist. SSSR, 84, n° 2, p. 181-183.

2348. SCHMID (Karl). Salische Gedenkstiftungen für fideles, servientes und milites. In: Institutionen, Kultur u. Gesellschaft [Cf. n° 491], p. 245-264.

2349. SMITH (Llinos B.). The gravamina of the community of Gwynned against Llywelyn ap Gruffudd. B. Board celtic Stud., 84, vol. 31, p. 158-176.

2350. SPINEI (Victor). Relaţiile etno-politice de la Dunărea de jos în secolele XI-XII în cronica lui Mihai Sirianul. [I. Cf. Bibl. 83, n° 2603.] II. R. Ist., 84, t. 37, n° 2, p. 126-148.

2351. STEINDORFF (Ludwig). Die dalmatinischen Städte im 12. Jahrhundert. Studien zu ihrer polit. Stellung u. gesellschaftl. Entwicklung. Köln u. Wien, Böhlau, 84, in-4, XXIV-194 p. (Städteforschung, Reihe A: Darst., 20)

2352. STEPHENSON (David). The government of Gwynedd. Cardiff, Univ. of Wales Press, 84, in-8, XLII-257 p. (2 pl., map). (Stud. in Welsh Hist., 5) - IDEM. The politics of Powys Wenwynwyn in the thirteenth century. Cambridge med. celtic Stud., 84, n° 7, p. 39-71 (map).

2353. STRZELCZYK (Jerzy). Polska a początki Marchii Brandenburskiej. (La Pologne et les débuts de la Marche de Brandebourg.) Śląski Kwart. hist. Sobótka, 84, a. 39, n° 1, p. 21-35. - IDEM. Der Volksaufstand in Polen in den 30er Jahren des 11. Jahrhunderts und seine Rolle während der Krise des frühpiastischen Staates. Z. f. Archäol., 84, Jg. 18, p. 129-140.

2354. SZÉKELY (György). Koronaküldések és királykreálások a 10.-11.századi Európában. (Envois de couronnes, intronisations de rois dans l'Europe des Xe-XIe siècles.) Századok, 84, vol. 118, n° 5, p. 905-949.

2355. THEIS (Laurent). L'avènement d'Hugues Capet, 3 juillet 987. Paris, Gallimard, 84, in-8, 311 p. (Trente journées qui ont fait la France)

2356. VOGEL (Jörgen). Rudolf von Rheinfelden, die Fürstenopposition gegen Heinrich IV. im Jahr 1072 und die Reform des Klosters St. Blasien. Z. f. Gesch. d. Oberrheins, 84, Bd 132, p. 1-30.

2357. WEIGL (Herwig). Zur Geschichte Waidhofens an der Ybbs im 13. Jahrhundert. Mitt. a. d. niederösterr. Landesarch., 84, Bd 8, p. 15-30.

2358. WILIŃSKI (Kazimierz). Walki polsko-pruskie w X-XIII w. (Les luttes polono-prussiennes aux Xe-XIIIe s.) Łódź, 84, in-8, 214 p. (Acta Univ. Lodziensis, Folia hist., 15)

2359. ZOTZ (Thomas). Königspfalz und Herrschaftspraxis im 10. und frühen 11. Jahrhundert. Bl. f. deutsche Landesgesch., 84, Jg. 120, p. 10-46. - IDEM. Städtisches Rittertum und Bürgertum in Köln um 1200. In: Institutionen, Kultur u. Gesellschaft [Cf. n° 491], p. 609-638.

Cf. n° 2079.

d. 1300-1500.

2360. ANGELOV (Dimităr). Bălgaro-vizantijski otnošenija pri Ivan Aleksandăr 1355-1371 g. (Les relations bulgaro-byzantines sous le règne d'Ivan Alexandre 1355-1371.) Voen. ist. Sbornik, 82, n° 3, p. 96-113.

2361. ASHTOR (E.). Alfonso il Magnanimo e i Mamlucchi. Arch. stor. ital., 84, a. 142, p. 3-29.

2362. BAUCELLS I REIG (Josep). L'expansió peninsular en la política de Jaume II: el matrimoni de la seva filla gran Maria amb l'infant Pere de Castilla. Anu. Est. mediev., 82 [84], t. 12, p. 491-535.

2363. BOOKMANN (Hartmut). Spätmittelalterliche deutsche Stadt-Tyrannen. Bl. f. deutsche Landesgesch., 84, Jg. 119, p. 73-91.

2364. BROKKEN (H.M.). Het ontstaan van de Hoekse en Kabeljauwse twisten. (The origin of the "Hook-and-Cod" strife.) Zutphen, Walburg Pers, 82, in-8, 676 p.

2365. BURLEIGH (Michael). History, privilege and conspiracy theories in mid-fifteenth century Prussia. European Hist. Quar., 84, vol. 14, n° 4, p. 381-399.

2366. CAZELLES (Raymond). Etienne Marcel, champion de l'unité française. Paris, Tallandier, 84, in-8, 380 p. (plan, carte). (Figures de proue)

2367. CIHODARU (Constantin). Alexandru cel Bun (23 aprilie 1399 - 1 ianuarie 1439). (Alexandre le Bon [prince de Moldavie].) Iași, Junimea, 84, in-8, 336 p.

2368. CLOUGH (Cecil H.). Federigo da Montefeltro: the good Christian prince. B. John Rylands Libr., 84, vol. 67, n° 1, p. 293-348 (ill.).

2369. COSGROVE (Art). Parliament and the Anglo-Irish community: the Declaration of 1460. Hist. Studies, 83, vol. 14, p. 25-41.

2370. CROSKEY (Robert M.). The diplomatic forms of Ivan III's relationship with the Crimean Khan. Slavic R., 84, vol. 42, n° 2, p. 257-269.

2371. DEMANDT (Karl E.). Die politische Tätigkeit Graf Engelberts I. von Nassau-Breda im Dienste der Herzöge von Brabant 1415-1420. Hess. Jb. f. Landesgesch., 84, Bd 34, p. 49-65.

2372. EDWARDS (John) Politics and ideology in late medieval Cordoba. In: Estudios dedicados al prof. D. A. Ferrari Nuñez [Cf. n° 488], vol. 1, p. 277-304.

2373. ENGEL (Pál). Hunyadi János kormányzó itineráriuma, 1446-1452. (L'itinéraire du gouverneur János Hunyadi, 1446-1452.) Századok, 84, vol. 118, n° 5, p. 974-997.

2374. English rising (The) of 1381. Ed. by R. H. HILTON a. T. H. ASTON. London, Cambridge U.P., 84, VI-221 p. (Past a. Present Publ.)

2375. FAHLBUSCH (Bernward). Königtum und Städte in Niederdeutschland im frühen 15. Jahrhundert. Bl. f. deutsche Landesgesch., 84, Jg. 119, p. 93-112.

2376. FRANCO SILVA (Alfonso). El destino del patrimonio de don Álvaro de Luna. Problemas y conflictos en la Castilla del siglo XV. Anu. Est. mediev., 84, t. 12, p. 549-583 (mapas).

2377. GAZZANIGA (Jean-Louis). Les Etats généraux de Tours de 1484 et les affaires de l'Eglise. R. hist. Droit franç. étr., 84, a. 62, n° 1, p. 31-45.

2378. GONCA (G.V.). Moldavija i osmanskaja agressija v poslednej četverti XV – pervoj treti XVI v. (Moldavia and the Ottoman aggression in the last quarter of the 15th – first third of the 16th cent.) Kišinev, Štiinca, 84, 150 p. (AN MSSR. In-t istorii)

2379. GRANT (Alexander). Independence and nationhood: Scotland, 1306-1469. London, E. Arnold, 84, in-8, 256 p.

2380. GRESKY (Reinhard). Die Finanzen der Welfen im 13. und 14. Jahrhundert. Hildesheim, Lax, 84, in-8, 425 p. (Veröff. d. Inst. f. Hist. Landesforsch. d. Univ. Göttingen, 22)

2381. HARRISS (G.L.). Henry V, the practice of kingship. London, Oxford U.P., 84, in-8, 220 p.

2382. HÖLZL (Sebastian). Die Freiheitsbriefe der Wittelsbacher für Tirol (1342). Eine krit. Untersuchung z. "Magna Charta Tirols". Tiroler Heimat, 82-83 [84], Bd 46-47, p. 5-37.

2383. HOOK (Judith A.). Lorenzo de' Medici. London, H. Hamilton, 84, in-8, 256 p. (ill.).

2384. HOUSLEY (Norman). King Louis the Great of Hungary and the crusades. Slavonic east eur. R., 84, vol. 62, p. 192-208.

2385. JAPPE ALBERTS (W.). Overzicht van de geschiedenis van de Nederrijnse territoria tussen Maas en Rijn. (The history of the region between the Rhine and the Meuse, north of the line Cologne-Maastricht.) [1. Cf. Bibl. 80, n° 2035.] 2: 1288 – +1500. Assen, Van Gorcum, 82, in-8, X-234 p. (10 fig.). (Maaslandse monografiën, 36)

2386. JESPERSEN (Knud J. V.). Den engelske opstand 1381. Fortolkning og dokumentation. (The English revolt of 1381: interpretation and documentation.) Dansk] Hist. T., 84, vol. 84, n° 2, p. 177-196. [Eng. summary]

2387. KEJŘ (Jiří). Husité. (Die Hussiten.) Praha, Panorama, 84, in-8, 272 p. (32 fig.)

2388. KISFALUDY (Katalin). Matthias rex. Budapest, Gondolat Kiadó, 83, in-8, 210 p. (Magyar história) [en hongrois]

2389. KUMOROVITZ (L. Bernát). I. Lajos királyunk 1375. évi havasalföldi hadjárata (és "török" háborúja. (La guerre de Valachie – et la guerre "turque – du roi Louis Ier en 1375.) Századok, 83, vol. 117, n° 5, p. 919-982.

2390. LAFORTUNE-MARTEL (Agathe). Fête noble en Bourgogne au XVe siècle: le "Banquet du Faisan" (1454). Aspects politiques, sociaux et culturels. Montréal, Bellarmin, 84, in-8, 208 p. (6 pl.). (Coll. d'Et. médiév., 8)

2391. LARSSON (Lars-Olof). Engelbrekt Engelbrektsson och 1430-talets svenska uppror. (Engelbrekt and the Swedish uprising of the 1430s.) Stockholm, Norstedt, 84, in-8, 255 p. (ill.). – IDEM. Det svenska rådet och Engelbrektsupprorets inledningsskede. (The Swedish Council and the early stages of Engelbrekt's uprising.) [Svensk] Hist. T., 84, vol. 104, p. 266-282. [Eng. summary]

2392. LÓPEZ-IBOR ALIÑO (Marta). El señorío apartado de la Cofradía de Arriaga y la incorporación de la Tierra de Alava a la corona de Castilla en 1332. In: Estudios dedicados al prof. D. A. Ferrari Nuñez [Cf. n° 488], vol. 1, p. 513-536.

2393. LUCARELLI (Giuliano). I Visconti di Milano e Lucca risorta a stato autonomo. Presentazione di Michele LUZZATTI. Lucca, Pacini Fazzi, 84, in-8, 171 p. (ill., tav.).

2394. MÁLYUSZ (Elemér). Zsigmond király uralma Magyarországon, 1387-1437. (Le règne de roi Sigismond de Hongrie.) Budapest, Gondolat Kiadó, 84, in-8, 338 p. (16 pl.).

2395. MARTIN (Janet). Muscovite relations with the Khanates of Kazan and the Crimea (1460s to 1521). Canad.-am. slavic Stud., 83, vol. 17, n° 4, p. 435-453. – EADEM. Muscovy's northeastern expansion: the context and a cause. Cah. Monde russe soviét., 83 [84], vol. 24, n° 4, p. 459-470.

2396. MAURER (Hans-Martin). Von der Landesteilung zur Wiedervereinigung: der Münsinger Vertrag [1482] als ein Markstein württembergischer Geschichte. Z. f. württemb. Landesgesch., 84, Bd 43, p. 89-132 (Kt.).

2397. MENACHE (S.). Isabelle of France, queen of England – a reconsideration. J. medieval Hist.,84, vol. 10, p. 107-124.

2398. MILLER (Ignaz). Der Trierer Erzbischof Jakob von Sierck und seine Reichspolitik. Rhein. Vjsbl., 84, Jg. 48, p. 86-101.

2399. MONTES ROMERO-CAMACHO (Isabel). Un gran concejo andaluz ante la guerra de Granada: Sevilla en tiempos de Enrique IV (1454-1474). In: Estudios dedicados al prof. D. A. Ferrari Nuñez [Cf. n° 488], vol. 2, p. 595-650.

2400. MOTHES (Gerlinde). England im Umbruch. Volksbewegungen an d. Wende v. Mittelater z. Neuzeit. Weimar, Böhlau, 84, in-8, 279 p. (Forsch. z. mittelalterl. Gesch., 28)

2401. PERGER (Richard). Kaiser Friedrich III. und Katharina Pfinzing – Geheimnis einer Beziehung. Mitt. d. Ver. f. Gesch. Nürnberg, 84, Bd 71, p. 87-108.

2402. PEYRONNET (Georges). Les complots de Louis d'Amboise contre Charles VI (1428-1431) un aspect des rivalités entre lignages féodaux en France au temps de Jeanne d'Arc. Bibl. Ec. Chartes, 84, .t. 142, livr. 1, p. 115-135.

2403. POLÍVKA (Miloslav). Některé aspekty vývoje stavovství v české společnosti předhusitské a husitské doby. (Einige Aspekte der Entwicklung des Ständewesens in der böhmischen Gesellschaft der vorhussitischen und hussitischen Zeit.) Folia hist. bohem., 84, vol. 6, p. 17-56. – IDEM. The idea of peace in the Hussite movement. In: Jointly in the struggle for peace against war [Cf. n° 292], p. 31-46.

2404. Posol'skaja kniga po svjazjam Rossii s Nogajskoj Ordoj. (Embassy book on Russia's ties with the Nogai horde.) Redkol.: V. I. BUGANOV (otv. red.) i dr. Moskva, Nauka, 84, 100 p. (AN SSSR. In-t istorii SSSR)

2405. Prace z dziejów państwa i zakonu krzyżackiego. (Etudes sur l'histoire de l'Ordre Teutonique et son Etat.) Sous la réd. d'Antoni CZACHAROWSKI. Toruń, 84, in-8, 186 p. (Univ. Nicolai Copernici. Ordines Militares, 2)

2406. RĂILEANU (C.), NUSSBAUM (T.). Semnificația istorică a unui tezaur de monede de la Vlaicu Vodă în nord-vestul Banatului. (La signification historique d'un trésor de monnaies du voïévode Vlaicu [de Valachie] trouvées dans le nord-ouest du Banat.) R. Ist., 84, t. 37, n° 6, p. 569-577.

2407. REBAS (Hain). Otte Torbjörnssons Hinrichtung 1475: ein schwedisches Drama mit nordeuropäischem Hintergrund. [Svensk] Hist. T., 84, vol. 103, p. 283-302.

2408. RUSU (Adrian Andrei). Cnezi români din Transilvania în procesu lui Iancu de Hunedoara: Cîndestii din Rîu de Mori. ("Cnezi" roumains de Transylvanie à l'époque de János Hunyadi: la famille Cîndea de Rîu de Mori.) R. Ist., 84, t. 37, n° 6, p. 556-568.

2409. SAUL (Nigel). The dispensers and the downfall of Edward II. Eng. hist. R., 84, vol. 99, p. 1-33.

2410. ŠMAHEL (František). Táborská obec a městské samospráva v letech 1420-1452. (Die Gemeinde- und Stadtverwaltung des hussitischen Tabor in den Jahren 1420-1452.) Husit. Tábor, 83-84, vol. 6-7, p. 145-180. [Deutsche Zsfassung]

2411. SYKUM-NIELSEN (Niels). König Waldemar IV. Atterdag von Dänemark. Persönlichkeit u. Politik. Hans. Gesch.-Bl., 84, Bd 102, p. 5-20.

2412. TREXLER (Richard C.). Follow the flag. The Ciompi revolt as seen from the streets. Bibl. Humanisme Renaissance, 84, vol. 46, p. 357-392.

2413. TYERMAN (C.). Philip V of France, the assemblies of 1319-1320 and the Crusade. B. Inst. hist. Research, 84, vol. 57, n° 137, p. 15-34.

2414. VALDEÓN BARUQUE (Julio). Reflexiones sobre la crisis bajomedieval en Castilla. In: Estudios dedicados al prof. D. A. Ferrari Nuñez [Cf. n° 488], vol. 2, p. 1049-1062.

2415. VÁLKA (Josef). Stavovství a krize českého státu v druhé polovině 15. století. (Das Ständewesen und die Krise des böhmischen Staates in der 2. Hälfte des 15. Jh.) Folia hist. bohem., 84, vol. 6, p. 65-98.

2416. VAN HERWAARDEN (J.). Het nog steeds intrigerende raadsel: Jeanne d'Arc, vrouw en heilige. (L'énigme toujours intriguante: Jeanne d'Arc, femme et sainte.) R. belge Philol. Hist., 84, t. 62, n° 2, p. 317-338.

2417. VILLAIN-GANDOSSI (Christiane). Les éléments balkaniques dans la garnison de Trébizonde à la fin du XVe siècle. In: Contrib. à l'hist. écon. et soc. de l'Empire ottoman [Cf. n° 5607], p. 127-147.

Cf. n°s 93, 2869, 2909, 2988, 3262, 3443.

§ 4. Ebrei.

2418. BEN-SASSON (Menahem). Qesharim ben qehilatiim ... (Inter-communal relations and regional organization in the Maghreb in the ninth to eleventh centuries.) Pe'amim, 84, vol. 18, p. 3-37. [Eng. summary]

2419. BEN-SHAMMAI (Haggai). The attitude of some early Karaites towards Islam. In: Stud. in med. Jewish hist. ... [Cf. n° 2435], p. 3-40.

2420. BONFIL (Robert). The historian's perception of the Jews in the Italian Renaissance. Towards a reappraisal. R. Et. juives, 84, t. 143, n° 1-2, p. 50-82.

2421. FLEISCHER (Ezra). Teudot sifrutiyyot ... (Literary documents concerning the history of the Gaonate in Erez-Israel.) Zion, 84, vol. 49, p. 375-400 (facsim.). [Eng. summary]

2422. GOITEIN (Shelomo Dov.). Dimdume erev shel bet ha-Rambam. (The twilight of the house of Maimonides.) Tarbiz, 84, vol. 54, n° 1, p. 67-104. [Eng. summary]

2423. GRABOIS (Aryeh). L'exégèse rabbinique. In: Le Moyen Age et la Bible [Cf. n° 3021], p. 233-260.

2424. GROSS (Abraham). R. Abraham Saba's abbreviated messianic commentary on Haggai and Zechariah. In: Stud. in med. Jewish hist. ... [Cf. n° 2435], p. 389-402.

2425. GROSSMAN (Avraham). Rashut hagola be-bavel bitequfat ha-ge'onim. (The Babylonian exilarchate in the gaonic period.) Jerusalem, Zalman Shazar Center, 84, in-8, 144 p. (Jewish hist. sources, 11)

2426. KEDAR (Benjamin Z.). Yehudim we-shomronim ... (Jews and Samaritans in the Crusading Kingdom of Jerusalem.) Tarbiz, 84, vol. 53, n° 3, p. 387-408. [Eng. summary]

2427. KOGUT (Simcha). The language of "Sefer Hasidim", its linguistic background and methods of research. In: Stud. in med. Jewish hist. ... [Cf. n° 2435], p. 95-108.

2428. MUTIUS (Hans-Georg von). Rechtsentscheide rheinischer Rabbinen vor dem ersten Kreuzzug. Quellen über d. sozialen u. wirtschaftl. Beziehungen zw. Juden u. Christen. Halbbd 1. Frankfurt (Main), Bern, New York u. Nancy, Lang, 84, in-8, II-193 p. (Judentum u. Umwelt, 13)

2429. ROBINSON (Ira). Two letters of Abraham Ben Eliezer Halevi. In: Stud. in med. Jewish hist. ... [Cf. n° 2435], p. 403-422.

2430. Vacat.

2431. SAPERSTEIN (Marc). Selected passages from Yedaiah Bedersi's commentary on the Midrashim. In: Stud. in med. Jewish hist. ... [Cr. n° 2435], p. 423-440.

2432. SEPTIMUS (Bernard). Kings, angels or beggars: tax law and spirituality in a Hispano-Jewish Responsum. In: Stud. in med. Jewish hist. ... [Cf. n° 2435], p. 309-336. - IDEM. Narboni and Shem Tov on martyrdom. Ibid., p. 447-455.

2433. SERMONETA (Giusseppi). Prophecy in the writings of R. Yehuda Romano. In: Stud. in med. Jewish hist. ... [Cf. n° 2435], p. 337-374.

2434. SPITZER (Shlomo). Das Alltagsleben der österreichischen Juden im Mittelalter. Kairos, 84, N.S., Bd 26, p. 66-79.

2435. Studies in medieval Jewish history and literature. 2. Ed. by Isadore TWERSKY. Cambridge, Mass., a. London, Harvard U.P., 84, in-8, 455 p. [Cf. n°s 2419, 2424, 2427, 2429, 2431-2433, 2868, 2876-2878, 4715, 4733, 4737]

2436. TOCH (Michael). "umb gemeyns nutz und nottdurfft willen". Obrigkeitl. u. jurisdiktionelles Denken bei d. Austreibung d. Nürnberger Juden 1498/99. Z. f. hist. Forsch., 84, Bd 11, p. 1-21.

Cf. n°s 5, 30, 701, 703, 755, 968, 2217, 2240, 3974, 4714.

§ 5. Islam.

2437. ADAMS (Charles J.). Islam and Christianity: the opposition of similarities. In: Logos Islamikos [Cf. n° 516], p. 287-306.

2438. AL-DAFFA (Ali Abdullah), STROYLS (John J.). Studies in the exact sciences in mediaeval Islam. London, Wiley, 84, in-8, 254 p. (ill.).

2439. CANTERA MONTENEGRO (Enrique). La comunidad mudéjar de Haro (La Rioja) en el siglo XV. In: Estudios dedicados al prof. D. A. Ferrari Nuñez [Cf. n° 488], vol. 1, p. 157-174.

2440. DOMBROWSKI (Franz Amadeus). The growth and consolidation of Muslim power in the Horn of Africa: some observations. Arch. orient., 83, t. 51, n° 1, p. 55-67.

2441. EISENSTEIN (Herbert). Die Systematik der Säugetiere in mittelalterlichen arabischen Quellen. Sudhoffs Arch., 84, Bd 68, p. 84-93.

2442. HOURANI (George). The Qur'ān's doctrine of prophecy. In: Logos Islamikos [Cf. n° 516], p. 175-182.

2443. LEWIS (Bernard). Les assassins. Terrorisme et politique dans l'Islam médiéval. Préf. de Maxime RODINSON. Bruxelles, Complexe, 84, in-8, 224 p. (Historiques) - IDEM. Usurpers and tyrants. Notes on some Islamic political terms. In: Logos Islamikos [Cf. n° 516], p. 259-268.

2444. McAULIFFE (Jane D.). The wines of earth and paradise: Qur'anic prospcriptions and promises. In: Logos Islamikos [Cf; n° 516], p. 159-174.

2445. MAKDISI (George). The college of medieval Islam. In: Logos Islamikos [Cf. n° 516], p. 241-258.

2446. MEYERHOF (Max), JOHNSTONE (Penelope). Studies in mediaeval Arabic medicine: theory and practice. London, Variorum Repr., 84, in-8, 366 p.

2447. RASHED (R.). Recherches sur l'histoire des mathématiques arabes. Paris, Les Belles lettres, 84, in-8, 330 p. (Sciences et philos. arabes, Et. et reprises)

2447a. SÁNCHEZ ROMERALO (Jaime). El conde de Orgaz, protector de los moriscos. In: Estudios dedicados al prof. D. A. Ferrari Nuñez [Cf. n° 488], p. 899-916.

2448. SIMON (Róbert). Ki mit mire czerélt Makkában az Iszlám előestéjén? (Qui a changé quoi, contre quoi, à la Mecque, à la veille de la naissance de l'Islam?) Tört. Szle, 83, vol. 26, n° 1, p. 117-135.

2449. STERN (Samuel Miklos). History and culture of the mediaeval Muslim world. London, Variorum Repr., 84, in-8, 342 p.

2450. SULTANOV (T.I.). Rukopisnaja istoričeskaja kniga i ee čitateli v stranakh srednevekovogo musul'manskogo Vostoka. (Historical manuscripts and their readers in the medieval Muslim East.) Nar. Azii Afr., 84, n° 2, p. 71-80.

Cf. n°s 2062, 2079, 2212, 2240, 2615, 2798, 2811, 2858, 3019, 5490.

§ 6. Vichingi.

2451. HALL (Richard A.). Viking dig: excavations at York. London, Bodley Head, 84, in-4, 176 p. (ill.).

2452. MURRAY (Hilary). Viking and early mediaeval buildings in Dublin. London, Brit. Archael. Rep., 84, in-4, 215 p. (ill.).

2453. Northern (The) and Western Isles [of Scotland] in the Viking world. Survival, continuity and change. Ed. by Alexander FENTON a. Hermann PALSSON. Edinburgh, John Donald, 84, in-8, X-347 p. (91 fig.).

2454. PIPPING (Knut). Vikingamoral. (La morale des Vikings.) Finsk T., 84, t. 215-216, p. 13-25.

2455. PÜSCHEL (Erich). Studien zum Gesundheitswesen bei den Wikingern. Medizinhist. J., 84, Bd 19, p. 312-334.

2456. Viking Age (The) in the Isle of Man. Selected papers from the Ninth Viking Congress, Isle of Man, 4-14 July 1981. Ed. by Christine FELL, Peter FOOTE, James GRAHAM-CAMBELL et al. London, Viking Soc. for Northern Research, 83, in-8.

§ 7. Storia del diritto e delle istituzioni.

2457. ALCALÁ-ZAMORA Y CASTILLO (Niceto). Instituciones judiciales y procesales del Fuero de Cuenca. Anu. Est. mediev., 82 [84], t. 12, p. 59-132.

2458. ANDRÉS DÍAZ (Rosana de). Las estradas reales castellanas en los siglos XIV y XV, según las crónicas de la época. In: Estudios dedicados al prof. D. A. Ferrari Nuñez [Cf. n° 488], vol. 1, p. 47-62.

2459. ARNALDI (Girolamo). Rinascita, fine, reincarnazione e successive metamorfosi del senato romano (secoli V-XII). Arch. Soc. rom. Stor. pa., 82 [84], a. 105, p. 5-56.

2460. BERMEJO CABRERO (José Luis). Aspectos jurídicos e institucionales en la historia de Molina de Aragón. In: Estudios dedicados al prof. D. A. Ferrari Nuñez [Cf. n° 488], vol. 1, p. 147-156.

2461. BERTRAM (M.), DUYNSTEE (M.). Casus legum sive Suffragia monachorum. Legistische Hilfsmittel für Kanonisten im späteren Mittelalter. R. Hist. Droit, 83, vol. 51, p. 317-363.

2462. BLASCHKE (Karlheinz). Sonderrechtsbereiche in sächsischen Städten an der Wende vom Mittelalter zur Neuzeit. In: Festschr. f. H. Stoob [Cf. n° 510], Bd 1, p. 254-265.

2463. BRAND (Paul A.). King, church and property: the enforcement of restrictions on alienations into mortmain in the lordship of Ireland in the later middle ages. Peritia, 84, vol. 3, p. 481-502.

2464. BREATNACH (Liam). Canon law and secular law in early Ireland: the significance of Bretha Nemed. Peritia, 84, vol. 3, p. 439-459.

2465. CANTERA MONTENEGRO (Margarita). El oficio de la limosnería en Santa María la Real de Nájera (siglos XI-XV). In: Estudios dedicados al prof. D. A. Ferrari Nuñez [Cf. n° 488], vol. 1, p. 175-182.

2466. CIAMPOLI (Donatella). Il capitano del popolo a Siena nel primo trecento con il rubricario dello statuto del comune di Siena del 1337. Introd. di Mario ASCHERI. Siena, Consorzio Univ. della Toscana Meridionale, 84, in-8, 138 p. (4 tav.). (Doc. di Storia, 1)

2467. CORTONESI (Alfio). L'imposta diretta nei comuni del Lazio medievale. Note sui sistemi di ripartizione. Arch. Soc. romana Stor. pa., 82 [84], a. 105, p. 175-202.

2468. DEVÍS MÁRQUEZ (Federico). Notas sobre el diezmo en el obispado de Cádiz al final de la edad media. In: Estudios dedicados al prof. D. A. Ferrari Nuñez [Cf. n° 488], vol. 1, p. 225-248.

2469. DIEGO VELASCO (María Teresa de). Las ordenanzas de la aguas de Granada. In: Estudios dedicados al prof. D. A. Ferrari Nuñez [Cf. n° 488], vol. 1, p. 249-276.

2470. DOELEMAN (F.). De heerschappij van de proost van Sint Jan in de middeleeuwen. Een rechtshist. studie van de institutionele aard van een hoge heerlijkheid in het veen van Wilnis, Mijdrecht Tamen, Kudelstaart en Zevenhoven in het grensgebied van Holland en het Nedersticht, alsmede in Achttienhoven. (The provost of St. John in Utrecht and his lordship over the Proosdijlanden in the middle ages, 1085-1594.) Zutphen, Walburg Pers, 82, in-8, 208 p. (Stichtse Hist. Reeks, 6)

2471. DROEGE (Georg). Der Einfluß der mittelalterlichen Freiheitsbewegung auf die frühe Stadt. In: Festschr. f. H. Stoob [Cf. n° 510], Bd 1, p. 56-70.

2472. EGGLMAIER (Herbert Hans). Zu den Anfängen des Bürgermeisteramtes in Graz. Z. d. hist. Ver. f. Steiermark, 84, Bd 75, p. 15-21.

2473. ELZE (Reinhard). Königskrönung und Ritterweihe. Der Burgundische Ordo für die Weihe u. Krönung d. Königs u. d. Königin. In: Institutionen, Kultur u. Gesellschaft [Cf. n° 491], p. 327-342.

2474. FRIEDLANDER (Alan). Les sergents royaux du Languedoc sous Philippe le Bel. A. Midi, 84, t. 96, n° 167, p. 235-251.

2475. GARCÍA MORENO (Luis A.). El término "sors" y relacionados en el "Liber Iudicum". De nueva el problema de la división de las tierras entre godos y provinciales. Anu. Hist. Derecho español, 83 [84], t. 53, p. 138-175.

2476. GAUDEMET (Jean). La Bible dans les collections canoniques. In: Le Moyen Age et la Bible [Cf. n° 3021], p. 327-369.

2477. Gilde und Korporation in den nordeuropäischen Städten des späten Mittelalters. Hrsg. v. Klaus FRIEDLAND. Köln u. Wien, Böhlau, 84, in-8, 114 p. (Quellen u. Darst. z. hans. Gesch., 29)

2478. GIRGENSOHN (Dieter). Über die Schwierigkeit, sein Recht zu bekommen. Latein. Landbesitzer im Streit mit d. griech. Abt von Santa Maria del Patire bei Rossano (1187-89). In: Institutionen, Kultur u. Gesellschaft [Cf. n° 491], p. 415-430.

2479. GLOPPER-ZUIJDERLAND (C. C. de). De officiaal van Utrecht als beoordkonder

§ 7. STORIA DEL DIRITTO E DELLE ISTITUZIONI

van vrijwillige rechtshandelingen ten behoeve van vijf Utrechtse kapittels in de 14de eeuw. (Private acts in law issued by the Officialis curie Traiectensis on behalf of the five chapters of Utrecht in the 14th century.) Versl. Meded. oud-vaderl. Recht, 82 [83], N.R., vol. 3, p. 87-159 (2 fig., 19 tab.).

2480. GOETZ (Hans-Werner). Herrschaft und Recht in der frühmittelatlerichen Grundherrschaft. Hist. Jb., 84, Jg. 104, p. 392-410.

2481. GOETZ (Hans-Werner). Kirchenschutz, Rechtswahrung und Reform. Zu d. Zielen u. zum Wesen d. frühen Gottesfriedensbewegung in Frankreich. Francia, 83 [84], Bd 11, p. 193-239. - IDEM. Der Kölner Gottesfriede von 1083. Beobachtungen über Anfänge, Tradition und Eigenart der deutschen Gottesfriedensbewegung. Jb. d. köln. Gesch.-Ver., 84, Bd 55, p. 39-76.

2482. GONZÁLEZ CRESPO (Ester). Un documento para el estudio de la Audiencia Real en el reinado de Alfonso XI. In: Estudios dedicados al prof. D. A. Ferrari Nuñez [Cf. n° 488], vol. 1, p. 391-412.

2483. GOURON (André). La science du droit dans le Midi de la France au moyen âge. London, Variorum Publ., 84, in-8, 360 p.

2484. GROTEN (Manfred). Die Kölner Richerzeche im 12. Jahrhundert. Mit e. Bürgermeisterliste. Rhein. Vjsbl., 84, Jg. 48, p. 34-85.

2485. GUTNOVA (Evgenija Vladimirovna). Die Vertretung der Städte im englischen Parlament im 13. und 14. Jahrhundert. Jb. f. Gesch. d. Feudalismus, 84, Bd 8, p. 205-224.

2486. HALAGA (Ondrej R.). Postavenie mešťanov nekrálovských a zálohovaných miest. (Position of citizens of non-royal and pledged towns.) Hist. Čas., 84, vol. 32, p. 697-717.

2487. HANISCH (Wilhelm). Als weit das Römische reiche in allen den egenannten Tewtschen landen begriffen ist. Z. d. Savygny-Stiftung f. Rechtsgesch., German. Abt., 84, Bd 101, p. 47-88.

2488. HANNIG (Jürgen). Zentrale Kontrolle und regionale Machtbalance. Beobachtungen zum System d. karoling. Königsboten am Beispiel d. Mittelrheingebietes. Arch. f. Kulturgesch., 84, Bd 66, p. 1-46. - IDEM. Zur Funktion der karolingischen "Missi dominici" in Bayern und in den südöstlichen Grenzgebieten. Z. d. Savigny-Stiftung f. Rechtsgesch., German. Abt., 84, Bd 101, p. 256-300.

2489. HELLMUTH (Leopold). Gastfreundschaft und Gastrecht bei den Germanen. Wien, Verl. d. Österr. Akad. d. Wiss., 84, in-8, 382 p. (S.-B. d. Österr. Akad. d. Wiss., 440)

2490. HÜPPER-DRÖGE (Dagmar). Der gerichtliche Zweikampf im Spiegel der Bezeichnungen für "Kampf", "Kämpfer", "Waffen".

Frühmittelalterl. Stud., 84, Bd 18, p. 607-661.

2491. IZBICKI (Thomas M.). La Bible et les canonists. In: Le Moyen Age et la Bible [Cf. n° 3021], p. 371-384.

2492. IZQUIERDO BENITO (Ricardo). Ordenanzas de la ferias de Toledo fundadas por Enrique III. In: Estudios dedicados al prof. D. A. Ferrari Nuñez [Cf. n° 488], vol. 1, p. 433-446.

2493. JANOVSKI (Boris). Iz istorijata na bălgarskata srednovekovna dăržava i neinoto pravo XII-XIV vek. (Pages de l'histoire de l'Etat médiéval bulgare et de son droit, XIIe-XIVe s.) God. sofijsk. Univ. Jurid. Fak., 83, n° 74, p. 26-97.

2494. JOHANEK (Peter). Eike von Repgow, Hoyer von Falkenstein und die Entstehung des Sachsenspiegels. In: Festschr. f. H. Stoob [Cf. n° 510], Bd 2, p. 716-755.

2495. KEJŘ (Jiří). Die verfassungsrechtliche Stellung der Städte und des Bürgertums in böhmischen Staat der Přemysliden. Jb. f. Gesch. d. Feudalismus, 84, Bd 8, p. 225-248.

2496. KLAUS (Arnold). Freiheit im Mittelalter. Hist. Jb., 84, Jg. 104, p. 1-21.

2497. KLINCK (A.L.). Anglo-Saxon women and the law. J. medieval Hist., 82, vol. 8, p. 107-121.

2498. KOCHER (Gernot). Das Recht im bäuerlichen Alltag. In: Bäuerl. Sachkultur ... [Cf. n° 253], p. 49-61.

2499. KÖLZER (Theo). Mönchtum und Kirchenrecht. Bemerkungen zu monast. Kanonessammlungen d. vorgratian. Zeit. Z. d. Savigny-Stiftung f. Rechtsgesch., Kanon. Abt., 83, Bd 100 (69), p. 121-142.

2500. KOSTRZAK (Jan). Frühe Formen des altlivländischen Landtages. Jb. f. Gesch. Osteuropas, 84, Bd 32, p. 163-198.

2501. LANGER (Lawrence N.). The posadnichestvo of Pskov: some aspects of urban administration in medieval Russia. Slavic R., 84, vol. 43, n° 1, p. 46-62.

2502. LEYSER (Karl J.). Early medieval canon law and the beginnings of knighthood. In: Institutionen, Kultur u. Gesellschaft [Cf. n° 491], p. 549-566.

2503. MACEDA CORTES (María Luisa). El concejo de Benavente de los siglos XII al XIV. In: Estudios dedicados al prof. D. A. Ferrari Nuñez [Cf. n° 488], vol. 2, p. 565-594.

2504. MAIER (Karl). Die Anfänge der Polizei- und Landesgesetzgebung in der Markgrafschaft Baden. Pfaffenweiler, Centaurus, 84, in-8, X-274 p. (Reihe Rechtswiss., 6)

2505. Bibl. 82, n° 1809. MANTHE (Ulrich). Die libri ex Cassio des Iavolenus Priscus. - CR: R. Backhaus, Z. d. Savigny-Stiftung f. Rechtsgesch., Roman. Abt., 83, Bd 100, p. 613-629.

2506. MILLER (William Ian). Avoiding legal judgement: the submission of disputes to arbitration in medieval Iceland. Am. J. legal Hist., 84, vol. 28, n° 2, p. 95-134.

2507. MOERS (Stephanie L.). Patronage in the pipe roll of 1130. Speculum, 84, vol. 59, n° 2, p. 282-307 (ill.).

2508. MORENO NUÑEZ (José Ignacio). Mayorazgos arcaicos en Castilla. In: Estudios dedicados al prof. D. A. Ferrari Nuñez [Cf. n° 488], vol. 2, p. 693-706.

2509. NOTH (Stefan). "Item darnach sol man fragen ..." Weistümer in Urbaren der Bamberger Domprobstei aus d. 15. Jh. Jb. f. fränk. Landesforsch., 84, Bd 44, p. 49-64.

2510. PALME (Rudolf). Die Entstehung des Tiroler Bergrechts 1185-1214. Mitt. d. Inst. f. österr. Gesch.-Forsch., 84, Bd 92, p. 317-340.

2511. PALMER (Robert C.). The Whilton dispute, 1264-1380: a social-legal study of dispute settlement in medieval England. Princeton, N.J., Princeton U.P., 84, in-8, XXII-295 p. - IDEM. Contexts of marriage in medieval England: evidence from the King's court circa 1300. Speculum, 84, vol. 59, n° 1, p. 42-67.

2512. PFAFF (Volkert). Die Rechtssätze des 3. Laterankonzils von 1179 zu Wirtschaftsfragen. Z. d. Savigny-Stiftung f. Rechtsgesch., Kanon. Abt., 84, Bd 101 (70), p. 45-66.

2513. REICHERT (Folker). Landesherrschaft, Adel und Vogtei: zur Vorgeschichte d. spätmittelalterl. Ständestaates im Herzogtum Österreich. Köln u. Wien, Böhlau, 84, in-8, 456 p.

2514. RIGAUDIERE (Albert). L'esssor des conseillers juridiques des villes dans la France du bas moyen âge. R. hist. Droit franç. étr., 84, a. 62, n° 3, p. 361-390.

2515. ROMANO (Andrea). Legum doctores e cultura giuridica nella Sicilia aragonese: tendenze, opere, ruoli. Milano, Giuffrè, 84, in-8, VII-412 p. (Studi giuridici. Univ. degli Studi di Messina, Fac. Sci. pol., 4)

2516. RUIZ (Teofilo F.). Une royauté sans sacre: la monarchie castillane du bas moyen âge. A. Ec., Soc., Civ., 84, a. 39, n° 3, p. 429-453.

2517. SANTOS CANALEJO (Elisa Carolina de). La Cofradía de Nuestra Señora de Baños: Hermandad de dos pueblos. In: Estudios dedicados al prof. D. A. Ferrari Nuñez [Cf. n° 488], vol. 2, p. 963-984.

2518. SCHRÖDER (Rainer). Zur Arbeitsverfassung des Spätmittelalters. Eine Darstellung mittelalterl. Arbeitsrechts aus d. Zeit nach d. großen Pest. Berlin, Duncker u. Humblot, 84, in-8, 212 p. (graph. Darst.). (Schr. z. Rechtsgesch., 32)

2519. SEGURA GRAÍNO (Cristina). Los repartimientos medievales andaluces. Estado de la cuestión. Anu. Est. mediev., 82

[84], t. 12, p. 625-639.

2520. SIEH-BURENS (Katarina). Die Augsburger Stadtverfassung um 1500. Z. d. hist. Ver. f. Schwaben, 83, Bd 77, p. 125-140.

2521. Studien zur Machtsymbolik des mittelalterlichen Ungarn. Red. v. FÜLEP Frenc, KOVÁCS Éva, LOVAG Zsuzsa. Budapest, Ungar. Nationalmuseum, 83, in-8, 193 p.

2522. SWEENEY (J.R.). High justice in fifteenth-century Normandy: the prosecution of Sandrin Bourel. J. medieval Hist., 84, vol. 10, p. 295-313 (2 fig.).

2523. TAKAYAMA (Hiroshi). 12 seiki Shichiria ni okeru Noruman no Zaimu-gyôsei Kikô. (The financial and administrative organization of the Normans in twelfth-century Sicily.) Shigaku-Zasshi, 83, vol. 92, n° 7, p. 1-46. [Eng. summary]

2524. WARREN (W.L.). The myth of Norman administrators efficiency. Trans. roy. hist. Soc., 84, vol. 34, p. 113-132.

2525. WILD (Werner). Steuern und Reichsherrschaft. Studie zu d. finanziellen Ressourcen d. Königsherrschaft im spätmittelalter. Deutschen Reichen. Bremen, Skarabäus-Verl., 84, in-8, 326 p.

2526. WOLF (Armin). Los "Fori Aragonum" de 1247 y el "Vidal Mayor". Sus relaciones con la historia de la legislación europea. Anu. Hist. Derecho español, 83 [84], t. 53, p. 178-203.

Cf. n°s 6, 19, 248, 808, 2320, 2538, 2558, 2619, 2665, 3026.

§ 8. Storia economica e sociale.

* 2527. FOSSIER (Robert). La société et ses cadres de vie dans l'Empire germanique (Italie exclue) et dans les royaumes de France et d'Angleterre du milieu du XIe au milieu du XIIIe siècle. Historiens et Géogr., 84, a. 74, n° 300, p. 1239-1261.

* 2528. VERHULST (Adriaan). L'histoire rurale de la Belgique jusqu'à la fin de l'Ancien Régime (aperçu bibliographique 1968-1083). R. hist., 84, t. 271, fasc. 550, p. 419-437.

2529. ABULAFIA (David). The crown and the economy under Roger II [of Sicily] and his successors. In: Dumbarton Oaks papers, n° 37, [Cf. n° 2047], p. 1-14.

2530. AGUADÉ NIETO (Santiago). Molino hidráulico y sociedad en Cuenca durante la Edad Media (1177-1300). Anu. Est. mediev., 82 [84], t. 12, p. 241-277.

2531. Alltag im Spätmittelalter. Hrsg. v. Harry KÜHNEL. Graz, Wien u. Köln, Styria, 84, in-4, 384 p. (430 ill.).

2532. Amour, mariage et transgressions au moyen âge. Actes du colloque des 23, 25, 26 et 27 mars 1983. Univ. de Picardie,

§ 8. STORIA ECONOMICA E SOCIALE 109

Centre d'Etudes Médiévales. Publ. par les soins de Danielle BUSCHINGER, André CREPIN. Göppingen, Kümmerle, 84, in-8, 560 p. (ill.). (Göppinger Arbeiten z. Germanistik, 420)

2533. Aristocrazia cittadina e ceti popolari nel tardo Medioevo in Italia e in Germania. A cura di Reinhard ELZE e Gina FASOLI. Atti della Settimana di studio tenuta a Trento nel 1981. Bologna, Il Mulino, 84, in-8, 289 p. (A. dell'Istit. stor. italo-germano, 13)

2534. ARNOUD (Maurice-A.). Le premier budget du duc Charles de Bourgogne (1467-1468). B. Comm. roy. Hist., 84, t. 150, p. 226-271.

2535. ASENJO GONZÁLES (María). Labradores ricos: nacimiento de una oligarquía rural en la Segovia del siglo XV. In: Estudios dedicados al prof. D. A. Ferrari Nuñez [Cf. n° 488], vol. 1, p. 63-86.

2536. ASHTOR (Eliyahu). Die Verbreitung des englischen Wolltuches in den Mittelmeerländern im Spätmittelalter. Vjschr. f. Soz.- u. Wirtschaftsgesch., 84, Bd 71, p. 1-29.

2537. Autonomie, Wirtschaft und Kultur der Hansestädte. Hrsg. v. Konrad FRITZE, Eckhard MÜLLER-MERTENS, Walter STARK. Weimar, Böhlau, 84, in-8, 235 p. (Hans. Stud., 6. Abh. z. Handels- u. Sozialgesch., 23)

2538. BARTHELEMY (Dominique). Les deux âges de la seigneuries banale: pouvoir et société dans la terre des sires de Coucy (milieu XIe - milieu XIIIe siècle). Paris, Publ. de la Sorbonne, 84, in-8, 598 p. (Hist. anc. et médiévale, 12)

2539. BECHMANN (Roland). Des arbres et des hommes. Histoire de la forêt au moyen âge. Paris, Flammarion, 84, in-8, 392 p.

2540. BELDICEANU (Nicoară). Structures socio-économiques d'un village en Macédoine: Aksilogadi/Sarmisāqlū (1464/65). Byzantion, 84, vol. 54, n° 1, p. 26-58 (ill.).

2541. BELDICEANU-STEINHERR (Irène). Les laboureurs associés en Anatolie (XVe-XVIe siècles). In: Contrib. à l'hist. écon. et soc. de l'Empire ottoman [Cf. n° 5607], p. 93-104.

2542. BENNETT (Judith M.). The tie that binds: peasant marriages and families in late medieval England. J. interdisc. Hist., 84, vol. 15, n° 1, p. 111-130.

2543. BENTZIEN (Ulrich). Bäuerliche Viehhaltung und Gerätekultur im Mittelalter: quellenkundl. Versuche u. Überlegungen aus volkskundl. Sicht. In: Bäuerl. Sachkultur ... [Cf. n° 253], p. 63-92.

2544. BERTHE (Maurice). Famines et épidémies dans les campagnes navarraises à la fin du moyen âge. Vol. 1, 2. Paris, Le Sycomore, 84, 2 vol. in-8, 300, 300 p. (ill.).

2545. BESSMERTNY (Y.-L.). Les structures de la famille paysanne dans les villages de la Francia au IXe siècle. Analyse anthroponymique du polyptique de l'abbaye de Saint-Germain-des-Prés [à Paris]. Moyen Age, 84, t. 90, sér. 4, t. 39, n° 2, p. 165-193.

2546. BILLOT (Claudine). L'assimilation des étrangers dans le royaume de France aux XIVe et XVe siècles. R. hist., 83 [84], a. 107, t. 270, n° 548, p. 273-296.

2547. BIZZOCCHI (Roberto). Chiesa e aristocrazia nella Firenze del Quattrocento. Arch. stor. ital., 84, a. 142, n° 520, p. 191-282.

2548. BLANCHARD (Ian). Industrial employment and the rural land market 1380-1520. In: Land, kinship a. life-cycle [Cf. n° 838], p. 227-276.

2549. BOHÁČ (Zdeněk). Struktura feudální pozemkové držby v Čechách na prahu husitské revoluce. (Structure of feudal land tenure in Bohemia on the eve of the Hussite revolution.) Folia hist. bohem., 84, vol. 7, p. 7-42 (map).

2550. BOIS (Guy). The crisis of feudalism: economy a. society in eastern Normandy c. 1300 to 1550. Cambridge, London a. New York, Cambridge U.P.; Paris, Ed. de la Maison des Sci. de l'Homme, 84, in-8, XIII-456 p. (ill., tabl.).

2551. BOLLA (Ilona). A jogilag egységes jobbágyosztály kialakulása Magyarországon. (La formation d'une classe de serfs juridiquement unitaire en Hongrie.) Budapest, Akad. Kiadó, 83, in-8, 299 p. (Értekezések a történeti tudományok köréből, 100)

2552. BOOCKMANN (Hartmut). Leben und Sterben in einer spätmittelalterlichen Stadt. Über ein Göttingen Testament d. 15. Jh. Göttingen, Vandenhoeck u. Ruprecht, 84, in-8, 46 p.

2553. BOROSSY (András). Az Arpád-kori királyi vármegye felbomlása és hadakozó népeinek sorsa. (La décadence du comitat royal de l'époque des Arpads et le destin de ses peuplades guerrières.) Hadtört. Közl., 83, vol. 30, n° 4, p. 527-552. - IDEM. A király várispánságok hadakozó népei Magyarországon a tatárjárás előtt. (Les peuplades guerrières des comitats royaux en Hongrie avant la conquête tatare.) Ibid., n° 1, p. 3-24.

2554. BOSHOF (Egon). Armenfürsorge im Frühmittelalter. Xenodochium, matricula, hospitale pauperum. Vjschr. f. Soz.- u. Wirtschaftsgesch., 84, Bd 71, p. 153-174.

2555. BREUER (Stefan). Blockierte Rationalisierung. Max Weber und die italien. Stadt d. Mittelalters. Arch. f. Kulturgesch., 84, Bd 66, p. 47-85.

2556. CAMPBELL (B.M.S.). Population pressure, inheritance and the land market in a fourteenth-century peasant community. In: Land, kinship a. life-cycle [Cf. n° 838], p. 87-134.

2557. CANTERA MONTENEGRO (Enrique). Pleitos de usura en la diócesis de Osma en el último tercio del siglo XV. Anu. Est. mediev., 82 [84], t. 12, p. 597-622.

2558. CHIFFOLEAU (Jacques). Les justices du pape. Délinquance et criminalité dans la région d'Avignon au XIVe siècle. Paris, Publ. de la Sorbonne, 84, in-8, 333 p. (tabl., 3 cartes). (Publ. de la Sorbonne, sér. Hist. anc. et médiévale, 14)

2559. COMBA (Rinaldo). Produzioni tessili nel Piemonte tardomedievale. B. stor. bibliogr. subalpino, 84, a. 82, p. 321-362.

2560. CRUMLIN-PEDERSON (Ole). From Viking ships to Hanseatic cogs. London, H. M. Stationery Office, 84, 30 p. (12 fig.). (Third Paul Johnstone Memorial Lecture, Occas. Lect., 4)

2561. DEBORD (André). La société laïque dans les pays de la Charente, Xe-XIIe siècle. Paris, Picard, 84, in-4, 592 p. (ill.).

2562. DELETANT (Dennis). Genoese, Tatars and Rumanians at the mouth of the Danube in the fourteenth century. Slavonic a. east europ. R., 84, vol. 62, n° 4, p. 511-530.

2563. Deutschen Königspfalzen (Die). Repertorium d. Pfalzen, Königshöfe u. übrigen Aufenthaltsorte d. Könige im deutschen Reich d. Mittelalters. Hrsg. v. Max-Planck-Inst. f. Gesch. Red.: Thomas ZOTZ. [Bd 1. Cf. Bibl. 83, n° 2787.] Bd 2: Thüringen. Lfg 1: Allstedt bis Erfurt (Anfang). Göttingen, Vandenhoeck u. Ruprecht, 84, in-4, XXI-122 p. (10 Abb., Taf., Kt.).

2564. DIDIER (Philippe). L'apprentissage médiéval en France: formation professionnelle, entretien ou emploi de la main-d'oeuvre juvénile? Z. d. Savigny-Stiftung f. Rechtsgesch., German. Abt., 84, Bd 101, p. 200-255.

2565. DILLARD (Heath). Daughters of the reconquest: women in Castilian town society, 1100-1300. London, Cambridge U.P., 84, in-8, 272 p. (ill.).

2566. DURLIAT (Jean). Le polyptique d'Irminon et l'impôt pour l'armée. Bibl. Ec. Chartes, 83 [84, t. 141, livr. 2, p. 183-208.

2567. DURY (G.H.). Crop failure on the Winchester manors, 1232-1349. Trans. Inst. brit. Geographers, 84, n.s., vol. 9, p. 401-418.

2568. DYER (Christopher). Changes in the size of peasant holdings in some West Midland villages 1400-1540. In: Land, kinship a. life-cycle [Cf. n° 838], p. 277-294.

2569. DZIEDUSZYCKI (Wojciech). Socjotopograficzne przeobrażenia wczesnośredniowiecznych miast polskich (model kruszwicki). (Les métamorphoses socio-topographiques des villes polonaises au haut moyen âge: le modèle de Kruszwica.) Kwart. Hist. Kult. mater., 84, a. 32, n° 1, p. 3-21.

2570. ENNEN (Edith). Frauen im Mittelalter. München, Beck, 84, in-8, 300 p. (24 Ill. u. graph. Darst., Kte).

2571. ESPOILLE DE ROIZ (María Emma). Repoblación de la tierra de Cuenca, siglos XII a XVI. Anu. Est. mediev., 82 [84], t. 12, p. 205-239.

2572. FENSKE (Lutz). Soziale Genese und Aufstiegsformen kleiner niederadliger Geschlechter im südöstlichen Niedersachsen. In: Institutionen, Kultur u. Gesellschaft [Cf. n° 491], p. 693-726.

2573. FICHTENAU (Heinrich). Lebensordnungen des 10. Jahrhunderts. Studien über Denkart u. Existenz im einstigen Karolingerreich. Halbbd 1, 2. Stuttgart, Hiersemann, 84, in-8, IX-323 p; VI p., p. 327-614.

2574. FLORI (Jean). L'idéologie du glaive. Préhistoire de la chevalerie. Préf. de Georges DUBY. Genève, Droz, 84, in-8, 216 p. (Travaux d'hist. éthico-polit., 43)

2575. FOSSIER (Robert). Paysans d'Occident, XIe-XIVe siècle. Paris, Presses univ. France, 84, in-8, 224 p. (L'Historien)

2576. FRIED (Johannes). Die Wirtschaftspolitik Friedrich Barbarossas in Deutschland. Bl. f. deutsche Landesgesch., 84, Jg. 120, p. 195-239.

2577. FÜGEDI (Erik). A köznemesi klán szolidaritása a 13-14. században. (Solidarité des lignages-clans de la petite noblesse [hongroise] aux XIIIe-XIVe siècles.) Századok, 84, vol. 118, n° 5, p. 950-973.

2578. GÄNSER (Gerald). Strukturveränderungen im agrarischen Bereich während des 15. Jahrhunderts. Z. d. hist. Ver. f. Steiermark, 84, vol. 76, p. 23-30.

2579. GARCÍA HERRERO (María del Carmen). La aduana de Calatayud en el comercio entre Castilla y Aragón a mediados del siglo XV. In: Estudios dedicados al prof. D. A. Ferrari Nuñez [Cf. n° 488], vol. 1, p. 363-390.

2580. GAUTIER-DALCHE (Jean). Formes et organisation de la vie rurale dans le "Fuero de Cuenca" [XIIIe s.]. Annu. Est. mediev., 82 [84], t. 12, p. 149-165.

2581. GINATEMPO (Maria). Per la storia demografica del territorio senese nel Quattrocento: problemi di fonti e di metodo. Arch. stor. ital., 84, a. 142, n° 522, p. 511-587.

2582. GŁÓWKA (Dariusz). Hospites w polskich źródłach pisanych XII-XV wieku. ("Hospites" dans les sources écrites polonaises des XIIe-XVe siècles.) Kwart. Hist. Kult. mater., 84, a. 32, n° 3, p. 371-387.

2583. GOLUBEVA (L.A.). Ženščiny-litejščicy (k istorii ženskogo remeslennogo

§ 8. STORIA ECONOMICA E SOCIALE

lit'ja u finno-ugrov). (Women-smelters: on the history of female handicrafts of the Finno-Ugrians.) Sovet. Arkheol., 84, n° 4, p. 75-89.

2584. GONTHIER (Nicole). Délinquantes ou victimes: les femmes dans la société lyonnaise du XVe siècle. R. hist., 84, a. 108, t. 271, n° 549, p. 25-46.

2585. GONZÁLEZ (Julio). Repoblación de las tierras de Cuenca. Anu. Est. mediev., 82 [84], t. 12, p. 183-204.

2586. GORSKIJ (A.A.). Družina i genezis feodalizma na Rusi. (The prince's guard and the genesis of feudalism in Old Rus.) Vopr. Ist., 84, n° 9, p. 17-28.

2587. GRANASZTÓI (György). The Hungarian bourgeois family in the late middle ages (presumptions and additions to the nature of a "welfare" society). Acta hist. Acad. Sci. hungaricae, 84, vol. 30, n° 3!4, p. 257-320. - IDEM. Sur l'industrie urbaine du bâtiment en Hongrie. Ibid., 83, vol. 29, n° 2-4, p. 217-232.

2588. GÜNTHER (Rigobert). Vom Untergang Westroms zum Reich der Merowinger. Zur Entstehung d. Feudalismus in Europa. Berlin, Dietz, 84, in-8, 163 p. (72 Abb., 3 Kt.).

2589. GUTNOVA (E.V.). Klassovaja bor'ba i obščestvennoe soznanie krest'janstva v srednevekovoj Zapadnoj Evrope (XI-XV vv.). (Class struggle and social consciousness of peasantry in medieval Western Europe, 9th-15th cent.) Moskva, Nauka, 84, 352 p. (AN SSSR. In-t vseobšč. istorii)

2590. GYÖRFFY (György). Wirtschaft und Gesellschaft der Ungarn um die Jahrtausendwende. Mit einem Anhang: Gesetze u. Synodalbeschlüsse Ungarns aus d. 11. Jh. nach d. Textausgabe v. Levente ZÁVODSZKY. Budapest, Akad. Kiadó; Wien, Böhlau, 83, in-8, 330 p. (Studia hist. Acad. Sci. hungaricae, 86)

2591. HÄGERMANN (Dieter), LUDWIG (Karl-Heinz). Mittelalterliche Salinenbetriebe - Erläuterungen, Fragen u. Ergänzungen zum Forschungsbestand. Technikgesch., 84, Bd 51, p. 155-189.

2592. Haus und Familie in der spätmittelalterlichen Stadt. Hrsg. v. Alfred HAVERKAMP. Köln u. Wien, Böhlau, 84, in-4, XXII-364 p. (Ill.). (Städteforschung, Reihe A: Darst., 18)

2593. HEERS (Jacques). Genova nel Quattrocento: civiltà mediterranea, grande capitalismo e capitalismo popolare. Milano, Jaca book, 84, in-8, 372 p. (Di fronte e attraverso, 177)

2594. HERBORN (Wolfgang). Der Antwerpener Markt und die Kauf- und Fuhrmannschaft der Reichsstadt Aachen (1490-1513). Z. d. Aachen. Gesch.-Ver., 83/84, Bd 90/91, p. 97-147.

2595. HILTON (Rodney H.). Small town society in England before the Black Death. Past a. Present, 84, vol. 105, p. 53-78.

2596. HOFF (Annette). Middelalterlige gaerder og hegn - aeldre og yngre dyrkings-systemer i Jyske Lov. (Medieval fences and hedges - older and younger cultivation systems in the Jutlandic law.) Fortid og Nugtid, 84, vol. 31, n° 2, p. 85-102 (ill.).

2597. HOLT (J.C.). Feudal society and the family in early medieval England. [2. Cf. Bibl. 83, n° 2808.] 3: Patronage and politics. Trans. roy. hist. Soc., 84, vol. 34, p. 1-25.

2598. Bibl. 81, n° 2252. JANIN (V.L.). Novgorodskaja feodal'naja votčina. (The Novgorodian feudal estate.) - CR: V. D. Nazarov, Ist. SSSR, 84, n° 2, p. 112-121.

2599. JANSEN (H.P.H.). Een economisch contrast in de Nederlanden. Noord en Zuid in de twaalfde eeuw. (An economic contrast in the Netherlands: North and South in the 12th century.) Bijdr. Meded. Gesch. Ned., 83, vol. 98, p. 3-18.

2600. JARITZ (Gerhard). Österreichische Bürgertestamente als Quelle zur Erforschung städtischer Lebensformen des Spätmittelalters. Jb. f. Gesch. d. Feudalismus, 84, Bd 8, p. 249-264.

2601. JASTREBICKAJA (Adel' L'vovna). Über einige Gesichtspunkte der Familienstruktur und der Verwandtschaftsbeziehungen in der mittelalterlichen Stadt. Jb. f. Gesch. d. Feudalismus, 84, Bd 8, p. 191-204.

2602. KEEN (Maurice). Chivalry. New Haven, Conn., Yale U.P., 84, in-8, X-303 p.

2603. KELLER (Hagen). Adel, Rittertum und Ritterstand nach Italienischen Zeugnissen des 11.-14. Jahrhunderts. In: Institutionen, Kultur u. Gesellschaft [Cf. n° 491], p. 581-608.

2604. KEROV (Vsevolod L.). Der soziale Klassenkampf in Frankreich in der zweiten Hälfte des 13. und der ersten Hälfte des 14. Jahrhunderts. Jb. f. Gesch. d. Feudalismus, 84, Bd 8, p. 144-157.

2605. KETSCH (Peter). Frauen im Mittelalter. Quellen u. Materialien. Hrsg. v. Annette KUHN. [Bd 1. Cf. Bibl. 83, n° 2814.] Bd 2: Frauenbild und Frauenrechte in Kirche und Gesellschaft. Düsseldorf, Schwann, 83, in-8, 436 p. (Ill.). (Geschichtsdidaktik: Studien, Materialien, 19)

2606. KIENAST (Walther). Gefolgswesen und Patrocinium im spanischen Westgotenreich. Hist. Z., 84, Bd 239, p. 23-75.

2507. KISS (Attila). Baranya megye X-XI. századi sirleletei. (Les sépulcres des Xe-XIe siècles dans le comitat de Baranya.) Budapest, Akad. Kiadó, 83, in-8, 429 p. (3 annexes, ill.). (Magyarország honfoglalás- és kora Árpád-kori temetőinek leletanyaga, 1)

2608. KLONDER (Andrzej). Bauer und Schenke in Polen vom 13. bis ins 16. Jahrhundert. In: Bäuerl. Sachkultur ...

[Cf. n° 253], p. 321-328.

2609. KOLLER (Fritz). Die Salzachschiffahrt bis zum 16. Jahrhundert. Mitt. d. Ges. f. Salzburger Landeskde, 83 [84], Bd 123, p. 1-126 (Abb.).

2610. KOVALENKO (V.P.), ŠEKUN (A.V.). Letopisnyj Listven (k voprosu o lokalizacii). (Listven in the chronicle: on the localization problem.) Sovet. Arkheol., 84, n° 4, p. 62-74.

2611. KRÜGER (Sabine). Character militaris und character indelebilis. Ein Beitrag z. Verhältnis v. miles u. clericus im Mittelalter. In: Institutionen, Kultur u. Gesellschaft [Cf. n° 491], p. 567-580.

2612. KRZEMIEŃSKA (Barbara). Einige Bemerkungen zur energetischen Situation an der Schwelle des Hochmittelalters: die Wärmeenergie. In: Energy in history [Cf. n° 829], p. 7-44.

2613. KUBINYI (András). Bäuerlicher Alltag im spätmittelalterlichen Ungarn. In: Bäuerl. Sachkultur ... [Cf. N° 253], p. 235-264.

2614. LAIOU (Angeliki E.). Observations on the results of the Fourth Crusade: Greeks and Latins in port and market. Medievalia et Humanistica, 84, n. s., t. 12, p. 47-60.

2615. LATHAM (J. Derek). Some observations on the bread trade in Muslim Málaga (c. AD. 1200). J. semitic Stud., 84, vol. 29, p. 111-122.

2616. LEDWIDGE (Francis). Relations de famille dans la correspondance de Gerson. R. hist., 84, a. 108, t. 271, n° 549, p. 3-23.

2617. LEMMEL (Hans-Dietrich). Nürnberger Lemlein im 14. Jahrhundert. Fernhändler u. Montanunternehmer bereits um 1300? Bl. f. deutsche Landesgesch., 84, Jg. 120, p. 329-370.

2618. LEWIS (Archibald R.). Mediaeval society in southern France and Catalonia. London, Variorum Repr., 84, in-8, 280 p.

2619. LÖNNROTH (Erik). Statsmakt och statsfinans i det medeltida Sverige: studier över skatteväsen och länsförvaltning. (Staatsmacht und Staatsfinanzen im mittelalterlichen Schweden: Studien über Steuerwesen und Landesverwaltung.) Göteborg, Acta Univ. Gothoburg., 84, in-8, 280 p. (Göteborgs högskolas Årsskrift, 46:3) [Deutsche Zsfassung]

2620. MAFART (Bertrand-Yves). Pathologie osseuse au moyen âge en Provence. Paris, Ed. du C.N.R.S., 84, in-4, 278 p. (16 fig., 23 tabl., 117 pl.). (Paléoécologie de l'homme fossile, 5)

2621. MAKKAI (László). Az európai feudalizmus energiagazdálkodásának mérlege. (Le bilan de l'exploitation des énergies naturelles du féodalisme européen.) Tört. Szle, 84, vol. 27, n° 1-2, p. 34-41.

2622. MANDICH (Giulio). Una compagnia fiorentina a Venezia nel quarto decennio del secolo quattordicesimo (un libro di conti). R. stor. ital., 84, a. 96, fasc. 1, p. 129-149.

2623. MANE (Perrine). L'apport de l'iconographie des calendriers pour l'étude de la vie rurale en France et en Italie aux XIIe et XIIIe siècles (exemple: la taille de la vigne). In: Bäuerl. Sachkultur ... [Cf. n° 253], p. 265-275. - EADEM. Calendriers et techniques agricoles. France-Italie, XIIe-XIIIe siècles. Préf. de Jacques LE GOFF. Paris, Sycomore, 84, in-8, 351 p. (ill.). (Féodalisme)

2624. Manger et boire au moyen âge. Actes du colloque de Nice, 15-17 oct. 1982, Centre d'études médiév. de Nice. T. 2: Cuisine, manières de table, régimes alimentaires. Paris, Les Belles lettres, 84, in-8, 360 p. (ill.). (Publ. de la Fac. des lettres et sci. humaines de Nice, 28)

2625. MATHISEN (Ralph Whitney). Emigrants, exiles, and survivors: aristocratic options in Visigothic Aquitania. Phoenix, 84, vol. 38, n° 2, p. 159-170.

2626. MATTHEUS (Michael). Trier am Ende des Mittelalters. Studien zur Sozial-, Wirtschafts- u. Verfassungsgesch. d. Stadt Trier v. 14. bis 16. Jh. Trier, Verl. Trierer Hist. Forsch., 84, in-8, 475 p. (Trierer hist. Forsch., 5)

2627. MIRONOV (B.N.). Istorija kholopstva v Rossii v osveščenii amerikanskogo istorika. (History of slavery in Russia in the interpretation of an American historian.) Ist. SSSR, 84, n° 3, p. 194-206. - IDEM. Amerikanskaja buržuaznaja istoriografija russkogo feodal'nogo goroda. (American bourgeois historiography of the Russian feudal town.) Vopr. Ist., 84, n° 7, p. 29-42.

2628. MISKIMIN (Harry A.). Money and power in fifteenth-century France. New Haven, Conn., a. London, Yale U.P., 84, in-8, X-303 p. (Yale Ser. in econ. Hist.)

2629. MODRZEWSKA (Halina). Osadnictwo obcoetniczne i innoplemienne w Polsce wcześniejszego średniowiecza. (Les colonisations ethniques de caractère étranger et allogène en Pologne au haut moyen âge [Xe-XIIe s.].) Warszawa, 84, in-8, 150 p. (Prace Inst. Hist. Uniw. Warsz., 12)

2630. MOLLAT (Michel). Les pauvres au moyen âge. Etude sociale. Bruxelles, Complexe, 84, in-8, 384 p. (Historiques, 11)

2631. MONTANARI (Massimo). Rural food in late medieval Italy. In: Bäuerl. Sachkultur ... [Cf. n° 253], p. 307-320.

2632. MONTURIOL GONZÁLEZ (María de los Angeles). Estructura y evolución del gasto en la hacienda municipal de Madrid: último tercio del siglo XV. In: Estudios dedicados al prof. D. A. Ferrari Nuñez [Cf. n° 488], vol. 2, p. 651-692.

2633. MORIMOTO (Yoshiki). San-Berutan

§ 8. STORIA ECONOMICA E SOCIALE   113

Shûdôin Shoryô Meisaichô (844-859) o meguru Shomondai. (Une ananlyse du registre de compte du couvent Saint-Bertin de 844 à 859.) Kyûshû Daigaku Keizaigaku Kenkyû, 83, vol. 48, n° 5-6, p. 49-62; 84, vol. 49, n° 4-6, p. 149-174.

2634. NEKUDA (Vladimir). Mährische Wüstungen als Quelle zum spätmittelalterlichen Dorfleben. In: Bäuerliche Sachkultur ... [Cf. n° 253], p. 203-217.

2635. OEXLE (Otto Gerhard). Tria genera hominum. Zur Geschichte eines Deutungsschemas der sozialen Wirklichkeit in Antike und Mittelalter. In: Institutionen, Kultur u. Gesellschaft [Cf. n° 491], p. 483-500.

2636. PALERMO (Luciano). Carestie e cronisti nel Trecento: Roma e Firenze nel racconto dell'Anonimo e di Giovanni Villani. Arch. stor. ita., 84, a. 142, t. 521, p. 343-375.

2637. PARISSE (Michel). La noblesse médiévale en Lotharingie: état de la question. Hémecht, 84, a. 36, n° 3, p. 325-338.

2638. Peasant (The) land market in medieval England. Ed. by P. D. A. HARVEY. London a. New York, Oxford U.P., 84, in-8, XVI-375 p.

2639. PEETERS (J.P.). Het verschijnsel der gilden en hanzen in de middeleeuwse steden in de Nederlanden. (The phenomenon of the guilds and "hansas" in the medieval towns of the Low Countries.) R. belge Philo. Hist., 84, t. 62, n° 2, p. 271-288.

2640. PÉREZ DE TUDELA VELASCO (María Isabel). Acerca de la condición de la mujer castellano-leonesa durante la baja edad media. In: Estudios dedicados al prof. D. A. Ferrari Nuñez [Cf. n° 488], vol. 2, p. 767-796.

2641. PIPONNIER (Françoise). La qualité de la vie en milieu rural: exemples bourguignons. In: Bäuerl. Sachkultur ... [Cf. n° 253], p. 277-290.

2642. Polish nobility (The) in the middle Ages. Anthologies. Ed.: Antoni GĄSIOROWSKI. Transl. from the Pol. by Aleksandra RODZIŃSKA-CHOJNOWSKA. Wrocław, Zakł. Narod. im. Ossolińskich, 84, in-8, 298 p. (Pol. Hist. Library: Antholigies, monographs, opera minora, 5)

2643. Problemy social'no-ěkonomičeskoj istorii feodal'noj Rossii. (Problems of the socio-economic history of feudal Russia.) Sbornik (K 100-letiju so dnja roždenija S. V. Bakhrušina). Otv. red. A. A. PREOBRAŽENSKIJ. Moskva, Nauka, 84, 284 p. (AN SSSR. In-t istorii SSSR)

2644. PRYOR (John H.). Commenda: the operation of the contract in long distance commerce at Marseille during the thirteenth century. J. europ. econ. Hist., 84, vol. 13, n° 2, p. 397-440.

2645. RAHE (Thomas). Demographische und geistig-soziale Auswirkungen der Pest von 1348-1350. Gesch. in Wiss. u. Unterr., 84, Bd 35, n° 3, p. 123-144.

2646. RAVENSDALE (Jack). Population changes and the transfer of customary land on a Cambridgeshire manor in the fourteenth century. In: Land, kinship a. life-cycle [Cf. n° 838], p. 197-226.

2647. RAZI (Zvi). The erosion of the family-land bond in the late fourteenth and fifteenth centuries. In: Land, kinship a. life-cycle [Cf. n° 838], p. 305-312.

2648. REIMER (H.). Soziale Schichten im Westgotenreich von Toulouse and Toledo. Einige Bemerkungen zu d. westgot. Freien. Ethnogr.-archäol. Z., 84, Bd 25, p. 479-488.

2649. RIU (Manuel). Agricultura y ganaderá en el Fuero de Cuenca. Anu. Est. mediev., 82 [84], t. 12, p. 167-181.

2650. RÖSENER (Werner). Bauer und Ritter im Hochmittelalter. Aspekte ihrer Lebensform, Standesbildung u. sozialen Differenzierung im 12. u. 13. Jh. In: Institutionen, Kultur u. Gesellschaft [Cf. n° 491], p. 665-692. - IDEM. Zur sozialökonomischen Lage der bäuerlichen Bevölkerung im Spätmittelalter. In: Bäuerl. Sachkultur ... [Cf. n° 253], p. 9-47.

2651. ROQUELET (Alain). La vie de la forêt normande à la fin du moyen âge: le coutumier d'Hector de Chartres. Paris, Picard, 84, in-8, 500 p. (20 pl., 22 cartes).

2652. ROSEN (Josef). Kriegsausgaben im Spätmittelalter. Der militär. Aufwand in Basel 1360-1535. Vjschr. f. Soz.- u. Wirtschaftsgesch., 84, Bd 71, p. 457-484.

2653. ROSENTHAL (J,T.). Aristocratic marriage and the English peerage, 1350-1500: social institution and personal bond. J. medieval Hist., 84, vol. 10, p. 181-194.

2654. ROSSER (A.G.). The essence of medieval urban communities: the will of Westminster, 1200-1500. Trans. roy. hist. Soc., 84, vol. 34, p. 91-112.

2655. RUNCIMAN (W.G.). Accelerating social mobility: the case of Anglo-Saxon England. Past a. Present, 84, vol. 104, p. 3-30.

2656. RUSSOCKI (Stanisław). Die mittelalterlichen Stände als Kategorie der Gesellschaftsschichtung. Acta Poloniae hist., 83 [84], vol 48, p. 5-36.

2657. SABLONIER (Roger). Das Dorf im Übergang vom Hoch- zum Spätmittelalter. Untersuchungen z. Wandel ländl. Gemeinschaftsformen im ostschweizer. Raum. In: Institutionen, Kultur u. Gesellschaft [Cf. n° 491], p. 727-745.

2658. SANTAMARÍA LANCHO (Miguel). Formas de propiedad, paisajes agrarios y sistemas de explotación en Segovia (siglos XIII-XIV). In: Estudios dedicados al prof. D. A. Ferrari Nuñez [Cf. n° 488ä], vol. 2, p. 917-962.

2659. SCHIMETSCHEK (Bruno). Adeliges Landleben im südöstlichen Niederösterreich zur Zeit der Renaissance. Unsere Heimat [Wien], 84, Bd 55, n° 4, p. 281-320. (Abb.).

2660. SCHWIND (Fred). Zu karolingerzeitlichen Klöstern als Wirtschaftsorganismen und Stätten handwerklicher Tätigkeit. In: Institutionen, Kultur u. Gesellschaft [Cf. n° 491], p. 101-123.

2661. SCHWINEKÖPER (Berent). Überlegungen zum Problem Haldensleben. Zur Ausbildung d. Straßen-Gitternetzes geplanter deutscher Städte d. Hohen Mittelalters. In: Festschr. f. H. Stoob [Cf. n° 510], Bd I, p. 213-253.

2662. Seehandelszentren des nördlichen Europa. Der Strukturwandel v. 12. z. 13. Jh. Beitr. d. Ostsee-Kolloquiums Lübeck 1981. Amt f. Vor- u. Frühgesch. (Bodendenkmalpflege) d. Hansestadt Lübeck. Bonn, Habelt, 83, in-4, 296-77-9 p. (Ill., graph. Darst., Kt.). (Lübecker Schr. z. Archäologie u. Kulturgesch., 7)

2663. SIVERY (Gérard). L'économie du royaume de France au siècle de Saint Louis (vers 1180 - vers 1315). Lille, Presses univ. de Lille, 84, in-8, 350 p. (50 tabl. et graph., 4 cartes).

2664. SMITH (Richard M.). Families and their land in an area of partible inheritance: Redgrave, Suffolk, 1260-1320. In: Land, kinship a. life-cycle [Cf. n° 837], p. 135-196.

2665. SONNLEITNER (Käthe). Die Stellung der Kinder von Unfreien im Mittelalter in Salzburg, Steiermark und Kärnten. Mitt. d. Ges. f. salzburg. Landeskde, 83 [84], Bd 123, p. 149-166.

2666. SPERBER (Helmut). Bäuerliche Geräte des Spätmittelalters. In: Bäuerl. Sachkultur ... [Cf. n° 253], p. 291-306.

2667. SPRANDEL (Rolf). Die Konkurrenzfähigkeit der Hanse im Spätmittelalter. Hans. Gesch.-Bl., 84, Bd 102, p. 21-38.

2668. Struktura feudální společnosti na území Československa a Polska do přelomu 15. a 16. století. (Die Struktur der Feudalgesellschaft im Gebiet der Tschechoslowakei und Polens bis z. Wende d. 15. z. 16. Jh.) Edit. Jan ČIERNÝ, František HEJL, Antonín VERBÍK. Praha, Ústav československých a světových dějin ČSAV, 84, in-8, 425 p.

2669. Strutture familiari, epidemie, migrazioni nell'Italia medievale. A cura di R. COMBA, G. PICCINNI, G. PINTO. Napoli, Ed. scientifiche italiane, 84, in-8, 542 p. (Nuove ricerche di storia, 2) [Atti di un convegno tenuto a Siena nel 1983]

2670. SZABÓ (Thomas). Antikes Erbe und karolingisch-ottonische Verkehrspolitik. In: Institutionen, Kultur u. Gesellschaft [Cf. n° 491], p. 125-145.

2671. SZŰCS (Jenő). A gabona árforradalma a 13. században. (La révolution des prix du blé au XIIIe siècle.) Tört. Szle, 84, vol. 27, n° 1-2, p. 5-33. - IDEM. Háztartás és család a 13.századi Magyarország szolgai állapotú parasztnépességében. (Ménage et famille de la population paysanne servile en Hongrie au XIIIs siècle.) Ibid., 83, vol. 25, n° 1, p. 136-158.

2671a. TEKE (Zsuzsa). A 1427. évi firenzei catasto. Adalékok a firenzei-magyar kereskedelmi kapcsolatok történetéhez. (Le "catasto" de Florence en 1427. Contribution à l'histoire des relations commerciales entre la ville de Florence et la Hongrie.) Tört. Szle, 84, vol. 27, n° 1-2, p. 42-49.

2672. UITZ (Erika). Frau und gesellschaftlicher Fortschritt in der mittelalterlichen Stadt. Z. f. Geschichtswiss., 84, Bd 32, p. 1071-1083.

2673. VADILLO PINILLA (Amelia). El dominio de San Juan de las Abadesas: algunas consecuencias de su formación. In: Estudios dedicados al prof. D. A. Ferrari Nuñez [Cf. n° 488], vol. 2, p. 1023-1048.

2674. VAN HERWAARDEN (J.). Medici in de Nederlandse samenleving in de late middeleeuwen (veertiende - zestiende eeuw). (Physicians in the Netherlands, 14th-16th centuries.) In: Arts en samenleving [Cf. n° 822], p. 348-378.

2675. VENTURINI (Alain). Le rôle du sel de Provence dans les relations entre les Etats angevins et Gênes de 1330 à 1360. Bibl. Ec. Chartes, 84, t. 142, n° 2, p. 205-253.

2676. WANDERWITZ (Heinrich). Studien zum mittelalterlichen Salzwesen in Bayern. München, Beck, 84, in-8, XXXIX-360 p. (3 Kt.). (Schriftenreihe z. bayer. Landesgesch., 73)

2677. WENSKUS (Reinhard). Die soziale Entwicklung im ottonischen Sachsen im Lichte der Königsurkunden für das Erzstift Hamburg-Bremen. In: Institutionen, Kultur u. Gesellschaft [Cf. n° 491], p. 501-514.

Cf. n°s 551, 2390, 2492, 2771, 2915, 2942.

§ 9. Storia della civiltà, della letteratura, della scuola, delle scienze e della tecnica.

* 2678. Bibliographie [de civilisation médiévale]. [Cf. Bibl. 83, n° 2872.] Cah. Civ. méd., 84, vol. 27, n° 108 B, 203 p.

* 2679. REISS (Edmund), REISS (Louise Horner), TAYLOR (Beverly). Arthurian legend and literature. An annotated bibliography. Vol. 1: The middle ages. London a. New York, Garland, 84, in-8, XVII-467 p. (Garland Reference Libr. of the Humanities, 415)

2680. ANGELOV (Bonju). Starobǎlgarsko knižovno nasledstvo. (L'héritage littéraire vieux-bulgare.) Sofija, Nauka i Izkustvo, 83, in-8, 239 p.

§ 9. STORIA DELLA CIVILTA'

2681. ANGELOV (Dimităr) Bălgarsko srednovekovie - ideologična misăl i prosveta. (Le moyen âge bulgare - pensée idéologique et culture.) Sovija, Nauka i Izkustvo, 82, in-8, 167 p. - IDEM. Eskhatologinite predstavi na srednovekovnija bălgarin, otrazeni v oficialnata i apokrifnata literatura. (Les idées eschatolotiques du Bulgare au moyen âge reflétées dans la littérature officielle et apocryphe.) Palaeobulgarica, 82, n° 3, p. 73-97.

2682. ANSELMI (Gian Mario). La Cronica dell'Anonimo romano: problemi di inquadramento culturale e storiografico. B. Istit. stor. ital Medioevo, 84, n° 91, p. 423-440.

2683. Antičnoe nasledie v kul'ture Vozroždenija. (Ancient heritage in Renaissance culture.) Redkol.: V. I. RUTENBURG (otv. red.) i dr. Moskva, Nauka, 84, 285 p. (ill.). (AN SSSR. Nauč. sovet po istorii mirovoj kul'tury)

2684. ATTREED (L.C.) From Pearl maiden to Tower princes: towards a new history of medieval childhood. J. medieval Hist., 83, vol. 9, p. 43-58.

2685. BARNISH (S.J.B.). The genesis and completion of Cassiodorus' Gothic history. Latomus, 84, vol. 43, p. 336-361.

2686. BENITO RUANO (Eloy). Un episodio bélico (y un autógrafo) de Jorge Manrique. In: Estudios dedicados al prof. D. A. Ferrari Nuñez [Cf. n° 488], vol. 1, p. 139-146.

2687. BERSCHIN (Walter). Karolingische Gartenkonzepte. Freiburg. Diöz.-Arch., 84, Bd 104, p. 5-18.

2688. BIRNBAUM (Henrik), FLIER (Michael S.), et al. Medieval Russian culture. Berkeley a. Los Angeles, Univ. of Calif. Press, 84, in-8, X-395 p. (Calif. Slavic Stud., 12)

2689. BRANN (Noel L.). Pre-Reformation humanism in Germany and the papal monarchy: a study in ambivalence. J. medieval a. Renaissance Stud., 84, vol. 14, p. 159-185.

2690. BRUNDAGE (J.A.). Let me count the ways: canonists and theologians contemplate coital positions. J. medieval Hist., 84, vol. 10, p. 82-93.

2691. BRUSH (K.). The Recepta jocalium in the wardrobe book of William de Norwell, 12 July 1338 to 27 May 1340. J. medieval Hist., 84, vol. 10, p. 249-270 (2 fig.).

2692. BURROW (John A.). Essays on mediaeval litterature. London, Oxford U.P., 84, in-8, 224 p.

2693. CARDINI (Franco). Lo spettacolo medievale come fonte storico-antropologica. Schede mediev., 84, n° 6-7, p. 19-24.

2694. CARRASCO URGOTTI (María Soledad). Reflejos de la vida de los moriscos en la novela picaresca. In: Estudios dedicados al prof. D. A. Ferrari Nuñez [Cf. n° 488], vol. 1, p. 183-224.

2695. CHATILLON (Jean). La Bible dans les écoles du XIIe siècle. In: Le Moyen Age et la Bible [Cf. n° 3021], p. 163-197.

2696. COTTELL (G.A.). The Gokstad Viking ship: some new theories concerning the purpose of certain of its constructional features. Mariner's Mirror, 84, vol. 70, p. 129-142.

2697. DAHMUS (Joseph). Dictionary of mediaeval civilization. London, Collier Macmillan, 84, in-4, 700 p.

2698. DANČEV (Georgi). Stranici iz istorijata na Tărnovskata knižovna škola. (Pages de l'histoire de l'école littéraire de Tărnovo.) Sovija, Nauka i Izkustvo, 83, in-8, 256 p.

2699. DAVIES (M.C.). An emperor without clothes? Niccolò Niccolini under attack. In: Maistor [Cf. n° 484], p. 269-308.

2700. DERVILLE (Alain). L'alphabétisation du peuple à la fin du moyen âge. R. Nord, 84, vol. 66, n° 261-262, p. 761-776 (ill.).

2701. DILLER (George T.). Attitudes chevaleresques et réalités politiques chez Froissart. Microlectures du premier livre des Chroniques. Genève, Droz, 84, in-8, 192 p. (Et. de philol. et d'hist., 39)

2702. EBNER (Herwig). Der Bauer in der mittelalterlichen Historiographie. In: Bäuerl. Sachkultur ... [Cf. n° 253], p. 93-123.

2703. EGGERT (Wolfgang), PÄTZOLD (Barbara). Wir-Gefühl und Regnum Saxonum bei frühmittelalterlichen Geschichtsschreibern. Wien, Köln u. Weimar, 84, in-8, 328 p. (Forsch. z. mittelalterl. Gesch., 31)

2704. Epische Stoffe des Mittelalters. Hrsg. v. Volker MERTENS u. Ulrich MÜLLER. Stuttgart, Kröner, 84, in-8, 540 p. (Kröners Taschenausg., 483)

2705. Eszmetörténeti tanulmányok a magyar középkorról. Szerk. SZÉKELY György. (Etudes d'histoire des idées sur le moyen âge hongrois. Réd. par - .) Budapest, Akad. Kiadó, 84, in-8, 479 p. (Memoria saeculorum Hungariae, 4)

2706. FAMIGLIETTI (R.C.). Laurent de Premierfait: the career of a humanist in early fifteenth-century Paris. J. medieval Hist., 83, vol. 9, p. 25-42 (3 fig.).

2707. FERRANTE (Joan M.). The political vision of the "Divine Comedy". Princeton, N.J., Princeton, U.P., 84, in-8, IX-392 p.

2708. FIERO (G.K.). Death ritual in fifteenth-century manuscript illumination. J. medieval Hist., 84, vol. 10, p. 271-294 (11 fig.).

2709. FONTAINE (J.). Les relations culturelles entre l'Italie byzantine et l'Espagne visigothique: la présence d'Eugippius dans la bibliothèque de Séville. Estudios clás., 84, t. 26, n° 88, p. 9-26.

2710. FOX (John). Villon: poems. London, Grant a. Cutler, 84, in-8, 108 p. (Critical guides to French texts, 37)

2711. FRANKLIN (Simon). The empire of the Rhomaioi as viewed from Kievan Russia: aspects of Byzantino-Russian cultural relations. Byzantion, 83 [84], t. 53, fasc. 2, p. 507-537.

2712. GAULIN (J.L.). Sur le vin au moyen âge. Pietro de' Crescenzi lecteur et utilisateur des Géoponiques [de Cassianus Bassus] traduites par Burgundio de Pise. Mél. Ec. franç. Rome, Moyen Age Temps mod., 84, t. 96, p. 95-127.

2713. Geistliche Denkformen in der Literatur des Mittelalters. Hrsg. v. Klaus GRUBMÜLLER, et al. München, Fink, 84, in-4, 461 p. (Ill.). (Münstersche Mittelalter-Schriften, 51)

2714. GJUZELEV (Vasil). Obrazovanie i gramotnost v Bălgarija prez XIII-XIV vek. (Instruction et alphabétisation en Bulgarie aux XIIIe-XIVe s.) Ist. Pregled, 83, n° 5, p. 21-44.

2715. GLASSCOE (Marion). Mediaeval mystical tradition in England. Woodbridge, Suffolk, D. S. Brewer, 84, in-8, 102 p.

2716. GOETZ (Hans-Werner). Das Geschichtsbild Ottos von Freising. Ein Beitr. z. hist. Vorstellungswelt u. z. Gesch. d. 12. Jh. Köln u. Wien, Böhlau, 84, in-8, X-382 p. (Beih. z. Arch. f. Kulturgesch., 19)

2717. GOHEEN (Jutta). Mittelalterliche Liebeslyrik von Neidhart von Reuental bis zu Oswald von Wolkenstein. Eine Stilkritik. Berlin, E. Schmidt, 84, in-8, 220 p. (Philol. Studien u. Quellen, 110)

2718. GREISENEGGER (Wolfgang). Bauer und Hirt im szenischen Spiel des Mittelalters. In: Bäuerl. Sachkultur ... [Cf. n° 253], p. 177-191.

2719. HEERS (Jacques). De Marco Polo à Christophe Colomb: comment lire le Devisement du monde? J. medieval Hist., 84, vol. 10, p. 124-143 (2 maps).

2720. HEIM (Wolf-Dieter). Romanen und Germanen in Charlemagnes Reich. Unters. zur Benennung roman. u. german. Völker, Sprachen u. Länder in franz. Dichtungen d. Mittelalters. München, Fink, 84, in-4, 712 p. (Münstersche Mittelalter-Schr., 40)

2721. HILS (Hans-Peter). Konrad der Münzmeister oder Konrad der Apotheker? Zur Analyse eines spätmittelalterl. Pesttraktates. Sudhoffs Arch., 84, Bd 68, p. 106-109. - IDEM. Die Pestrezepte der Basler Handschrift D1130. Ibid., 83, Bd 67, p. 210-217.

2722. HOFMEISTER (Wernfried). Heinrich von der MUre - ein steirischer Minnesänger? Bl. f. Heimatkde [Graz], 84, vol. 58, p. 60-67.

2723. HUNT (R.W.). The schools and the cloister: the life and writings of Alexander Nequam, 1157-1217. Rev. by Margaret GIBSON. London a. New York, Oxford U.P., 84, in-8, XIII-163 p.

2724. ILLMER (Detlef). Arithmetik in der gelehrten Arbeitsweise des frühen Mittelalter. Eine Studie z. Grundsatz "Nisi enim nomen scieris, cognitio rerum perit". In: Institutionen, Kultur u. Gesellschaft [Cf. n° 491], p. 35-58.

2725. ISLA FREZ (Amancio). Ensayo de historiografía medieval: el Cronicón Iriense. In: Estudios dedicados al prof. D. A. Ferrari Nuñez [Cf. n° 488], vol. 1, p. 413-432.

2726. JANSEN (H.P.H.). Emo's emoties. De dertiende-eeuwse kroniek van Wittewierum als ego-document. (Emo's emotions: the 13th-century chronicle of Wittewierum as ego-document.) Bijdr. Meded. Gesch. Ned., 83, vol. 98, p. 373-399.

2727. JONG (M. de). Kloosterlingen en buitenstaanders. Grensoverschrijdingen in Ekkehards Casus Sancti Galli. (Monks and outsiders in Ekkehard's Casus Sancti Galli.) Bijdr. Meded. Gesch. Ned., 83, vol. 98, p. 337-357.

2728. KANE (George). Chaucer. London a. New York, Oxford U.P., 84, in-8, VI-122 p. (Past masters)

2729. Kirilo-Metodievski stranici. (Pages cyrillo-méthodiennes.) Pod red. Petăr DINEKOV. Sofija, BAN, 83, in-8, 384 p.

2730. KÜMMEL (Juliane). Erinnern und Vergessen. Überlegungen zu Formen spätmittelalterl. Stadtgeschichtsschreibung im nördlichen Frankreich. Saeculum, 84, Bd 35, p. 225-245.

2731. KÜNZEL (R.E.). Over schuld en schaamte in enige verhalende bronnen uit de tiende en elfde eeuw. (Guilt and shame in narrative sources from the 10th and 11th century.) Bijdr. Meded. Gesch. Ned., 83, vol. 98, p. 358-372.

2732. Kul'tura i iskusstvo srednevekovogo goroda. (Culture and art of the medieval town.) Sbornik statej. Otv. red. I. P. RUSANOVA. Moskva, Nauka, 84, 144 p. (ill.). (AN SSSR. In-t arkheologii)

2733. LETTINCK (N.). Geschiedbeschouwing en beleving van de eigen tijd in de eerste helft van de twaalfde eeuw. (La vision de l'histoire de quelques historiens bénédictins de la première moitié du XIIe siècle et leur attitude à l'égard de leur temps.) Amsterdam, Verloren, 83, in-8, 240 p.

2734. LIEBERTZ-GRÜN (Ursula). Das andere Mittelalter. Erzählte Geschichte u. Geschichtserkenntnis um 1300. Studien zu Ottokar v. Steiermark, Jans Enikel, Seifried Helbling. München, Fink, 84, in-8, 234 p. (Forsch. z. Gesch. d. älteren deutschen Lit., 5)

2735. Literatur und Laienbildung im

§ 9. STORIA DELLA CIVILTA'

Spätmittelalter und in der Reformationszeit. Symposium Wolfenbüttel 1981. Hrsg. v. Ludger GRENZMANN u. Karl STACKMANN. Stuttgart, Metzler, 84, in-8, XVI-806 p. (58 Ill.). (Germanist.-Symposien-Berichtsbde, 5)

2736. MAIR (John R. S.). Reflections upon the Theological tractates of Boethius. In: Maistor [Cf. n° 484], p. 149-158.

2737. MANCINI (Mario). La gaia scienza dei trovatori. Parma, Pratiche, 84, in-8, 154 p. (Le forme del discorso, 37)

2738. MANIKOWSKA (Halina). Zwischen Askesis und Modestia. Buß- u. Armutsideale in poln., böhm. u. ungar. Hofkreisen im 13. Jh. Acta Poloniae hist., 83 [84], vol. 47, p. 33-53.

2739. MANN (Nicholas). Petrarch. London a. New York, Oxford U.P., 84, in-8, 121 p. (Past masters)

2740. MAURER (Helmut). Sagen um Karl III. In: Institutionen, Kultur u. Gesellschaft [Cf. n° 491], p. 93-99.

2741. MEČEV (Konstantin). V dni na ratni bedi. Očerk za vremeto i za ličnostta na Prezviter Kozma. (Pendant les jours des malheurs militaires. Esquisse du temps et de la personnalité de Cosmas le Prêtre.) Sofija, Nar. Prosveta, 83, in-8, 215 p.

2742. MEDYNCEVA (A.A.). Novgorodskie nakhodki i dokhristianskaja pis'mennost' na Rusi. (Novgorodian finds and pre-Christian Russian writing.) Sovet Arkheol., 84, n° 4, p. 49-61.

2743. MEL'NIKOVA (E.A.), PETRUKHIN (V. Ja.), PUŠKINA (T.A.). Drevnerusskie vlijanija v kul'ture Skandinavii rannego srednevekov'ja (K postanovke problemy). (The ancient Russian impact on early medieval culture in Scandinavia: outlining of a problem.) Ist. SSSR, 84, n° 3, p. 50-65.

2744. MEYER (Werner). Heidenstäfeli und Heidenhüttchen: archäolog. Beiträge z. Kultur d. alpinen Hirtentums in d. Schweiz. In: Bäuerl. Sachkultur ... [Cf. n° 253], p. 193-201.

2745. MICHAŁOWSKI (Roman). Przyjaźń i dar w społeczeństwie karolińskim w świetle translacji relikwii. Część pierwsza - studium źródłoznawcze. (Amitié et don dans la société carolingienne à la lumière de la translation de reliques. le partie: étude des sources.) Stud. źródłozn., 83 [84], vol. 28, p. 1-39.

2746. Mittelalterstudien. Erich Köhler zum Gedenken. Hrsg. v. Henning KRAUSS, Dietmar RIEGER. Heidelberg, Winter, 84, in-8, 323 p. (Studia romanica, 55)

2747. MOEGLIN (Jean-Marie). La formation d'une histoire nationale en Autriche au moyen âge. J. Savants, 83 [84], n° 1-3, p. 169-218.

2748. MORPURGO (P.). The Salernitan school between Hippocrates, Aristotle and magic. Quad. catanesi Studi class. mediev., 84, a. 6, p. 197-218.

2749. MULDER-BAKKER (A.B.). Vorstenschool. Vier geschiedschrijvers over Alexander en hun visie op het keizerschap. (Four 12th-century German historians on Alexander the Great and their opinion on the emperorship.) Groningen, s.n., 83, in-8, 346 p. [Diss. Groningen]

2750. MUSSET (Lucien). L'horizon géographique, moral et intellectuel d'Orderic Vital, historien anglo-normand. In: La chronique et l'hist. au moyen âge [Cf. n° 255], p. 101-122.

2751. Mutations (Les) socio-culturelles au tournant des XIe-XIIe siècles. Actes du Colloque international du C.N.R.S. Etudes anselmiennes, IVe session. Sous la dir. de Raymonde FOREVILLE. Paris, Ed. du C.N.R.S, 84, in-8, 752 p. (Spicilegium beccense, 2)

2752. Old (The) English elegies. New essays in criticism a. research. Ed. by Martin GREEN. Cranbury, N.J., Assoc. Univ. Press, 83, in-8, 240 p.

2753. OLSEN (Rikke Agnete). Bäuerliche Sachkultur Dänemarks im Spätmittelalter: archäolog. Funde u. bildl. Darstellungen. In: Bäuerl. Sachkultur ... [Cf. n° 253], p. 219-233.

2754. ORME (Nicholas I.). From childhood to chivalry: the education of the English kings and aristocracy, 1066-1530. London a. New York, Methuen, 84, in-8, XI-260 p. (17 ill.).

2755. PINBORG (Jan). Mediaeval semantics: selected studies in mediaeval logic and grammar. Ed. by Sten EBBESEN. London, Variorum Repr., 84, in-8, 360 p.

2756. PREAUD (Maxime). Les astrologues à la fin du moyen âge. Paris, Lattès, 84, in-8, 248 p. (Hist., groupes et sociétés)

2757. PRYOR (John H.). The naval architecture of crusaders transport ships: a reconstruction of some archetypes for round-hulled sailing ship. Mariner's Mirror, 84, vol. 70, p. 171-219, 275-292, 363-386 (ill.).

2758. RESTELLI (Giuseppe). Sopravvivenze della cultura gotica in Italia. Istit. lombardo, Rci. Lett. Sci. mor., 81 [84], a. 115, p. 207-264.

2759. RUSEV (Menju). Estetika i majstorvstvo na pisatelite ot Evtimievata knižovna škola. (Esthétique et maîtrise des écrivains de l'Ecole littéraire d'Evtimij.) Sofija, BAN, 83, in-8, 262 p.

2760. SAMSONOWICZ (Henryk). Kultura miejska w Polsce późnego średniowiecza. (La culture urbaine dans la Pologne du bas moyen âge.) Kwart. hist., 83 [84], a. 90, n° 4, p. 771-789.

2761. SÁNCHEZ HERRERO (José). Centros de enseñanza y estudiantes de Sevilla durante los siglos XIII al XV. In: Estudios dedicados al prof. D. A. Ferrari Nuñez [Cf. n° 488], vol. 2, p. 875-898.

2762. SCHLESS (Howard H.). Chaucer and Dante: a revaluation. Norman, Okla., Pilgrim Books, 84, in-8, XIV-268 p.

2763. SCHMIDT-CHAZAN (Mireille). Aubri de Trois-Fontaines, un historien entre la France et l'Empire. A. Est, 84, sér. 5, a. 36, n° 3, p. 163-192.

2764. SCHÜPPERT (Helga). Der Bauer in der deutschen Literatur des Spätmittelalters - Topik und Realitätsbezug. In: Bäuerl. Sachkultur ... [Cf. n° 253], p. 125-176.

2765. SPANKE (Hans). Studien zur lateinischen und romanischen Lyrik des Mittelalters. Hrsg. u. mit einem Vorwort vers. v. Ulrich MÖLK. Hildesheim, Zürich u. New York, Olms, 83, in-8, VI-472 p. (Noten). (Collectanea, 31)

2766. SPIEWOK (Wolfgang). Mittelalter-Studien. Göppingen, Kümmerle, 84, in-8, 416 p. (Göppinger Arbeiten z. Germanistik, 400)

2767. Stara bǎlgarska literatura. V 7 toma. (L'ancienne littérature bulgare, en 7 vol.) 2: Oratorska proza. (La prose oratoire.) Red.: Liljana GRAŠEVA. 3: Istoričeski sǎčinenija. (Oeuvres historiques.) Red. Ivan BOŽILOV. Sofija, BAN, 82-83, 2 vol. in-8, 394, 444 p.

2768. STURLESE (Loris). Dokumente und Forschungen zu Leben und Werk Dietrichs von Freiberg. Hamburg, Meiner, 84, in-8, X-187 p. (Corpus philosophorum Teutonicorum medii aevi, Beih., 3)

2769. TANAKA (Mineo). Chûsei-matsu Pari Daigaku ni okeru Gakui Shutoku Jôkyô. Igirisu-jin, Doitsu-jin Nashio o Chûshin ni. (Etudes statistique sur l'accès aux grades dans l'Université de Paris à la fin du moyen âge, d'après les registres de la nation anglo-allemande.) Shirin, 84, vol. 67, n° 4, p. 75-123. [Résumé franç.]

2770. TARNAI (Andor). "A magyar nyelvet írni kezdik". Irodalmi gondolkodás a középkori Magyarországon. ("Le hongrois commence à s'écrire". La pensée littéraire dans la Hongrie médiévale.) Budapest, Akad. Kiadó, 84, in-8, 345 p. (Irodalomtudomány és kritika)

2771. TOBIN (Rosemary Barton). Vincent of Beauvais' "De eruditione filiorum nobilium": the education of women. Frankfurt (Main), Bern u. New York, Lang, 84, in-8, 156 p. (Am. Univ. Studies, XIV, 5)

2772. TUMMERS (Paul M. J. E.). Albertus Magnus' view on the angle with special emphasis on his geometry and metaphysics. Vivarium, 84, vol. 22, n° 1, p. 35-62.

2773. VAN UYTVEN (R.). Rood-wit-zwart: kleurensymboliek en kleursignalen in de middeleeuwen. (Red-white-black: colour-symbolism and colour-signals in the middle ages.) In: Vormen van communicatie [Cf. n° 893], p. 447-469.

2774. VITI (Paolo). Le vite degli Strozzi di Vespasiano da Bisticci. Introduzione e testo critico. At. M. Accad. toscana Sci. Lett. Colombaria, 84, vol. 49, n. ser., a. 35, p. 74-177.

2775. VOLKOVA (Z.N.). Épos Francii: Istorija i jazyk francuzskikh épičeskikh skazanij. (Épos of France: history and language of French epic legends.) Moskva, Nauka, 84, 319 p. (AN SSSR. In-t mirovoj lit. im. A. M. Gor'kogo)

2776. WEHRLI (Max). Literatur im deutschen Mittelalter. Eine poetolog. Einführung. Stuttgart, Reclam, 84, in-8, 358 p. (Universal-Bibliothek, 8038)

2777. WEILER (I.). Eugippius und der Untergang des römischen Reiches. Eine Anregung für d. Geschichtsunterricht. Röm. Österreich, 83-84, Bd 11-12, p. 351-375.

Cf. n°s 35, 255, 2150, 2303, 2441, 2446, 2447, 2624, 5196, 5240.

§ 10. Storia dell'arte.

a. Opere generali.

2778. Arts Council, London. English Romanesque art, 1066-1200. London, Weidenfeld a. Nicolson, 84, in-4, 416 p. (ill., pl.).

2779. BACKHOUSE (Janet) a. others. The golden age of Anglo-Saxon art. London, Brit. Museum, 84, in-4, 256 p. (ill., pl.).

2780. Byzanz und der Westen. Studien zur Kunst d. europ. Mittelalters. Hrsg. v. Irmgard HUTTER. Vorw. v. Herbert HUNGER. Wien, Verl. d. Österr. Akad. d. Wiss., 84, in-4, 221 p. (90 Taf.). (S.-B. d. Österr. Akad. d. Wiss., Philos.-hist. Kl., 432)

2781. COCKS (Anna Somers), TRUMAN (Charles). Catalogues of the Thyssen-Bornemisza collection. Vol. 1: Renaissance jewels, gold boxes and objets de vertu. London, Sotheby Publ., 84, in-4, 384 p. (ill., pl.).

2782. DANILOVA (I.E.). Iskusstvo srednikh vekov i Vozroždenija: Drev. Rus'. Italija. Živopis', arkhitektura, skul'ptura. Iskusstvo i zritel'. (Art of the middle ages and the Renaissance. Old Rus. Italy. Painting, architecture, sculpture. Art and spectator.) Raboty raznykh let. Moskva, Sov. khudožnik, 84, 271 p. (ill.). (B-ka iskusstovznanija)

2783. Dějiny českého výtvarného umění. Od počátků do konce středověku. (Geschichte der tschechischen bildenden Kunst. Von d. Anfängen bis z. Ende d. Mittelalters.) Bd 1, Teil 1, 2. Von Klement BENDA, Jiří DVORSKÝ, Jaromír HOMOLKA u. Kollektiv. Praha, Academia, 84, 2 vol., 397 p., p. 405-688.

2784. Drevnerusskoe iskusstvo. XIV-XV vv. (Old Russian art, 14th-15th centuries.) Sbornik statej. Otv. red. O. I. PODOBEDOVA. Moskva, Nauka, 84, 320 p. (ill.). (AN SSSR. Nauč. sovet po istorii mirovoj kul'tury, VNII istkustvoznanija M-va kul'tury SSSR)

§ 10. STORIA DELL'ARTE

2785. MANION (Margaret), VINES (Vera F.). Mediaeval and Renaissance illuminated manuscripts in Australian collections. London, Thames a. Hudson, 84, in-4, 240 p. (ill., pl.).

2786. WHITE (John). Studies in Renaissance art. London, Pindar Press, 84, in-8, 400 p. (ill.).

2787. WILSON (David McKenzie). Anglo-Saxon art, from the 7th century to the Norman Conquest. London, Thames a. Hudson, 84, in-8, 220 p. (ill., pl.).

b. Studi particolari.

2788. AMBROSELLI (Claire). La fabrique du corps humain: le double et la représentation de la mort à la fin du moyen âge. Stanford french R., 84, vol. 8, n° 1, p. 13-34.

2789. ANDROSOV (S.O.). Andrea Verokk'o. 1435-1488. (Andrea del Verrocchio.) Leningrad, Iskusstvo, 84, 184 p. (ill.).

2790. ARMINJON (Catherine), MUEL (Francis). Un ensemble exceptionnel d'orfèvrerie civile médiévale: le trésor de Coëffort [au Mans]. B. monum., 84, t. 142, p. 133-158 (ill.).

2791. AXBOE (Morten), HAUCK (Karl). Hohenmemmingen-B, ein Schlüsselstück der Brateatenikonographie (zur Ikonologie der Goldbrakteaten, 31). Frühmittelalterl. Stud., 85, Bd 19, p. 98-130.

2792. BALDWIN (Robert). Marriage as a sacramental reflection of the Passion: the mirror in Jan van Eyck's Arnolfini Wedding. Oud-Holland, 84, vol. 98, p. 57-75 (10 fig.).

2793. BOČAROV (G.N.). Khudožestvennyj metall Drevnej Rusi. X - nač. XIII vv. (Decorative metal of ancient Russia, 10th - beginning of the 13th cent.) Moskva, Nauka, 84, 319 p. (ill.). (AN SSSR. VNII istkusstvoznanija M-va kul'tury SSSR)

2794. BOJADŽIEV (Stefan), ČANEVA-DEČEVSKA (Neli), ZAKHARIEVA (Liljana). Izsledvanija vărkhu arkhitekturata na bălgarskoto srednovekovie. (Recherches sur l'architecture du moyen âge bulgare.) Sofija, BAN, 82, in-8, 260 p.

2795. CHEETHAM (Francis). English mediaeval alabasters. London, Phaidon Christie's, 84, in-fol., 360 p. (ill., pl.).

2796. CINCHEZA-BUCULEI (Ecaterina). L'ensemble de peinture murale de Halmagiu [Roumanie] (XVe siècle). R. Et. sud-est europ., 84, vol. 22, p. 3-25 (ill.).

2797. CRAMP (Rosemary). General introduction to the corpus of Anglo-Saxon stone sculpture. London, British Academy, 84, in-4, 51 p. (ill.). - EADEM. Corpus of Anglo-Saxon stone sculpture. Vol. 1: County Durham and Northumberland. London, Oxford U.P., 84, 2 vol. in-4, 400, 286 p.

2798. CRESSIER (Patrice). Les chapiteaux de la grande mosquée de Cordou (oratoires d'Abd ar-Raḥmān I et d'Abd ar-Raḥmān II) et la sculpture de chapiteaux à l'époque émirale. 1e partie. Madrider Mitt., 84, Bd 25, p. 216-281 (ill.).

2799. DAVIS (Michael T.). On the threshold of the flamboyant: the second campaign of construction of Saint-Urba..., Troyes. Speculum, 84, vol. 59, n° 4, p. 847-884 (ill.).

2800. DEMUS (Otto). The mosaics of San Marco in Venice. 1: The eleventh and twelfth centuries. With a contrib. by Rudolf M. KLOOS. Part 1: Text. Part 2: Plates. 2: The thirteenth century. With a contrib. by Kurt WEITZMANN. Part 1: Text. Part 2: Plates. Chicago a. London, Univ. of Chicago Press, for Dumbarton Oaks, 84, 4 vol. in-4, XIV-489 p. (76 phot.); XIV-242 p. (459 phot.); X-357 p. (52 phot.); XIX-280 p. (432 phot.).

2801. DEUER (Wilhelm). Die Stiftskriche von Millstatt und ihre romanischen Umbauten. Carinthia, 84, Bd 174, p. 73-118 (Abb.).

2802. D'JAKOVA (O.V.). Rannesrednevekovaja keramika Dal'nego Vostoka SSSR kak istoričeskij istočnik IV-X vv. (Early medieval ceramics of the Soviet Far East as a historical source of the 4th-10th cent.) Moskva, Nauka, 84, 205 p. (AN SSSR. Dal'nevost. nauč. centr. In-t istorii, arkheologii i ètnografii narodov Dal. Vostoka)

2803. GARNIER (François). L'imagerie bibliqe médiévale. In: Le Moyen Age et la Bible [Cf. n° 3021], p. 401-428 (fig.).

2804. GEM (Richard). L'architecture préromane et romane en Angleterre. Problèmes d'origine et de chronologie. B. monum., 84, t. 142, p. 233-272 (ill.).

2805. GŁOSEK (Marian). Miecze środkowoeuropejskie z X-XV w. (Les épées de l'Europe centrale des Xe-XVe s.) Warszawa, Wydawn. Geolog., 84, in-8, 185 p. (Pol. Akad. Nauk, Inst. Hist. Kult. mater.)

2806. HARVEY (John). English mediaeval architects. 2nd rev. ed. of "Mediaeval Architect". Gloucester, A. Sutton, 84, in-4, 537 p.

2807. HAUCK (Karl). Motivanalyse eines Doppelbrakteaten. Die Träger d. goldenen Götterbildamulette u. d. Traditionsinstanz d. fünischen Brakteatenproduktion. (Zur Ikonologie d. Goldbrakteaten, 32) Frühmittelalterl. Stud., 85, Bd 19, p. 139-194.

2808. HAUGLID (Roar). Om stavkirkers datering. Myntfunnenes betydning. (The dating of stave churches. The importance of coin finds.) Viking, 84, vol. 47, p. 118-134 (ill.). [Eng. summary]

2809. JONES (Peter Murray). Mediaeval medical miniatures. London, British Libr., Ref. Div., 84, in-4, 144 p. (ill., pl.).

2810. KILARSKI (Maciej). Pierwotna forma kaplicy w Malborku. (La forme originale de la Chapelle du château de Malbork [construite en 1280-1340]. B. Hist. Sztuki, 83 [84], a. 45, n° 2, p. 127-162.

2811. KING (David A.). Architecture and astronomy: the ventilators of medieval Cairo and their secrets. J. am. orient. Soc., 84, vol. 104, n° 1, p. 97-134.

2812. Bibl. 81, n° 2423. KOLČIN (B.A.), KHOROŠEV (A.S.), JANIN (V.L.). Usad'ba novgorodskogo khudožnika XII v. (The estate of the Novgorodian painter in the 12th cent.) - CR: G. I. Vzdornov, Sovet. Arkheol., 84, n° 2, p. 263-267.

2813. KOWALCZYK (Jerzy). Filip Kallimach i Wit Stosz. (Philippe Kallimach et Wit Stosz.) B. Hist. Sztuki, 83 [84], a. 45, n° 1, p. 3-24.

2814. KÜHNEL (Gustav). Wiederentdeckte monastische Malereien der Kreuzfahrerzeit in der Judäischen Wüste. Röm. Qschr. f. christl. Altertumskde, 84, Bd 79, p. 163-188.

2815. KYHLBERG (Ola). Birgerssönernas gravar i Riddarholmskyrkan: en metodstudie inom historisk arkeologi. (The Birgersson [i.e. descendants of Birger Jarl, † 1266] graves in the Riddarholm Church [Stockholm]: a methodological study of historical archaeology.) Scandia, 84, vol. 50, p. 115-151. [Eng. summary, p. 209-210]

2816. LÁSZLÓ (Gyula). Der Goldschatz von Nagyszentmiklós. Text u. Zeichnungen: Gyula LÁSZLÓ. Photos: István RÁCZ. Budapest, Corvina; Wien, Schroll, 83, in-8, 203 p. (Ill.).

2817. MALLET (J.). L'art roman de l'ancien Anjou. Paris, Picard, 84, in-4, 368 p. (ill.).

2818. MENTRE (Mireille). La peinture mozarabe. Préf. de Pedro de PALOL. Phot. de Jean-Claude VAYSSE. Paris, Presses de l'Univ. de Paris-Sorbonne, 84, in-8, 241 p. (21 p. ill.).

2819. MICHLER (Jürgen). Die ursprüngliche Chorform der Zisterzienserkirche in Salem. Z. f. Kunstgesch., 84, p. 3-46 (Ill.).

2820. NISTERS-WEISBECKER (Andrea). Grabsteine des 7.-11. Jahrhunderts am Niederrhein. Bonner Jb., 84, Bd 183, p. 175-326 p. (Ill.).

2821. NORDSTRÖM (Folke). Mediaeval baptismal fonts: an iconographical study. Stockholm, Almqvist a. Wiksell, 84, in-4, 193 p. (77 ill.). (Acta Univ. Umensis, Umeå stud. in humanities, 6)

2822. PITTIONI (Richard). Wer hat wann und wo den Silberkessel von Gundestrup angefertigt? Wien, Verl. d. Österr. Akad. d. Wiss., 84, in-4, 51 p. (28 Taf.). (Veröff. d. Kelt. Komm., 3. Denkschr. d. Österr. Akad. d. Wiss., Philos.-hist. Kl., 178)

2823. PLATT (Colin). Abbeys and priories of mediaeval England. London, Secker a. Warburg, 84, in-8, 256 p. (ill.).

2824. POPA (Radu), CHICIDEANU (Ion). Informații noi și cîteva considerații privind biserica românească din Gurasada, jud. Hunedoara. (Nouvelles données et quelques considérations historiques sur l'église roumaine de Gurasada, dépt. de Hunedoara.) Studii Cercet. Ist. veche Arheol., 84, t. 35, p. 54-67 (ill.).

2825. PRINGLE (Denys). King Richard I and the walls of Ascalon. Palestine Explor. Quar., 84, vol. 116, n° 2, p. 133-147.

2826. RUSSO (E.). Fasi e modi della scultura a Roma nel VI e VII secolo. Mél. Ec. franç. Rome, Moyen Age, Temps mod., 84, vol. 96, p. 7-48.

2827. SAULNIER (Lydwine), STRATFORD (Neil). La sculpture oubliée de Vézelay. Genève, Droz, 84, 288 p. (145 ill.). (Biblioth. de la Soc. franç. d'Archéol., 17)

2828. SCHWINEKÜPER (Berent). Motivationen und Vorbilder für die Errichtung der Magdeburger Reitersäule. Ein Beitr. z. Gesch. d. Reiterbildes im hohen Mittelalter. In: Institutionen, Kultur u. Gesellschaft [Cf. n° 491], p. 343-392.

2829. WILLIAMS (Caroline). Hellenistic and Roman buildings in the mediaeval walls of Mytilene. Phoenix, 84, vol. 38, p. 31-76 (ill.).

2830. WOHLFEIL (Rainer), WOHLFEIL (Trudl). Nürnberger Bildepitaphien. Versuch einer Fallstudie zur hist. Bildkunde. Z. f. hist. Forsch., 85, Bd 12, p. 129-180.

2831. WOLF (Gunther). Der "Waise". Bemerkungen zum Leitstein der Wiener Reichskrone. Deutsch. Arch. f. Erforsch. d. M.-A., 85, Jg. 41, p. 39-65.

2832. ZAKARYA (Mona). Deux palais du Caire médiéval. Waqfs [actes notariés] et architecture. Paris, Ed. du C.N.R.S., 84, in-4, 170 p. (21 fig., 39 phot.).

Cf. n°s 232, 235, 310, 2708, 5428.

6 11. Storia della musica.

2833. CARTIER (Ginette). Musique et pouvoir à l'aube de la Renaissance: le métier de musicien à la cour des grands ducs Valois de Bourgogne [1363-1477]. Renaissance a. Reformation, 84, n.s., vol. 8, n° 3, p. 157-175.

2834. ČERNÝ (Jaromír). Vícehlasé písně konduktového typu v českých pramenech 15. století. (Mehrstimmige Lieder des Konduktentyps in böhmischen Quellen d. 15. Jh.) Misc. musicolog., 84, t. 31, p. 39-142.

2835. CHAILLEY (Jacques). Histoire musicale du moyen âge. Paris, Presses univ. France, 84, in-8, 352 p. (Quadrige, 55) - IDEM. Ut queant laxis et les origines de la gamme. Acta musicol., 84, vol. 56, p. 48-69.

2836. FALLOWS (David). Johannes Ockeghem. The changing image, the songs and a new source. Early Music, 84, vol. 12, n° 2, p. 218-230.

2837. LOCKWOOD (Lewis). Music in Renaissance Ferrara, 1400-1505: the creation of a musical centre in the 15th century. Cambridge, Mass., Harvard U.P.; London, Oxford U.P., 84, in-8, XXII-356 p. (ill., tab., mus. exs.).

2838. Musik und Text in der Mehrstimmigkeit des 14. und 15. Jahrhunderts. Vorträge d. Gastsymposions in d. Herzog-August-Bibliothek Wolfenbüttel, 8. bis 12. Sept. 1980. Hrsg. v. Ursula GUNTHER u. Ludwig FINSCHER. Kassel, Basel u. London, Bärenreiter, 84, in-8, V-488 p. (Göttinger wiss. Arbeiten, 10)

2839. NOBLE (Jeremy) a. others. High Renaissance masters. London, Macmillan, 84, in-8, 352 p. (New Grove Composer Biogr.)

2840. PERKINS (Leeman L.). Musical patronage at the royal court of France under Charles VII and Louis XI (1422-83). J. am. musicol. Soc., 84, vol. 37, p. 507-566.

2841. REYNOLDS (Christopher). Musical careers, ecclesiastical benefices, and the example of Johannes Brunet. J. am. musicol. Soc., 84, vol. 37, p. 49-97.

2842. Studies in the performance of late mediaeval music. Ed. by Stanley BOORMAN. London a. New York, Cambridge U. P., 83, in-8, XVI-282 p.

2843. TREITLER (L.). Orality and literacy in the music of the middle ages. Parergon, 84, n.s., vol. 2, p. 143-174.

2844. WOODFIELD (Ian). The early history of the viol. London, Cambridge U.P., 84, in-8, 266 p. (ill., dr.).

§ 12. Storia della filosofia.

* 2845. BATAILLON (Louis-Jacques). Bulletin d'histoire des doctrines médiévales. Les sources [suite de Bibl. 83, n° 2987]. Le XIIe siècle. R. Sci. philos. théol., 84, t. 68, n° 1, p. 101-114; n° 4, p. 621-638.

* 2846. RUELLO (Francis). Bulletin d'histoire des idées médiévales. [Cf. Bibl. 82, n° 2899.] Rech. Sci. relig., 84, t. 72, n° 1, p. 99-138.

2847. ADAMS (Marilyn McCord), WOOD (Rega). Is to will it as bad as to do it? The fourteenth-century debate. Franciscan Stud., 81 [84], vol. 41, n° 19, p. 5-60.

2848. ALLEN (Michael J. B.). The Platonism of Marsilio Ficino: a study of his "Phaedrus" commentary. Its sources and genesis. Berkeley a. London, Univ. of California Press, 84, in-8, XV-284 p. (2 tables). (Publ. of the UCLA Center for Med. a. Renaissance Stud., 21) - IDEM. Marsilio Ficino on Plato, the Neoplatonists and the Christian doctrine of the Trinity. Renaissance Quar., 84, vol. 37, n° 4, p. 555-584.

2849. BIANCHI (Luca). L'errore di Aristotele: la polemica contro l'eternità del mondo nel XIII secolo. Firenze, La Nuova Italia, 84, in-8, XVIII-210 p. (Pubbl. della Fac. di Lett. e Filos. dell'Univ. di Milano, 54)

2850. BIARD (Joël). L'unité du monde selon Guillaume d'Ockham (ou la logique de la cosmologie ockhamiste). Vivarium, 84, vol. 22, n° 1, p. 63-83.

2851. Boethius. Hrsg. v. M. FUHRMANN u. J. GRUBER. Darmstadt, Wiss. Buchges., 84, in-8, VII-466 p. (Wege d. Forschung, 483)

2852. BROWN (Jerome V.). Duns Scotus on the possibility of knowing genuine truth: the reply of Henri of Ghent in the Lectura prima and in the Ordinatio. Rech. Théol. anc. méd., 84, vol. 51, p. 136-182.

2853. BURCHARDT (Jerzy). Witelo, filosofo della natura del XIII sec. Una biografia. Wrocław, Zakł. Narod. im. Ossolińskich, 84, in-8, 86 p. (Acad. Pol. delle Scienze, Bibl. e Centro di Studi a Roma: Conferenze, 87)

2854. BURRELL (David). Maimonides, Aquinas and Gersonides on providence and evil. Rel. Studies, 84, vol. 20, n° 3, p. 335-351.

2855. COLISH (Marcia L.). Carolingian debates over Nihil and Tenebrae: a study in theological method. Speculum, 84, vol. 59, n° 4, p. 757-795.

2856. COPENHAVER (Brian P.). Scholastic philosophy and Renaissance magic in the De Vita of Marsilio Ficino. Renaissance Quar., 84, vol. 37, n° 4, p. 523-554.

2857. COURTENAY (William J.). Covenant and causality in mediaeval tought: studies in philosophy, theology and economic practice. London, Variorum Repr., 84, in-8, 350 p.

2858. Etudes sur Avicenne. Sous la dir. de Jean JOLIVET et R. RASHED. Paris, Les Belles lettres, 84, in-8, 152 p. (Sciences et philos. arabes, Etudes et reprises)

2859. FACI LACASTA (Javier). El Policraticus de Juan de Salisbury y el mundo antiguo. In: Estudios dedicados al prof. D. A. Ferrari Nuñez [Cf. n° 488], vol. 1, p. 343-362.

2860. FELDMAN (Seymour). A debate concerning determinism in late medieval Jewish philosophy. Proc. am. Acad. jewish Research, 84, vol. 51, p. 15-54.

2861. FRAKES (Jerold C.). Die Rezeption der neuplatonischen Metaphysik des Boethius durch Alfred und Notker. Beitr. z. Gesch. d. deutsch. Sprache, 84, Bd 106, p. 51-74.

2862. FRAKES (Jerold C.). The ancient

concept of casus and its early medieval interpretations. Vivarium, 84, vol. 22, p. 1-34.

2863. FRIES (Albert). Hat Albertus Magnus in Paris studiert? Theol. u. Philos., 84, Jg. 59, p. 414-435.

2864. GRACIA (Jorge J. E.). Introduction to the problem of individuation in the early middle ages. München u. Wien, Philosophia; Washington, D.C., The Catholic Univ. of America Press, 84, in-8, 302 p.

2865. HAVERKAMP (Alfred). Tenxwind von Andernach und Hildegard von Bingen. Zwei "Weltanschauungen" in d. Mitte d. 12. Jh. In: Institutionen, Kultur u. Gesellschaft [Cf. n° 491], p. 515-548.

2866. HÖDL (Ludwig). Das "intelligibile" in der scholastischen Erkenntnislehre des 13. Jahrhunderts. Freiburger Z. f. Philos. u. Theol., 83, Bd 30, p. 345-372.

2867. IVANOV (V.G.). Istorija ètiki srednikh vekov. (History of medieval ethics.) Leningrad, Izd-vo LGU, 84, 279 p.

2868. KRAMER (Joel L.). On Maimonides' messianic posture. In: Stud. in med. Jewish hist. ... [Cf. n° 2435], p. 109-142.

2869. KRYNEN (Jacques). Réflexions sur les idées politiques aux Etats Généraux de Tours de 1484. R. Hist. Droit franç. étr., 84, a. 62, n° 2, p. 183-204.

2870. LOHR (Charles M.). Christianus arabicus cuius nomen Raimundus Lullus. Lull's occupation with Arab philosophers. Freiburger Z. f. Philos. u. Theol., 84, Bd 31, p. 57-88 (Abb.).

2871. MACDONALD (Scott). The Esse/Essentia argument in Aquina's "De ente et essentia". J. Hist. Philos., 84, vol. 22, n° 2, p. 157-172.

2872. Mensura - Maß, Zahl, Zahlensymbolik im Mittelalter. Hrsg. v. Albert ZIMMERMANN. Für d. Druck besorgt v. Gudrun VUILLEMIN-DIEM. [Halbbd 1. Cf. Bibl. 83, n° 3000.] Halbbd 2. Berlin u. New York, de Gruyter, 84, in-8, VIII p., p. 261-494 (Ill., graph. Darst.). (Misc. mediaevalia, 16)

2873. NOLLIER (Inès). Abélard, le philosophe du Christ. Préf. de Dominique AUDRY. Paris, Pygmalion, 84, in-8, 256 p.

2874. Preuve et raisons à l'Université de Paris. Logique, ontologie et théologie du XIVe siècle. Table ronde (N° 152) internationale du C.N.R.S., nov. 1981. Ed. par Zénon KALUZA et Paul VIGNAUX. Paris, Vrin, 84, in-4, 312 p. (Etudes de philos. médiév.)

2875. QUILLET (J.). Présence d'Aristote dans la philosophie politique médiévale. R. Philos. anc., 84, t. 2, fasc. 2, p. 93-102.

2876. RAVITSKY (Aviezer). The anthropological theory of miracles in medieval Jewish philosophy. In: Stud. in med. Jewish hist. ... [Cf. n° 2435], p. 231-272.

2877. ROSENBERG (Shalom). The concept of Emunah in post-Maimonidean Jewish philosophy. In: Stud. in med. Jewish hist. ... [Cf. n° 2435], p. 273-308.

2878. SHMIDMAN (Michael E.). On Maimonides' "Conversion" to Kabbalah. In: Stud. in med. Jewish hist. ... [Cf. n° 2435],p. 375-388.

2879. STROICK (Clemens). Die Ewigkeit der Welt in den Aristoteleskommentaren des Thomas von Aquin. Rech. Théol. anc. méd., 84, vol. 51, p. 43-68.

2880. WAGNER (Michael F.). Supposition-theory and the problems of universals. Franciscan Stud., 81 [84], vol. 41, n° 19, p. 385-414.

2881. WENGERT (R.G.). The sources of intuitive cognition in William of Ockham. Franciscan Stud., 81 [84], vol. 41, n° 19, p. 415-447.

§ 13. Storia della Chiesa.

a. Opere generali.

2882. ANGENENDT (Arnold). Kaiserherrschaft und Königstaufe. Kaiser, Könige und Päpste als geistl. Patrone in d. abendländ. Missionsgeschichte. Geleitw. v. Karl HAUCK. Berlin u. New York, de Gruyter, 84, in-8, XIV-378 p. (Arbeiten z. Frühmittelalterforsch., 15)

2883. BLIGNY (Bernard). L'Eglise et le siècle, de l'an mil au début du XVIe siècle. Cah. Civ. méd., 84, t. 27, p. 5-33.

2884. BROOKE (Rosalind B.), BROOKE (Christopher Nugent L.). Popular religion in the Middle Ages: Western Europe, 1000-1300. London, Thames a. Hudson, 84, in-8, 176 p. (ill.).

2885. CAPITANI (Ovidio). L'Italia medievale nei secoli di trapasso: la riforma della Chiesa, 1012-1122. Bologna, Pàtron, 84, in-8, 93 p.

2886. COWDREY (H.E.J.). Popes, monks and Crusaders. London, Hambledon, 84, in-8, 368 p.

2887. FRANK (Isnard Wilhelm). Kirchengeschichte des Mittelalters. Düsseldorf, Patmos, 84, in-8, 212 p. (Leitfaden Theologie, 14)

2888. GAUDEMET (Jean). Eglise et société en Occident au moyen âge. London, Variorum Repr., 84, in-8, 364 p.

2889. HÄRDELIN (Alf). Monastisk teologi - en praktisk teologi före skolastiken. (Monastic theology - a practical theology before Scholasticism.) Kyrkohist. Årsskr., 84, vol. 84, p. 100-108. [Eng. summary]

2890. Irland und Europa, die Kirche im Frühmittelalter = Ireland and Europe, the early church. Hrsg. v. Próinséas NÍCHA-

§ 13. STORIA DELLA CHIESA

THAÍN u. Michael RICHTER. Stuttgart, Klett-Cotta, 84, in-8, XVII-458 p. (Ill., graph. Darste., Kt.).

2891. JAKOBS (Hermann). Kirchenreform und Hochmittelalter 1046-1215. München u. Wien, Oldenbourg, 84, in-8, 288 p. (graph. Darst.), (Oldenbourg-Grundriß d. Gesch., 7)

2892. OAKLEY (Francis). Natural law, conciliarism and consent in the late Middle Ages: studies in ecclesiastical and intellectual history. London, Variorum Publ., 84, in-8, 340 p. [Cf. n° 995]

b. Storia del Papato.

2893. BRANDMÜLLER (Walter). Das Konzil, demokratisches Kontrollorgan über den Papst? Zum Verständnis d. Konstanzer Dekrets "Frequens" vom 9. Okt. 1417. Annu. Hist. Conciliorum, 84, Bd 16, p. 328-347.

2894. FALKENSTEIN (Ludwig). "Pontificalis maturitas vel modestia sacerdotalis?" Alexander III. und Heinrich v. Frankreich in d. Jahren 1170-72. Arch. Hist. pontificiae, 84, t. 27, p. 31-88.

2895. FUHRMANN (Horst). Papst Urban II. und der Stand der Regularkanoniker. Vorgetr. am 4. Nov. 1983. München, Beck, 84, in-8, 44 p. (S.-B. Bayer. Akad. d. Wiss., Phil.-Hist. Kl., Jg. 1984, 2)

2896. GIRGENSOHN (Dieter). Kardinal Antonio Caetani und Gregor XII. in den Jahren 1406-1408: vom Papstmacher zum Papstgegner. Quellen u. Forsch., 84, Bd 64, p. 116-226.

2897. LAUDAGE (Johannes). Priesterbild und Reformpapsttum im 11. Jahrhundert. Köln u. Wien, Böhlau, 84, in-8, VIII-338 p. (Beih. z. Arch. f. Kulturgesch., 22)

2898. LOZITO (V.). Il primato romano nella Historia ecclesiastica di Beda. Romanobarbarica, 82-83, a. 7, p. 133-159.

2899. MORRISSEY (Thomas E.). Cardinal Franciscus Zabarella (1360-1417) as a Canonist and the crisis of his age: Schism and the Council of Constance. Z. f. Religions- u. Geistesgesch., 84, Bd 36, p. 196-208.

2900. NYBERG (Tore). Papst Innozenz VIII. und Skandinavien. Arch. Hist. pontificiae, 84, t. 22, p. 89-152.

2901. PENNINGTON (Kenneth). Pope and bishops: the papal monarchy in the twelfth and thirteenth centuries. Philadelphia, Univ. of Pennsylvania Press, 84, in-8, XIII-225 p.

2902. PETERSEN (Joan M.). The "Dialogues" of Gregory the Great in their late antique cultural background. Toronto, Ont., Pontifical Instit. of Mediaeval Stud.; Leiden, Brill, 84, in-8, XXIV-227 p. (3 maps). (Stud. a. Texts, 69)

2903. SAYERS (Jane E.). Papal government and England during the pontificate of Honorius III, 1216-1227. London, Cambridge U.P., 84, in-8, 292 p. (Stud. in medieval Life a. Thought)

2904. TELLENBACH (Gerd). Zur Geschichte der Päpste im 10. und früheren 11. Jahrhundert. In: Institutionen, Kultur u. Gesellschaft [Cf. n° 491], p. 165-177.

Cf. n° 2095.

c. Storia monastica.

* Cf. n° 2116.

2905. ATSMA (Hartmut). Klöster und Mönchtum im Bistum Auxerre bis zum Ende des 6. Jahrhunderts. Francia, 83 [84], Bd 11, p. 1-96.

2906. BARBER (Malcolm C.). The social context of the Templars. Trans. roy. hist. Soc., 84, ser. 5, vol. 34, p. 27-46.

2907. BISHKO (C.J.). Spanish and Portuguese monastic history, 600-1300. London, Variorum Publ., 84, in-8, 340 p.

2908. BLIGNY (Bernard). Saint Bruno, le premier chartreux. Rennes, Ouest-France, 84, in-8, 128 p. (ill.). (De mémoire d'homme)

2909. BURLEIGH (Michael). Prussian society and the German Order: an aristocratic corporation in crisis, c. 1410-1466. London a. New York, Cambridge U.P., 84, in-8, X-207 p. (dr., tab.). (Cambridge Stud. in early mod. Hist.)

2910. ČECHURA (Jaroslav). Cisterciácké kláštery v českých zemích v době předhusitské ve světle řádových akt. (Die Zisterzienserklöster in den böhmischen Ländern der vorhussitischen Zeit im Lichte der Ordensakten.) Právněhist. Stud., 84, vol. 26, p. 35-72.

2911. CHARTIER (Marie-Christine). Présence de la Bible dans les Règles et Coutumiers. In: Le Moyen Age et la Bible [Cf. n° 3021], p. 305-325.

2912. COLEMAN (M. Clare). Downham in the Isle, a study of an ecclesiastical manor in the 13th und 14th centuries. Ipswich, Boydell, 84, in-8, 128 p. (ill., dr., maps).

2913. COLLURA (Paolo). Il monachesimo prenormanno in Sicilia. Arch. stor. siciliano, 82 [84], ser. 8, t. 8, p. 29-45.

2914. CONSTABLE (Giles). The abbots and anti-abbots of Cluny during the Papal Schism of 1159. R. bénédictine, 84, t. 94, n° 3-4, p. 370-400.

2915. DEVROEY (Jean-Pierre). Un monastère dans l'économie d'échanges: les services de transport à l'abbaye Saint-Germain-des-Prés [à Paris] au IXe siècle. A. Ec., Soc., Civ., 84, a. 39, n° 3, p. 570-589.

2916. DUBOIS (Jacques). Comment les

moines du moyen âge chantaient et goûtaient les Saintes Ecritures. In: Le Moyen Age et la Bible [Cf. n° 3021], p. 261-298.

2917. ECKENRODE (T.R.). Vincent of Beauvais: a study in the construction of a didactic view of history. Historian, 84, vol. 46, n° 3, p. 339-360.

2918. GAUSSIN (P.R.). L'Europe des ordres et des congrégations, des Bénédictins aux Mendiants (VIe-XVIe s.). Saint-Etienne, Centre europ. de recherches sur les congrég. et ordres monast., 84, in-8, 211 p. (cartes).

2919. GEHRT (Wolf). Die Verbände der Regularkanonikerstifte S[an] Frediano in Lucca, S[anta] Maria in Reno bei Bologna, S[anta] Maria in Porto bei Ravenna und die cura animarum im 12. Jahrhundert. Frankfurt (Main), Bern, New York u. Nancy, Lang, 84, in-8, 209 p. (Europ. Hochschulschr., Reihe 3: Gesch. u. ihre Hilfswiss., 224)

2920. GOODRICH (W.E.). The Cistercian founders and the rule: some reconsiderations. J. eccles. Hist., 84, vol. 35, n° 3, p. 358-375.

2921. GUERREAU (Alain). Observations statistiques sur les créations de couvents franciscains en France, XIIIe-XVe siècle. R. Hist. Egl. France, 84, t. 70, n° 184, p. 27-60 (cartes).

2922. HEYEN (Franz-Josef). Simeon und Burchard-Poppo. Aus d. Anfängen d. Stiftes St. Simeon in Trier. In: Institutionen, Kultur u. Gesellschaft [Cf. n° 491], p. 195-205.

2923. HOLZFURTNER (Ludwig). Gründung und Gründungsüberlieferung. Quellenkrit. Studien z. Gründungsgesch. d. bayer. Klöster d. Agilolfingerzeit u. ihrer hochmittelalterl. Überlieferung. Kallmünz, Lassleben, 84, in-8, XXIII-284 p. (Münchener hist. Studien, Abt. bayer. Gesch., 11)

2924. HUBATSCH (Walter). Winrich von Kniprode, Hochmeister des Deutschen Ordens 1352 bis 1382. Bl. f. deutsche Landesgesch., 84, Jg. 119, p. 15-32.

2925. JONG (M. de). Growing up in a Carolingian monastery: Magister Hildemar and his oblates. J. medieval Hist., 83, vol. 9, p. 99-128.

2926. KOHL (Wilhelm). Die frühen Prämonstratenserklöster Nordwestdeutschlands im Spannungsfeld der großen Familien. In: Institutionen, Kultur u. Gesellschaft [Cf. n° 491], p. 393-414.

2927. LAWRENCE (Clifford Hugh). Medieval monasticism - forms of religious life in Western Europe in the Middle Ages. London a. New York, Longman, 84, in-8, IX-260 p.

2928. LEGRAS (Anne-Marie). Les commanderies des Templiers et des Hospitaliers de Saint-Jean de Jérusalem en Saintonge et en Aunis. Paris, Ed. du C.N.R.S., 84, in-8, 220 p. (42 pl., 3 cartes). - EADEM. Les effectifs de l'ordre des Hospitaliers de Saint-Jean-de-Jérusalem dans le prieuré de France en 1373. R. Mabillon, 84, t. 60, p. 353-394.

2929. LEÓN-SOTELO CASADO (María del Carmen de). El dominio monástico de San Pedro de Arlanza durante la plena y baja edad media. In: Estudios dedicados al prof. D. A. Ferrari Nuñez [Cf. n° 488], vol. 1, p. 499-512.

2930. LORING GARCÍA (María Isabel). La restauración de Santa María del Puerto y el rey García de Nájera: un caso de encomendación monástica. In: Estudios dedicados al prof. D. A. Ferrari Nuñez [Cf. n° 488], vol. 1, p. 537-564.

2931. MASOLIVER (Alejandro). Roberto Alberico y Esteban Harding: los orígenes de Cister. Studia monastica, 84, t. 26, n° 2, p. 275-308.

2932. Moines (Les) noirs (XIIIe-XIVe siècles). 19e Session d'histoire religieuse du Midi de la France du XIIe au XIVe siècle, Fanjeaux, 1983. Introd. de M. H. VICAIRE. Toulouse, Privat, 84, in-8, 422 p. (Cah. de Fanjeaux, 19)

2933. NEIDIGER (Bernhard). Die Martinianischen Konstitutionen von 1430 als Reformprogramm der Franziskanerkonventualen. Ein Beitr. z. Gesch. d. Kölner Minoritenklosters u. d. Kölner Ordensprovinz im 15. Jh. Z. f. Kirchengesch., 84, Bd 95, p. 337-381.

2934. OFFERGELD (Peter). Die frühen Statutenbücher des Aachener Marienstifts. Z. d. Aachen. Gesch.-Ver., 83/84, Bd 90/91, p. 5-54.

2935. PAUL (Jacques). La signification sociale du franciscanisme. R. Hist. Egl. France, 84, t. 70, n° 184, p. 9-25.

2936. PELECH (Markian). Die hochmeisterlichen Räte vom Jahre 1412: ihre Tätigkeit und ihre Bedeutung. Bl. f. deutsche Landesgesch., 84, Jg. 119, p. 33-71.

2937. RACINET (Philippe). Implantation et expansion cluniennes au nord-est de Paris (XIe-XIIe s.). Moyen Age, 84, t. 90, sér. 4, t. 39, n° 1, p. 5-37. - IDEM. Relations internes et environnement social de deux prieurés cluniennes d'Ile-de-France au moyen âge: les obituaires de Saint-Nicolas d'Acy et de Beaumont. Frühmittelalterl. Stud., 84, Bd 18, p. 582-606.

2938. RIVERA GARRETAS (Milagros). Los ritos de iniciación de la Orden militar de Santiago. Anu. Est. mediev., 82 [84], t. 12, p. 279-301.

2939. SCHAUBER (Gregor). Klosterleben im 12. Jahrhundert. Oberösterr. Heimatbl., 84, Bd 38, n° 2, p. 106-114.

2940. STAAB (Franz). Die Wurzel des zisterziensischen Zehntprivilegs. Zugleich: Zur Echtheitsfrage der "Querimonia Egilmari episcopi" und der "Responsio Stephani V papae". Deutsch. Arch. f. Erforsch. d. M.-A., 84, Jg. 40, p. 21-54.

§ 13. STORIA DELLA CHIESA   125

2941. SYDOW (Jürgen). Die Zisterzienserabtei Bebenhausen. Im Auftr. d. Max-Planck-Inst. f. Gesch. Berlin u. New York, de Gruyter, 84, in-8, X-342 p. (Das Bistum Konstanz, 2. Germania sacra, N.F., 16: Die Bistümer d. Kirchenprovinz Mainz)

2942. VOLK (Otto). Salzproduktion und Salzhandel mittelalterlicher Zisterzienserklöster. Sigmaringen, Thorbecke, 84, in-8, 176 p. (Vorträge u. Forschungen, Sonderbd 30)

2943. WOLFS (S.P.). Middeleeuwse Dominicanenkloosters in Nederland. Bijdrage tot een monasticon. (Medieval Dominican monasteries in the Netherlands. Contribution to a monasticon.) Assen, Van Gorcum, 84, in-8, XXI-387 p. (Van Gorcum's hist. bibliotheek, 101)

2944. WOLLASCH (Joachim). Das Mönchsgelübde als Opfer. Frühmittelalterl. Stud., 84, Bd 18, p. 529-545.

2945. Zisterzienserinnenklöster (Die) Saarn, Duissern, Sterkrade. Im Auftr. d. Max-Planck-Inst. f. Gesch. bearb. v. Günter von RODEN. Berlin u. New York, de Gruyter, 84, in-8, XII-250 p. (Das Erzbistum Köln, 4. Germania sacra, 18: Die Bistümer d. Kirchenprovinz Köln)

Cf. n° 2889.

d. Agiografia[1].

2946. BOUREAU (Alain). La Légende Dorée: le système narratif de Jacques de Voragine († 1298). Préf. de Jacques LE GOFF. Paris, Ed. du Cerf, 84, in-8, VII-282 p. (Histoire)

2947. BRAY (Jennifer R.). Concepts of sainthood in fourteenth-century England. B. John Rylands Library, 84, vol. 66, n° 2, p. 40-77.

2948. KIECKHEFER (Richard). Unquiet souls: fourteenth-century saints and their religious milieu. Chicago, Univ. of Chicago Press, 84, in-8, VIII-238 p.

2949. KLANICZAY (Gábor). Le culte des saints dans la Hongrie médiévale (problèmes de recherche). Acta hist. Acad. Sci. hungaricae, 83, vol. 29, n° 1, p. 57-77.

2950. VAN UYTFANGHE (Marc). Modèles bibliques dans l'hagiographie. In: Le Moyen Age et la Bible [Cf. n° 3021], p. 449-488.

2951. OHLER (Norbert). Zuflucht der Armen. Zu den Mirakeln des Heiligen Anno. Rhein. Vjbl., 84, Jg. 48, p. 1-33.

2952. KIEŁTYKA (Stanisław). Świety Bernard z Clairvaux. (Saint Bernard de Clairvaux.) Kraków, Wydawn. Apostolstwa Modlitwy, 84, in-8, 445 p.

2953. JEHL (Rainer). Melancholie und Acedia. Ein Beitr. zu Anthropologie u. Ethik Bonaventuras. Paderborn, Schöningh, 84, in-8, XXXIX-323 p. (Veröff. d. Grabmann-Instituts, N.S., 32)

2954. CAROZZI (Claude). La vie de saint Dagobert de Stenay: histoire et hagiographie. R. belge Philol. Hist., 84, t. 62, n° 2, p. 225-258.

2955. MATTESINI (Francesco). San Francesco '82. Roma, Bulzoni, 84, in-8, 96 p. (Bibliot. di cultura, 240) [Scritti in parte già pubbl.]

2956. CATANIA (Franco). Francesco da Paola: vita e miracoli. Cosenza, Patitucci, 84, in-8, 189 p. (ill., tav.).

2957. SZEGFŰ (László). Szent Gellért családjáról. (Sur la famille de saint Gérard.) Acta Univ. szegediensis, Acta hist., 83, vol. 75, p. 11-18.

2958. ALSTEROVÁ (Alena). Hacia los orígines del culto di san Juan Nepomuceno en Checoslovaquia. Ibero-americana pragensia, 80 [84], vol. 14, p. 117-138.

2959. KUPPER (Jean-Louise). S. Lambert: de l'histoire à la légende. R. Hist. ecclés., 84, vol. 79, n° 1, p. 5-49.

2960. LABUDA (Gerard). Kraków biskupi przed rokiem 1000. Przyczynek do dyskusji nad dziejami misji metodiańskiej w Polsce. (Cracovie épiscopale avant l'an 1000. Contribution à une discussion sur l'histoire de la mission de saint Methode en Pologne.) Studia hist., 84, a. 27, fasc. 3, p. 371-412.

2961. SOPHIANOS (Dēmētrios Z.). Ho neomartyros Michaēl Mauroeidēs ho Adrianoupolitēs (†ca. 1490, Adrianoupolē). Anekdota hagiologika keimena tou megalou rhētoros Manuēl Korinthiou kai alla ... (Le jeune martyr Michel Mauroeides, citoyen d'Adrinople - †ca. 1490, Adrinople. Textes hagiographiques inédits du grand rhéteur Manuel le Corinthien, etc.) Athènes, 84, in-8, 123 p. (tabl.). [Tiré à part du périodique Theologia, 83, t. 54, et 84, t. 55]

2962. MARIUS (Richard). Thomas More: a biography. New York, A. Knopf, 84, in-8, XXIV-562 p.

Cf. n°s 2024, 2105, 2148, 2201, 2202, 2902.

e. Studi particolari.

* 2963. COSTE (Jean). L'institution paroissiale à la fin du moyen âge: approche bibliographique en vue d'enquêtes possibles. Mél. Ec. franç. Rome, Moyen Age, Temps mod., 84, t. 96, n° 1, p. 296-326.

2964. ASTON (Margaret). Lollards and Reformers: images and literacy in late mediaeval religion. London, Hambledon, 84, in-8, XII-355 p.

---

1. Gli scritti sono registrati nell'ordine alfabetico dei nomi latini dei santi.

2965. AVRIL (Joseph). Le gouvernement des évêques et la vie religieuse dans le diocèse d'Angers, 1148-1240. Vol. 1, 2. Paris, Ed. du Cerf, 84, 2 vol. in-8, ens. 1016 p.

2966. BARAŃSKI (Marek). Dwunastowieczny majątek kanoników regularnych z Dömös na Węgrzech. (Les biens des chanoines réguliers de Dömös en Hongrie au XIIe siècle.) Kwart. Hist. Kult. mater., 84, a. 32, n° 3, p. 337-369.

2967. BOURASSIN (Emmanuel). Les Cathares. Paris, Lavauzelle, 84, in-8, 112 p.

2968. BOZÓKY (Edina). Les apocryphes bibliques. In: Le Moyen Age et la Bible [Cf. n° 3021], p. 429-448.

2969. BROSSELLET (Jacqueline). Quelques aspects religieux de la grande peste du XIVe siècle. R. Hist. Philos. relig., 84, t. 64, p. 53-66.

2970. BRUIN (C. C. de), PERSOONS (E.), WEILER (A.G.). Geert Groote en de Moderne Devotie. (G. Groote and the "devotio moderna".) Zutphen, Walburg Pers, 84, in-8, 152 p. (ill.).

2971. BURR (David). Eucharistic presence and conversion in late thirteenth-century Franciscan thought. Philadelphia, Am. Philos. Soc., 84, in-8, 113 p. (Trans. of the Am. Philos. Soc., 74, 3)

2972. BYLINA (Stanisław). Czyściec u schyłku średniowiecza. (Le purgatoire à la fin du moyen âge.) Kwart. hist., 83 [84], a. 90, n° 4, p. 729-744.

2973. CHIFFOLEAU (Jacques). Pour une économie de l'institution ecclésiale à la fin du moyen âge. Mél. Ec. franç. Rome, Moyen Age, Temps mod., 84, t. 96, n° 1, p. 247-279.

2974. CRUSIUS (Irene). Bischof Konrad II. von Hildesheim: Wahl und Herkunft. In: Institutionen, Kultur u. Gesellschaft [Cf. n° 491], p. 431-468. - EADEM. Das weltliche Kollegiatstift als Schwerpunkt innerhalb der Germania Sacra. Bl. f. deutsche Landesgesch., 84, Jg. 120, p. 241-253.

2975. DAVIES (Wendy). Priests and rural communities in east Brittany in the ninth century. Et. celtiques, 83, vol. 20, n° 1, p. 177-197. [Rés. franç.]

2976. DOBSON (Richard Barrie). Church politics and patronage in the 15th century. Nottingham, A. S. Sutton, 84, in-8, 224 p.

2977. DOPSCH (Heinz). Legatenwürde und Primat der Erzbischöfe von Salzburg. In: Institutionen, Kultur u. Gesellschaft [Cf. n° 491], p. 265-284.

2978. DRABINA (Jan). Rola argumentacji religijnej w walce politycznej w późnośredniowiecznym Wrocławiu. (Le rôle de l'argumentation religieuse dans la lutte politique à Wrocław au bas moyen âge.) Kraków, 84, in-8, 116 p. (Zesz. Nauk. Uniw. Jagiell., 748. Studia Religiologica, 13) - IDEM. Idee koncyliaryzmu na Śląsku. Wkład miejscowych środowisk intelektualnych i ich upowszechnianie. (Les idées du conciliarisme en Silésie: l'apport des milieux intellectuels locaux et sa propagation.) Kraków, 84, in-8, 146 p. (Uniw. Jagiell. Rozpr. Habilitacyjne, 89)

2979. ESCUDERO (José Antonio). Los orígenes del Consejo de la Suprema Inquisición. Anu. Hist. Derecho español, 83 [84], t. 53, p. 238-288.

2980. FLETCHER (R.A.). St. James's catapult: the life and times of Diego Gelmírez of Santiago de Compostela. London a. New York, Oxford U.P., 84, in-8, XII-341 p. (maps).

2981. Fra Dolcino: nascita, vita e morte di un'eresia medievale. A cura di Raniero ORIOLI. Novara, Europia; Milano, Jaca book, 84, in-8, 247 p. (ill.). (Le origini, 4)

2982. FRIHTZ (Carl Gösta). En nyfunnen votivmässa om pesthelgonet S:t Rochus. (Eine neuentdeckte Votivmesse über den Schutzheiligen gegen die Pest, St. Rochus.) Kyrkohist. Årsskr., 84, vol. 84, p. 109-116. [Deutsche Zsfassung]

2983. GARCÍA Y GARCÍA (Antonio). El concilio provincial compostellano-salmantino de 1375-1377. Annu. Hist. Conciliorum, 84, Bd 16, p. 300-327.

2984. GAZZANIGA (Jean-Louis). L'appel au concile dans la politique gallicane de la monarchie de Charles VII à Louis XII. B. Litt. ecclés., 84, t. 85, fasc. 2, p. 111-129.

2985. GECHTER (Marianne). Kirche und Klerus in der stadtkölnischen Wirtschaft im Spätmittelalter. Stuttgart, Steiner, 83, in-8, 462 p. (16 graph. Darst., Kt.). (Beitr. z. Wirtschafts- u. Sozialgesch., 28)

2986. Geert Groote en de Moderne Devotie. (G. Groote and the "devotio moderna".) [Ed. by H. L. M. DEFOER a. C. H. SLECHTE.] Utrecht, Rijksmuseum Het Catharijneconvent, 84, in-4, 62 p. (ill.).

2987. GENET (Jean-Philippe). English nationalism: Thomas Polton at the Council of Constance. Nottingham med. Stud., 84, vol. 28, p. 60-78.

2988. GERLICH (Alois). Die Machtposition des Mainzer Erzstiftes unter Kurfürst Peter von Aspelt (1306-1320). Bl. f. deutsche Landesgesch., 84, Jg. 120, p. 255-291.

2989. GORDIENKO (N.S.). "Kreščenie Rusi": fakty protiv legend i mifov. ("The baptism of Russia": facts against legends and myths.) Polem. zametki. Leningrad, Lenizdat, 84, 287 p.

2990. GRABOIS (Aryeh). Min ha-"geografya ha-qedosha" ... (From "Holy geography" to "Palestinography": changes in the descriptions of thirteenth-century pilgrims. Cathedra, 84, vol. 31, p. 43-66 (ill.).

§ 13. STORIA DELLA CHIESA

2991. GY (Pierre-Marie). La Bible dans la liturgie au moyen âge. In: Le Moyen Age et la Bible [Cf. n° 3021], p. 537-552.

2992. HALLENCREUTZ (Carl F.). Adam Bremensis and Suenonia: a fresh look at Gesta Hammaburgensis ecclesiae pontificum. Stockholm, Almqvist o. Wiksell internat., 84, in-8, 34 p. (Skr. rörande Uppsala univ., C, 47)

2993. HAMILTON (Bernard). Ralph of Domfront, patriarch of Antioch (1135-1140). Nottingham med. Stud., 84, vol. 28, p. 1-21.

2994. HART (A. Tindal). The rich cardinal: the life and times of Henry Beaufort, Cardinal of England, 1375/6 to 1447. London, New Horizon, 84, in-8, 260 p. (ill.).

2995. HAUCK (Karl). Missionsgeschichte in veränderlicher Sicht. Sakrale Zentren als method. Zugang zu d. heidn. u. christl. Amulettbildern d. Übergangsepoche von d. Antike zum Mittelalter. (Zur Ikonologie der Goldbrakteaten, XXVII.) In: Institutionen, Kultur u. Gesellschaft [Cf. n° 491], p. 1-34.

2996. HERBERS (Klaus). Der Jakobuskult des 12. Jahrhunderts und der "Liber Sancti Jacobi". Studien über d. Verhältnis zw. Religion u. Gesellschaft im hohen Mittelalter. Wiesbaden, Steiner, 84, XII-251 p. (5 Ill., 1 Kt.). (Hist. Forsch., 7)

2997. Hildesheimer (Die) Bischöfe von 815 bis 1221 (1227). Im Auftr. d. Max-Planck-Inst. f. Gesch. bearb. v. Hans GOETTING. Berlin u. New York, de Gruyter, 84, in-8, XII-624 p. (Das Bistum Hildesheim, 3. Germania sacra, N.F., 20: Die Bistümer d. Kirchenprovinz Mainz)

2998. Jan van Ruusbroec: the sources, content and sequels of his mysticism. Ed. by P. MOMMAERS a. N. de PAEPE. Leuven, Univ. Press, 84, in-8, VIII-194 p. (Medievalia lovanensia, ser. 1: Studia, 12)

2999. KAMP (Norbert). Der Episkopat und die Monarchie im staufischen Königreich Sizilien. Quellen u. Forsch., 84, Bd 64, p. 84-115.

3000. KAUFMAN (Peter Iver). Henry VII and sactuary. Church Hist., 84, vol. 53, n° 4, p. 465-476.

3001. KIERMAYR (Reinhold). On the education of the pre-Reformation clergy. Church Hist., 84, vol. 53, n° 1, p. 7-16.

3002. KUHN (Hans Wolfgang). Heinrich von Ulmen, der vierte Kreuzzug und die Limburger Staurothek. Jb. f. westdeutsche Landesforsch., 84, Jg. 10, p. 67-106.

3003. LABUDA (Gerard). Zagadka drugiej metropolii w Polsce za czasów Bolesława Chrobrego. (Le mystère de la seconde métropole en Pologne aux temps de Boleslas le Vaillant.) Nasza Przeszłość, 84, vol. 62, p. 7-25.

3004. LARES (Micheline). Les traductions bibliques: l'exemple de la Grande-Bretagne. In: Le Moyen Age et la Bible [Cf. n° 3021], p. 123-140.

3005. LERNER (Robert E.). Les communautés hérétiques (1150-1500). In: Le Moyen Age et la Bible [Cf. n° 3021], p. 297-614.

3006. LIGHT (Laura). Versions et révisions du texte biblique. In: Le Moyen Age et la Bible [Cf. n° 3021], p. 55-93.

3007. LITTLE (Lester K.). Monnaie, commerce et population. In: Le Moyen Age et la Bible [Cf. n° 3021], p. 555-579.

3008. LOBRICHON (Guy). Une nouveauté: les gloses de la Bible. In: Le Moyen Age et la Bible [Cf. n° 3021], p. 95-114.

3009. LOHRMANN (Dietrich). Ein Teutonicus furibundus aus Trier Ostern 1242 in Laon. Jb. f. westdeutsche Landesforsch., 84, Jg. 10, p. 107-137.

3010. LONGERE (Jean). La prédication en langue latine. In: Le Moyen Age et la Bible [Cf. n° 3021], p. 517-535.

3011. LOS (C.). Van Geert Groote tot Erasmus. De Broeders des gemenen levens en de navolging van Christus. (From G. Groote to Erasmus: the Brethren of the Common Life and the imitation of Christ.) Zeist, Christofoor, 84, in-8, 120 p.

3012. LOSHER (Gerhard). Kirchenorganisation und Bistumsbesetzungen als Herrschaftsmittel. Das Verhältnis v. Reichsherrschaft u. Territorialherrschaft am Beispiel d. Kirchenpolitik Karls IV. Bohemia, 84, Bd 25, p. 1-24.

3013. MAŘÍK (Antonín). K postavení katolické církve v Čechách v době poděbradské. Činnost katolických administrátorů za Jiřího z Poděbrad. (Zur Stellung der katholischen Kirche in Böhmen in der Epoche Georgs von Poděbrady. Die Tätigkeit d. kathol. Administratoren unter Georg v. Poděbrady.) Folia hist. bohem., 84, vol. 7, p. 101-196.

3014. MATE (Mavis). Property investment by Canterbury Cathedral priory 1250-1400. J. brit. Stud., 84, vol. 23, n° 2, p. 1-21.

3015. Memoria, der geschichtliche Zeugniswert des liturgischen Gedenkens im Mittelalter. München, Fink, 84, in-4, 786 p. (30 Taf.). (Münstersche Mittelalter-Schriften, 48)

3016. MERLO (Grado G.). Valdesi e Valdismi medievali: itinerari e proposte di ricerca. Torino, Claudiana, 84, in-8, 158 p. (Studi stor.)

3017. MICHAŁOWSKI (Roman). Moc fundatora klasztoru (Niemcy XI-XII wieku). (Le caractère sacré du rôle du fondateur d'un couvent, Allemagne, XIe-XIIe s.) Kwart. hist., 84, a. 91, n° 1, p. 3-24.

3018. MIKAT (Paul). Doppelbesetzung oder Ehrentitulatur. Zur Stellung d. westgotisch-arian. Episkopates nach d. Konversion von 587/89. Opladen, Westdeutscher Verl., 84, in-8, 37 p. (Rhein.-westfäl. Akad. d. Wiss., Geisteswiss., Vorträge G 268)

3019. MILLET-GERARD (Dominique). Chrétiens mozarabes et culture islamique dans l'Espagne des VIII-IXe siècles. Paris, Etudes augustiniennes, 84, in-8, 230 p.

3020. MORRISSEY (Thomas E.). The call for unity at the Council of Constance: sermons and addresses of Cardinal Zabarella, 1415-1417. Church Hist., 84, vol. 53, n° 3, p.307-318. [Cf. Bibl. 83, n° 3090]

3021. Moyen Age (Le) et la Bible. Sous la dir. de Pierre RICHE, Guy LOBRICHON. Paris, Beauchesne, 84, in-8, 639 p. (Bible de tous les temps, 4) [Cf. n°s 313, 2423, 2476, 2491, 2695, 2803, 2911, 2916, 2950, 2968, 2991, 3004-3008, 3010, 3035, 3056, 3057, 3062]

3022. MÜSSIGBROD (Axel). Frauenkonversionen in Moissac. Hist. Jb., 84, Bd 104, p. 113-129.

3023. MULLER (Héribert). Lyon et le concile de Bâle (1431-1449): études prosopographiques. Cah. Hist., 84, t. 28, n° 4, p. 33-57.

3024. NIETO SORIA (José Manuel). Abadengo episcopal y realengo en tiempos de Alfonso XI de Castilla. In: Estudios dedicados al prof. D. A. Ferrari Nuñez [Cf. n° 488], vol. 2, p. 707-734.

3025. OMBRES (Robert). Latins and Greeks in debate over Purgatory, 1230-1439. J. eccles. Hist., 84, vol. 35, p. 1-14.

3026. PARISSE (Michel). L'évêque d'Empire au XIe siècle. L'exemple lorrain. Cah. Civ. méd., 84, vol. 27, p. 95-105.

3027. PARSONS (David). Sites and monuments of the Anglo-Saxon mission in central Germany. Archaeol. J., 83 [84], vol. 140, p. 280-321 (ill., maps).

3028. Pataria (La): lotte religiose e sociali nella Milano dell'XI secolo. A cura di P. GOLINELLI. Novara, Europia; Milano, Jaca book, 84, in-8, 292 p. (ill.). (Le origini, 5)

3029. PICCIRILLO (Michele). Le chiese di Quweismeh-Amman. Studium biblicum franciscс., 84, t. 34, p. 329-340 (ill., plans, pl. 33-48).

3030. PLATELLE (Henri). Mentalités religieuses au moyen âge dans les Pays-Bas du Sud: bilan d'une recherche. Franse Nederlanden, 84, p. 169-190.

3031. PRINZ (Friedrich). Zum fränkischen und irischen Anteil an der Bekehrung der Angelsachsen. Z. f. Kirchgesch., 84, Bd 95, p. 315-336.

3032. PROUS ZARAGOZA (Socorro). La iglesia de Toledo, 1085-1247. In: Estudios dedicados al prof. D. A. Ferrari Nuñez [Cf. n° 488], vol. 2, p. 833-864.

3033. PRZEKOP (Edmund). Wschodnie patriarchaty starożytne (IV-X w.). (Les patriarcats d'Orient dans l'antiquité, IVe-Xe s.) Warszawa, Pax, 84, in-8, 234 p.

3034. RAPOV (O.M.). O date prinjatija christianstva knjazem Vladimirom i kievljanami. (On the date of adopting Christianity of prince Vladimir and Kiev dwellers.) Vopr. Ist., 84, n° 6, p. 34-47.

3035. RICHE (Pierre). La Bible et la vie politique dans le haut moyen âge. In: Le Moyen Age et la Bible [Cf. n° 3021], p. 385-400. - IDEM. Instruments de travail et méthodes de l'exégèse à l'époque carolingienne. Ibid., p. 147-161.

3036. RUSSELL (Jeffrey Burton). Lucifer: the devil in the Middle Ages. Ithaca, N.Y., a. London, Cornell U.P., 84, in-8, 356 p. (ill.).

3037. SALCH (Charles-Laurent). Kirche und Burg zur Zeit der Gregorianischen Reform in der östlichen Provence (vom 11. bis Mitte des 12. Jahrhunderts). Z. f. Kirchengesch., 84, Bd 95, p. 180-214.

3038. SANDEN (Erika). Die romanische Rundkapelle in Altenfurt als Zeugnis der Zeit des Zweiten Kreuzzuges. Mitt. d. Ver. f. Gesch. Nürnberg, 84, Bd 71, p. 1-22.

3039. Santa Sede. congregazione del Sant'Offizio, Bologna. Acta S. Officii Bononie: ab anno 1291 usque ad annum 1310: indici. A cura di L. PAOLONI e R. ORIOLI. Con pref. di O. CAPITANI. Roma, Istit. stor. ital. per il Medio Evo, 84, in-4, 220 p. (Fonti per la storia d'Italia, 106)

3040. SANZ SANCHO (Iluminado). Señorío y rentas de la iglesia de Cartagena en la baja edad media. In: Estudios dedicados al prof. D. A. Ferrari Nuñez [Cf. n° 488], vol. 2, p. 985-1008.

3041. SCHMUGGE (Ludwig). Die Anfänge des organisierten Pilgerverkehrs im Mittelalter. Quellen u. Forsch., 84, Bd 54, p. 1-83.

3042. SCHRAMA (M.). Gabriel Biel et son entourage: via moderna et devotio moderna. Nederlands Arch. Kerkgesch., 81 [82], vol. 61, p. 154-184.

3043. SHARPE (Richard). Some problems concerning the organization of the church in early medieval Ireland. Peritia, 84, vol. 3, p. 230-270.

3044. SIEBEN (Hermann Josef). Die Konzilsidee des lateinischen Mittelalters (847-1378). Paderborn, München, Wien u. Zürich, Schöningh, 84, in-8, XX-484 p. (Konziliengesch., Reihe B: Untersuchungen) [Cf. Bibl. 78-79, n° 1940]

3045. SORELLI (Fernanda). La santità imitabile: "Leggenda di Maria da Venezia" di Tommaso da Siena. Venezia, Deputazione di Stor. pa. per le Venezie, 84, in-8, 252 p. (Misc. di Studi e Memorie, 23)

3046. STAUBACH (Nikolaus). "Cultus divinus" und karolingische Reform. Frühmittelalterl. Stud., 84, Bd 18, p. 546-581.

3047. STOPKA (Krzysztof). Kościół ormiański na Rusi w wiekach średnich. (L'Eglise arménienne en Ruthénie au moyen âge.) Nasza Przeszłość, 84, vol. 62, p. 27-95.

3048. STREICH (Gerhard). Pfalz- und Burgkapellen bis zur staufischen Zeit. T. 1, 2. Sigmaringen, Thorbecke, 84, 2 vol. in-8, X-404 p., p. 405-724 (Ill., graph. Darst.). (Vortr. u. Forsch., 29)

3049. THOMAS (Hans Michael). Savonarola - ein Porträtbild. Religionsgesch. - Soziologie - Psychologie. Z. f. Religions- u. Geistesgesch., 84, Bd 36, p. 313-334.

3050. THOMAS (Heinz). Jeanne la Pucelle, das Basler Konzil und die "Kleinen" der Reformatio Sigismundi. Francia, 83 [84], Bd 11, p. 319-339.

3051. TIMM (Stefan). Das christlich-koptische Ägypten in arabischer Zeit. Teil 1 (A-C). Teil 2 (D-F). Wiesbaden, Reichert, 84, 2 vol. in-8, 485, 473 p. (Tübinger Atlas d. Vorderen Orients, Beihefte, Reihe B: Geisteswiss., 41, 1-2)

3052. VAHTOLA (Jouko). Finnlands kirchenpolitische Verbindungen im frühen und mittleren 13. Jahrhundert. Einige neue Gedankengänge. Jb. f. Gesch. Osteuropas, 84, Bd 32, p. 488-516.

3053. VAN DIETEN (Jan Louis). Die Erklärung Bessarions zur Forma Eucharistiae. Krit. Fragen zu einem Protokoll. Annu. Hist. Conciliorum, 84, Bd 16, p. 309-384.

3054. VAN HERWAARDEN (J.). Geloof en geloofsuitingen in de late middeleeuwen in de Nederlanden: Jerusalembedevaarten, lijdensdevotie en kruiswegverering. (Faith in the Netherlands in the late middle ages: Jerusalem pilgrimages.) Bijdr. Meded. Gesch. Ned., 83, vol. 98, p. 400-429.

3055. VASOLD (Manfred). Frühling im Mittelalter. John Wyclif und sein Jahrhundert. München, List, 84, in-8, 317 p.

3056. VAUCHEZ (André). La Bible dans les confréries et les mouvements de dévotion. In: Le Moyen Age et la Bible [Cf. n° 3021], p. 581-595. - IDEM. Les pouvoirs informels dans l'Eglise aux derniers siècles du moyen âge: visionnaires, prophètes et mystiques. Mél. Ec. franç. Rome, Moyen Age, Temps mod., 84, t. 96, n° 1, p. 281-293.

3057. VERGER (Jacques). L'exégèse de Université. In: Le Moyen Age et la Bible [Cf. n° 3021], p. 199-232.

3058. WEIGAND (Rudolf), THURN (Hans). Der Kurienprozeß (1365-1366) des (späteren Domdekans) Nikolaus von Malkos um seine Würzburger Domherrnstelle. Würzb. Diöz.-Gesch.-Bl., 84, Bd 46, p. 61-72.

3059. WEILER (A.G.). Recent historiography on the Modern Devotion: some debated questions. Arch. Gesch. kath. Kerk in Nederland, 84, vol. 26, p. 161-179.

3060. WOLLASCH (Joachim). Kaiser und König als Brüder der Mönche. Zum Herrscherbild in liturgischen Handschriften d. 9. bis 11. Jh. Deutsch. Arch. f. Erforsch. d. M.-A., 84, Jg. 40, p. 1-20. IDEM. St. Alban in Basel. Zur Klostergründung eines exkommunizierten Bischofs im Investiturstreit. In: Institutione, Kultur u. Gesellschaft [Cf. n° 491], p. 285-303.

3061. ZIELINSKI (Herbert). Der Reichsepiskopat in spätottonischer und salischer Zeit (1002-1125). Teil 1. Stuttgart, Steiner, 84, in-8, X-355 p. (Kt.).

3062. ZINK (Michel). La prédication en langues vernaculaires. In: Le Moyen Age et la Bible [Cf. n° 3021], p. 489-316.

Cf. n°s 1936, 2135, 2377, 2468, 3092.

§ 14. Storia degli stanziamenti. Toponomastica. Urbanismo.

3063. ALLAN (J.P.). Mediaeval and postmediaeval finds from Exeter, 1971-1980. Exeter, Univ. Press, 84, in-4, XXII-378 p. (ill.).

3064. Anglo-Saxon towns in southern England. Ed. by Jeremy HASLAM. Chichester, Phillimore, 84, in-8, VIII-430 p.

3065. BALZER (Manfred). Ergebnisse und Probleme der Pfalzenforschung in Westfalen. Bl. f. deutsche Landesgesch., 84, Jg. 120, p. 105-134.

3066. Brucato: histoire et archéologie d'un habitat médiéval en Sicile. Vol. 1, 2. Sous la dir. de Jean-Marie PESEZ. Préf. de Vincenzo TUSA. Roma, Ecole franç. de Rome; diff. Paris, de Boccard, 84, 2 vol. in-4, ens. 827 p. (ill., pl.). (Coll. de l'Ec. franç. de Rome, 78)

3067. Chronique des fouilles médiévales en France. [Cf. Bibl. 83, n° 3117.] Archéol. médiévale, 84, t. 14, p. 287-399.

3068. CLARKE (Helen). The archaeology of mediaeval England. London, Brit. Museum Publ., 84, in-4, 224 p. (ill.).

3069. CSENDES (Peter), OPPL (Ferdinand). Wenia - Wienne - Wien. Die Siedlungsnamen auf dem Boden der Stadt Wien. Wien, Wiener Stadt- u. Landesarchiv, 84, in-8, 12 p. (Veröff. d. Wien. Stadt- u. Landesarch., Reihe B, 7)

3070. DESCOEUVRES (G.). SAROTT (J.). Materialien zur Pfarrei- und Siedlungsgeschichte von Leuk. Drei archäol. Untersuchungen: Pfarrkirche St. Stephan, ehemalige St. Peterskirche u. Mageranhaus. Vallesia, 84, vol. 39, p. 138-238.

3071. DONAT (Peter). Die Mecklenburg, eine Hauptburg der Odobriten. Berlin, Akad.-Verl., 84, in-4, 187 p. (12 p. Abb., Tab.). (Schr. z. Ur- u. Frühgesch., 37)

3072. Drevnerusskie poselenija Srednego Podneprov'ja. (Old Russian settelements of the Middle Dnieper area.) Arkheol. karta. Redkol.: V. D. BARAN (otv. red.) i dr. Kiev, Nauk. dumka, 84, 196 p. (ill.). (AN USSR. In-t arkheologii)

3072a. ENDRES (Werner), FISCHER (Thomas). Eine spätmittelalterliche Wüstung mit Pechofen bei Wiesau, Ldkr. Tirschenreuth, Oberpfalz. Z. f. Archäol. d. Mittelalters, 82 [84], Jg. 10, p. 21-50.

3073. ENNEN (Edith). Zur Städtepolitik der Eleonore von Aquitanien. In: Festschr. f. H. Stoob [Cf. n° 510], Bd 1, p. 42-55.

3074. FINK (Klaus). Köln, das Reich und die Stadtentwicklung im nördlichen Rheinland (1100-1250). Bl. f. deutsche Landesgesch., 84, Jg. 120, p. 155-194.

3075. FRIEL (J.G.P.), WATSON (W.G.). Pictish studies: settlement, burial and art in Dark Age Northern Britain. London, Brit. Archaeol. Rep., 84, in-4, 216 p. (ill., fig.).

3076. GLASER (Franz). Archäologisches vom Hemmaberg und aus dem Jauntal. Carinthia, 84, Bd 174, p. 31-48.

3077. GRUNDMANN (Siegfried). Die Stadt. Gedanken über Gesch. u. Funktion. Berlin, Dietz, 84, 262 p. (Abb.).

3078. HARTUNG (Wolfgang). Alemannen und Bajuwaren im Spiegel von Raum- und Ortsnamenmigration. Alemann. Jb., 81-83 [84], p. 55-92.

3079. HEERS (Jacques). Espaces publics, espaces privés dans la ville: le liber terminorum de Bologne (1294). Paris, Ed. du C.N.R.S., 84, in-8, 186 p. (2 fig., 3 pl., carte). (Cultures et civilisations médiévales, 3)

3080. HINZ (Hermann). Mittelalterarchäologie. Z. f. Archäol. d. Mittelalters, 82 [84], Jg. 10, p. 11-20.

3081. HÖING (Hubert). Die "Civitas Winstorpensis" von 1181. Über Ortsbezeichnungen zwischen Weser und unterer Leine in Urkunden des 12./13. Jahrhunderts. In: Festschr. f. H. Stoob [Cf. n° 510], Bd 1, p. 96-114.

3082. JÄGER (Helmut). Entwicklungsphasen irischer Städte im Mittelalter; In: Festschr. f. H. Stoob [Cf. n° 510], Bd 1, p. 71-95.

3083. KIRPIČNIKOV (A.N.). Kamennye kreposti Novgorodskij zemli. (Stone strongholds of the Novgorodian land.) Leningrad, Nauka, 84, 275 p. (ill.). (AN SSSR. In-t arkheologii)

3084. KOLLER (Heinrich). Königspfalzen und Reichsstädte im süddeutschen Raum. Bl. f. deutsche Landesgesch., 84, Jg. 120, p. 47-78.

3085. KUHN (Walter). Neue Beiträge zur schlesischen Siedlungsgeschichte. Eine Aufsatzsammlung. Sigmaringen, Thorbecke, 84, in-8, XVI-310 p. (Ill., Kt.). (Quellen u. Darst. z. schlesischen Gesch., 23)

3086. LEBEGUE (Maurice). Les noms de lieux d'origine gauloise dans le département de la Somme. [1e partie. Cf. Bibl. 83, n° 3127.] 2e partie. B. Soc. Antiq. Picardie, 84, a. 149, n° 592, p. 199-212.

3087. LLOYD-JONES (Myfanwy). Society and settlement in Wales and the Marches. London, Brit. Archaeol. Rep., 84, in-4, 473 p. (ill.).

3088. LOBBEDEY (Uwe). Zur Frühgeschichte der Stadt Wiedenbrück. Eine Skizze anhand von Grabungsfunden 1978-79. Westfalen, 83, Bd 61, H. 1, p. 210-215.

3089. MILZ (Josef). Pfalz und Stadt Duisburg bis zum Ende des 15. Jahrhunderts. Bl. f. deutsche Landesgesch., 84, Jg. 120, p. 135-154.

3090. MORRIS (C.D.), Aspects of Scandinavian settlement in Northern England: a review. Northern Hist., 84, vol. 20, p. 1-22.

3091. NAMSONS (Andrivs). Die Völker des Baltikums und ihre Herkunft. Acta baltica, 83 [84], Bd 23, p. 9-46.

3092. PASSINI (Jean). Villes médiévales du chemin de Saint-Jacques-de-Compostelle (de Pampelune à Burgos): villes de fondation et villes d'origine romaine. Paris, Recherche sur les civilisations, 84, in-4, 183 p. (ill.). (Mémoire, 47)

3093. PRESTWICK (M.). English castles in the reign of Edward II. J. medieval Hist., 82, vol. 8, p. 159-178 (6 fig.).

3094. RIGBY (S.H.). Boston and Grimsby in the middle ages: an administrative contrast. J. medieval Hist., 84, vol. 10, p. 51-66.

3095. SCHOFIELD (John). The building of London from the Conquest to the Great Fire. London, Brit. Museum, 84, in-4, 200 p. (Colonnade Books)

3096. SCHÜTZEICHEL (Rudolf). Zur Erforschung der Herkunftsnamen in spätmittelalterlichen Quellen aus der Stadt Köln. In: Festschrift f. H. Stoob [Cf. n° 510], Bd 1, p. 148-157.

3097. SEGURA GRAIÑO (Cristina). El abastecimiento de agua en Almería a fines de la edad media. In: Estudios dedicados al prof. D. A. Ferrari Nuñez [Cf. n° 488], vol. 2, p. 1009-1021.

3098. STEANE (John). The archaeology of mediaeval England and Wales. London, Croom Helm, 84, in-8, 320 p. (ill.).

3099. SYDOW (Jürgen). Bemerkungen zu den Anfängen des Städtewesens im südwestdeutschen Raum. Alemann. Jb., 81-83 [84], p. 93-142.

3100. TEODOR (Dan Gh.). Civilizația romanică la est de Carpați în secolele V-VII e.n. (așezarea de la Botoșana-Suceava). (La civilisation romaine à l'Est des Carpates aux Ve-VIIe siècles: l'établissement de Botoşana-Suceava [Roumanie].) Bucureşti, Ed. Acad., 84, in-8, 130 p. [Cf. Bibl. 83, n° 3134] - IDEM. Continuitatea populaţiei autohtone la est de Carpaţi. Aşezările din secolele XI-XI e.n. de la Dodeşti-Vaslui. (La continuité de la population autochtone à l'Est des Carpates: les habitats des VIe-XIe s. de Dodeşti-Vaslui [Roumanie].) Iaşi, Junimea, 84, in-4, 152 p.

3101. WANNER (Konrad). Siedlungen, Kontinuität und Wüstungen im nördlichen Kanton Zürich (9.-15. Jh.). Bern u. Frankfurt (Main), Lang, 84, in-8, 404 p. (Geist u. Werk d. Zeiten, 64)

3102. YOUNG (Bailey K.). Quatre cimetières mérovingiens de l'Est de la France. London, Brit. Archaeol. Rep., 84, in-4, 237 p. (ill.).

Cf. n^{os} *195, 346, 860, 1133, 2571, 2634.*

K

STORIA DELL'ETA' MODERNA, OPERE GENERALI

§ 1. Generalità. 3103-3170. - § 2. Singoli stati. 3171-4427. - § 3. Scoperte geografiche ed esplorazioni. 4428-4440.

§ 1. Generalità.

* 3103. Jahresbibliographie [der] Bibliothek für Zeitgeschichte, Weltkriegsbücherei Stuttgart. Neue Folge d. Bücherschau d. Weltkriegsbücherei. Bd [54. Cf. Bibl. 83, n° 3140.] 55: 1983. München, Bernard u. Graefe, 84, in-8, XIV-437 p.

* 3104. Latin American politics [since 1914]: a historical bibliography. Santa Barbara, Calif., ABC-Clio, 84, in-8, VII-290 p. (Clio bibliogr. ser., 16)

* 3105. Novodobé dějiny v československé historiografii. Marxisticko-leninská teorie. (L'histoire moderne dans l'historiographie tchécoslovaque. La théorie marxiste-léniniste. Bibliographie.) Ed.: Anna JEŽKOVA, Krista GAVALIEROVÁ. [1980, 1981. Cf. Bibl. 83, n° 3141.] 1982. Praha, Rudé právo, 84, in-8, 424 p.

* 3106. REES (Philip). Fascism and pre-Fascism in Europe, 1890-1945: a bibliography of the extreme right. Brighton, Harvester; Totowa, N.J., Barns a. Noble, 84, in-8, XXII-330 p.

* 3107. Yemens (The). Comp. by G. Rex SMITH. Santa Barbara, Calif., a. Oxford, England, Clio, 84, in-8, XXIII-161 p. (World bibliogr. ser., 50)

** 3108. Bolívar en la cancillería mexicana. Prólogo de Leopoldo ZEA. Comp. y notas introductorias de Edgar GABALDÓN MÁRQUEZ. México, Secretaría de Relaciones Exteriores y Univ. Nacional Autónoma de México, 83, in-8, 166 p. (Archivo histórico diplomático, Cuarta época, 16)

3109. Aktual'nye problemy razvitija Avstralii i Okeanii. (Actual problems of Australia's and Oceania's development.) Otv. red. K. V. MALAKHOVSKIJ. Moskva, Nauka, 84, 223 p. (ill.). (AN SSSR. In-t vostokovedenija)

3110. ANDREW (Christpher), DILKS (David). The missing dimension: governments and the Intelligence communities in the 20th century. London, Macmillan Educ., 84, in-8, 304 p.

3111. ARBLASTER (Anthony). The rise and decline of Western liberalism. Oxford, Blackwell, 84, in-8, 394 p.

3112. ARONSON (Theo). Grandmama of Europe: the crowned descendants of Queen Victoria. London, J. Murray, 84, in-8, 368 p.

3113. BECKMAN (Peter R.). World politics in the 20th century. London, Prentice-Hall, 84, in-8, 374 p.

3114. BERSTEIN (Serge), MILZA (Pierre). Histoire du XXe siècle. T. 1: La guerre et la reconstruction, 1939-1953. T. 2: La croissance et la crise, de 1953 à nos jours. Paris, Hatier, 84, 2 vol. in-8, 280, 420 p. (Histoire contemporaine)

3115. BUŞE (Constantin). De la Bolivar la Cardenas. (De Bolivar à Cardenas.) Bucureşti, Ed. ştiinţ. şi ecnciclop., 84, in-8, 367 p.

3116. Cambridge (The) history of Latin America. Vol. 1, 2: Colonial Latin America. Ed. by Leslie BETHELL. London a. New York, Cambridge U.P., 84, 2 vol. in-8, XX-645, XX-912 p. (dr., tab., maps).

3117. Connaissances du Maghreb. Sciences sociales et colonisation. Sous la responsabilité de Jean-Claude VATIN. Paris, Ed. du C.N.R.S., 84, in-8, 438 p. (Recherches sur les sociétés méditerr.)

3118. CROSSICK (Geoffrey). Shopkeepers and master artisans in 19th-century Europe. London, Methuen, 84, in-8, 282 p.

3119. DE VRIES (Jan). European urbanization, 1500-1800. London, Methuen, 84, in-8, 432 p.

3120. Fasizmus (A) ideológiájáról. A fasizmus néhány ideológiai kérdése. Tudományos tanácskozás, Budapest, 1983. febr. 24-25. Szerk. HARSÁNYI Iván, BAKONYINÉ FICZURA Judit. (De l'idéologie du fascisme. Quelques problèmes idéologiques du fascisme. Colloque scientifique organisé à Budapest, les 24 et 25 février 1983. Réd. par - .) Budapest, Kossuth Kiadó, 83, in-8, 273 p.

3121. Finnish-Italian Historical Symposium. 2. Helsinki 1982. Nationality and nationalism in Italy and Finland from the

§ 1. GENERALITA'

mid 19th century to 1918. Ed. Maija VÄISÄNEN. Helsinki, Suomen historiallinen seura, 84, in-8, 191 p. (Stud. hist., 16)

3122. FLORA (Peter). The State, economy and society in Western Europe, 1815-1975. Vol. 2. London, Macmillan, 84, in-8, 800 p.

3123. FUCHS (Gerhard). Revolution und Konterrevolution in der volksdemokratischen Entwicklung Mittel- und Südosteuropas bis 1947/48. Jb. f. Gesch., 84, Bd 30, p. 261-298.

3124. GALL (Lothar). Europa auf dem Weg in die Moderne 1850-1890. München u. Wien, Oldenbourg, 84, in-8, IX-254 p. (Kt.). (Oldenbourg-Grundriß d. Gesch., 14)

3125. Geschichte Afrikas. Von d. Anfängen bis z. Gegewart. T. [3. Cf. Bibl. 83, n° 678.] 4: Afrika vom Zusammenbruch des imperialistischen Kolonialsystems bis zur Gegenwart. Verf. v. e. Autorenkoll. unter Leitung v. Thea BÜTTNER. Berlin, Akad.-Verl., 84, in-8, XII-402 p. (Abb., Kt.).

3126. HEGYI (Klára). A török birodalom magyarországi jövedelemforrásai. (Sources de revenu de l'Empire ottoman en Hongrie.) Századok, 83, vol. 117, n° 2, p. 346-383.

3127. HONZÍK (Miroslav). Říkali si vojevůdci (Sie haben sich Feldherren genannt.) Praha, Naše vojsko, 84, in-8, 304 p. (16 fig.).

3128. Hungria recuerda a Simón Bolívar. = Magyarország emlékezik Simón Bolivárra. Comité de rédaction: Adám ANDERLE et al. Budapest, Simón Bolivar Emlékbizottság - Magyar Politikatudományi Társaásg, 83, in 8, 213 p.

3129. Istorija Afriki v XIX - načale XX v. (History of Africa in the 19th - beginning of the 20th cent.) 2-e pererab. i dop. izd. Redkol.: V. A. SUBBOTIN (otv. red.) i dr. Moskva, Nauka, 84, 584 p. (AN SSSR. In-t Afriki)

3130. Iz istorii Evropy v novoe i novejšee vremja. (From the history of Europe in modern and contemporary times.) Sbornik (K 100-letiju so dnja roždenija akad. I. M. Majskogo). Otv. red. A. M. SAMSONOV. Moskva, Nauka, 84, 316 p. (ill.). (AN SSSSR. In-t vseobšč. istorii)

3131. JACOB (Margaret), JACOB (James) a. others. The origins of Anglo-American radicalism. Boston, Allen a. Unwin, 84, in-8, X-333 p.

3132. KEE (Robert). The world we left behind: a chronicle of the year 1939. London, Weidenfeld a. Nicolson, 84, in-8, 384 p.

3133. KERECZÉNYI (Edit). A muramenti horvátok története és anyagi kultúrája. (L'histoire et la culture matérielle des Croates de la vallée de la Mura.) Zalaegerszeg, Zala megyei Levéltár, 83 [84], in-8, 369 p. (4 pl.). (Zalai gyüjtemény 20, 1983)

3134. KNOX (MacGregor). Conquest, foreign and domestic, in Fascist Italy and Nazi Germany. J. mod. Hist., 84, vol. 56, n° 1, p. 1-57.

3135. KOSSOK (Manfred). Simon Bolivar und das historische Schicksal Spanisch-Amerikas. Anläßl. d. 200. Wiederkehr seines Geburtstages (24. Juli 1783). Berlin, Akad.-Verl., 84, in-8, 56 p. (S.-B. d. Akad. d. Wiss. d. DDR, G, 1983, 12)

3136. Krizis na Juge Afriki. (Crisis in the South of Africa.) Otv. red. Anat. A. GROMYKO. Moskva, Nauka, 83, 269 p. (AN SSSR. In-t Afriki)

3137. KUN (Miklós). Left-wing freemasonry: a framework for ideology and organization in the middle of the 19th century. A. Univ. Sci. Budapestiensis, Sectio hist., 82, vol. 22, p. 99-134. - IDEM. On the classification of early Pan-Slavism. An attempt towards typological evaluation of the Slavic movements in the first half of the 19th century. Studia slavica Acad. Sci. hungaricae, 82, vol. 28, n° 1-4, p. 175-196.

3138. KUZ'MIŠČEV (A.V.). F. Morasan i bor'ba za edinoe central'noamerikanskoe gosudarstvo. 1821-1830. (F. Morazán and the struggle for a united Central American state, 1821-1830.) Vopr. Ist., 84, n° 10, p. 77-93.

3139. LAHAV (Yehuda). Ha-mekhanism shel ha-mishpatim ... (The mechanism of political trials in eastern Europe [USSR, Czechoslovakia] from 1949-1952.) Shvut, 84, vol. 10, p. 28-46. [Eng. summary]

3140. LAUBIER (Patrick de). La politique sociale dans les sociétés industrielles, 1800 à nos jours. Acteurs, idéologies, réalisations. Paris, Economica, 84, in-8, 244 p. (Politique comparée)

3141. LOMBARD (Jean). La face cachée de l'histoire moderne. T. 1: La montée parallèle du capitalisme et du collectivisme. Paris, J. Lombard; diff. Duquesnediffusion, 84, in-8, 563 p. (ill.).

3142. MILWARD (Alan S.). The reconstruction of western Europe, 1945-1951. Berkeley a. Los Angeles, Univ. of California Press; London, Methuen, 84, in-8, XXI-527 p.

3143. MORSY (M.). North Africa, 1800-1900: a survey from the Nile Valley to the Atlantic. London, Longman, 84, in-8, XIV-356 p. (ill.).

3144. Natievorming van België en Nederland in de 19e eeuw. (Nation-building of Belgium and the Netherlands in the 19th century.) [Ed. by P. HECHT, J. STENGERS, Th. VAN TIJN, E. WITTE.] T. Gesch., 82, vol. 95, p. 481-636. [Cf. n°s 3446, 4124, 4487, 5382, 5623, 5643, 5996]

3145. PANETTA (Rinaldo). Pirati e corsari turchi e barbareschi nel Mare Nostrum. Vol. 2: Il tramonto della mezzaluna: XVII, XVIII, XIX secolo. Milano, Mursia, 84, 260 p. (tav.). (Storia e documenti, 49)

3146. PLASCHKA (Richard Georg). Matrosen - Offiziere - Rebellen. Krisenkonfrontationen zur See 1900-1918. Bd 1: Faktoren der Expansion. Bd 2: Keimzellen der Revolution. Köln u. Wien, Böhlau, 84, 2 vol. in-8, 380, 394 p. (Abb., Taf., Graph.). (Veröff. d. Österr. Ost- u. Südosteuropa-Inst., 12, 13)

3147. Problemy istorii krizisa buržuaznogo političeskogo stroja. Strany Centr. i Jugo-Vost. Evropy v mežvoennyj period. (Problems of history of the crisis of the bourgeois political system. The countries of Central and South-Eastern Europe in the inter-war period.) Otv. red. A. Kh. KLEVANSKIJ. Moskva, Nauka, 84, 296 p. (AN SSSR. In-t slavjanovedenija i balkanistiki)

3148. PURŠ (Jaroslav). Technology and peace. In: Jointly in the struggle for peace against war [Cf. n° 692], p. 7-15.

3149. Razvivajuščiesja strany Azii i Afriki v bor'be protiv neokolonializma. (Developing countries of Asia and Africa in the struggle against neo-colonialism.) Sbornik nauč. tr. Redkol.: I. F. ČERNIKOV (otv. red.) i dr. Kiev, Nauk. dumka, 84, 256 p. (AN SSSR. In-t social. i èkonom. probl. zarubež. stran)

3150. REIMER (S.), FOUT (J.). European women, a documentary history, 1789-1945. Brighton, Harvester, 84, in-8, 258 p.

3151. REMMER (Karen L.). Party competition in Argentina and Chile: political recruitment and public policy, 1890-1930. Lincoln, Univ. of Nebraska Pres, 84, in-8, X-296 p.

3152. ROXBOROUGH (Ian). Unity and diversity in Latin Amercian history. J. lat. am. Stud., 84, vol. 16, p. 1-26.

3153. RUTENBURG (V.I.). Rannie buržuaznye revoljucii (K voprosu o načale kapitalističeskoj èry v Zapadnoj Evrope). (Early bourgeois revolutions.) Vopr. Ist., 84, n° 3, p. 72-81.

3154. SCHWEITZER (Arthur). The age of charisma. Chicago, Nelson-Hall, 84, in-8, XII-417 p.

3155. SEIBT (Ferdinand). Revolution in Europa. Ursprung u. Wege innerer Gewalt. Strukturen - Elemente - Exempel. München, Süddeutscher Verl., 84, in-8, 475 p.

3156. SELIVANOV (B.I.). Ob istokakh militarizma v Latinskoj Amerike. (On the sources of militarism in Latin America.) Vopr. Ist., 84, n° 9, p. 45-60.

3157. SINCLAIR (David). Dynasty: the Astors and their times. London, Dent, 84, in-8, 432 p. (ill.).

3158. Sinistre (Le) e il governo locale in Europa: dalla fine dell'800 alla seconda guerra mondiale. A cura di M. DEGL'INNOCENTI. Pisa, Nistri-Lischi, 84, in-8, 277 p.

3159. SKIDMORE (Thomas), SMITH (Peter H.). History of modern Latin America. New York a. London, Oxford U.P., 84, in-8, 430 p. (ill., tab., maps).

3160. Social'naja struktura i obščestvennye dviženija v stranakh Evropy i Ameriki. (Social structure and social movements in the countries of Europe and America.) Pod. red. I. V. GRIGOR'EVOJ. Moskva, Izd-vo MGU, 84, 180 p.

3161. SOCOLOW (Susan M.). Recent historiography of the Rio de la Plata: colonial and early national periods. Hisp. am. hist. R., 84, vol. 64, n° 1, p. 105-120.

3162. STIER (Miklós). Az osztrák és a magyar politikai rendszer hasonló és eltérő vonásai az 1920-30-as években. (Traits analogues et divergents des régimes politiques autrichien et hongrois dans les années 1920-1930.) Századok, 84, vol. 118, n° 6, p. 1149-1172.

3163. SUGAR (Peter F.). Continuity and change in eastern European authoritarianism: autocracy, fascism and communism. East european Quar., 84, vol. 18, n° 1, p. 1-34.

3164. SUTHERLAND (Lucy S.). Politics and finance in the 18th century. Ed. by Aubrey NEWMAN. London, Hambledon, 84, in-8, 608 p.

3165. THORP (Rosemary). Latin America in the 1930's: the role of the periphery in world crisis. London, Macmillan, 84, in-8, 356 p. (fig., tab.).

3166. Bibl. 83, n° 3207. URSU (D.P.). Sovremennaja istoriografija stran Tropičeskoj Afriki. 1960-1980. (Contemporary historiography of Tropical Africa.) - CR: M. N. Amvrosova, Vopr. Ist., 84, n° 5, p. 129-131.

3167. VANHANEN (Tatu). The mergence of democracy. A comparative study of 119 states, 1850-1979. Helsinki, Finnish Soc. of Sci. a. Letters, 84, in-8, 168 p. (Comment. Sci. Soc., 24)

3168. VILLANUEVA (Héctor). Vida y pasión del Río de la Plata. Buenos Aires, Plus Ultra, 84, in-8, 312 p.

3169. WALTON (John). Reluctant rebels: comparative studies of revolution and underdevelopment. New York, Columbia U.P., 84, in-8, XII-230 p.

3170. WILLNER (Ann Ruth). The spellbinders: charismatic political leadership. New Haven, Conn., Yale U.P., 84, in-8, XI-212 p.

Cf. n° 600.

§ 2. Singoli stati[1].

Afghanistan.

3171. Afganistan: Èkonomika. Politika.

---

1. Classificazione alfabetica secondo la forma francese dei nomi degli stati.

Istorija. (Afghanistan: Economics. Politics. History.) Otv. red. Ju. V. GANKOVSKIJ. Moskva, Ėkonomika, 84, 261 p.

Sudafrica.

3172. DENOON (Donald), NYEKO (Balem). Southern Africa since 1800. London, Longman, 84, in-8, 256 p.

3173. INNES (Duncan). The Anglo-American and the rise of modern South Africa. London, Heinmann Educ., 84, in-8, 358 p.

3174. ODENDAAL (A.). Vukani Bantu: the beginnings of black protest in South Africa. Cape Town, D. Philip; Hemel Hempstead, Internat. Book Distributors, 84, in-8, 391 p. (ill.).

3175. RICH (Paul B.). White power and the liberal conscience: racial segregation and South African liberalism, 1921-1960. Manchester, Univ. Press, 84, in-8, 208 p.

Germania.

* 3176. BARNETT-ROBISHEAUX (Thomas). Peasant revolts in Germany and central Europe after the peasants' war: comments on literature. Central european Hist., 84, vol. 17, n° 4, p. 384-403.

* 3177. Bibliographie zur Geschichte der Deutschen Demokratischen Republik. Bearb. v. Lieselotte BORUSIAK. N.F. Bd 1: 1983. Mit Nachträgen. Berlin, Akad. d. Wiss. d. DDR, Zentralinst. f. Gesch., Abt. Information u. Dokumentation, 84, in-8, 195 p.

* 3178. Guides to the microfilmed records of the German navy, 1850-1945. Vol. 1: U-boats and T-boats, 1914-1918. Washington, D.C., National Archives a. Records Service, 84, LVI-355 p.

* 3179. LOW (Alfred D.). The Anschluss movement, 1919-1939: background and aftermath; an annotated bibliography of German and Austrian nationalism. New York a. London, Garland, 84, in-8, XIX-186 p. (Garland Reference Libr. of Soc. Sci., 151)

* 3180. ORLOW (Dietrich). The historiography of the decline of Brüning and the rise of the Nazis: comment and review article. Central european Hist., 84, vol. 17, n° 1, p. 63-71.

* 3181. SHOWALTER (Dennis E.). German military history, 1648-1982: a critical bibliography. New York a. London, Garland, 84, in-8, XXXIII-331 p. (Garland Reference Libr. of Soc. Sci., 113) — IDEM. Military history in Germany, [1980-1982. Cf. Bibl. 83, n° 3222.] 1982-1983: an overview of periodical literature. Milit. Affairs, 84, vol. 48, n° 2, p. 78-86.

* 3182. Third Reich (The), 1933-1939: a historical bibliography [of periodical literature, 1973-1982]. Santa Barbara, Calif., ABC-Clio, 84, in-8, XII-239 p. (ABC-Clio research guide, 10)

* 3183. Weimar Republic (The): a historical bibliography [of periodical literature, 1973-1982]. Santa Barbara, Calif., ABC-Clio, 84, in-8, XI-285 p. (ABC-Clio research guide, 9)

* 3184. ZEENDER (John K.). Recent literature on the German Center Party. Cath. hist. R., 84, vol. 70, n° 3, p. 428-441.

* Cf. n° 7173.

** 3185. ADENAUER (Konrad). Adenauer. Stiftung Bundeskanzler-Adenauer-Haus. Hrsg. v. Rudolf MORSEY u. Hans-Peter SCHWARZ. Briefe 1945-1947. Briefe 1947-1949. Bearb. v. Hans Peter MENSING. Teegespräche 1950-1954. Bearb. v. Hanns Jürgen KÜSTERS. Berlin, Siedler, 83-84, 3 vol. in-8, XXII-761, VII-749, XXVII-815 p. (Ill.).

** 3186. Archivalische Quellen zur politischen Krisensituation während der Weimarer Zeit in den ehemaligen Territorien des Landes Niedersachsen. Ein analyt. Inventar. Bd 1: Freistaat Braunschweig. Bd 2: Freistaat Schaumburg-Lippe. Bearb. v. Friedrich Wilhelm ROGGE. Göttingen, Vandenhoeck u. Ruprecht, 84, 2 vol. in-8, XX-361, XXI-213 p. (Veröff. d. Niedersächs. Archivverwaltung, 44)

** 3187. Entscheidung für die SPD. Briefe u. Aufzeichnungen linker Sozialisten 1944-1948. Hrsg. v. Helga GREBING. München u. Wien, Oldenbourg, 84, in-8, 120 p. (Biograph. Quellen z. deutschen Gesch. nach 1945, 2)

** 3188. HEUSS (Theodor). Theodor Heuss, Politiker und Publizist. Aufsätze u. Reden. Ausgew. u. komm. v. Martin VOIGT. Mit e. einl. Essay v. Ralf DAHRENDORF. Tübingen, Wunderlich, 84, in-8, 541 p. (Ill.).

** 3189. Kabinettsprotokolle (Die) der Bundesregierung. Hrsg. v. d. Bundesarchiv. [Bd 1. Cf. Bibl. 82, n° 3190.] Bd 2: 1950. Boppard (Rhein), Boldt, 84, in-8, VIII-962 p.

** 3190. Meldungen aus dem Reich, 1938-1945. Die geheimen Lageberichte d. Sicherheitsdienstes d. SS [vollständige Texte aus d. Bestand d. Bundesarchivs Koblenz]. Hrsg. u. eingel. v. Heinz BOBERACH. Bd 1: Einführung, chronologische Inhaltsübersicht und systematische Übersicht der behandelten Themen. Bd 2: Jahreslagebericht 1938 des Sicherheitshauptamtes. 1. Vierteljahreslagebericht 1939 des Sicherheitshauptamtes [u. a.]. Bd 3: Bericht zur innenpolitischen Lage. Nr. 15 v. 13. Nov. 1939 - Nr. 65 v. 13. März 1940. Bd 4: Nr. 66 v. 15. März 1940 - Nr. 101 v. 1. Juli 1940. Nd 5: Nr. 102 v. 4. Juli 1940 - Nr. 141 v. 14. Nov. 1940. Bd 6: Nr. 142 v. 18. Nov. 1940 - Nr. 179 v. 17. April 1941. Bd 7: Nr. 180 v. 22. April 1941 - Nr. 211 v. 14. Aug. 1941. Bd 8: Nr. 212 v. 18. Aug. 1941 - Nr. 246 v. 15. Dez. 1941. Bd 9: Nr. 247 v. 18. Dez. 1941 - Nr. 271 v. 26. März 1942. Bd 10: Nr. 272 v. 30. März 1942 - Nr. 301 v. 20. Juli 1942. Bd 11: Nr. 302 v. 23. Juli 1942 - Nr. 331 v. 2. Nov. 1942. Bd 12: Nr. 332 v. 5. Nov. 1942 - Nr. 362 v. 25. Feb. 1943. Bd 13: Nr. 363 v. 1. März 1943 - Nr. 386 v. 30. Mai 1943. Bd 14: Nr. 387 v. 31.

Mai 1943. SD-Berichte zu Inlandsfragen v. 7. Juni 1943 (blaue Serie) - 9. Sept. 1943 (weiße Serie). Bd 15: SD-Berichte zu Inlandsfragen v. 13. Sept. 1943 (grüne Serie) - 27. Dez. 1943 (rote Serie). Berichte an die Parteikanzlei v. 29. Nov. 1943. Bd 16: SD-Berichte zu Inlandsfragen v. 27. Dez. 1943 (rote Serie) - 20. Apr. 1944 (weiße Serie). Berichte an die Parteikanzlei v. Jan 1944 [u.a.]. Bd 17: SD-Berichte zu Inlandsfrgen v. 4. Mai 1944 (grüne Serie) - 27. Apr. 1944 (weiße Serie). Berichte an d. Reichsschatzminister d. NSDAP v. 1. Juni 1944 - 12. Nov. 1944 [u. a.]. Herrsching, Pawlak, 84, 17 vol. in-8, 226 p., 448 p., p. 449-885, p. 891-1332, p. 1333-1774, p. 1775-2214, p. 2217-2658, p. 2659-3098, p. 3101-3541, p. 3543-3979, p. 3985-4426, p. 4427-4854, p. 4869-5310, p. 5311-5735, p. 5753-6194, p. 6195-6508, p. 6509-6740.

** 3191. Preußische Finanzpolitik 1806-1810. Quellen zur Verwaltung d. Ministerien Stein u. Altenstein. Bearb. v. Eckart KEHR. Hrsg. v. Hanna SCHISSLER u. Hans-Ulrich WEHLER. Mit e. Einleitung v. Hanna SCHISSLER. Göttingen, Vandenhoeck u. Ruprecht, 84, in-4, 557 p.

** 3192. RATHENAU (Walther), HARDEN (Maximilian). Briefwechsel. 1897-1920. Mit e. einl. Studie hrsg. v. Hans Dieter HELLIGE. München, G. Müller; Heidelberg, Schneider, 83, in-8, 1077 p. (Walther-Rathenau-Gesamtausg., 6)

3193. ALDENHOFF (Rita). Schulze-Delitzsch, ein Beitrag zur Geschichte des Liberalismus zw. Revolution und Reichsgründung. Baden-Baden, Nomos, 84, in-8, 272 p.

3194. BADSTÜBNER (Rolf). Die antifaschistisch-demokratische Umwälzung im Spannungsfeld der Auseinandersetzungen in und um Deutschland. Jb. f. Gesch., 84, Bd 30, p. 7-69.

3195. BANKIER (David). Ha-miflaga haqomonistit ha-germanit ... (The German Communist Party and anti-semitism in the Third Reich 1933-1938.) Yahadut Zemanenu, 84, vol. 2, p. 131-151. [Eng. summary]

3196. Beiträge zur Stadtgeschichte. Hrsg. v. Helmut LAHRKAMP. Münster, Aschendorff, 84, in-8, 304 p. (1 Ill., 1 Kt.). (Quellen u. Forsch. z. Gesch; d. Stadt Münster, N.F., 11)

3197. BESSEL (Richard). Political violence and the rise of nazism: the storm troopers in eastern Germany, 1925-1934. New Haven, Conn., Yale U.P., 84, in-8, XII-215 p.

3198. BIEWER (Ludwig). Der Preußenschlag vom 20. Juli 1932. Bl. f. deutsche Landesgesch., 84, Jg. 119, p. 159-172.

3199. BIRTSCH (Günter). Religions- und Gewissensfreiheit in Preußen von 1780 bis 1817. Z. f. hist. Forsch., 84, Bd 11, p. 177-204.

3200. BLACK (Peter R.). Ernst Kaltenbrunner: ideological soldier of the Third Reich. Princeton, N.J., Princeton U.P., 84, in-8, XIV-348 p.

3201. BLACKBOURN (David), ELEY (Geoff). Pecularities of German history: bourgeois society and politics in 19th-century Germany. London, Oxford U.P., 84, in-8, 308 p.

3202. BLÄNSDORF (A.). Der Weg der Riezler-Tagebücher. Gesch. in Wiss. u. Unterr., 84, Jg. 35, H. 10, p. 651-684.

3203. BLICKLE (Peter) a. others. Religion, politics and social protest: three studies on early modern Germany. London, Allen a. Unwin, 84, in-8, 172 p.

3204. BÖRNER (Karl Heinz). Wilhelm I., deutscher Kaiser und König von Preußen. Eine Biogr. Berlin, Akad.-Verl., 84, in-8, 299 p. (Abb.).

3205. BRIDENTHAL (Renate) a. others. When biology became destiny: women in Weimar and Nazi Germany. New York, Monthly Review Press, 84, in-8, XIV-364 p. (New Feminist Libr.)

3206. CARLOTTI (Anna Lisa). Adolf Hitler: analisi storica delle psicobiografie del dittatore. Pref. di G. CALVI. Milano, Angeli, 84, in-8, 338 p. (Psicol. pol., 5)

3207. CHICKERING (Roger). We men who feel most German: a cultural study of the Pan-German League, 1866-1914. London a. Boston, Allen a. Unwin, 84, in-8, XIV-365 p.

3208. CHILDERS (Thomas). Who, indeed, did vote for Hitler? Central european Hist., 84, vol. 17, n° 1, p. 45-53. [Cf. Bibl. 83, n° 3259]

3209. Deutschland 1933. Machtzerfall d. Demokratie u. nationalsozialist. "Machtergreifung". Z. Vortragsreihe. Hrsg. v. Wolfgang TREUE u. Jürgen SCHMÄDEKE. Berlin, Colloqium-Verl., 84, in-8, IX-175 p. (Einzelveröff. d. Hist. Komm. zu Berlin, 42)

3210. DINER (D.). "Grundbuch des Planeten". Zur Geopolitik Karl Haushofers. Vjhefte f. Zeitgesch., 84, Jg. 32, H. 1, p. 1-28.

3211. DIRRIGL (Michael). Maximilian II., König von Bayern, 1848-1864. T. 1, 2. München, Hugendubel, 84, 2 vol. in-8, 1024 p., p. 1025-2095. (Das Kulturkönigtum d. Wittelsbacher, 2)

3212. DOERING-MANTEUFFEL (Anselm). Aspekte der deutschen Frage. Die Diskussion über Nationalstaat u. Nationalverständnis im 19. Jh. u. in d. Zeitgeschichte. Jb. f. d. Gesch. Mittel- u. Ostdeutschlands, 84, Bd 33, p. 189-205.

3213. DÜDING (Dieter). Organisierter gesellschaftlicher Nationalismus in Deutschland (1808-1847). Bedeutung u. Funktion d. Turner- u. Sängervereine f. d. deutsche Nationalbewegung. München u. Wien, Oldenbourg, 84, in-8, 357 p. (Stud. z. Gesch. d. 19. Jh., 13)

3214. ERDŐDY (Gábor). Egység vagy szabadság. A német liberálisok dilemmájának megitélése a Pesti Naplóban, 1858-1871. (Unité ou liberté. Opinions sur les dilemmes des libéraux allemands dans le journal Pesti Napló, 1858-1871.) Századok, 84, vol. 118, n° 2, p. 304-341.

3215. Exerzierfeld der Moderne. Industriekultur in Berlin im 19. Jh. Unter Beteiligung zahlr. Autoren hrsg. v. Jochen BOBERG, et al. München, Beck, 84, in-4, 399 p. (490 Ill. u. graph. Darst.). (Industriekultur deutscher Städte u. Regionen: Berlin, 1)

3216. Expansion und Integration. Zur Eingliederung neugewonnener Gebiete in d. preuß. Staat. Mit Beitr. v. Richard DIETRICH, et al. Hrsg. v. Peter BAUMGART. Köln u. Wien, Böhlau, 84, in-8, XI-487 p. (Neue Forsch. z. brandenburg-preuß. Gesch., 5)

3217. FELDMAN (Gerald), ABRAHAM (David). Debate: David Abraham's "The Collapse of the Weimar Republic [Cf. Bibl. 81, n° 2702]. Central european Hist., 84, vol. 17, n° 2-3, p. 159-290.

3218. FOWKES (Ben). Communism in Germany under the Weimar Republic. London, Macmillan, 84, in-8, XIII-246 p. (ill., maps).

3219. FRANZ-WILLING (Georg). Die Reichskanzlei, 1933-1945. Rolle u. Bedeutung unter d. Regierung Hitler. Tübingen, Buenos Aires u. Montevideo, Grabert, 84, in-8, 275 p. (Ill.). (Veröff. d. Inst. f. Deutsche Nachkriegsgesch., 12)

3220. FRIEDLANDER (Saul). From antisemitism to extermination: a historiographical study of Nazi policies toward the Jews and an essay in interpretation. Yad Vashem Stud., 84, vol. 16, p. 1-50.

3221. FRITZ (S.G.). The search for the Volksgemeinschaft: Gustav Stresemann and the Baden DVP [Deutsche Volkspartei], 1926-1930. German Stud. R., 84, vol. 7, n° 2, p. 249-280.

3222. FÜLBERTH (Georg). Konzeption und Praxis sozialdemokratischer Kommunalpolitik 1918-1933. Ein Anfang. Marburg, Verl. Arbeiterbewegung u. Gesellschaftswiss., 84, in-8, 208 p. (Schriftenreihe d. Studienges. f. Sozialgesch. u. Arbeiterbewegung, 47)

3223. GALL (Lothar). Die Bundesrepublik in der Kontinuität der deutschen Geschichte. Hist. Z., 84, Bd 239, p. 603-613.

3224. GEMBRUCH (Werner). Zum Stein-Bild in Publizistik und Historiographie der Epoche der Restauration. Z. f. hist. Forsch., 84, Bd 11, p. 23-60.

3225. Geschichte original - am Beispiel der Stadt Münster. Hrsg. v. Stadtarch. Münster u. Stadtmuseum Münster durch Hans GALEN, et al. [9-12. Cf. Bibl. 83, n° 3285.] 13: Mimigernaford - Monasterium. Sachsenort, Domburg, Bischofsstadt. Dokumente, Fragen, Erläuterungen, Darst. Von Otto-Ehrenfried SELLE unter Mitarb. v. Wilhelm WINKELMANN. Münster, Aschendorff, 84, in-4, 16 p. (16 p. Ill. u. Kt.)

3226. GILLI (Marita). Pensée et pratique révolutionnaire à la fin du XVIIIe siècle en Allemagne. Paris, Les Belles lettres, 83, in-8, 344 p. (A. litt. Univ. Besançon)

3227. Bibl. 83, n° 3286. GINZBERG (L.I.). Druz'ja novoj Rossii. (Friends of new Russia.) - CR: V. N. Vinogradov, Nov. novejš. Ist., 84, n° 4, p. 219-221.

3228. GINZEL (G.B.). Jüdischer Alltag in Deutschland 1933-1945. Düsseldorf, Droste, 84, in-8, 252 p.

3229. GOELDEL (Denis). Moeller van den Bruck (1876-1925), un nationaliste contre la révolution. Contribution à l'étude de la "révolution conservatrice" et du conservatisme allemand au XXe siècle. Frankfurt (Main), Bern, New York u. Nancy, Lang, 84, in-8, XI-614 p. (Publ. univ. européennes, Sér. 3: Hist., sci. auxiliaires de l'hist., 211)

3230. GORDON (Sarah). Hitler, Germans, and the "Jewish question". Princeton, N.J., Princeton U.P., 84, in-8, XIV-412 p.

3231. GRAF (Klaus). Gmünder Chroniken im 16. Jahrhundert. Texte u. Untersuchungen z. Geschichtsschreibung d. Reichsstadt Schwäbisch Gmünd. Schwäbisch Gmünd, Einhorn, 84, in-8, 358 p. (Ill.).

3232. GRANS (R.J.W.). Rudolf II and his world, a study in intellectual history, 1576-1612. London, Oxford U.P., 84, in-8, 338 p. (ill.).

3233. GREINDL (Gabriele). Untersuchungen zur bayerischen Ständeversammlung im 16. Jahrhundert. Organisation, Aufgaben u. die Rolle d. adeligen Korporation. München, Uni-Druck, 83, in-8, V-337 p. (Miscellanea Bavarica Monacensia, 121)

3234. GRUNDER (Horst). Rechtskatholizismus im Kaiserreich und in der Weimarer Republik unter besonderer Berüchsichtigung der Rheinlande und Westfalens. Westfäl. Z., 84, Bd 134, p. 107-155.

3235. GUNLICKS (Arthur B.). Administrative centralization and decentralization in the making and remaking of modern Germany. R. Politics, 84, vol. 46, n° 3, p. 323-345.

3236. HAHN (Hans-Werner). Geschichte des Deutschen Zollvereins. Göttingen, Vandenhoeck u. Ruprecht, 84, in-8, 214 p. (Kleine Vandenhoeck-Reihe, 1502)

3237. HAMILTON (Richard F.). Braunschweig 1932: further evidence on the support for national socialism. Central european Hist., 84, vol. 17, n° 1, p. 3-36.

3238. HARA (Nobuyoshi). Daisan Teikoku ni okeru Hoshu-ha Teikô Undo no Taigai Seisaku. (Foreign policy of the conservative opposition against Hitler.) Keiô Daigaku, Shigaku, 83, vol. 52, n° 3-4, p. 103-118; vol. 53, n° 1, p. 79-92.

3239. HARRIS (James F.). A study in the theory and practice of German liberalism: Eduard Lasker, 1829-1884. Lanham, Md., U.P. of America, 84, in-8, XVI p.

3240. HENNING (Hansjoachim). Die deutsche Beamtenschaft im 19. Jahrhundert. Zwischen Stand u. Beruf. Stuttgart, Steiner, 84, in-8, 197 p. (Wiss. Paperbacks Sozial- u. Wirtschaftsgesch., 19)

3241. HERMAN (Karel). Konstanty a metamorfózy německého imperialismu. (Konstanten und Metamorphosen des deutschen Imperialismus.) Sborn. k Problem. Děj. Imper., 84, vol. 17, p. 5-27.

3242. HERRE (Franz). Moltke. Der Mann u. sein Jahrhundert. Stuttgart, Deutsche Verl.-Anst., 84, in-8, 407 p. (Ill., Kt.).

3243. HÖNER (Sabine). Der nationalsozialistische Zugriff auf Preußen. Preuß. Staat u. nationalsozialist. Machteroberungsstrategie 1928-1934. Bochum, Brockmeyer, 84, in-8, 522 p. (Bochumer hist. Stud., Neuere Gesch., 3)

3244. HÜMMLER (Heinz), LEONHARDT (Rolf), STÖCKIGT (Rolf). Die schöpferische Anwendung allgemeiner Gesetzmäßigkeiten in der Bündnispolitik der SED beim Übergang vom Kapitalismus zum Sozialismus. Jb. f. Gesch., 84, Bd 31, p. 11-40.

3245. HÜRTEN (Heinz). Die Kirchen in der Novemberrevolution. Eine Unters. z. Gesch. d. Deutschen Revolution 1918/19. Regensburg, Pustet, 84, in-8, 178 p. (Eichstätter Materialien, 11: Abt. Gesch.)

3246. JAKÓBCZYK (Witold). Niemcy 1815-1919. Między partykularyzmem a federalizmem. (L'Allemagne 1815-1919: entre particularisme et fédéralisme.) Warszawa, Państw. Wydawn. Nauk., 84, in-8, 327 p.

3247. JAMIN (M.). Zwischen den Klassen. Zur Sozialstruktur d. SA-Führerschaft. Wuppertal, Hammer, 84, in-8, VIII-399 p.

3248. JARAUSCH (Konrad H.). German students in the first world war. Central european Hist., 84, vol. 17, n° 4, p. 310-329.

3249. KATER (Michael H.). Everyday anti-semitism in prewar Nazi Germany: the popular bases. Yad Vashem Stud., 84, vol. 16, p. 129-159.

3250. Köln und das rheinische Judentum. Festschrift Germania Judaica 1959-1984. Hrsg. v. Jutta BOHNKE-KOLLWITZ, et al. Köln, Bachem, 84, in-8, 528 p. (22 p. Ill., graph. Darst.).

3251. KOLB (Eberhard). Die Weimarer Republik. München u. Wien, Oldenbourg, 84, in-8, X-274 p. (Oldenbourg-Grundriß d. Gesch., 16)

3252. KOURI (E.I.). Der deutsche Protestantismus und die soziale Frage 1870-1919. Zur Sozialpolitik im Bildungsbürgertum. Berlin u. New York, de Gruyter, 84, in-8, X-256 p. (Arbeiten z. Kirchengesch., 55)

3253. KREMER (Hans-Jürgen). Der Volksverein für das katholische Deutschland in Baden 1890-1933. Ein Beitr. z. Organisations- u. Wirkungsgesch. d. polit. u. sozialen Verbandskatholizismus. Freiburg. Diöz.-Arch., 84, Bd 104, p. 208-280.

3254. KULKA (Otto Dov). Die Nürnberger Rassengesetze und die deutsche Bevölkerung im Lichte geheimer NS-Lage- und Stimmungsberichte. Vjhefte f. Zeitgesch., 84, Jg. 32, H. 4, p. 582-624.

3255. KUROPKA (Joachim). Auf dem Weg in die Diktatur. Zu Politik u. Ges. in d. Provinzhauptstadt Münster 1929-1934. Westfäl. Z., 84, Bd 134, p. 157-199.

3256. LAMSCHUS (Christian). Emden unter der Herrschaft der Cirksena. Studien zur Herrschaftsstruktur d. ostfries. Residenzstadt 1470-1527. Hildesheim, Lax, 84, in-8, XVIII-591 p. (Veröff. d. Inst. f. Hist. Landesforsch. d. Univ. Göttingen, 23)

3257. LEHMANN (Hartmut). Martin Luther als deutscher Nationalheld im 19. Jahrhundert. Luther, 84, Jg. 55, p. 53-65.

3258. LEPPER (Herbert). Vom Honoratiorenverein zur Parteiorganisation. Ein Beitr. zur "Demokratisierung" des Zentrums im Rheinland 1898-1906. Rhein. Vjbl., 84, Jg. 48, p. 238-274.

3259. Lexikon zur Parteiengeschichte. Die bürgerl. u. kleinbürgerl. Parteien u. Verbände in Deutschland (1789-1945). In 4 Bd. [Bd 1. Cf. Bibl. 83, n° 3323.] Bd 2: Deutsche Liga für Völkerbund - Gesamtverband der Christl. Gewerkschaften Deutschlands. Hrsg. v. Dieter FRICKE [et al.]. Leipzig, Bibliograph. Inst., 84, in-8, 768 p.

3260. LINDNER (Rolf). Bandenwesen und Klubwesen im wilhelminischen Reich und in der Weimarer Republik. Ein Beitr. z. hist. Kulturanalyse. Gesch. u. Ges., 84, Jg. 10, p. 352-375.

3261. LINKLATER (Magnus) a. others. The Fourth Reich: Klaus Barbie and the neo-fascist connection. London, Hodder, 84, in-8, 350 p.

3262. LUDOLPHY (Ingetraut). Friedrich der Weise, Kurfürst von Sachsen, 1463-1525. Göttingen, Vandenhoeck u. Ruprecht, 84, in-8, 591 p. (16 Taf., 2 Kt.).

3263. Machtbewußtsein in Deutschland am Vorabend des Zweiten Weltkrieges. Franz KNIPPING, Klaus-Jürgen MÜLLER (Hrsg.). Paderborn, Schöningh, 84, in-8, 390 p. (Kte).

3264. Mahanot ha-rikuz ha-naziim. (The Nazi concentration camps. Proceedings of the Fourth Yad Vashem Intern. Hist. Conference, Jerusalem, 20-24 Jan. 1980.) Jerusalem, Yad Vashem, 84, in-8, 590 p. (facsim, table, pl.).

3265. MAIER (Charles S.). The vulnerabilities of interwar Germany. J. mod. Hist., 84, vol. 56, n° 1, p. 89-99.

§ 2. SINGOLI STATI

3266. MAŁŁEK (Janusz). Prusy Królewskie a państwo prusko-brandenburskie w latach 152-1772. (La Prusse Royale et l'Etat prusso-brandebourgeois dans les années 1525-1772.) Roczn. gdański, 84, vol. 44, fasc. 1, p. 71-87.

3267. MEIER (Kurt). Der evangelische Kirchenkampf. Gesamtdarstellung in 3 Bd. [Bd 2. Cf. Bibl. 76-77, n° 3501.] Bd 3: Im Zeichen des zweiten Weltkrieges. Halle/S., Niemeyer, 84, in-8, 734 p.

3268. MENZE (Ernest A.). War aims and the liberal conscience: Lujo Brentano and annexationism during the first world war. Central european Hist., 84, vol. 17, n° 2-3, p. 140-158.

3269. MERKER (Wolfgang). Das Zentrale Staatsarchiv und seine Bestände zur Vorgeschichte und Geschichte der DDR von 1945 bis 1961. Jb. f. Gesch., 84, Bd 31, p. 359-377.

3270. MOELLER (Robert G.). The Kaiserreich recast? Continuity and change in modern German historiography. J. soc. Hist., 84, vol. 17, n° 4, p. 655-684.

3271. MOLDENHAUER (Rüdiger). Die schleswig-holsteinische Frage im Spiegel der Petitionen an die Frankfurter Nationalversammlung 1848-1849. Z. d. Ges. f. schleswig-holstein. Gesch., 84, Bd 109, p. 167-241.

3272. MOMMSEN (Wolfgang J.). Preußisches Staatsbewußtsein und deutsche Reichsidee. Preußen u. das Deutsche Reich in d. jüngeren deutschen Geschichte. Gesch. in Wiss. u. Unterr., 84, Jg. 35, p. 685-705.

3273. NACHAMA (Andreas). Ersatzbürger und Staatsbildung. Zur Zerstörung d. Bürgertums in Brandenburg-Preußen. Frankfurt (Main), Bern u. New York, Lang, 84, in-8, 267 p. (Schr. z. europ. Sozial- u. Verfassungsgesch., 1)

3274. Nationalsozialismus (Der) an der Macht. Aspekte nationalsozialist. Politik u. Herrschaft. Hrsg. v. Klaus MALETTKE. Göttingen, Vandenhoeck u. Ruprecht, 84, in-8, 200 p. (Kleine Vandenhoeck-Reihe, 1503)

3275. NEUHAUS (Helmut). Die Rheinischen Kurfürsten, der Kurrheinische Kreis und das Reich im 16. Jahrhundert. Rhein. Vjsbl., 84, Jg. 48, p. 138-160.

3276. NOAKES (Jeremy), PRIDHAM (Geoffrey). Nazism, 1919-1945. Vol. [1. Cf. Bibl. 83, n° 3343.] 2: State, economy and society, 1933-1939. Exeter, Univ. Press, 84, in-8, 412 p.

3277. OBENAUS (Herbert). Anfänge des Parlamentarismus in Preußen bis 1848. Düsseldorf, Droste, 84, in-8, 815 p.

3278. OTTO (Hans). Gründerzeit. Aufbruch einer Nation. Bonn, Keil, 84, in-8, 340 p. (ill.).

3279. OVERY (R.J.). Goering, the iron man. London, Routledge, 84, in-8, 320 p.

3280. PADFIELD (Peter). Dönitz, the last Führer. London, Gollancz, 84, in-8, 350 p. (ill.).

3281. PAINE (Lauran). The Abwehr. London, Hale, 84, in-8, 208 p. (ill.).

3282. PERJES (Géza). Clausewitz. Budapest, Magvető Kiadó, 83, in-8, 506 p. [en hongrois]

3283. PETERS (Jan). Exilland Schweden. Deutsche u. schwed. Antifaschisten 1933-1945. Berlin, Akad.-Verl., 84, XIII-244 p. (Abb.).

3284. PETERSON (L.). A social analysis of KPD supporters: the Hamburg insurrections of October 1923. Int. R. soc. Hist., 83, vol. 28, p. 200-239 (13 tab.).

3285. PFEIFFER (Gerhard). Bayern und Brandenburg-Preußen. Ein landesgeschichtl. Vergleich. München, Beck, 84, in-8, 215 p.

3286. Provinz unterm Hakenkreuz. Diktatur u. Widerstand in Ostwestfalen-Lippe. Wolfgang EMER, et al. (Hrsg.). Bielefeld, AJZ-Verl., 84, in-8, 314 p. (Ill.).

3287. RECHTER (Gerhard). Studien zur Geschichte der Reichsstadt Windsheim. Jb. f. fränk. Landesforsch., 84, Bd 44, p. 1-48.

3288. Reformen im rheinbündischen Deutschland. Hrsg. v. Eberhard WEIS unter Mitarb. v. Elisabeth MÜLLER-LUCKNER. München u. Wien, Oldenbourg, 84, in-8, XVI-310 p. (Schr. d. Hist. Kollegs, Kolloquien, 4)

3289. REISSNER (Alexander). Berlin, 1675-1945: the rise and fall of a metropolis. London, O. Wolff, 84, in-8, 200 p. (ill.).

3290. Repertorium der Kirchenvisitationsakten aus dem 16. und 17. Jahrhundert in Archiven der Bundesrepublik Deutschland. Hrsg. v. Ernst Walter ZEEDEN in Verbindung mit Peter Thaddäus LANG u. a. [Bd 1. Cf. Bibl. 82, n° 4640.] Bd 2: Baden-Württemberg. Teilband 1: Der katholische Südwesten, die Grafschaften Hohenlohe und Wertheim. [Dieser Band ist im Sonderforschungsbereich 8 Tübingen entstanden.] Hrsg. v. Peter Thaddäus LANG. Stuttgart, Klett-Cotta, 84, in-8, 567 p.

3291. Rheinland-Westfalen im Industriezeitaler. Beiträge zur Landesgesch. d. 19. u. 20. Jh. Im Auftr. d. Kultusministers d. Landes Nordrhein-Westfalen hrsg. v. Kurt DÜWELL u. Wolfgang KÖLLMANN. Bd 1: Von der Entstehung der Provinzen bis zur Reichsgründung. Bd 2: Von der Reichsgründung bis zur Weimarer Republik. Bd 3: Vom Ende der Weimarer Republik bis zum Land Nordrhein-Westfalen. Wuppertal, Hammer, 83-84, 3 vol. in-8, 350, 463, 384 p. (Ill., graph. Darst., Kt.).

3292. ROB (Klaus). Karl Theodor von Dalberg (1744-1817). Eine polit. Biographie f. d. Jahre 1744-1806. Frankfurt (Main), Bern, New York u. Nancy, Lang, 84, in-8, 583 p. (Europ. Hochschulschr., Reihe .3: Gesch. u. ihre Hilfswiss., 231)

3293. Rolle (Zur) der Frau in der Geschichte des deutschen Volkes (1830 bis 1945). Eine Chronik. Hrsg. im Auftr. d. forschungsgemeinschaft "Gesch. d. Kampfes d. Arbeiterklasse um d. Befreiung d. Frau" an d. Pädagog. Hochschule "Clara Zetkin" Leipzig von Hans Jürgen ARENDT ... Leipzig, Verl. f. d. Frau, 84, 304 p.

3294. ROLOFF (Ernst-August). Die bürgerliche Oberschicht in Braunschweig und der Nationalsozialismus: eine Stellungnahme. Central european Hist., 84, vol. 17, n° 1, p. 37-44.

3295. ROSS (Ronald J.). Enforcing the kulturkampf: the Bismarckian state and the limits of coercion in imperial Germany. J. mod. Hist., 84, vol. 56, n° 3, p. 456-482.

3296. ROTHENBERGER (Karl-Heinz). Die nationalsozialistische Machtübernahme in der Südpfalz (Januar - November 1933). Z. f. Gesch. d. Oberrheins, 84, Bd 132, p. 305-342.

3297. RÜCKERT (Joachim). Idealismus, Jurisprudenz und Politik bei Friedrich Carl von Savigny. Ebelsbach, Gremer, 84, in-8, XV-487 p.

3298. RÜRUP (Reinhard). Deutschland im 19. Jahrhundert, 1815-1871. Göttingen, Vandenhoeck u. Ruprecht, 84, in-8, 267 p. (Deutsche Gesch., 8. Kleine Vandenhoeck-Reihe, 1497)

3299. SABEAN (David Warren). Power in the blood: popular culture and village discourse in early modern Germany. London, Cambridge U.P., 84, in-8, 250 p.

3300. SCHMIDT (Georg). Die Haltung des Nürnberger Städtecorpus zur Reformation und die Nürnberger Bündnispolitik. Arch. f. Reformationsgesch., 84, Jg. 75, p. 194-233.

3301. SCHMITZ (Walter). Möglichkeiten und Grenzen der Toleranz im späten 16. Jahrhundert. Bonifacius Colin als kathol. Bürgermeister im protestant. Rat d. Reichsstadt Aachen (1582-1598). Z. d. Aachen. Gesch.-Ver., 83/84, Bd 90/91, p. 149-164.

3302. SCHÖLLGEN (Gregor). Sicherheit durch Expansion? Die außenpolit. Lageanalysen d. Hohenzollern im 17. u. 18. Jh. im Lichte d. Kontinuitätsproblems in d. preuß. u. deutschen Gesch. Hist. Jb., 84, Jg. 104, p. 22-45.

3303. SCHOEPS (Julius H.). Bismarck und sein Attentäter. Der Revolveranschlag Unter den Linden am 7. Mai 1866. Frankfurt (Main), Berlin u. Wien, Ullstein, 84, in-8, 188 p. (Ill.).

3304. SCHOEPS (Julius H.). Jüdische Identität und jüdisches Bewußtsein in Zeiten der Bedrängnis und Verfolgung. Ein im J. 1943 von Hans-Joachim Schoeps (1909-1980) geschriebener Brief an seinen Sohn. Z. f. Religions- u. Geistesgesch., 84, Bd 36, p. 1-5.

3305. SCHREYER (Hermann). Monarchismus und monarchistische Restaurationsbestrebungen in der Weimarer Republik. Jb. f. Gesch., 84, Bd 29, p. 291-320.

3306. SCHRÖDER (Horst). Friedrich Karl von Savigny, Geschichte und Rechtsdenken beim Übergang vom Feudalismus zum Kapitalismus in Deutschland. Frankfurt (Main), Bern, New York u. Nancy, Lang, 84, in-8, 408 p. (Rechtshist. Reihe, 36)

3307. SCHWEITZER (C.C.) a. others. Politics and government in the Federal Republic of Germany: basic documents. Leamington Spa, Berg, 84, in-8, 420 p.

3308. SHEPHERD (Naomi). Wilfred Israel, German Jewry's secret ambassador. London, Weidenfeld a. Nicolson, 84, in-8, 314 p.

3309. SHOWALTER (Dennis E.). "A tidal wave of degeneracy": national socialism and cultural politics in Nürnberg, 1923-1933. South Atlantic Quar., 84, vol. 83, n° 3, p. 283-296.

3310. STARITZ (Dietrich). Die Gründung der DDR: von den sowjetischen Besatzungsherrschaft zum sozialistischen Staat. München, Deutscher Taschenbuch-Verl., 84, in-8, 244 p. (Kte). (Dt. Gesch. d. neuesten Zeit, dtv 4524)

3311. STURM (Heribert). Nordgau - Egerland - Oberpfalz. Studien zu einer hist. Landschaft. München u. Wien, Oldenbourg, 84, in-8, 357 p. (Veröff. d. Collegium Carolinum, 43)

3312. SZÉKELY (Gábor). Hitler hatalomra jutása. (L'accession d'Hitler au pouvoir.) Budapest, Kossuth Kiadó, 83, in-8, 250 p. (16 pl.). (Népszerü törtènelem)

3313. TAKUMA (Fumio). Keimô-ki Hôten-Hensen no Kokka Shisô. 18-seiki matsu Puroisen-ôkoku no Rekishiteki Seikaku o megutte. (Der Staatsgedanke der Kodifikation. Zum geschichtl. Charakter d. preuß. Monarchie im ausgehenden 18. Jh.) Shigaku-Zasshi, 83, vol. 92, n° 1, p. 1-39. [Deutsche Zsfassung]

3314. TREUE (Wilhelm). Preußen im Spiegel neuerer Biographien. Nachlese zum "Preußen-Jahr" 1981. Jb. f. d. Gesch. Mittel- u. Ostdeutschlands, 84, Bd 33, p. 139-157.

3315. VANN (James Allen). The making of a state: Württemberg, 1593-1973. Ithaca, N.Y., Cornell U.P., 84, in-8, 321 p.

3316. VIERHAUS (Rudolf). Staaten und Stände. Vom Westfälischen bis zum Hubertusburger Frieden 1649-1763. Berlin, Propyläen, 84, in-4, 382 p. (Ill., graph. Darst., Kt.). (Propyläen-Gesch. Deutschlands, 5)

3317. VINOGRADOV (K.B.), GOSTENKOV (A.V.). Dni i dela Fridrikha Gol'štejna. (Days and deeds of Friedrich von Holstein.) Nov. novejš. Ist., 84, n° 2, p. 147-165.

3318. WEHLER (Hans-Ulrich). Bismarck und der Imperialismus. Frankfurt (Main), Suhrkamp, 84, in-8, 588 p.

§ 2. SINGOLI STATI 141

3319. WOLK (Monika). Wahlbewußtsein und Wahlerfahrung zwischen Tradition und Moderne [insbes. im Rheinland u. in Schwaben]. Hist. Z., 84, Bd 238, p. 311-352.

3320. WRZESIŃSKI (Wojciech). Narodowy socjalizm i Hitler w polskiej opinii publicznej okresu II Rzeczypospolitej. Zarys problematyki. (Le national-socialisme et Hitler vus par l'opinion publique polonaise de la IIe République. Précis de problématique.) Śląski Kwart. hist. Sobótka, 84, a. 39, n° 2, p. 147-182.

3321. YAMADA (Toru). Doitsu Kyōsan-to no Toitsusensen Undo no Kōzō, 1921-1944. (Le parti communiste allemand et le mouvement du front unique entre 1921 et 1944.) Kanagawa Hōgaku, 82, vol. 17, n° 1, p. 1-35.

3322. YASUNO (Masaaki). Doitsu Rempō Kyōwa Koku Seiritsu Zenshi ni okeru Doitsu-nai Tairitsu Kankei no Ichi Sokumen. (Ein Aspekt des innderdeutschen Konflikts in der Vorgeschichte der Bundesrepublik Deutschland: die Münchener Ministerpräsidenten-Konferenz Juni 1947.) Shigaku-Zasshi, 84, vol. 93, n° 7, p. 58-83. [Deutsche Zsfassung]

3323. ZEIGERT (Dieter). Die Artillerietruppe des Fürstbistums Münster 1655-1802. T. 1: Errichtung, Organisation u. Einsatz d. Artillerie unter Fürstbischof Christoph Bernhard von Galen (1650-1678). Westfäl. Z., 84, Bd 134, p. 9-106.

3324. Zwischen Demokratie und Diktatur. Nationalsozialist. Machtaneignung in Hamburg - Tendenzen u. Reaktionen in Europa. Hrsg. v. Ursula BÜTTNER u. Werner JOCHMANN. Hamburg, Christians, 84, in-8, 166 p. (Hamburger Beitr. z. Sozial- u. Zeitgesch., Beiheft, 1)

Cf. n°s 351, 4511, 4539, 5185.

Argentina.

** 3325. PERON (Juan Domingo). La hora de los pueblos. Buenos Aires, Docencia, 84, in-8, 170 p.

** 3326. Yrigoyen: el pensamiento escrito. Comp. por Gabriel del MAZO. Buenos Aires, Pequen, 84, in-8, 190 p.

3327. ALONSO PIÑEIRO (Armando). La historia argentina que muchos argentinos no conocen. 5a ed. Buenos Aires, Depalma, 84, in-8, 587 p.

3328. Arturo Frondizi: historia y problemática de un estadista. Vol. 2. Por Roberto G. PISARELLO VIRASORO y otros. Buenos Aires, Depalma, 84, in-8, 629 p.

3329. BABINI (Nicolás). Frondizi. Buenos Aires, Celtia, 84, in-8, 328 p.

3330. BLASI BRAMBILLA (Alberto). Crónicas del extraño Buenos Aires. 2a ed. Buenos Aires, Tres Tiempos, 84, in-8, 120 p.

3331. BOUILLY (Víctor). Interregno de los lomonegros. Buenos Aires, La Bastilla, 84, in-8, 234 p.

3332. BRUNO (Cayetano). La década laicista en la Argentina, 1880-1890. Buenos Aires, Don Bosco, 84, in-8, 176 p.

3333. BUSANICHE (José Luis). Historia argentina. Buenos Aires, Ed. del Cruzanante, 84, in-8, 308 p.

3334. CADENA DE HESSLING (María Teresa). Historia de Salta. Buenos Aires, del Docente, 84, in-8, 250 p.

3335. CANCLINI (Arnaldo). Ushuaia, 1884-1984. Buenos Aires, Asoc. Hanis, 84, in-4, 600 p.

3336. CASTELLO (Antonio). Historia de Corrientes. Buenos Aires, Plus Ultra, 84, in-8, 640 p.

3337. CLEMENTI (Hebe). Las fiestas patrias. Buenos Aires, Siglo Veinte, 84, in-8, 160 p.

3338. CRAWLEY (Eduardo). A house divided: Argentina, 1880-1980. London, C. Hurst, 84, in-8, 450 p.

3339. DABAT (Alejandro), LORENZANO (Luis). Argentina: the Malvinas and the end of military rule. Tr. from the Span. by R. JOHNSTONE. London, Verso Ed., 84, in-8, 208 p. (maps).

3340. Década (La) trágica. Por Alberto J. PLÁ y otros. Buenos Aires, Ed. Tierra del Fuego, 84, in-8, 268 p.

3341. DÍAZ DE MOLINA (Alfredo). El coronel José Javier Díaz y la verdad histórica. Buenos Aires, Platero, 84, in-8, 96 p.

3342. DIMITRÓPULOS (Libertad). Eva Perón. Buenos Aires, Centro Ed. de América Latina, 84, in-8, 160 p.

3343. FELISATTI (Antonio). Hipólito Yrigoyen. 11a ed. Buenos Aires, Pleamar, 84, in-8, 232 p.

3344. Bibl. 82, n° 3332. GILLISPIE (Richard). Soldiers of Peron: Argentina's Montoneros. - CR: C. Szusterman, J. lat. am. Stud., 84, vol. 16, p. 157-170.

3345. Historia argentina. Vol. 4: GOROSTEGUI DE TORRES (Haydée). La organización nacional. Vol. 5: GALLO (Ezequiel), CORTÉS CONDE (Roberto). La república conservadora. Buenos Aires, Paidós, 84, 2 vol. in-8, 144, 248 p.

3346. Historia marítima argentina. Por Laurio Hedelvio DESTÉFANI y otros. Vol. 3. 3a ed. Buenos Aires, Estado Mayor General de la Armada, 84, in-4, 616 p.

3347. HODGE (John E.). The role of the telegraph in the consolidation and expansion of the Argentine republic. Americas, 84, vol. 41, n° 1, p. 59-80.

3348. LEVENE (Gustavo Gabriel). Nueva

historia argentina. Vol. 8. 8a ed. Buenos Aires, Epuyen, 84, in-8, 405 p.

3349. LUNA (Félix). Perón y su tiempo. Vol. 1. Buenos Aires, Sudamericana, 84, in-8, 616 p.

3350. LYNCH (John). Juan Manuel de Rosas. Trad. por Benigno H. ANDRADA. Buenos Aires, Emecé, 84, in-8, 400 p.

3351. McGEE (Sandra F.). The visible and invisible Liga Patriótica Argentina, 1919-1928: gender roles and the right wing. Hisp. am. hist. R., 84, vol. 64, n° 2, p. 233-258.

3352. McLYNN (F.J.). The ideological basis of the Montonero risings in Argentina during the 1860s. Historian, 84, vol. 46, n° 2, p. 235-251.

3353. MOLINARI (Ricardo Luis). Buenos Aires: cuarto siglos. Buenos Aires, Tipográfica Ed. Argentina, 84, in-4, 434 p.

3354. NOVAYO (Julio C.). Mariano Moreno, secretario de guerra. Buenos Aires, Cartago, 84, in-8, 196 p.

3355. OBIETA (Adolfo de). Alberdi y la no violencia. Buenos Aires, Nereo, 84, in-8, 168 p.

3356. OCAMPO (Victoria). Autobiografía. Vol. 6. Buenos Aires, Ed. Revista Sur, 84, in-8, 136 p.

3357. PÁEZ DE LA TORRE (Carlos). El derrumbe de la Confederación. Buenos Aires, La Bastilla, 84, in-8, 312 p.

3358. POTASH (Robert A.). Perón y el G.O.U. Buenos Aires, Sudamericana, 84, in-8, 488 p. [G.O.U.: Grupo de Oficiales Unidosä

3359. RAMOS (Jorge Abelardo). La Factoría Pampeana, 1922-1943. Buenos Aires, Galerna, 84, in-8, 368 p.

3360. RAMOS (José Ignacio). Biografía de mi entorno. Buenos Aires, Legasa, 84, in-8, 350 p.

3361. ROMERO (José Luis). Breve historia de la Argentina. 6a ed. Buenos Aires, Ed. Abril, 84, in-8, 230 p.

3362. ROSA (José María). Historia argentina. Vol. 8. Buenos Aires, Oriente, 84, in-8, 396 p.

3363. SAN MARTINO DE DROMI (Laura). Alberdi y la conciencia nacional. Mendoza, Ciudad Argentina, 84, in-8, 50 p.

3364. ŠTĚCHOVÁ (Gabriela). Postavení dělnické třídy v Argentině v letech 1943-1970. (Position of the working class in Argentina, 1943-1970.) Sborn. hist., 84, vol. 30, p. 219-263.

3365. SZUCHMAN (Mark D.). Disorder and social control in Buenos Aires, 1810-1860. J. interdisc. Hist., 84, vol. 15, n° 1, p. 83-110.

3366. WALTER (Richard J.). Politics, parties, and elections in Argentina's province of Buenos Aires, 1912-42. Hisp. am. hist. R., 84, vol. 64, n° 4, p. 707-736.

Australia.

* 3367. Australia. Comp. by I. KEPARS. Santa Barbara, Calif., a. Oxford, England, Clio, 84, in-8, XVII-291 p. (World bibliogr. ser., 46)

3368. Australian (The) dictionary of biography. Vol. [8. Cf. Bibl. 81, n° 2826.] 9: 1891-1931. Melbourne, Univ. Press, 84, in-8, 677 p.

3369. BANDLER (Faith), FOX (Len). Time was ripe: the story of the Aboriginal-Australian Fellowship, 1956-1969. Cambridge, P. Moore, 84, in-8, VIII-204 p. (ill.).

3370. KELLY (Paul). The Hawke ascendancy, a definitive account of its origins and climax, 1975-1983. London, Angus a. Robertons, 84, in-8, 350 p.

3371. McQUEEN (Humphrey). Gallipoli to Petrov: arguing with Australian history. Sydney a. London, Allen a. Unwin, 84, in-8, 298 p.

3372. PENNIMAN (Howard R.). Australia at the polls: national elections of 1980 and 1981. Sydney a. London, Allen a. Unwin, 84, in-8, 362 p.

Austria.

* Cf. n°s III, 3179.

** 3373. COLE SPIELMANN (Danila), THOMAS (Christiane). Quellen zur Jugend Erzherzog Ferdinands I. in Spanien. Bisher unbekannte Briefe Karls V. an seinen Bruder (1514-1517). Mitt. d. österr. Staatsarch., 84, Bd 37, p. 1-34.

** 3374. FRICK (Adam). Erinnerungen eines Alt-Österreichers 1883-1975. Wien, Sensen-Verl., 84, in-8, 255 p. (8 p. Abb.).

** 3375. HACKL (Dietrich). Im Zentrum der Politik. Als Parlamentsstenograph im Hohen Haus. Wien, Köln u. Graz, Böhlau, 84, in-8, 133 p.

** 3376. Protokolle (Die) des österreichischen Ministerrates 1848-1867. Abt. 3: Das Ministerium Buol-Schauenstein. Bd 3: 11. Oktober 1853 - 19. Dezember 1854. Hrsg. v. Waltraud HEINDL. Wien, Österr. Bundesverl., 84, in-8, L-499 p. [Cf. Bibl. 83, n° 3419]

3377. ACKERL (Isabella). Die Türkenbefreiungsfeiern des Jahres 1933. Gesch. u. Gegenwart, 84, Bd 3, n° 1, p. 18-26.

3378. ANDICS (Hellmut). Luegerzeit. Das Schwarze Wien bis 1918. Wien u. München, Jugend & Volk, 84, in-8, 443 p.

§ 2. SINGOLI STATI

3379. ARDELT (Rudolf Gustav). Friedrich Adler. Probleme einer Persönlichkeitsentwicklung um die Jahrhundertwende. Wien, Österr. Bundesverl., 84, in-8, 323 p.

3380. Austrofaschismus. Beiträge über Politik, Ökonomie und Kultur 1934-1938. Hrsg. v. Emmerich TÁLOS, Wolfgang NEUGEBAUER. Wien, Verl. f. Gesellschaftskritik, 84, in-8, 286 p. (Österr. Texte z. Gesellschaftskritik, 18)

3381. BANFIELD (Gottfried Baron v.). Der Adler von Triest. Der letzte Maria-Theresien-Ritter erzählt sein Leben. Komm. v. Gunther MARTIN. Graz, Wien u. Köln, Styria, 84, in-8, 159 p.

3382. BERENGER (Jean). A propos d'un ouvrage récent [HOLL (Brigitte). Hofkammerpräsident G. Th. Graf Starhemberg ... [Cf. Bibl. 76-77, n° 3603]: les finances de l'Autriche à l'époque baroque (1650-2740). Hist., Ec. et Soc., 84, a. 3, n° 1, p. 221-245.

3383. BERNHARD (Reinhold). Vorarlberg im Brennpunkt politischen und geistigen Wandels 1789-1801. Dornbirn, Vorarlberger Verl.-Anst., 84, in-8, 378 p. (Vorarlberg in Gesch. u. Gegenwart, 1)

3384. BIHL (Wolfdieter). Andrij Šeptyćkyj und die österreichische Regierung. Österr. Osthefte, 84, Bd 26, n° 2, p. 563-578.

3385. BILZER (Franz Ferdinand). Die Torpedoboote der k. u. k. Kriegsmarine von 1875-1918. Graz, Weishaupt, 84, in-4, 200 p. (Beitr. z. österr. Marinegesch.)

3386. ELROD (Richard B.). Bernhard von Rechberg and the Metternichian tradition: the dilemma of conservative statecraft. J. mod. Hist., 84, vol. 56, n° 3, p. 430-455.

3387. EPPEL (Peter), GALANDA (Brigitte). Widerstand und Verfolgung in Tirol 1934-1945. Eine Dokumentation. Bd 1, 2. Wien, Österr. Bundesverl.; Wien u. München, Jugend & Volk, 84, 2 vol. in-8, XIX-662, VIII-658 p. (Abb.).

3388. ETSCHMANN (Wolfgang). Die Kämpfe in Österreich im Juli 1934. Wien, Österr. Bundesverl., 84, in-8, 77 p. (Abb.). (Militärhist. Schriftenreihe, 50) - IDEM. Der geheime Krieg - eine Widerstandsgruppe in Währing 1938-1944. Unser Währing, 84, Bd 19, n° 2, p. 44-47.

3389. EXENBERGER (Herbert), ZOITL (Helge). Februar 1934 in Wien. Chronik, Schauplätze, Gedenkstätten u. Augenzeugenberichte. Wien, Verl. d. SPÖ, 84, in-8, 96 p.

3390. FIELHAUER (Helmut Paul). "Und in Währing war überhaupt nix los". Erinnerungen an den Feber 1934. Unser Währing, 84, Bd 19, n° 2, p. 26-31.

3391. FINZ (Rudolf), DRESCHER (Evelyn). Korneuburg von der Jahrhundertwende bis heute. Korneuburg, Museumsverein, 84, in-8, 370 p.

3392. FREIHAMMER (Josef). Die Erste Republik am Beispiel Amstetten. Amstetten, Kulturamt, 84, in-8, 61 p. (Amstettener Beitr.)

3393. FUCHS (Ferdinand). Heimat Außerfern. Eine Heimatkunde d. Bezirkes Reutte. Reutte, Außenferner Druck- u. Verlagsges., 84, in-8, 196 p.

3394. GARSCHA (Winfried R.), HAUTMANN (Hans). Februar 1934 in Österreich. Berlin, Dietz, 84, 210 p. (Abb., Kt.).

3395. GREIPL (Egon Johannes). Römische Kurie und katholische Partei. Die Auseinandersetzung um d. Christlichsozialen in Österreich im J. 1895. Quellen u. Forsch., 84, Bd 64, p. 284-344.

3396. GRUBER (Fritz). Gasteiner Miszellen. Beiträge z. Gesch., z. Literatur- u. Namenskunde. Leoben, Verein Montandenkmal Altböckstein, 84, in-8, 47 p. (Böcksteiner Montana, 7)

3397. GUTKAS (Karl). Österreich im Schicksalsjahr 1914. Vom Frieden in den Krieg. St. Pölten, Museumsverein Pottenbrunn, 84, in-8, 80 p. (4 p. Abb.).

3398. HABA (Kumiko). Hapusuburuku Teikoku Makki no Hangarī ni okeru Minzoku to Kokka. (The nationality and state question of the Hungarian kingdom in the Habsburg monarchy). Shigaku-Zasshi, 84, vol. 93, n° 11, p. 1-36. [Eng. summary]

3399. HAMMINGER (Josef Dominicus). Der Leopoldiberg unter dem Hammer. Dokumentation z. Aufhebung d. kaiserl.-königl. Schloßkapelle auf d. Kallenberg-Leopoldsberg u. z. Versteigerung d. dazugehörigen Besitzeungen unter Kaiser Joseph II. 1782. Wien, Wien. Kath. Akad., 84, in-4, 125 p. (Wien. Kath. Akad. Miscellanea. Arbeitskreis f. kirchl. Zeit- u. Wiener Diözesangesch., N.R., 196)

3400. HANISCH (Ernst). Die Christlichsoziale Partei für das Land Salzburg 1918-1934. Mitt. d. Ges. f. salzburg. Landeskde, 84, Bd 124, p. 477-496.

3401. HEINZ (Karl Hans). E. K. Winter, ein Katholik zwischen Österreichs Fronten 1933-1938. Köln u. Wien, Böhlau, 84, in-8, 429 p. (Dok. zu Alltag, Politik u. Zeitgesch., 4)

3402. IVANIŠEVIĆ (Alojz). Kroatische Politik der Wiener Zentralstellen von 1849 bis 1852. Wien, Verb. d. Wiss. Ges. Österr., 84, in-8, VI-202 p. (Diss. d. Univ. Wien, 168)

3403. KEREKES (Lajos). Az "osztrák" Ausztria keletkezése. Gondolatok az osztrák nemzet-tudat fejlődéséről, 1918-1968. (Naissance de l'Autriche "autrichienne". Réflexions sur l'évolution de l'identité nationale autrichienne.) Századok, 84, vol. 118, n° 6, p. 1117-1148.

3304. KINDERMANN (G.-K.). Hitlers Niederlage in Österreich. Bewaffneter NS-Putsch, Kanzlermord u. Österreichs Abwehrsieg von 1934. Hamburg, Hoffmann u. Campe, 84, in-8, 279 p.

3405. KLEIN (Fritz). Weltpolitische Ambitionen Österreich-Ungarns vor 1914. Jb. f. Gesch., 84, Bd 29, p. 263-289.

3406. KLUGE (Ulrich). Der österreichische Ständestaat 1934-1938. Entstehung u. Scheitern. Wien, Verl. f. Gesch. u. Politik, 84, in-8, 157 p.

3407. KOCH (Klaus). Generaladjutant Graf Crenneville. Politik u. Militär zwischen Krimkrieg u. Königgrätz. Wien, Österr. Bundesverl., 84, in-8, 252 p. (Militärgeschichtl. Diss. österr. Univ., 3)

3408. KRETZENBACHER (Leopold). Ein neapolitanischer Gelehrter reist 1824 durch Kärnten. Österr. Z. f. Volkskde, 84, Bd 87, p. 5-20.

3409. MARKUS (Georg). Der Fall Redl. Mit unveröff. Geheimdokumenten z. folgenschwersten Spionage-Affaire d. Jahrhunderts. Wien u. München, Amalthea, 84, in-8, 286 p. (12 p. Abb.).

3410. MARKUS (Georg). Katharina Schratt. Die heimliche Frau des Kaisers [Franz Joseph]. Wien, Buchgemeinschaft Donauland, 84, in-8, 298 p. (12 p. Abb.).

3411. Österreich 1934-1984. Erfahrungen, Erkenntnisse, Besinnung. Hrsg. v. Joseph Franz DESPUT. Graz, Wien u. Köln, Styria, 84, in-8, 239 p.

3412. OPLL (Ferdinand). Perchtoldsdorf, Brunn am Gebirge, Maria Enzersdorf a. G. Wien u. München, Jugend & Volk, 84, in-8, 72 p. (Niederösterr. Kulturführer)

3413. PANDULA (Attila). Damenorden und Auszeichnungen für Frauen im Reich der Habsburger. A. Univ. Sci. Budapestiensis, Sectio hist., 83, vol. 23, p. 271-290.

3414. PFERSCHY (Gerhard). Das Jahr 1934 in der Steiermark. Bl. f. Heimatkde [Graz], 84, Bd 58, p. 45-50.

3415. PIZZININI (Meinrad). Andreas Hofer. Seine Zeit. Sein Leben. Sein Mythos. Wien, Kremayr & Scheriau, 84, in-8, 268 p.

3416. POPP (Gerhard). CV (Cartellverband) in Österreich 1864-1938. Organisation, Binnenstruktur u. polit. Funktion. Wien, Köln u. Graz, Böhlau, 84, in-8, 383 p. (7 p. Abb.). (Schr. d. Karl v. Vogelsang-Inst., 2)

3417. REICHHOLD (Ludwig). Einsamer Rufer in der Wüste. Leopold Kunschak und der 12. Februar 1934. Gesch. u. Gegenwart, 84, Bd 3, n° 1, p. 41-46.

3418. REINALTER (Helmut). Jakobiner in Oberösterreich. Oberösterr. Heimatbl., 84, Bd 38, n° 4, p. 293-310.

3419. RILL (Gerhard). Petrus Julianus - Daten und Hintergründe seines Verrats (1524/26). Mitt. d. oberösterr. Landesarch., 84, Bd 14, p. 27-45.

3420. SAXINGER (Franz). Kollerschlag, Juli 1934. Dokumentation zum Einfall der "Österreichischen Legion". Kollerschlag, Gemeinde, 84, in-4, 41 p.

3421. SCHOBER (Richard). Geschichte des Tiroler Landtages im 19. und 20. Jahrhundert. Innsbruck, Wagner, 84, in-8, 639 p. (Veröff. d. Tiroler Landesarch., 4)

3422. SCHWAGER (Ernst). Die österreichische Emigration in Frankreich 1938-945. Wien, Köln u. Graz, Böhlau, 84, in-8, 192 p. (Veröff. d. Komm. f. Neuere Gesch. Österr., 74)

3423. SEHNAL (Christine). Die Bürgermeisterwahlen in Wien 1900-1918 im Spiegel der öffentlichen Meinung. Wien, Verb. d. Wiss. Ges. Österr., 84, in-8, VIII-380 p. (Diss. d. Univ. Wien, 167)

3424. SIKLÓS (András). Adalékok az Osztrák-Magyar Monarchia belsö helyzetéhez 1918 tavaszán és nyarán. (Contributions concernant la situation interne de la monarchie austro-hongroise au cours du printemps et de l'été 1918.) Tört. Szle, 83, vol. 26, n° 1, p. 1-35.

3425. SIMÁNYI (Tibor). Kaunitz, Staatskanzler Maria Theresias. Wien u. München, Amalthea, 84, in-8, 446 p. (2 p. Abb.).

3426. SIMON (Walter B.). Österreich 1918-1938. Ideologien u. Politik, Wien, Köln u. Graz, Böhlau, 84, in-8, 183 p. (Böhlaus zeitgeschichtl. Bibliothek, 5)

3427. SLAPNICKA (Harry). Christlichsoziale in Oberösterreich. Vom Katholikenverein 1848 bis z. Ende d. Christlichsozialen 1934. Linz, OLV-Buchverl., 84, in-8, 411 p. (Beitr. z. Zeitgesch. Oberösterr., 10) - IDEM. Das Welser Kaiser-Josef-Denkmal und die Frühgeschichte des Parteiwesens in Oberösterreich. Mitt. d. oberösterr. Landesarch., 84, Bd 14, p. 449-464.

3428. SOMOGYI (Éva). Vom Zentralismus zum Dualismus. Der Weg d. deutschösterr. Liberalen zum Ausgleich v. 1867. Budapest, Akad. Kiadó; Wiesbaden, Steiner, 83, in-8, 119 p.

3429. STAUDINGER (Anton). Konzentrationsregierung, Bürgerblock oder präsidiales Minderheitsregime? Zum angeblichen Koalitionsangebot Ignaz Seipels an d. Sozialdemokratie im Juni 1931. Zeitgesch., 84, Bd 12, n° 1, p. 1-18. - IDEM. Zum Plan einer Konzentrationsregierung im Juni 1931. Archiv, 84, Bd 24, n° 2, p. 2-7.

3430. STAUDINGER (Eduard G.). Die Alpine Montangesellschaft im Juli 1934. Bl. f. Heimatkde [Graz], 84, Bd 58, p. 15-25.

3431. STEINBÖCK (Erwin), BAUMGARTNER (Lothar). Die Uniformen der K.K. Österreichischen und K.u.K. Österreichisch-Ungarischen Kriegsmarine. Graz, Weishaupt, 84, in-4, 103 p. (Beitr. z. österr. Marinegesch.)

3432. STEINKELLNER (Friedrich). Georg Lienbacher. Salzburger Abgeordneter zwischen Konservatismus, Liberalismus u. Nationalismus, 1870-1896. Wien u. Salzburg, Geyer, 84, in-8, 411 p. (Publ. d. Inst. f.

§ 2. SINGOLI STATI

kirchl. Zeitgesch., 2, 14. Veröff. d. Internat. Forschungszentrums f. Grundfragen d. Wiss. Salzburg, N. F., 17)

3433. THEUER (Franz). Brennendes Land. Kuruzzenkriege. Ein hist. Bericht. Wien, Köln u. Graz, Böhlau, 84, in-8, 347 p. (12 Abb.). (Ein Böhlau-Sonderband)

3434. TOBLER (Felix). Die Wanderung und Ansiedlung kroatischer Kolonisten im österreichisch-ungarischen Grenzgebiet im 16. Jahrhundert - Bedingungen und Kräfte. Österr. Osthefte, 84, Bd 26, n° 2, p. 233-245.

3435. UNKART (Ralf), GLANTSCHNIG (Gerold), OGRIS (Alfred). Zur Lage der Slowenen in Kärnten. Die slowen. Volksgruppe u. die Wahlkreiseinteilung 1979 - eine Dokumentation. Klagenfurt, Verl. d. Kärntner Landesarch., 84, in-8, 432 p. (Das Kärntner Landesarch., 11)

3436. VOGEL (Roland). Die Entwicklung des österreichischen Bundesheeres und des Verteidigunskonzeptes in der Zweiten Republik. Gesch. u. Gegenwart, 84, Bd 3, n° 1, p. 27-38.

3437. WACHA (Georg). Matthias Archidux Austriae. Mitt. d. oberösterr. Landesarch., 84, Bd 14, p. 231-240.

3438. WADL (Wilhelm). Die demokratische Bewegung in Kärnten im Jahre 1848. Carinthia, 84, Bd 174, p. 375-412. - Auch in: Österr. in Gesch. u. Lit., 84, Bd 28, n° 2, p. 65-86.

3439. WANDRUSZKA (Adam). Zum "Absolutismus" Ferdinands II. Mitt. d. oberösterr. Landesarch., 84, Bd 14, p. 261-268.

3440. WANDRUSZKA (Adam), REININGHAUS (Mariella). Der Ballhausplatz. Wien u. Hamburg, Zsolnay, 84, in-8, 126 p. (8 p. Abb.). (Wien. Geschichtsbücher, 33)

3441. WEIDENHOLZER (Josef), PERFAHL (Brigitte), HUMMER (Hubert). "Es wird nicht mehr verhandelt ..." Der 12. Februar 1934 in Oberösterreich. Linz, Ludwig-Boltzmann-Inst. f. Gesch. d. Arbeiterbewegung, Univ. Linz, 84, in-8, 103 p. (Eine Publ. d. Ludwig-Boltzmann-Inst. f. Gesch. d. Arbeiterbew.)

3442. WEISSENSTEINER (Friedrich). Franz Ferdinand, der verhinderte Herrscher. Wien, Buchgemeinschaft Donauland, 84, in-8, 246 p.

3443. WIESFLECKER (Hermann). Die Bedeutung des Landes Tirol für Kaiser Maximilian I. Tiroler Heimat, 82-83 [84], Bd 46-47, p. 65-75. - IDEM. Die Städtepolitik Kaiser Maximilians I. Mitt. d. oberösterr. Landesarch., 84, Bd 14, p. 13-25.

3444. ZILLER (Leopold). Das Kuchler Bürgerbuch, 1584-1984. Jubiläumsschrift d. Bürgerschaft Kuchl. Kuchl, Verein "Bürgerschaft Kuchl", 84, in-8, 276 p.

Cf. n°s 4860, 6586.

Bahrain.

* 3445. Bahrain. Comp. by P. T. UNWIN. Santa Barbara, Calif., a. Oxford, England, Clio, 84, in-8, XXXII-265 p. (World bibliogr. ser., 49

Belgio.

* Cf. n° XII.

3446. GUBIN (E.). Flamingantisme et patriotisme en Belgique au XIXe siècle. In: Natievorming van België en Nederland ... [Cf. n° 3144], p. 558-576.

3447. KEYES (Roger). Outrageous fortune: the tragedy of Leopold III of the Belgians, 1901-1941. London, Secker a. Warburg, 84, in-8, 544 p. (ill.).

3448. POLASKY (Janet L.). Traditionalists, democrats, and Jacobins in revolutionary Brussels. J. mod. Hist., 84, vol. 56, n° 2, p. 227-262.

3449. SCHEPENS (Luc). Albert Ier et le gouvernement Broqueville, 1914-1918. Aux origines de la question communautaire. Paris, Duculot, 84, in-8, 271 p. (Document Duculot)

3450. SOETE (J.L.). Evolution du catholicisme politique en Belgique de 1831 à 1884. La structuration des forces catholiques et la question du programme. T. Gesch., 83, vol. 96, p. 193-202.

Cf. n°s 4160, 4807.

Bolivia.

3451. DUNKERLEY (James). Rebellion in the veins: the political struggle in Bolivia, 1952-1982. London, Verso, 84, in-8, 400 p. (ill.).

3452. PRADO-SALMON (G.). Poder y fuerzas armadas, 1949-1982. La Paz, Amigos del Libro, 84, in-8, 518 p.

Botswana.

3453. SOUTHALL (Roger). Botswana as a host country for refugees. J. Commonw. compar. Pol., 84, vol. 22, p. 151-179.

Brasile.

3454. McCANN (Frank D.). The formative period of twentieth-century Brazilian army thouhgt, 1900-1922. Hisp. am. hist. R., 84, vol. 64, n° 4, p. 737-766.

3455. MAEYAMA (Takashi). Tekiô no Ronri to Shinri. Burajiru Nikkei Jin no Bokoku Haisenji no Hendô. (Un problème d'assimilation: le réaction des immigrés japonais au Brésil à la défaite de leur patrie dans la deuxième guerre mondiale.) Tsukuba Daigaku Rekishi Jinrui, 84, vol. 12, p. 127-152.

3456. TOPIK (Steven). State autonomy in economic policy: Brazil's experience in 1822-1930. J. inter-am. Stud. a. World Affairs, 84, vol. 26, n° 4, p. 449-476.

Bulgaria.

3457. AROJO (Žak). Otnosno kriteriite na socializma. (Au sujet des critères du socialisme.) Izv. Inst. Ist. BKP, 82, n° 46, p. 183-225.

3458. Bǎlgarskata komunističeska partija i kulturata. V 2 toma. (Le Parti communiste bulgare et la culture. En 2 vol.) Vol. 2: 1944-1981. Réd.: Atanas STOJKOV. Sofija, BAN, 83, in-8, 728 p.

3459. BEROV (Ljuben). Promeni v realnite dokhodi na trudeštite se v NR Bǎlgarija. (Changements dans les revenus réels des travailleurs en RP de Bulgarie.) Ist. Pregled, 82, n° 3, p. 3-13.

3460. DASKALOV (Dončo). 1923 godina. Sǎdbonosni rešenija i sǎbitija. (L'année 1923. Décisions et événements fatals.) Sofija, Partizdat, 83, in-8, 216 p.

3461. GENOVSKI (Mikhail). Aleksandǎr Stambolijski otblizo i otdaleko. Dokumentirani spomeni. (Alexandre Stambolijski de près et de loin. Mémoires documentaires.) Sovija, Partizdat, 82, in-8, 459 p.

3462. GEORGIEV (Georgi S.). Le premier assaut contre le fascisme: l'insurrection antifasciste de septembre 1923 en Bulgarie. Sofija, Sofia-Presse, 83, in-8, 206 p.

3463. GOCEV (Dimitǎr), ALEKSANDROV (Ivan). Kǎm vǎprosa za sǎštnostta na vodenite ot Bǎlgarija vojni prez 1885-1918 g. i otnošenieto kǎm tjakh na bǎlgarskoto naselenie v Makedonija i Odrinska Trakija. (Contribution au problème des traits fondamentaux des guerres menées par la Bulgarie en 1885-1918 et de l'attitude de la population bulgare de la Macédoine et de la Thrace occidentale envers elles.) Voen. ist. Sbornik, 82, n° 1, p. 3-21.

3464. HRISTOV (Hristo), KOSEV (Dimitǎr), PANAJOTOV (Ljubomir). The Illinden-Preobrazhenie Uprising of 1903. Sofija, Sofia-Press, 83, in-8, 90 p.

3465. ISUSOV (Mito). Komunističeskata partija i revoljucionnijat proces v Bǎlgarija 1944-1948. (Le Parti communiste et le processus révolutionnaire en Bulgarie 1944-1948.) Sofija, Partizdat, 83, in-8, 338 p.

3466. KADACKIJ (V.F.). Političeskaja bor'ba v Bolgarii. 30-e gody XX v. (Poltical struggle in Bulgaria in the 30s of the 20th century.) Moskva, Nauka, 84, 159 p. (AN SSSR. In-t slavjanovedenija i balkanistiki)

3467. KOLÁŘ (Josef). Proti monarchii a fašismu. (Gegen Monarchie und Faschismus.) Praha, Panorama, 84, in-8, 270 p. (15 fig.).

3468. MITEV (Trendafil). Bǎlgarskata rabotničeska klasa i Septemvrijskoto vǎstanie 1923. (La classe ouvrière bulgare et l'insurrection de Septembre 1923.) Sofija, Partizdat, 83, in-8, 138 p.

3469. NIKOLOV (Canko). Bǎlgarskata obštestvenost za Sǎvetskija sǎjuz 1926-1936. (L'opinion publique bulgare sur l'Union Soviétique 1926-1936.) Sofija, Partizdat, 82, in-8, 200 p.

3470. PALEŠUTSKI (Kostadin). Ilindensko-Preobraženskoto vǎstanie v Serskija revoljucionen okrǎg. (L'Insurrection d'Ilinden-Preobraženie [1903] dans le district révolutionnaire de Ser.) Ist. Pregled, 83, n° 3, p. 3-13.

3471. PANJOTOV (Ljubomir). Ilindensko-Preobražensko vǎstanie 1903. (L'Insurrection d'Ilinden-Preobraženie 1903.) Sofija, Nauka i Izkustvo, 83, in-8, 151 p.

3472. PANAJOTOV (Ljubomir), ŠOPOV (Jordan). Ilindensko-Preobražensko vǎstanie 1903. Khronologija. (L'Insurrection d'Ilinden-Preobraženie de 1903. Chronologie.) Sofija, Nar. Prosveta, 83, in-8, 174 p.

3473. STATELOVA (Elena). Iztočna Rumelija (1879-1885). Ikonomika, Politika. Kultura. (La Roumélie orientale 1879-1885. Economie. Politique. Culture.) Sofoja, BAN, 83, in-8, 379 p.

3474. TODOROVA (Cvetana). Otnovo za "prevrata" prez 1881 god. i režima na pǎlnomoštijata. (Encore une fois sur le "Coup d'Etat" de 1881 et le "régime des procurations".) Izv. bǎlgars. ist. Druž., 83, n° 35, p. 31-124.

3475. VǍLKOV (Georgi). Bǎlgarskoto opǎlčenie. Formirane, bojno izpolzvane i istoričeska sǎdba. (Le volontariat bulgare. Formation, usage militaire et destin historique.) Sofija, Voen. Izd., 83, in-8, 448 p.

3476. ZLATEV (Zlatko). Problemi na prekhoda ot kapitalizma kǎm socializma v Bǎlgarija. (Problèmes de la transition du capitalisme au socialisme en Bulgarie.) Sofija, BAN, 82, in-8, 255 p.

Canada.

3477. BELANGER (Réal). Paul-Emile Lamarche: le pays avant le parti, 1904-1918. Québec, Presses de l'Univ. Laval, 84, in-8, 439 p.

3478. THOMSON (Dale C.). Jean Lesage et la Révolution tranquille. Saint-Laurent, Québec, Trécarré, 84, in-8, 616 p. (ill.).

3479. Bibl. 82, n° 3390. TIŠKOV (V.A.), KOŠELEV (L.V.). Istorija Kanady. (The history of Canada.) CR: V. B. Evtukh, Nov. novejš. Ist., 84, n° 2, p. 192-194.

Centrafrica.

3480. ZOCTIZOUM (Y.). Histoire de la Centrafrique. T. 1, 2. Paris, L'Harmattan, 83-84, 2 vol. in-8, 300, 382 p.

§ 2. SINGOLI STATI

Cile.

3481. ZEITLIN (Maurice). The civil wars in Chile (or the bourgeois revolutions that never were). Princeton, N.J., Princeton U.P., 84, in-8, XIII-265 p.

Colombia.

3482. HARTLYN (Jonathan). Military governments and the transition to civilian rule: the Colombian experience of 1957-1958. J. inter-am. Stud. a. World Affairs, 84, vol. 26, n° 2, p. 245-281.

Cuba.

3483. Kuba: gody bor'by i cozidanija, 1959-1984. (Cuba: years of struggle and creation, 1959-1984.) Sbornik statej. Otv. red. M. A. MANASOV. Moskva, 84, 166 p. (AN SSSR. In-t ėkonomiki mirovoj soc. sistemy)

3484. LARIN (E.A.). Kubinskaja revoljucija i razvitie istoričeskoj nauki na Kube. (Cuban revolution and development of historical science in Cuba.) Nov. novejš. Ist., 84, n° 2, p. 32-44.

3485. WELCH (Richard E.) Jr. Herbert L. Matthews and the Cuban revolution. Historian, 84, vol. 47, n° 1, p. 1-18.

Egitto.

3486. GILLESPIE (Kate). Tripartite relationship: government, foreign investors and local investors during Egypt's economic opening. London, Praeger, 84, in-8, 240 p.

3487. HUNTER (F. Robert). Egypt under the Khedives, 1805-1879: from household government to modern bureaucracy. Pittsburgh, Penn., Univ. of Pittsburgh Press, 84, in-8, XV-283 p.

3488. KOŠELEV (V.S.). Egipet: uroki istorii. Bor'ba protiv kolonial'nogo gospodstva i kontrrevoljucii (1879-1891). (Egypt: lessons of history. The struggle against colonial domination and counter-revolution.) Minsk, Universitetskoe, 84, 206 p.

3489. KOVTUNOVIČ (O.V.). Revoljucija "svobodnykh oficerov" v Egipte. (The revolution of "free officers" in Egypt.) Moskva, Nauka, 84, 164 p. (AN SSSR. In-t vostokovedenija)

3490. MARSOT (Afaf Lutfi Al-Sayyid). Egypt in the reign of Muhammad Ali. London a. New York, Cambridge U.P., 84, in-8, X-300 p. (Cambridge Middle East Library)

3491. STAJUDA (Teresa). U źródeł egipskiego nacjonalizmu. Egipskie ruchy polityczne 1882-1914. (Aux origines du nationalisme égyptien. Les mouvements politiques en Egypte 1882-1914.) Wrocław, Zakł. Narod. im. Ossolińskich, 84, in-8, 119 p. (Pol. Akad. Nauk, Zakł. Krajów Pozaeuropejskich)

3492. TIGNOR (Robert L.). State, private enterprise, and economic change in Egypt, 1918-1952. Princeton, N.J., Princeton U.P., 84, in-8, XVI-317 p. (Princeton Stud. on the Near East)

Spagna.

3493. ARCE ROBLEDO (C. de). Los generales de Franco. Barcelona, Mitre, 84, in-8, 324 p.

3494. BALLBÉ (M.). Orden público y militarismo en la España constitucional, 1812-1983. Madrid, Alianza, 83, in-8, 488 p.

3495. BERNECKER (Walther L.). Spaniens Geschichte seit dem Bürgerkrieg. München, Beck, 84, in-8, 293 p. (Kte). (Beck'sche Schwarze Reihe, 284)

3496. CALLAHAN (William J.). Church, politics, and society in Spain, 1750-1874. Cambridge, Mass., Harvard U.P., 84, in-8, 325 p. (Harvard Hist. Monogr., 73)

3497. CHAUCHADIS (Claude). Honneur, morale et société dans l'Espagne de Philippe II. Paris, Ed. du C.N.R.S., 84, in-8, 256 p. (fig.).

3498. COVERDALE (John F.). The Basque phase of Spain's first Carlist war. Princeton, N.J., Princeton U.P., 84, in-8, IX-332 p.

3499. EINHORN (Marion). Britische und amerikanische Strategien zur Erhaltung bestehender Klassenstrukturen und Machtverhältnisse in Spanien 1945 bis 1948. Jb. f. Gesch., 84, Bd 30, p. 179-293.

3500. FERRER BENIMELI (José A.). El motín de Esquilache y sus consecuencias según la correspondencia diplomática francesa. Arch. hist. Soc. Iesu, 84, a. 53, fasc. 105, p. 193-219.

3501. HEINE (Hartmut). Geschichte Spaniens in der frühen Neuzeit, 1400-1800. München, Beck, 84, in-8, 213 p. (3 Kt.). (Gesch. Spaniens v. Mittelalter bis z. Gegenwart, 2)

3502. KOECHLIN (Heiner). Die Tragödie der Freiheit - Spanien 1936-1937. Die span. Revolution - Ideen u. Ereignisse. Berlin, Kramer, 84, in-8, 299 p. (Ill.).

3503. LA CIERVA (R. de). Historia del socialismo en España 1879-1983. Barcelona, Plantea, 83, in-8, 279 p.

3504. McDONOUGH (Peter), BARNES (Samuel H.), PINA (Antonio López). Authority and association: Spanish democracy in comparative perspective. J. Politics, 84, vol. 46, n° 3, p. 652-688.

3505. Morisques (Les) et leur temps. Table ronde internat., 4-7 juillet 1981, Montpellier. Préf. de Louis CARDAILLAC. Paris, Ed. du C.N.R.S., 84, in-8, 554 p. (8 fig., 21 tabl., 2 cartes).

3506. OKAZUMI (Masahide). 1861 nen no

Roha-hōki no Kenkyū. Dai-ichi Intanashonaru Zenya no Supein-Andarushia no Nōmin Undo. (Estudio sobre la sublevación de Loja de 1861. Movimiento campesino andaluz en vísperas de la I Internacional en España.) Supein-shi Kenkyū, 83, vol. 1, p. 2-19. [Rés. espagnol]

3507. PRESTON (Paul). Revolution and war in Spain. London, Methuen, 84, in-8, 320 p.

3508. SHUBERT (Adrian). The military threat to Spanish democracy: a historical perspective. Armes Forces a. Soc., 84, vol. 10, n° 4, p. 529-542.

Cf. n° 578, 6672.

Stati Uniti d'America.

* 3509. BURNS (Richard Dean). Harry S. Truman: a bibliography of his times and presidency. Wilmington, Del., Scholarly Resources, 84, XLVIII-297 p.

* 3510. Nuclear America: a historical bibliography. Santa Barbara, Calif., ABC-Clio, 84, in-8, XIII-184 p. (Research Guides, 3)

* 3511. SCHLACTER (Gail). The American presidency: a historical bibliography. Santa Barbara, Calif., ABC-Clio, 84, in-8, VIII-376 p. (Clio bibliogr. Ser., 15)

* 3512. Social reform and reaction in America: an annotated bibliography. Santa Barbara, Calif., ABC-Clio, 84, in-8, VIII-256 p. (Clio bibliogr. Ser., 13)

* 3513. Southern history in periodicals, 1983: a selected bibliography. J. south. Hist., 84, vol. 50, n° 2, p. 251-284. [Cf. Bibl. 82, n° 3428]

* 3514. Writings on American history. A subject bibliography of articles. [1981-1982. Cf. Bibl. 83, n° 3520.] 1982-1983. Ed. by Cecelia DADIAN a. others. Millwood, N.Y., Kraus Internat., 84, XVII-245 p.

** 3515. CALHOUN (John C.). The papers of John C. Calhoun. [Vol. 15. Cf. Bibl. 83, n° 3521.] Vol. 16: 1841-1843. Ed. by Clyde N. WILSON a. others. Columbia, Univ. of South Carolina Press, 84, in-8, XXXII-744 p.

** 3516. CLAY (Henry). The papers of Henry Clay. [Vol. 7. Cf. Bibl. 82, n° 3432.] Vol. 8: Candidate, compromiser, Whig, March 5, 1829 - December 31, 1836. Ed. by Robert SEAGER II, Melba Porter HAY. Lexington, Univ. Press of Kentucky, 84, XII-948 p.

** 3517. Documentary (The) history of the first federal elections, 1788-1790. [Vol. 1. Cf. Bibl. 76-77, n° 3777.] Vol. 2. Ed. by Gordon DenBOER a. others. Madison, Univ. of Wisconsin Press, 84, XXII-522 p.

** 3518. Documentary (The) history of the ratification of the constitution. [Vol. 14. Cf. Bibl. 83, n° 3523.] Vol. 15: Commentaries on the constitution: public and private. Pt. 3: 18 December 1787 to 31 January 1788. Ed. by John P. KAMINSKI, Gaspare J. SALADINO a. others. Madison, State Hist. Soc. of Wisconsin, 84, XXIV-620 p.

** 3519. EISENHOWER (Dwight David). The papers of Dwight David Eisenhower. [Vol. 6-9. Cf. Bibl. 78-79, n° 3467.] Vol. 10, 11: Columbian university. Ed. by Louis GALAMBOS a. others. Baltimore, Md., Johns Hopkins U.P., 84, 2 vol., XXIII-845; VI p., p. 851-1708.

** 3520. FRANKLIN (Benjamin). The papers of Benjamin Franklin. [Vol. 23. Cf. Bibl. 83, n° 3524.] Vol. 24: May 1 through September 30, 1777. Ed. by William B. WILLCOX a. others. New Haven, Conn., Yale U.P., 84, LVI-602 p.

** 3521. GRANT (Ulysses S.). The papers of Ulysses S. Grant. [Vol. 9, 10. Cf. Bibl. 82, n° 3436.] Vol. 11: June 1 - August 15, 1864. Vol. 12: August 16 - November 15, 1864. Ed. by John Y. SIMON a. others. Carbondale, Southern Illinois U.P., 84, 2 vol. in-8, XXVI-497, XXVI-528 p.

** 3522. JACKSON (Andrew). The papers of Andrew Jackson. [Vol. 1. Cf. Bibl. 80, n° 3047.] Vol. 2: 1804-1813. Ed. by Harold D. MOSER, Sharon MacPHERSON. Knoxville, Univ. of Tennessee Press, 84, XXVII-634 p.

** 3523. JEFFERSON (Thomas). Writings: Notes of the State of Virginia, public and private papers, address, letters. London, Cambridge U.P., 84, in-8, 1600 p. (Libr. of America)

** 3524. Marcus Garvey (The) and Universal Negro Improvement Association papers. [Vol. 1, 2. Cf. Bibl. 83, n° 3530.] Vol. 3: September 1920 - August 1921. Ed. by Robert A. HILL a. others. Berkeley a. Los Angeles, Univ. of California Press, 84, LVIII-811 p.

** 3525. MARSHALL (John). The papers of John Marshall. [Vol. 3. Cf. Bibl. 78-79, n° 3475.] Vol. 4: Correspondence and papers, January 1799 - October 1800. Ed. by Charles T. CULLEN, Leslie TOBIAS. Chapel Hill, Univ. of North Carolina Press, 84, XXXI-365 p.

** 3526. MORRIS (Robert). The papers of Robert Morris, 1781-1784. [Vol. 5. Cf. Bibl. 80, n° 3051.] Vol. 6: July 22 - October 31, 1782. Ed. by John CATANZARITI, E. James FERGUSON a. others. Pittsburgh, Pa., Univ. of Pittsburgh Press, 84, LVIII-747 p.

** 3527. Papers (The) of James Madison: presidential series. Vol. 1: 1 March - 30 September 1809. Ed. by Robert A. RUTLAND a. others. Charlottesville, Univ. Press of Virginia, 84, XXVIII-414 p. [Cf. Bibl. 83, n° 3529]

** 3528. Political correspondence and public papers of Aaron Burr. Vol. 1, 2. Ed. by Mary-Jo KLINE a. others. Princeton, N.J., Princeton U.P., 84, 2 vol., LXX-598 p.; XVII p., p. 599-1312.

** 3529. Public papers of the presidents of the United States. Ronald Reagan, 1983. [Vol. 1:] January 1 to July 1, 1983. Washington, D.C., Government Printing Office, 84, IX-1008-A20-B12 p. [1982. Cf. Bibl. 83, n° 3534]

** 3530. WEBSTER (Daniel). The papers of Daniel Webster: correspondence. [Vol. 5. Cf. Bibl. 82, n° 3440.] Vol. 6: 1844-1849. Ed. by Charles M. WILTSE, Wendy B. TILGHMAN. Hanover, N.H., Univ. Press of New England, 84, XXIX-533 p.

** 3531. WILSON (Woodrow). The papers of Woodrow Wilson. [Vol. 41-44. Cf. Bibl. 83, n° 3538.] Vol. 45: November 11, 1917 - January 15, 1918. Vol. 46: January 16 - March 12, 1918. Vol. 47: March 13 - May 12, 1918. Ed. by Arthur S. LINK a. others. Princeton, N.J., Princeton U.P., 84, 3 vol., XXVI-626, XXVI-648, XXVI-651 p.

3532. ALDEN (John R.). George Washington: a biography. Baton Rouge, Louisiana State U.P., 84, in-8, XII-326 p. (Southern Biogr. Ser.)

3533. AMBROSE (Stephen E.). Eisenhower. Vol. 1: Soldier, General, President elect. Vol. 2: The President. London, Allen a. Unwin, 84, 2 vol. in-8, 639, 732 p.

3534. Amerikanskij ežegodnik. (American Yearbook.) Redkol.: G. N. SEVOST'JANOV (otv. red.) i dr. [1983. Cf. Bibl. 83, n° 3543.] 1984. Sost. L. M. STRUKOVA. Moskva, Nauka, 84, 253 p. (AN SSSR. In-t vseobšč. istorii)

3535. ANDERSON (Gary Clayton). Kinsmen of another kind: Dakota - white relations in the upper Missippi Balley, 1650-1862. Lincoln, Univ. of Nebraska Press, 84, in-8, XVI 383 p.

3536. ANGERMANN (Erich). Abraham Lincoln und die Erneuerung der nationalen Identität der Vereinigten Staaten von Amerika. Hist. Z., 84, Bd 239, p. 77-109.

3537. APPELBY (Joyce). Capitalism and a new social order: the Republican vision of the 1790s. New York, New York U. P., 84, in-8, X-110 p. (Anson G. Phelps Lectureship on early Am. Hist.)

3538. ARGERSINGER (Peter H.). Ideology and behavior: legislative politics and western populism. Agric. Hist., 84, vol. 58, n° 1, p. 43-58.

3539. ARSENAULT (Raymond). The wild ass of the Ozarks: Jeff Davis and the social bases of southern politics. Philadelphia, Pa., Temple U.P., 84, in-8, XV-336 p.

3540. BAKER (Paul). The culture of politics in the late nineteenth-century: community and political behavior in rural New York. J. soc. Hist., 84, vol. 18, n° 2, p. 167-194. - EADEM. The domestication of politics: women and American political society, 1780-1920. Am. hist. R., 84, vol. 89, n° 3, p. 620-647.

3541. BANNING (Lance). The Hamiltonian Madison: a reconsideration. Virginia Mag. Hist. a. Biogr., 84, vol. 92, n° 1, p. 3-28.

3542. BAUM (Dale). The civil war party system: the case of Massachusetts, 1848-1876. Chapel Hill, Univ. of North Carolina Press, 84, in-8, XVIII-289 p.

3543. BAUM (Dale), KNOBEL (Dale T.). Anatomy of a realignment: New York presidential politics, 1848-1860. New York Hist., 84, vol. 65, n° 1, p. 32-60.

3544. BAXTER (Maurice G.). One and inseparable: Daniel Webster and the Union. Cambridge, Mass., Belknapp Press of Harvard U.P., 84, in-8, VII-646 p.

3545. BECK (Kent M.). Necessary lies, hidden truths: Cuba in the 1960 campaign. Dipl. Hist., 84, vol. 8, n° 1, p. 37-60.

3546. BELL (Roger). Last among equals: Hawaiian statehood and American politics. Honolulu, Univ. of Hawaii Press, 84, in-8, X-377 p.

3547. BILES (Roger). Big city boss in depression and war: Mayor Edward J. Kelly of Chicago. De Kalb, Northern Illinois U.P., 84, in-8, 219 p.

3548. BIRKNER (Michael). Samuel L. Southard: Jeffersonian Whig. Cranbury, N.J., Associated Univ. Presses, 84, in-8, 269 p.

3549. BLUMENSON (Martin). Mark Clark: the last of the great world war II commanders. New York, Congdon a. Weed, 84, in-8, 306 p.

3550. BORN (Richard). Reassessing the decline of presidential coattails: U.S. house elections form 1952-80. J. Politics, 84, vol. 46, n° 1, p. 60-79.

3551. BOYER (Paul). From activism to apathy: the American people and nuclear weapons, 1963-1980. J. am. Hist., 84, vol. 70, n° 4, p. 821-844.

3552. BREEN (William J.). Uncle Sam at home: civilian mobilization, wartime federalism, and the Council of National Defense, 1917-1919. Westport, Conn., Greenwood, 84, in-8, XVII-279 p. (Contrib. in Am. Stud., 70)

3553. BREMER (William W.). Depression winters: New York social workers and the New Deal. Philadelphia, Pa., Temple U.P., 84, in-8, XIV-231 p.

3554. BRIDGES (Amy). The city in the republic: antebellum New York and the origins of machine politics. London, Cambridge U.P., 84, in-8, 210 p. (dr., tab.).

3555. BROCK (William R.). Investigation and responsibility; public responsibility in the United States, 1865-1900. London a. New York, Cambridge U.P., 84, in-8, VIII-280 p.

3556. BROOKEMAN (Christopher). American

culture and society since the 1930's. London, Macmillan Educ., 84, in-8, 268 p.

3557. BROWN (Colin). Elisha Mulford (1833-85) and his influence: a "fame not equal to his deserts"? Pennsylvania Mag. Hist., 84, vol. 108, n° 1, p. 25-58.

3558. BROWN (Dorothy M.). Mabel Walker Willebrandt: a study of power, loyalty, and law. Knoxville, Univ. of Tennessee Press, 84, in-8, XVII-328 p.

3559. BROWN (Norman D.). Hood, bonnet, and little brown jug: Texas politics, 1921-1928. College Station, Texas A&M U.P., 84, in-8, XIV-568 p. [Ku Klux Klan]

3560. BUENGER (Walter L.). Secession and the Union in Texas. Austin, Univ. of Texas Press, 84, in-8, 255 p.

3561. BURIN (S.N.). Uliss Grant - general armii Severa. (Ulysses S. Grant - general of the Northern army.) Nov. novejš. Ist., 84, n° 6, p. 133-149.

3562. BURKE (John P.). Responsibilities of presidents and advisers: a theory and case study of Vietnam decision making. J. Politics, 84, vol. 46, n° 3, p. 818-845.

3563. CADWALADER (Sandra L.), DELORIA (Vine) Jr. a. others. The aggressions of civilization: Federal Indian policy since the 1880s. Philadelphia, Pa., Temple U.P., 84, in-8, XVI-258 p.

3564. CHESSON (Michael B.). Harlots or heroines? A new look at the Richmond bread riot. Virginia Mag. Hist. a. Biogr., 84, vol. 92, n° 2, p. 131-175.

3565. CLEMENTS (Kendrick A.). Herbert Hoover and conservation, 1921-33. Am. hist. R., 84, vol. 89, n° 1, p. 67-88.

3566. COLE (Donald B.). Martin Van Buren and the American political system. Princeton, N.J., Princeton U.P., 84, in-8, XIII-477 p.

3567. COLLIER (Peter), HOROWITZ (David). The Kennedys. London, Secker a. Warburg, 84, in-8, 576 p. (ill.).

3568. CONLAN (Timothy J.). The politics of federal block grants: from Nixon to Reagan. Pol. Sci. Quar., 84, vol. 99, n° 2, p. 247-270.

3569. COOKE (Michael A.). The health of the Union military in the District of Columbia, 1861-1865. Milit. Affairs, 84, vol. 48, n° 4, p. 194-200.

3570. COTT (Nancy F.). Feminist politics in the 1920s: the national woman's party. J. am. Hist., 84, vol. 71, n° 1, p. 43-68.

3571. CRESS (Lawrence Delbert). An armed community: the origins and meaning of the right to bear arms. J. am. Hist., 84, vol. 71, n° 1, p. 22-42.

3572. CROFTS (Daniel W.). Secession winter: William Henry Seward and the decision for war. New York Hist., 84, vol. 65, n° 3, p. 229-256.

3573. CROUCH (Barry). A spirit of lawlessness: white violence, Texas blacks, 1865-1868. J. soc. Hist., 84, vol. 18, n° 2, p. 217-232.

3574. CUNNINGHAM (Frank D.). Harry S. Truman and universal military training, 1945. Historian, 84, vol. 46, n° 3, p. 397-415.

3575. DANNENBAUM (Jed). Drink and disorder: temperance reform in Cincinnati from the Washingtonian revival to the WCTU. Urbana, Univ. of Illinois Press, 84, in-8, XII-245 p.

3576. DIFFLEY (Kathleen). The roots of Tara: making war civil. Am. Quar., 84, vol. 36, n° 3, p. 359-372.

3577. DRAKE (Frederick C.). The empire of the seas: a biography of Rear Admiral Robert Wilson Shufeldt, USN. Honolulu, Univ. of Hawaii Press, 84, in-8, XV-468 p.

3578. DUMARS (Charles T.) a. others. Pueblo Indian water rights: struggle for a precious resource. Tucson, Univ. of Arizona Press, 84, in-8, VI-183 p.

3579. ELLIS (David M.). Whitestown: from Yankee outpost to cradle of reform. New York Hist., 84, vol. 65, n° 1, p. 32-60.

3580. FELLER (Daniel). The public lands in Jacksonian politics. Madison, Univ. of Wisconsin Press, 84, in-8, XVI-264 p.

3581. FERRELL (Robert H.). Truman: a centenary remembrance. London, Thames a. Hudson; New York, Viking, 84, in-8, 256 p. (ill., maps).

3582. FINE (Sidney). Frank Murphy: the Washington years [1940-1949]. Ann Arbor, Univ. of Michigan Press, 84, in-8, XII-784 p. [Cf. Bibl. 78-79, n° 3524]

3583. FINGER (John R.). The eastern bank of Cherokees, 1819-1900. Knoxville, Univ. of Tennessee Press, 84, in-8, XIV-253 p.

3584. FISHER (Robert). Let the people decide: neighborhood organizing in America. Boston, Mass., Twayne, 84, in-8, XXIV-197 p.

3585. FONER (Philip S.), WINCHESTER (Richard C.). Anti-imperialist reader, a documentary history. Vol. 1: From the Mexican war to the election of 1900. London, Holmes a. Meier, 84, in-4, 528 p.

3586. FRANKS (Kenny A.). Citizen soldiers: Oklahoma's National Guard. Norman, Univ. of Oklahoma Press, 84, in-8, XIII-234 p.

3587. FUENTES MARES (José). Génesis del expansionismo norteamericano. 2a ed. México, Colegio de México, Centro de Estudios hist., 84, in-8, 170 p.

3588. FUJIMOTO (Hiroshi). Gasshū-koku

§ 2. SINGOLI STATI

no Ryôdo Bôchô to Indian Ijû-seisaku no Keisei. 1830 nen Kyôsei Ijû Hô no Seiritsu Haikei o Chûshin ni. (Territorial expansion of the United States and the Indian Removal Act of 1830.) Sapporo Gakuin Daigaku Jimmon Kiyô, 84, vol. 36, n° 109-130.

3589. FUJIOKA (Jun). Mishishippi Deruta ni okeru Kôminken Undo no Tenkai to Kiketsu. (The civil rights movement in the delta of the Mississippi. On the occasion of the 20th anniversary of the "Freedom Summer".) Ritsumeikan Keizaigaku, 84, vol. 33, n° 2, p. 94-125; n° 3, p. 48-68.

3590. FUKUMOTO (Yasunobu). Kokujin Dorei Mondai. Tekisasu Heigô no Sôten. (The slavery problem in the annexation of Texas by the United States [1845].) Seinan-gakuin Daigaku Bunri Ronshû, 83, vol. 24, n° 1, p. 15-35.

3591. GEARY (James W.). The enrollment act and the 37th Congress. Historian, 84, vol. 46, n° 4, p. 562-582.

3592. GENIZI (Haim). New York is big – America is bigger: the resettlement of refugees from Nazis, 1936-1945. Jewish soc. Stud., 84, vol. 46, n° 1, p. 61-72.

3593. GEORGE (Juliette L.), MARMOR (Michael F.), GEORGE (Alexander L.). Issues in Wilson scholarship: references to early "strokes" in the papers of Woodrow Wilson. J. am. Hist., 84, vol. 70, n° 4, p. 845-853.

3594. Bibl. 83, n° 3603. GERŠOV (Z.M.). Vudro Vil'son. (Woodrow Wilson.) – CR: K. B. Vinogradov, Nov. novejš. Ist., 84, n° 3, p. 162-165.

3595. GITELMAN (H.M.). Management's crisis of confidence and the origin of the National Industrial Conference Board, 1914-1916. Business Hist. R., 84, vol. 58, n° 2, p. 153-177.

3596. GRAHAM (Hugh Davis). The uncertain triumph: federal education policy in the Kennedy and Johnson years. Chapel Hill, Univ. of North Carolina Press, 84, in-8, XXIV-280 p.

3597. GRIFFITH (Elisabeth). In her own right: the life of Elizabeth Cady Stanton. New York, Oxford U.P., 84, in-8, XX-268 p.

3598. HALL (G. Emlin). Four leagues of Pecos: a legal history of the Pecos grant, 1800-1933. Albuquerque, Univ. of New Mexico Press, 84, in-8, XXI-367 p. (New Mexico Land Grant Ser.)

3599. HALLIN (Daniel C.). The media, the war in Vietnam, and political support: a critique of the thesis of an oppositional media. J. Politics, 84, vol. 46, n° 1, p. 2-24.

3600. HEALEY (Robert M.). Jefferson on Judaism and the Jews: "Divided we stand, united, we fall!" Am. jewish Hist., 84, vol. 73, n° 4, p. 359-374.

3601. HOBSON (Charles F.). The recovery of British debts in the federal circuit court of Virginia, 1790 to 1797. Virginia Mag. Hist. a. Biogr., 84, vol. 92, n° 2, p. 176-200.

3602. HOLMES (William F.). The Southern Famers' Alliance and the Georgia senatorial election of 1890. J. south Hist., 84, vol. 50, n° 2, p. 197-224.

3603. HOLZER (Harold) a. others. The Lincoln image: Abraham Lincoln and the popular print. New York, Charles Scribner, 84, in-8, XXI-234 p.

3604. HORAN (John F.) Jr. Will Carson and the Virginia Conservation Commission, 1926-1934. Virginia Mag. Hist. a. Biogr., 84, vol. 92, n° 4, p. 391-415.

3605. HOXIE (Frederick E.). A final promise: the campaign to assimilate the Indians, 1880-1920. Lincoln, Univ. of Nebraska Press, 84, in-8, XVI-350 p.

3606. HUMPHREY (David C.). Tuesday lunch at the Johnson White House: a preliminary assessment. Dipl. Hist., 84, vol. 8, n° 1, p. 81-101.

3607. ICHIOKA (Yuji). Japanese immigrant response to the 1920 California alien land law. Agric. Hist., 84, vol. 58, n° 2, p. 157-178.

3608. Bibl. 83, n° 3625. IVANOV (R.F.). Duajt Ejzenkhauer. (Dwight Eisenhower.) – CR: A. A. Obukhov, Nov. novejš. Ist., 84, n° 6, p. 181-183.

3609. JAKOVLEV (A.N.). Ot Truména do Rejgana. Doktriny i real'nosti jadernogo veka. (From Truman to Reagan. Doctrines and realities of the nuclear age.) Moskva, Mol. gvardija, 84, 400 p.

3610. JAMES (Joseph B.). The ratification of the fourteenth amendment. Macon, Ga., Mercer U.P., 84, in-8, VIII-331 p.

3611. JEFFREY (Thomas E.). National issues, local interests, and the transformation of antebellum North Carolina politics. J. south. Hist., 84, vol. 50, n° 1, p. 43-74.

3612. KAPISZEWSKI (Andrzej). Asymilacja i konflikt. Z problematyki stosunków etnicznych w Stanach Zjednoczonych Ameryki. (Assimilation et conflit. Problèmes des relations ethniques aux Etats-Unis d'Amérique.) Kraków, Państw. Wydawn. Nauk., 84, in-8, 235 p. (Zesz. Nauk. Uniw. Jagiell., 733. Prace Polonijne, 9)

3613. KATASONOV (Ju. V.). SŠA: voennaja politika i bjudžet. (USA: military policy and budget.) Moskva, Nauka, 84, 191 p. (AN SSSR. In-t SŠA i Kanady)

3614. KETCHAM (Ralph). Presidents above party: the first American presidency, 1789-1829. Chapel Hill, Univ. of North Carolina Press, 84, in-8, XIV-269 p.

3615. KLEHR (Harvey). The heyday of American communism, the depression decade. London, Basic Books, 84, in-8, 526 p.

3616. KLEMENT (Frank L.). Dark lanterns: secret political societies, conspiracies, and treason trials in the Civil War. Baton Rouge, Louisiana State U.P., 84, in-8, XIII-263 p.

3617. KLINGHAM (Peter D.). Neither dies nor surrenders: a history of the Republican party in Florida, 1867-1970. Gainesville, Univ. of Florida Press, 84, in-8, XIII-233 p.

3618. KUTOLOWSKI (Kathleen Smith). Antimasonry reexamined: social bases of the grass-roots party. J. am. Hist., 84, vol. 71, n° 2, p. 269-293.

3619. Bibl. 83, n° 3643. KUVALDIN (V.B.). Amerikanskij kapitalizm i intelligencija. (American capitalism and intelligentsia.) - CR: A. A. Kislova, Nov. novejš. Ist., 84, n° 4, p. 221-224.

3620. LAAS (Virginia Jeans). Elizabeth Blair Lee: union counterpart of Mary Boykin Chesnut. J. south Hist., 84, vol. 50, n° 3, p. 385-406.

3621. LAMIS (Alexander P.). The two-party South. New York, Oxford U.P., 84, in-8, X-317 p.

3622. LAND (Aubrey C.). The American south: first epiphanies. J. south. Hist., 84, vol. 50, n° 1, p. 3-14.

3623. LÁNG (Imre). Az Egyesült Államok "új semlegessége" az 1930-as években. (La "nouvelle neutralité" des Etats-Unis dans les années 1930.) Századok, 83, vol. 117, n° 1, p. 48-108.

3624. LECKIE (William H.), LECKIE (Shirley A.). Unlikely warriors: General Benjamin H. Grierson and his family. Norman, Univ. of Oklahoma Press, 84, in-8, XV-368 p.

3625. LEE (David D.). Herbert Hoover and the development of commercial aviation, 1921-1926. Business Hist. R., 84, vol. 58, n+ 1, p. 78-102.

3626. LEVINE (Bruce C.). Immigrant workers, "equal rights", and anti-slavery: the Germans of Newark, Jersey. Labor Hist., 84, vol. 25, n° 1, p. 26-52.

3627. LIBISZOWSKA (Zofia). Tomasz Jefferson. Wrocław, Zakł. Narod. im. Ossolińskich, 84, in-8, 302 p. [en polonais]

3628. LONGACRE (Edward G.). The Union army occupation of New York City, November 1864. New York Hist., 84, vol. 65, n° 2, p. 133-158.

3629. LOWERY (Charles D.). James Barbour, a Jeffersonian Republican. University, Univ. of Alabama Press, 84, in-8, XI-320 p.

3630. LOWITT (Richard). The New Deal and the west. Bloomington, Indiana U.P., 84, in-8, XVIII-283 p.

3631. McCOY (Donald R.). The presidency of Harry S. Truman. Lawrence, U.P. of Kansas, 84, in-8, XII-350 p.

3632. McCRAW (Thomas K.). Prophets of regulation: Charles Francis Adams, Louis D. Brandeis, James M. Landis, Alfred E. Kahn. Cambridge, Mass., Belknap Press of Harvard U.P., 84, in-8, IX-387 p.

3633. McELVAINE (Robert S.). The great depression: America, 1929-1941. New York, Times, 84, XIV-402 p.

3634. McGRATH (Roger D.). Gunfighters, highwaymen, and vigilantes: violence on the frontier. Berkeley a. Los Angeles, Univ. of California Press, 84, in-8, XVI-291 p.

3635. McGUIRE (Robert A.), OHSFELDT (Robert L.). Economic interests and the American constitution: a quantitative rehabilitation of Charles A. Beard. J. econ. Hist., 84, vol. 44, n° 2, p. 509-520.

3636. McKNIGHT (Gerald D.). The 1968 Memphis sanitation strike and the FBI: a case study in urban surveillance. South Atlantic Quar., 84, vol. 83, n° 2, p. 138-156.

3637. MAGA (Timothy P.). The citizenship movement in Guam, 1946-1950. Pacific hist. R., 84, vol. 53, n° 1, p. 59-77.

3638. MARABLE (Manning). Race, reform and rebellion: the second reconstruction in black America, 1945-1982. London, Macmillan Educ., 84, in-8, 264 p.

3639. MATTHEWS (Richard K.). The radical politics of Thomas Jefferson: a revisionist view. Lawrence, U.P. of Kansas, 84, in-8, IX-171 p.

3640. MATUSOV (Allen J.). The unraveling of America: a history of liberalism in the 1960s. New York, Harper a. Row, 84, in-8, XV-542 p. (New Am. Nation Ser.)

3641. MAZON (Mauricio). The zoot-suit riots: the psychology of symbolic annihilation. Austin, Univ. of Texas Press, 84, in-8, XIII-163 p. (Mexican Am. Monogr., 8)

3642. MEL'NIKOV (Ju. M.). Imperskaja politika SŠA: Istoki sovremenost'. (Imperial policy of the USA: origins and present.) Moskva, Meždunar. otnošenija, 84, 256 p.

3643. MILLIGAN (John D.). From theory to application: the emergence of the American ironclad war vessel. Milit. Affairs, 84, vol. 48, n° 3, p. 126-132.

3644. MORMAN (Edward T.). Guarding against alien impurities: the Philadelphia Lazaretto 1854-1893. Pennsylvania Mag. Hist., 84, vol. 108, n° 2, p. 131-152.

3645. MOSHER (Frederick C.). A tale of two agencies: a comparative analysis of the General Accounting Office and the Office of Management and Budget. Baton Rouge, Louisiana State U.P., 84, in-8, XXVI-219 p.

3646. NEAL (Steve). Dark horse: a biography of Wendell Willkie. Garden City,

N.Y., Doubleday, 84, in-8, IX-371 p.

3647. NICHOLLS (Michael L.). Passing through this troublesome world: free blacks in the early southside. Virginia Mag. Hist. a. Biogr., 84, vol. 92, n° 1, p. 50-70.

3648. NIKONOV (V.A.). Ot Ėjzenkhauera k Niksonu: Iz istorii resp. partii SŠA. (From Eisenhower to Nixon.) Moskva, Izd-vo MGU, 84, 287 p. (ill.). (Imperializm: sobytija, fakty, dokumenty)

3649. PARMAN (Donald L.). Inconstant advocacy: the erosion of Indian fishing rights in the Pacific northwest, 1933-1956. Pacific hist. R., 84, vol. 53, n° 2, p. 163-190.

3650. PARMET (Herbert S.). J. F. K., the Presidency of John F. Kennedy. Harmondsworth, Penguin, 84, in-8, 416 p. (ill.).

3651. PAULY (John J.). The great Chicago fire [1871] as a national event. Am. Quar., 84, vol. 36, n° 5, p. 668-683.

3652. PEČATNOV (V.O.). Gamil'ton i Džefferson. (Hamilton and Jefferson.) Moskva, Meždunar. otnošenija, 84, 335 p. (ill.).

3653. PERLMAN (Michael). The road to redemption: southern politics, 1869-1879. Chapel Hill, Univ. of North Carolina Press, 84, in-8, XIV-353 p.

3654. PESKIN (Allan). Who were the stalwarts? Who were their rivals? Republican factions in the gilded age. Pol. Sci. Quar., 84, vol. 99, n° 4, p. 703-716.

3655. PESSEN (Edward). The Rosenberg case revisited: a critical essay on a recent scholarly examination. New York Hist., 84, vol. 65, n° 1, p. 82-102.

3656. POINSATTE (Charles), POINSATTE (Anne Marie). Augustin Cochin's "L'Abolition de l'Esclavage" and the emancipation proclamation. R. Politics, 84, vol. 46, n° 3, p. 410-427.

3657. PROPAS (Frederic L.). Creating a hard line toward Russia: the training of State Department Soviet experts, 1927-1937. Dipl. Hist., 84, vol. 8, n° 3, p. 209-226.

3658. RABLE (George C.). But there was no peace: the role of violence in the politics of reconstruction. Athens, Univ. of Georgia Press, 84, in-8, XIII-257 p.

3659. RAGSDALE (Lyn). The politics of presidential speechmaking, 1949-1980. Am. pol. Sci. R., 84, vol. 78, n° 4, p. 971-984.

3660. REMINI (Robert V.). Andrew Jackson and the course of American democracy, 1833-1845. London a. New York, Harper a. Row, 84, in-8, XXIII-638 p. [Cf. Bibl. 81, n° 3099]

3661. RENAGHAN (Thomas M.). Distributional effects of federal tax policy 1929-1939. Explor. in econ. Hist., 84, vol. 21, n° 1, p. 40-63.

3662. RIKER (William H.). The heresthetics of constitution-making: the presidency in 1787, with comments on determinism and rational choice. Am. pol. Sci. R., 84, vol. 78, n° 1, p. 1-16.

3663. ROSENBERG (Norman L.). Alexander Addison and the Pennsylvania origins of federalist-first amendment thought. Pennsylvania Mag. Hist., 84, vol. 108, n° 4, p. 399-418.

3664. RUMJANZEWA (Nelly). Karl Marx und Friedrich Engels über den amerikanischen Unabhängigkeitskrieg 1775-1783. Marx-Engels-Jb., 84, Jg. 7, p. 80-105.

3665. SCHULTZ (Stanley K.). Temperance reform in the antebellum south: social control and urban order. South Atlantic Quar., 84, vol. 83, n° 3, p. 323-339.

3666. SCHULZINGER (Robert D.). The wise men of foreign affairs: the history of the Council on Foreign Relations. New York, Columbia U.P., 84, in-8, XIII-342 p.

3667. SCHWARTZ (Bonnie Fox). The Civil Works Administration, 1933-1934. Princeton, N.J., Princeton U.P., 84, in-8, XVIII-300 p.

3668. SEELY (Bruce E.). Engineers and government-business cooperation: highway standards and the Bureau of Public Roads, 1900-1940. Business Hist. R., 84, vol. 58, n° 1, p. 51-77.

3669. SHAFFER (Arthur H.). Between two worlds: David Ramsay and the politics of slavery. J. south. Hist., 84, vol. 50, n° 2, p. 175-196.

3670. SHALHOPE (Robert E.), CRESS (Lawrence Delbert). The second amendment and the right to bear arms: an exchange. J. am. Hist., 84, vol. 71, n° 3, p. 587-593.

3671. SHAW (Barton C.). The wool-hat boys: Georgia's Populist party. Baton Rouge, Louisiana State U.P., 84, in-8, 237 p.

3672. SNYDER (William P.). Walter Bedell Smith: Eisenhower's chief of staff. Milit. Affairs, 84, vol. 48, n° 1, p. 6-14.

3673. SOGRIN (V.V.). Buržuaznyj reformizm v SŠA v XX v.: kritika buržuaznykh koncepcij. (Bourgeois reformism in the USA in the 20th century: criticism of bourgeois conceptions.) Nov. novejš. Ist., 84, n° 6, p. 63-77.

3674. SOLBERG (Carl). Hubert Humphrey: a biography. New York, W. W. Norton, 84, in-8, 572 p.

3675. STEELE (Richard W.). The great debate: Roosevelt, the media, and the coming of the war, 1940-1941. J. am. Hist., 84, vol. 71, n° 1, p. 69-92.

3676. STERNSHER (Bernard). The New Deal party system: a reappraisal. J.

interdisc. Hist., 84, vol. 15, n° 1, p. 53-82.

3677. SUMMERS (Mark W.). Railroads, reconstruction, and the gospel of prosperity: aid under the radical republicans, 1865-1877. Princeton, N.J., Princeton U.P., 84, in-8, XIII-361 p.

3678. SUTHERLAND (Daniel E.). Edwin DeLeon and liberal republicanism in Georgia: Horace Greeley's campaign for president in a southern state. Historian, 84, vol. 47, n° 1, p. 38-57.

3679. TEREKHOV (V.I.). Respublikancy u vlasti: social'no-ėkonomičeskaja politika pravitel'stva D. Ėjzenkhauėra (1953-1960). (Republicans in power: socio-economic policy of D. Eisenhower's government, 1953-1960.) Moskva, Izd-vo MGU, 84, 144 p. (Probl. amerikanistiki)

3680. TINDALL (George B.). America, a narrative history. London, W. W. Norton, 84, in-8, 1466 p.

3681. TOMPKINS (Mark E.). The electoral fortunes of gubernatorial incumbents: 1947-1981. J. Politics, 84, vol. 46, n° 2, p. 520-545.

3682. TUVE (Jeanette E.). First lady of the law: Florence Ellinwood Allen. Lanham, Md., U.P. of America, 84, in-8, VIII-219 p.

3683. WALLER (Altina L.). Community, class and race in the Memphis riot of 1866. J. soc. Hist., 84, vol. 18, n° 2, p. 233-246.

3684. WARNER (Margaret). Local control versus national interest: the debate over southern public health, 1878-1884. J. south. Hist., 84, vol. 50, n° 3, p. 407-428.

3685. WESTWOOD (Howard C.). After Vicksburg, what of Mobile? Milit. Affairs, 84, vol. 48, n° 4, p. 169-173.

3686. WHITES (Leeann). The charitable and the poor: the emergence of domestic politics in Augusta, Georgia, 1860. J. soc. Hist., 84, vol. 17, n° 4, p. 601-616.

3687. WIEBE (Robert H.). The opening of American society: from the adoption of the constitution to the eve of disunion. New York, Alfred A. Knopf, 84, in-8, XV-427 p.

3688. WILLIAMSON (Joel). The crucible of race: black-white relations in the American South since emancipation. New York, Oxford U.P., 84, in-8, XVIII-561 p.

3689. WILLS (Garry). Cincinnatus: George Washington and the Enlightenment. Garden City, N.Y., Doubleday, 84, in-8, XXVI-272 p.

3690. WILSON (Major L.). The presidency of Martin Van Buren. Lawrence, Univ. Press of Kansas, 84, in-8, XIII-252 p. (American Presidency Ser.)

3691. WILSON-HOFF (Joan), LIGHTMAN (Marjorie) a. others. Without precedent: the life of Eleanor Roosevelt. Forew. by Joseph P. LASH. Bloomington, Indiana U.P., 84, in-8, XIV-266 p.

3692. WOODMAN (Harold D.). How new was the New South? Agric. Hist., 84, vol. 58, n° 4, p. 529-545.

3693. ZIMRING (Fred). Cold war compromises: Albert Barnes, John Dewey, and the Federal Bureau of Investigation. Pennsylvania Mag. Hist., 84, vol. 108, n° 1, p. 87-100.

Etiopia.

3694. SPENCER (John H.). Ethiopia at bay: a personal account of the Haile Sellassie years. Algonac, Mich., Reference, 84, in-8, XIV-397 p.

3695. TAREKE (Gebru). Peasant resistance in Ethiopia: the case of Weyana. J. afr. Hist., 84, vol. 25, p. 77-92.

Cf. n° 266.

Finlandia.

* Cf. n° V.

3696. DJUPSUND (Göran), KARVONEN (Lauri). Fascismen i Finland: högerestremismens förankring hos väljarkåren 1929-1939. (Fascisme en Finlande: l'ancrage de l'extrême droite aux électeurs 1929-1939.) Åbo, 84, in-8, 115 p. (Medd. från Stiftelsens för Åbo akad. forskningsinst., 94)

3697. J. V. Snellman och hans gärning: ett finskt-svenskt symposium hållet på Hässelby slott 1981 till 100-årsminnet av Snellmans död. (J. V. Snellman and his life-work: a Finnish-Swedish symposium at Hässelby, 1981, to commemorate the 100th anniversary of Snellman's death.) Stockholm, Almqvist o. Wiksell internat., 84, in-8, 126 p. (Kungl. Vitterhets-, hist.- o. antikvitestsakad., Konferenser, 10) [Eng. summary]

3698. JUTIKKALA (Eino), PIRINEN (Kauko). A history of Finland. Transl. by Paul SJÖBLOM. 4th rev. ed. Espoo, Weilin & Göös, 84, in-8, 269 p.

3699. KARVONEN (Lauri). Svenskbygd, språkgräns, fascism. IKL i Svenskfinland 1936 och 1939. (Swedish-speaking areas, linguistic borders and fascism: the ILL [Finnish Fascist Party 1932-1945] in Swedish Finland in 1936 and 1939.) Politiikka, 84, t. 26, p. 215-239. [Eng. summary]

3700. KOSTIAINEN (Auvo). Dominating Finnish minority? On the background of the nationality problem in Soviet Karelia in the 1930's. Faravid, 84, t. 8, p. 341-366.

3701. MAUDE (George). Foreign policy and the change of power. Politiikka, 84, t. 26, p. 74-82.

3702. Political parties in Finland: es-

§ 2. SINGOLI STATI

says in history and politics. Ed. by Juhani MYLLY a. R. Michael BERRY. Turku, 84, in-8, 191 p. (Univ. of Turku, Polit. Hist., C 21)

3703. Suommen väestön esihistorialliset juuret. (The roots of the Finnish people.) Helsinki, Societas Scientiarum Fennica, 84, in-8, 376 p. (Bidr. t. Känn. av Finl. Natur Folk, 131) [Eng. summary]

3704. Venäläiset Suomessa 1809-1917. (Les Russes en Finlande, 1809-1917.) Toim. (Ed. par) Pauli KURKINEN. Helsinki, Societas historica Finlandiae, 84, in-8, 346 p. (Hist. Ark., 83)

Francia.

* Cf. n° VI.

** 3705. BONALD (Louis de). Réflexions sur la Révolution de 1830 (inédit). Ed. par Jean BASCIER. Toulouse, Presses de l'Inst. d'Etudes politiques, 84, in-8, 160 p.

** 3706. CHAMBORD (comte de). Journal de voyage en Orient (1861). Texte inédit, découvert, prés. et annoté par Arnaud CHAFFANJON. Paris, Tallandier, 84, in-8, 400 p.

** 3707. LATTRE DE TASSIGNY (Jean de). Ne pas subir. Ecrits 1914-1952. Paris, Plon, 84, in-8, 560 p.

** 3708. RAPHAEL-LEYGUES (Jacques). Georges Leygues, "le père" de la marine. Ses carnets secrets de 1914 à 1920. Paris, France-Empire, 84, in-8, 318 p.

3709. Actes du 107e Congrès national des sociétés savantes, Brest, 1982. Section d'histoire moderne et contemporaine. T. 2: Histoire régionale de 1610 à nos jours. Questions diverses. Paris, Comité des travaux hist. et scientif., 84, in-8, 489 p.

3710. Actes du 108e Congres national des sociétés savantes, Grenoble, 1983. Section d'histoire moderne et contemporaine. Le Dauphiné: histoire régionale. Paris, Comité des travaux hist. et scientif., 84, in-8, 340 p.

3711. BALVET (Marie). Itinéraire d'un intellectuel vers le fascisme: Drieu La Rochelle. Paris, Presses univ. France, 84, in-8, 240 p. (Perspectives crit., 13)

3712. BASSOLE (Jean-Yves). Les idées politiques du général La Fayette dans les lettres du 16 juin 1792 à l'Assemblée nationale et au roi. Epistēmonikē Epetērida tēs philos. Scholēs, 84, t. 22, p. 23-52.

3713. BASZKIEWICZ (Jan). Richelieu. Warszawa, Państw. Inst. Wydamn., 84, in-8, 429 p. (Biografie Slawnych Ludzi)

3714. BELL (David Scott), CRIDDLE (Byron). The French socialist party: resurgence and victory. London a. New York, Oxford U.P., 84, in-8, X-311 p. (tab., map).

3715. BERENSON (Edward). Populist religion and left-wing politics in France, 1830-1852. Princeton, N.J., Princeton U.P., 84, in-8, XXIII-308 p.

3716. BERGIN (G.A.). The Guises and their benefices, 1588-1641. Eng. hist. R., 84, vol. 99, p. 34-58.

3717. BERNET (Jacques). Enquête sur les clubs de Jacobins et les sociétés populaires françaises (1789-1795). A. hist. compiégnoises, 84, a. 7, n° 26, p. 3-30.

3718. BLUCHE (Frédéric). Danton. Paris, Perrin, 84, in-8, 494 p. (16 pl.).

3719. BOIS (Paul). Paysans de l'Ouest. Des structures économiques et sociales aux options politiques depuis l'époque révolutionnaire dans la Sarthe. Paris, Ecole des hautes Etudes en Sci. soc., 84, in-8, 716 p. (tabl., cartes). (Sociétés, mouvements soc. et idéologies, Etudes)

3720. BOUTANG (Pierre). Maurras, la destinée et l'oeuvre. Paris, Plon, 84, in-8, 710 p.

3721. BOUTTIER (Jean), DEWERPE (Alain), NORDMAN (Daniel). Un tour de France royal: le voyage de Charles IX (1564-15-66). Paris, Aubier-Montaigne, 84, in-8, 416 p.

3722. BUISSERET (DAvid). Henry IV. Boston, Mass., Allen a. Unwin, 84, in-8, XIV-235 p.

3723. CARMONA (Michel). La France de Richelieu. Paris, Fayard, 84, in-8, 464 p.

3724. CASTRIES (René de La Croix, duc de). La reine Hortense. Paris, Tallandier, 84, in-8, 454 p. (8 pl.). (Figures de proue)

3725. CAZELLES (Raymond). Le duc d'Aumale. Paris, Tallandier, 84, in-8, 490 p. (Figures de proue)

3726. ČERKASOV (P.P.). Politič̆eskie afery vo Francii v gody "grjaznoj vojny v Indokitae" (1946-1954). (Political swindles in France in the years of the "dirty war" in Indochina, 1946-1954.) Nov. novejš. Ist., 84, n° 2, p. 137-146.

3727. ČERNEGA (V.N.). Politič̆eskaja bor'ba vo Francii i évoljucija gollistskoj partii v 60e-70e gody XX v. (Political struggle in France and the evolution of the Gaullist party in the 60s - 70s of the 20th cent.) Moskva, Nauka, 84, 237 p. (AN SSSR. In-t vseobšč. ist.)

3728. CHAPSAL (J.). La vie politique en France de 1940 à 1958. Paris, Presses univ. France, 84, in-8, 518 p.

3729. CHARBONNIERES (Girard de). Le duel Giraud - de Gaulle. Paris, Plon, 84, in-8, 288 p.

3730. CLOULAS (Ivan). Henri II. Paris, Fayard, 84, in-8, 610 p.

3731. CONSTANT (Jean-Marie). Les Guise. Paris, Hachette, 84, in-8, 272 p.

3732. COOK (Don). Charles de Gaulle. London, Secker a. Warburg, 84, in-8, 432 p.

3733. CROSS (Gary). The quest for leisure: reassessing the eight-hour day in France. J. soc. Hist., 84, vol. 18, n° 2, p. 195-216.

3734. DALIN (V.M.). Iz istorii social'noj mysli vo Francii. (From the history of social thought in France.) Moskva, Nauka, 84, 256 p. (AN SSSR. In-t vseobšč. ist.)

3735. DOMECQ (Jean-Philippe). Robespierre, derniers temps. Paris, Ed. du Seuil, 84, in-8, 303 p.

3736. DONOVAN (James M.). The uprooting theory of crime and the Corsicans of Marseille, 1825-1880. French hist. Stud., 84, vol. 13, n° 4, p. 500-528.

3737. DOYLE (William). The price of offices in pre-revolutionary France. Hist. J., 84, vol. 27, p. 831-860.

3738. DUCHENE (Roger). Ninon de Lenclos, la courtisane du Grande Siècle. Paris, Fayard, 84, in-8, 320 p. (ill.).

3739. EDMONDS (Bill). A Jacobin debacle: the losing of Lyon in Spring 1793. History, 84, vol. 69, p. 1-14.

3740. EICHLER (Jan). Francie 1974-1981. (Frankreich 1974-1981.) [Part I, II. Cf. Bibl. 83, n° 3795.] Part III: Vojenská politika. (Militärpolitik.) Part IV: Výstavba ozbrojených sol. (Aufbau der Streitkräfte.) Hist. Vojen., 84, vol. 33, n° 2, p. 135-153; n° 3, p. 144-158.

3741. EISLER (Jerzy). 6 lutego 1934 r. - Realia, mity, interpretacje. (Le 6 février 1934 - réalités, mythes, interprétations.) Dzieje najnowsze, 84, a. 16, n° 1, p. 51-79.

3742. FARENC (Claude). Guerre, information et propagande en 1870-1871: le cas de la Champagne. R. Hist. mod., 84, t. 31, janv.-mars, p. 27-53.

3743. Bibl. 81, n° 3254. FOISIL (Madeleine). Le sire de Gouerville. - CR: Ph. Hyman, M. Hyman, R. hist. mod., 84, t. 31, juillet-sept., 465-471.

3744. FOURNIER (Elie). La Terreur bleue, 15 octobre - 23 décembre 1793: la Virée de Galerne. Paris, A. Michel, 84, in-8, 283 p. (photos). (La Terreur)

3745. GALLO (Max). Le grand Jaurès. Paris, Laffont, 84, in-8, 636 p.

3746. GARRISSON (Janine). Henri IV. Paris, Ed. du Seuil, 84, in-8, 346 p. (ill., carte).

3747. GEISON (Gerald L.) a. others. Professions and the French state, 1700-1900. Philadelphia, Univ. of Pennsylvania Press, 84, in-8, X-319 p.

3748. GIRAULT DE COURSAC (Paul), GIRAULT DE COURSAC (Pierrette). Sur la route de Varennes. Paris, La Table ronde, 84, in-8, 264 p.

3749. GOUBERT (Jean-Pierre). LORILLOT (Dominique). 1789: le corps médical et le changement. Les cahiers de dolénaces du corps médical français. Toulouse, Privat, 84, in-8, 160 p. (Résurgences)

3750. GOUBERT (Pierre), ROCHE (Daniel). Les Français et l'Ancien Régime. T. 1: La société et l'Etat. T. 2: Culture et société. Paris, A. Colin, 84, 2 vol. in-4, 384, 392 p. (ill.).

3751. Grands notables du Premier Empire. Notices de biographie sociale, publ. sous la dir. de Louis BERGERON et Guy CHAUSSINAND-NOGARET. [9. Cf. Bibl. 83, n° 3811.] 10: Meurthe-et-Moselle, par Odette VOILLIARD. Meuse, par Michel MAIGRET. 11: Haut-Rhin, par Yvette BARADEL, Raymond OBERLE, Jean-Maire SCHMITT, Christian TAUTIL. Paris, Ed. du C.N.R.S., 84, 2 vol. in-8, 224, 80 p.

3752. GREENGRASS (Mark). France in the age of Henry IV: the struggle for stability. London, Longman, 84, in-8, 238 p.

3753. GRENAUD (Pierre). La Palatine: mère du Régent et commère du Grand Siècle. Paris, Les Lettres libres, 84, in-8, 210 p. (8 pl.).

3754. GRUDER (Vivian R.). A mutation in elite political culture: the French notables and the defense of property and participation, 1787. J. mod. Hist., 84, vol. 56, n° 4, p. 598-634. - EADEM. Paths to political consciousness: the assembly of notables of 1787 and the "pre-revolution" in France. French hist. Stud., 84, vol. 13, n° 3, p. 323-355.

3755. HALEVI (Ran). Les loges maçonniques dans la France d'Ancien Régime: aux origines de la sociabilité démocratique. Paris, A. Colin, 84, in-8, 118 p. (Cah. des Annales, 40)

3756. HAUSE (Steven C.), KENNEY (Anne R.). Women's suffrage and social politics in the French Third Republic. Princeton, N.J., Princeton U.P., 84, in-8, XX-311 p.

3757. HINRICHS (Ernst). Krisen des Absolutismus und das Problem des politischen Radikalismus in Frankreich im 16. und 17. Jahrhundert. Gesch. u. Ges., 84, Jg. 10, p. 427-460.

3758. Histoire des Français, XIXe - XXe siècles. Sous la dir. de Yves LEQUIN. [T. 1, 2. Cf. Bibl. 83, n° 3835.] T. 3: Les citoyens et la démocratie. Paris, A. Colin, 84, in-4, 530 p. (ill., graph., cartes).

3759. HOLMES (Richard). The road to Sedan: the French army, 1866-70. Atlantic Highlands, N.J., Humanities Press, 84, in-8, VII-272 p. (Royal Hist. Soc., Stud. in Hist., 41)

3760. HOLT (Mack P.). Patterns of clientèle and economic opportunity at court during the wars of religion: the household of François, Duke of Anjou. French hist. Stud., 84, vol. 13, n° 3, p. 305-322.

3761. HORNE (Alistair). The French army and politics, 1870-1970. London, Macmillan, 84, in-8, 128 p.

3762. HORVATH-PETERSON (Sandra). Victor Duruy and French education: liberal reform in the Second Empire. Baton Rouge, Louisiana State U.P., 84, in-8, XVI-278 p.

3763. HUNT (David). Peasant politics in the French Revolution. Soc. Hist., 84, vol. 9, n° 3, p. 277-299.

3764. HUNT (Lynn). The political geography of revolutionary France. J. interdisc. Hist., 84, vol. 14, n° 3, p. 535-560.

3765. HUTT (Maurice). Chouannerie and counter-revolution: Puisaye, the princes, and the British government in the 1790s. Vol. 1, 2. New York, Cambridge U.P., 83, 2 vol. in-8, XVII-268 p., p. 269-630.

3766. IRIE (Kazuo). Furansu Anshan Rejîmu no Chihô Sôtoku Sei. (Les gouverneurs de province dans la France d'Ancien Régime.) Nagoya Daigaku Hôsei Ronshû, 84, vol. 100, p. 182-229.

3767. JELEN (Christian). L'aveuglement: les socialistes et la naissance du mythe soviétique. Préf. de Jean-François REVEL. Paris, Flammarion, 84, in-8, 288 p.

3768. KEMP (Tom). Stalinism in France. Vol. 1: The first 20 years of the French Communist Party. London, New Park, 84, in-8, 192 p.

3769. KENNEDY (Michael L.). The best and the worst of times: the Jacobin club network from October 1791 to June 2, 1793. J. mod. Hist., 84, vol. 56, n° 4, p. 635-666. - IDEM. The Jacobin clubs and the press: "Phase two". French hist. Stud., 84, vol. 13, n° 4, p. 474-499.

3770. KERHERVÉ (Jean), PERÈS (A.F.), TANGUY (Bernard). Les biens de la couronne dans la sénéchaussée de Brest et Saint-Renan d'après le rentier de 1544. Rennes, Inst. culturel de Bretagne, 84, in-8, 317 p.

3771. KISSEL' (M.A.). "Vosemnadcatoe brjumera Lui Bonaparte" k. Marksa i logiko-metodologičeskie problemy istoričeskogo znanija. (Marx's "The eighteenth Brumaire of Louis Bonaparte" and the logical and methodological problems of historical knowledge.) Vopr. Ist., 84, n° 5, p. 55-67.

3772. KLOOCKE (Kurt). Benjamin Constant: une biographie intellectuelle. Genève, Droz, 84, in-8, XII-384 p. (Hist. des idées et critique litt., 218)

3773. KNECHT (R.J.). The French Renaissance monarchy: Francis I and Henry II. London, Longman, 84, in-8, VI-122 p. (Seminar Stud. in Hist.)

3774. LABATUT (Jean-Pierre). Louis XIV, roi de gloire. Paris, Impr. Nationale, 84, in-8, 402 p. (ill.).

3775. LACOUTURE (Jean). Charles de Gaulle. T. 1: Le rebelle, 1890-1944. Paris, Ed. du Seuil, 84, in-8, 876 p. (16 p. de pl.).

3776. LAPIED (Martine), BONNET (Christian), EMMANUELLI (François-Xavier). La vie politique en Provence et en Comtat Venaissin, du XVIIe au début du XIXe siècle. R. hist., 84, a. 108, t. 271, n° 549, p. 63-82.

3777. LE COURIARD (Daniel). Les socialistes et les débuts de la guerre d'Indochine (1946-1947). R. Hist. mod. contemp., 84, t. 31, avril-juin, p. 334-353.

3778. LE NABOUR (Eric). Le Régent, libéral et libertin. Paris, Lattès, 84, in-8, 338 p.

3779. LE ROY LADURIE (Emmanuel). Réflexions sur la Régence (1715-1723). French Stud., 84, vol. 38, n° 3, p. 286-305.

3780. Lieux (Les) de mémoire. Sous la dir. de Pierre NORA. T. 1: La République. Paris, Gallimard, 84, 674 p. (Biblioth. illustrée des Histoires)

3781. LOCHERER (Jean-Jacques). Hérault de Séchelles. Paris, Pygmalion, 84, in-8, 320 p. (8 pl.).

3782. MAGGIAR (contre-amiral Raymond). Les fusiliers marins de Leclerc: une route difficile vers de Gaulle. Paris, France-Empire, 84, in-8, 354 p.

3783. Bibl. 83, n° 3842. MANFRED (A. Z.). Velikaja francuzskaja revoljucija. (The Great French revolution.) - CR: E. V. Kiseleva, Nov. novejš. Ist., 84, n° 4, p. 216-219.

3784. MARGADANT (Ted W.). Tradition and modernity in rural France during the nineteenth century. J. mod. Hist., 84, vol. 56, n° 4, p. 667-697.

3785. MARKOV (Walter). Grand Empire. Sitten u. Unsitten d. Napoleonzeit. Leipzig, Edition Leipzig, 84, in-4, 292 p. (Abb.).

3786. MAUDUIT (Anne-Marie), MAUDUIT (Jean). La France contre la France: la séparation de l'Eglise et de l'Etat, 1900-1906. Paris, Plon, 84, in-8, 370 p.

3787. MAYEUR (Jean-Marie). La vie politique sous la Troisième République, 1870-1940. Paris, Ed. du Seuil, 84, in-8, 445 p. (Points, sér. Histoire, 73)

3788. MELONIO (Françoise). Tocqueville et la restauration du pouvoir temporel du Pape (juin-octobre 1849). R. hist., 84, a. 108, t. 271, n° 549, p. 109-123.

3789. METHIVIER (Hubert). La Fronde. Paris, Presses univ. France, 84, in-8, 200 p. (L'Historien)

3790. MICHEL (Jacques). Du Paris de

Louis XV à la marine de Louis XVI: l'oeuvre de Monsieur de Sartine. T. [1. Cf. Bibl. 83, n° 3849.] 2: La reconquête de la liberté des mers. Paris, Ed. de l'Erudit, 84, in-8, 260 p. (Gens de terre, gens de mer)

3791. 1889 [Mille huit cent quatre-vingt-neuf], premier centenaire de la Révolution en Bretagne. A. Bretagne, 84, t. 91, n° 3, p. 199-318.

3792. MITCHELL (Allan). Victors and vanquished: the German influence on army and Church in France after 1870. Chapel Hill, Univ. of North Carolina Press, 84, in-8, XVII-354 p.

3793. MITCHELL (C.J.). Political divisions within the legislative assembly of 1791. French hist. Stud., 84, vol. 13, n° 3, p. 356-389.

3794. MOINE (Marie-Christine). Les fêtes à la cour du Roi Soleil, 1653-1715. Paris, Nouvelles Ed. latines, 84, in-8, 256 p. (ill.). (Reflets de l'Hist.)

3795. MONNIER (Raymonde). De l'an III à l'an IX, les derniers sans-culottes: résistance et répression à Paris sous le Directoire et le début du Consulat. A. hist. Révol. franç., 84, a. 56, n° 257, p. 386-406.

3796. MORTIMER (Edward). The rise of the French Communist Party, 1920-1947. London a. Boston, Faber, 84, in-8, 431 p.

3797. MOSS (Bernard H.). June 13, 1849: the abortive uprising of French radicalism. French hist. Stud., 84, vol. 13, n° 3, p. 390-414.

3798. NAMER (Gérard). Batailles pour la mémoire: la commémoration en France de 1945 à nos jours. Paris, Papyrus, 83, in-8, 213 p.

3799. Bibl. 83, n° 3583. NARINSKIJ (M.M.). Bor'ba klassov i partij vo Francii (1944-1958 gg.). (Struggle of classes a. parties in France, 1944-1958.) - CR: I. M. Bunin, Nov. novejš. Ist., 84, n° 2, p. 199-201.

3800. NEVEUX (Hugues). Die ideologische Dimension der französischen Bauernaufstände im 17. Jahrhundert. Hist. Z., 84, Bd 238, p. 265-285.

3801. NOUSCHI (André), AGULHON (Maurice). La France de 1940 à nos jours. Nouv. éd. augm. Paris, Nathan, 84, in-8, 250 p. (tables, cartes). (Coll. Nathan Université)

3802. NOVIKOV (G.N.). Gollizm posle de Gollja: Idejnaja i socialno-polit. èvoljucija, 1969-1981 gg. (Gaullism after de Gaulle: ideological, social and political evolution, 1969-1981.) Moskva, Nauka, 84, 302 p. (AN SSSR. In-t mirovoj èkonomiki i meždunar. otnošenij)

3803. NYE (Robert A.). Crime, madness, and politics in modern France: the medical concept of national decline. Princeton, N.J., Princeton U.P., 84, in-8, XV-367 p.

3804. OFFEN (Karen). Depopulation, nationalism, and feminism in fin-de-siècle France. Am. hist. R., 84, vol. 89, n° 3, p. 648-676.

3805. OVED (Georges). La gauche française et le nationalisme marocain, 1905-1955. Vol. 1, 2. Paris, L'Harmattan, 84, 2 vol. in-8, 486, 916 p. (ill.).

3806. OZOUF (Mona). War and terror in French revolutionary discourse (1792-1794). J. mod. Hist., 84, vol. 56, n° 4, p. 579-597.

3807. PAILLAT (Claude). Dossiers secrets de la France contemporaine. T. 4: Le désastre de 1940. [1. Cf. Bibl. 83, n° 3857.] 2: La guerre immobile, avril 1939 - 10 mai 1940. Paris, Laffont, 84, in-8, 472 p.

3808. PAZ (Maurice). Un révolutionnaire professionnel: Auguste Bianqui. Paris, Fayard, 84, in-8, 320 p.

3809. PETERSEN (Suzanne). L'approvisionnement de Paris en farine et en pain durant la Convention girondine. A. hist. Révol. franç., 84, a. 56, n° 257, p. 366-385.

3810. Philosophies de la Révolution française. Représentations et interprétations. Centre de recherches d'hist. des idées (Nice). paris, Vrin, 84, in-8, 344 p. (Problèmes et controverses)

3811. PIMENOVA (L.A.). Social'no-političeskaja pozicija dvorjanstva nakanune Velikoj francuzskoj revoljucii. (The sociopolitical position of the nobility on the eve of the French revolution.) Nov. novejš. Ist., 84, n° 1, p. 63-77.

3812. Bibl. 83, n° 3863. PRICKER (D. P.). Žorž Klemanso. (Georges Clemenceau.) - CR: M. M. Narinskij, Nov. novejš. Ist., 84, n° 5, p. 203-204.

3813. RAPPOPORT (Charles). Jean Jaurès: l'homme, le penseur, le socialiste. Paris, Anthropos, 84, in-8, 420 p.

3814. ROUX (Christian). Les "makis" de la Résistance corse, 1772-1778. Paris, France-Empire, 84, in-8, 272 p. (Actualité de l'Hist.)

3815. SAINT-YGNAN (Jean-Louis). Drieu La Rochelle ou l'obsession de la décadence. Paris, Nouv. Ed. latines, 84, in-8, 269 p.

3816. SAUTEL (Gérard). Les Jacobins et l'administration. R. Droit public Sci. pol. France Etr., 84, n° 4, p. 885-915.

3817. SCHUMANN (Maurice). Qui a tué le duc d'Enghien? Introd. de Jean TULARD. Paris, Perrin, 84, in-8, 214 p.

3818. SEMENOV (A.L.). Narodnyj front vo Francii v osveščenii francuzskikh istorikov. (The Popular Front in France in the interpretation of French historians.) Nov.

§ 2. SINGOLI STATI

novejš. Ist., 84, n° 5, p. 179-186.

3819. SLAVIN (Morris). The French revolution in miniature: Section Droits-del'Homme, 1789-1795. Princeton, N.J., Princeton U.P., 84, in-8, XVII-449 p.

3820. STURGILL (Claude C.). Observations of the French war budget, 1781-1790. Milit. Affairs, 84, vol. 48, n° 4, p. 180-187.

3821. SUEUR (Marc). La collaboration politique dans le département du Nord (1940-1944). R. Hist. 2e Guerre mond., 84, a. 34, n° 135, p. 3-45.

3822. SURATTEAU (Jean-René). Sur les travaux des historiens des deux Allemagnes intéressant la Révolution française. Essai d'historiographie comparée et tendances actuelles. A. hist. Révol. franç., 84, a. 56, n° 255-256, p. 180-203.

3823 TAILLEFER (Michel). La franc-maçonnerie toulousaine sous l'Ancien Régime et la Révolution, 1741-1799. Paris, Comité des Travaux hist. et scientif., 84, in-8, 316 p. (Mém. et doc., Commission d'hist. de la Révol. franç., 41)

3824. VATRÉ (Eric). Henri Rochefort ou la comédie politique au XIXe siècle. Paris, Laffont, 84, in-8, 305 p. (pl.).

3825. VIKTOROV (V.P.). Politika francuzskikh radikalov i radikal-socialistov, 1919-1926. (The policy of the French radicals and radical-socialists, 1919-1926.) Rostov n/D., Izd-vo Rost. un-ta, 84, 138 p.

3826. WELCH (Cheryl B.). Liberty and utility. The French Ideologues and the transformation of liberalism. New York, Columbia U.P., 84, in-8, X-289 p.

3827. WHITE (Sam). De Gaulle, a reassessment. London, Harrap, 84, in-4, 156 p. (ill.).

3828. WOOD (James B.). The impact of the wars of religion. A view of France in 1581. Sixteenth Cent. J., 84, vol. 15, n° 2, p. 131-168.

Cf. n°s 242, 244, 276, 492, 4943.

Gran Bretagna.

* 3829. CLARKE (A.), COLLINSON (P.), MORRILL (J.), PARKER (G.). Recent works (1977-1982) on early modern British history. A review essay. T. Gesch., 84, vol. 97, p. 517-554.

* 3830. TOBIAS (Richard). Victorian bibliography for 1983. Victorian Stud., 84, vol. 27, n° 4, p. 533-614.

* Cf. n° VII.

** 3831. BRERETON (Sir William). Letter books. Ed. by R. N. DORE. Vol. 1: January 31st - May 29th, 1645. Gloucester, A. Sutton, 84, in-8, XVII-534 p. (Lancs.

a. Cheshire Record Soc.)

** 3832. SANDERS (Sir Robert). Real old Tory politics: the political diaries of Sir Robert Sanders, Lord Bayford, 1910-1935. Ed. by John RAMSDEN. London, Historians' Press, 84, in-8, VII-270 p.

** 3833. SPRIGGE (Joshua). Anglia rediviva: England's recovery, being the history of the motions, actions and successes of the army under the immediate conduct of His Excellency Sir Thomas Fairfax, Kt., Captain General of all the Parliaments forces in England. Facsimile ed. London, Trotman, 84, in-8, 342 p.

** 3834. VICTORIA, Queen. Queen Victoria in her letters and journals, a selection. Ed. by Christopher HIBBERT. London, J. Murray, 84, in-8, 384 p. (ill.).

** 3835. WEBB (Beatrice). The diary of Beatrice Webb. [Vol. 2. Cf. Bibl. 83, n° 3886.] Vol. 3: "The power to alter things", 1905-1924. Ed. by Norman MacKENSIE, Jeanne MacKENSIE. Cambridge, Mass., Belknap Press of Harvard U.P.; London, Virago, 84, in-8, XVII-460 p.

3836. ADELMAN (Paul). Victorian radicalism, the middle-class experience, 1830-1914. London, Longman, 84, in-8, XII-172 p. (Stud. in Mod. Hist.)

3837. ADO (A.A.). Idejnyj konflikt independentov i levellerov v gody Anglijskoj buržuaznoj revoljucii. (The ideological conflict between Independents and Levellers during the English bourgeois revolution.) Nov. novejš. Ist., 84, n° 3, p. 70-80.

3838. ANSELMENT (Raymond A.). Clarendon and the Caroline myth of peace. J. brit. Stud., 84, vol. 23, n° 2, p. 37-54.

3839. ASHTON (Robert). The Reformation and revolution, 1558-1660. London, Granada, 84, in-8, 504 p. (Paladin Hist. of England)

3840. BARTRIP (P.W.). State intervention in mid-nineteenth century Britain: fact or fiction? J. brit. Stud., 84, vol. 23, n° 1, p. 63-83.

3841. BELOFF (Max, Lord). Wars and welfare: Britain, 1914-1945. London, E. Arnold, 84, in-8, 288 p. (New Hist. of England)

3842. BENNETT (Daphne). Margot, the life of Margot Asquith. London, Gollancz, 34, in-4, 288 p. (ill.).

3843. BENTLEY (Michael). Politics without democracy, 1815-1914: perception and preoccupation in British government. London, Fontana, 84, in-8, 448 p.

3844. BENYON (J.). Scarman and after: essays reflecting Lords Scarman's Report, the riots and their aftermath. Oxford, Pergamon, 84, in-8, 292 p.

3845. BERNARD (G.). The power of the early Tudor nobility: a study of the 4th and 5th Earls of Shrewsbury. Brighton,

Harvester, 84, in-8, 240 p.

3846. BERNSTEIN (George L.). Sir Henry Campbell-Bannerman and the liberal imperialists. J. brit. Stud., 84, vol. 23, n° 1, p. 105-124.

3847. Biographical dictionary of modern British Radicals. Ed. by Joseph O. BEYLEN, Norbert J. GOSSMAN. [Vol. 1, 3. Cf. Bibl. 83, n° 3895.] Vol. 2: 1830-1870. Brighton, Harvester, 84, in-8, 556 p.

3848. BIRKEN (William Joseph). The Royal College of Physicians of London and its support of the parliamentary cause in the English civil war. J. brit. Stud., 84, vol. 23, n° 1, p. 47-62.

3849. BLACK (Jeremy). Britain in the age of Walpole. London, Macmillan Educ., 84, in-8, 268 p. (Problems in Focus)

3850. BRADLEY (James E.). Religion and reform at the polls: nonconformity in Cambridge politics, 1774-1784. J. brit. Stud., 84, vol. 23, n° 2, p. 55-78.

3851. BREIHAN (John R.). William Pitt and the commission on fees, 1785-1801. Hist. J., 84, vol. 27, p. 59-81.

3852. BRUCE-GARDYNE (Jock). Mrs. Thatcher's first administration. London, Macmillan, 84, in-8, 216 p.

3853. BUSH (Julia). Behind the lines: East London Labour, 1914-1919. London, Merlin, 84, in-8, XXIII-254 p. (ill.).

3854. BUTLER (David Edgeworth), KAVANAGH (Dennis). The British General Election of 1983. London, Macmillan, 84, in-8, 400 p.

3855. CALLAHAN (Raymond A.). Churchill: retreat from empire. Willmington, Del., Scholarly Resources, 84, in-8, XIII-293 p.

3856. CANNON (John). The aristocratic century: the peerage of 18th-century England. London, Cambridge U.P., 84, in-8, 193 p. (tab.).

3857. CASTLE (Barbara). The Castle diaries, 1964-1970. London, Weidenfeld a. Nicolson, 84, in-8, 848 p.

3858. CHECKLAND (Sydney George), CHECKLAND (Olive). Industry and ethos: Scotland, 1832-1914. London, E. Arnold, 84, in-8, 224 p.

3859. CHILDS (David). Britain since 1945. London, Methuen, 84, in-8, 320 o. (Univ. Publ.)

3860. CHRISTIE (Ian Ralph). Stress and stability in late 18th-century Britain: reflections on the British avoidance of revolution. London, Oxford U.P., 84, in-8, 236 p. (Ford Lect., 1983-1984)

3861. CLARK (Peter). The transformation of English provincial towns, 1600-1800. London, Hutchinson Educ., 84, in-8, 368 p.

3862. CLARKE (Harold D.), STEWART (Marianne C.). Realignment of degree: partisan change in Britain, 1974-83. J. Politics, 84, vol. 46, n° 3, p. 689-718.

3863. CLIFFE (J.T.). The Puritan gentry: the great Puritan families of early Stuart England. London a. Boston, Mass., Routledge, 84, in-8, V-313 p.

3864. CLIFTON (Robin). The last popular rebellion: the western rising of 1685. New York, St. Martin's Press, 84, in-8, 308 p.

3865. COLE (Maija Jansson). Two diaries of the Long Parliament. Gloucester, A. Sutton, 84, in-8, 192 p.

3866. COOK (Chris). A short history of the Liberal Party, 1900-1984. London, Macmillan, 84, in-8, 200 p.

3867. COX (Andrew W.). Adversary politics and land: the conflict over land and property policy in post-war Britain. London a. New York, Cambridge U.P., 84, in-8, VII-242 p.

3868. CRUICKSHANKS (Eveline). Parliamentary history. [Vol. 1, 2. Cf. Bibl. 83, n° 6541.] Vol. 3. Gloucester, A. Sutton, 84, in-4, 224 p.

3869. DAVIDSON (A.B.). Sesil' Rods i ego vremja. (Cecil Rhodes and his time.) Moskva, Mysl, 84, 367 p. (ill.).

3870. DAVIES (R.R.) a others. Welsh society and nationhood: historical essays presented to Glanmor Williams. Cardiff, Univ. of Wales Press, 84, in-4, 270 p. (ill.).

3871. DECONNINCK-BROSSARD (Françoise). Vie politique, sociale et religieuse en Grande-Bretagne d'après les sermons prêchés ou publiés dans le nord de l'Angleterre, 1738-1760. Paris, Didier-Erudition, 84, 2 vol. in-8, ens. 927 p. (Atelier de reproductions des thèses de Lille)

3872. DEWEY (P.E.). Military recruiting and the British labour force in the First World War. Hist. J., 84, vol. 27, p. 199-223.

3873. DILKES (David). Neville Chamberlain. Vol. 1: Pioneering and reform, 1869-1929. London a. New York, Cambridge U.P., 84, in-8, XV-645 p. (ill.).

3874. EDWARDS (Anne). The matriarch: Queen Mary and the House of Windsor. London, Hodder, 84, in-8, 462 p. (ill.).

3875. ERICKSON (Carolly). Anne Boleyn. London, Macmillan, 84, in-8, 288 p. (ill.).

3876. Bibl. 82, n° 3797. EROFEEV (N.A.). Tumannyj Al'bion. Anglija i angličane glazami russkikh. (Foggy Albion. England and the British from the point of view of Russians.) - CR: L. E. Kertman, Nov. novejš. Ist., 84, n° 1, p. 202-204.

3877. FERGUSSON (.). British military intelligence, 1870-1914: the development of a modern intelligence organization. Frederick, Md., Univ. Publ. of America; London,

Arms a. Armour, 84, in-8, XXII-280 p.

3878. FIELDHOUSE (David K.). Economics and Empire, 1830-1914. London, Macmillan Educ., 84, in-8, 544 p.

3879. GAMBLE (A.M.), WALKLAND (S.A.). The British party system and economic policy, 1945-1983: studies in adversary politics. London, Oxford U.P., 84, in-8, 200 p.

3880. GASCOIGNE (John). Politics, patronage and Newtonianism, the Cambridge example. Hist. J., 84, vol. 27, p. 1-24.

3881. GASH (Norman). Lord Liverpool: the life and political career of Robert Banks Jenkinson, second earl of Liverpool, 1770-1828. Cambridge, Mass., Harvard U.P.; London, Weidenfeld a. Nicolson, 84, in-8, XVII-265 p.

3882. GHOSH (P.R.). Disraelian Conservatism, a financial approach. Eng. hist. R., 84, vol. 99, p. 268-296.

3883. GOLDMAN (Aaron). The resurgence of antisemitism in Britain during World War II. Jewish soc. Stud., 84, vol. 46, n° 1, p. 37-50.

3884. GRAVES (M.A.R.), GRAVES (David). Revolution, reaction and the triumph of Conservatism: English history, 1558-1700. London, Longman, 84, in-8, 544 p.

3885. GRZYBOWSKI (Stanisław). Elżbieta Wielka. (Elisabeth la Grande.) Wrocław, Zakł. Narod. im. Ossolińskich, 84, in-8, 222 p.

3886. HAIGH (Christopher). The reign of Elizabeth I. London, Macmillan Educ., 84, in-8, 309 p. (Problems in Focus)

3887. HAMABAYASHI (Masao). Igirisu Meiyo Kakumeishi. (A history of the Glorious Revolution.) Tokyo, Mirai, 83, in-8, 500 p.

3888. HAWKINS (Angus). British parliamentary party alignment and the Indian issue, 1857-1858. J. brit. Stud., 84, vol. 23, n° 2, p. 79-105.

3889. HESS (Jürgen C.). Der vergebliche Kampf um "das neue Jerusalem". Neuere Literatur z. brit. Labour Party. Arch. f. Sozialgesch., 84, Bd 24, p. 561-575.

3890. HOPPEN (K. Theodore). Elections, politics and society in Ireland, 1832-1885. London, Oxford U.P., 84, in-8, 588 p. (tab.).

3891. HOUGH (Richard). Louis and Victoria: the family history of the Mountbattens. London, Weidenfeld a. Nicolson, 84, in-8, 456 p. (ill.).

3892. HUTTON (R.). The royalist war effort, 1642-1646. London, Longman, 84, in-8, 288 p.

3893. IMAI (Hiroshi). Igirisu Kakumei no Seiji Katei. (A political history of the English revolutions in the seventeenth century.) Tokyo, Miraisha, 84, in-8, 331 p.

3894. ISTRATOV (V.N.). Lejboristy i nacional'nye problemy v Severnoj Irlandii, Šotlandii, Yěl'se (Konec 60-kh - 70-e gody XX v.). (Members of the Labour party and the national problems in Northern Ireland, Scotland a. Wales, end of the 60s - 70s of the 20th century.) Moskva, Izd-vo MGU, 84, 143 p.

3895. JACKMAN (S.W.). The people's Princess: a portrait of H. R. H. Princess Mary, Duchess of Teck. Windsor, Kensal, 84, in-8, 192 p. (ill.).

3896. JENKINS (T.A.). Gladstone, the Whigs and the leadership of the Liberal party, 1879-1880. Hist. J., 84, vol. 27, p. 337-360.

3897. JONES (Clyve). Party and management in Parliament, 1660-1784. Leicester, Univ. Press, 84, in-8, 224 p.

3898. JONES (Gareth Elwyn). Modern Wales, a concise history, 1485-1979. London, Cambridge U.P., 84, in-8, 364 p. (maps).

3899. KATHE (Heinz). Oliver Cromwell. Berlin, Akad.-Verl., 84, in-8, 192 p. (Abb., Kt.).

3900. KEDEM (Menachem). Pe'iluto shel George Gawler ... (The endeavors of George Gawler to establish Jewish colonies in Eretz Israel.) Cathedra, 84, vol. 33, p. 93-106 (ill.).

3901. KIRBY (M.W.). Men of business and politics: the rise and fall of the Quaker Pease dynasty of North-east England, 1700-1943. London, Allen a. Unwin, 84, in-8, 182 p.

3902. KLEIN (Jürgen). Radikales Denken in England: Neuzeit. Stud. z. Geistes- u. Sozialgesch. Frankfurt (Main), Bern u. New York, Lang, 84, in-8, 406 p. (Europ. Hochschulschr., Reihe 14: Angelsächs. Sprachen u. Literatur, 118)

3903. KÖLLING (Mirjam). Großbritanniens Westeuropapolitik 1944 bis 1947 und die Stabilisierung der bürgerlichen Herrschaft in Frankreich. Jb. f. Gesch., 84, Bd 30, p. 117-147.

3904. KOLOSOV (G.V.). Voenno-političeskij kurs Anglii v Evrope. (The military and political policy of England in Europe.) Moskva, Nauka, 84, 240 p.

3905. LAMBERT (Angela). Unquiet souls: the Indian Summer of the British aristocracy. London, Macmillan, 84, in-8, 352 p. (ill.).

3906. LAMBERT (Sheila). The opening of the Long Parliament. Hist. J., 84, vol. 27, p. 265-287.

3907. LAROCCA (John J.) S.J. "Who can't pray with me, can't love me": toleration and the early Jacobean recusancy policy. J. brit. Stud., 84, vol. 23, n° 2, p. 22-36.

3908. LAWSON (Philip). George Grenville: a political life. London a. New York, Oxford U.P., 84, in-8, VI-309 p.

3909. LAYBOURN (Keith), REYNODLS (Jack). Liberalism and the rise of Labour, 1890-1918. New York, St. Martin's, 84, in-8, 222 p.

3910. LENMAN (Bruce). The Jacobite clans of the Great Glen, 1650-1784. London, Methuen, 84, in-8, 256 p.

3911. LIDER (Julian). British military thought after World War II. Farnborough, Gower, 84, in-4, 200 p. (tab.).

3912. LIESENFELD (Vincent J.). The Licensing Act of 1737. Madison, Univ. of Wisconsin Press, 84, in-8, XIV-259 p.

3913. LIVINGSTONE (Alastair) a. others. The muster roll of Prince Charles Stuart's army, 1745-1746. Aberdeen, Univ. Press, 84, in-4, 228 p.

3914. LLOYD (Trevor Owen). The British Empire, 1558-1983. London, Oxford U.P., 84, in-8, 446 p. (tab., maps). (Short Oxford hist. of the Modern World)

3915. LOWE (Norman). Mastering modern British history. London, Macmillan Educ., 84, in-8, 520 p.

3916. McALLISTER (Ian), ROSE (Richard). Nationwide competition for votes, the 1983 British election. London, F. Pinter, 84, in-8, 220 p.

3917. McCANDLESS (Peter). Dangerous to themselves and others: the Victorian debate over the prevention of wrongful confinement. J. brit. Stud., 84, vol. 23, n° 1, p. 84-104.

3918. McGREGOR (J.F.), REAY (B.) a. others. Radical religion in the English Revolution. London a. New York, Oxford U.P., 84, in-8, IX-219 p.

3919. MACKENZIE (John M.). Propaganda and Empire: the manipulation of British public opinion, 1810-1960. Manchester a. Dover, N.H., Manchester U.P., 84, in-8, 277 p.

3920. MACKESY (Piers). War without victory: the downfall of Pitt, 1799-1802. London a. New York, Oxford U.P., 84, in-8, XI-248 p. (maps).

3921. McKIBBIN (Ross). The evolution of the Labour party, 1910-1924. New York, Oxford U.P., 84, in-8, XVIII-261 p. (Oxford Hist. Monogr.)

3922. McMAHON (Deirdre). Republicans and imperialists: Anglo-Irish relations in the 1930s. New Haven, Conn., Yale U.P., 84, in-8, X-340 p.

3923. MILLER (John). The potential for "absolutism" in late Stuart England. History, 84, vol. 69, p. 187-207.

3924. MOLNÁR (Gusztáv). O', Anglia, Anglia ... Esszé az angol forradalomról. (Essai sur la Révolution Anglaise.) București, Kriterion, 84, in-8, 138 p.

3925. MONTGOMERY (Brian). Monty's grandfather: Sir Robert Montgomery, G.C.S.I., K.C.B., Ll.D., 1809-1887. London, Blandford, 84, in-8, 160 p. (ill.).

3926. MOREAU (Jean-Pierre). Rome ou l'Angleterre? Les réactions politiques des catholiques anglais au moment du schisme, 1529-1553. Paris, Presses univ. France, 84, in-8, 377 p. (Publ. de l'Univ. de Poitiers, Lettres et Sci. humaines, 22)

3927. MORGAN (Kenneth Owen). Labour in power, 1945-1951. London, Oxford U.P., 84, in-8, 564 p.

3928. MORRILL (John). The religious context of the English Civil War. Trans. roy. hist. Soc., 84, vol. 34, p. 154-178.

3929. NAYLOR (John F.). A man and an institution: Sir Maurice Hankey, the Cabinet Secretariat and the custody of Cabinet secrecy. London a. New York, Cambridge U.P., 84, in-8, XI-419 p.

3930. O'GORMAN (Frank). Electoral deference in "unreformed" England: 1760-1832. J. mod. Hist., 84, vol. 56, n° 3, p. 391-429.

3931. OKIN (Susan Moller). Patriarchy and married women's property in England: questions about some current views. Eighteenth-Cent. Stud., 84, vol. 17, n° 2, p. 121-138.

3932. PELLING (Henry). The Labour governments, 1945-1951. New York, St. Martin's, 84, in-8, VII-313 p.

3933. PLAIDY (Jean). The story of Elizabeth I. London, Hale, 84, in-8, 576 p.

3934. PLOWDER (Alison). Two queens in one isle: a study of the relationship of Elizabeth I and Mary Queen of Scots. Brighton, Harvester, 84, in-8, 256 p.

3935. PORT (M.H.). A constrast in styles of the Office of Works: Layard and Ayrton, aesthete and economist. Hist. J., 84, vol. 27, p. 151-176.

3936. PORTER (Bernard). "Bureau and barrack": early Victorian attitudes toward the continent. Victorian Stud., 84, vol. 27, n° 4, p. 407-434.

3937. RAMM (Agatha). The parliamentary context of Cabinet government, 1869-1874. Eng. hist. R., 84, vol. 99, p. 739-769.

3938. RAWLINGS (John Dunstan R.). History of the Royal Air Force. London, Newnes, 84, in-4, 336 p. (ill., pl.).

3939. REINMUTH (Howard S.) Jr. A mysterious dispute demystified: Sir George Fletcher vs. the Howards [1679]. Hist. J., 84, vol. 27, p. 289-307.

3940. RIDLEY (Jasper). Henry VIII. London, Constable, 84, in-8, 384 p. (pl.).

3941. ROBERTS (Brian). Randolph, a study of Churchill's son. London, H. Hamilton, 84, in-8, 320 p. (ill.).

3942. SAWYER (Roger). Casement: the flawed hero. Boston a. London, Routledge, 84, in-8, XV-199 p.

3943. SCHNEER (Jonathan). Hopes deferred or shattered: the British labour left and the third force movement, 1945-49. J. mod. Hist., 84, vol. 56, n° 2, p. 197-226.

3944. SLACK (Paul). Rebellion, popular protest and the social order in early modern England. London, Cambridge U.P., 84, in-8, 340 p. (Past a. Present Publ.)

3945. SMITH (Malcolm). British air strategy between the wars. London, Oxford U.P., 84, in-8, 372 p. (tab.).

3946. SMITH (Robert A.). Late Georgian and Regency England, 1760-1837. London, Cambridge U.P., 84, in-8, 114 p. (Conf. on Brit. Stud. Bibliogr. Hdbooks)

3947. STONE (Lawrence). The open elite: England, 1540-1880. London, Oxford U.P., 84, in-8, 590 p. (ill., tab.).

3948. STRACHAN (Hew). Wellington's legacy: the reform of the British army, 1830-1854. Manchester, Univ. Press, 84, in-8, 320 p.

3949. STRAWSON (John). History of the Special Air Service regiment. London, Secker a. Warburg, 84, in-8, 328 p. (ill.).

3950. SVANADZE (L.N.). Velikobritanija: konservatory i problemy poslevoennogo razvitija, 1945-1955. (Great Britain: Tories and problems of post-war development, 1945-1955.) Moskva, Mysl', 84, in-8, 349 p.

3951. SZECHI (Daniel). Jacobitism and Tory politics, 1707-1714. Edinburgh, J. Donald, 84, in-8, 280 p.

3952. THOMPSON (Paul). The Edwardians. London, Weidenfeld a. Nicolson, 84, in-8, 400 p.

3953. TOMLINSON (Howard). Before the English civil war, 1603-1642. London, Macmillan, 84, in-8, 232 p.

3954. TRENCH (Charles Chenevix). Great Dan, a biography of Daniel O'Connell. London, Cape, 84, in-8, 364 p.

3955. TRUKHANOVSKIJ (V.G.). Sud'ba admirala: triumf i tragedija. Žiznepoisanie Goracio Nel'sona. (Destiny of the admiral: triumph and tragedy. Biography of Horatio Nelson.) Moskva, Mol. gvardija, 84, 334 p. (ill.).

3956. VAN DER KISTE (John), JORDAAN (Bee). Dearest Affie: Alfred, Duke of Edinburgh, Victoria's second son. Gloucester, A. Sutton, 84, in-8, 192 p. (ill.).

3957. VINCENT (A.W.). The poor law reports of 1909 and the social theory of the charity organization society. Victorian Stud., 84, vol. 27, n° 3, p. 343-364.

3958. WESTERN (J.R.). Monarchy and revolution: the English State in the 1680's. London, Macmillan Educ., 84, in-8, 428 p.

3959. WHITE (Carolyn W.). The biographer and Edward VII: Sir Sidney Lee and the embarrassments of royal biography. Victorian Stud., 84, vol. 27, n° 3, p. 301-320.

3960. WILLIAMSON (Philip). A "bankers" ramp"? Financiers and the British political crisis of August 1931. Eng. hist. R., 84, vol. 99, p. 770-806.

3961. ŽIGALOV (I.I.). Fašizm v Anglii meždu mirovymi vojnami: genezis, kharakter, specifika. (Fascism in Britain between the world wars: genesis, nature and specific features.) Vorp. Ist., 84, n° 12, p. 32-43.

Cf. n°s 2400, 3157.

Grecia.

* 3962. Bibliographia historias tou Neou Hellēnismou 1978. (Bibliographie de l'histoire du Néo-Hellénisme 1978.) Mnēmōn, 84, t. 9, p. 267-354. [Disponible comme tiré à part]

* 3963. DROULIA (Loukia), KONTÉ (Boula). Epeirōtikē bibliographia 1571-1980. Autotelē dēmosieumata. (Bibliographie épirote 1571-1980. Publications indépendantes.) Athènes, 84, in-8, 372 p. (Kentro Neohellenikōn Ereunōn, Ethniko Hidryma Ereunōn, 30)

* 3964. FLEISCHER (H.), BOWMAN (S.). Hē Hellada stēn dekaetia 1940-1950. Hena ethnos se krisē. Bibliographikos hodēgos. (La Grèce durant la décennie 1940-1050, Un peuple en crise. Guide bibliographique.) Athènes, Themelio, 84, in-8, 203 p. [Cf. n° 3967]

** 3965. ARGYROPOULOS (P.). Ho Makedonikos Agōnas. Apomnemoneumata. (La lutte macédonienne. Mémoires.) Thessalonique, Hidryma Meletōn Chersonēsou tou Aimou, 84, in-8, 491 p.

** 3966. LEAR (Edward). The Cretan journal. Ed. by Rowena FOWLER. Athens, Harvey, 84, in-4, 117 p. (ill.).

3967. ALEXANDER (Tz.), ALIBIZATOS (N.). ... Hē Hellada stē dekaetia 1940-1950. Hena ethnos se krisē. (La Grèce durant la décennie 1940-1950. Un peuple en crise.) Athènes, Themelio, 84, in-8, 598 p. [Cf. n° 3964]

3968. ANASTASIADĒS (Giōrgios Th.). Hē Ephēmerida "Syntagmatikē" kai hē politeiakē krisē tou 1874-75. (Le journal "Constitutionnel" et la crise politique de 1874-75.) Thessalonique, University Studio Press, 84, in-8, 112 p.

3969. BAKALOPOULOS (Kōnstantinos A.). Historia tēs Thasou, 1453-1912. (Histoire de

Thasos, 1453-1912.) Thessalonique, Hetaireia Makedonikon Spoudon, 84, 190 p. - IDEM. Hē periodos tēs anarchias 1831-1833. (La période d'anarchie 1831-1833.) Thessalonique, Paratērētēs, 84, in-8, 263 p.

3970. CHIDIROGLOU (Paulos). Hoi Hellēnes Pomakoi kai hē schesē tous me tēn Tourkia. (Les Grecs Pomaques et leur relation avec la Turquie.) Athènes, Telethriou, 84, in-8, 95 p.

3971. ECONOMOPOULOU (Marietta). Parties and politics in Greece (1844-1855). Athènes, l'auteur, 84, in-8, 332 p.

3972. ENEPEKIDĒS (Polychronēs K.). Makedonikes politeies kai oikogenies 1750-1930. (Cités et familles macédoniennes 1750-1930.) Athènes, Hestia, 84, in-8, 325 p.

3973. Hellada 1842-1885. Historika, topographika kai kallitechnika dokoumenta sta kyria anglika periodika. (Greece - historical, topographical and artistic documents in the major English magazines.) Athens, A. Nicolas, 84, in-4, 247 p.

3974. JACOBSOHN (Hanna). Ha-yehudim be-darkhe ha-shayyarot u-vemikhrot hakesef shel Macedonia. (Jews on the caravan routes and in the silver mines of Macedonia: the Jewish communities of Serres and Siderokapisi in the 15th and 16th centuries.) Tel-Aviv, Tel-Aviv Univ., 84, in-8, 105 p.

3975. KALLIATAKĒ-MERTIKOPOULOU (Kallia). Hē esōterikē katastasē stēn Krētē 1868-1877. (La situation intérieure en Crète 1868-1877.) Athènes, 84, in-8, 373 p.

3976. LEONTSINĒS (Geõrg. N.). Hoi koinōnikes taxeis kai hē ektasē tēs politikēs arrythmias sta Kythēra kata tous treis teleutaious aiōnas tēs benetokratias. (Les classes sociales et l'extension du désaccord politique à Cythère durant les trois derniers siècles de la domination vénitienne.) In: To Ionio [Cf. n° 753], p. 159-177.

3977. NIKOLAIDOU (Eleutheria I.). Hē albanikē kinēsē sto Bilaeti Iōanninon kai hē symbolē tōn leschōn stēn anaptyxē tēs 1908-1912. (Le mouvement albanais dans le Vilayët de Jannina et la contribution des clubs à son développement 1908-1912.) Ioanina, Hetaireia Epeirotikon Meleton - Hidryma Meleton Ioniou kai Adriatikou chorou, 84, in-8, 150 p.

3978. SIMOPOULOS (Kyriakos). Pōs eidan hoi xenoi tēn Hallada tou '21. Pemptos tomos: 1826-1829. (Comment les étrangers voyaient la Grèce de 1821. Vol. 5: 1826-1829.) Athènes, l'auteur, 84, in-8, 621 p.

3979. STAMOULĒ (Rhodē-Angelikē). Hoi oikogeneies tēs koinotētas tēs Prebezas 1741. (Les familles de la communauté de Prébeza 1741.) Mesaiōnika kai Nea Hellēnika, 84, t. 1, p. 403-418 (pl.).

Grenada.

** 3980. BISHOP (Maurice). In nobody's backyard: speeches, 1979-1983. London, Zed Press, 84, in-8, 260 p.

Guiana.

3981. SPINNER (Thomas J.) Jr. A political and social history of Guyana, 1945-1983. Boulder, Colo., Westview, 84, in-8, XV-244 p.

Haiti.

3982. GRIGULEVIČ (I.R.). Tussen Luvertjur - sozdatel' nezavisimogo Gaiti. (Toussaint Louverture - the founder of independent Haiti.) Nov. novejš. Ist., 84, n° 3, p. 113-126.

3983. LUNDAHL (Mats). Papa Doc: innovator in the predatory state. Scandia, 84, vol. 50, p. 39-78.

Ungheria.

** 3984. Giovanni Argenti jelentései magyar ügyekről, 1603-1623. Kiad. BENDA Kálmán. (Les rapports de Giovanni Argenti sur les affaires concernant la Hongrie. Publ. par - .) Szeged, József Attila Tudományegyetem, 83, in-8, XLVIII-237 p. (ill.). (Adattár XVI-XVIII. szádadi szellemi mozgalmaink történetéhez, 7)

** 3985. II. [Második] Rákóczi Ferenc politikai és erkölcsi végrendelete. Tanulmány és tárgyi jegyzetek: KÖPECZI Béla. A latin szöveget gondozta BORZSÁK István, a francia szöveget gondozta KOVÁCS Ilona. Ford. SZÁVAI Nándor és KOVÁCS Ilona. - Testament politique et moral du prince François II Rákóczi, avec une étude et des commentaires de - . Texte latin établi par - , textes franç. et apparat crit. établis par - . Trad. par - . Budapest, Akad. Kiadó, 84, in-8, 555 p. (20 pl.). (Archivum Rákóczianum, Ser. III: Scriptores. II. Rákóczi Ferenc müvei, 3)

3986. ÁCS (Zoltán). Nemzetiségek a történelmi Magyarországon. (Minorités dans la Hongrie historique.) Budapest, Kossuth Kiadó, 84, in-8, 329 p.

3987. ANTALFFY (György). Szalay László [1813-1864] a reformkor politikai-jogi gondolkodója. (László Szalay, grand penseur politique et juridique de l'époque des réformes.) Budapest, Közgazd. és Jogi Kiadó, 83, in-8, 336 p.

3988. ARATÓ (Endre). A magyarországi nemzetiségek nemzeti ideológiája. (L'idéologie nationale des minorités de Hongrie.) Budapest, Akad. Kiadó, 83, in-8, 292 p.

3989. BALOGH (Sándor). Választások Magyarországon, 1945. A fővárosi törvényhatósági és nemzetgyülési választások. (Les élections en Hongrie, 1945. Elections municipales et élections législatives.) Budapest, Kossuth Kiadó, 84, in-8, 179 p. (Négy évtized, 2) - IDEM. A magyar népi demokrácia demokratizmusáról, 1944-1946. (L'idée démocratique dans la Démocratie Populaire Hongroise, 1944-1946.) Tört. Szle, 84, vol. 27, n° 1-2, p. 279-291.

3990. BARANY (George). Three generations: Szekfü's Széchenyi portrait. East european Quar., 84, vol. 18, n° 2, p. 143-153.

3991. BARTA (János) Jr. A kétfejü sas árnyékában. Az abszolutizmustól a felvilágosodásig, 1711-1780. (A l'ombre de l'aigle bicéphale. De l'absolutisme jusqu'aux Lumières, 1711-1780.) Budapest, Gondolat, 84, in-8, 230 p. (Magyar história)

3992. BENDA (Kálmán). A Habsburg-abszolutizmus és a magyar nemesség a 16. és 17. század fordulóján. (L'absolutisme des Habsbourg et la noblesse hongroise au tournant du XVIe-XVIIe s.) Tört. Szle, 84, vol. 27, n° 3, p. 445-479.

3993. BONA (Gábor). Tábornokok és törzstisztek a szabadságharcban. (Généraux et officiers d'état-major dans la guerre d'indépendance de 1848-1849.) Budapest, Zrinyi Kiadó, 83, in-8, 395 p. (ill.).

3994. Budapest története képekben 1493-1980. Képkatalógus. Főszerk. BERZA László, szerk. FARAGO Éva, et al. - Historia civitatis Budapestinensis in imaginibus 1493-1980. Catalogus imaginum. Red. summus: -, red.: - . [T. 1. Cf. Bibl. 82, n° 3910.] T. 2: N° 31.979 - 53.882. Red. CSOMOR Tibor, SIPOS György, SZABÓ László. Budapest, Fővárosi Szabó Ervin Könyvtár, 83 [84], in-8, 638 p.

3995. CSONKARÉTI (Károly). A császári és királyi haditengerészet és a Magyar Királyság, 1867-1914. (La marine militaire impériale et royale et le Royaume de Hongrie, 1867-1914.) Hadtört. Közl., 84, vol. 31, n° 2, p. 203-255.

3996. DEME (Laszlo). Writers and essayists and the rise of Magyar nationalism in the 1820s and 1830s. Slavic R., 84, vol. 43, n° 4, p. 624-640.

3997. ERDŐDY (Gábor). Herman Ottó és a társadalmi-nemzeti felemelkedés ügye. Kisérlet a demokratikus ellenzékiség érvényesitésére a dualista Magyarországon. (Ottó Herman et la cause de l'ascension sociale et nationale. Une tentative de l'opposition démocratique à s'imposer dans la Hongrie du Dualisme.) Budapest, Akad. Kiadó, 84, in-8, 182 p.

3998. ERNST (August). Die fürstlichen Residenzherrschaften Eisenstadt und Forchtenstein. Mitt. d. oberösterr. Landesarch., 84, Bd 14, p. 209-229.

3999. FÁBIÁNNE KISS (Erzsébet). A "Kossuth-bankók" sorsa az osztrák uralom idején. (Le destin des "billets Kossuth" sous la domination autrichienne.) Századok, 84, vol. 118, n° 2, p. 273-307.

4000. HANÁK (Péter). Ungarn in der Donaumonarchie. Probleme d. bürgerl. Umgestaltung eines Vielvölkerstaates. Wien,

Verl. f. Gesch. u. Politik; Budapest, Akad. Kiadó; München, Oldenbourg, 84, in-8, 468 p. (Schriftenreihe d. Österr. Ost- u. Südosteuropa-Inst., 10)

4001. IZSÁK (Lajos). Polgári ellenzéki pártok Magyarországon, 1944-1949. (Les partis de l'opposition bourgeoise en Hongrie, 1944-1940.) Budapest, Kossuth Kiadó, 83, in-8, 381 p.

4002. JUHÁSZ (Gyula). Uralkodó eszmék Magyarországon, 1939-1944. (Idées dominantes en Hongrie, 1939-1944.) Budapest, Kossuth Kiadó, 83, in-8, 340 p.

4003. Két világháború (A) közötti Magyarországról. Szerk. LACKÓ Miklós. (De la Hongrie de l'entre-deux-guerres. Réd. par -.) Budapest, Kossuth Kiadó, 84, in-8, 505 p. (Vélemények - viták)

4004. KISS (József). Das erste Jahrzehnt des Deutschen Ritterordens in Ungarn 1702-1712. Acta hist. Acad. Sci. hungaricae, 84, vol. 30, n° 1-2, p. 3-44. - IDEM. Jassen-kumanische Bauernbewegung zur Zeit der Grundherrschaft des Deutschen Ritterordens (1724-26). A. Univ. Sci. Budapestiensis, Sectio hist., 83, vol. 23, p. 43-76.

4005. KOROM (Mihály). A népi bizottságok és a közigazgatás Magyarországon, 1944-1945. (Les comités populaires et l'administration en Hongrie, 1944-1945.) Budapest, Kossuth Kiadó, 84, in-8, 209 p. (Négy évtized, 4)

4006. LACKÓ (Miklós). Sekfű, Bethlen és az Encyclopaedia Britannica. ([Gyula] Szekfű, [István] Bethlen et l'Encyclopaedia Britannica.) Tört. Szle, 84, vol. 27, n° 1-2, p. 241-257.

4007. LUKÁCS (Lajos). Magyar politikai emigrácio, 1849-1867. (L'émigration politique hongroise, 1849-1867.) Budapest, Kossuth Kiadó, 84, in-8, 378 p. (28 pl.).

4008. Magyarország 1944-ben. Tudományos tanácskozás. Budapest, 1984. junius 14. Szerk. ORBÁN Sándor. (La Hongrie en 1944. Session scientifique, Budapest, 14 juin 1984. Réd. par - .) Budapest, Kossuth Kiadó, 84, in-8, 147 p.

4009. Magyarországi végvárak a XVI-XVII. században. Szerk. BODÓ Sándor, SZABÓ Jolán. (Places fortes des confins hongrois aux XVIe-XVIIe siècles. Réd. par - .) Eger, Dobó Vármúzeum, 84, in-8, 174 p. (Studia Agriensia, 3)

4010. MERÉNYI (László). Az őszirózsás forradalom. (La révolution aux chrysanthèmes [31 oct. 1918].) Budapest, Akad. Kiadó, 83, in-8, 145 p. (16 pl.). (Sorsdöntő történelmi napok, 7)

4011. NAGY (László). A "bibliás őrálló" fejedelem. I. Rákóczi György a magyar históriában. (Le prince "à la Bible, en faction". George Ier Rákóczi dans l'histoire hongroise.) Budapest, Magvető Kiadó, 84, in-8, 235 p. (Nemzet és emlékezet) - IDEM. Hajdúvitézek, 1591-1699. (Haïdouks vaillants, 1591-1699.) Budapest, Zrinyi Kiadó, 83, in-8, 339 p. - IDEM. "Kuruc életünket megállván czináljuk ... " Társadalom és hadsereg a XVII. századi kuruc küzdelmekben. (Société et armée dans les luttes kouroutz du XVIIe siècle.) Budapest, Akad. Kiadó, 83, in-8, 317 p. (1 pl.). - IDEM. A rossz hírű Báthoryak. (Les Báthory de mauvaise réputation.) Budapest, Kossuth Kiadó, 84, in-8, 248 p.

4012. ORBÁN (Sándor). Baloldali fordulat, kiigazitások - fáziskéséssel, 1955. március - 1956. október. (Le tournant de gauche, révisions - avec un retard de phase, mars 1955 - oct. 1956.) Tört. Szle, 84, vol. 27, n° 1-2, p. 292-302.

4013. PAPP (N.G.). The political context of the Hungarian land reform of 1945: a reassessment. Historian, 84, vol. 46, n° 3, p. 380-396.

4014. PÖLÖSKEI (Ferenc). Die letzten Jahre István Tisza's. A. Univ. Sci. Budapestiensis, Sectio hist., 83, vol. 23, p. 123-141.

4015. PUSZTASZERI (László).Görgey Artúr a szabadságharcban. (Arthur Görgey dans la lutte pour l'indépendance hongroise en 1848.) Budapest, Magvető Kiadó, 84, in-8, 775 p. (Nemzet és emlékezet)

4016. SÁNDOR (Pál). Az anekdotázó Deák Ferencről. (Sur Ferenc Deák [1803-1876] racontant des anecdotes.) Századok, 84, vol. 118, n° 6, p. 1215-1251. - IDEM. Quelques traits du portrait de Deák au début de sa carrière. Acta hist. Acad. Sci. hungaricae, 83, vol. 29, n° 1, p. 3-34.

4017. SIPOS (József). A Kisgadapárt és a Bethlen-kormány kezdeti tevékenysége. (Le Parti des Petits Propriétaires et l'activité initiale du gouvernement Bethlen.) Századok, 84, vol. 118, n° 4, p. 658-708.

4018. SPIRA (György). Négy magyar sors. (Quatre destins hongrois.) Budapest, Magvető Kiadó, 83, in-8, 169 p. (Nemzet és emlékezet) [István Széchenyi, Lajos Kossuth, Lajos Batthyány, Sándor Petőfi]

4019. STRASSENREITER (Erzsébet). A Szociáldemokrata Párt és az ország demokratikus átalakitása, 1944-1945. (Le Parti social-démocrate et la transformation démocratique du pays, 19441945.) Párttört. Közl., 83, vol. 29, n° 1, p. 97-146.

4020. SZABÓ (Bálint). Új szakasz az MDP politikájában, 1953-1954. (Une nouvelle phase dans la politique du Parti des travailleurs hongrois, 1953-1954.) Budapest, Kossuth Kiadó, 84, in-8, 165 p. (Négy évtized, 1)

4021. SZABÓ (Miklós). A magyar királyi honvéd légierő a reviziós célok szolgálatában, 1939-1941. (Les forces aériennes royales hongroises au service des buts révisionnistes.) Hadtört. Közl., 83, vol. 30, n° 4, p. 593-623. - IDEM. A magyar királyi honvéd légierő technikai fejlődése, 1938-1944. (Le développement technique des forces aériennes royales hongroises.) Ibid., n° 1, p. 96-137.

4022. SZAKÁLY (Sándor). Az ellenforradalmi Magyarország (1919-1944) hadseregének felső vezetése. (Le haut commandement de l'armée de la Hongrie contre-révolutionnaire, 1919-1944.) Hadtört. Közl., 84, vol. 31, n° 1, p. 34-71; n° 2, p. 354-392.

4023. Thököly-felkelés (A) és kora. Szerk. BENCZÉDI László. (L'insurrection de Thököly et son époque. Réd. par - .) Budapest, Akad. Kiadó, 83, in-8, 287 p.

4024. TILKOVSZKY (Loránt). A Szociáldemokrata Párt és a nemzetiségi kérdés Magyarországon a második világháboru időszakában. (Le Parti social-démocrate et le problème des minorités en Hongrie au temps de la deuxième Guerre mondiale.) Párttört. Közl., 83, vol. 29, n° 4, p. 45-83.

4025. ÚJVARY (Zsuzsanna). "Nagy két császár birodalmi között". A hosszú háborútól Bethlen Gábor haláláig. ("Entre les empires de deux grands empereurs". De la longue guerre jusqu'à la mort de Gábor Bethlen.) Budapest, Gondolat, 84, in-8, 292 p. (Magyar história)

4026. URBÁN (Aladár). Pákozd, 1848. (La bataille de Pákozd, 1848.) Budapest, Móra Kiadó, 84, in-8, 198 p. - IDEM. A Batthyány-kormány megalakulása és kinevezése. (La formation et la nomination du gouvernement Batthyány.) Századok, 84, vol. 118, n° 6, p. 1085-1116.

4027. VARGYAI (Gyula). A hadsereg politikai funkciói Magyarországon a harmincas években. (Les fonctions politiques de l'armée en Hongrie dans les années trente.) Budapest, Akad. Kiadó, 83, in-8, 192 p. - IDEM. Die Rolle des Heeres in der ungarischen Innenpolitik in der ersten Hälfte der dreißiger Jahre. A. Univ. Sci. Budapestiensis, Sectio hist., 82, vol. 22, p. 207-220.

Cf. n°s 4236, 4251, 4264, 4265, 4978.

Iran.

4028. AGAEV (S.L.). Iran: roždenie respubliki. (Iran: emergence of the republic.) Moskva, Politizdat, 84, 336 p. (ill.).

4029. PARSONS (Anthony). The pride and the fall: Iran, 1974-1975. London, Cape, 84, in-8, 176 p.

Iraq.

* 4030. Iraq. Comp. by A. J. ABDULRAHMAN. Santa Barbara, Calif., a. Oxford, England, Clio, 84, in-8, XVIII-268 p. (World bibliogr. Ser., 42)

Irlanda.

4031. ARNOLD (Bruce). What kind of country? Modern Irish politics, 1968-1983. London, Cape, 84, in-8, 256 p.

4032. MATSUO (Taro). 1930 nendai Airurando ni okeru Hogoshugi-taisei no Igi. Kyōkō na Minzoku-shugi no Ichi Sokumen.

(An aspect of nationalism: the protectionism in Ireland in the 1930s.) Keizai-Shirin, 83, vol. 51, n° 1, p. 1-50.

Israele.

4033. BARTAL (Israel). Moshe Montefiore ... (Montefiore and Eretz Israel.) Cathedra, 84, vol. 33, p. 149-160 (ill.).

4034. GROSS (Nachum T.). Ha-mesheq ha-yehudi be-Erez-Israel. (The Jewish economy in Palestine during the interim years: 1928-1932.) Ha-Ziyyonut, 84, vol. 9, p. 207-220.

4035. HELLER (Joseph). Bama'avaq lamedina. (The struggle for the Jewish state: zionist politics, 1936-1948.) Jerusalem, Zalman Shazar Center, 84, in-8, 560 p. - IDEM. Ben meshihiyyut le-realism politi. (Between messianism and realpolitik: the Stern group and the Arab question, 1947-1948.) Yahadut Z'emanenu, 84, vol. 2, p. 337-374.

4036. KARK (Ruth). Qarqaot we-tokhniyyot ... (Agricultural land and plans for its cultivation by Jews during Montefiore's second visit to Eretz Israel, 1839.) Cathedra, 84, vol. 33, p. 57-92 (ill., tab., maps).

4037. KATZ (Yossef). Ha-peilut ha-hityashvutit be-eretz yisrael ... (The colonization activity in Palestine of the Zionist private companies and associations between the years 1900-1914.) Jerusalem, 83, 2 vol. in-4. [Thesis. Hebrew Univ. of Jerusalem. - Eng. summary]

4038. KERK (Ruth). Rekhishat qarqaot ... (Land acquisition and new agricultural settlements in Palestine during the Tyomkin Period, 1890-1892.) Ha-Ziyyonut, 84, vol. 9, p. 179-193 (map).

4039. NEAR (Henry). Ha-qibbuz we-hahevra. (The Kubbutz and society: the Kibbutz Me'uchad, 1923-1933.) Jerusalem, Yad Izhak Ben Zvi, 84, in-8. (portr.).

4040. ÔIWAGAWA (Kazumasa). Gendai Isuraeru no Shakai-keizai Kôzô. Paresuchina ni okeru Yudaya-jin Nyûshoku Son no Kenkyû. (Structure économique et sociale d'Israël. L'installation des colonies agricoles juives en Palestine.) Tokyo, Tôdai-Shuppan, 83, in-8, 314 p.

4041. SILVER (Eric). Begin, a biography. London, Weidenfeld a. Nicolson, 84, in-8, 304 p. (ill.).

Italia.

** 4042. Potestà civile e autorità spirituale in Italia nei secoli della Riforma e Controriforma. A cura di G. CATALANO e F. MARTINO. Milano, Giuffrè, 84, in-8, IV-191 p. (Fattore religioso e comunità politica) [Raccolta di documenti]

4043. ARBATOVA (N.K.). Vnešnjaja politika Italii. Process formirovanija i osuščestvlenija. (Foreign policy of Italy. Process of formation and realization.) Moskva, Nauka, 84, 223 p. (AN SSSR. In-t mirovoj èkonomiki i meždunar. otnošenij)

4044. Archeologia urbana a Roma: il progetto della Crypta Balbi. Vol. 2: Un mondezzaro del XVIII secolo: lo scavo dell'ambiente 63 del Conservatorio di S. Caterina della Rosa. A cura di D. MANACORDA. Testi di M. T. CIPRIANO, et al.; disegni di M. RICCI; fotografie di M. NECCI. Firenze, All'insegna del Giglio, 84, in-4, 179 p. (ill.). (Bibliot. di Archeol. medievale, 3)

4045. BROWN (Alison). Florence, Renaissance and early modern state: reappraisals. J. mod. Hist., 84, vol. 56, n° 2, p. 285-300.

4046. Convegno su Umberto Morra di Lavriano e l'opposizione etica al fascismo. A. Sc. norm. sup. Pisa, 84, ser. 3, vol. 14, p. 167-346. [Cortona, 11-12 nov. 1983. Relazioni di Norberto BOBBIO, Ersilia ALESSANDRONE, Robert PERTICI, et al.]

4047. CORNIANI DE TONI (Lia). Giuseppe Zanardelli, il potere del nuovo Stato: società civile e dibattito politico a Brescia nella seconda metà dell'Ottocento. Brescia, Grafo, 84, in-8, 64 p. (Quad. di didattica dei beni culturali, 15)

4048. DEGL'INNOCENTI (Maurizio). Geografia e istituzioni del socialismo italiano 1892-1914. Napoli, Guida, 84, in-8, 254 p.

4049. DURAND (J.-D.). Alcide De Gasperi ovvero la politica ispirata. Stor. contemp., 84, a. 15, n° 4, p. 545-591.

4050. FILATOV (G.S.). Fašizm, neofašizm i antifašistskaja bor'ba v Italii. (Fascism, neo-Fascism and anti-Fascist struggle in Italy.) Moskva, Nauka, 84, 381 p. (AN SSSR. In-t vseobšč. ist. Akad. obščestv. nauk pri CK KPSS)

4051. FRANZE' (Giuseppe). L'ultimo duca di Parma [Carlo III di Borbone]. Modena, Artioli, 84, in-4, 280 p. (ill.).

4052. GALASSO (Giuseppe). I giacobini meridionali. R. stor. ital., 84, a. 96, fasc. 1, p. 69-104.

4053. GHERARDI (Raffaella). Le autonomie locali nel liberismo italiano, 1861-1900. Milano, Giuffrè, 84, in-8, XV-263 p. (Pubbl. Istit. per la Sci. dell'amministraz. pubbl., Studi e testi, 8)

4054. GILBERT (Felix). Machiavelli and Guicciardini: politics and history in 16th century Florence. London, W. W. Norton, 84, in-8, 350 p.

4055. HOOK (Judith A.). Justice, authority and the creation of the Ancien Régime in Italy. Trans. roy. hist. Soc., 84, vol. 34, p. 71-89.

4056. LA MARCA (Nicola). Liberismo economico nello stato pontificio. Roma, Bulzoni, 84, in-8, 336 p. (Bibliot. di cultura, 260)

4056. LA MARCA (Nicola). Liberismo economico nello stato pontificio. Roma, Bulzoni, 84, in-8, 336 p. (Bibliot. di cultura, 260)

4057. MASTELLONE (S.). Holland as a political model in Italy in seventeenth century. Bijdr. Meded. Gesch. Ned., 83, vol. 98, p. 568-582.

4058. MIELE (Michele). La raccolta manoscritta di Tommaso M. Alfani († 1742) Conciliorum Regni Neapolitani fragmenta. R. Stor. Chiesa Italia, 84, a. 38, p. 115-153.

4059. PACIFICI (Vincenzo G.). Francesco Crispi, 1861-1867: il problema del consenso allo stato liberale. Roma Ateneo, 84, in-8, 311 p. (Risorgimento: idee e realtà, N. S., 6)

4060. Parlare fascista. Lingua del fascismo, politica linguistica del fascismo. Convegno di Studi, Genova, Centro ligure di Storia Sociale, 22-24 marzo 1984. Movim. op. social., 84, a. 7, n. s., p. 15-155. [Relazioni di P. AGOSTO, M. CHIEREGATO, P. DESIDERI, et al.]

4061. PESENDORFER (Franz). Ein Kampf um die Toskana. Großherzog Ferdinand III. 1790-1824. Wien, Verl. d. Österr. Akad. d. Wiss., 84, in-8, IX-507 p. (4 p. Abb.). (Veröff. d. Komm. f. Gesch. Österr., 12)

4062. PETERSEN (Jens). Rom als Hauptstadt des geeinten Italien 1870-1914. Polit. u. urbanist. Aspekte. Quellen u. Forsch., 84, Bd 64, p. 261-283.

4063. ROMEO (Rosario). Das Risorgimento in der neueren historiographischen Diskussion. Quellen u. Forsch., 84, Bd 64, p. 345-364.

4064. SABETTI (Filippo). Political authority in a Sicilian village. New Brunswick, N.J., Rutgers U.P., 84, in-8, XI-293 p.

4065. TRANFAGLIA (Nicola). Labirinto italiano: radici storiche e nuove contraddizioni. Torino, CELID, 84, in-8, 386 p.

4066. Viceregno (Il) di don Pietro di Toledo, 1532-53. A cura di G. CONIGLIO. Vol. 1, 2. Napoli, Giannini, 84, 2 vol. in-8, 783 p. compless. (Quad. Fac. Sci. pol., Univ. di Napoli, 19)

4067. WAQUET (Jean-Claude). De la corruption. Morale et politique à Florence aux XVIIe et XVIIIe siècles. Paris, Fayard, 84, in-8, 272 p.

Cf. n° 6395.

Giappone.

4068. EMURA (Eiichi). Jiyû-Minken Kakumei no Kenkyû. (Etude sur la "révolution" libérale et démocratique à l'ère de Meiji [1873 - vers 1890].) Tokyo, Hôsei Daigaku Shuppan, 84, in-8, 502 p.

4069. GARON (Sheldon .M.). The imperial bureaucracy and labor policy in postwar Japan. J. asian Stud., 84, vol. 43, n° 3, p. 441-458.

4070. HOSTON (Germaine A.). Marxism and national socialism in Taisho Japan: the thought of Takabatake Motoyuki. J. asian Stud., 84, vol. 44, n° 1, p. 43-64.

4071. ITÔ (Takashi). Shôwa ki no Seiji. (La politique japonaise à l'ère de Shôwa.) Tokyo, Yamakawa, 83, in-8, 409 p.

4072. Kokumin Bunka no Keisei. (La formation de la culture nationale du Japon.) Dir. par ASUKAI Masamichi. Tokyo, Chikuma, 84, in-8, 425 p.

4073. MORRIS-SUZUKI (Teresa). Showa, the inside history of Hirohito's Japan. London, Athlone, 84, in-8, XIV-330 p.

4074. MUROYAMA (Yoshimasa). Kindai Nihon no Gunji to Zaisei. Kaigun Kakuchô o meguru Seisaku Keisei Katei. (Affaires militaires et finances du Japon à l'époque contemporaine. La formation de la politique de renforcement de l'armée navale.) Tokyo, Tôdai Shuppan, 84, in-8, 380 p.

4075. NOLTE (Sharon Hamilton). Individualism in Thaishô Japan. J. asian Stud., 84, vol. 43, n° 4, p. 667-684.

4076. NOLTE (Sharon H.). Industrial democracy for Japan: Tanaka and John Dewey. J. Hist. Ideas, 84, vol. 45, n° 2, p. 277-294.

4077. RUBIN (Jay). Injurious to public morals: writers and the Meiji state. Seattle, Univ. of Washington Press, 84, in-8, XVI-331 p.

4078. SAKAI (Yûkichi). Inoue Kowashi to Meiji Kokka. (Inoue Kowashi [1844-1895] et l'Etat de Meiji.) Tokyo, Todai Shuppan, 83, in-8, 320 p.

4079. SOVASTEEV (V.V.). Problemy buržuaznoj revoljucii Mêjdzi v japonskoj istoriografii. (Problems of the Meiji bourgeois revolution in Japanese historiography.) Vladivostok, Izd-vo Dal'nevost. un-ta, 84, 190 p.

4080. TUBIELEWICZ (Jolanta). Historia Japonii. (Histoire du Japon.) Wrocław, Zakł. Narod. im. Ossolińskich, 84, in-8, 494 p.

4081. UMETANI (Noboru). Nihon Kindaika no Shosô. (Aspects de la modernisation du Japon.) Kyoto, Shibunkaku, 84, in-8, 669 p.

Giordania.

* 4082. Jordan. Comp. by Ian J. SECCOMBE. Santa Barbara, Calif., a. Oxford, England, Clio, 84, in-8, XLIV-280 p. (World bibliogr. Ser., 55)

Libano.

4083. CHEBLI (Michel). Une histoire du Liban à l'époque des Emirs (1635-1841).

Préf. de Michel CHIHA. Beyrouth, distrib.: Librairie orientale, 84, in-4, XI-386 p. (12 pl., carte). (Publ. de l'Univ. libanaise, Section d'Etudes hist., 30)

Liberia.

4084. BOLEY (G. E. Saigbe). Liberia, the rise and fall of the First Republic. London, Macmillan, 84, in-8, 240 p.

Malta.

4085. KOSTER (Adrianus). Prelates and politicians in Malta: changing power-balances between Church and State in a Mediterranean island fortress 1800-1974. Assen, Van Gorcum, 84, in-8, XV-312 p. (ill., maps). (Stud. of developing countries, 29)

Marocco.

* 4086. Morocco. Comp. by Anne M. FINDLAY, Allan M. FINDLAY a. Richard I. LAWLESS. Santa Barbara, Calif., a. Oxford, England, Clio, 84, in-8, XXX-314 p. (World bibliogr. Ser., 47)

4087. GRUNER (Roger). Du Maroc traditionnel au Maroc moderne. Le contrôle civil au Maroc, 1912-1956. Paris, Nouv. Ed. latines, 84, in-8, 254 p. (ill.).

Mauritania.

4088. CHASSEY (Francis de). Mauritanie 1900-1075: facteurs écon., polit., idéolog. et éducatifs dans la formation d'une société sous-développée. Nouv. éd. Paris, L'Harmattan, 84, in-8, 492 p.

Messico.

* 4089. Bibliografía histórica mexicana. Nr. 15. Comp. por Alfonso MARTÍNEZ ROSALES. México, Colegio de México, Centro de Estudios hist., 84, in-8, 198 p.

* 4090. Mexico. Comp. by Naomi C. ROBBINS. Santa Barbara, Calif., a. Oxford, England, Clio, 84, in-8, XXX-314 p. (World bibliogr. Ser., 48)

4091. BENJAMIN (Thomas), OCASIO-MELENDEZ (Marcial). Organizing the memory of modern Mexico: Porfirian historiography in perspective, 1880s - 1980s. Hisp. am. hist. R., 84, vol. 64, n° 2, p. 323-364.

4092. HALL (Linda B.), COERVER (Don M.). Oil and the Mexican revolution: the south-western connection. Americas, 84, vol. 41, n° 2, p. 229-244.

4093. Historia documental de México. Por Miguel LEÓN PORTILLA et al. Vol. 1, 2. México, Univ. Nacional Autónoma de México, 84, 2 vol. in-8 (ill., mapas). (Inst. de Invest. hist., Serie documental, 4)

4094. KNIGHT (Alan). The working class and the Mexican revolution, c. 1900-1920. J. lat. am. Stud., 84, vol. 16, p. 51-79.

4095. MACUNE (Charles W.) Jr. The impact of federalism on Mexican church-state relations, 1824-1835: the case of the state of Mexico. Americas, 84, vol. 40, n° 4, p. 505-530.

4096. MILLER (Sr. Barbara). The role of women in the Mexican Cristero rebellion: Las Señoras y las religiosas. Americas, 84, vol. 40, n° 3, p. 303-324.

4097. PARLEE (Lorena M.). The impact of United States railroad unions on organized labor and government policy in Mexico (1880-1911). Hisp. am. hist. R., 84, vol. 64, n° 3, p. 443-476.

4098. RICHMOND (Douglas W.). Confrontation and reconciliation: Mexicans and Spaniards during the Mexican revolution, 1910-1920. Americas, 84, vol. 40, n° 2, p. 215-228.

4099. SANDOS (James A.). Northern separatism during the Mexican revolution: an inquiry into the role of drug trafficking, 1919-1920. Americas, 84, vol. 40, n° 2, p. 191-214.

4100. TOBLER (Hans Werner). Die mexikanische Revolution. Gesellschaftl. Wandel u. polit. Umbruch, 1876-1940. Frankfurt (Main), Suhrkamp, 84, in-8, 655 p. (Ill.).

4101. TORRE VILLAR (Ernesto de la). El trópico michoacano. Hombres y tierras. Con la collab. de Ramiro NAVARRO DE ANDA. México, Sidermex, 84, in-8, 523 p. (ill.). (Col. Sidermex, 1)

4102. WASSERMAN (Mark). Capitalists, caciques, and revolution: the native elite and foreign enterprise in Chihuahua, Mexico, 1854-1911. Chapel Hill, Univ. of North Carolina Press, 84, in-8, XII-232 p.

4103. WECKMANN (Luis). La herencia medieval de México. Vol. 1, 2. Presentación de Charles VERLINDEN. Prólogo de Silvio ZAVALA. México, Colegio de México, 84, 2 vol. in-8.

Namibia.

* 4104. Namibia. Comp. by Stanley SCHOEMAN, Elna SCHOEMAN. Santa Barbara, Calif., a. Oxford, England, Clio, 84, in-8, XXIV-188 p. (World bibliogr. Ser., 53)

4105. AICARDIDE SAINT PAUL (Marc). Namibie: un siècle d'histoire. Paris, Albatros, 84, in-8, 187 p.

Nigeria.

4106. AFIGBO (A. E.). Ropes of sand: studies in Igbo history and culture. Lagos, Oxford U.P., 84, in-8, 398 p. (maps).

Norvegia.

* Cf. n° XII.

4107. ANDERSON (Gidske). Trygve Bratteli. Oslo, Gyldendal, 84, in-8, 324 p. (ill.).

4108. FURE (Odd-Bjørn). Jens Arup Seips Utsikt over Norges historie. (J. A. Seip: Survey of Norwegian history [an analysis].) [Norsk] Hist. T., 84, vol. 63, p. 117-156. [Eng. summary]

4109. HAMBRO (Johan). C. H. Hambro: liv og drom. (Life and vision.) Oslo, Aschehoug, 84, in-8, 322 p. (8 pl.).

4110. Høyres historie. (History of the Conservative party.) [By] Alf KAARTVEDT, Rolf DANIELSEN a. Francis SEJERSTED. Vol. 1-4. Oslo, Cappelen, 84, 4 vol. in-8. (ill.).

4111. MJELDHEIM (Leiv). Folkerørsla som vart parti: Venstre fra 1880 åra til 1905. (The Liberal party 1880-1905.) Oslo, Univ.-forl., 84, in-8, 551 p. (ill.).

4112. Svalbard, vårt nordligste Norge. (Spitzbergen, our northernmost Norway.) By Susan BARR et al. Oslo, Det Beste, 84, in-4, 282 p. (ill.).

4113. Venstres hundre år. (Centennial of the Liberal party.) Utg. av Ottar GREPSTAD, Jostein NERBØVIK. Oslo, Gyldendal, 84, in-8, 303 p. (Ill.).

Nuova Zelanda.

** 4114. MARSHALL (Sir John). Memoirs. Vol. 1: 1912-1960. London, Collins, 84, in-8, 336 p.

Paesi Bassi.

* Cf. n° XII.

** 4115. BOSMANS (J.), ed. De RKSP en de val van Colijn in 1939. (Documents on the RKSP and the overthrow of the fourth Colijn administration.) In: Nederlandse hist. Bronnen [Cf. n° 769], vol. 3, p. 231-306.

** 4116. Briefwisseling (De) van Anthonie Heinsius 1702-1720. (The correspondence of Anthonie Heinsius 1702-1720.) [Vol. III. Cf. Bibl. 80, n° 3715.] Vol. IV: 1705. Vol. V: 1706. Vol. VI: 1707. Ed. by A. J. VEENENDAAL Jr. 's-Gravenhage, Nijhoff, 81-83, 3 vol. in-4, VIII-528, VIII-826, VIII-796 p. (Rijks Geschiedk. Publ., gr. s., 177, 183, 189)

** 4117. Correspondentie (De) tussen Willem van Oranje en Jan van Nassau 1578-1584. (The correspondence betwenn Oranje and his brother Jan van Nassau 1578-1584.) Ed. by J. H. KLUIVER. Amsterdam, Verloren, 84, in-8, 143 p. (5 fig.). (Nederlandse hist. Bronnen, 4)

** 4118. Ontwerp (Het) van Constitutie van 1797. De behandeling van het Plan van Constitutie in de Nationale Vergadering. (The draft of the constitution of 1797.) Vol. 1: 10 nov. 1796 - 10 april 1797. Vol. 2: 11 april - 13 sept. 1797. Ed. by L. de GOU. 's-Gravenhage, Nijhoff, 83-84, 2 vol. in-4, L-758, VI-582 p. (Rijks Geschiedk. Publ., kl. s., 55, 56)

** 4119. Resolutiën der Staten-Generaal. (Resolutions of the Estates-General.) Nieuwe reeks (New series) 1610-1670. Vol. 2: 1613-1616. Ed. by A. Th. VAN DEURSEN. Vol. 4: 1619-1620. Ed. by J. G. SMIT a. J. ROELEVINK. 's-Gravenhage, Nijhoff, 81-84, 2 vol. in-4, X-830, XXIII-774 p. (Rijks Geschiedk. Publ., gr. s., 151, 176)

** 4120. Semi-officiële (De) en particuliere briefwisseling tussen J. C. Baud en J. J. Rochussen 1845-1851 en enige daarop betrekking hebbende andere stukken. (The semi-official and private correspondence between Baud and Rochussen.) Vol. 1-4. Ed. by W. A. BAUD. Assen, Van Gorcum, 83, in-8, XIII-241, 407, 308 p. (ill.). (Van Gorcum's hist. bibliotheek, 100)

** 4121. [SOPHIE, Queen of the Netherlands.] Koningin Sophie 1818-1877. Jeugdherinneringen in Biedermeierstijl van een Nederlandse vorstin uit Württemberg. (The Dutch queen Sophie's memories of her youth in Wurttemberg.) Ed. by C. A. TAMSE. Vertaling G. A. KAMERLING ONNES - VAN DEDEM. Zutphen, Walburg, 84, in-8, 128 p. (ill.). - Een vreemdelinge in Den Haag. Uit de brieven van koningin Sophie der Nederlanden aan Lady Mallet. (Correspondence between queen Sophie and Lady Mallet, 1842-1877.) Ed. by H. S. HAASSE a. S. W. JACKMAN. Amsterdam, Sijthoff, 84, in-8, 282 p.

** 4122. VALK (J. P. de), ed. Een politiek tableau van Nederland in het voorjaar van 1840. Twee memories van J. W. Van den Biesen, hoofdredacteur van het Algemeen Handelsblad, bestemd voor de Prins van Oranje. (Two memorials of Van den Biesen on the political situation in the Netherlands in 1840.) In: Nederlandse hist. Bronnen [Cf. n° 769], vol. 3, p. 197-229.

** 4123. VAN HOGENDORP (G.K.). Journal d'Adrichem (1806-1809) en Journal de la Haye (1810-1813). Ed. par J. HAAK et W. G. VAN DER MOER. 's-Gravenhage, Nijhoff, 81, in-4, LII-380 p. (Rijks Geschiedk. Publ., kl. s., 151)

4124. AMERSFOORT (H.). Voor vaderland en Oranje. Een verkenning naar de wederzijdse betrokkenheid van natie en leger. (Relationship between the army and the society in the Netherlands in the 19th century.) In: Natievorming van België en Nederland ... [Cf. n° 3144], p. 538-557.

4125. Arnhem. Acht historische opstellen. (Arnhem. Eight historical essays.) [By H. C. VAN BEMMEL, E. de BOER, J. HOFMAN, et al.] Arnhem, Gouda Quint, 83, in-8, 206 p. (34 fig., 7 tab., 6 maps). (Geldre, 83, vol. 74)

4126. BEUNDERS (H.J.G.). "Weg met de vlootwet". De maritieme bewapeningspolitiek van het kabinet Ruys de Beerenbrouck en het succesvolle verzet daartegen in 1923. (The naval armament policy of the Dutch cabinet led by Ruys de Beerenbrouck, and the successful opposition to that policy in 1923.) Bergen (N.H.), Octavo, 84, in-8, IX-290 p. (10 fig.).

4127. BORM (F.). De Katholiek-Democratische Partij in Nederland 1933-1939. (The Catholic Democratic Party in the Netherlands 1933-1939.) Arch. Gesch. kath. Kerk in Nederland, 84, vol. 26, p. 13-34.

4128. BOSMANS (J.). Het eenheidsgesprek tussen KVP, KWG en KNP, 1952-1956. (Discussions on unity between the two catholic parties KVP and KNP and the catholics in the socialist party KWG.) Arch. Gesch. kath. Kerk in Nederland, 83, vol. 25, p. 46-99.

4129. BREMMER (R.H.). Reformatie en rebellie. Willem van Oranje, de Calvinisten en het recht van opstand. (Reformation and rebellion. William of Orange, the Calvinists and the right to revolt.) Franeker, Wever, 84, in-8, 291 p. - CR: F. Postma, Bijdr. Meded. Gesch. Ned., 84, vol. 99, p. 709-714.

4130. BRUGGEMAN (M.). Reorganisatie van het bestuur in de departementen tijdens het Koninkrijk Holland (1806-1810). (Réorganisation de l'administration des départements au Royaume de Hollande, 1806-1810.) Nederlands Archivenbl., 83, vol. 87, p. 265-274.

4131. BRUIJN (J.R.). Cornelis Tromp (1629-1691): een niet-gewaardeerd dienaar van de heren. (Admiral Cornelis Trop, not appreciated by his superiors.) T. Gesch., 83, vol. 96, p. 179-192.

4132. BRUIN (C. de). Un fuoco nascosto o un foco spento? 1: La storiografia sulla rivolta dei Paesi Bassi dopo il 1945. 2: La storiografia sul "secolo d'oro" dopo il 1945. R. stor. ital., 83 [84], a. 95, fasc. 3, p. 648-725.

4133. BRUIN (R. E. de). De samenstelling van het Utrechtse stadsbestuur 1795-1813. (The Utrecht municipality, 1795-1813.) Mijdr. Meded. Gesch. Ned., 84, vol. 99, p. 169-200.

4134. CANTERS (Th. A. M.). Liberalen, klerikalen en antiklerikalen in Venlo 1830-1839. (Liberals, clericals and anti-clericals in Venlo, 1830-1839.) Publ. Limbourg, 84, vol. 120, p. 7-161 (6 fig.).

4135. CHRIST (M.P.). De Brabantsche saecke. Het vergeefs streven naar een gewestelijke status voor Staats-Brabant 1585-1675. (The unsuccessfull attempts of Brabant to become a real province.) Tilburg, Zuidelijk Hist. Contact, 84, in-8, XXXVI-319 p.

4136. DECAVELE (J.). De mislukking van Oranjes "demokratische" politiek in Vlanderen. (The failure of the "democratic" policy of Orange in Flanders.) In: Willen van Oranje [Cf. n° 4161], p. 626-650.

4137. GIJSWIJT-HOSTRA (N.). Wijkplaats voor verfolgden. Asielverlening in Culemborg, Vianen, Buren, Leerdam en IJsselstein van de 16de tot eind 18de eeuw. (Places of refuge for pursued persons. The granting of asylum in Culemborg, Vianen, Buren, Leerdam and IJsselstein during the 16th - 18th centuries.) Amsterdam, Bataafsche Leeuw, 84, in-8, 246 p. (18 fig., 2 tab.).

4138. Dutch Jewish history. Proceedings of the Symposium on the history of the Jews in the Netherlands, Nov. 28 - Dez. 3, 1982, Tel-Aviv. Ed. by Jozeph MICHMAN. Jerusalem, Hebrew Univ., Inst. for Research on Dutch Jewry, 84, in-8, 568 p. (ill., 4 pl.).

4139. GROENVELD (S.). Het Engelse kroniekje van Walter Morgan en een onbekende reeks historierenten (1572-1574). (Morgan's chronicle of the war in the Netherlands and its illustrations.) Bijdr. Meded. Gesch. Ned., 83, vol. 98, p. 19-74 (32 fig.).

4140. HAVE (W. ten). Incolonnamento, crisi e seconda guerra mondiale [nei Paesi Bassi]: sviluppi della storiografia. R. stor. ital., 83 [84], a. 95, fasc. 3, p. 904-945.

4141. HAVENAAR (R.). De NSB tussen nationalisme en "volkse" solidariteit. De vooroorlogse ideologie van de Nationaal-Socialistische Beweging in Nederland. (The NSB between nationalism and "folkish" solidarity. The pre-war ideology of the National-Socialist Movement in the Netherlands.) 's-Gravenhage, Staatsuitgeverij, 83, in-8, 160 p. (Cahiers over Nederland en de Tweede Wereldoorlog, 6)

4142. Herrijzend Nederland. Opstellen over Nederland in de periode 1944-1950. (Resurgent Netherlands. Essays on the Netherlands in the period 1944-1945.) Ed. by P. W. KLEIN a. G. N. VAN DER PLAAT. Bijdr. Meded. Gesch. Ned., 81, vol. 96, p. 183-351. [Contents: BANK (J.). Rubber, rijk, religie. De koloniale trilogie in de Indonesische kwestie 1945-1949 (Economic and church pressure groups on government policy during the decolonisation in the Dutch East Indies, 1945-1949), p. 230-259. - BLOM (J.C.H.). Jaren van tucht en ascese. Enige beschouwingen over de stemming in Herrijzend Nederland, 1945-1950 (Years of discipline and asceticism), p. 300-333. - BOGAARTS (M.D.). "Weg met de Moffen". De uitwijzing van Duitse ongewenste vreemdelingen uit Nederland na 1945 (The expulsion of Germans from the Netherlands as undesirable aliens), p. 334-351. - BOSMANS (J.). "Beide er in en geen van beide er uit". De roomsrode samenwerking 1945-1952 (The catholic-socialist coalition 1945-1952), p. 204-229. - KLEIN (P.W.). Wegen naar economisch herstel 1945-1950 (Economic recovery, 1945-1950), p. 260-276. - MANNING (A.F.). "Het bevrijde zuiden": kanttekeningen bij het historisch onderzoek (Political developments in the liberated south, 1944-1945), p. 184-203. - SCHAPER (H.A.). Het Nederlandse Veiligheidsbeleid

1945-1950 (Dutch foreign policy, in particular from the point of view of security), p. 277-299.]

4143. HOFMAN (H.A.). Constantijn Huygens (1596-1687). Een christelijk-humanistische bourgeois-gentilhomme in dienst van het Oranjehiis. (Constantine Huygens, 1596-1687. A christian-humanist bourgeois gentilhomme in service of the House of Orange.) Utrecht, HES, 83, in-8, 363 p. (ill.).

4144. JONGSTE (J.A.F. de). Onrust aan het Spaarne. Haarlem in de jaren 1747-1751. (Commotion in Haarlem, 1747-1751.) Amsterdam, Bataafsche Leeuw, 84, in-8, 457 p. (54 fig.). (Hollandse Hist. Reeks, 2) [Eng. summary]

4145. KAMPHUIS (P.H.). Het Algemeene Nederlandsch Vredebond 1871-1901. (Dutch peace movement in the final decades of the 19th century.) 's-Gravenhage, Sectie militaire geschiedenis van de landmachtstaf, 82, in-8, VII-281 p. (ill.). (Bijdragen, 13)

4146. MEYERS (J.). Mussert, een politiek leven. (Biography of the Dutch NSB-leader A. Mussert.) Amsterdam, Arbeiderspers, 84, in-8, 331 p. (Open Domein, 10)

4147. MICHMAN (J.). De Joodse representanten in de Constituerende Vergadering van de Bataafse Republiek (augustus 1797 to juni 1798). (The Jewish representatives in the Constitutive Assembly of the Batavian Republic, August 1797 - June 1798.) Studia Rosenth., 82, vol. 15, p. 38-60. [Eng. summary]

4148. MOUT (M.E.H.N.). Het intellectuele milieu van Willem van Oranje. (The intellectual entourage of William of Orange.) In: Willen van Oranje [Cf. n° 4161], p. 596-625.

4149. POELHEKKE (J.J.). Hugo de Groot, een gefrustreerd staatsman? (Hugo de Groot, a frustrated statesman?) Meded. Akad. Wet., Afd. Letterkde, 83, N.R., vol. 46, p. 163-177.

4150. Raad van State 450 jaar. (450 ans de Conseil d'Etat.) [Par H. de SCHEPPER, R. E. VAN DITZHUYZEN, A. Th. VAN DEURSEN, et al.] Repertorium. Vol. 1, 2. (Répertoire des membres, bibliographie et documentation.) 's-Gravenhage, Staatsuitgeverij, 81-83, 2 vol. in-4, XV-446, IX-336 p.

4151. Republiek tussen Vorsten. Oranje. Opstand. Vrijheid. Geloof. (The Royal Republic. Orange. Revolt. Freedom. Religion.) By W. P. BLOCKMANS, A. C. DUKE, W. Th. M. FRIJHOFF, et al. Zutphen, Walburg Pers, 84, in-8, 184 p. (ill.).

4152. SCHULTEN (C.M.). The Netherlands and its army (1900-1940). R. int. Hist. milit., 84, n° 58, p. 73-95.

4153. Strijd (De) om het bestaan. Bijdragen tot de lokale geschiedenis van Nederland in de eerste helft van de negentiende eeuw. (Struggle for life. Contributions to the local history of the Netherlands in the first half of the 19th century.) By A. DOEDENS, H. HUYGERS, P. VAN ES, et al. Amsterdam, VU-Boekhandel, 83, in-8, 168 p. (ill.). (Regionale geschiedenis van Nederland, 1)

4154. STUURMAN (S.). Verzuiling, kapitalisme en patriarchaat. Aspecten van de ontwikkeling van de moderne staat in Nederland. (Pillarization, capitalism and patriarchy. A study in the development of the modern state in the Netherlands.) Nijmegen, SUN, 83, in-8, 366 p.

4155. Tussen crisis en oorlog. Maatschappij en krijgsmacht in de jaren '30. (The position of the army and navy in the thirties.) Ed. by G. TEITLER. Dieren, Bataafsche Leeuw, 84, in-8, 144 p. (ill.).

4156. VAN BERKEL (K.). Aggaeus van Albada en de crisis in de Opstand (1579-1587). (Van Albada and the crisis in the Dutch revolt, 1579-1587.) Bijdr. Meded. Gesch. Ned., 81, vol. 96, p. 1-25.

4157. VAN DER BIJL (M.). Idee en interest. Voorgeschiedenis, verloop en achtergronden van de politieke twisten in Zeeland en vooral in Middelburg tussen 1702 en 1715. (The social, economic and ideological background to the political agitation and disturbances in Zeeland, and especially the situation in Middelburg, 1702-1715.) Groningen, Wolters-Noordhoff, 81, in-8, XI-451 p. (Hist. Studies, 42)

4158. VAN DEURSEN (A. Th.), SCHEPPER (H. de). Willem van Oranje. Een strijd voor vrijheid en verdraagzaamheid. (William of Orange. A struggle for freedom and tolerance.) Weesp, Fibula-Van Dieshoeck, 84, in-8, 160 p. (ill.).

4159. VAN NIEROP (H.F.K.). Van ridders tot regenten. De Hollandse adel in de zestiende en de eerste helft van de zeventiende eeuw. (The nobility in the county of Holland in the 16th and the beginning of the 17th cent.) Amsterdam, Bataafsche Leeuw, 84, in-8, 342 p. (Ill.). (Hollandse hist. Reeks, 1) [Eng. summary]

4160. WERTHEIM-GIJSE WEENINK (A.H.). Een kwarteeuw burgerverzet in de beide Nederlanden (1698-1719). Voorspel van de "democratische revoluties". (Early 18th-century uprisings in the Low Countries. Prelude to the democratic revolutions.) Bijdr. Mede. Gesch. Ned., 84, vol. 99, p. 408-434.

4161. Willen van Oranje. Bijdr. Meded. Gesch. Ned., 84, vol. 99, p. 554-707. [Cf. n°s 4136, 4148, 4811, 6901, 6905, 6910.]

4162. Willem van Oranje in de historie 1584-1984. Vier eeuwen beeldvorming en geschiedschrijving. (William of Orange in history 1584-1984. His reputation in four centuries of historiography.) Ed. by E. O. G. HAITSMA MULIER a. A. E. M. JANSSEN. Utrecht, HES, 84, in-8, 233 p. (16 fig.).

Perù.

4163. ANGELL (Alan). The difficulties of

policy making and implementation in Peru. B. latin-am. Research, 84, vol. 3, n° 1, p. 25-43.

4164. MASTERSON (Daniel M.). Caudillismo and institutional change: Manuel Odria and the Peruvian armed forces, 1948-1956. Americas, 84, vol. 40, n° 4, p. 479-490.

Polonia.

* 4165. Bibliografia Warszawy. (Bibliographie de Varsovie.) Réd. scientif.: Janusz DURKO. Wydawnictwa ciągłe 1929-1939. Wojna i okupacja 1939-1944. (Publications en cours 1929-1939. Guerre et occupation 1939-1944.) Auteurs: Barbara BRATKOWSKA et al. Wrocław, Zakł. Narod. im. Ossolińskich, 84, in-4, XLIX-2430 col. (Muzeum Hist. miasta stołecznego Warszawy)

* 4166. Poland. Comp. by Richard C. LEWANSKI. Santa Barbara, Calif., a. Oxford, England, Clio, 84, in-8, XXII-270 p. (World bibliogr. Ser., 32)

* Cf. n° XIII.

** 4167. Akta sejmikowe województwa krakowskiego. (Les actes des diétines de la voïvodie de Cracovie.) Ed. par Adam RPZYBOŚ. T. 3: 1681-1696. Wrocław, Zakł. Narod. im. Ossolińskich, 84, in-4, XII-226 p. (Pol. Akad. Nauk. Oddz. w Krakowie. Mater. Komisji Hist., 29) [T. 1: Kraków, 1932; T. 2: 1953]

** 4168. BRANDYS (Kazimierz). Warsaw diary, 1978-1981. Tr. from the Polish by R. LOURIE. London, Chatto, 84, in-8, 260 p.

** 4169. Obraz Królestwa Polskiego w okresie konstytucyjnym. T. 1: Raporty Rady Stanu Królestwa Polskiego z działalności rządu w latach 1816-1826. (L'image du Royaume de Pologne à l'époque constitutionnelle. T. 1: Rapports du Conseil d'Etat du Royaume de Pologne concernant l'activité du gouvernement dans les années 1816-1826.) Ed. et avant-propos: Janina LESKIEWICZOWA, Franciszka RAMOTOWSKA. Warszawa, Państw. Wydawn. Nauk., 84, in-8, 362 p. (Inst. Hist. Pol. Akad. Nauk, Archiwum Główne Akt Dawnych w Warszawie)

** 4170. [STANISŁAW AUGUST PONIATOWSKI.] Pamiętniki króla Stanisława Augusta. (Mémoires du roi Stanislas Auguste Poniatowski.) Trad. pol. sous la réd. de Władysław KONOPCZYŃSKI et Stanisław PTASZYCKI. Avant-propos: W. KONOPCZYŃSKI. T. 1, partie 1. Kraków, Krajowa Agencja Wydawn., 84, in-8, XXIII-368 p. [Reprod. photo-offset de l'éd. Varsovie 1915]

4171. AJNENKIEL (Andrzej). Polskie reprezentacje w ciałach przedstawicielskich państw zaborczych w latach 1848-1918. (Les représentations polonaises dans les corps représentatifs des Etats envahisseurs dans les années 1848-1918.) Czas. prawno-hist., 84, vol. 36, fasc. 1, p. 155-185.

4172. ANDRUSIEWICZ (Andrzej). Stronnictwo Pracy 1937-1950. Ze studiów nad dziejami najnowszymi chadecji w Polsce. (Le Parti du Travail 1937-1950. Etudes sur l'histoire contemporaine du Bloc d'Unité Nationale Chrétienne en Pologne.) Warszawa, 84, in-8, 851 p. (Wyższa Skoła Nauk Społ. przy KC PZPR. Inst. Ruchu Robotniczego)

4173. BERGMAN (Aleksandra). Sprawy białoruskie w II Rzeczypospolitej. (Questions biélorusses dans la IIe République.) Warszawa, Państw. Wydawn. Nauk., 84, in-8, 285 p. (Prace Białostockiego Tow. Nauk., 28)

4174. BLEJWAS (Stanislaus A.). Realism in Polish politics: Warsaw positivism and national survival in nineteenth-century Poland. New Haven, Conn., Yale Concilium on International a. Area Stud., 84, XII-312 p. (Yale Russian a. East European Publ.)

4175. BORKOWSKI (Jan). Od Waryńskiego do Witosa. Ruch robotniczy a chłopi i ludowcy w Polsce. (De Waryński à Witos. Le mouvement ouvrier et les paysans et membres du parti paysan en Pologne.) Warszawa, Lud. Spółdz. Wydawn., 84, in-8, 486 p.

4176. Dzieje Krakowa. (Histoire de Cracovie. Réd. par Janina BIENIARZÓWNA, Jan Marian MAŁECKI et Józef MITKWOSKI. T. [3. Cf. Bibl. 78-79, n° 4208.] 2: Kraków w wiekach XVI-XVIII. (Cracovie aux XVIe-XVIIIe siècles.) Auteurs: J. BIENIARZÓWNA, J. M. MAŁECKI. Kraków, Wydawn. Liter., 84, in-8, 669 p. [T. 1 et 4: pas encore publiés]

4177. Dzieje Warszawy. (Histoire de Varsovie.) Sous la réd; de Stefan KIENIEWICZ. T. 2. Warszawa w latach 1526-1795. (Varsovie dans les années 1527-1795.) Auteurs: Maria BOGUCKA et al. Réd. scientif.: Andrzej ZAHORSKI. T. 5: Warsawa w latach 1939-1945. (Varsovie dans les années 1939-1945.) Auteur: Krzysztof DUNIN-WĄSOWICZ. Warszawa, Państw. Wydawn. Nauk., 84, 2 vol. in-8, 672, 407 p. [T. 3. Cf. Bibl. 76-77, n° 4615]

4178. GROTT (Bogumił). Nacjonalizm i religia. Proces zespalania nacjonalizmu z katolicyzmem w jedną całość ideową w myśli Narodowej Demokracji 1926-1939. (Nationalisme et religion. Un processus ayant pour but l'intégration du nationalisme au catholicisme en une unité d'idée dans la pensée de la National-Démocratie, 1926-1939.) Kraków, 84, in-8, 177 p. (Uniw. Jagiell. Rozpr. Habilitacyjne, 85)

4179. GUTERMAN (Alexander). Yehudim sefaradiim al admat Polin. (Sephardi Jews in Poland.) Pe'amim, 84, vol. 18, p. 53-79. [Eng. summary]

4180. Historia Pomorza. (Histoire de la Poméranie.) Ouvr. collectif réd. par Gerard LABUDA. [T. 1. Cf. Bibl. 68-69, n° 1236.] T. 2: Do roku 1815. (Jusqu'à l'an 1815.) Cz. 2: Pomorze Wschodnie w latach 1657-1815. (Partie [1. Cf. Bibl. 76-77, n° 4621.] 2: La Poméranie Orientale dans les années 1657-1815.) Auteurs: Edmund CIEŚ-LAK, Jerzy WOJTOWICZ, Władysław ZAJEWSKI, avec la collab. de Władysław CHOJNACKI. Poznań, Wydawn. Pozn., 84, in-8, 855 p.

4181. Historia sejmu polskiego. T. 1: Do schyłku szlacheckiej Rzeczypospolitej. (Histoire de la Diète polonaise. T. 1: Jusqu'au début de la République Nobiliaire.) Réd. par Jerzy MICHALSKI. Auteurs: Juliusz BARDACH et al. Warszawa, Państw. Wydawn. Nauk., 84, in-8, 451 p.

4182. HORN (Maurycy). Król Jan III a Żydzi polscy. (Le roi Jean III et les Juifs polonais.) B. żyd. Inst. hist., 83 [84], a. 33, n° 4, p. 3-24.

4183. KANCEWICZ (Jan). Polska Partia Socjalistyczna w latach 1892-1986. (Le Parti Socialiste Polonais dans les années 1892-1896.) Warszawa, Państw. Wydawn. Nauk., 84, in-8, 507 p.

4184. KSOMAN (Marceli). Myśl zachodnia w polityce Jagiellonów. (La pensée occidentale dans la politique des Jagellon [XIVe-XVIe s.].) Przegl. zach., 84. a. 40, n° 3, p. 1-24.

4185. KOZŁOWSKI (Eligiusz), WRZOSEK (Mieczysław). Histcria oręża polskiego 1795-1939. (Histoire des armes polonaises 1795-1939.) Warszawa, Wiedza Powsz., 84, in-8, 777 p. (Bibl. Wiedzy Hist. Historia Polski)

4186. Kraków w czasach saskich. Materiały sesji naukowej z okazji Dni Krakowa w 1982 roku. (Cracovie aux temps des rois de Saxe. Matériaux du colloque scientif. à l'occas. des Journées de Cracovie de 1982.) Réd.: Jan MAŁECKI. Auteurs: Wanda BACZKOWSKA et al. Avant-propos: Jerzy WYROZUMSKI. Kraków, Wydawn. Liter., 84, in-8, 169 p. (Rola Krakowa w Dziejach Narodu, 2)

4187. KUCIŃSKI (Jerzy). Ustrojowo-polityczne koncepcje PZPR w latach 1948-1959. (Les conceptions sur le régime et politiques du POPU (Parti Ouvrier Polonais Unifié] dans les années 1948-1959.) Warszawa, Ksiazka i Wiedza, 84, 367 p.

4188. LECZYK (Marian). Oblicze społeczno-polityczne Drugiej Rzeczypospolitej 1918-1939. (L'aspect socio-politique de la Deuxième République 1918-1939.) Warszawa, 84, in-8, 422 p. (Wojsk. Akad. Polit. im. F. Dzierżyńskiego. Wydz. Nauk Polit.)

4189. LEVINE (H.). Between Polish autarchy and Russian autocracy: the Jews, the Propinacja, and the rhetorical reform. Int. R. soc. Hist., 82 [83], vol. 27, p. 66-84.

4190. LEVRON (Jacques). Stanislas Leszczynski, roi de Pologne, duc de Lorraine. Un roi philosophe au siècle des Lumières. Paris, Perrin, 84, in-8, 418 p. (ill., pl.).

4191. LEWALSKI (Kenneth F.). Mickiewicz and the November insurrection: procrastination and remorse. East european Quar., 84, vol. 18, n° 3, p. 265-272.

4192. LUBICZ-PACHOŃSKI (Jan). Kościuszko na ziemi krakowskiej. (Kościuszko sur la terre cracovienne [1794].) Warszawa, Państw. Wydawn. Nauk., 84, in-8, 438 p.

4193. MOCHNACKI (Maurycy). Powstanie narodu polskiego w roku 1830 i 1831. (L'insurrection de la nation polonaise en 1830 et 1831.) Ed. et avant-propos: Stefan KIENIEWICZ. T. 1, 2. Warszawa, Państw. Inst. Wydawn., 84, 2 vol. in-8, 378, 535 p. [Ed. orig.: Paris, 1834]

4194. NAZAREWICZ (Ryszard). Probleme des nationalen Befreiungskampfes und der Klassenkonfrontation am Vorabend der Revolution in Polen 1943/44. Jb. f. Gesch., 84, Bd 30, p. 235-259.

4195. NOEL (Léon). La Pologne entre deux mondes. Polonia restituta. Préf. de J. B. DUROSELLE. Paris, Publications de la Sorbonne, Inst. d'Etudes slaves, 84, in-8, 288 p. ((Coll. hist. de l'Inst. d'Et. slaves, 29. Sér. internat., 23)

4196. OLESZCZYŃSKI (Antoni). Wspomnienia. Cz. 1: O Polakach co słynęli w obcych i odległych krajach. Opisy i wizerunki. (Mémoires. P. 1: Les Polonais qui étaient célèbres dans les pays étrangers et lointains. Descriptions et portraits.) Warszawa, Wydawn. Artyst. i Filmowe, 84, in-8, 204 p. [Reprod. photo-offset de l'éd. Paris, 1843]

4197. OLSZEWSKI (Henryk). Reflections on the theory and practice of Seym debate in Poland from the 16th to the 18th centuries. Acta Poloniae hist., 83 [84], vol. 48, p. 57-75.

4198. ORACKI (Tadeusz). Słownik biograficzny Warmii, Prus Książęcych i Ziemi Malborskiej od połowy XV do końca XVIII wieku (Dictionnaire biographique de la Warmie, la Prusse Ducale et la Terre de Malbork, du milieu du XVe à la fin du XVIIIe siècle.) T. 1: A - K. Olsztyn, Pojezierze, 84, in-8, XXV-168 p. (Ośrodek Badań Nauk. im. Wojciecha Kętrzyńskiego w Olsztynie. Bibl. Olsztyńska, 11)

4199. Outline (An) history of Polish culture. Intr.: Bolesław KLIMASZEWSKI. Transl. from Pol. by Krystyna MROCZEK. Warszawa, Interpress, 84, in-8, 383 p. (Jagiell. Uniw.)

4200. PLAZA (Stanisław). Sejmiki i zjazdy szlacheckie województw poznańskiego i kaliskiego. Ustrój i funkcjonowanie (1572-1632). (Les diétines et les congrès nobiliaires des voïvodies de Poznań et de Kalisz. Régime et fonctionnement, 1572-1632.) Kraków, Państw. Wydawn. Nauk., 84, in-8, 162 p. (Zesz. Nauk. Uniw. Jagiell., 720. Prace Prawn., 110)

4201. POLKOWSKI (Ignacy). Groby i pamiątki polskie w Rzymie. (Les tombeaux et souvenirs polonais à Rome.) Warszawa, Wydawn. Artyst. i Filmove, 84, in-8, 84 p. [Reprod. photo-offset de l'éd. Drezno, 1870]

4202. Polska niepodległa 1918-1939. (La Pologne indépendante 1918-1939.) Réd.:

§ 2. SINGOLI STATI   175

Janusz ŻARNOWSKI. Wrocław, Zakł. Narod. im. Ossolińskich, 84, in-8, 161 p. (Wszechnica Pol. Akad. Nauk. Najnowsze Osiągnięcia Nauki)

4203. Powstanie styczniowe 1863-1864. Materiały sympozjum z okazji 120 rocznicy wybuchu powstania styczniowego. (L'insurrection de janvier. Matériaux du symposium pour le 120e anniversaire du déclenchement de l'insurrection de janvier.) Réd. scientif.: Janusz WOJTASIK. Auteurs: Eligiusz KOZŁOWSKI et al. Warszawa, Wojsk. Inst. Hist. im. Wandy Wasilewskiej, 84, in-8, 118 p.

4204. PRZYBOŚ (Adam). Michał Korybut Wiśniowiecki [roi de Pologne] 1640-1673. Kraków, Wydawn. Liter., 84, in-8, 343 p. [en polonais]

4205. SCHAFF (Adam). Polen heute. Sammlung von Essays und Artikeln. Wien, München u. Zürich, Europaverl., 84, in-8, 236 p.

4206. SMOLKA (Stanisław). Polityka Lubeckiego przed powstaniem listopadowym. (La politique de Lubecki avant l'insurrection de novembre [1830].) Avant-propos par Ryszard KOŁODZIEJCZYK. T. 1, 2. Warszawa, Państw. Inst. Wydawn., 84, 2 vol. in-8, 570, 643 p. (Klasycy Historiografii) [Ed. orig.: Kraków 19807

4207. SOBOLEWSKI (Marek). Polska kultura polityczna i prawna w dawnych wiekach. Próba charakterystyki. (La culture politique et juridique polonaise dans les siècles passés. Essai d'une caractérisation.) Czas. prawno-hist., 83 [84], vol. 35, fasc. 2, p. 69-95.

4208. Społeczeństwo polkie i próby wznowienia walki zbrojnej w 1833 roku. (La société polonaise et les tentatives de reprise de la lutte armée en 1833.) Réd.: Włodzimierz Anatoljewicz DJAKOW, Stefan KIENIEWICZ, Wiktoria ŚLIWOWSKA, Feodosij J. STEBLIJ. Wrocław, Zakł. Narod. im. Ossolińskich, 84, in-8, VIII-807 p. (Pol. Akad. Nauk, Inst. Badań Liter., Inst. Hist., Komitet Nauk Hist.; Komitet Nauk o Literaturze Pol.; Akad. Nauk SSSR, Inst. Slavjanoved. i Balkanistyki, Akad. Nauk USSR, Inst. Obšč. Nauk. Pol. Ruchy Społ.-Polit. i Życie Liter. 1832-1855. Studia i Mater.)

4209. ŚWIĘCKI (Tomasz). Opis starożytnej Polski. (Description de la Pologne antique.) T. 1, 2. Warszawa, Wydawn. Artyst. i Filmowe, 84, 2 vol. in-8, V-456, 385 p. [Reprod. photo-offset de l'éd. Warszawa 1828]

4210. SZACKA (Barbara). Przeszłość w świadomości inteligencji polskiej. (Le passé dans la conscience de l'intelligentsia polonaise.) Warszawa, 83 [84], in-8, 283 p. (Rozpr. Uniw. Warsz., 180)

4211. TARAS (Ray). Ideology in a socialist state: Poland 1956-1983. London, Cambridge U.P., 84, in-8, 299 p. (Soviet a. East Europ. Stud.)

4212. WASILEWSKI (Tadeusz). Ostatni Waza na polskim tronie. (Le dernier Wasa sur le trône polonais.) Katowice, Śląsk, 84, in-8, 295 p. [Jean Casimir]

4213. WISNER (Henryk). Zygmunt III Waza. (Sigismond III Wasa.) Warszawa, Wydawn. Szkolne i Pedagog., 84, in-8, 124 p. (Szkice z Dziejów Pol.)

4214. WOŁOSZYŃSKI (Ryszard Wacław). Polacy w Rosji 1801-1830. (Les Polonais en Russie, 1801-1830.) Warszawa, Książka i Wiedza, 84, in-8, 307 p.

4215. WRZESIŃSKI (Wojciech). Warmia i Mazury w polskiej myśli politycznej 1864-1945. (La Warmie et la Mazurie dans la pensée politique polonaise 1864-1945.) Warszawa, Państw. Wydawn. Nauk., 84, in-8, 454 p. (Rozpr. i Mater. Ośrodka Badań Nauk. im. W. Kętrzyńskiego w Olsztynie, 90)

4216. WYBICKI (Józef). Myśli polityczne o wolności cywilnej. (Pensées politiques sur la liberté civile.) Ed.: Zbigniew NOWAK. Avant-propos: Emanuel ROSTWOROWSKI. Wrocław, Zakł. Narod. im. Ossolińskich, 84, in-8, 237 p. (Gdańskie Tow. Nauk. Wydz. I Nauk. Społ. i Humanist.)

4217. Zwycięstwo czy klęska? W 190 rocznicę powstania kościuszkowskiego. (Victoire ou défaite? Pour le 190e anniversaire de l'insurrection de Kościuszko.) Ouvrage collectif. réd. par Henryk KOCÓJ. Katowice, 84, in-8, 274 p. (Prace Nauk. Uniw. Śląskiego w Katowicach, 599)

Romania.

* 4218. Bibliografia românească modernă (1831-1918). Vol. 1 (A-C). Prefaţă de Gabriel STREMPEL. Coordonare generala: G. ŞTREMPEL. Coordonare bibliografica: Neonila ONOFREI, Valeria TRIFU. Autori: Neonila ONOFREI et al. Bucureşti, Ed. ştiinţ. şi enciclop., 84, in-8, 910 p.

** 4219. Documente ale Unirii (1600-1918). (Documents de l'Union.) Vol. întocmit de Constantin CĂZĂNIŞTEANU (coordontor), Vasile ALEXANDRESCU et al. Bucureşti, Ed. militară, 84, in-8, 503 p.

** 4220. 23 [Douăzeci şi trei] August 1944. (Le 23 août 1944.) Documente. Vol. 1: 1939-1943. Vol. 2: 1944. Ediţie de documente întocmită de Ion ARDELEANU, Vasile ARIMIA, Alecsenia ANDONE et al. Bucureşti, Ed. ştiinţ. şi enciclop., 84, 2 vol. in-8, CXLII-656, 871 p.

** 4221. Izvoarele răscoalei lui Horea (Fontes seditionis Horianae). Sub redacţia: Ştefan PASCU. Seria A: Diplomataria. [Vol. 2. Cf. Bibl. 83, n° 4218.] Vol. 3: Decembrie 1784 - aprilie 1785. Ed. de Alexandru NEAMŢU, Lelia TAUBER, Ion DORDEA, Viktor WOLLMANN. A mai collaborat Ladislau GYEMANT. Bucureşti, Ed. Acad., 84, in-8, 585 p.

** 4222. Izvoarele răscoalei lui Horea (Fontes seditionis Horianae). Sub redacţia: Ştefan PASCU. Seria B: Fontes narrativae.

[Vol. 2. Cf. Bibl. 83, n° 4219.] Vol. 3: Presa, broşuri, 1784-1785. (La presse, brochures.) Publ. de Nicolae EDROIU, Ladislau GYÉMÁNT, Volker WOLLMANN, Eva SELECKÁ-MÂRZA. Au colaborat: Gernot NUSS-BÄCHER et al. Cuvînt introductiv: Ştefan PASCU. Bucureşti, Ed. Acad., 84, in-8, XX-450 p.

** 4223. Prin ţările române. Călători străini din secolul al XIX-lea. (Voyageurs étrangers dans les Pays Roumains au XIXe s.) Antologie, traducere, studiu introductiv şi note de Simona VĂRZARU. Bucureşti, Ed. Sport-Turism, 84, in-8, 205 p.

** 4224. Românii la 1859. Unirea Principatelor române în conştiinţa europeană (Documente). (Les Roumains dans la conscience européenne. Documents.) Colectivul de coordonare: Ion ARDELEANU, Vasile ARIMIA, Ionel GAL, Mircea MUŞAT. Vol. 1: Documente externe (1848-1866). (Documents étrangers.) Intocmit de Vasile ARIMIA, Tudor BUCUR, Eugenia CIOCAN et al. Vol. 2: Texte străine (diplomaţi, istorici, publicişti). (Textes étrangers: diplomates, historiens, publicistes.) Intocmit de Gheorghe BERCAN, Gheorghe BONDOC, Ion SIMION et al. Bucureşti, Ed. ştiinţ. şi enciclop., 84, 2 vol. in-8, XXXIV-662, VII-450 p.

4225. Actul de la 23 August 1944 în contextul internaţional. Studii şi documente. (L'acte du 23 août 1944 dans le contexte international. Etudes et documents.) Coordonator: Gheorghe BUZATU. Bucureşti, Ed. ştiinţ. şi enciclop., 84, in-8. [Cf. n°ᵒˢ 4232, 4247, 4252, 4253, 4259, 5589, 7152, 7198, 7201, 7728, 7233, 7294]

4226. ANDREI (Nicolae). 1907 în Oltenia. Contribuţii intelectualilor la marea răscoală. (L'année 1907 en Olténie. La contribution des intellectuels à la grande révolte.) Craiova, Scrisul românesc, 84, in-8, 207 p.

4227. Armata română în revoluţia din August 1944. (L'armée roumaine dans la révolution d'août 1944.) Autori: Constantin OLTEANU, Ilie CEAUŞESCU, Florian TUCĂ et al. Bucureşti, Ed. politică, 84, in-8, 286 p.

4228. BERCEANU (Barbu). Aspecte ale luptei politice pentru Unire. Candidatura lui Grigore M. Sturdza la domnia Moldovei (1859). (Aspects de la lutte politique pour l'Union. La candidature de Grigore M. Sturdza au trône de Moldavie.) R. Ist., 84, t. 37, p. 167-184.

4229. BERINDEI (Dan). 1848 în ţările române. (L'année 1848 dans les Pays Roumains.) Bucureşti, Ed. ştiinţ. şi enciclop., 84, in-8, 120 p. [a paru aussi en franç.]

4230. BORSI-KÁLMÁN (Béla). La naissance de la génération des réformes roumaines. A. Univ. Sci. Budapestiensis, Sectio hist., 83, vol. 23, p. 77-95.

4231. BULEI (Ion). Lumea românească la 1900. (L'univers roumain en 1900.) Bucureşti, Ed. Eminescu, 84, in-8, 332 p.

[situation polit., écon., soc. et culturelle]

4232. CEAUŞESCU (Ilie). Atitudinea şi activitatea Marelui Stat Major în perioada septembrie 1940 - 23 August 1944, ostile politicii duse de Germania hitleristă în România, pentru contracararea unor măsuri antipopulare ale dictaturii antonesciene. (L'attitude et l'activité du Grand Etat-Major de sept. 1940 au 23 août 1940, hostiles à la politique menée par l'Allemagne hitlérienne en Roumanie et à la dictature d'Antonescu.) In: Actul de la 23 August 1944 ... [Cf. n° 4225], p. 154-190.

4233. CHIPER (Ioan). Situaţia politică din România în primăvara şi vara anului 1944 în lumina unor documente germane. R. Ist., 84, t. 37, p. 518-533. - En franç.: La situation politique en Roumanie au printemps et en été 1944 à la lumière de documents allemands. R. roumaine Hist., 84, vol. 23, p. 209-226.

4234. CHIRIŢĂ (Grigore). Condiţia politică a ţărănimii în epoca Unirii. Contribuţia ei la crearea României moderne (1856-1866). (La condition politique de la paysannerie à l'époque de l'Union. Sa contribution à la création de la Roumanie moderne.) R. Ist., 84, t. 37, n° 1, p. 13-28; n° 2, p. 149-166.

4235. CONSTANTINIU (Florin), IONESCU (Mihai E.). August 1944. Repere istorice. (Août 1944. Repères historiques.) Bucureşti, Ed. ştiinţ. şi enciclop., 84, in-8, 260 p.

4236. CSEREI (Mihály). Erdély históriája, 1661-1711. Sajtó alá rend., bev. és jegyz. BANKUTI Imre. (Histoire de la Transylvanie, 1661-1711. Publ. par - .) Budapest, Európa, 83, in-8, 593 p. (40 pl.). (Bibliotheca historica)

4237. CUTOIU (Vasile). Istoria apărării antiaeriene a teritoriului României. (Histoire de la défense antiaérienne du territoire de la Roumanie.) Bucureşti, Ed. militară, 84, in-8, 196 p.

4238. DASCĂLU (Nicolae). Imaginea actului istoric de la 23 August în documente militare americane. (L'image de l'acte historique du 23 août 1944 reflétée dans des documents militaires américains.) R. Ist., 84, t. 37, p. 392-426.

4239. DUDAŞ (Florian). Răscoala lui Horea în tradiţia poporului. (La révolte de Horea dans la tradition populaire.) Bucureşti, Albatros, 84, in-8, 292 p.

4240. DUMITRIU (Dana). Introducere în opera lui C. A. Rosetti. (Introduction à l'oeuvre de C. A. Rosetti [1816-1885].) Bucureşti, Minerva, 84, in-8, 215 p.

4241. EDROIU (Nicolae). Horea's uprising: European echoes. Bucureşti, Ed. Acad., 84, 84, in-8, 196 p.

4242. Epochen der Entscheidungen. Die Siebenbürger Sachsen im 20. Jahrhundert. Heinrich Zillich z. 85. Geburtstag. Hrsg. v. Oskar SCHUSTER. 2., verb. Aufl. Köln u. Wien, Böhlau, 84, in-8, XI-426 p.

§ 2. SINGOLI STATI

4243. EREŠČENKO (M.D.). Demokratičeskie sily Rumynii protiv korolevskoj diktatury i fašizma (1938-1940 gg.). (Romanian democratic forces in the struggle against the royal dictatorship and Fascist offensive, 1938-1940.) Nov. novejš. Ist., 84, n° 2, p. 45-61.

4244. FĂTU (Nicolae). Contribuții la studierea regimului politic din România (septembrie 1940 - august 1944). (Contribution à l'étude du régime politique en Roumanie.) București, Ed. politică, 84, in-8, 368 p.

4245. GRECU (Victor V.). Revoluția, unirea, independența în Transilvania. (La Révolution, l'Union, l'Indépendance en Transylvanie.) Cluj-Napoca, Dacia, 84, in-8, 213 p.

4246. Groza Péter emlékére. Vál. és szerk. SIPOS Attila. A dokumentumokat LIPCSEY Ildikó gyüjt. (A la mémoire de Petru Groza. Rec. et réd. par - . Documents rec. par - .) Budapest, Kossuth Kiadó, 84, in-8, 148 p.

4247. IONIȚĂ (Gheorghe I.). Poziția patriotică a intelectualității progresiste în preajma și în timpul cotiturii istorice din August 1944. (La position patriotique des intellectuels progressistes à la veille et au temps du tournant historique d'août 1944.) In: Actul de la 23 August 1944 ... [Cf. n° 4225], p. 138-154.

4248. IORDACHE (Anastasie). Pe urmele lui Dumitru Brătianu. (Sur les traces de D. Brătianu [1818-1892].) București, Sport-Turism, 84, in-8, 350 p.

4249. LIU (Nicolae). La révolution de 1848 et les rapports intellectuels franco-roumains. R. roumaine Hist., 84, vol. 23, p. 129-144.

4250. MAZILU (Dumitru). National independence, Romanian thinking and action (19th-20th cent.). Bucharest, Military Publ. House, 84, in-8, 278 p.

4251. MISKOLCZY (Ambrus). Társadalom, nemzetiség és ellenzékiség kérdései az erdélyi magyar reformmozgalomban, 1830-1843. A magyar liberális ellenzék harca a polgári átalakulásért Erdélyben. (Problèmes dans le mouvement hongrois de réforme en Transylvanie: société, minorité nationale, opposition, 1830-1843. La lutte de l'opposition libérale hongroise pour une transformation bourgeoise en Transylvanie.) Századok, 83, vol. 117, n° 5, p. 1061-1096.

4252. MOLDOVEANU (Milica). Reflectarea situației României și a stării de spirit a societății românești în presa conspirativă poloneză în anii celui de-al doilea război mondial. (La situation de la Roumanie et l'état d'esprit de la société roumaine reflétés dans la presse illégale polonaise de la deuxième guerre mondiale.) In: Actul de la 23 August ... [Cf. n° 4225], p. 369-391.

4253. MUȘAT (Mircea), PAVELESCU (Ion). Rădăcinile istorice ale revoluției de eliberare socială și națională, antifascistă și antiimperialistă din August 1944. (Les racines historiques de la Révolution de libération sociale et nationale, antifasciste et anti-imperialiste d'août 1944.) In: Actul de la 23 August 1944 ... [Cf. n° 4225], p. 44-68.

4254. NEUMANN (Victor). Vasile Maniu. Monografie istorică. (Monographie historique.) Timișoara, Facla, 84, in-8, 212 p.

4255. OFIR (Efraim). Ha-tenua ha-ziyyonit be-rumania bime milhemet ha-olam ha-sheniya. (The Zionist movement in Rumania during the Second World War, 1938-1944.) Jerusalem, 84, in-4, 470 p. [Thesis Hebrew Univ. of Jerusalem. - Eng. summary]

4256. PASCU (Ștefan). Revoluția populară de sub conducerea lui Horea. (La révolution populaire dirigée par Horea.) București, Ed. militară, 84, in-8, 535 p.

4257. PRODAN (David). Răscoala lui Horea. (La révolte de Horea.) Ediție nouă revăzută. Vol. 1, 2. București, Ed. științ. și enciclop., 84, 2 vol. in-8, 623, 775 p.

4258. Răscoala lui Horea (1784). Studii și interpretări istorice. Horea's uprising. Studies a. historical interpretations. Coordonatori: Nicolae EDROIU, Pompiliu TEODOR. Cluj-Napoca, Dacia, 84, in-8, 310 p.

4259. SCURTU (Ioan). Poziția Partidului Național Țărănesc și a Partidului Național Liberal față de dictatura antonesciană. (La position du Parti National Paysan et du Parti National Libéral face à la dictature d'Antonescu.) In: Actul de la 23 August 1944 ... [Cf. n° 4225], p. 107-137.

4260. STAN (Valeriu). Alexandru Ioan Cuza, 1820-1873. (A. I. Cuza [prince de Roumanie.) București, Ed. didactică și pedagog., 84, in-8, 104 p.

4261. STOICESCU (Nicolae). De la conștiința unității de neam la conștiința națională. (De la conscience de l'unité ethnique à la conscience nationale.) R. Ist., 84, t. 37, n° 2, p. 107-125.

4262. STOY (Manfred). Das Wirken Gaspar Gracianis (Gratianis) bis zu seiner Ernennung zum Fürsten der Moldau am 4. Februar 1619. Südost-Forsch., 84, Bd 43, p. 49-122.

4263. SULTAN (Dumitru). Preliminarii ale făuririi statului național unitar român. (Préliminaires du parachèvement de l'Etat national unitaire roumain [1848-1918].) București, Ed. științ. și enciclop., 84, in-8, 152 p.

4264. TRÓCSÁNYI (Zsolt). Kísérletek teljes katonai uralom létrehozására Erdélyben 1732-1739. (Tentative d'établir en Transylvanie un gouvernement entièrement militaire 1732-1739.) Századok, 83, vol. 117, n° 5, p. 983-1014.

4265. VÁRKONYI (Agnes), R. Erdélyi változások. Az erdélyi fejedelemség a török kiüzésének korában, 1660-1711. (Changements en Transylvanie. La principauté de

Transylvanie à la fin de l'époque turque.) Budapest, Magvető Kiadó, 84, in-8, 521 p. (Nemzet és emlékezet)

4266. VLAD (Matei D.). Locul lui Constantin Mavrocordat în istoria românilor din secolul al XVIII-lea. (La place de Constantin Mavrocordat dans l'histoire des Roumains du XVIIIe siècle.) R. Ist., 84, t. 37, p. 241-258.

4267. ZACH (Cornelius R.). Bemerkungen über das Verhältnis von Staat und Kirche in der Walachei und Moldau des 16. und 17. Jahrhunderts. Südost-Forsch., 84, Bd 43, p. 21-47.

Cf. n° 440.

Svezia.

4268. BOJERUD (Stellan). Krigserfarenheter, försvarsekonomi och marint nytän ande: "lätt flotta" 1945-1963. (The influence of war experience and defence economy upon the development of the "light navy", 1945-63.) Militärhist. T., 84, vol. 6, p. 19-73. [Eng. summary]

4269. EKHOLM (Curt). Balt- och tyskutlämningen 1945-1946: omständigheter kring interneringen i läger i Sverige och utlämningen till Sovjetunionen av f. d. tyska krigsdeltagare. Del 1, 2. (The deportation of Baltic and German military internees in 1945-1946: circumstances concerning the internment in camps in Sweden and the deportation of former German soldiers to the Soviet Union. Part 1, 2.) Stockholm, Almqvist a. Wiksell internat., 84, 2 vol. in-8, XV-220, XXVIII-440 p. (maps). (Studia hist. Upsaliensia, 136, 137) [Eng. summary]

4270. ERICSON (Lars). Indelningsverket sett med brittiska ögon: kring en engelsk skildring av den svenska armén 1694. (The Swedish territorial army system as seen through British eyes: an English description [by Rev. John Robinson] of the Swedish army, 11694.) Karolinska Förb. Arsb., 83 [84], vol. 72, p. 19-46.

4271. HOLMBERG (Åke). On the practicability of Scandinavism: mid-nineteenth century debate and aspirations. Scand. J. Hist., 84, vol. 9, p. 171-182.

4272. JARRING (Gunnar). Brigitta Scherzenfeldt och hennes fångeskap hos kalmuckerna. (Brgitta Scherzenfeldt and her captivity among the Kalmucks [1716-33].) Karolinksa Förb. Årsb., 83 [84], vol. 72, p. 88-118.

4273. KROMNOW (Åke). Drottning Maria Eleonora i brandenburg-preussiska sändebudsrapporter, 1633-1637. (Königin Maria Eleonora in den Berichten der brandenburg-preußischen Gesandten.) Personhist. T., 84, vol. 80, p. 89-108.

4274. LAPPALAINEN (Jussi T.). Oskar I:s planer 1854-1856. (Die Pläne Oskars I., 1854-1856.) Militärhist. T., 84, vol. 6, p. 5-18. [Deutsche Zsfassung]

4275. LOSMAN (Arne). Karolinen Nils Bielke som kulturpersonlighet. (The Caroline warrior Nils Bielke [1644-1716] as a personality in the field of culture.) Karolinska Förb. Arsb., 83 [84], vol. 72, p. 7-18.

4276. OLOFSSON (Jan). Försvaret till sjöss: studier i svensk sjöförsvarspolitik under mellankrigstiden och andra världskriget. (The defence at sea: studies in Swedish naval defence policy during the period between the two wars and during the second world war.) Forum navale, 84, vol. 40, p. 5-67 (ill.).

4277. SANSTRÖM (Anders). Pansarfarty åt Sveriges flotta: en studie om flottan och striden om F-båten 1906-1909. (Ironclads for the Swedish Navy: a study in navy and the struggle about the F-type ship, 1906-1909.) Stockholm, Statens sjöhist. mus., 84, in-8, 245 p. (ill.). (Statens sjöhist. mus. Rapport, 19)

4278. SCHÜCK (Herman). Sweden as an aristocratic republic. Scand. J. Hist., 84, vol. 9, p. 65-72.

Cecoslovacchia.

4279. BERÁNKOVÁ (Milena). Novinář a publicista Antonín Zápotocký. (Der Journalist und Publizist A. Zápotocký.) Praha, Novinář, 84, in-8, 220 p. (20 fig.).

4280. BUTVIN (Jozef). Podnety a vzostup slovenskej buržoáznej politiky v rokoch 1905-1907. (The impulses and rise of Slovak bourgeois policy in 1905-1907.) Hist. Čas., 84, vol. 32, p. 555-573. - IDEM. Vonkajšie otázky politiky slovenskej maloburžoázie na prelome storočí. 1895-1904. (Die äußeren Fragen d. Politik d. slowak. Kleinbourgeoisie an d. Wende d. Jahrhunderts, 1895-1904.) Českoslov. Čas. hist., 84, vol. 32, p. 546-574.

4281. CAMBEL (Samuel). Agrárna otázka a problematika robotnícko-roľníckeho zvazku v Slovenskom národnom povstaní. (Die Agrarfrage und die Problematik des Arbeiter- und Bauernbundes im Slowakischen Nationalaufstand.) Zborn. Múzea slov. nar. Povst., 84, vol. 9, p. 49-70.

4282. ČAPKA (František). Dějiny Československa od roku 1945 po současnost. (Geschichte der Tschechoslowakei v. J. 1945 bis zur Gegenwart.) Praha, Stát. pedag. nakl.; Brno, Univ. J. E. Purkyně, 84, in-8, 191 p.

4283. Československá revolúcia 1944-1948 a jej kritici. (Die tschechoslowakische Revolution 1944-1948 und ihre Kritiker.) [Von] Dagmar ČIERNA-LANTAYOVÁ, Ján ČIERNY, Ivan KAMENEC, Jaroslav MLÝNSKÝ. Hist. Štúdie, 84, vol. 27, n° 1, 116 p.

4284. CHOVANEC (Jaroslav). K problematike revolučno-demokratických a politickomocenských aspektov Slovenského národného povstania. (On the problem of revolutionary-democratic and political aspects of the Slovak national uprising.) Hist. Čas., 84, vol. 32, p. 389-416.

§ 2. SINGOLI STATI

4285. Dějiny Komunistické strany Československa v datech. (Geschichte der Kommunistischen Partei der Tschechoslowakei in Daten.) Ed.: Miroslav BOUČEK, Zdeněk DVOŘÁČEK, Miroslav SLKENÁŘ, Jan STANĚK, Iljič SYCHRA, Zdeněk ŠEL, Efrem VICHEREK. Praha, Svoboda, 84, in-8, 965 p.

4286. FELCMAN (Ondřej). Český proletariát v boji za vítězství socialistické revoluce, 1945-1948. (Das tschechische Proletariat im Kampf für den Sieg der sozialist. Revolution.) Praha, Academia, 84, in-8, 252 p. - IDEM. Die Veränderungen in der Stellung der tschechischen Arbeiterklasse im revolutionären Prozeß der Nachkriegsjahre 1945-1948). Historica [Praha], 84, vol. 24, p. 83-147.

4287. HRONSKÝ (Marián). Priebeh vojenského obsadzovania Slovenska československým vojskom od novembra 1918 do januára 1919. (The development of the military occupation of Slovakia by the Czechoslovak army from Nov. 1918 to Jan. 1919.) Hist. Čas., 84, vol. 32, p. 734-757.

4288. HUBENÁK (Ladislav). Parlamentné volby v roku 1925. (Parliamentary elections in 1925.) Hist. Čas., 84, vol. 32, p. 905-925.

4289. JANÁČEK (Josef). Doba předbělohorská. (L'époque d'avant la Montagne Blanche. Vol. 1, [T. 1. Cf. Bibl. 68-69, n° 5993.] T. 2. Praha, Academia, 84, in-8, 360 p. (88 fig.).

4290. KAPITOLA (Luděk). Třicet pět let Československé strany socialistické. (Fünfunddreißig Jahre Tschechoslowakiche Sozialist. Partei.) Praha, Československ. strana socialist., 84, in-8, 139 p.

4291. KOPAČKA (Ludvík). Development of industry a. economy and landscape changes in Czechoslovakia during socialism. Hist. Geogr. [Praha], 84, vol. 23, p. 251-291.

4292. KSČ a budovanie socializmu na Slovensku v šesťdesiatych rokoch. (Die Kommunistische Partei der Tschechoslowakei und der Aufbau des Sozialismus in der Slowakei in den sechziger Jahren.) Red.: Andrej GABAĽ. Zborn. Úst. Marx.-Lenin., 84, vol. 23, n° 1, 440 p.

4293. KVAČEK (Robert). K dějinným tradicím. (Zu den historischen Traditionen.) Praha, Českoslov. strana socialist., 84, in-8, 193 p.

4294. LACINA (Vlastislav). Hospodářská politika české buržoazie a vznik Československé republiky. (The economic politicy of the Czech bourgeoisie and the origin of the Czechoslovak Republic.) Českoslov. Čas. hist., 84, vol. 32, p. 668-692.

4295. NÁLEPKOVÁ (Olga). K charakteristice české liberální buržouazie v 60. letech 19. století. (Zur Charakteristik der tschechischen liberalen Bourgeoisie in den sechziger Jahren des 19. Jahrhunderts.) Sborn. k Děj. 19. a 20. Stol., 84, vol. 9, p. 209-265.

4296. NENAŠEVA (Z.S.). Idejno-političes-kaja bor'ba v Čekhii i Slovakii v načale XX v.: Čekhi, slovaki i neoslavjanizm, 1898-1914. (Ideological and political struggle in Czech lands and Slovakia at the beginning of the 20th century. Czechs, Slovaks and neo-slavism, 1898-1914.) Moskva, Nauka, 84, 240 p. (AN SSSR. In-t slavjanovedenija i balkanistiki)

4297. NESVADBA (František). Čs. buržoazní armáda mezi Mnichovem a 15. březnem 1939. (Die tschechoslowakische bürgerliche Armee zwischen München und dem 15. März 1939.) Hist. Vojen., 84, vol. 33, n° 1, p. 66-86; n° 6, p. 50-69.

4298. PÁNEK (Jaroslav). Stavovství v předbělohorské době. (Das Ständewesen in d. Böhmischen Ländern vor d. Schlacht am Weißen Berg, 1526-1620.) Folia hist. bohem., 84, vol. 6, p. 163-219.

4299. PEŠEK (Jiří), ZILYNSKYJ (Bohdan). Městský stav v boji se šlechtou na počátku 16. století. (Das Bürgertum im Kampf mit dem Adel am Anfang d. 16. Jh.) Folia hist. bohem., 84, vol. 6, p. 137-161.

4300. PEŤKO (Emil). Cestou k slobode. (Unterwegs zur Freiheit.) Bratislava, Pravda, 84, in-8, 289 p.

4301. PLEVZA (Viliam). Slovenské národné povstanie - začiatok národnej a demokratickej revolúcie v Československu. (Der Slowakische Nationalaufstand - Anfang der Volks- und demokratischen Revolution in der Tschechoslowakei.) Bratislava, Práca, 84, in-8, 200 p.

4302. Podbrezovská konference. Fakta a dokumenty z konference závodních výborů a důvěrnických sborů v Podbrezové 1944. (Die Konferenz in Podbrezová. Fakten u. Dokumente aus d. Konferenz d. Betriebsausschusse u. Vertrauensmännerversammlung in Podbrezová 1944.) Ed.: Marta VARTÍKOVÁ. Praha, Práce, 84, in-8, 120 p.

4303. Přehled dějin KSČ. Doplněk 1976-1981. (Übersicht über die Geschichte der KPTsch. Ergänzung 1976-1981.) Praha, Svoboda, 84, in-8, 53 p.

4304. REJCHRTOVÁ (Noemi). Václav Budovec z Budova. Praha, Melantrich, 84, 276 p. (24 fig.). (Odkazy pokrokových osobností naší minulosti, 74) [en tchèque]

4305. SCHRÖDER (Sibylle). Der Wandel im Charakter der traditionellen Nationalausschüsse in der Tschechoslowakei 1918 und 1945. Jb. f. Gesch., 84, Bd 30, p. 205-234.

4306. SIMECKA (Milan). Restoration of order: the normalization of Czechoslovakia, 1969-1976. Tr. from the Czech. London, Verso, 84, in-8, 224 p.

4307. Spoločne v boji proti fašizmu. Ilegálna KSS a formovanie protifašistického Národného frontu na strednom Slovensku od roku 1938 do 29. augusta 1944. (Gemeinsam im Kampf gegen den Faschismus. Die illegale Komm. Partei d. Slowakei u. d. Gestaltung d. antifaschist. Nationalfront in d. Mittelslowakei v. J. 1938 bis z. 29. August 1944.) [Von] Karol FREMAL, Vojtech

KORIM, Vladimír MOTOŠKA, Július HOZÁK. Martin, Osveta, 84, in-8, 216 p.

4308. ŠUMBEROVÁ (Ludmila). Antonín Zápotocký. 1884-1957. Praha, Práce, 84, in-8, 167 p. (32 fig.). [en tchèque]

4309. TOMEŠ (Josef). Česká strana státoprávně pokroková v letech 1908-1914. (Die Tschechische staatsrechtlich-fortschrittliche Partei in d. J. 1980-1914.) Acta Univ. Carolinae, Philos. et Hist., 82 [84], fasc. 3, p. 117-150.

4310. UDAL'COV (I.I.). Istoriografija češskogo nacional'nogo vozroždenija. Novejš. čekhosl. i sov. issled. (1950-1980 gg.). (Historiography of the Czech national renaissance. Contemporary Czechoslovak and soviet research, 1950-1980.) Moskva, Nauk, 84, 303 p. (AN SSSR. In-t slavjanovedenija i balkanistiki)

4311. VACULÍK (Jaroslav). Reemigrace a usídlování volyňských Čechů v letech 1945-1948. (Die Reemigration und Niederlassung der Tschechen aus Wolhynien in d. J. 1945-1948.) Brno, Univ. J. E. Purkyně, 84, in-8, 223 p.

4312. VAŠKŮ (Vladimír). Přehled výsledků revizí a konfirmací listin nejstarších moravských klášterů v 18. století. (Übersicht über die Ergebnisse der Revision und Konfirmation der Urkunden der ältesten mährischen Stifte im 18. Jahrhundert.) Sborn. arch. Prací, 84, vol. 34, p. 540-585.

4313. VÁVRA (Jan). Československá sociální demokracie a pátá volební kurie [1896-1897]. (Die tschechoslowakische Sozialdemokratie und die fünfte Wahlkurie.) Acta Univ. Carolinae, Philos. et Hist., 82 [84], fasc. 3, p. 67-94.

4314. ZDYCHA (Pavol). Problém kovoroľníkov v procese kolektivizácie poľnohospodárstva na Slovensku. (Problems of "metalfarmers" in the process of collectivization of the agriculture in Slovakia.) Hist. Čas., 84, vol. 32, p. 781-805.

Tunisia.

4315. SALEM (N.). Habib Bourguiba, Islam and the creation of Tunisia. London, Croom Helm, 84, in-8, 270 p.

Turchia.

** 4316. LUCINGE (René de). De la naissance, durée et chute des Etats (Sur les Turcs [1588]). Texte établi et annoté par Michael HEATH. Genève, Droz, 84, in-8, 296 p. (Textes littéraires franç., 325)

4317. AIRAS (Pentti). Der türkische Kriegszweck nach der großen osmanischen Expansion aus westeuropäischer Sicht. Faravid, 84, t. 8, p. 57-71.

4318. HACKER (Joseph). Ha-pe'ilut ha-inteleqtualit ... (Pattern of the intellectual activity of Ottoman Jewry in the 16th and 17th centuries.) Tarbiz, 84, vol. 53, n° 4, p. 569-603.

4319. LEVI (Avner). Ha-peraot bihude Terakia. (The anti-Jewish pogrom in Terakia, 1934.) Pe'amim, 84, vol. 20, p. 111-132.

4320. MANTRAN (Robert). L'Empire ottoman du XVIe au XVIIIe siècle: administration, économie, société. London, Variorum Repr., 84, in-8, 340 p. (ill.).

4321. MOUT (M.E.H.N.). Turken in het nieuws. Beeldvorming en publieke opinie in de zestiende-eeuwse Nederlanden. (The Ottoman Empire in the public opinion in the 16th-century Netherlands.) In: Vormen van communicatie [Cf. n° 893], p. 362-381.

4322. Osmanskaja imperija v pervoj četverti XVII veka. (The Ottoman Empire in the first quarter of the 17th century.) Sbornik dokumentov i materialov. Sost.: Kh. M. IBRAGIMBEJLI, N. S. RAŠBA. Moskva, Nauka, 84, 284 p.

4323. RAHMAN (Pazlur). Mohammad Iqbal and Atatürk's reforms. J. near east. Stud., 84, vol. 43, n° 2, p. 157-162.

4324. SOREANU (Mircea). Marele vizirat al Köprülüilor (1656-1676). (Le grand vizirat des Köprülü.) R. Ist., 84, t. 34, p. 346-364.

4325. VOLKAN (Vamik D.), ITZKOWITZ (Norman). The immortal Atatürk - a psychobiography. Chicago, Univ. of Chicago Press, 84, in-8, 359 p. - CR: Kemal H. Karpat, Am. hist. R., 85, vol. 90, n° 4, p. 893-899.

Cf. n° 5665.

Uganda.

4326. KSENOFONTOVA (N.A.), LUKONIN (Ju. V.), PANKRAT'EV (V.P.). Istorija Ugandy v novoe i novejšee vremja. (History of Uganda in modern and contemporary times.) Moskva, Nauka, 84, 247 p. (ill.). (Istorja stran Afriki. AN SSSR. In-t Afriki)

U.R.S.S.

* 4327. RAGSDALE (Hugh). The microfilmed collections of Russian archival material in the Danish and Swedish national archives. Slavic R., 84, vol. 42, n° 2, p. 270-275.

** 4328. ILYIN-ZHENEVSKY (A.F.). The Bolsheviks in power: reminiscences of the years 1918. Tr. from the Russ. by B. PEARCE. London, New Park, 84, in-8, 164 p.

** 4329. Istorja dorevoljucionnoj Rossii v dnevnikakh i vospominanijakh. (History of pre-revolutionary Russia in diaries and memoirs.) Annot. ukaz. knig i publ. v. žurn. Nauč. rukovodstvo, red. P. A. ZAJONČKOVSKOGO. T. 4, [Č. 1. Cf. Bibl.

83, n° 4328.] Č. 2: 1895-1817. Sost.: V. B. VORONCOVA, I. A. GUZEEVA, N. V. KADUŠKINA i dr. Moskva, Kniga, 84, 440 p. (Gos. b-ka SSSR im. V. I. Lenina i dr.)

4330. ALEKSANDROV (V.A.). Rossija na dal'nevostočnykh rubežakh (vtoraja polovina XVII v.). (Russia on the Far-Eastern borders, second half of the 17th cent.) Khabarovsk, Kn. izd-vo, 84, 271 p. ((ill.).

4331. ALEKSEEV (A.I.), MELIKHOV (G.V.). Otkrytie i pervonačal'noe osvoenie russkimi ljud'mi Priarmur'ja i Primor'ja. (Discovery and early stages of development of the Amur and Maritime areas by Russians.) Vopr. Ist., 84, n° 3, p. 57-71.

4332. AVRICH (Paul). Bolshevik opposition to Lenin: G. T. Miasnikov and the worker's group. Russian R., 84, vol. 43, n° 1, p. 1-30.

4333. BALL (Alan). Lenin and the question of private trade in Soviet Russia. Slavic R., 84, vol. 43, n° 3, p. 399-412.

4334. BARABANOVA (A.I.), JAMŠČIKOVA (E.A.). Narodovol'cy v Peterburge. (Members of "People's freedom" in Petersburg.) Leningrad, Lenizdat, 84, 223 p. (ill.). (Vydajuščiesja dejateli nauki i kul'tury v Peterburge - Petrograde - Leningrade)

4335. BARTLETT (Roger P.). J. J. Sievers and the Russian peasantry under Catherine II. Jb. f. Gesch. Osteuropas, 84, Bd 32, p. 16-33.

4336. BAZYLOW (Ludwik). Polacy w Petersburgu. (Les Polonais à Pétersbourg.) Wrocław, Zakł. Narod. im. Ossolińskich, 84, in-8, 473 p.

4337. BEYRAU (Dietrich). Militär und Gesellschaft im vorrevolutionären Rußland. Köln u. Wien, Böhlau, 84, in-8, X-504 p. (Beitr. z. Gesch. Osteuropas, 15)

4338. BROOKS (E. Willis). Reform in the Russian army, 1856-1861. Slavic R., 84, vol. 43, n° 1, p. 46-62.

4339. BROVKIN (Vladimir N.). The Menševiks under attack. The transformation of Soviet politics, June-September 1918. Jb. f. Gesch. Osteuropas, 84, Bd 32, p. 1-15.

4340. BUGANOV (V.I.). Pugačev. (Pugachev.) Vyp. 4. Moskva, Molodaja gvardija, 84, 383 p. (ill.). (Žizn' zamečatel'nykh ljudej. Ser. biogr.)

4341. CRIPS (Olga). Students in the Russian economy before 1914. London, Macmillan, 84, in-8, 293 p.

4342. DANIELJANC (K.G.). Sovremennaja anglo-amerikanskaja buržuaznaja istoriografija o pobede i upročenii Sovetksoj vlasti v Zakavkaz'e. (Current British and American bourgeois historiography on the victory and strenghtening of Soviet power in Transcaucasus.) Ist. SSSR, 84, n° 1, p. 208-216.

4343. DOLEJŠÍ (Antonín). Neprechodja-

ščeje značenije nasledija Velikogo Oktjabrja. (Die unvergängliche Bedeutung des Vermächtnisses des Großen Oktobers.) Historica [Praha], 84, vol. 24, p. 5-81.

4344. DONNERT (Erich). Rußland im Zeitalter der Aufklärung. Wien, Köln u. Graz, Böhlau, 84, in-4, 230 p.

4345. ELLEINSTEIN (Jean). Staline. Paris, Fayard, 84, in-8, 600 p.

4346. EREMIN (V.G.), ISAKOV (P.F.). Molodež'v gody Velikoj Otečestvennoj vojny. (The youth in the years of the Great Patriotic war.) 2-e izd., dop. i pererab. Moskva, Mysl', 84, 285 p. (ill.).

4347. FOMIN (A.I.). Razvitie gosudarstvennogo apparata narodnogo prosveščenija v pervye gody Sovetskoj vlasti. (Shaping state bodies of public education in the initital years of Soviet power.) Vopr. Ist., 84, n° 12, p. 3-15.

4348. GENOV (Conko). Les comités slaves en Russie et la cause de la libération nationale bulgare 1875-1878. In: Etudes hist. [Cf. n° 689], p. 11-26.

4349. GERASIMENKO (G.A.). Protivodejstvie krest'jan stolypinskoj agrarnoj politike. (Peasant opposition to Stolypin's agrarian policy.) Ist. SSSR, 84, n° 3, p. 128-140.

4350. GIOEV (M.I.). Antidenikinskij front na Kavkaze. (The anti-Denikin front in the Caucasus.) Ordžonikidze, Ir, 84, 256 p.

4351. GORJAEVA (T.M.). Radiogazeta 20th - načala 30kh godov kak istoričeskij istočnik. (Radio-news of the 20s - 30s as an historical source.) Ist. SSSR, 84, n° 1, p. 72-86.

4352. GORJUŠKIN (L.M.) MINENKO (N.A.). Istoriografija Sibiri dooktjabr'skogo perioda (konec XVI - nač. XX v.). (Historiography of Siberia of the pre-October period, end of the 16th - beginning of the 20th cent.) Novosibirsk, Nauk, 84, 317 p. (AN SSSR. Sib. otd-nie. In-t ist., filol. i filos.)

4353. GRUNT (A.J.), STARCEV (V.I.). Petrograd-Moskva, ijul' - nojab. 1917. (Petrograd-Moskow, July-November 1917.) Moskva, Politizdat, 84, 280 p. (ill.).

4354. HAMBURG (G.M.). Politics of the Russian nobility, 1881-1905. New Brunswick, N.J., Rutgers U.P., 84, in-8, XII-296 p.

4355. HILDERMEIER (Manfred). Die jüdische Frage im Zarenreich. Zum Problem d. unterbliebenen Emanzipation. Jb. f. Gesch. Osteuropas, 84, Bd 32, p. 321-357.

4356. HOSOKAWA (Shigeru). 16 seiki Roshia no Shoryô Kôzô. (La structure des seigneuries en Russie au XVIe siècle.) Kagawa Daigaku Keizai Ronsô, 83, vol. 56, n° 1, p. 417-438.

4357. IOFFE (G.Z.). "Verkhi" carskoj Rossii v fevral'sko-martovskie dni 1917 ·g.

("Upper strata" of tsarist Russia in February-March days of 1917.) Ist. Rap., 84, t. 110, p. 67-113.

4358. Issledovanija po istočnikovedeniju istorii SSSR dooktjabr'skogo perioda. (Researches on the sources of USSR history of the pre-October period.) Sbornik statej. Redkol.: V. I. BUGANOV (otv. red.) i dr. Moskva, 84, 216 p. (In-t istorii SSSR AN SSSR)

4359. Istoriografija gorodov Sibiri konca XVI - načala XX v. (Historiography of Siberian towns, end of the 16th - beginning of the 20th cent.) Sbornik. Redkol.: O. N. VILKOV (otv. red.) i dr. Novosibirsk, Nauka, 84, 179 p. (AN SSSR. Sib. otd-nie. In-t ist., filol. i filos.)

4360. JANSEN (M.). Government partners of the Bolsheviks. The Russian Socialist Revolutionaries in the Far Eastern Republic 1920-1922. Int. R. soc. Hist., 83 [84], vol. 28, p. 296-303.

4361. JONES (Robert E.). Provincial development in Russia: Catherine II and Jakob Sievers. New Brunswick, N.J., Rutgers U.P., 84, in-8, XI-255 p. - IDEM. Opposition to war and expansion in late eighteenth century Russia. Jb. f. Gesch. Osteuropas, 84, Bd 32, p. 34-51.

4362. KAS'JANENKO (V.I.). Bor'ba partii protiv fal'sifikacii teorii i praktiki socialističeskogo obščežitija v SSSR (1917-1937 gg.). (The Party's struggle against falsification of the theory and practice of the socialist society in the USSR. 1917-1937.) Vopr. ist. KPSS, 84, n° 9, p. 45-60.

4363. KHESIN (S.S.). Otnošenie trudjaščikhsja nacional'nykh rajonov Rossii k voprosu o vlasti nakanune Oktjabrja. (Attitude of the working people in non-Russian areas of Russia to the issue of power on the eve of the 1917 October Revolution.) Vopr. Ist., 84, n° 10, p. 52-62.

4364. KLAUSNER (Israel). Vilna, yerushalayim delita. (Vil'njus, "Jerusalem of Lithuania" ... , 1881-1939.) Tel-Aviv, Hakibutz Hameuchad, 83, 2 vol. in-8, (14 pl.).

4365. KOROLEVA (N.G.). Sovet ministrov Rossii v 1907-1914 gg. (Russia's Council of ministers in 1907-1914.) Ist. Zap., 84, t. 110, p. 114-153.

4366. KRAUSZ (Tamás). Az első orosz forradalom és az oroszországi szociáldemokrácia "második" szakadása. (La première révolution russe et la "deuxième" scission au sein de la social-démocratie de Russie.) Századok, 83, vol. 117, n° 4, p. 840-871. - IDEM. A szakszervezetek és az államhatalom. A szakszervezeti kérdés szovjet-oroszországi történetéhez. (Les syndicats et le pouvoir d'Etat. Sur l'histoire du problème syndical en Russie soviétique.) Párttört. Közl., 83, vol. 29, n° 3, p. 33-67.

4367. Kritika fal'sifikacij nacional'nykh otnošenij v SSSR. (Criticism of the falsification of national relations in the USSR.) Redkol.: M. P. MČEDLOV i dr. Moskva, Politizdat, 84, 496 p.

4368. Krizis samoderžavija v Rossi, 1895-1917. (The crisis of autocracy in Russia, 1895-1917.) Redkol.: V. S. DJAKIN (otv. red.) i dr. Leningrad, Nauka, 84, 664 p. (AN SSSR. In-t istorii SSSR)

4369. KUMANEV (V.A.). Dejateli sovetskoj kul'tury v antivoennom i antifašistskom dviženii (30-e gody). (The anti-war and anti-fascist movement of the Soviet intelligentsia in the 1930s.) Vopr. Ist., 84, n° 6, p. 3-20.

4370. KRUŠANOV (A.I.). Graždanskaja vojna v Sibiri i na Dal'nem Vostoke (1918-1920 gg.). (Civil war in Siberia and the Far East, 1918-1920.) Vladivostok, Dal'nevost. kn. izd-vo, 84. (AN SSSR. Dal'nevost. nauč. centr. In-t ist., arkheol. i ètnogr. narodov Dal. Vostoka)

4371. LEDONNE (John P.). Ruling Russia: politics and administration in the Age of Absolutism, 1762-1796. Princeton, N.J., Princeton U.P., 84, in-8, XVI-410 p. (Stud. of the Harriman Inst.)

4372. LEL'ČUK (V.S.). Industrializacija SSSR: istorija, opyt, problemy. (Industrialization in the USRR: history, experience, problems.) Moskva, Politizdat, 84, 304 p. - IDEM. Material'no-tekhničeskaja baza kul'turnogo stroitel'stva v pervye gody Sovetskoj vlasti. (Material and technical base of cultural construction in the first years of Soviet power.) Ist. Zap., 84, t. 110, p. 4-66.

4373. LEMERCIER-QUELQUEJAY (Chantal). La structure sociale, politique et religieuse du Caucase du nord au XVIe siècle. Cah. Monde russe et soviét., 84, vol. 25, n° 2-3, p. 125-148.

4374. LEVIN (Dov). Leqorotehem shel yehude Lita ... (History of Lithuanian Jews exiled to the USSR in the second world war.) Shvut, 84, vol. 10, p. 83-100. [Eng. summary]

4375. LOVELL (David W.). From Marx to Lenin: an evaluation of Marx's responsibility for Soviet authoritarianism. New York, Cambridge U.P., 84, in-8, XII-239 p.

4376. LÜBKE (Christian). Novgorod in der russischen Literatur (bis zu den Dekabristen). Berlin, Duncker u. Humblot, 84, in-8, 250 p. (Osteuropastud. d. Hochschulen d. Landes Hessen, Reihe 1: Gießener Abh. z. Agrar- u. Wirtschaftsforsch. d. europ. Ostens, 130)

4377. M. V. Frunze. Voen. i polit. dejatel'nost'. (M. V. Frunze. Military and political activities.) M. I. VLADIMIROV, A. E. IVANOV, A. P. IVANOV i dr. Moskva, Voenizdat, 84, 272 p. (ill.).

4378. McKAY (John P.). Baku oil and transcaucasian pipelines, 1883-1891: a study in Tsarist economic policy. Slavic R., 84, vol. 43, n° 4, 604-623.

4379. MENYHÁRT (Lajos). Az orosz társadalmi-politikai gondolkodás a századfordulón, 1895-1906. (La pensée sociale et politique russe entre 1895 et 1906.) Budapest, Akad. Kiadó, 83, in-8, 229 p. - IDEM. Az orosz vihar, 1905. (La tempête russe, 1905.) Budapest, Kossuth Kiadó, 84, in-8, 335 p.

4380. MERVAUD (Michel). Hegel ou Tolstoj? Pavel Bakunin dans ses écrits et dans sa correspondance avec sa nièce E. N. Vul'f. Cah. Monde russe et soviét., 84, vol. 25, n° 219-294.

4381. MILLER (Robert F.). Khrushchev and the communist world. London, Croom Helm, 84, in-8, 256 p.

4382. MUSTERD (C.). Lenins brief van 24 oktober 1917. Een omstreden bladzijde uit de geschiedenis van de Russische revolutie. (Lenin's letter from October 24, 1917. A controversial page in the history of the Russian revolution.) T. Gesch., 83, vol. 96, p. 37-71.

4383. NEČKINA (M.V.). Dekabristy. (The Decembrists.) 2-e izd., ispr., dop. Moskva, Nauka, 84, 183 p. (ill.). (Stranicy istorii našej Rodiny. AN SSSR)

4384. Neproletarskie partii Rossii. Urok istorii. (Non-proletarian parties of Russia. Lesson of the history.) Pod obšč. red. I. I. MINCA. Moskva, Mysl', 84, 566 p.

4385. NORTON (B.T.). Russian political masonry and the February Revolution of 1917. Int. R. soc. Hist., 83 [84], vol. 28, p. 240-258.

4386. O Valeriane Kujbyševe. (About Valerian Kuibyshev.) Vospominanija, očerki, stat'i. Sost.: M. I. VLADIMIROV. Moskva, Politizdat, 84, 319 p. (ill.).

4387. ORLIK (O.V.) Dekabristy i vnešnaja politika Rossii. (Decembrists and the foreign policy of Russia.) Moskva, Nauk, 84, 285 p. (AN SSSR. In-t istorii SSSR)

4388. Bibl. 82, n° 4288. ORŽEKHOVSKIJ (I.V.). Samoderžavie protiv revoljucionnoj Rossii (1826-1880 gg.). (Autocracy against revolutionary Russia, 1826-1880.) - CR: B. V. Anan'ič, Ist. SSSR, 84, n° 3, p. 171-174.

4389. Osnovnye problemy istorii upročenija i razvitija socializma v SSSR. Konec 1930-kh - nač. 1960-kh gg. (Basic problems of the history of strenghtening and development of socialism in the USSR, end of the 1930s - beginning of the 1960s.) Pod obšč. red. Ju. A. POLJAKOVA. T. 1: Zaščita zavoevanij socializma. Ego novye dostiženija. Konec 1930-kh - 1950 g. (The defence of the socialist acquisitions. New successes. End of the 1930s - 1950s.) Otv. red. S. S. KHESIN, V. A. ŠESTAKOV. T. 2: K razvitomu socializmu. 1951 - nač. 1960-kh gg. (Towards the developed socialism. 1951 - beginning of the 1960s.) Otv. red. G. B. KULIKOVA. Moskva, Nauka, 84, 2 vol. 285, 262 p. (AN SSSR. In-t istorii SSSR)

4390. PINKUS (Benjamin). Soviet government and the Jews, 1948-1967, a documented study. London a. New York, Cambridge U.P., 84, in-8, 339 p. (ill.).

4391. POGOREL'SKIJ (I.V.). Istorija khivinskoj revoljucii i Khorezmskoj narodnoj sovetskoj respubliki 1917-1924 gg. (History of the Khivan revolution and the Khorezm people's soviet republic, 1917-1924.) Leningrad, Izd-vo LGU, 84, 228 p.

4392. POL'SKIJ (M.P.). Leninskaja zabota o trudjaščikhsja: organizacija pitanija naselenija Sovetskoj strany (okt. 1917 - 1930 gg.). (Lenin's care of workers: organization of the dietary of the people of the Soviet country, October 1917 - 1930s.) Moskva, Mysl', 84, 192 p.

4393. PREOBRAŽENSKIJ (A.A.). Nekotorye itogi i spornye voprosy izučenija načala prisoedinenija Sibiri k Rossii (po povody knigi R. G. Skrynnikova "Sibirskaja ekspedicija Ermaka"). (Some results and controversial questions of studying Russia, on the basis of R. G. Skrynnikov's book "Yermak's Siberian expedition".) Ist. SSSR, 84, n° 1, p. 101-118.

4394. RAUN (Toivo U.). The revolution of 1905 in the Baltic provinces and Finland. Slavic R., 84, vol. 43, n° 3, p. 453-467.

4395. RIEBER (Alfred J.). Businessmen and business culture in imperial Russia. Proc. am. philos. Soc., 84, vol. 128, n° 3, p. 238-243.

4396. ROSEFIELDE (Steven). Excess collectivization deaths 1929-1933: new demographic evidence. Slavic R., 84, vol. 43, n° 1, p. 83-88.

4397. ROTHE (Hans). Religion und Kultur in den Regionen des russischen Reiches im 18. Jahrhundert. 1. Versuch einer Grundlegung. Opladen, Westdeutscher Verl., 84, in-8, 131 p. (Vortr. Rheinisch-Westfäl. Akad. d. Wiss., Geisteswiss., G 267)

4398. ROZEN (A.E.). Zapiski dekabrista. (Decembrist's notes.) Jakutsk, Vost.-Sib. kn. izd-vo, 84, 479 p. (ill.). (Poljar. zvezda)

4399. SHAPIRO (Leonard). The Russian revolutions of 1917: the origins of modern communism. New York, Basic; London, M. T. Smith, 84, in-8, XI-239 p.

4400. SCHEIBERT (Peter). Lenin an der Macht. Das russ. Volk in d. Revolution 1918-1922. Weinheim, Acta humaniora, 84, in-8, XX-730 p. (14 Ill., 84 graph. Darst.)

4401. ŠEJNIS (Z.S.). Put' k veršine: Stranicy žizni A. M. Kollontaj. (The road to the top. Pages of A. M. Kollontai's life.) Moskva, Sov. Rossija, 84, 173 p. (ill.).

4402. Bibl. 83, n° 4426. ŠELOKHAEV (V.V.). Kadety ... (The Constitutional-Democrats.) - CR: A. V. Ušakov, Ist. SSSR, 84, n° 4, p. 174-176.

4403. ŠESTAK (Ju. I.). Bankrotstvo melkoburžuaznogo sionizma v Sovetskj Rossii. (Bankruptcy of petty bourgeois Zionism in

Soviet Russia.) Ist. SSSR, 84, n° 1, p. 149-162.

4404. SIEGELBAUM (L.H.). The politics of industrial mobilization in Russia, 1914-1917. London, Macmillan, 84, in-8, 332 p. (tab.).

4405. SLATTER (John). From the other shore: Russia political emigrants in Britain, 1880-1917. London, F. Cass, 84, in-8, 172 p. (ill.).

4406. ŠMIDT (S.O.). Rossijskoe gosudarstvo v seredine XVI stoletija: Car. arkh. i licevye letopisi vremeni Ivana Groznogo. (The Russian state in the middle of the 16th century: Tsar archives and personal chronicles in the period of Ivan the Terrible.) Moskva, Nauka, 84, 277 p. (ill.). (AN SSSR. Arkheogr. komis. In-t istorii SSSR)

4407. SMITH (Robert Ernest F.), CHRISTIAN (David). Bread and salt: social and economic history of food and drink in Russia. London, Cambridge U.P., 84, in-8, XVI-392 p. (ill., tabl., maps).

4408. SOLOV'EV (S.M.). Publičnye čtenija o Petre Velikom. (Public lectures on Peter the Great.) Otv. red. V. I. BUGANOV. Moskva, Nauka, 84, 232 p. (ill.). (Pamjatniki ist. mysli. AN SSSR)

4409. SOLOYOV (Vladimir), KLEPIROVA (Elena). Yuri Andropov. Tr. from the Russ. by G. DANIELS. London, Hale, 84, in-8, 302 p.

4410. Sovieto Seiji Chitsujo no Keisei Katei. 1920-nendai kara 30-nendai e. (L'établissement de l'ordre politique dans l'Union Soviétique, des années 1920 aux années 1930.) Dir. par TANIUCHI Ken. Tokyo, Iwanami, 84, in-8, 524 p.

4411. STARCEV (V.I.). 27 fevralja 1917 goda. (The 27th of February 1917.) Moskva, Molodaja gvardija, 84, 255 p. (ill.). (Pamjat, daty istorii)

4412. Bibl. 83, n° 4437. SVETAČEV (M.I.). Imperialističeskaja intervencija v Sibiri i na Dal'nem Vostoke (1918-1922 gg.). (Imperialist intervention in Siberia and the Far East, 1918-1922.) - CR: N. G. Dumova, Ist. SSSR, 84, n° 6, p. 167-169.

4413. SWAIN (G.). Russian social democracy and the legal labour movement, 1906-1911. London, Macmillan, 84, in-8, 254 p.

4414. [SZVÁK (Gyula)] ŠVAK (D'jula). Obraz Ivana IV v russkoj istoriografii vtoroj poloviny XIX - načala XX vv. (Ivan IV le Terrible dans l'historiographie russe dans la seconde moitié du XIXe et du début du XXe siècle.) A. Univ. Sci. Budapestiensis, Sectio hist., 82, vol. 22, p. 135-150.

4415. WADE (Rex A.). Red guards and workers' militias in the Russian revolution. Stanford, Calif., Stanford U.P., 84, in-8, VI-391 p.

4416. WOJNA (Romuald). Początki rewolucji kulturalnej na narodowościowych obszarach ZSRR (1917-1927). (Les débuts de la révolution culturelle dans les territoires nationaux en URSS, 1917-1927.) Kwart. hist., 84, a. 91, n° 3, p. 445-491.

4417. ZAKHAROVA (L.G.). Samoderžavie i otmena krepostnogo prava v Rossii, 1856-1861. (Autocracy and the abolition of serfdom in Russia, 1856-1861.) Moskva, Izd-vo MGU, 84, 254 p.

4418. ZARNICKIJ (S.V.), TROFIMOVA (L. I.). Tak načinalsja Narkomindel. (How the Commissariat for foreign affairs was established.) Moskva, Politizdat, 84, 240 p.

4419. ŽILIN (P.A.). O vojne i voennoj istorii. (About war and war history.) Moskva, Nauka, 84, 543 p. (AN SSSR. Otd-nie istorii)

4420. ZOLOTAREV (V.A.), MEŽEVIČ (M.N.), SKORODUMOV (D.E.). Vo slavu otečestva Rossijskogo (Razvitie voen. mysli i voen. iskusstva v Rossii vo vtoroj polovine XVIII e.). (To the glory of the Russian Fatherland. Development of the thought on and the art of war in Russia in the second half of the 18th cent.) Moskva, Mysl', 84, 335 p. (ill.).

4421. ZOR'KIN (V.D.). Čičerin. (Chicherin.) Moskva, Jurid. lit., 84, 109 p. (Iz istorii polit. i pravovoj mysli)

Venezuela.

4422. EWELL (Judith). Venezuela, a century of change. London, C. Hurst, 84, in-8, XIV-258 p.

Iugoslavia.

4423. BANAC (Ivo). The national question in Yugoslavia: origins, history, politics. Ithaca, N.Y., Cornell U.P., 84, in-8, 452 p.

4424. Jugoslawien. Integrationsprobleme in Gesch. u. Gegenwart. Beiträge d. Südosteuropa-Arbeitskreises d. Deutschen Forschungsgemeinschaft z. 5. Internat. Südosteuropa-Kongreß der Assoc. Internat. d'Etudes du Sud-est européen, Belgrad, 11.-17. Sept. 1984. Hrsg. v. Klaus-Detlev GROTHUSEN. Göttingen, Vandenhoeck u. Ruprecht, 84, in-8, 337 p. (57 Abb.).

Zambia.

* 4425. Zambia. Comp. by Anne M. BLISS a. J. A. RIGG. Santa Barbara, Calif., a. Oxford, England, Clio, 84, in-8, XVIII-235 p. (World bibliogr. Ser., 51)

4426. GERTZEL (Cherry) a. others. Dynamics of the one-party state in Zambia. Manchester, Univ. Press, 84, in-8, 368 p.

Zimbabwe.

4427. NKOMO (Joshua), HARMAN (Nicholas). Nkomo, my life. London, Methuen, 84, in-8, 256 p.

§ 3. Scoperte geografiche.

** 4428. AFONSO (Gaspar). Naufragi e peregrinazioni americane di Gaspar Afonso. A cura di G. LANCIANI. Milano, Cisalpino-Goliardica, 84, in-8, IX-112 p. (Letterature e culture dell'America Latina, 10)

** 4429. Dokumente zur Geschichte der europäischen Expansion. Hrsg. v. Eberhard SCHMITT. Bd 2: Die großen Entdeckungen. Hrsg. v. Matthias MEYN, Manfred MIMLER u. a. München, Beck, 84, in-8, XVIII-655 p.

** 4430. FLETCHER (Harold). Antarctic days with Mawson: personal account of the British, Australian and New Zealand Antarctic Research Expedition of 1929-1931. London, Angus a. Robertson, 84, in-8, 314 p. (ill.).

** 4431. NÚÑEZ CABEZA DE VACA (Alvar). Naufragios y relación de la jornada que hizo a la Florida con el adelantado Pánfilo de Narváez. A cura di P. L. CROVETTO, note al testo di D. CARPANI. Milano, Cisalpino-Goliardica, 84, in-8, 164 p. (Letterature e culture dell'America Latina, 9)

4432. GAGNON (François-Marc). Jacques Cartier et la découverte du Nouveau Monde. Québec, Publications gouvernementales du Québec, 84, in-4, 108 p. (ill.).

4433. JACOB (Yves). Jacques Cartier, de Saint-Malo au Saint-Laurent. Paris, Ed. maritimes et d'outre-mer, 84, in-8, 226 p. (cartes).

4434. LA RONCIERE (C. de). Jacques Cartier. Paris, Lavauzelle, 84, in-8, 162 p.

4435. MOLLAT (Michel). Les explorateurs du XIIIe au XVIe siècle. Premiers regards sur des mondes nouveaux. Paris, Lattès, 84, in-8, 257 p. (Lattès/Histoire, Groupes et Sociétés)

4436. RONDA (James P.). Lewis and Clark among the Indians. Lincoln, Univ. of Nebraska Press, 84, in-8, XV-310 p.

4437. STATHĒ (Pēnēlopē). To anekdoto Hodoiporiko tou Chrysanthou Notara. (L'Itinéraire inédit de Chrysanthos Notaras.) Mesaiōnika kai Nea Hellēnika, 84, t. 1, p. 127-280 (4 pl., carte). [Disponible comme tiré à part]

4438. STEWART (George R.). Ordeal by hunger: the story of the Donner party. London, M. Haag, 84, in-8, 304 p. (maps).

4439. VAN ORMAN (Richard A.). The explorers: nineteenth-century expeditions in Africa and the American West. Albuquerque, N.M., Univ. of New Mexico Press, 84, XIII-243 p.

4440. WOOD (Peter H.). La Salle: discovery of a lost explorer. Am. hist. R., 84, vol. 89, n° 2, p. 294-323.

Cf. n°s 197, 205, 212, 218.

L

STORIA DELLE RELIGIONI DELL'ETA' MODERNA

§ 1. Opere generali. 4441-4468. - § 2. Cattolicesimo (a. Opere genrali; b. La Santa Sede; c. Studi particolari; d. Ordini religiosi; e. Misioni). 4469-4561. - § 3. Chiesa ortodossa. 4562-4569. - § 4. Protestantesimo. 4570-4708. - § 5. Religioni e sette non christiane. 4709-4742.

§ 1. Opere generali.

* 4441. DESGRAVES (Louis). Répertoire des ouvrages de controverse entre catholiques et protestants en France sous la régime de l'Edit de Nantes (1598-1685). T. 1: 1598-1628. Genève, Droz, 84, in-8, 427 p. (Publ. de l'Ecole prat. des Hautes Etudes, Paris, IVe Section: Sci. hist. et philol., Hist. et civilis. du livre, 14)

* 4442. Piété (La) populaire en France: Répertoire bibliographique. Sous la dir. de Bernard PLONGERON et Paule LEROU. T. 1: Normandie, Picardie, Nord-Pas-de-Calais. T. 2: Lorraine, Alsace. Paris, Ed. du Cerf, 84, 2 vol. in-8, 153, 160 p.

* 4443. VIARD (Georges). L'histoire religieuse de la Lorraine moderne (XVIe-XVIIIe siècles): vingt années de recherche. A. Est, 84, sér. 5, a. 35, n° 1, p. 51-72.

** 4444. BODIN (Jean). Colloque des secrets cachez, entre sept sçavans (Colloquium Heptaplomeres). Ed. avec introd. et notes par François BERRIOT. Préf. de Jacques ROGER. Genève, Droz, 84, in-8, LXXII-600 p. (Travaux d'Humanisme et Renaissance, 204)

4445. Actes du 109e Congrès national des sociétés savantes, Dijon, 1984. Section d'hist. moderne et contemporaine. Transmettre la foi, XVIe-XXe siècles. 1: Pastorale et prédication en France. Paris, Comité des travaux hist. et scientif., 84, in-8, 456 p. (ill.).

4446. EMERY (Kent) Jr. Mysticism and the coincidence of opposites in sixteenth- and seventeenth-century France. J. Hist. Ideas, 84, vol. 45, n° 1, p. 3-24.

4447. FEIGL (Helmut). Die oberösterreichischen Taidinge als Quellen zur Geschichte der Reformation und Gegenreformation. Mitt. d. oberösterr. Landesarch., 84, Bd 14, p. 149-175.

4448. FRIJHOFF (W.). Satan en het magisch universum. Raakvlakken, wisselwerking, reminiscenties in Oost-Gelderland sedert de sestiende eeuw. (Satan and the magic universe. Witchcraft in Oost-Gelderland since the 16th century.) In: Vormen van communicatie [Cf. n° 893], p. 382-406.

4449. GAUSTAD (Edwin Scott). Church, state, and education in historical perspective. J. Church a. State, 84, vol. 26, n° 1, p. 5-16.

4450. HAIG (A.G.I.). The Victorian clergy: an ancient profession under strain. London, Croom Helm, 84, in-8, 400 p.

4451. Kirche, Staat und Gesellschaft im 19. Jahrhundert. Ein deutsch-engl. Vergleich. Church, state, and society in the 19th century. Hrsg. v. Adolf M. BIRKE u. Kurt KLUXEN. München, New York, London u. Paris, Saur, 84, in-8, 164 p. (Prinz-Albert-Studien, 2)

4452. MANDELKER (Ira L.). Religion, society, and utopia in nineteenth-century America. Amherst, Univ. of Massachusetts Press, 84, in-8, 181 p.

4453. MESSNER (Francis). Le financement des Eglises [en France]. Le système des cultes reconnus (1801-1983). Strasbourg, Cerdic, 84, in-8, 256 p.

4454. MOORHEAD (James H.). Between progress and apocalypse: a reassessment of millenialism in American religious thought, 1800-1880. J. am. Hist., 84, vol. 71, n° 3, p. 524-542.

4455. Pensée (La) religieuse dans la littérature et la civilisation du XVIIe siècle en France. Actes du Colloque de Bamberg, 1983. Paris, Seattle et Tübingen, Papers on French seventeenth-century literature, 84, in-8, 398 p.

4456. Priester unter Hitlers Terror. Eine biograph. u. statist. Erhebung. Im Auftr. d. Deutschen Bischofskonferenz unter Mitw. d. Diözesanarch. bearb. v. Ulrich v. HEHL. Mainz, Matthias-Grünewald-Verl., 84, in-8, XC-1630-110 p. (Veröff. d. Komm. f. Zeitgesch., Reihe A: Quellen, 37)

4457. Probleme des Konfessionalismus in Deutschland seit 1800. Hrsg. v. Anton RAUSCHER. Paderborn, München, Wien u. Zürich, Schöningh, 84, in-8, 204 p. (Beitr.

zu Katholizismusforsch., Reihe B: Abh.)

4458. RAAB (Heribert). "Lutherischdeutsch". Ein Kapital Sprach- und Kulturkampf in den kathol. Territorien d. Reiches. Z. f. bayer. Landesgesch., 84, Bd 47, p. 15-42.

4459. RUETHER (Rosemary Radford), KELLER (R.S.). Women and religion in America. Vol. 2: In the colonial and revolutionary periods. London, Harper a. Row, 84, in-8, 434 p.

4460. SAFLEY (Thomas Max). Let no man put asunder: the control of marriage in the German southwest; a comparative study, 1550-1600. Kirksville, Mo., Sixteenth Century Journal, 84, VIII-210 p. (Sixteenth-Century Essays a. Stud., 2)

4461. SILK (Mark). Notes on the Judeo-Christian traditions in America. Am. Quar., 84, vol. 36, n° 1, p. 65-85.

4462. SINGER (David G.). One nation completely under God? The American Jewish congress and the Catholic church in the United States, 1945-1977. J. Church a. State, 84, vol. 26, n° 3, p. 473-490.

4463. SMITH (Timothy L.). Biblical ideals in American Christian and Jewish philanthropy, 1880-1920. Am. jewish Hist., 84, vol. 74, n° 1, p. 3-26.

4464. SPIERTZ (M.G.), JANSSEN (J.A.M.M.). Gids voor de studie van reformatie en katholieke herleving in Nederland 1520-1650. (Study-guide on Reformation and the Catholic revival in the Dutch Republic, 1520-1650.) Den Haag, Archifdienst Nederlandse Hervormde Kerk, 82, in-8, XI-297 p.

4465. SUTHERLAND (N.M.). Princes, politics and religion, 1547-1509. London, Hambledon, 84, in-8, XII-258 p.

4466. TROIANŌS (Spyros). Hē thrēskeutikē eleutheria sta Ionia nēsia to 19 ai. Hoi Syntagmatikes diataxeis. (La liberté religieuse dans les Îles ioniennes au XIXe siècle. Dispositions constitutionnelles.) In: To Ionio [Cf. n° 753], p. 221-231.

4467. WOLFE (K.). The churches and the British Broadcasting Corporation, 1922-1956: politics of broadcast religion. London, S.C.M. Press, 84, in-8, 672 p.

4468. WOOD (James E.) Jr. Religion and education in American church-state relations. J. Church a. State, 84, vol. 26, n° 1, p. 31-54.

Cf. n°s 3301, 5054, 6822, 6828.

§ 2. Cattolicesimo.

a. Opere generali.

** 4469. NEWMAN (John Henry, Cardinal). Letters and diaries. Ed. by Gerard TRACEY. [Vol. 4, 5. Cf. Bibl. 80, n° 3954.] Vol. 6: The Via Media and Froude's "Remains", Jan. 1837 - Dec. 1838. London, Oxford U.P., 84, in-8, 438 p.

4470. GAUDEMET (Jean). Le droit et les institutions de l'Eglise catholique latine, de la fin du XVIIIe siècle à 1978. Paris, Cujas, 84, in-8.

4471. NORMAN (Edward Robert). The English Catholic church in the 19th century. London, Oxford U.P., 84, in-8, 400 p.

b. La Santa Sede.

** 4472. [BENEDICTUS XIV, Papa.] Le lettere di Benedetto XIV al card. de Tencin: dai testi originali. A cura di E. MORELLI. Vol. 3: 1753-1758. Roma, Ed. di storia e lett., 84, in-4, 489 p. (Stor. e lett., 165)

** 4473. Correspondance du nonce en France Fabio Mirto Frangipani (1568-1572 et 1586-1597), nonce extraordinaire en 1574, 1575-1576 et 1578. Ed. par A. Lynn MARTIN et Robert TOUPIN. Roma, Univ. pontificale grégorienne, 84, in-4, XVI-382 p. (Acta Nuntiaturae Gallicae, 16)

** 4474. Hauptinstruktionen (Die) Clemens' VIII. für die Nuntien u. Legaten an d. europäischen Fürstenhöfen 1592-1605. Im Auftr. d. Deutsch. Hist. Inst. in Rom bearb. v. Klaus JAITNER. Bd 1, 2. Tübingen, Niemeyer, 84, 2 vol. in-8, CCLXXVIII-396 p.; XI p., p. 397-1040.

4475. FERRAJOLI (Alessandro). Il ruolo della corte di Leone X, 1514-1516. A cura di V. DE CAPRIO. Roma, Bulzoni, 84, in-8, XXXVIII-603 p. (Bibliot. del Cinquecento. Centro studi sulle società di antico regime Europa delle Corti, 23)

4476. HEBBLETHWAITE (Peter). John XXIII: Pope of the Council. London, G. Chapman, 84, in-8, 6°8 p. (ill.).

4477. MARAS (Raymond J.). Innocent XI: Pope of Christian unity. Notre Dame, Ind., Cross Cultural, 84, in-8, XIV-356 p.

4478. Paul VI et la modernité de l'Eglise. Colloque de l'Ecole franç. de Rome, 2-4 juin 1983. Rome, Ecole franç. de Rome; diff. Paris, de Boccard, 84, in-8, XXXII-876 p. (Coll. de l'Ec. franç. de Rome, 72)

4479. PITSCHMANN (Benedikt). Zur Kardinalserhebung von Cölestin Josef Ganglbauer, 1884, Fürsterzbischof von Wien. Oberösterr. Heimatbl., 84, Bd 38, n° 4, p. 311-318.

4480. SETTON (Kenneth M.). The Papacy and the Levant (1205-1571). [Vol. 2. Cf. Bibl. 78-79, n° 2794.] Vol. 3: The sixteenth century to the reign of Julius III. Vol. 4: The sixteenth century from Julius III to Pius V. Philadelphia, Pa., Am. Philos. Soc., 84, 2 vol. X-564 p.; XVIII p., p. 565-1179. (Memoirs of the Am. Philos. Soc., 161, 162)

Cf. n° 6672.

c. Studi particolari.

* 4481. KAMMERER (Louis). Le clergé d'Alsace sous l'Ancien Régime. Répertoires et sources. Arch. Egl. Alsace, 84, t. 43, sér. 3, t. 4, p. 121-139.

4482. ALEXANDER (June Granatir). The laity in the church: Slovaks and the Catholic church in pre-world war I Pittsburgh. Church Hist., 84, vol. 53, n° 3, p. 363-378.

4483. ARNAL (Oscar L.). A missionary "main tendue" toward French communists: the "témoignages" of the worker-priests, 1943-1954. French hist. Stud., 84, vol. 13, n° 4, p. 529-556.

4484. AUZA (Néstor Tomás). Corrientes sociales del catolicismo argentino. Buenos Aires, Claretiana, 84, in-8, 384 p.

4485. BERGERON (Henri-Paul). Saint Joseph dans la prédication française au XVIIe siècle (suite [de Bibl. 83, n° 4523].) Cah. Joséphologie, 84, vol. 32, n° 1, p. 11-55; n° 2, p. 175-218.

4486. BERTHELOT DU CHESNAY (Charles). Les prêtres séculiers en Haute-Bretagne au XVIIIe siècle. Rennes, Presses univ. Rennes II, 84, in-8, 660 p.

4487. BORNEWASSER (J.A.). De Nederlandse katholieken en hun negentiende-eeuwse vaderland. (The Dutch catholics and their 19th-century nation.) In: Natievorming van België en Nederland ... [Cf. n° 3144], p. 577-604.

4488. BRUIN (C. C. de). Middeleeuwse Levens van Jezus als leidraad voor meditatie en contemplatie. (Medieval "Vitae Christi" as guide to meditation and contemplation in the Netherlands [Cf. Bibl. 80, n° 3980].) Nederlands Arch. Kerkgesch., 83 [84], vol. 63, p. 129-173.

4489. CALLAHAN (William J.). The Spanish church and the restoration state, 1874-1900. J. Church a. State, 84, vol. 26, n° 2, p. 313-332.

4490. CREWS (Clyde F.). American Catholic authoritarianism: the episcopacy of William George McCloskey, 1868-1909. Cath. hist. R., 84, vol. 70, n° 4, p. 560-580.

4491. CREWS (Clyde F.). English Catholic modernism: Maude Petre's way of faith. Notre Dame, Ill., Univ. of Notre Dame Press, 84, in-8, XII-156 p.

4492. DUCHENE (Roger). L'imposture littéraire dans les Provinciales [de Pascal]. Marseille, Publ. de l'Univ. de Provence, 84, in-8, 234 p.

4493. DUKAŁA (Jan). "Ratio studiorum" w seminariach diecezjalnych pod zarządem księży misjonarzy (1675-1864). ("Ratio studiorum" dans les séminaires diocésains sous la direction des Lazaristes de 1675 à 1864.) Nasca Przeszłość, 84, vol. 61, p. 149-231.

4494. DYCZEWSKI (Leon). Swięty Maksymilian Maria Kolbe. (Saint Maximilien Marie Kolbe.) Warszawa, Akad. Teologii Kat., 84, in-8, 266 p.

4495. EVANS (Ellen L.). Catholic political movements in Germany, Switzerland, and the Netherlands: notes for a comparative approach. Central european Hist., 84, vol. 17, n° 2-3, p. 91-119.

4496. FARINA (John). Nineteenth-century American interest in Saint Catherine of Genoa. Cath. hist. R., 84, vol. 70, n° 2, p. 250-261.

4497. FRIJHOFF (W.). Katholieke toekomstverwachting ten tijde van de Republiek: structuur en grondlijnen tot een interpretatie. (Catholic hopes of the future in the Netherlands during the 16th - 18th centuries.) Bijdr. Meded. Gesch. Ned., 83, vol. 98, p. 430-459.

4498. GACH (Piotr Paweł). Kasaty zakonów na ziemiach dawnej Rzeczypospolitej i Śląska 1773-1914. (La dissolution d'ordres monastiques sur les terres de l'ancienne République [polonaise] et de la Silésie, 1773-1914.) Lublin, 84, in-8, 254 p. (Kat. Uniw. Lub., Wydz. Nauk Humanist.)

4499. GAFFEY (James P.). The anatomy of transition: cathedral-building and social justice in San Francisco, 1964-1971. Cath. hist. R., 84, vol. 70, n° 1, p. 45-73.

4500. GALUSH (William). Both Polish and Catholic: immigrant clergy in the American church. Cath. hist. R., 84, vol. 70, n° 3, p. 407-427.

4501. GATZ (Erwin). Die Auseinandersetzungen um das Erste Vatikanische Konzil im Bistum Breslau. Röm. Qschr. f. christl. Altertumskde, 84, Bd 79, p. 189-254.

4502. GRENDLER (Paul F.). The schools of Christian doctrine in sixteenth-century Italy. Church Hist., 84, vol. 53, n° 3, p. 319-334.

4503. HÄUSSLING (Angelus Albert). Das Missale deutsch. Materialien z. Rezeptionsgesch. d. lat. Messliturgie im deutschen Sprachgebiet bis z. 2. Vatikan. Konzil. T. 1: Biblogr. d. Übers. in Handschr. u. Drucken. Münster, Aschendorff, 84, in-8, XIV-213 p. (Liturgiewiss. Quellen u. Forschungen, 66)

4504. HENKEL (Willi). Die Konzilien in Lateinamerika. T. 1: Mexiko 1555-1897. Mit e. Einf. v. Horst PIETSCHMANN. Paderborn, München, Wien u. Zürich, Schöningh, 84, in-8, XIV-272 p. (Kt.).

4505. HOFFMAN (Philip T.). Church and community in the diocese of Lyon, 1500-1789. New Haven, Conn., Yale U.P., 84, in-8, X-239 p. (Yale Hist. Publ., Miscellany, 132) - IDEM. Wills and statistics: Tobit analysis and the counter reformation in Lyon. J. interdisc. Hist., 84, vol. 14, n° 4, p. 813-834.

4506. HSIA (R. Po-Chia). Society and religion in Münster, 1533-1618. New Haven,

§ 2. CATTOLICESIMO

Conn., a. London, Yale U.P., 84, in-8, XIV-306 p. (Yale Hist. Publ., Miscellany, 131)

4507. HUDSON (David). The Nouvelles Ecclésiastiques, Jansenism and conciliarism, 1717-1735. Cath. hist. R., 84, vol. 70, n° 3, p. 389-406.

4508. KATHREIN (Werner). Die Bemühungen des Abtes Petrus Lotichius (1501-1567) um die Erneuerung des kirchlichen Lebens und die Erhaltung des Klosters Schlüchtern im Zeitalter der Reformation. Fulda, Parzeller, 84, in-8, 304 p. (Ill.). (Quellen u. Abh. z. Gesch. d. Abtei u. d. Diözese Fulda, 24)

4509. Kirche und Visitation. Beitr. z. Erforschung d. frühneuzeitl. Visitationswesens in Europa. [Diese Arbeit ist im Sonderforschungsbereich 8 Tübingen entstanden.] Hrsg. v. Ernst Walter ZEEDEN u. Peter Thaddäus LANG. Stuttgart, Klett-Cotta, 84, in-8, 248 p. (Spätmittelalter u. frühe Neuzeit, 14)

4510. Księga Sapieżyńska. (Le livre de Sapieha.) Ouvrage collectif réd. par Jerzy WOLNY avec la collab. de Roman ZAWADZKI. Avant-propos: Karol WOJTYŁA. T. 1: Archidiecezja krakowska za pasterzowania Adama Stefana Sapiechy. (L'archevêché de Cracovie sous le pastorat d'Adam Stefan Sapieha.) Kraków, Pol. Tow. Teolog., 82 [84], 516 p.

4511. LOTH (Wilfried). Katholiken im Kaiserreich. Der polit. Katholizismus in d. Krise d. wilhelmin. Deutschlands. Düsseldorf, Droste, 84, in-8, 446 p. (Beiträge z. Gesch. d. Parlamentarismus u. d. polit. Parteien, 75)

4512. LOTTIN (Alain). Lille, citadelle de la Contre-Réforme (1598-1668). Dunkerque, Ed. des Beffrois, 84, in-8, 516 p. (ill.).

4513. MENTZER (Raymond A.) Jr. Heresy proceedings in Languedoc, 1500-1560. Philadelphia, Pa., Am. Philos. Soc., 84, in-8, 183 p. (Trans. of the Am. Philos. Soc., 74, 5)

4514. MISIUREK (Jerzy). Spory chrystologiczne w Polsce w drugiej połowie XVI wieku. (Les débats christologiques en Pologne dans la seconde moitié du XVIe siècle.) Lublin, 84, in-8, 287 p. (Kat. Uniw. Lub. Wydz. Teolog.)

4515. O'CONNELL (Marvin R.). Ultramontanism and Dupanloup: the compromise of 1865. Church Hist., 84, vol. 53, n° 2, p. 200-217.

4516. OLSZEWSKI (Daniel). Przemiany społeczno-religijne w Królestwie Polskim w pierwszej połowie XIX wieku. Analyza środowiska diecezjalnego. (Les transformations socio-religieuses dans le Royaume de Pologne dans la première moitié du XIXe siècle. Une analyse du milieu diocésain.) Lublin, 84, in-8, 279 p. (Tow. Nauk. Kat. Uniw. Lub. Bibl. Historii Społ.-Religijnej Inst. Geografii Hist. Kościoła w Pol., 4)

4517. O'TOOLE (James M.). "That fabulous churchman": toward a biography of Cardinal O'Connell. Cath. hist. R., 84, vol. 70, n° 1, p. 28-44.

4518. PIERRARD (Pierre). L'Eglise et les ouvriers en France (1840-1940). Paris, Hachette, 84, in-8, 576 p.

4519. POULAT (Emile). Critique et mystique. Autour de Loisy ou la conscience catholique de l'esprit moderne. Paris, Centurion, 84, in-8, 336 p.

4520. PRUDHOMME (Claude). Histoire religieuse de La Réunion. Paris, Karthala, 84, in-8, 370 p. (Hommes et Sociétés)

4521. Püspöki kar (A) tanácskozásai. A magyar katolikus püspökök konferenciáinak jegyzőkönyveiből, 1919-1944. Szerk. GERGELY Jenő. (Les conférences de l'épiscopat: les actes des conférences des évêques catholiques hongrois, 1919-1944. Réd. par - .) Budapest, Gondolat Kiadó, 84, in-8, 392 p.

4522. REINHARDT (Volker). Kardinal Scipione Borghese (1605-1633). Vermögen, Finanzen u. sozialer Aufstieg e. Papstnepoten. Tübingen, Niemeyer, 84, in-8, XIV-566 p. (Bibl. d. Deutsch. Hist. Inst. in Rom, 58)

4523. Säkularisationen in Ostmitteleuropa. Z. Klärung d. Verhältnisses v. geistl. u. weltl. Macht im Mittelalter, v. Kirche u. Staat in d. Neuzeit. Hrsg. v. Joachim KÖHLER. Köln u. Wien, Böhlau, 84, in-8, 107 p. (Forschungen u. Quellen z. Kirchen- u. Kulturgesch. Ostdeutschlands, 19)

4524. SALMONOWICZ (Stanisław). The Toruń uproar of 1724. Acta Poloniae hist., 83 [84], vol. 47, p. 55-79.

4525. SALZMANN (Ulrich). Der Salzburger Erzbischof Siegmund Christoph Graf von Schrattenbach (1753-1771) und sein Domkapitel. Mitt. d. Ges. f. salzburg. Landeskde, 84, Bd 124, p. 9-240.

4526. SAUGNIEUX (Joël). Les jansénistes et le renouveau de la prédication dans l'Espagne de la seconde moitié du XVIIIe siècle. Lyon, Presses univ. Lyon, 83, in-8, 448 p.

4527. SCHMITZ (Karl). Church and state in Mexico: a corporatist relationship. Americas, 84, vol. 40, n° 3, p. 349-376.

4528. SPERBER (Jonathan). Popular Catholicism in nineteenth-century Germany. Princeton, N.J., Princeton U.P., 84, in-8, XII-319 p.

4529. SUGÁR (István). Az egri püspökök története. (L'histoire des évêques d'Eger.) Budapest, Szent István Társulat, 84, in-8, 459 p. (Az Egri Főegyházmegye schematizmusa, 1)

4530. SUTTER (Jacques). La vie religieuse des Français à travers les sondages d'opinion (1944-1970). Vol. 1, 2. Paris, Ed. du C.N.R.S., 84, 2 vol. in-8, ens. 1360 p.

4531. TURCHETTI (Mario). Concordia o tolleranza? François Bauduin (1520-1573) e i moyenneurs. Milano, Angeli; Genève, Droz, 84, in-8, 649 p. (Filos. e Sci. nel Cinquecento e nel Seicento, Ser. 1: Studi, 24) (Travaux d'Humanisme et Renaissance, 200)

4532. URBAN (Wincenty). Repertorium dokumentów Fryderyka Berghiusa do historii diecezji wroclawskiej. (Le Répertoire de documents de Frédéric Berghius pour l'histoire du diocèse de Wrocław [1619].) Archiwa, Bibliot. Muzea Kość., 84, vol. 48, p. 3-131.

4533. VEČEVA (Ekaterina). L'Eglise catholique et le peuple bulgare. R. bulg. Hist., 83, n° 3, p. 65-84.

4534. VEISSIERE (Michel). Revenus de Guillaume Briçonnet, évêque de 1489 à 1534. Nouv. R. XVIe Siècle, 84, vol. 2, p. 23-42.

4535. VIER (Jacques). La condamnation de Lamennais, d'après les Archives du Vatican. Itinéraires, 84, n° 285, p. 62-96.

4536. VRANKIĆ (Petar). La Chiesa cattolica nella Bosnia ed Erzegovina al tempo del vescovo fra Raffaele Barišić, 1832-1863. Roma, Univ. gregoriana, 84, in-8, XXVI-303 p. (tav., ill.). (Analecta Gregoriana, 235. Ser. Facultatis historiae eccles., Sectio B, 34)

4537. ZARDIN (Danilo). Riforma cattolica e resistenze nobiliari nella diocesi di Carlo Borromeo. Milano, Jaca book, 84, in-8, XI-122 p. (Di fronte e attraverso, 138)

4538. ZIELIŃSKA (Krystyna). Program integracji społecznej w świetle uchwał Kościola potrydenckiego. (Le problème de l'intégration sociale [en Pologne] à la lumière des statuts synodaux de l'Eglise post-tridentine [1577 - milieu du XVIIIe s.].) Odrodzen. Reform. Polsce, 83 [84], vol. 28, p. 93-110.

4539. ZUCKER (Stanley). Philipp Wasserburg and political Catholicism in nineteenth-century Germany. Cath. hist. R., 84, vol. 70, n° 1, p. 14-27.

Cf. n°s 387, 3290, 3926, 4462, 6723.

d. Ordini religiosi.

* 4540. POLGAR (László). Bibliographia de historia Societatis Iesu. [Cf. Bibl. 83, n° 4586.] Arch. hist. Soc. Iesu, 84, a. 53, fasc. 106, p. 553-645.

* 4541. VALENTIN (Jean-Marie). Le théâtre des Jésuites dans les pays de langue allemande. Répertoire chronologique des pièces représentées et des documents conservés (1555-1773). T. 1: 1555-1728. T. 2: 1729-1773. Stuttgart, Hiersemann, 83-84, 2 vol. in-8, ens. 1242 p. (Hiersemanns bibliogr. Handbücher, III, 1-2)

4542. THIERS (Jean-Baptiste). Traité des superstitions [1679]. Croyances populaires et rationnalité à l'Age classique. Texte établi, prés. et annoté par Jean-Marie GOULEMONT. Paris, Sycomore, 84, in-8, 345 p. (La Boîte à Pandore)

** 4543. VALVEKENS (Jean-Baptiste). Acta et decreta capitulorum ordinis praemonstratensis. T. 4 (1588-1633) [suite de Bibl. 82, n° 4508.] Analecta praemonstratensia, 83, t. 59, fasc. 3-4, p. 209-214; 84, t. 60, fasc. 1-2, p. 215-246.

4544. Abtei (Die) Amorbach im Odenwald. Neue Beiträge z. Gesch. u. Kultur d. Klosters u. seines Herrschaftsgebietes. Hrsg. v. Friedrich OSWALD u. Wilhlem STÖRMER. Sigmaringen, Thorbecke, 84, in-8, 480 p. (Ill.).

4545. EITZLMAYR (Max). Das Saeculum Octavum oder die große 800-Jahrfeier im Kloster Ranshofen im Jahre 1699. Oberösterr. Heimatbl., 84, Bd 38, n° 2, p. 128-145.

4546. FURLONG CARDIFF (Guillermo), S.J. Los Jesuitas y la cultura rioplatense. Buenos Aires, Univ. del Salvador, 84, in-8, 240 p.

4547. GÓRSKI (Karol). Religijność Krzyżaków a klimat kulturalny. (La religiosité des Chevaliers Teutoniques et le climat culturel de l'Ordre.) Przegl. hist., 84, vol. 75, p. 249-258.

4548. LANGLOIS (Claude). Le catholicisme au féminin: les congrégations françaises à supérieure générale au XIXe siècle. Préf. de René REMOND. Paris, Ed. du Cerf, 84, in-8, 776 p. (ill.). (Histoire)

4549. MAYEUR (Jean-Marie). Tiers-ordre franciscain et catholicisme social en France à la fin du XIXe siècle. R. Hist. Egl. France, 84, t. 70, n° 184, p. 181-194.

4550. MULLER (Claude). L'expansion de l'ordre de Saint-Augustin en Alsace au XVIIIe siècle. Arch. Egl. Alsace, 84, t. 43, sér. 3, t. 4, p. 159-215.

4551. RASSL (Hermann). Zur Geschichte des Königsklosters [in Wien] Wien. Gesch.-Bl., 84, Bd 39, p. 159-166.

4552. RIEGLER (Josef). Der Besitz des Stiftes Admont im Stiefingtal und nordöstlichen Leibnitzer Feld. Mitt. d. steiermärk. Landesarch., 84, Bd 34, p. 47-57.

4553. RÖDHAMMER (Hans). Die Pröbste des Augustiner-Chorherrenstiftes Ranshofen (1). Oberösterr. Heimatbl., 84, Bd 38, n° 4, p. 336-347.

4554. SCHMIDT (Hermann). Das Freiburger Dominikanerinnenkloster Adelhausen zur Zeit Josephs II. (1780-1790). Zum 750. Gründungsjahr. Freiburg. Diöz.-Arch., 84, Bd 104, p. 167-207.

4555. ŚWIDA (Andrzej). Towarzystwo Salezjańskie. Rys historyczny. (La Société Salésienne. Esquisse historique.) Kraków, Krak. Inspektorat Tow. Salezjańskiego, 84, in-8, 327 p.

§ 4. PROTESTANTESIMO

4556. WOLFS (S.P.). Dominicanen en de Colloquia van Erasmus. (Dominicans and the Colloquies of Erasmus.) Nederlands Arch. Kerkgesch., 81 [82], vol. 61, p. 32-74.

Cf. n° 286.

e. Missioni.

** 4557. MASSAIA (Guglielmo). Memorie storiche del vicariato apostolico dei galla, 1845-1880. A cura di A. ROSSO. Padova, Messaggero, 84, 6 vol. in-8, XXXIX-359, 395, 395, 365, 373, 391 p. (ill.). (Collectanea Archivi Vaticani, 10-15) [Pubbl. precedentemente con il tit.: I miei trentacinque anni di missione nell'Alta Etiopia.]

4558. HOGAN (Edmund M.). The congregation of the Holy Ghost and the evolution of the modern Irish missionary movement. Cath. hist. R., 84, vol. 70, n° 1, p. 1-13.

4559. RIO (Ignacio del). Conquista y aculturación en la California jesuítica, 1697-1768. México, Univ. Nacional Autónoma de México, 84, in-8, 242 p. (mapas). (Inst. de Invest. histór., Ser. Historia Novohispana, 32)

4560. THORNTON (John). The development of an African Catholic Church in the kingdom of Kongo, 1491-1750. J. afr. Hist., 84, vol. 25, p. 147-167.

4561. VELÁZQUEZ (María del Carmen). Cuentas de sirvientes de tres haciendas y sus anexas del Fondo piadoso de las misiones de las Californias. México, Colegio de México, Centro de Estudios hist., 83, in-8, X-338 p. (gráf.). - EADEM. Notas sobre sirvientes de las Californias y proyecto de obraje en Nueva México. México, Colegio de México, 84, in-8, 246 p. (Jornadas, 105)

Cf. n° 286.

§ 3. Chiesa ortodossa.

** 4562. MANOUSSAKAS (M.I.). Autographo gramma tou Kyrillou Loukareōs, 1617, ston hollando logio David de Wilhem. (Lettre autographe de Cyril Loukaris, 1617, à l'érudit hollandais David de Wilhem.) Mesaiōnika kai Nea Hellēnika, 84, t. 1, p. 453-461. [Disponible comme tiré à part]

4563. KAHLE (Wilhelm). Die Bedeutung der Confessio Augustana für die Kirchen im Osten. Kirche im Osten, 84, Bd 27, p. 9-35.

4564. LAPAS (Kōstas). Ta proskynētaria tēs Monēs tou Megalou Spēlaiou Kalabrytōn. (Les "proskynetaria" du Monastère Mega Spelaion de Kalabryta.) Mesaiōnika kai Nea Hellēnika, 84, t. 1, p. 9-125. [Disponible comme tiré à part]

4565. LUPININ (Nickolas). Religious revolt in the 17th century: the schism of the Russian Church. Princeton, N.J., Kingston, 84, in-8, 227 p. (Men and Movements in Religious Hist., 1)

4566. MARKOVA (Zina). Russia and the Bulgarian-Greek church question in the seventies of the 19th century. In: Etudes hist. [Cf. n° 689], p. 159-198.

4567. POSPIELOVSKY (Dimitry). The Russian church and the Soviet regime, 1917-1982. Vol. 1: 1917-1945. Vol. 2: 1945-1982. Oxford, Mowbray, 84, 2 vol. in-8, 250, 300 p.

4568. SOPHIANOS (Dēmētrios Z.). Historika scholia se epigraphes, epigrammata, charagmata kai enthymeseis tēs Monēs Dousikou. Symbolē stēn hstoria tēs Monēs. (Commentaires historiques dans des épigraphes, épigrammes, gravures et souvenirs du Monastère de Dousikou. Contribution à l'histoire du monastère.) Mesaiōnika kai Nea Hellēnika, 84, t. 1, p. 1-70. [Disponible comme tiré à part]

4569. ZYRJANOV (P.N.). Pravoslavnaja cerkov' v bor'be a revoljuciej 1905-1907 gg. (The Orthodox church in the struggle against the revolution of 1905-1907 [in Russia].) Moskva, Nauka, 84, 224 p. (AN SSSR. In-t istorii SSSR)

Cf. n° 4762.

§ 4. Protestantesimo.

* 4570. Archiv für Reformationsgeschichte. Beiheft: Literaturbericht - Literary review. [Bd 12. Cf. Bibl. 83, n° 4613.] Bd 12: 1984. Arch. f. Reformationsgesch., 84, Jg. 13, 196 p.

* 4571. Bibliographie de la Réforme 1450-1648. Fasc. [7. Cf. Bibl. 70, n° 5638.] 8: Benelux. Ouvrages parus de 1956 à 1975/76. Leiden, Brill, 82, in-8, 152 p.

* 4572. Bibliotheca dissidentium. Répertoire des non-conformistes religieux des XVIe et XVIIe siècles. Ed. par André SEGUENNY. En collab. avec Irena BACKUS et Jean ROTT. [T. 1, 2. Cf. Bibl. 81, n° 4090.] T. 3: Johannes Bünderlin, Wolfgang Schultheiß, Theobald Thamer. T. 4: Jacques de Bourgogne, seigneur de Falais, Etienne Dolet, Casiodoro de Reina, Camillo Renato. Baden-Baden, Koerner, 82-84, 2 vol. in-8, 168, 207 p. (Ill.). (Bibliotheca bibliographica Aureliana, 93, 95)

* 4573. KOEHN (Horst). Philipp Melanchthons Rede. Verzeichnis d. im 16. Jh. erschienen Drucke. Arch. f. Gesch. d. Buchwesens, 84, Bd 25, Sp. 1277-1486.

* 4574. Lutherbibliographie [1983. Cf. Bibl. 83, n° 4614.] 1984. Luther-Jb., 84, Jg. 51, p. 109-187.

* 4575. NEUHAUS (Helmut). Martin Luther in Geschichte und Gegenwart. Neuerscheinungen anläßlich d. 500. Geburtstages des Reformators. Arch. f. Kulturgesch., 84, Bd 66, p. 425-479.

** 4576. BEZE (Théodore de). Psaumes

en vers français. Texte établi par Pierre PIDOUX. Genève, Droz, 84, in-8, 312 p. (Travaux d'Humanisme et Renaissance, 199)

** 4577. CALVIN (Jean). Traité des scandales. Ed. critique par Olivier FATIO. Genève, Droz, 84, in-8, 256 p. (Textes littéraires franç., 323)

** 4578. Defensio Francisci Davidis and De dualitate tractatus Francisci Davidis, Cracoviae, 1782. Publ. by Mihály BALÁZS. Budapest, Akad. Kiadó, 83, in-8, XXXVIII-492 p. (Bibliotheca Unitariorum, 1)

** 4579. LEEUWENBERG (H. L. Ph.), ed. De Bataafse Omwenteling te Zeist. Aantekeningen uit het Gemeindiarium van de Evangelische Broedergemeente te Zeit, 4 januari - 5 february 1795. (Notes from the Gemeindiarium of the Moravians at Zeit, January 4 - February 5, 1795.) In: Nederlande hist. Bronnen [Cf. n° 769], vol. 3, p. 147-195.

** 4580. LUTHER (Martin). Werke. Kritische Gesamtausgabe. Briefwechsel. [Bd 16. Cf. Bibl. 80, n° 4083.] Bd 17: Verzeichnis d. Siglen u. Abkürzungen, theolog. u. Sachregister zu Briefe Bd 1-14, griech. Stichwortverzeichnis. Weimar, Böhlau, 83, in-4, XX-648 p.

** 4581. Registres de la Compagnie des pasteurs de Genève. Publ. sous la dir. des Archives d'Etat de Genève. [T. 6. Cf. Bibl. 80, n° 4086.] T. 7: 1595-1599. Publ. par Gabrielle CAHIER et Michel GRANDJEAN. Genève, Droz, 84, in-8, 416 p. (Travaux d'Humanisme et Renaissance, 198)

** 4582. THEMEL (Karl). Die evangelischen Kirchenbücher von Berlin. Übersicht über d. Bestände d. Pfarr- u. Kirchenarch. d. Evang. Kirche in Berlin-Brandenburg u. d. Sprengels Berlin (Ost) d. Evang. Kirche in Berlin-Brandenburg. Erg., bearb. u. eingel. v. Wolfgang RIBBE. Berlin, Colloquium-Verl., 84, in-8, 139 p. (Einzelveröff. d. Hist. Komm. zu Berlin, 48. Publ. d. Sektion f. d. Gesch. Berlins, 2)

4583. Actes du Colloque Guillaume Farel. Vol. 1, 2. Genève, Droz, 84, 2 vol. in-8, 288, 146 p. (pl.). (Cah. de la R. Théol. Philos., 9)

4584. Afscheiding (De) van 1834 en haar geschiedenis. (The Afscheiding of 1834 and its history.) [Ed. by W. BAKKER, O. J. de JONG, W. VAN'T SPIJKER, et al.] Kampen, kok, 84, in-8, 272 p. (ill.). - Afscheiding - Wederkeer. Opstellen over de Afscheiding van 1834. Ed. by D. DEDDENS a. J. KAMPHUIS. Haarlem, Vijlbrief, 84, in-4, 304 p. (ill.). - Aspecten van de Afscheiding. Ed. by A. de GROOT a. P. L. SCHRAM. Franeker, Wever, 84, in-8, 136 p. (ill.). [Afscheiding: separation of a group of conservative Calvinists from the Netherlands Reformed Church]

4585. Antitrinitarianism in the second half of the 16th century. Ed. by Róbert DÁN a. Antal PIRNÁT. [Proceedings of the International Colloquium held on the 400th anniversary of Ferenc David's death in Siklós, May 15-19, 1979.] Budapest, Akad. Kiadó, 82, in-8, 351 p. (Studia Humanitatis, 5)

4586. ART (J.). Preken in pre-industrieel Vlaanderen. Aspecten van volksmissiepredikatie tussen 1830 en 1850. (Preaching in pre-industrial Flanders, 1830-1850.) In: Vormen van communicatie [Cf. n° 893], p. 407-421.

4587. BÄCKSTRÖM (Anders). Nattvardssedens förändring under 1800-talet som uttryck för den religiösa och sociala omvälvningen. (The changes in communion observance during the 19th century as en expression of the religious and social revolution.) Kyrkohist. Årsskr., 84, vol. 84, p. 140-155. [Eng. summary]

4588. BALMER (Randall H.). The social roots of Dutch pietism in the middle colonies. Church Hist., 84, vol. 53, n° 2, p. 187-199.

4589. BECKER-JÁKLI (Barbara). Die Protestanten in Köln. Die Entwicklung einer relig. Minderheit v. d. Mitte d. 18. bis z. Mitte d. 19. Jh. Köln, Rheinland-Verl.; Bonn, Habelt, 83, in-8, XI-307 p. (Ill., graph. Darst.). (Schriftenreihe d. Ver. f. Rhein. Kirchengesch., 75)

4590. BENTLEY (James). Martin Niemöller. London, Oxford U.P., 84, in-8, 256 p.

4591. BERGSMA (W.). Aggaeus Van Albada (c. 1525-1587), schwenckfeldiaan, staatsman en strijder voor verdraagzaamheid. (Van Albada, a follower of Caspar von Schwenckfeld, a statesman and fighter for religious toleration.) Meppel, Krips, 83, in-8, X-226 p. (1 fig.).

4592. Biografisch lexicon voor de geschiedenis van het Nederlandse protestantisme. (Biographical dictionary of Dutch protestantism.) [Vol. 1. Cf. Bibl. 78-79, n° 4752.] Vol. 2. Ed. by D. NAUTA, A. de GROOT, J. VAN DEN BERG, et al. Kampen, Kok, 83, in-8, 488 p.

4593. BOCCASSINI (Daniela). Il massacro dei Valdesi di Provenza, per una rilettura. B. Soc. Studi valdesi, 84, n° 154, p. 59-73.

4594. BORNEWASSER (J.A.). Hoe conservatief was het Réveil. (Inquiry into the conservatism of the Réveil.) Nederlands Arch. Kerkgesch., 82 [83], vol. 62, p. 201-226.

4595. BRAKE (George Thompson). Policy and politics in British Methodism, 1932-1982. London, B. Edsall, 84, in-8, 896 p.

4596. BRECHT (Martin), EHMER (Hermann). Südwestdeutsche Reformationsgeschichte. Zur Einführung d. Reformation im Herzogtum Württemberg 1534. Stuttgart, Calwer Verl., 84, in-8, 469 p. (Ill., Kt.).

4597. BREITENBACH (William). The consistent Calvinism of the new divinity movement. William a. Mary Quar., 84, vol. 41, n° 2, p. 241-264.

4598. BREUNLICH (Maria). Die Jugend des Grafen Karl von Zinzendorf und Pottendorf (1739-1761). Mitt. d. österr. Staatsarch., 84, Bd 37, p. 149-171.

4599. BREWER (Priscilla J.). The demographic features of the Shaker decline, 1787-1900. J. interndisc. Hist., 84, vol. 15, n° 1, p. 31-52.

4600. BROCK (Peter). The peace testimony of the early Plymouth brethren. Church Hist., 84, vol. 53, n° 1, p. 30-45.

4601. CAMERON (Euan). The Reformation of the heretics: the Waldenses of the Alps, 1480-1580. London a. New York, Oxford U.P., 84, in-8, XIV-291 p. (maps). (Oxford Hist. Monogr.)

4602. CARLSSON (Sten). Den svenska kyrkans roll som kulturfaktor. (The role of the Church of Sweden as cultural factor.) Kyrkohist. Årsskr., 84, vol. 84, p. 134-139. [Eng. summary]

4603. CHRISMAN (Miriam U.). Polémique, Bibles, doctrine: l'édition protestante à Strasbourg, 1519-1599. B. Soc. Hist. Prot. franç., 84, t. 130, p. 319-344.

4604. CHRYSTAL (William G.). Samuel D. Press: teacher of the Niebuhrs. Church Hist., 84, vol. 53, n° 4, p. 504-521.

4605. CONRAD (Franziska). Reformation in der bäuerlichen Gesellschaft. Zur Rezeption reformator. Theologie im Elsaß. Stuttgart, Steiner, 84, in-8, X-190 p. (Veröff. d. Inst. f. Europ. Gesch. Mainz, 116, Abt. f. abendländ. Religionsgesch.)

4606. CONSER (Walter H.) Jr. Church and confession: conservative theologians in Germany, England, and America, 1815-1866. Macon, Ga., Mercer U.P., 84, in-8, VIII-361 p.

4607. DEBARD (Jean-Marc). Le luthéranisme au pays de Montbéliard, une Eglise d'Etat: difficultés et réalités du XVIe au XVIIIe siècle. B. Soc. Hist. Prot. franç., 84, t. 130, p. 345-382.

4608. DECAVELE (J.). Historiografie van het zestiende-eeuwse protestantisme in België. (Historiography of the 16th-century protestantism in Belgium.) Nederlands Arch. Kerkgesch., 82 [83], vol. 62, p. 1-27.

4609. DELLSPERGER (Rudolf). Die Anfänge des Pietismus in Bern. Quellenstudien. Göttingen, Vandenhoeck u. Ruprecht, 84, in-8, 221 p. (Arbeiten z. Gesch. d. Pietismus, 22)

4610. DELVAL (Michel). La prédication d'un réformateur au XVIe siècle: l'activité homilétique de Théodore de Bèze. Mél. Sci. relig., 84, a. 41, n° 2, p. 61-86.

4611. DESPLAT (Christian). Réforme et culture populaire en Béarn du XVIe au XVIIIe siècle. Hist., Econ. et Soc., 84, a. 3, n° 2, p. 183-202.

4612. DIESEN (Ingulf), HAGELIA (Hallvard). Veien videre: det Norske misjonsforbund 1884-1894. (The way ahead: the Norwegian missionary association, 1884-1984.) Oslo, Ansgar, 84, in-8, 350 p. (ill.).

4613. DONAGAN (Barbara). Puritan ministers and laymen: professional claims and constraints in seventeenth-century England. Huntington Libr. Quar., 84, vol. 47, n° 2, p. 81-112.

4614. DOUGLASS (Jane Dempsey). Christian freedom: what Calvin learned at the school of women. Church Hist., 84, vol. 53, n° 2, p. 155-173.

4615. DWORZACZKOWA (Jolanta). Sytuacja materialna duchowieństwa braci czeskich w Polsce do początków XVII w. (La situation matérielle du clergé des Frères moraves en Pologne jusqu'au début du XVIIe s.) Odrodzen. Reform. Polsce, 83 [84], vol. 29, p. 119-144.

4616. ECKEDAL (Lars). När tillkom De officiis? Omdateringsförslag. (When was "De officiis" elaborated? Redating proposals.) Kyrkohist. Årsskr., 84, vol. 84, p. 117-133. [Eng. summary]

4617. ERBACHER (Hermann). Die Evangelische Landeskirche in Baden in der Weimarer Zeit und im Dritten Reich 1919-1945. Gesch. u. Dokumente. Karlsruhe, Verl. Evang. Presseverb. f. Baden, 83, in-8, 104 p. ((Ill., graph. Darst., Noten). (Veröff. d. Ver. f. Kirchengesch. in d. Ev. Landeskirche in Baden, 34)

4618. ERDMANN (Karl Dietrich). Luther über den gerechten und ungerechten Krieg. Joachim-Jungius-Ges. d. Wiss. Göttingen, Vandenhoeck u. Ruprecht, 84, in-8, 39 p. (Berichte a. d. Sitzungen d. Joachim-Jungius-Ges. d. Wiss., Hamburg, Jg. 1, H. 5)

4619. FABINY (Tibor). Martin Luthers letzter Wille. Das Testament d. Reformators u. seine Gesch. Budapest, Corvina; Bielefeld, Luther-Verl., 83, in-8, 73 p. (Ill., 32 Taf.).

4620. FENSKE (Hans). Rationalismus und Orthodoxie. Zu d. Kämpfen in d. pfälz. Landeskirche im 19. Jh. Z. f. Gesch. d. Oberrheins, 84, Bd 132, p. 239-269.

4621. GÄBLER (Ulrich) Luther und Zwingli. Luther, 84, Jg. 55, p. 105-112.

4622. GARRETT (Clarke). Swedenborg and the mystical enlightenment in eighteenth-century England. J. Hist. Ideas, 84, vol. 45, n° 1, p. 67-82.

4623. GEORGE (Timothy). War and peace in the Puritan tradition. Church Hist., 84, vol. 53, n° 4, p. 492-503.

4624. GMITEREK (Henryk). Prowincje czy konfesje? Przyczynek do sprawy ujednolicenia obrządku w zborach kalwińskich i braci czeskich w XVII wieku. (Provinces ou confessions? Contribution à la question de l'unification du rite dans les communautés calvinistes et des Frères moraves au XVIIe s.) Odrodzen. Reform. Polsce, 83 [84], vol. 29, p. 145-153.

4625. Gott kumm mir zu Hilf: Martin Luther in d. Zeitenwende. Berliner Forschungen u. Beitr. z. Reformationsgesch. Hrsg. im Auftr. d. Arbeitsgemeinschaft u. d. Hist. Ges. zu Berlin v. Hans-Dietrich LOOCK. Berlin, CZV-Verl., 84, in-8, 226 p. (12 Ill.).

4626. GURA (Philip F.). A glimpse of Sion's glory: Puritan radicalism in New England, 1620-1660. Middletown, Conn., Wesleyan U.P., 84, in-8, XV-398 p.

4627. GUSTAFSSON (Per Erik). Tiden och tecknen: Israelmission och Palestinabild i det tidiga Svenska missionsförbundet: en studie i apokalyptik och mission c:a 1860-1907. (The time and the signs: Israel missions and conception of Palestine in the early Mission Covenant Church of Sweden: an essay on apocalyptic ideas and missions about 1860-1907.) Älfsjö, Verbum, 84, in-8, 289 p. (Studia missionalia Upsaliensia, 41) [Eng. summary]

4628. HALL (David D.). Toward a history of popular religion in early New England. William a. Mary Quar., 84, vol. 41, n° 1, p. 49-55.

4629. HANLON (David). God versus gods: the first years of the [protestant] Micronesian Mission on Ponape, 1852-1859. J. pacific Hist., 84, vol. 19, n° 1-2, p. 40-59.

4630. HARPER (George W.). Clericalism and revival: the Great Awakening in Boston as a pastoral phenomenon. New England Quar., 84, vol. 57, n° 4, p. 554-566.

4631. HAUSMANN (Friedrich). Leonhard Käser - ein oberösterreichischer Blutzeuge für Martin Luther. Mitt. d. oberösterr. Landesarch., 84, Bd 14, p. 47-76.

4632. HEIN (Martin). Lutherisches Bekenntnis und Erlanger Theologie im 19. Jahrhundert. Gütersloh, Gütersloher Verlagshaus Mohn, 84, in-8, 308 p. (D. luther. Kirche, Gesch. u. Gestalten, 7)

4633. HEMPTON (David). Methodism and politics in British society, 1750-1850. London, Hutchinson Educ.; Stanford, Calif., Stanford U.P., 84, in-8, 276 p.

4634. Historisch bewogen. Opstellen over de radicale reformatie in de 16e en 17e eeuw. Opstellen, aangeboden aan Prof. Dr. A. F. Mellink bij zijn afscheid als hoogleraar in de sociaal-religieuze geschiedenis aan de Rijksuniversiteit te Groningen. (Essays on the radical reformation in the 16th and 17th centuries. Dedicated to prof. dr. A. F. Mellink.) Groningen, Wolters-Noordhoff/Bouma's Boekhuis, 84, in-8, 198 p.

4635. HOBBS (Gerald R.). How firm a foundation: Martin Bucer's historical exegesis of the psalms. Church Hist., 84, vol. 53, n° 4, p. 477-491.

4636. HUISMAN (C.). Nederlands Israel. Het natiebesef der traditioneel-gereformeerden in de achttiende eeuw. ("Nederlands Israel". The national consciousness of the traditionally reformed in the 18th century.) Dordrecht, Van den Tol, 83, in-8, 180 p.

4637. HUNTER (Jane). The gospel of gentility: American women missionaries in turn-of-the-century China. New Haven, Conn., a. London, Yale U. P., 84, in-8, XXI-318 p.

4638. JAMES (Sydney V.). Ecclesiastical authority in the land of Roger Williams. New England Quar., 84, vol. 57, n° 3, p. 323-346.

4639. JANZ (Danis R.). Luther and late mediaeval Thomism, a study in theological anthropology. Gerrards Cross, C. Smythe, 84, in-8, XIV-186 p.

4640. Johannes Bugenhagen. Gestalt u. Wirkung. Beiträge z. Bugenhagenforschung. Aus Anlaß d. 500. Geburtstages d. Doctor Pomeranus hrsg. v. Hans-Günter LEDER. Berlin, Evang. Verl.-Anst., 84, in-8, 207 p.

4641. JOHANSSON (Erland). Väckselserörelsen och samhället: en historisk studie av Karlskoga 1875-1900. (The revivalist movement and society: a historical study of Karlskoga, 1875-1900.) Göteborg, Gothia, 84, in-8, 247 p. (ill.). [Eng. summary]

4642. JONES (Norman L.). Elizabeth, edifiction, and the Latin prayer book of 1560. Church Hist., 84, vol. 53, n° 2, p. 174-186.

4643. JUNGHANS (Helmar). Der junge Luther und die Humanisten. Weimar, Böhlau, 84, in-8, 356 p. (Arbeiten z. Kirchengesch., 8)

4644. Kirchenkampf im Rheinland. Die Entstehung d. Bekennenden Kirche u. d. Theolog. Erklärung v. Barmen 1934. Günther van NORDEN (Hrsg.). Köln, Rheinland-Verl.; Bonn, Habelt, 84, in-8, XIV-304 p. (Ill.). (Schr. d. Ver. f. Rhein. Kirchengesch., 76)

4645. KOLB (Robert). The German Lutheran reaction to the third period of the council of Trent. Luther-Jb., 84, Jg. 51, p. 63-95.

4646. KOLLAR (Rene). Lord Halifax and monasticism in the Church of England. Church Hist., 84, vol. 53, n° 2, p. 218-230.

4647. KROLL-SMITH (J. Stephen). Transmitting a revival culture: the organizational dynamic of the Baptist movement in colonial Virginia, 1760-1777. J. south. Hist., 84, vol. 50, n° 4, p. 551-568.

4648. KYLE (Richard G.). The mind of John Knox. Lawrence, Kans., Coronado, 84, in-8, XIV-347 p.

4649. LAMBA (Isaac C.). The Cape Dutch reformed church mission in Malawi: a preliminary historical examination of its educational philosophy and application, 1889-1931. Hist. Educat. Quar., 84, vol. 24, n° 3, p. 373-392.

4650. LE GAL (Patrick). Le droit canonique dans la pensée dialectique de Jean Calvin. Fribourg, Ed. univ. de Fribourg, 84, in-8, 189 p. (Studia friburgensia, nouv. sér., 63. Sectio canonica, 3)

4651. LIENHARD (Marc). L'Eglise aux mains de l'Etat? Magistrat et Eglise évangélique à Strasbourg, de la Réforme à la guerre de Trente Ans. B. Soc. Hist. Prot. franç., 84, t. 130, p. 295-318.

4652. LINDELÖW (Karl-Gustav). Svenska kyrkans centrala styrelse i historisk belysning. (An historical light on the central board of the Church of Sweden.) Kyrkohist. Årsskr., 84, vol. 84, p. 11-20. [Eng. summary]

4653. LUDOLPHY (Ingetraut). Luther und sein Landesherr Friedrich der Weise. Luther, 84, Jg. 54, p. 111-124. [Cf. n° 3262]

4654. Luther und die politische Welt. Wiss. Symposion in Worms v. 27.-29. Okt. 1983. Hrsg. v. Erwin ISERLOH u. Gerhard MÜLLER. Stuttgart, Steiner, 84, in-8, 256 p. (Hist. Forschungen, 9)

4655. Lutheriana. Zum 500. Geburtstag Martin Luthers von d. Mitarbeitern d. Weimarer Ausgabe. Hrsg. v. Gerhard HAMMER u. Karl-Heinz zur MÜHLEN. Köln u. Wien, Böhlau, 84, in-8, VII-483 p. (Archiv z. Weimarer Ausg. d. Werke M. Luthers, 5)

4656. MACIUSZKO (Janusz Tadeusz). Konfederacja Warszawska 1573 roku. Geneza, pierwsze lata obowiązywania. (La Confédération de Varsovie de 1573. Sa genèse et ses premiers années d'existence.) Warszawa, Chrześc. Akad. Teolog., 84, in-8, 220 p.

4657. McKEE (Elsie Anne). John Calvin on the diaconate and liturgical alms giving. Genève, Droz, 84, in-8, 312 p. (Travaux d'Humanisme et Renaissance, 197)

4658. McKIVIGAN (John R.). The war against proslavery religion: abolitionism and the northern churches, 1830-1865. Ithaca, N.Y., Cornell U. P., 84, in-8, 327 p.

4659. McLOUGHLIN (William G.). Cherokees and missionaries, 1789-1839. New Haven, Conn., Yale U.P., 84, in-8, XIII-375 p.

4660. MECENSEFFY (Grete). Ursprünge und Strömungen des Täufertums in Österreich. Mitt. d. oberösterr. Landesarch., 84, Bd 14, p. 77-94.

4661. MEYER (Judith Pugh). La Rochelle and the failure of the French Reformation. Sixteenth-Cent. J., 84, vol. 15, n° 2, p. 169-183.

4662. MIDDLETON (Arthur Pierce). From daughter church to sister church: the disestablishment of the Church of England and the organization of the diocese of Maryland. Maryland hist. Mag., 84, vol. 79, n° 3, p. 189-196.

4663. MOLINIER (Alain). Aux origines de la Réformation cévenole. A. Ec., Soc., Civ., 84, a. 39, n° 2, p. 240-264.

4664. MOORHEAD (James H.). The erosion of postmillenialism in American religious thought, 1865-1925. Church Hist., 84, vol. 53, n° 1, p. 61-77.

4665. MURDOCH (Norman H.). Female ministry in the thought of Catherine Booth. Church Hist., 84, vol. 53, n° 3, p. 348-363.

4666. NISCHAN (Bodo). The "Fractio Panis": a reformed communion practice in late Reformation Germany. Church Hist., 84, vol. 53, n° 1, p. 17-29.

4667. NORRMAN (Ragnar). Prästerna i norska kyrkan 1939-1945: social struktur och ekonomiska villkor. (The clergy of the Church of Norway in 1939-45: social structure and financial circumstances.) Kyrkohist. Årsskr., 84, vol. 84, p. 173-209. [Eng. summary]

4668. ÖSTNOR (Lars). Lutherdom og ökumene: nordisk lutherdoms syn på luthersk identitet og ökumenisk åpenhet i midten av 1920 årene. (Lutheranism and ecumenity in the Nordic countries in the middle of the 1920s.) Kyrkohist. Årsskr., 84, vol. 84, p. 156-172. [Eng. summary]

4669. OSEN (James L.). Prophet and peacemaker: the life of Adolphe Monod. Lanham, Md., Univ. Press of America, 84, in-8, VIII-411 p.

4670. PARKER (Kenneth L.). Thomas Rogers and the English sabbath: the case for a reappraisal. Church Hist., 84, vol. 53, n° 3, p. 335-347.

4671. PERNLER (Sven-Erik). De svenska kyrkobalkarnas inledningsord. (The prefaces of the Swedish ecclesiastical codes.) Kyrkohist. Årsskr., 84, vol. 84, p. 61-99. [Eng. summary]

4672. PUNSHON (John). The portrait in grey: a short history of the Quakers. London, Quaker Home Service, 84, in-8, 294 p.

4673. RAWLINS (Clive). William Barclay, the authorised biography. Exeter, Paternoster Press, 84, in-8, 704 p.

4674. REISCHER (Franz). Der Protestantismus in Klagenfurt und Unterkärnten im 19. und 20. Jahrhundert. Jb. f. d. Gesch. d. Protestantismus in Österr., 84, Bd 100, p. 41-142.

4675. ROHLS (Jan). "... unser Knie beugen wir doch nicht mehr". Bilderverbot u. bildende Kunst im Zeitalter d. Reformation. Z. f. Theol. u. Kirche, 84, Jg. 81, p. 322-351.

4676. SCARISBRICK (J.J.). The Reformation and the English people. Oxford, Blackwell, 84, in-8, 214 p.

4677. SCHWARZ (Karl). Die Protestantenemanzipation im Spiegel eines Majestätsgesuchs der beiden Wiener Gemeinden vom 5. April 1848. Wien. Gesch.-Bl., 84, Bd 39, p. 1-12.

4678. Schwerpunkt: Kirche und Frömmigkeit im Übergang vom 18. zum 19. Jahrhundert. [Autoren u. Mitarb.: Reinhard BREYMAYER u. a.] Göttingen, Vandenhoeck u. Ruprecht, 84, in-8, 310 p. (Pietismus u. Neuzeit, 9)

4679. SEHR (Timothy J.). John Eliot, millennialist and missionary. Historian, 84, vol. 46, n° 2, p. 187-203.

4680. SELINGER (Suzanne). Calvin against himself: an inquiry in intellectual history. Hamden, Conn., Archon, 84, in-8, XII-238 p.

4681. SILVERMAN (Kenneth). The life and times of Cotton Mather. London a. New York, Harper a. Row, 84, in-8, X-479 p.

4682. SIMENSEN (Jarle), ed. Norsk misjon og afrikanske samfunn: Sør-Afrika ca. 1850-1900. (Norwegian mission and African societies: South Africa about 1850-1900.) Trondheim, Tapir, 84, in-8, 227 p. (maps).

4683. SMOLINSKY (Heribert). Augustin von Alveldt und Hieronymus Emser. Eine Unters. z. Kontroverstheologie d. frühen Reformationszeit im Herzogtum Sachsen. Münster, Aschendorff, 84, in-8, VII-467 p. (Reformationsgesch. Stud. u. Texte, 122)

4684. SPRUNGER (Keith L.). Dutch puritanism. A history of English a. Scottish churches in the Netherlands in the sixteenth and seventeenth centuries. Leiden, Brill, 82, in-8, XIII-485 p. (Stud. in the hist. of Christian thought, 31)

4685. Staat in de vrijheid. De geschiedenis van de remonstranten. (The history of the Remonstrant church from the Synod of Dordt.) Ed. by G. J. HOENDERDAAL a. P. M. LUCA. Zutphen, De Walburg Pers, 82, in-8, 200 p. (ill.).

4686. STAUFFENEGGER (Roger). Eglise et société: Genève au XVIIe siècle. Vol. 1, 2. Genève, Droz, 84, 2 vol. in-8, ens. 1012 p. (Travaux d'hist. éthico-polit., 41)

4687. STEPHENSON (Alan M. G.). The rise and decline of English modernism: the Hulsean Lectures, 1979-1980. London, S.P.C.K., 84, in-8, 352 p.

4688. STØYLEN (Kaare). Vår kirke i sør: Christianssand Stift - Adger bispedømme 1684-1984. (Our church in the South: the diocese of Christiansand (Adger) 1684-1984.) Kristiansand, 84, in-8, 239 p. (ill.).

4689. STRICKER (Gerd). Mennoniten in der Sowjetunion nach 1941. Eine Facette rußlanddeutscher Kirchengeschichte. Kirche im Osten, 84, Bd 27, p. 57-98.

4690. TAZBIR (Janusz). Reformacja polska wobec Żydów. (La Réforme polonaise face aux Juifs.) B. Żyd. Inst. hist., 83 [84], a. 33, n° 2-3, p. 51-71.

4691. TRAPMAN (J.). Le rôle des "Sacramentaires", des origines de la Réforme jusqu'en 1530 aux Pays-Bas. Nederlands Arch. Kerkgesch., 83 [84], vol. 63, p. 1-24.

4692. TUCKER (Cynthia Grant). A woman's ministry: Mary Collson's search for reform as a Unitarian minister, a Hull House social worker, and a Christian Science practitioner. Philadelphia, Pa., Temple U.P., 84, in-8, XVIII-216 p.

4693. VAN DER VELDEN (M.J.G.). K. H. Miskotte als prediker. Een homiletisch onderzoek. (K. H. Miskotte als Prediger, eine homiletische Studie.) 's-Gravenhage, Boekencentrum, 84, in-8, 240 p.

4694. VAN DE SANDT (H.W.M.). Joan Alberti, een Nederlands theoloog en classicus in de achttiende eeuw. (Joan Alberti, a Dutch theologian and classicist in the eighteenth century.) Utrecht, Elinkwijk, 84, in-8, XV-390 p. (ill.).

4695. VAN ROODEN (P.T.). Het beleid van de Waalse synode tijdens de Remonstrantse twisten. (The Walloon Synod in the years 1610-1619.) Nederlands Arch. Kerkgesch., 82 [83], vol. 62, p. 180-200.

4696. VIDAL (D.). Prédications et discours calvinistes en Languedoc après la révocation de l'Edit de Nantes. R. hist., 84, a. 108, t. 271, n° 549, p. 281-310.

4697. VISSER (C.Ch.G.). De Lutheranen in Nederland. Tussen katholicisme en calvinisme, 1566 tot heden. (The Lutherans in the Netherlands. Between Catholicism a. Calvinism from 1566.) Dieren, Bataafsche Leeuw, 83, in-4, 175 p. (ill.).

4698. WALACE (Dewey D.) Jr. Charles Oliver Brown at Dubuque: a study in the ideals of midwestern congregationalists in the late nineteenth century. Church Hist., 84, vol. 53, n° 1, p. 46-60.

4699. WARD (William Reginald). Aufklärung und religiöser Aufbruch im europäischen Protestantismus des 18. Jahrhunderts. Österr. in Gesch. u. Lit., 84, Bd 28, n° 1, p. 1-14.

4700. WELSBY (Paul A.). A history of the Church of England, 1945-1980. London, Oxford U.P., 84, in-8, 292 p.

4701. WELTI (Manfred E.). Die italienische Reformation in den Grundzügen. Z. f. Religions- u. Geistesgesch., 84, Bd 36, p. 13-33.

4702. WERNER (Julia Stewart). The primitive Methodis connexion: its background and early history. Madison, Univ. of Wisconsin Press, 84, in-8, XV-251 p.

4703. WHITSON (Robley Edward). The Shakers, two centuries of spiritual reflection. London, S.P.C.K., 84, in-8, 384 p.

4704. WILSON (Robert J.) III. The benevolent deity: Ebenezer Gay and the rise of rational religion in New England, 1696-1787. Philadelphia, Univ. of Pennsyl-

§ 5. RELIGIONI E SETTE NON CRISTIANE

vania Press, 84, in-8, XV-311 p.

4705. WOOLVERTON (John Frederick). Colonial Anglicanism in North America. Detroit, Mich., Wayne State U.P., 84, in-8, 331 p.

4706. ZAISBERGER (Friederike). Der Salzburger Bauer und die Reformation. Mitt. d. Ges. f. salzburg. Landeskde, 84, Bd 124, p. 375-401.

4707. ZIJLSTRA (S.). Nicolaas Meyndertsz. Van Blesdijk. Een bijdrage tot de geschiedenis van het Davidjorisme. (Biographie von Nicolaas Meyndertsz. Van Blesdijk, Schwiegersohn u. wichtigster Mitarbeiter von David Joris von Delft.) Assen, Van Gorkum, 83, in-8, VI-267 p. (Van Gorcum's hist. bibliotheek, 99)

4708. ZIMMERMANN (Gunter). Das Nürnberger Religionsgespräch von 1525. Mitt. d. Ver. f. Gesch. Nürnberg, 84, Bd 71, p. 129-148.

Cf. n°s 703, 3252, 3300, 4129, 4563, 6604.

§ 5. Religioni e sette non cristiane.

4709. BACH (H.I.). The German Jew: a synthesis of Judaism and western civilization, 1730-1930. New York, Oxford U.P., 84, in-8, 255 p. (Littman Libr. of Jewish Civ.)

4710. BARZILAY (Isaac E.). Manasseh of Ilya (1767-1831) and the European Enlightenment. Jewish soc. Stud., 84, vol. 46, n° 1, p. 1-8.

4711. BERRIOT (François). Athéisme et athéistes au XVIe siècle en France. Vol. 1, 2. Paris, Ed. du Cerf, 84, 2 vol. In-8, ens. 930 p. (Thèses)

4712. BROMBACHER (J.A.). The Esslinger Mahzor. A codicological survey and an investigation of the text. Studia Rosenth., 84, vol. 17, p. 103-119.

4713. CHOURAQUI (Jean-Marc). Le corps rabbinique en France et sa prédication: problèmes et desseins (1808-1905). Hist., Econ. et Soc., 83, a. 3, n° 2, p. 293-320.

4714. COHEN (Rivka). Qushta-Saloniqi-Patras. (Constantinople-Salonica-Patras: communal a. supracommunal organization of Greek Jewry under Ottoman rule, 15th - 16th cent.) Tel-Aviv, Tel-Aviv Univ., 84, in-8, 170 p.

4715. COOPERMAN (Bernard D.). A rivalry of bankers: responsa concerning banking rights in Pisa in 1547. In: Stud. in med. Jewish hist. ... [Cf. n° 2435], p. 41-82.

4716. ETKES (Immanuel). Aliyyato shel R. Shneor Zalman ... (The rise of Rabbi Schneur Zalman of Ljady [Belorussia] as a Hassidic leader.) Tarbiz, 84, vol. 54, n° 3, p. 429-439.

4717. GILMAN (Sander L.). Jew and mental illness: medical metaphors, antisemitism, and the Jewish response. J. Hist. behavioral Sci., 84, vol. 20, n° 2, p. 150-159.

4718. GOLDSTEIN (Joseph). Ha-maavaq ben haredim le-hiloniyim ... (The struggle between orthodox and secular Jews over the character of the Zionist movement, 1882-1922.) Yahadut Z'emanenu, 84, vol. 2, p. 237-260. [Eng. summary]

4719. GSTREIN (Heinz). Jüdisches Wien. Wien u. München, Herold, 84, in-8, 124 p.

4720. GUTKAS (Karl). Kult und Kultur des österreichischen Judentums. Mit Objekten d. Sammlung Max Berger in Wien. St. Pölten, Rathaus, 84, in-8, 71 p.

4721. HAIM (Abraham). Hanhagat ha-Sefaradim biyerushalayim. (The Sephardi leadership in Jerusalem and its relations with the central institutions of the yishuv under British rule, 1917-1948.) Tel-Aviv, 83, 2 vol. in-4. [Thesis, Tel-Aviv Univ. - Eng. summary]

4722. Hebrew typography in the Northern Netherlands 1585-1815. Historical evaluation and descriptive bibliography. Part 1. By L. FUKS a. R. G. FUKS-MANSFELD. Leiden, Brill, 84, in-4, VIII-232 p. (ill.).

4723. HISDAI (Ya'akov). Reshito shel ha-yishuv ... (Early settlement of "Hasidim" and of "Mithnaggdim" in Palestine - immigration of "Mitzva" and of Mission.) Shalem, 84, vol. 4, p. 231-269. [Eng. summary]

4724. HISKETT (Mervyn). The development of Islam in West Africa. London, Longman, 84, in-8, 368 p. (ill.). (Stud. in Afr. Hist.)

4725. HORWITZ (Rivka). Zachrias Frankel we-reshit ha-yahadut ha-pozitivit. (Zacharias Frankel and the beginnings of positive-historical Judaism.) Jerusalem, Zalman Shazar Center, 84, in-8, 255 p.

4726. KABA (Lansiné). The pen, the sword, and the crown: Islam and revolution in Songhay reconsidered, 1464-1493. J. afr. Hist., 84, vol. 25, p. 241-256.

4727. KORMAN (Gerd). Survivors' Talmud and the U.S. army. Am. jewish Hist., 84, vol. 73, n° 3, p. 252-285.

4728. LEIBOVICI (Sarah). Chronique des Juifs de Tétouan, 1860-1896. Préf. de Juan Bautista VILAR. Paris, Maisonneuve et Larose, 84, in-8, 328 p. (Judaïsme en terre d'Islam, 3)

4729. MARCKHGOTT (Gerhart). Fremde Mitbürger. Die Anfänge d. israel. Kultusgemeinde Linz-Urfahr 1849-1877. Hist. Jb. Linz, 84, p. 285-309.

4730. MARTISCHNIG (Michael). Brandschutz und Feuerwehrverein in der jüdischen Gemeinde von Mattersdorf/Mattersburg. Burgenländ. Heimatbl., 84, n° 2, p. 97-125.

4731. Mazzesinsel (Die). Juden in der

Wiener Leopoldstadt 1918-1938. Hrsg. v. Ruth BECKERMANN. Wien u. München, Löcker, 84, in-4, p. 142 p.

4732. Mediene (De). De geschiedenis van het Joodse leven in de Nederlandse provincie. (The Jews in the "Mediene", the Dutch provinces.) [Ed. by J. CAHEN.] Amsterdam, Meulenhoff, 84, in-8, 60 p. (24 fig.).

4733. MELAMED (Abraham). Simone Luzzatto on Tacitus: Apologetica and Ragione di Stato. In: Stud. in med. Jewish hist. ... [Cf. n° 2435], p. 143-170.

4734. MICHMAN (J.). De stichting van het Opperconsistorie (1808). Een keerpunt in de geschiedenis van de Nederlandse Joden. (The forming of the "Opperconsistorie". A turning point in the history of Dutch Jews.) Studia Rosenth., 84, vol. 17, p. 41-60, 143-158.

4735. MOYAL (Elie). Ha-tenua ha-shabtait be-Maroqo. (The shabbetaian movement in Morocco, its history a. sources.) Tel-Aviv, Am-Oved, 84, in-8, 301 p. (facsim., portr., map).

4736. NARROWE (Morton H.). Jabotinsky and the zionists in Stockholm (1915). Jewish soc. Stud., 84, vol. 46, n° 1, p. 9-20.

4737. PACHTER (Mordechai). The concept of Devekut in the homiletical ethical writing of 16th-century Safed. In: Stud. in med. Jewish hist. ... [Cf. n° 2435], p. 171-230.

4738. SAGI (Nana). Teguvat ha-zibur ha-yehudi be-Britaniya leredifot ha-yehudim ba-reich ha-shelishi. (The reaction of Anglo-Jewry to the persecution of the Jews in the Third Reich as reflected in the Anglo-Jewish press in the years 1930-1939.) Jerusalem, 82, in-4, 545 p. [Thesis, Hebrew Univ. of Jerusalem. - Eng. summary]

4739. SHAVIT (Yaakov). "Avi ha-mered". [Jabotinsky - "father of the Revolt".) Milet, 85 [84], vol. 2, p. 387-407. [Eng. summary]

4740. VAN DER HEIDE (A.). De studie van het Jodendom in Nederland: verleden, heden, toekomst. (The study of Judaism in the Netherlands: past, present, future.) Studia Rosenth., 83, vol. 16, p. 44-57, 177-209.

4741. WISTRICH (Robert S.). Socialism and the Jews: the dilemmas of assimilation in Germany and Austria-Hungary. London, Oxford U.P., 84, in-8, 436 p.

4742. ZOLA (Gary P.). Reform Judaism's pioneer zionist: Maximilian Heller. Am. jewish Hist., 84, vol. 73, n° 4, p. 375-397.

Cf. n[os] 755, 968, 3974, 4138, 4318, 4364, 4462, 4463, 4933, 5258, 6500, 6735.

M

STORIA DEL MOVIMENTO INTELLETTUALE NELL'ETA' MODERNA

§ 1. Opere generali. 4743-4814. - § 2. Accademie ed istituti di cultura. 4815-4820. - § 3. Pedagogia ed insegnamento. 4821-4933. - § 4. Giornalismo. 4934-4979. - § 5. Filosofia. 4980-5102. - § 6. Scienze esatte, tecnica, scienze naturali e medicina. 5103-5218. - § 7. Letteratura (a. Opere generali; b. Rinascimento; c. Classicismo; d. Romanticismo ed età contemporanea). 5219-5374. - § 8. Arti ed arti applicate (a. Opere generali; b. Architettura; c. Scultura, pittura, stampe e disegni; d. Arti applicate ed arti popolari). 5375-5470. - § 9. Musica, teatro e cinema. 5471-5551.

§ 1. Opere generali.

** 4743. Land (Das) der Griechen. Aus d. Reisetagebuch d. Alexander v. Warsberg, ästhetischen Reisemarschalls d. Kaiserin Elisabeth. Hrsg. v. Peter MÜLLER. St. Pölten, Wien, Niederösterr. Pressehaus, 84, in-8, 143 p.

4744. Age (L') d'or du mécénat, 1598-1661. Actes du Colloque internat. du C.N.R.S. (mars 1983): Le Mécénat en Europe, et particulièrement en France avant Colbert, réunis et publ. pour le compte de la Soc. d'Etude du XVIIe siècle par Roland MOUSNIER et Jean MESNARD. Paris, Ed. du C.N.R.S., 84, in-8, 440 p.

4745. ALBIN (Janusz). Łączność kulturalna Polaków w Niemczech z krajem w latach 1919-1939. (La liaison culturelle des Polonais en Allemagne avec leur pays natal dans les années 1919-1939.) Komunikaty maz.-warm., 83 [84], a. 31, n° 2-3, p. 239-265.

4746. ARSENAULT (Raymond). The end of the long hot summer: the air conditioner and southern culture. J. south. Hist., 84, vol. 50, n° 4, p. 597-628.

4747. BLANCHARD (William H.). Revolutionary morality: a psychosexual analysis of twelve revolutionists. Santa Barbara, Calif., ABC-Clio, 84, in-8, XXXIII-281 p.

4748. BLOK (A.). Communicatie en berichtgeving in het vroemoderne Europa. Een inleiding. (Communication and news service in early modern Europe. An introduction.) In: Vormen van communicatie [Cf. n° 893], p. 337-340.

4749. BÖHME (Günther). Bildungsgeschichte des frühen Humanismus. Darmstadt, Wiss. Buchges., 84, in-8, VIII-228 p.

4750. BOER (W. den). Clio als de vrouw van Lot? Victorianen en de Oudheid. (The Victorians and the Greek antiquity.) T. Gesch., 82, vol. 95, p. 321-344.

4751. BORZSÁK (István). A Nagy Sándor-hagyomány Magyarországon. (La tradition relative à Alexandre le Grand en Hongrie.) Budapest, Akad. Kiadó, 84, in-8, 48 p. (Értekezések emlékezések)

4752. BURIUS (Anders). Ömhet om friheten: studier i frihetstidens censurpolitik. (Care for freedom: studies in the literary censorship during Sweden's Age of Liberty.) Uppsala, Univ., 84, in-8, XIV439 p. (Inst. för idé- och lärdomshist., Uppsala univ., Skr., 5) [Eng. summary. - Deutsche Zsfassung]

4753. CHARLTON (Donald Geoffrey). New images of the natural in France, a study in European cultural history, 1750-1800. London, Cambridge U.P., 84, in-8, 254 p.

4754. CLOȘCĂ (Constantin). Ateneul Tătărași din Iași. Așezămînt de cultură națională 1919-1940. (L'Athénée Tătărași de Jassy - établissement national de culture.) Iași, Junimea, 84, in-8, 192 p.

4755. CLOUATRE (Dallas L.). The concept of class in French culture: prior to the Revolution. J. Hist. Ideas, 84, vol. 45, n° 2, p. 219-244.

4756. CSANAK (Dóra), F. Két korszak határán. Teleki József, a hagyományőrző és a felvilágosult gondolkodó. (A la charnière de deux époques: József Teleki [1738-1796], penseur éclairé et traditionaliste.) Budapest, Akad. Kiadó, 83, in-8, 491 p.

4757. Cultura e società nel Rinascimento tra riforme e manierismi. A cura di Vittore BRANCA e Carlo OSSOLA. Firenze, Olschki, 84, in-8, VI-530 p. (ill., tav.). (Civiltà veneziana, Saggi, 32)

4758. DIBON (Paul), WAQUET (Françoise). Johannes Fredericus Gronovius, pèlerin de la République des Lettres. Genève, Droz, 84, in-8, X-190 p. (Publ. de l'Ecole pratique des Hautes Etudes, Paris. IVe Section: Sci. hist. et philol., Hautes Et. médiévales et mod., 53)

4759. Düsseldorf in der deutschen Geistesgeschichte (1750-1850). Mit Beitr. v. H. ANTON, et al. Hrsg. v. Gerhard KURZ. Düsseldorf, Schwann, 84, in-8, 380 p. (Ill.).

4760. DUȚU (Alexandru). Humanisme, baroque, Lumières: l'exemple roumain. Bucureşti, Ed. ştiinţ. şi encoclop., 84, in-8, 148 p.

4761. ENDRES (Rudolf). Nürnberger Bildungswesen zur Zeit der Reformation. Mitt. d. Ver. f. Gesch. Nürnberg, 84, Bd 71, p. 109-128.

4762. Filozofie şi religie în evoluţia culturii romăne moderne. (Philosophie et religion dans l'évolution de la culture roumaine moderne [1839-1944].) Vol. 1, 2. Studii şi antologie de Simion GHIȚĂ şi Dumitru GHIŞE. Bucureşti, Ed. ştiinţ. şi enciclop., 84, 2 vol. in-8, 361, 408 p.

4763. Formirane i razvitie na socialisti-českata kultura v evropejskite strani na socializma. Materiali ot simpozium, 28-29 noem. 1979. (Formation et développement de la culture socialiste dans les pays socialistes européens. Matériaux du symposium tenu les 28 et 29 nov. 1979.) Red. kol.: Aleksandăr OBRETENOV, Ljubomir TENEV, Aleksandăr DUNČEV, et al. Sofija, Partizdat, 82, in-8, 262 p.

4764. GRAU (Conrad). D. A. Golicyn und A. von Gallitzin. Wissenschaft u. Literatur in deutsch-russ. Begegnung in d. letzten Jahrzehnten d. 18. Jh. Jb. f. Gesch. d. sozialist. Länder Europas, 84, Bd 28, p. 109-126.

4765. GRYCOVÁ (Vladimíra). Některé problémy kulturního vývoje v českých zemích na přelomu 19. a 20. století. (Einige Probleme der kulturellen Entwicklung in den böhm. Ländern an d. Wende d. 19. zum 20. Jh.) Sborn. k Děj. 19. a 20. Stol., 84, vol. 9, p. 15-40.

4766. HANSSON (Stina). Svenskans nytta, Sveriges ära: litteratur och kulturpolitik under 1600-talet. (Utility of Swedish and glory of Sweden: literature and cultural policies in the 17th century.) Göteborg, Univ., 84, in-8, 157 p. (Skr. utg. av Litteraturvet. inst. vid Göteborgs univ., 11) [Eng. summary. - Deutsche Zsfassung]

4767. Humanisme (L') portugais et l'Europe. Actes du 21e Colloque internat. d'études humanistes, Tours, 3-13 juillet 1978, Centre d'études supérieures de la Renaissance, Univ. de Tours; Fondation Calouste Gulbenkian, Centre culturel portugais, Paris, Lisbonne. Paris, Touzot, 84, in-4, 888 p.

4768. Humanismo y ciencia en la formación de México. Carlos HERREJÓN PEREDO, editor. México, Colegio de Michoacán y Conacyt, 84, in-8, 481 p. (V Coloquio de Antropología e Hist. regionales)

4769. Humanismus im Bildungswesen des 15. und 16. Jahrhunderts. Deutsche Forschungsgemeinschaft. Hrsg. v. Wolfgang REINHARD. Weinheim, Acta Humaniora, 84, in-8, 200 p. (Ill.). (Mitt. d. Komm. f. Humanismusforsch., 12)

4770. JOHANNISSON (Karin). Magi, vetenskap och institutionalisering under 1600-och 1700-talen. (Magic, science and institutionalization in the 17th and 18th centuries.) Lychnos, 84, vol. 50, p. 121-131. [Eng. summary]

4771. JOHNSTON (William M.). Österreichische Kultur- und Geistesgeschichte. Gesellschaft u. Ideen im Donauraum 1848 bis 1938. Köln u. Wien, Böhlau, 84, in-8, 511 p. (Forsch. zur Gesch. d. Donauraumes, 1)

4772. JÓZSEF (Farkas). Értelmiség és forradalom. Kultúra, sajtó és irodalom a Magyar Tanácsköztársaságban. (Intellectuels et révolution: culture, presse et littérature dans la République hongroise des Conseils.) Budapest, Kossuth Kiadó, 84, in-8, 296 p.

4773. KAMENETSKY (Christa). Children's literature in Hitler's Germany: the cultural policy of National Socialism. Athens, Ohio U.P., 84, in-8, XV-359 p.

4774. KANELLOPOULOS (Panagiōtēs). Historia tou eurōpaïkou pneumatos. (Histoire de l'esprit européen.) Vol. 10. Athènes, Giallelēs, 84, in-8, 604 p.

4775. KHRISTOV (Khristo). Kăma văprosa za roljata na Bălgarija v kulturnija progres na Balkanite i Jugoiztočna Evropa (do Osvoboždenieto v 1878 g.). (Au sujet du rôle de la Bulgarie dans le progrès culturel des Balkans et de l'Europe du Sud-Est avant la Libération en 1878.) Lit. Misăl, 83, n° 1, p. 3-18.

4776. Khudožestvennaja kul'tura i intelligencija Sibiri. 1917-1945 gg. (Art culture and intelligentsia in Siberia, 1917-1945.) Redkol.: V. L. SOSKIN (otv. red.) i dr. Novosibirsk, Nauka, 84, 209 p. (AN SSSR. Sib. otd-nie. In-t ist., filol. i filos.)

4777. Khudožestvennye processy v russkoj kul'ture vtoroj poloviny XIX veka. (Development of art in Russian culture of the second half of the 19th cent.) Otv. red. G. Ju. STERNIN. Moskva, Nauka, 84, 190 p. (AN SSSR. VNII iskusstvoznanija M-va kul'tury SSSR)

4778. KOLEV (Nikola). La contribution des intellectuels bulgares au développement culturel des autres peuples balkaniques à l'époque de leur renaissance nationale et des Lumières. Filologija, 82, n° 10-11, p. 3-17.

4779. KOS (Wolfgang). Über den Semmering. Kulturgeschichte einer künstl. Landschaft. Wien, Tusch, 84, in-4, 207 p. (1 Taf.).

4780. KROPAČ (Ingo H.). Der Tod im Spiegel der Weistümer Innerösterreichs. Z. d. hist. Ver. f. Steiermark, 84, Bd 75, p. 61-85.

4781. Kultura polska XVIII i XIX w. i jej związki z kulturą Rosji. Sympozjum Nieborów, październik 1978 r. (La culture

§ 1. OPERE GENERALI

polonaise des XVIIIe et XIXe siècles et ses relations avec la culture de la Russie. Symposium de Nieborów, oct. 1978.) Com. de réd.: Igor BELZA et al. Wrocław, Zakł. Narod. im Ossolińskich, 84, in-8, 204 p. (Pol. Akad. Nauk, Inst. Sztuki, Akad. Nauk ZSRR, Inst. Słowianoznawstwa i Balkanistyki)

4782. Kul'tura Venesuely. (The culture of Venezuela.) Redkol.: V. A. KUZ'MIŠČEV (otv. red.) i dr. Moskva, Nauka, 84, 248 p. (ill.). (AN SSSR. In-t Lat. Am.)

4783. Kul'turnoe stroitel'stvo na Srednem Urale. 1917-1941. (Cultural construction in the Central Urals, 1917-1941.) Sbornik dokumentov. Redkol.: M. E. GLAVACKIJ (gl. red.) i dr. Sverdlovsk, Sred.-Ural. kn. izd-vo, 84, 384 p. (Arkh. otd. Sverdl. oblispolkoma, Gos. arkh. Sverdl. obl. Part. arkh. sverdl. obkoma KPSS)

4784. Kul'turnoe stroitel'stvo v RSFSR. 1917-1927 gg. (Cultural construction in the RSFSR, 1917-1927.) T. 1, C. 2: Dokumenty i materialy, 1921-1927. Red.: V.A. KUMANEV. Moskva, Sov. Rossija, 84, 364 p. (Istorija kul't. str-va v SSSR. Dokumenty y materialy, 1917-1977. M-va kul'tury SSSR i RSFSR, In-t marksizma-leninizma pri CK KPSS, AN SSSR. In-t istorii SSSR)

4785. LEVINE (Lawrence W.). William Shakespeare and the American people: a study in cultural transformation. Am. hist. R., 84, vol. 89, n° 1, p. 34-66.

4786. LOOBY (Christopher). Phonetics and politics: Franklin's alphabet as a political design. Eighteenth-Cent. Stud., 84, vol. 18, n° 1, p. 1-34.

4787. Magyarországi (A) értelmiség a XVII-XVIII. században. Szerk. ZOMBORI István. (Les intellectuels hongrois aux XVIIe et XVIIIe siècles. Réd. par - .) Szeged, 84, in-8, 151 p.

4788. MAKOWIECKA (Gabriela). Na drogach polsko-hiszpańskich. (Sur les routes polono-espagnoles.) Kraków, Wydawn. Liter., 84, in-8, 405 p.

4789. MANDELL (Richard D.). Sport: a cultural history. New York, Columbia U.P., 84, in-8, XX-340 p.

4790. MĒLLAS (Akylas). Hē Chalkē tōn Prinkēponēsōn. (Chalchē des Iles des Princes.) Athènes, Syllogos Historikēs-laographikēs ereunas Hē Mnēmosynē, 84, in-4, 507 p.

4791. MIJNHARDT (W.W.). La storiografia della storia delle idee riguardanti la Repubblica [dei Paesi Bassi] nei secc. XVII e XVIII. R. stor. ital., 83 [84], a. 95, fasc. 3, p. 778-842.

4792. MÜHLBERG (Dietrich). Herders Theorie der Kulturgeschichte in ihrer Bedeutung für die Begründung der Kulturwissenschaft. Jb. f. Volkskde u. Kulturgesch., 84, Bd 12, p. 9-26.

4793. NAVARRO (B. Bernabé). Cultura mexicana moderna en el siglo XVIII. 2a ed. México, Univ. Nacional Autónoma de México, 83, in-8, 232 p. (Fac. de Filos. y Letras, Seminario de Hist. de la Filos. en México)

4794. Nemzetközi kultúrtörténeti szimpozion Mogersdorf, 1980. Kőszeg. Red. von HORVÁTH Ferenc. Szombathely, Vas megyei Tanács, 83, in-8, 258 p. (Internat. Kulturhist. Symposion Mogersdorf, 12)

4795. OSS (Adriaan C. van). Printed culture in Central America, 1660-1821. Jb. f. Gesch. Lateinamerikas, 84, Bd 21, p. 77-107.

4796. PANČENKO (A.M.). Russkaja kul'tura v kanun petrovskikh reform. (Russian culture on the eve of the reforms of Peter the Great.) Leningrad, Nauka, 84, 205 p. (AN SSSR. In-t rus. lit. Puškin. dom)

4797. PÉTER (Katalin). A romlás a szellemi müveltség állapotaiban a 17. század fordulóján. (Décadence dans le domaine culturel au tournant du XVIIe siècle.) Tört. Szle, 84, vol. 27, n° 1-2, p. 80-102.

4798. POHRT (Heinz). Das slawistische Studium in Deutschland im frühen 19. Jahrhundert und die Bestrebungen zur nationalen Erneuerung bei den slawischen Völkern. Voraussetzungen, Schwerpunkte, Einflüsse. Lětopis, R. B, 84, Jg. 31, n° 2, p. 160-183.

4799. RADEVA (Marija). Kulturnata politika na bălgarskata buržoazna dăržava 1885-1908. (La politique culturelle de l'Etat bourgeois bulgare, 1885-1908.) Sofija, Nauka i Izkustvo, 82, in-8, 247 p.

4800. RAFEL (Burton). American Victorians: explorations in emotional history. Hamden, Conn., Archon, 84, in-8, XVII-191 p.

4801. RÓZIEWICZ (Jerzy). Polsko-rosyjskie powiązania naukowe (1725-1918). (Les relations scientifiques polono-russes, 1725-1918.) Wrocław, Zakł. Narod. im. Ossolińskich, 84, in-8, 347 p. (Pol. Akad. Nauk., Inst. Hist. Nauki, Oświaty i Techn. Zakł. Hist. Nauk Sol.)

4802. RUDENSKAJA (M.P.), RUDENSKAJA (S.D.). S licejskogo poroga: Vypuskniki Liceja 1811-1917. (From lyceum's treshold: graduates of the [Russian] lyceums, 1811-1917.) Očerki. Leningrad, Lenizdat, 84, 318 p. (ill.).

4803. SABIA (Daniel R.) Jr. Political education and the history of political thought. Am. pol. Sci. R., 84, vol. 78, n° 4, p. 985-999.

4804. SCHREINER (Klaus). Laienbildung als Herausforderung für die Kirche und Gesellschaft. Religiöse Vorbehalte u. soziale Widerstände gegen d. Verbreitung v. Wissen im späten Mittelalter u. in d. Reformation. Z. f. hist. Forsch., 84, Bd 11, p. 257-354.

4805. Schweizerisch-deutsche Kulturbeziehungen im konfessionellen Zeitalter. Beitr.

z. Kulturgesch. 1580-1650. [Vorträge, gehalten anläßl. e. Kolloquiums v. 21. - 25. März 1983 an d. Herzog-August-Bibliothek.] Hrsg. v. Martin BIRCHER et al. [In Zusammenarbeit mit d. Schweizer. Geisteswiss. Ges.] Wiebaden, Harrassowitz, 84, in-8, IX-330 p. (Ill., graph. Darst., Kt.). (Wolfenbütteler Arbeiten z. Barockforsch., 12)

4806. SERCZYK (Władysław Andrzej). Kultura rosyjska w XVIII wieku. (La culture russe au XVIIIe siècle.) Wrocław, Zakł. Narod. im. Ossolińskich, 84, in-8, 291 p.

4807. SOLY (H.). Plechtige intochten in de steden van de Zuiderlijke Nederlanden tijdens de overgang van middeleeuwen naar nieuwe tijd: communicatie, propaganda, spektakel. (Entrées royales dans les villes des Pays-Bas Méridionaux au XVIe siècle.) In: Vormen van communicatie [Cf. n° 893], p. 341-361.

4808. STERK (Harald). Industriekultur in Österreich. Der Wandel in Architektur, Kunst u. Gesellschaft im Fabrikszeitalter, 1750-1873. Wien, u. München, Brandstätter, 84, in-4, 144 p.

4809. THIESSE (Anne-Marie). Le roman au quotidien. Lecteurs et lectures populaires à la Belle Epoque. Paris, Chemin vert, 84, in-8, 272 p. (ill.). (Le temps et la mémoire) - EADEM. Mutations et permanences de la culture populaire: la lecture à la Belle Epoque. A. Ec., Soc. Civ., 84, a. 39, n° 1, p. 70-91.

4810. TODOROVA (Rumjana). Bulgarian-Polish cuultural relations 1944-1952. In: Etudes hist., n° 11 [Cf. n° 689], p. 27-54.

4811. VAN NIEROP (H.F.K.). Willem van Oranje als hood edelman: patronage in de Habsburgse Nederlanden. (William of Orange as a prince: patronage in the 16th-century Netherlands.) In: Willem van Oranje [Cf. n° 4162], p. 651-676.

4812. Venezia-Vienna. A cura di Giandomenico ROMANELLI. Vicenza, Banca cattolica del Veneto, 84, in-4, 301 p. (ill.).

4813. WOODS (Jean-M.), FÜRSTENWALD (Maria). Schriftstellerinnen, Künstlerinnen und gelehrte Frauen des deutschen Barock. Ein Lexikon. Stuttgart, Metzler, 84, in-4, XXXVI-145 p. (Repertorien z. deutschen Literaturgesch., 10)

4814. WURTH (Rüdiger). Der Brief in Vergangenheit und Gegenwart Östereichs als zeitgeschichtliches Dokument. Hist. Vorgänge postalisch belegt. Österr. Jb. f. Postgesch. u. Philatelie, 84, p. 7-91.

Cf. n° 4546.

§ 2. Accademie ed istituti di cultura.

** 4815. VATER (Johann Severin). Johann Severin Vater, ein Wegbereiter der deutschslawischen Wechselseitigkeit. Zu Vaters slawist. Studien im Lichte seiner Briefe an Friedrich Adelung in Petersburg. Hrsg. u. eingel. v. E. WINTER u. E. EICHLER. Bearb. v. E. EICHLER. Berlin, Akad.-Verl., 84, in-8, 189 p. (Abb.). (Quellen u. Studien z. Gesch. Osteuropas, 25)

4816. ECKERT (Michael), PRICHA (Willibald). Boltzmann, Sommerfeld und die Berufungen auf die Lehrstühle für theoretische Physik in Wien und München 1890-1917. Mitt. d. österr. Ges. f. Gesch. d. Naturwiss., 84, Bd 4, n° 1, p. 101-119.

4817. FIERRO (Alfred). La Société de Géographie [à Paris], 1821-1946. Genève, Droz, 84, in-8, 356 p. (Publ. de l'Ecole pratique des Hautes Etudes, Paris. IVe Section: Sci. hist. et philol., Hautes Et. médiévales et mod., 57)

4818. HALL (Marie Boas). All scientists now: the Royal Society in the 19th century. London, Cambridge U.P., 84, in-8, 261 p.

4819. HUTER (Franz). Professoren und Dozenten aus dem Lande Österreich ob der Enns an der Universität Innsbruck 1818-1918. Mitt. d. oberösterr. Landesarch., 84, Bd 14, p. 465-475.

4820. NEKRASOV (S.M.). RPossijskaja akademija. (The Russian academy.) Moskva, Sovremennik, 84, 253 p. (ill.).

Cf. n°s 4863, 4902, 5173.

§ 3. Pedagogia ed insegnamento.

* 4821. BEACH (Mark). A subject bibliography of the history of American higher education. Westport, Conn., Greenwood, 84, in-8, 165 p.

* 4822. Presse (La) d'éducation et d'enseignement, XVIIIe siècle - 1940. Répertoire analytique établi sous la dir. de Pierre CASPARD. [T. 1. Cf. Bibl. 81, n° 4266.] T. 2: D-J. Paris, Ed. du C.N.R.S., 84, in-8, 688 p.

* Cf. n°s 852, 856.

** 4823. Quellen und Dokumente zur schulischen Berufsbildung 1945-1982. Halbbd 1, 2. Hrsg. v. Gustav GRÜNER unter Mitarbeit v. Wolfgang SCHERER u. Wolfgang DERKAU. Köln u. Wien, Böhlau, 84, 2 vol. in-8, XVIII-316 p., p. 317-640. (Quellen u. Dok. z. Gesch. d. Berufsbildung in Deutschland, A, 4/1-2)

4824. Akademický senát pražské univerzity. (1791) 1796-1882. Inventární seznam. (Der akademische Senat der Prager Universität. Inventarverzeichnis.) Ed. Blanka ZILYNSKÁ. Katalogy posluchačů pražské univerzity 1752-1882 (1892). Inventární seznam. Ed. Ivana RAKOVÁ. Praha, Univ. Karlova, 84, in-8, 98 p.

4825. ANDERSON (Barbara A.), SILVER (Brian D.). Equality, efficiency, and politics in Soviet bilingual education policy, 1934-1980. Am. pol. Sci. R., 84, vol. 78, n° 4, p. 1019-1039.

§ 3. PEDAGOGIA ED INSEGNAMENTO 203

4826. ATANASOV (Žečo). Prosvetitelki idei za nravstvenoto văzpitanie prez epokhata na Bălgarskoto văzraždane. (Les idée des Lumières sur l'éducation morale à l'époque de la Renaisance [bulgare].) God. sofijsk. Univ. Filos. Fak., 82, n° 73, p. 5-28.

4827. BACHMAIER (Peter). Bulgariens Weg zur neuen Schule. Die Bildungs- u. Wissenschaftspolitik d. Vaterländ. Front 1944-1948. Wien, Österr. Ost- u. Südosteuropa-Inst., 84, in-4, 108 p.

4828. BANTOCK (G.H.). Studies in the history of educational theory. Vol. [1. Cf. Bibl. 80, n° 4313.] 2: The minds and the masses, 1760-1980. London, Allen a. Unwin, 84, in-8, 374 p.

4829. BARYCZ (Henryk). Rzecz o studiach w Krakowie dwóch generacji Sobieskich. (Au sujet des études à Cracovie de deux générations des Sobieski.) Kraków, Wydawn. Liter., 84, in-8, 240 p. (Bibl. Krakowska, 124)

4830. BELLATALLA (Luciana). Pietro Leopoldo di Toscana granduca-educatore: teoria e pratica di un dispota illuminato. Lucca, Pacini Fazzi, 84, in-8, 116 p. (La ruota, 10)

4831. BERKELEY (Kathleen C.). "The ladies want to bring about reform in the public schools": public education and women's rights in the post-civil war south [of the U.S.]. Hist. Educat. Quar., 84, vol. 24, n° 1, p. 45-58.

4832. BIERNACKA (Maria). Oświeta w rozwoju kulturowym polskiej wsi. (L'instruction publique dans le développement culturel de la campagne polonaise.) Wrocław, Zakł. Narod. im. Ossolińskich, 84, in-8, 208 p. (Pol. Akad. Nauk, Inst. Hist. Kult. Mater., Bibl. Etnografii Pol., 38)

4833. BOŽINOV (Voin). Bălgarskata prosveta v Makedonija i Odrinska Trakija 1878-1913. (L'instruction bulgare en Macédoine et en Thrace d'Adrinople, 1878-1913.) Sofija, BAN, 82, in-8, 392 p.

4834. BRATT (Ingar). Engelskundervisningens villkor i Sverige 1850-1905. (Teaching of English in Sweden, 1850-1905.) Stockholm och Uppsala, Fören. för svensk undervisningshist., 84, in-8, 281 p. (Årsb. i svensk undervisningshist., 64)

4835. BRUCH (Rüdiger vom). Universitätsreform als soziale Bewegung. Zur Nicht-Ordinarienfrage im späten deutschen Kaiserreich. Gesch. u. Ges., 84, Jg. 10, p. 72-91.

4836. CAPLAT (Guy). Pour une histoire de l'administration de l'enseignement en France. Hist. Education, 84, n° 22, p. 27-58.

4837. CASPARD (Pierre). De l'horrible danger d'une analyse superficielle des manuels scolaires [à propos de STRUMINGER (Laura S.). What were little girls and boys made of? Cf. Bibl. 83, n° 4963]. Hist. Education, 84, n° 21, p. 67-74.

4838. CASTAÑEDA (Carmen). La educación en Guadalajara durante la colonia, 1552-1821. México, Colegio de México, Colegio de Jalisco, 84, in-8, 516 p. (ill.).

4839. CLARK (Linda L.). Schooling the daughers of Marianne: textbooks and the sozialization of girls in modern French primary schools [1871-1980]. Albany, State Univ. of New York Press, 84, in-8, IX-224 p.

4840. COMPERE (Marie-Madeleine), JULIA (Dominique). Les collèges français (XVIe-XVIIIe siècles). 1: Répertoire France du Midi. Paris, Ed. du C.N.R.S., 84, in-8, 759 p. (carte).

4841. CRAIG (John E.). Scholarship and nation building: the universities of Strasbourg and Alsatian society, 1870-1939. Chicago, Univ. of Chicago Press, 84, in-8, XII-515 p.

4842. DANYLEWICZ (Marta), PRENTICE (Alison). Teachers, gender, and bureaucratizing school systems in nineteenth-century Montreal and Toronto. Hist. Educat. Quar., 84, vol. 24, n° 1, p. 75-100.

4843. DAYEN (Daniel). L'enseignement primaire dans la Creuse, 1833-1914. Clermont-Ferrand, Inst. d'Et. du Massif Central, 84, in-8, 230 p.

4844. DIAMOND (Sigmund). Surveillance in the academy: Harry B. Fisher and Yale University, 1927-1952. Am. Quar., 84, vol. 36, n° 1, p. 7-43.

4845. EBENDORFER (Heinz). Das österreichische Gymnasium des Vormärz im Spannungsfeld von Kirche und Staat. Gesch. u. Gegenwart, 84, Bd 3, n° 3, p. 225-241.

4846. EKLOF (Ben). The myth of the Zemstvo school: the sources of the expansion of rural education in imperial Russia, 1864-1914. Hist. Educat. Quar., 84, vol. 24, n° 4, p. 561-584.

4847. ÉLIOU (Maria). Ekpaideutikē kai koinōnikē dynamikē. (Dynamique scolaire et sociale.) Athènes, Poreia, 84, in-8, 253 p.

4848. Enfance (L') et les ouvrages d'éducation. T. 1: Avant 1800. Sous la dir. de Paul PENIGAULT-DUHET. Nantes, Univ. de Nantes, 83, in-8, 212 p.

4849. ERICKSEN (Robert P.). The Göttingen university theological faculty: a test case in Gleichschaltung and denazification. Central european Hist., 84, vol. 17, n° 4, p. 355-383.

4850. FONER (Philip S.), PACHECO (Josephine F.). Three who dared: Prudence Crandall, Margaret Douglass, Myrtilla Miner - champions of antebellum black education. Westport, Conn., Greenwood, 84, in-8, XVIII-234 p. (Contrib. in Women's Stud., 47)

4851. FRANK-VAN WESTRIENEN (A.). De Groote Tour. Tekening van de educatiereis der Nederlanders in de zeventiende eeuw. (The Grand Tour. Journeys of sons of prominent Dutch families in the 17th century.) Amsterdam, Noord-Hollandsche Uitg. Mij, 83, in-8, 385 p. (ill.).

4852. GILES (Geoffrey J.). German students and higher education policy in the second world war. Central european Hist., 84, vol. 17, n° 4, p. 330-354.

4853. GIOLITTO (Pierre). Histoire de l'enseignement primaire [en France] au XIXe siècle. [Vol. 1. Cf. Bibl. 83, n° 4906.] Vol. 2: Les méthodes d'enseignement. Paris, Nathan, 84, in-8, 256 p.

4854. GLEASON (Philip). World war II and the development of American studies. Am. Quar., 84, vol. 36, n° 3, 343-358.

4855. GONTARD (Maurice). L'enseignement secondaire en France, de la fin de l'Ancien Régime à la loi Falloux, 1750-1850. Aix-en-Provence, Edisud, 84, in-8, 256 p.

4856. GRABSKI (Władysław Maria). Światopoglądowe podstawy reformy pijarskiej (1750-1754). (La conception du monde de la réforme des Clercs réguliers des Ecoles pies, 1750-1754.) Przegl. hist.-oświat., 84, a. 27, n° 4, p. 401-428. - IDEM. U podstaw wielkiej reformy. Karta z dziejów Komisji Edukacji Narodowej. (A l'origine de la grande réforme. Une page d'histoire de la Commission de l'Education nationale [en Pologne].) Łódź, Wydawn. Łódzkie, 84, in-8, 549 p.

4857. GRALAK (Bronisław). Szkolnictwo akademickie i nauka polska w okresie okupacji hitlerowskiej. (L'enseignement supérieur et la science polonaise aux temps de l'occupation nazie.) Łódź, Wydawn. Łódzkie, 84, in-8, 307 p.

4858. GREW (Raymond), HARRIGAN (Patrick J.), WHITNEY (James B.). La scolarisation en France, 1829-1906. A. Ec., Soc., Civ., 84, a. 39, n° 1, p. 116-157.

4859. GROSPERRIN (Bernard). Les petites écoles sous l'Ancien Régime [en France]. Rennes, Ouest-France Univ., 84, in-8, 175 p. (De mémoire d'homme).

4860. HAAG (John). Students at the university of Vienna in the first world war. Central european Hist., 84, vol. 17, n° 4, p. 299-309.

4861. HASELSTEINER (Horst). Schulstruktur und nationale Identität der Serben Ungarns am Beginn des 20. Jahrhunderts. Österr. Osthefte, 84, Bd 26, n° 2, p. 301-312.

4862. HEARNDEN (Arthur). Red Robert: the life of Robert Birley. London, H. Hamilton, 84, in-8, 224 p.

4863. Hochschulgeschichte Berns 1528-1984. Zur 150-Jahr-Feier d. Univ. Bern 1984. Hrsg. im Auftrag d. Regierungsrates d. Kantons Bern v. d. Komm. f. bernische Hochschulgesch. Redaktion: Pietro SCANDOLA. Ergänzungsband: Die Dozenten der bernischen Hochschule. Bern, Selbstverl. d. Univ., 84, 2 vol. in-8, 800, 272 p.

4864. HOMELL (Michael W.). Down from equality: black Chicagoans and the public schools, 1920-1941. Urbana, Univ. of Illinois Press, 84, in-8, XIII-219 p.

4865. HOROWITZ (Helen Lefkowitz). Alma Mater: design and experience in the women's colleges from their nineteenth-century beginnings to the 1930s. New York, A. A. Knopf, 84, in-8, XXII-420 p.

4866. HULIN (Nicole). L'histoire des sciences dans l'enseignement scientifique [en France]: aperçu historique. R. franç. Pédagogie, 84, n° 66, p. 15-27. - EADEM. Science qui se fait, science qui s'enseigne. A propos d'un documents sur l'agrégation de sciences physiques, depuis 1869. Hist. Education, 84, n° 21, p. 37-58. [Cf. Bibl. 83, n° 4916]

4867. HUPPERT (George). Public schools in Renaissance France. Urbana, Univ. of Illinois Press, 84, in-8, XVII-159 p.

4868. JENSEN (Joan M.). Not only ours but others: the Quaker teaching daughters of the mid-Atlantic, 1790-1850. Hist. Educat. Quar., 84, vol. 24, n° 1, p. 3-20.

4869. KAJANTO (Iiro). Porthan and classical scholarship. A study of classical influences in eighteenth-century Finland. Helsinki, 84, in-8, 165 p. (A.Acad. Sci. Fennicae, Ser. B, 225) [Henrik Gabriel Porthan, 1739-1804, professor of Eloquentia, Univ. of Turku]

4870. Katholisch-Theologische Fakultät (Die) der Universität Wien, 1884-1984. Festschr. z. 600-Jahr-Jubiläum. Im Auftr. d. Professoren hrsg. v. Ernst Chr. SUTTNER. Berlin, Duncker u. Humblot, 84, in-8, XIV-447 p.

4871. KEMENY (G. Gábor). Felsőoktatásunk a dualizmus korában. (L'enseignement supérieur en Hongrie à l'époque de la Monarchie dualiste.) Századok, 84, vol. 118, n° 1, p. 65-91.

4872. KINTZER (Catherine). Condorcet. L'instruction publique et la liberté. Paris, Le Sycomore, 84, in-8, 280 p.

4873. KOLEV (Nikola). Pazprostranenie na frenskija ezik sred bălgarite i na frenskata prevodna literatura v Bălgarija prez Văzraždaneto. 3: Izučavaneto na frenskija ezik ot bălgari v čuždi učilišta prez Văzraždaneto. (Diffusion de la langue française parmi les Bulgares et de la littérature française traduite en Bulgarie au cours de la Renaissance [bulgare]. 3: Les études de la langue française par des Bulgares dans des écoles étrangères au cours de la Renaissance.) God. sofijsk. Univ. Fak. klasič. i novi Filol., 82, n° 73, fasc. 2, p. 5-139.

4874. LAYTON (David). Interpreters of science: the history of the Association for Science Education. London, J. Murray, 84, in-8, 336 p. (ill.).

4875. LÁZÁR (György). Szlovák iskolaügy Magyarországon, 1945-49. (Les écoles slovaques en Hongrie, 1945-49.) Századok, 83,

§ 3. PEDAGOGIA ED INSEGNAMENTO

vol. 117, n° 6, p. 1359-1375.

4876. LAZERSON (Marvin). If all the world were Chicago: American education in the twentieth century. Hist. Educat. Quar., 84, vol. 24, n° 2, p. 165-180.

4877. LEINSTER-MACKAY (Donald). The rise of the English prep school. Lewes, Falmer, 84, in-8, 365 p.

4878. LE MEN (Ségolène). Les abécédaires français illustrés du XIXe siècle. Paris, Promodis, 84, in-8, 338 p. (ill.).

4879. LEVY (Marie-Françoise). De mères en filles: l'éducation des Françaises, 1850-1880. Paris, Calmann-Lévy, 84, in-8, 192 p. (Intelligence de l'Hist.)

4880. MABEE (Carleton). Margaret Mead and a "pilot experiment" in progressive and interracial education: the downtown community school. New York Hist., 84, vol. 65, n° 1, p. 5-31.

4881. McCAUGHEY (Robert A.). International studies and academic enterprise: a chapter in the enclosure of American learning. New York, Columbia U.P., 84, in-8, XVIII-301 p.

4882. McCRONE (Kathleen E.). Play up! Play up! And play the game! Sport at the late Victorian girls' public school. J. brit. Stud., 84, vol. 23, n° 2, p. 106-134.

4883. MADERTHANER (Wolfgang). Die Schule der Freiheit - Otto Glöckel und die Wiener Schulreform. Archiv, 84, Bd 24, n° 3, p. 2-10.

4884. MADISON (James H.). John D. Rockefeller's general education board and the rural school problem in the midwest, 1900-1930. Hist. Educat. Quar., 84, vol. 24, n° 2, p. 181-200.

4885. MARENCO (Anna Maria), VIGLI (Marceloo). Religione e scuola. Firenze, La nuova Italia, 84, in-8, XI-151 p. (Educatori antichi e moderni, 375)

4886. MARGO (Robert A.). "Teacher salaries in black and white": the [American] South in 1910. Explor. in econ. Hist., 84, vol. 21, n° 3, p. 306-326.

4887. MAYEUR (Françoise). Une réforme réussie de l'enseignement supérieur en France [à propos de WEISZ (George). The emergence of modern university in France, 1863-1914. Cf. Bibl. 83, n° 4979]. Hist. Education, 84, n° 22, p. 3-17.

4888. MICHALEWICZ (Jerzy). Majątek kapitałowy Uniwersytetu Jagiellońskiego XV-XVIII w. (Les capitaux de l'Université Jagellonne aux XVe-XVIIIe s.) Réd.: Helena MADUROWICZ-URBAŃSKA. Kraków, Uniw. Jagiell., 84, in-8, 200 p. (Studia z Dziejów Gospod. Uniw. Jagiell., Varia, 191)

4889. MILLER (Pavla). Efficiency, stupidity, and class conflict in South Australian schools, 1875-1900. Hist. Educat. Quar., 84, vol. 24, n° 3, p. 393-410.

4890. MIREL (Jeffrey). The politics of educational retrenchment in Detroit, 1929-1935. Hist. Educat. Quar., 84, vol. 24, n° 3, p. 323-358.

4891. MORAW (Peter). Humboldt in Gießen. Zur Professorenberufung an einer deutschen Univ. d. 19. Jh. Gesch. u. Ges., 84, Jg. 10, p. 47-71.

4892. MUELDER (Hermann R.). Missionaries and muckrakers: the first hundred years of Knox College. Urbana, Univ. of Illinois Press, 84, in-8, 382 p.

4893. MÜLLER (Rainer A.). Aristokratisierung des Studiums? Bemerkungen z. Adelsfrequenz an süddeutschen Universitäten im 17. Jh. Gesch. u. Ges., 84, Jg. 10, p. 31-46.

4894. NAGY (Sándor Béla). A genfi Akadémia magyar diákjai, 1566-1772. (Les étudiants hongrois à l'Académie de Genève, 1566-1772.) Irodtört. Közl., 83, vol. 87, n° 4, p. 384-398.

4895. NAUTA (D.). Het benoemingsbeleid met betrekking tot de hoogleraren in de theologie in de Nederlanden tot ongeveer 1700. (The appointments of the professors in theology in the Netherlands up to 1700.) Nederlands Arch. Kerkgeschied., 83 [84], vol. 63, p. 42-68.

4896. NAYLOR (Natalie A.). "Holding high the standard": the influence of the American Education Society in ante-bellum America. Hist. Educat. Quar., 84, vol. 24, n° 4, p. 479-498.

4897. PAUWELS (Jacques R.). Women, Nazis, and universities: female university students in the Third Reich, 1933-1945. Westport, Conn., Greenwood, 84, in-8, XV-206 p. (Contrib. in Women's Stud., 50)

4898. PEEPS (J. M. Stephen). A B.A. for the G.I. ... why? Hist. Educat. Quar., 84, vol. 24, n° 4, p. 513-526.

4899. PERVILLE (Guy). Les étudiants algériens de l'université française, 1880-1962. Populisme et nationalisme chez les étudiants et intellectuels musulmans algériens de formation française. Préf. de Charles-Robert AGERON. Paris, Ed. du C.N.R.S., 84, in-8, 348 p. (4 fig., 13 tabl., carte).

4900. PETERS (Heinz). Das paraguayische Erziehungssystem von 1811 bis 1865: Schule u. Staat in einem Modell autozentrierter Entwicklung. Frankfurt (Main) u. Bern, Lang, 84, in-8, 397 p. (Eruditio, 16)

4901. PETERSON (Richard H.). The spirit of giving: the educational philanthropy of western mining leaders, 1870-1900. Pacific hist. R., 84, vol. 53, n° 3, p. 309-336.

4902. PIEDMONT (René M.). Beiträge zum französischen Sprachbewußtsein im 18. Jahrhundert. Der Wettbewerb d. Berliner Akad. zur Universität d. franz. Sprache v. v. 1782/84. Tübingen, Narr, 84, in-8, XV-215 p. (Lingua et traditio, 7)

4903. QUENIART (Jean). De l'oral à l'écrit. Les modalités d'une mutation. Hist. Education, 84, n° 21, p. 11-35.

4904. RADZIK (Tadeusz). Działalność oświatowa emigracji polskiej w Wielkiej Brytanii w latach 1852-1939. (L'activité éducative de l'émigration polonaise en Grande-Bretagne dans les années 1852-1939.) Przegl. hist.-oświat., 84, a. 27, n° 2, p. 163-182.

4905. RAKOVÁ (Ivana). Cesta ke vzniku Karlo-Ferdinandovy univerzity. Spory o pražské vysoké učení v l. 1622-1654. (Der Weg zur Entstehung der Karl-Ferdinands-Universität. Ein Streit um d. Prager Hochschule in d. J. 1622-1654.) Acta Univ. Carolinae, Hist. Univ. Carol. Pragensis, 84, t. 24, fasc. 2, p. 7-40.

4906. RAVITCH (D.). Troubled crusade: American education, 1945-1980. Neasden, London, Basic Books, 84, in-8, 400 p.

4907. REVERDIN (Olivier). Les premiers cours de grec au Collège de France [à Paris] ou l'enseignement de Pierre Danès d'après un document inédit [de 1532-1533]. Préf. de Jacqueline de ROMILLY. Paris, Presses univ. France, 84, in-8, 71 p. (Essais et conférences, Collège de France)

4908. RURY (John L.). Vocationalism for home and work: women's education in the United States, 1880-1930. Hist. Educat. Quar., 84, vol. 24, n° 1, p. 21-44.

4909. SCHMIDT (Peter). Das Collegium Germanicum in Rom und die Germaniker. Zur Funktion eines röm. Ausländerseminars (1552-1914). Tübingen, Niemeyer, 84, in-8, XV-364 p. (graph. Darst.). (Bibl. d. Deutschen Hist. Inst. in Rom, 56)

4910. SHAWEN (Neil McDowell). Thomas Jefferson and a "national" university: the hidden agenda for Virginia. Virginia Mag. Hist. a. Biogr., 84, vol. 92, n° 3, p. 309-335.

4911. SHEEHAN (Nancy M.). The WCTU and educational strageies on the Canadian prairie. Hist. Educat. Quar., 84, vol. 24, n° 1, p. 101-120.

4912. STARNAWSKI (Jerzy). Zarys dziejów Katedry Języków i Literatur Słowiańskich na Uniwersytecie Fryburskim. (Précis d'histoire de la Chaire des Langues et Littératures Slaves à l'Université de Fribourg [Suisse].) Wrocław, Zakł. Narod. im. Ossolińskich, 84, in-8, 148 p. (Pol. Akad. Nauk, Komitet Nauk o Liter. Pol. Rozpr. Liter., 43)

4913. STEPHENS (J.E.). Aspects of education, 1600-1750. Hull, Univ., Inst. of Educ., 84, in-8, 140 p.

4914. Teilung (Die) der Prager Universität 1882 und die intellektuelle Desintegration in den böhmischen Ländern. Vortr. d. Tagung d. Collegium Carolinum in Bad Wiessee v. 26.-28. Nov. 1982. München, Oldenbourg, 84, in-8, 220 p.

4915. TITZE (Hartmut). Die zyklische Überproduktion von Akademikern im 19. und 20. Jahrhundert. Gesch. u. Ges., 84, Jg. 10, p. 92-121.

4916. TODORICH (Charles). The spirited years: a history of the antebellum Naval Academy. Annapolis, Md., Naval Institute Press, 84, XVIII-215 p.

4917. TURNEY (C.). Pioneers of Australian education, a study of the development of education in New South Wales in the 19th century. [Vol. 2. Cf. Bibl. 73, n° 3674.] Vol. 3. Sydney, Univ. Press, 84, in-8, 356 p.

4918. University of Cambridge. Historical register, Suppl., 1976-1980. London, Cambridge U.P., 84, in-8, 531 p.

4919. URBAN (Wacław). Sztuka pisania w województwie krakowskim w XVII i XVIII wieku. (L'art d'écrire dans la voïvodie de Cracovie aux XVIIe et XVIIIe s.) Przegl. hist., 84, vol. 75, p. 39-82.

4920. VANČEV (Jordan). Novobǎlgarskata prosveta v Makedonija prez Vǎzraždaneto (do 1878 g.). (L'instruction bulgare en Macédoine à l'époque de la Renaissance [bulgare], jusqu'à 1878.) Sofija, Nauka i Izkustvo, 82, in-8, 214 p.

4921. VAN KESSEL (Peter J.). The denominational pluriformity of the German Nation at Padua and the problem of intolerance in the 16th century.) Arch. f. Reformationsgesch., 84, Jg. 75, p. 256-276.

4922. VAUGHN-ROBERSON (Courtney Ann). Sometimes independent but never equal - women teachers, 1900-1950: the Oklahoma experience. Pacific hist. R., 84, vol. 53, n° 1, p. 39-58.

4923. VEDOYA (Juan Carlos). Historia de la instrucción primaria en la República Argentina. Buenos Aires, Univ. Nacional del Centro de la prov. de Buenos Aires, 84, in-4, 160 p.

4924. Venäläsyys Suomessa. - Ryskt i Helsingfors. - The Russian style in Helsinki, 1809-1917. Helsinki, City Museum, 84, in-8, 109 p. (ill.). [Textes en finnois, suédois et anglais]

4925. WALCZAK (Marian). Szkolnictwo polskie w poczatkach okupacji (1939-1940). (L'enseignement publique polonais au début de l'occupation 1939-1940.) Przegl. hist.-oświat., 84, a. 27, n° 1, p. 15-42.

4926. WALKER (Franklin A.). Popular response to public education in the reign of Tsar Alexander I (1801-1825). Hist. Educat. Quar., 84, vol. 24, n° 4, p. 527-544.

4927. WALTER (D.). The Oxford Union. London, Macdonald, 84, in-8, 192 p. (ill.).

4928. WEBSTER (David S.). The Bureau of Education's suppressed rating of colleges, 1911-1912. Hist. Educat. Quar., 84, vol. 24, n° 4, p. 499-512.

4929. WECHSLER (Harold S.). The rationale

for restriction: ethnicity and college admission in America, 1910-1980. Am. Quar., 84, vol. 36, n° 4, p. 643-667.

4930. Wirtschaft, Schule und Universität. Die Förderung schul. Ausbildung u. wiss. Forschung durch deutsche Unternehmen seit d. 19 Jh. Am 19. Nov. 1982 in Leverkusen im Auftr. d. Ges. f. Unternehmensgesch. hersg. v. Hans POHL. Wiesbaden, Steiner, 83, in-8, IX-92 p. (1 graph. Darst.). (Z. f. Unternehmensgesch., Beih. 29). (Referate u. Diskussionsbeitr. d. ... wiss. Symposiums d. Ges. f. Unternehmensgesch., 7)

4931. YAGLIS (Dimitrios). Montessori. Toulouse, Privat, 84, in-8, 163 p. (Grands éducateurs)

4932. YOUNG (J.A.). Centenary book of the University of Sydney Faculty of Medicine. Sydney, Univ. Press, 84, in-4, 576 p. (ill., pl.).

4933. ZILFI (Madeline C.). The ilmiye registres and the Ottoman medrese system prior to the Tanzimat. In: Contrib. à l'hist. écon. et soc. de l'Empire ottoman [Cf. n° 5607], p. 309-327.

Cf. n°s 3762, 5419, 5648, 6352, 6505.

§ 4. Giornalismo.

* 4934. Bibliografie článků z komunistického a pokrokového tisku v Československu 1924-1928. (Bibliographie der Aufsätze der kommunistischen und fortschrittlichen Presse in der Tschechoslowakei 1924-1928.) Bd 1, Teil 1. Zusammengestellt v. Josef KUSTKA, Irena STRNADOVÁ. Praha, Ústav marxismu-leninismu Ústřed. výboru KSČ, 84, in-fol., 664 p. (Bibliografie článků z komunistického a pokrokového tisku v Československu 1916-1945, 4)

* 4935. SGARD (Jean). Bibliographie de la presse classique, 1690-1789. Genève, Slatkine, 84, in-8, 226 p.

* 4936. SINGERMAN (Robert). The American Jewish press, 1823-1983: a bibliographic survey of research and studies. Am. jewish Hist., 84, vol. 73, n° 4, p. 422-444.

* 4937. ZAWADSKI (Konrad). Gazety ulotne polskie i Polski dotyczące XVI-XVIII wieku. Bibliografia. (Feuilles volantes polonaises et concernant la Pologne des XVIe - XVIIIe siècles. Bibliographie. [T. 1. Cf. Bibl. 76-77, n° 5491.] T. 2: 1662-1728. Wrocław, Zakł. Narod. im. Ossolińskich, 84, in-8, XII-290 p. (Pol. Akad. nauk, Inst. Badań Liter. Książka w Dawnej Kulturze Pol., 17)

* Cf. n° 4822.

** 4938. FREI (Norbert). Die nationalsozialistischen Berufsgerichte der Presse. Vjhefte f. Zeitgesch., 84, Jg. 32, H. 1, p. 122-162.

** 4939. Melissa ou Ephēmeris Hellēnikē. Ta proepanastatika periodika: K. Th. DĒMARAS. Eisagogē stēn Melissa: Aikaterinē KOUMARIANOU. (Melissa ou Journal grec. Les périodiques pré-révolutionnaires, par C. Th. DIMARAS. Introd. à Melissa, par C. KOUMARIANOU.) Athènes, Hellēniko Logotechniko kai Hist. Archeio, 84, in-8, XXXIX-338 p. ([Repr. photogr. de l'ancien périodique: p. 1-338]

** 4940. Outstanding international press reporting: Pulitzer Prize winning articles in foreign correspondence. Vol. 1: 1928-1945. From the consequences of World War I to the end of World War II. Ed. by Heinz-Dietrich FISCHER. Berlin a. New York, de Gruyter, 84, in-8, LIII-368 p.

4941. ALTMAN (Albert A.). Korea's first newspaper: the Japanese Chōsen shinpō. J. asian Stud., 84, vol. 43, n° 4, p. 685-696.

4942. BELLOCCHI (Ugo). Storia del giornalismo italiano. Vol. 7, 8. Bologna, Edison, 84, 2 vol. in-8, 274, 676 p. (ill.).

4943. BERTAUD (Jean-Paul). Les amis du roi. Journaux et journalistes royalistes en France de 1789 à 1792. Paris, Perrin, 84, in-8, 288 p. (pl.). (Pour l'histoire)

4944. BLUM (D. Steven). Walter Lippman: cosmopolitanism in the century of total war. Ithaca, N.Y., Cornell U.P., 84, in-8, 205 p.

4945. BOKHANOV (A.N.). Buržuaznaja pressa Rossii i krupnyj kapital, konec XIX v. - 1914 g. (Bourgeois press of Russia and big capital, end of the 19th cent. - 1914.) Moskva, Nauka, 84, 152 p. (AN SSSR. In-t istorii SSSR)

4946. CIAVIRELLA (Pietra). Il giornalismo d'"Ancien Régime" negli studi francesi degli ultimi vent'anni. Studi stor., 84, a. 25, n° 2, p. 305-317.

4947. CORNEBISE (Alfred E.). The stars and stripes: doughboy journalism in World War I. Westport, Conn., Greenwood, 84, in-8, XIII-221 p. (Contrib. in Milit. Hist., 37)

4948. Dějiny československé žurnalistiky. (Geschichte der tschechoslowakischen Journalistik.) Bd 1: Český periodický tisk do roku 1918. (Die tschechische periodische Presse bis z. J. 1918.) Von Milena BERÁNKOVÁ. Bd 2: Slovenský periodický tisk do roku 1918. (Die slowakische periodische Presse bis z. J. 1918.) Von Fraňo RUTTKAY. Praha, Novinář, 81-84, 2 vol. in-8, 274, 234 p. (fig.).

4949. DOUXCHAMPS-LEFEVRE (Cécile). Un magazine de la cour de France au début du règne de Louis XVI. R. hist., 84, a. 108, t. 271, n° 549, p. 95-107.

4950. ĖJDEL'MAN (N. Ja.). Gercen protiv samoderžavija. Sekret. polit. istorija Rossii XVIII-XIX vv. i Vol. pečat'. (Herzen against autocracy. The secret political history of Russia in the 18th - 19th cent. and the independent press.) 2-e ispr. izd. Moskva, Mysl', 84, 317 p. (ill.).

4951. EPPEL (Peter). "Concordia soll ihr Name sein ..." 125 Jahre Journalisten- u. Schriftstellerverein "Concordia". Eine Dokumentation z. Presse- u. Zeitgeschichte Österreichs. Wien, Köln u. Graz, Böhlau, 84, in-4, 418 p. (35 Abb.).

4952. GELBART (Nina R.). "Frondeur" journalism in the 1770s. Eighteenth-Cent. Stud., 84, vol. 17, n° 4, p. 493-514.

4953. GUTHRIE (Christopher E.). The Revue des Deux mondes and imperial Russia, 1855-1917. Cah. Monde russe et soviétique, 84, vol. 25, n° 1, p. 93-111.

4954. HUMMERICH (H.). Wahrheit zwischen den Zeilen. Erinnerungen an Benno Reifenberg u. die Frankfurter Zeitung. Freiburg im Br., Herder, 84, in-8, 126 p.

4055. HUNDT (Martin). Die New-Yorker "Revolution" von 1852. Marx-Engels-Jb., 84, Jg. 7, p. 226-253.

4956. JAKUBOWSKA (Urszula). Oblicze ideowo-polityczne "Gazety Warszawskiej" i "Warszawskiego Dziennika Narodowego" w latach 1918-1939. (L'aspect politique du "Journal de Varsovie" et du "Journal National de Varsovie" dans les années 1918-1939.) Warszawa, Państw. Wydawn. Nauk., 84, in-8, 246 p. (Mater. i Studia do Historii Prasy i Czasopiśmiennictwa Pol., 23)

4957. JONES (Calvin P.). The images of Simon Bolivar as reflected in ten leading British periodicals, 1816-1830. Americas, 84, vol. 40, n° 3, p. 377-398.

4958. KESSLER (L.). The dissident press: alternative journalism in American history. London, Sage Publ., 84, in-8, 340 p. (ill.).

4959. KOCH (Ursula E.), SAGAVE (Pierre-Paul). Le Charivari. Die Gesch. einer Pariser Tageszeitung im Kampf um d. Republik (1832 bis 1882). Ein Dokument z. deutsch-franz. Verhältnis. Köln, Leske, 84, in-8, 428 p. (ill.).

4960. KOSS (Stephen E.) The rise and fall of the political press in Britain: the twentieth century. Chapel Hill, Univ. of North Carolina Press; London, H. Hamilton, 84, in-8, X-718 p. [Cf. Bibl. 81, n° 4401]

4961. LAKE (Brian Douglas). British newspapers, a history and guide to collectors. London, Sheppard, 84, in-8, 180 p. (ill.).

4962. LECHICKI (Czesław). Prasa katolicka Drugiej Rzeczypospolitej. (La presse catholique de la Seconde République [polonaise].) Kwart. Hist. Prasy pol., 84, a. 23, n° 2, p. 45-69.

4963. MARCACCIO (Michael D.). Did a business conspiracy end muckraking? A reexamination. Historian, 84, vol. 47, n° 1, p. 58-71. ["muckraking" magazines a. business, 1910s]

4964. MINIERO (Alessandro). Il Monitore di Roma: un giornale giacobino? Ras. stor. Risorg., 84, a. 71, fasc. 2, p. 131-169.

4965. MISIŁO (Eugeniusz). Prasa ukraińska w Polsce (1918-1939). (La presse ukrainienne en Pologne 1918-1939.) Kwart. Hist. Prasy pol., 84, a. 23, n° 4, p. 57-88.

4966. MUCSI (Ferenc). Sajtó, cenzúra Magyarországon az elsö világháború idején. (Presse et censure en Hongrie pendant le première guerre mondiale.) Tört. Szle, 84, vol. 27, n° 1-2, p. 192-202.

4967. PETERS (Herbert). Die Wirkung der "Neuen Rheinischen Zeitung" auf die demokratische Presse der preußischen Provinz Sachsen 1848/49. Marx-Engels-Jb., 84, Jg. 7, p. 106-140.

4968. PETROSJAN (Ju. A.). Tureckaja publicistika èpokhi reform v Osmanskoj imperii (konec XVIII - načalo XX v.). (Turkish publicism of the reform epoch in the Ottoman empire, end of the 18th - beginning of the 20th cent.) Moskva, Nauka, 84, 144 p. (AN SSSR. In-t vostokovedenija)

4969. POMOGÁTS (Béla). A transzilvánizmus. Az Erdélyi Helikon ideológiája. (Le transylvanisme. L'idéologie de la revue Erdélyi Helikon [Hélicon de Transylvanie].) Budapest, Akad. Kiadó, 83, in-8, 206 p. (Irodalomtörténeti füzetek, 107)

4970. POPKIN (Jeremy D.). Les journaux républicains, 1795-1799. R. Hist. mod., 84, t. 31, janv.-mars, p. 143-157.

4971. Presse (La) québecoise, des origines à nos jours. T. 6: 1920-1934. Québec, Presses de l'Univ. Laval, 84, in-8, 379 p.

4972. RACHMAN (Odette Adina). Un périodique libéral sous la Restauration: Le Mercure du XIXe siècle (avril 1823 - mars 126). Genève, Slatkine, 84, in-8, 504 p.

4973. RUDNICKAJA (E.L.). Russkaja revoljucionnaja mysl': Demokr. pečat', 1864-1873. (Russian revolutionary thought: the democratic press, 1864-1873.) Moskva, Nauka, 84, 330 p. (AN SSSR. In-t istorii SSSR)

4974. SABLIER (Edouard). La création du [journal Le] Monde. Paris, Plon, 84, in-8, 284 p.

4975. SAXTON (Alexander). Problems of class and race in the origins of the mass circulation press. Am. Quar., 84, vol. 36, n° 2, p. 211-234.

4976. SCHACHNER (Daphna). Ha-beaya ha-yehudit ba-hevra ha-zorfatit. (The "Jewish question" as expressed in the extreme right-wing press in France from the emergence of the Popular Front June 1936 to January 1940.) Tel-Aviv, 83, in-4, 340 p. (Thesis, Tel-Aviv Univ. - Eng. summary]

4977. STĘPIEŃ (Stanisław). Prasa ludowa w Polsce. Zarys historyczny. (La presse populaire en Pologne. Précis d'histoire.)

Warszawa, Wydawn. Prasa ZSL, 84, in-8, 361 p.

4978. VARGA (János). Kereszttűzben a Pesti Hirlap. Az ellenzéki és a középutas liberalizmus elválása 1841-42-ben. (Le Pesti Hirlap [Journal de Pest] entre deux feux. La séparation entre le libéralisme d'opposition et le libéralisme de centre en 1841-1842.) Budapest, Akad. Kiadó, 83, in-8, 161 p.

4979. ZAWADZKI (Konrad). Rok 1683 w europejskiej prasie ulotnej. (L'an 1683 dans les feuilles volantes européennes.) Kwart. Hist. Prasy pol., 84, a. 23, n° 4, p. 5-20.

Cf. n°s 3599, 3968, 4252, 5358, 5359.

§ 5. Filosofia.

* 4980. CHOUILLET (Anne-Marie). Travaux récents sur d'Alembert. XVIIIe Siècle, 84, n° 16, p. 197-203.

* 4981. CONLON (Pierre M.). Le Siècle des Lumières. Bibliographie chronologique. [T. 1. Cf. Bibl. 83, n° 5013.] T. 2: 1723-1729. T. 3: 1730-1736. Genève, Droz, 84, 2 vol. in-8, 534, 592 p. (Hist. des idées et critique litt., 222, 227)

* 4982. GÓMEZ-MARTÍNEZ (José Luis). Bibliografía estadounidense sobre Ortega. Quinto Centenario, 84, t. 6, p. 177-212.

* 4983. Poortmans repertorium der Nederlandse wijsbegeerte. (Poortmans bibliography of Dutch philosophy.) Vol. 4: 1968-1977. Ed. by W. N. A. KLEVER a. M. D. BREMMER. Amsterdam, Buijten en Schipperheijn, 83, in-8, 247 p.

** 4984. BENTHAM (Jeremy). Correspondence. Vol. [5. Cf. Bibl. 81, n° 4428.] 6: January 1798 - December 1801. Ed. by J. R. DINWIDDY. London, Oxford U.P., 84, in-8, 526 p.

** 4985. COMTE (Auguste). Correspondance générale et confessions. T. [5. Cf. Bibl. 82, n° 4937.] 6: 1851-1852. Ed. par Paulo E. de BERRÊDO CARNEIRO. Prés. de Paul ARBOUSSE-BASTIDE. Paris, Ecole des Hautes Etudes en Sci. soc. et Vrin, 84, in-8, 491 p. (Archives positivistes)

** 4986. HERDER (Johann Gottfried). Gesamtausgabe 1763-1803. Unter Leitung v. Karl-Heinz HAHN hrsg. d. Nationalen Forsch.- u. Gedenkstätten d. Klass. Deutsch. Literatur in Weimar (Goethe- u. Schiller-Archiv). Bd [6, 7. Cf. Bibl. 82, n° 4939.] 8: Januar 1799 - November 1803. Bearb. v. Wilhelm DOBBEK u. Günter ARNOLD. Weimar, Böhlau, 84, in-8, 712 p.

** 4987. MALEBRANCHE (Nicolas de). Oeuvres complètes de Malebranche. T. 22: Index général. Vocabulaire d'auteur. Index des occurences. Concordance des hautes fréquences. Paris, Vrin, 84, in-4, 552 p. (Biblioth. des textes philos.)

** 4988. ROUSSEAU (Jean-Jacques). Correspondance complète. Ed. par Ralph A. LEIGH. [T. 40. Cf. Bibl. 82, n° 4945.] T. 41: Juillet - sept. 1778. T. 42: Oct. - déc. 1778. T. 43: Janv. - août 1779. Oxford, Voltaire Foundation, 84, 3 vol. in-8, XXII-333, XXI-305, XIX-431 p. (ill.).

4989. AGETHEN (Manfred). Geheimbund und Utopie. Illuminaten, Freimaurer u. deutsche Spätaufklärung. Mit e. Geleitw. v. Eberhard SCHMITT. München, Oldenbourg, 84, in-8, 337 p. (Ancien Régime, Aufklärung u. Revolution, 11)

4990. ANTONACI (A.). Ricerche sul neoplatonismo del Rinascimento: Francesco Patrizi da Cherso. I: La redazione delle opere filosofiche. Analisi del primo tomo delle Discussiones. Galatina (Lecce), Ed. Salentina, 84, in-8, 408 p. (8 ill.). (Univ. di Bari, Pubbl. dell'Istit. di Filos. e Storia della filos., 2)

4991. ARGYROPOULOU (Rōxanē D.). Ta philosophika endiapheronta tou Daniēl Philippidē. (Les intérêts philosophiques de Daniel Philipides.) In: Praktika Diethnous Synedriou Thessalikōn Spoudōn [Cf. n° 264], p. 319-328.

4992. BARNARD (Frederick M.). Patriotism and citizenship in Rousseau: a dual theory of public willing? R. Politics, 84, vol. 46, n° 2, p. 266-288. - IDEM. Will and political reationality in Rousseau. Pol. Stud., 84, vol. 32, n° 3, p. 369-384.

4993. BEHRENS (Klaus). Friedrich Schlegels Geschichtsphilosophie (1794-1808). Ein Beitr. z. polit. Romantik. Tübingen, Niemeyer, 84, in-8, VII-296 p. (Studien z. deutschen Lit., 78)

4994. BEITZINGER (A.J.). Pascal on justice, force, and law. R. Politics, 84, vol. 46, n° 2, p. 212-243.

4995. BLEJWAS (Stanislaus A.). Polish positivism and the Jews. Jewish soc. Stud., 84, vol. 46, n° 1, p. 21-36.

4996. BÖHM (Irmingard). Bernard Bolzano (1781-1848). Österr. in Gesch. u. Lit., 84, Bd 28, n° 5, p. 285-299.

4997. BRANOUSSĒS (Lēandros). Hē Diakēryxē tōn dikaiōmatōn tou anthropou kai ho Koraēs. (La Déclaration des Droits de l'Homme et Korais.) In: Praktika Synedriou "Koraēs kai Chios" [Cf. n° 5355], vol. 1, p. 223-258.

4998. BROWNING (Reed). The origin of Burke's ideas revisited. Eighteenth-Cent. Stud., 84, vol. 18, n° 1, p. 57-71.

4999. BUXTON (Michael). The influence of William James on John Dewey's early work. J. Hist. Ideas, 84, vol. 45, n° 3, p. 451-464.

5000. BYNACK (Vincent P.). Noah Webster and the idea of a national culture: the pathologies of epistemology. J. Hist. Ideas, 84, vol. 45, n° 1, p. 99-114.

5001. CAMERON (David R.). The hero in

Rousseau's political thought. J. Hist. Ideas, 84, vol. 45, n° 3, p. 397-420.

5002. CANOVAN (Margaret). The un-Benthamite utilitarianism of Joseph Priestley. J. Hist. Ideas, 84, vol. 45, n° 3, p. 435-450.

5003. CANTOR (G.N.). Berkeley's The Analyst revisited. Isis, 84, vol. 75, n° 279, p. 668-683.

5004. CARTWRIGHT (David E.). Nietzsche's Kantian critique of pity. J. Hist. Ideas, 84, vol. 45, n° 1, p. 83-98.

5005. CAZAN (Gh. M.). Istoria filozofiei româneşti. (Histoire de la philosophie roumaine.) Bucureşti, Ed. didactică şi pedagog., 84, in-8, 376 p.

5006. CHAMBOREDON (Jean-Claude). Emile Durkheim: le social, objet de science. Du moral au politique. Critique, 84, t. 40, n° 445-446, p. 460-531.

5007. CLAEYS (Gregory). The effect of property on Godwin's theory of justice. J. Hist. Philos., 84, vol. 22, n° 1, p. 81-102.

5008. COLEMAN (Patrick). Rousseau's political imagination: rule and representation in the Lettre à d'Alembert. Genève, Droz, 84, in-8, 196 p. (Hist. des idées et critique littéraire, 220)

5009. COTONI (Marie-Hélène). L'exégèse du Nouveau Testament dans la philosophie française du dix-huitième siècle. Oxford, Voltaire Foundation; Paris, Tuzot, 84, in-8n 445 p. (Stud. on Voltaire a. the 18th cent., 220)

5010. CROCKER (Lester G.) Diderot as political philosopher. R. int. Philos., 84, a. 38, n° 148-149, p. 120-139.

5011. CROOK (D.P.). Benjamin Kidd: portrait of a social Darwinist. London a. New York, Cambridge U.P., 84, in-8, VII-460 p. (ill.).

5012. CROUZET (Denis). La représentation du temps à l'époque de la Ligue. R. Hist., 83 [84], a. 107, t. 270, n° 548, p. 297-386.

5013. DEAR (Peter). Marin Mersenne and the probabilistic roots of "mitigated scepticism". J. Hist. Philos., 84, vol. 22, n° 2, p. 173-206.

5014. DENIS (Henri). Logique hégélienne et systèmes économiques. Paris, Presses univ. France, 84, in-8, 168 p.

5015. D'JAKOV (V.A.). Ideja slavjanskogo edinstva v obščestvennoj mysli doreformennoj Rossii. (The idea of Slavic unity in the pre-reform Russian social thought.) Vopr. Ist., 84, n° 12, p. 16-31.

5016. DUCRET (Jean-Jacques). Jean Piaget, savant et philosophe: les années de formation (1907-1924). Etude sur la formation des connaissances et du sujet de la connaissance. T. 1, 2. Genève, Droz, 84, 2 vol. in-8, ens. 1024 p. (Travaux de Droit, d'Econ., de Sociol. et de Sci. pol., 145)

5017. DUDZINSKAJA (E.A.). Obščestvennaja i khozjajstvennaja dejatel'nost' slavjanofila Ju. F. Samarina v 40 - 50-kh godakh XIX v. (Social and economic activities of the slavophil Ju. F. Samarin in the 1840s-1850s.) Ist. Zap., 84, t. 110, p. 312-333.

5018. DUMAS (Jean-Louis). Vivre et philosopher au grand siècle. Toulouse, Privat, 84, in-8, 244 p. (Vivre et philosopher)

5019. EZELL (Margaret J. M.). John Locke's images of childhood: early eighteenth century response to Some Thoughts concerning Education. Eighteenth-Cent. Stud., 84, vol. 17, n° 2, p. 139-155.

5020. Falsche Propheten. Studien zum konservativ-antidemokrat. Denken im 19. u. 20. Jh. v. Ludwig ELM. Berlin, Akad.-Verl., 84, in-8, 234 p.

5021. FEINSTEIN (Howard M.). Becoming William James. Ithaca, N.Y., Cornell U.P., 84, in-8, 377 p.

5022. FERREYROLLES (Gérard). Pascal et la raison du politique. Paris, Presses univ. France, 84, in-8, 296 p. (Epiméthée)

5023. FORCE (James E.). Hume and the relation to religion among certain members of the Royal Society. J. Hist. Ideas, 84, vol. 45, n° 4, p. 517-536.

5024. FREIDMAN (R.Z.). The importance and function of Kant's highest good. J. Hist. Philos., 84, vol. 22, n° 3, p. 325-342.

5025. GLENN (Gary D.). Inalienable rights and Locke's argument for limited government: political implications of a right to suicide. J. Politics, 84, vol. 46, n° 1, p. 80-105.

5026. GONZÁLEZ ARRILI (Bernardo). Renan. 2a ed. Buenos Aires, Depalman, 84, in-8, 311 p.

5027. GOYARD-FABRE (Simone). Les idées politiques de Diderot au temps de l'Encyclopédie. R. int. Philos., 84, a. 38, n° 148-149, p. 91-119.

5028. GROARKE (Leo). Descartes' first meditation: something old, something new, something borrowed. J. Hist. Philos., 84, vol. 22, n° 3, p. 281-302.

5029. HALADA (Jan). Osvícenství - věk rozumu. (Die Aufklärung - Zeitalter der Vernunft.) Praha, Stát. pedagog. naklad., 84, in-8, 344 p.

5030. HARDTWIG (Wolfgang). Ulrich von Hutten. Überlegungen z. Verhältnis v. Individuum, Stand u. Nation in d. Reformationszeit. Gesch. in Wiss. u. Unterr., 84, Jg. 35, p. 191-206.

5031. HASSLER (Gerda). Sprachtheorien der Aufklärung zur Rolle der Sprache im Erkenntnisprozeß. Berlin, Akad.-Verl., 84, in-8, 193 p. (Abh. d. Sächs. Akad. d. Wiss. zu Leipzig, Philol.-hist. Kl., 68, 1)

5032. HERRMANN (Joachim). Historischer Materialismus und Menschheitsgeschichte. Zur Entstehung u. Wirkung v. Friedrich Engels' "Der Ursprung d. Familie, d. Privateigentums u. d. Staats". Marx-Engels-Jb., 84, Jg. 7, p. 9-53.

5033. HUNGER (Ulrich). Die Runenkunde im Dritten Reich. Ein Beitr. zur Wissenschafts- u. Ideologiegesch. d. Nationalsozialismus. Frankfurt (Main), Bern, New York u. Nancy, Lang, 84, in-8, 508 p. (Europ. Hochschulschr., Reihe 3: Gesch. u. ihre Hilfswiss., 227)

5034. Idealogija meždunarodnoj socialdemokratii v period meždu dvumja mirovymi vojnami. (Ideology of international socialdemocracy between the two World Wars.) Otv. red. A. S. ČERNJAEV, A. A. GALKIN. Moskva, Nauka, 84, 296 p. (AN SSSR. In-t meždunar. rabočego dviženija. Nauč. sovet po kompleks. probl. "Istorija meždunar. rabočego i nac.-osvobodit. dviženija")

5035. Ideologija nacional'no-osvoboditel'nogo dviženija v stranakh zarubežnogo Vostoka. 1917-1947. (Ideology of the national liberation movement in the countries of the foreign East, 1917-1947.) Otv. red.: L. R. POLONSKAJA, Ju. N. GAVRILOV. Moskva, Nauka, 84, 308 p. (AN SSSR. In-t vostokovedenija)

5036. IQBAL (Afzal). The life and work of Jalaluddin Rumi. London, Octagon, 84, in-8, 330 p.

5037. ITENBERG (B.S.). Lavrov i "Narodnaja volja". (Lavrov and "People's freedom".) Ist. Zap., 84, t. 110, p. 196-231.

5038. JAY (Martin). Marxism and totality: the adventure of a concept from Lukács to Habermas. Berkeley a. Los Angeles, Univ. of California Press, 84, in-8, XI-576 p.

5039. JOYNTON (Olin). The problem of circularity in Wollaston's moral philosphy. J. Hist. Philos., 84, vol. 22, n° 4, p. 435-444.

5040. KAUFMAN-OSBORN (Timothy V.). John Dewey and the liberal science of community. J. Politics, 84, vol 46, n° 4, p. 1142-1167.

5041. KERSTING (Wolfgang). Wohlgeordnete Freiheit: Immanuel Kants Rechts- und Staatsphilosophie. Berlin u. New York, de Gruyter, 84, in-8, XVI-380 p. (Quellen u. Studien z. Philos., 20)

5042. KINZER (Bruce L.). J. S. Mill and Irish land, a reassessment. Hist. J., 84, vol. 27, p. 111-127.

5043. KIROMĒLIDĒS (M.). Jeremy Bentham kai Adamantios Koraēs. (J. Bentham et A. Korais.) In: Praktika Synedriou "Koraēs kai Chios" [Cf. n° 5355], vol. 1, p. 285-308.

5044. KONDYLĒS (Panagiōtēs). Ho Marx kai hē archaia Hellada. (Marx et la Grèce ancienne.) Athènes, Stigmē, 84, in-8, 65 p.

5045. KROLL (Richard W. F.). The question of Locke's relation to Gassendi. J. Hist. Ideas, 84, vol. 45, n° 3, p. 339-360.

5046. LEVI (Albert William). Hegel's Phenomenology as a philosophy of culture. J. Hist. Philos., 84, vol. 22, n° 4, p. 445-470.

5047. LEY (Hermann). Geschichte der Aufklärung und des Atheismus. Bd 4, Halbbd [1. Cf. Bibl. 82, n° 5005.] 2. Berlin, Deutsch. Verl. d. Wiss., 84, in-8, 540 p.

5048. LINNER (Barbara). Die Entwicklung der frühen nationalen Theorien im osteuropäischen Judentum des 19. Jahrhunderts. Eine Studie z. Theorie u. geistesgeschichtl. Entwicklung d. national-jüdischen Gedankens in seinem Zusammenhang mit d. Haskalah. Frankfurt (Main), Bern, New York u. Nancy, Lang, 84, in-8, II-277 p. (Europ. Hochschulschr., Reihe 3: Gesch. u. ihre Hilfswiss., 238)

5049. LUCAS (George R.) Jr. A re-interpretation of Hegel's philosophy of nature. J. Hist. Philos., 84, vol. 22, n° 1, p. 103-114.

5050. Lumières (Les) en Hongrie, en Europe centrale et en Europe orientale. Actes du Cinquième Colloque de Mátrafüred, 24-28 oct. 1981. Budapest, Akad. Kiadó; Paris, Ed. du C.N.R.S., 84, in-8, 411 p. (14 tabl., 2 cartes).

5051. LUTZ (Donald S.). The relative influence of European writers on late 18th-century American political thought. Am. pol. Sci. R., 84, vol. 78, n° 1, p. 189-197.

5052. Magyar filozófiai gondolkodás (A) a két világháboru jözött. (La pensée philosophique hongroise de l'entre-deuxguerres.) Budapest, Kossuth Kiadó, 83, in-8, 417 p.

5053. MARSHALL (Terence). Art d'écrire et pratique politique de Jean-Jacques Rousseau. R. Métaphysique Morale, 84, a. 89, n° 2, p. 232-261; n° 3, p. 322-347.

5054. MEINSMA (K.O.). Spinoza et son cercle. Etude critique historique sur les hétérodoxes hollandais. Préf. de Henri GOUHIER. Paris, Vrin, 84, in-4, 590 p.

5055. MERTON (Robert K.). The Kelvin dictum and social science: an excursion into the history of an idea. J. Hist. behavioral Sci., 84, vol. 20, n° 4, p. 319-331.

5056. MILLER (James). Rousseau: dreamer of democracy. New Haven, Conn., Yale U.P., 84, in-8, XII-272 p.

5057. MILLS (John A.). Thomas Brown's theory of causation. J. Hist. Philos., 84, vol. 22, n° 2, p. 207-228.

5058. MOKRZECKI (Lech). Z badań nad kierunkami rozwoju nauk humanistycznych w Gdańsku w okresie staropolskim. (Recherches sur les lignes du développement des sciences humanistes à Gdańsk à l'époque ancienne polonaise [XVIe-XVIIIe s.].) Kwart. Hist. Nauki Techn., 84, a. 29, n° 3-4, p. 645-652.

5059. MORI (M.). La ragione dei armi. Guerra e conflitto nella filosofia classica tedesca (1770-1830). Milano, Saggiatore, 84, in-8, 312 p. (La cultura, 22)

5060. MOSHER (Michael). The particulars of a universal politics: Hegel's adaptation of Montesquieu's typology. Am. pol. Sci. R., 84, vol. 78, n° 1, p. 179-188.

5061. N. G. Cernyševskij v obščestvennoj mysli narodov SSSR. (The impact of N. G. Chernyshevski on the social thinking of the peoples of the USSR.) Otv. red. V. F. PUSTARNAKOV. Moskva, Nauk, 84, 384 p. (AN SSSR. In-t filosofii)

5062. NAKAM (Géralde). Les Essais de Montaigne, miroir et procès de leur temps: témoignage historique et création littéraire. Paris, Nizet, 84, in-8, 506 p. (Publ. de la Sorbonne, Sér. Littérature II, 16)

5063. NENDZA (James). Political idealism in More's Utopia. R. Politics, 84, vol. 46, n° 3, p. 428-452.

5064. NEWELL (W.R.). Heidegger on freedom and community: some political implications of his early thought. Am. pol. Sci. R., 84, vol. 78, n° 3, p. 775-784.

5065. NUCHELMANS (G.). Judgement and proposition. From Descartes to Kant. Amsterdam, North Holland Publ. Comp., 83, in-8, 295 p. (Verhand. Kon. Ned. Akad. Wetensch., Afd. Letterkde, N.R., 118)

5066. O'CATHASIAGH (Sean). Scepticism and belief in Pierre Bayle's Nouvelles Lettres Critiques. J. Hist. Ideas, 84, vol. 45, n° 3, p. 421-434.

5067. OPRESCU (Dan). Etic-estetic în gîndirea românească. De la începuturi pînă la 1900. (Ethique-esthétique dans la pensée roumaine. Depuis les origines jusqu'en 1900.) București, Minerva, 84, in-8, 275 p.

5068. Ortega y América. Quinto Centenario, 84, t. 6, p. 1-157.

5069. PETERSON (Susan Rae). The compatibility of Richard Price's politics and his ethics. J. Hist. Ideas, 84, vol. 45, n° 4, p. 537-548.

5070. PLUCHON (Pierre). Nègres et Juifs au XVIIIe siècle: le racisme au siècle des Lumières. Paris, Tallandier, 84, in-8, 316 p.

5071. POSSENTI (Vittorio). La società aperta nel pensiero politico del 1900 (Bergson, Popper, Maritain). R. Filos. neoscol., 84, a. 76, n° 2, p. 269-291.

5072. QUADRANTI (Piergiorgio). Le devenir de l'Autre. Sur les fondements ontologiques de l'épistémologie de [Jean] Piaget. Genève, Droz, 84, in-8, 148 p. (Travaux de Droit, d'Econ., de Sociol. et de Sci. pol., 146)

5073. RAYNOR (David R.). Hume's abstract of Adam Smith's Theory of Moral Sentiments. J. Hist. Philos., 84, vol. 22, n° 1, p. 51-80.

5074. REE (Jonathan). Proletarian philosophers: problems in socialist culture in Britain, 1900-1940. London, Oxford U.P., 84, in-8, 176 p.

5075. RICKEN (Ulrich). Sprache, Anthropologie, Philosophie in der französischen Aufklärung. Ein Beitr. z. Gesch. d. Verhältnisses v. Sprachtheorie u. Weltanschauung. Berlin, Akad.-Verl., 84, in-8, 368 p. (Sprache u. Gesellschaft, 18)

5076. ROSICKA (Janina). Polskie spory o własność. Narodziny nowożytnej myśli ekonomicznej na ziemiach polskich (1765-1830). (Les débats polonais sur la propriété. Naissance de la pensée économique moderne sur les terres polonaises, 1765-1830.) Kraków, 84, in-8, 184 p. (Akad. Ekonom. w Krakowie, Zesz. Nauk. Ser. Specjalna, Monografie, 63)

5077. ROSOW (Stephen J.). Commerce, power and justice: Montesquieu on international politics. R. Politics, 84, vol. 46, n° 3, p. 346-366.

5078. ROVIELLO (Anne-Marie). L'institution kantienne de la liberté. Bruxelles, Ousia, 84, in-8, 240 p.

5079. RYBICKI (Pawel). Aristote et la pensée sociale moderne. Trad. du pol. par Aleksandra WAŚNIEWSKA. Wrocław, Zakł. Narod. im. Ossolińskich, 84, in-8, 316 p. (Pol. Acad. Nauk, Komitet Hist. Nauki i Techn.)

5080. SASSO (Gennaro). Tramonto di un mito. L'idea di "progresso" fra Ottocento e Novecento. Bologna, Il Mulino, 84, in-8, 233 p.

5081. SCHIFFMAN (Zachary S.). Montaigne and the rise of scepticism in early modern Europe: a reappraisal. J. Hist. Ideas, 84, vol. 45, n° 4, p. 499-516.

5082. SCHLEICH (Thomas). Presupposti, forme e conseguenze della risonanza politica di Mably nel periodo della Rivoluzione francese. R. Stor. Filos., 84, n. s., a. 39, p. 687-719.

5083. SCHWARTZ (Joel). The sexual politics of Jean-Jacques Rousseau. Chicago, Univ. of Chicago Press, 84, in-8, XI-196 p.

5084. SIEBERT (Donald T.). Hume on idolatry and incarnation. J. Hist. Ideas, 84, vol. 45, n° 3, p. 379-396.

5085. SMITH (Annette). Gobineau et l'histoire naturelle. Genève, Droz, 84, in-8, 276 p. (Hist. des idées et critique litt., 219)

5086. SMITH (Steven B.). Reading Althusser: an essay on structural Marxism. Ithaca, N.Y., Cornell U.P., 84, in-8, 230 p.

5087. Sprache und Kulturentwicklung im Blickfeld der deutschen Spätaufklärung. Der Beitr. Johann Christoph Adelungs. Hrsg. v. Werner BAHNER. Berlin, Akad.-Verl., 84, in-8, 267 p. (Abh. d. Sächs. Akad. d. Wiss. zu Leipzig, Philol.-hist. Kl., 70, 4)

5088. STEINBERG (Diane). Spinoza's ethical doctrine and the unity of human nature. J. Hist. Philos., 84, vol. 22, n° 3, p. 303-324.

5089. SWIGGERS (Pierre). Pré-histoire et histoire de l'Encyclopédie. R. hist., 84, a. 108, t. 271, n° 549, p. 83-93.

5090. Technikphilosophie. In Vergangenheit u. Gegenwart. Gizella KOVACS, Siegfried WOLLGAST (Hrsg.). Berlin, Akad.-Verl., 84, in-8, 225 p.

5091. TEODOR (Pompiliu). Interferențe iluministe europene. (Interférences des Lumières européennes.) Cluj-Napoca, Dacia, 84, in-8, 256 p.

5092. VERNIERE (Paul). Diderot et les contradictions de sa pensée politique. R. Sci. mor. pol., 84, a. 139, n° 2, p. 269-285.

5093. VERNON (Richard). Auguste Comte and the withering-away of the state. J. Hist. Ideas, 84, vol. 45, n° 4, p. 549-566.

5094. VONDER LUFT (Eric). Sources of Nietzsche's "God is dead" and its meaning for Heidegger. J. Hist. Ideas, 84, vol. 45, n° 2, p. 263-276.

5095. WALLACE (Dewey D.). Socialism, justification by faith, and the sources of John Locke's The Reasonableness of Christianity. J. Hist. Ideas, 84, vol. 45, n° 1, p. 40-66.

5096. WALLECH (Steven). The elements of social status in Hume's: Treatise of human nature. J. Hist. Ideas, 84, vol. 45, n° 2, p. 207-218.

5097. WASZEK (Norbert). Two concepts of morality: a distinction of Adam Smith's ethics and its stoic origin. J. Hist. Ideas, 84, vol. 45, n° 4, p. 591-606.

5098. WEDBERG (Anders). History of philosophy. Vol. [1, 2. Cf. Bibl. 82, n° 1054.] 3: From Bolzano to Wittgenstein. London, Oxford U.P., 84, in-8, 290 p. (fig.).

5099. WELLS (Norman J.). Material falsity in Descartes, Arnauld, and Suarez. J. Hist. Philos., 84, vol. 22, n° 1, p. 25-50.

5100. WESTPHAL (Kenneth). Was Nietzsche a cognitivist? J. Hist. Philos., 84, vol. 22, n° 3, p. 343-364.

5101. YOLTON (John W.). Thinking matter: materialism in 18th-century Britain.

Oxford, Blackwell, 84, in-8, 250 p.

5102. ZSIGMOND (László). Auguste Comte. A XIX. század politikai gondolkodásának történetéből. (Sur l'histoire de la pensée politique du XIXe siècle.) Budapest, Akad. Kiadó, 84, in-8, 457 p. (1 pl.).

Cf. n°s 1423, 3810, 4762, 4872.

§ 6. Scienze esatte, tecnica, scienze naturali e medicina.

* 5103. KONOPKA (Stanisław). Polska bibliografia lekarska dziewiętnastego wieku (1801-1900). (Bibliographie médicale polonaise du XIXe siècle, 1801-1900.) [T. 11. Cf. Bibl. 82, n° 5064.] T. 12: Warszawa - X, Y. T. 13: Z - żywot. Warszawa, Państw. Zakł. Wydawn. Lek., 84, 2 vol. in-8, 462, 338 p.

** 5104. HOOYKAAS (R.). Rheticus' treatise on Holy Scripture and the motion of the earth. With transl., annot., commentary a. additional chapters on Ramus-Rheticus and the development of the problem before 1650. Amsterdam, North Holland Publ. Comp., 84, in-8, 188 p. (Verhand. Kon. Ned. Akad. Wetensch., Afd. Letterkde, N.R., 124)

** 5105. KNOBLOCH (Wolfgang). Leonhard Eulers Wirken an der Berliner Akademie der Wissenschaften 1741-1766. Spezialinventar, Regesten d. Euler-Dokumente aus d. Zentralen Archiv d. Akad. d. Wiss. d. DDR. Berlin, Akad.-Verl., 84, in-8, 478 p. (Studien z. Gesch. d. Akad. d. Wiss. d. DDR, 11)

** 5106. NOSTRADAMUS. Lettres inédites. Ed. critique par Jean DUPÈBE. Genève, Droz, 84, in-8, 192 p. (Travaux d'Humanisme et Renaissance, 196)

5107. ABBRI (Ferdinando). Le terre, l'acqua, le arie: la rivoluzione chimica del Settecento. Bologna, Il Mulino, 84, in-8, 439 p. (Saggi, 263)

5108. Antoni van Leeuwenhoeck 1632-1723. Studies on the life and work of the Delft scientist commemorating the 350th anniversary of his birthday. Ed. by L. C. PALM a. H. A. M. SNELDERS. Amsterdam, Rodopi, 82, in-8, 211 p. (ill.).

5109. Apărarea sănătății ieri și azi. Studii, note și documente. (La protection de la santé [en Roumanie], hier et aujourd'hui. Etudes, notes et documents.) Sub redacția dr. Gheorghe BRĂTESCU. București, Ed. medicală, 84, in-8, 596 p.

5110. AUMÜLLER (Gerhard). Benedict Stillings (1810-1879) Untersuchungen über das Rückenmark - ein Wendepunkt in der neuroanatomischen Forschung. Medizinhist. J., 84, Bd 19, p. 53-69.

5111. BINDER (Dieter A.). Europäische technische Studienanstalten im Jahre 1853. Karl Koristkas Reisebericht. Mitt. d. öster-r. Ges. f. Gesch. d. Naturwiss., 84, Bd 7, n° 1, p. 49-100.

5112. BLEKER (Johanna). Die historische Pathologie, Nosologie und Epidemiologie im 19. Jahrhundert. Medizinhist. J., 84, Bd 19, p. 33-52.

5113. BROOKS (John Langdon). Just before the origin: Alfred Russel Wallace's theory of evolution. New York, Columbia U.P., 84, in-8, XIII-284 p.

5114. BROUWER (H.). Malaria in Nederland in de achttiende en negentiende eeuw. (Malaria in the Netherlands in the 18th and 19th centuries.) T. soc. Gesch., 83, vol. 9, p. 140-159.

5115. BROME (Vincent). Freud and his disciples, the struggle for supremacy. London, Caliban Books, 84, in-8, 248 p.

5116. BUICAN (Denis). Histoire de la génétique et de l'évolutionnisme. Paris, Presses univ. France, 84, in-8, 416 p.

5117. BULHOF (I.N.). Freud en Nederland. De interpretatie en invloed van zijn ideën. (Freud and the Netherlands. The interpretation a. influences of his thoughts.) Baarn, Abmo, 83, in-8, 431 p.

5118. CASSEDY (James H.). American medicine and statistical thinking, 1800-1860. Cambridge, Mass., Harvard U.P., 84, in-8, X-306 p.

5119. CASTERLINE (Gail Farr). St. Joseph's and St. Mary's: the origins of Catholic hospitals in Philadelphia. Pennsylvania Mag. Hist., 84, vol. 108, n° 3, p. 289-314.

5120. CHENEY (Rose A.). Seasonal aspects of infant and childhood mortality: Philadelphia, 1865-1920. J. interdisc. Hist., 84, vol. 14, n° 3, p. 561-586.

5121. CHRISTIANSON (Gale E.). In the presence of the creator: Isaac Newton and his times. New York, Free Press, 84, in-8, XV-623 p.

5122. COHN (Raymond L.). Mortality on immigrant voyages to New York, 1836-1853. J. econ. Hist., 84, vol. 44, n° 2, p. 289-300.

5123. CRAWFORD (Elisabeth). Arrhenius, the atomic hypothesis, and the 1908 Nobel prizes in physics and chemistry. Isis, 84, vol. 75, n° 278, p. 503-522.

5124. DARMON (Pierre). Vaccin et vaccination avant Jenner: une querelle d'antériorité. Hist., Econ. et Soc., 84, a. 3, n° 4, p. 583-592.

5125. DARNTON (Robert). La fin des Lumières: le mesmérisme et la Révolution. Paris, Perrin, 84, in-8, 224 p. (16 p. ill.). (Pour l'histoire)

5126. DONOVAN (Kenneth). The Marquis de Chabert and the Louisbourg observatory in the 1750's. Am. Neptune, 84, vol. 44, n° 3, p. 186-197.

5127. DRACHMAN (Virginia G.). Hospital with a heart: women doctors and the paradox of separatism at the New England Hospital, 1862-1969. Ithaca, N.Y., Cornell U.P., 84, in-8, 258 p.

5128. Dutch medical biography. A biographical dictionary of Dutch physicians and surgeons 1475-1975. Ed. by G. A. LINDEBOOM. Amsterdam, Rodopi, 84, in-8, XXXI-2244 col.

5229. EASTWOOD (Bruce Stansfield). Descartes on refraction: scientific versus rhetorical method. Isis, 84, vol. 75, n° 278, p. 481-502.

5130. ECKART (Wolfgang). "Medicus Politicus" oder "Machiavellus Medicus"? Wechselwirkungen v. Ideal u. Realität d. Arzttypus im 17. Jh. Medizinhist. J., 84, Bd 19, p. 210-224.

5131. EGGLMAIER (Herbert H.). Deutsche pharmazeutische Institute im Urteil eines österreichischen Pharmazeuten. Ein Bericht Prof. Martin S. Ehrmanns über die auf seinen Reisen 1848 besuchten deutschen pharmazeut. Institute. Mitt. d. österr. Ges. f. Gesch. d. Naturwiss., 84, Bd 4, n° 1, p. 119-128.

5132. ELLIS (A.S.). Eloquent testimony: the story of the Mental Health Services in Western Australia, 1830-1975. Perth, Univ. W. Autral. Press; Cambridge, Eng., P. Moore, 84, in-8, XVIII-234 p. (ill.).

5133. ELTIS (David). Mortality and voyage length in the middle passage: new evidence from the nineteenth century. J. econ. Hist., 84, vol. 44, n° 2, p. 301-308.

5134. ENCIU (Gheorghe). Poşta şi telecomunicaţiile în România. Transmisiunile militare, expresie a dezvoltării mijloacelor de comunicare la distanţă (sec. XIX-XX). (La poste et les télécommunications en Roumanie. Les transmissions militaires, expression du développement des moyens de communication à distance.) Bucureşti, Ed. ştiinţ. şi enciclop., 84, in-8, 504 p.

5135. EPSTEIN (Julia L.), GREENBERG (Mark L.). Decomposing Newton's rainbow. J. Hist. Ideas, 84, vol. 45, n° 1, p. 115-140.

5136. ESTES (J. Worth), KUHNKE (Laverne). French observations of disease and drug use in late eighteenth-century Cairo. J. Hist. Med., 84, vol. 39, n° 2, p. 121-152.

5137. FRISBY (David P.). Georg Simmel and social psychology. J. Hist. behavioral Sci., 84, vol. 20, n° 2, p. 107-127.

5138. GANZINGER (Kurt). 200 Jahre Wiener Allgemeines Krankenhaus. Arzneimittelwesen u. Krankenhausapotheke. Wien. Gesch.-Bl., 84, Bd 39, p. 49-66.

5139. GARDIES (Jean-Louis). Pascal entre Eudoxe et Cantor. Paris, Vrin, 84, in-8, 144 p. (Problèmes et controverses)

5140. GATEWOOD (Willard B.) Jr. From Scopes to creation science: the decline and revival of the evolution controversy. South

§ 6. SCIENZE ESATTE, TECNICA, SCIENZE NATURALI E MEDICINA 215

Atlantic Quar., 84, vol. 83, n° 4, p. 363-383. [Scopes = John T. Scopes trial, 1925]

5141. GILLESPIE (Richard). Ballooning in France and Britain, 1783-1786. Isis, 84, vol. 75, n° 277, p. 249-268.

5142. GLADSTEIN (Gerald A.). The historical roots of contemporary empathy research. J. Hist. behavioral Sci., 84, vol. 20, n° 1, p. 38-59.

5143. GORDON (Eleanora C.). Scurvy and Anson's voyage round the world: 1740-1744. An analysis of the royal navy's worst outbreak. Am. Neptune, 84, vol. 44, n° 3, p. 155-166.

5144. GREENE (John C.). American science in the age of Jefferson. Ames, Iowa State U.P., 84, in-8n XIV-484 p.

5145. GUNTAU (Martin). Die Genesis der Geologie als Wissenschaft. Studie z. d. kognitiven Prozessen u. gesellschaftl. Bedingungen bei d. Herausbildung d. Geologie als naturwiss. Disziplin an d. Wende vom 18. z. 19. Jh. Berlin, Akad.-Verl., 84, in-8, 131 p. (Schriftenreihe f. geolog. Wiss., 22)

5146. HAUSBERGER (Bernd). Virgil von Helmreichen zu Brunnfeld (1805-1852). Ein österr. Geologe in Brasilien. Mitt. d. österr. Ges. d. Naturwiss., 84, Bd 4, n° 4, p. 143-151.

5147. HENLE (Mary). Robert M. Ogden and Gestalt psychology in America. J. Hist. behavioral Sci., 84, vol. 20, n° 1, p. 9-19.

5148. HERRMANN (Dieter B.). Geschichte der modernen Astronomie. Berlin, Deutsch. Verl. d. Wiss., 84, in-8, 208 p. (Abb., Tab.).

5149. HILTS (Victor L.). History of science at the university of Wisconsin. Isis, 84, vol. 75, n° 276, p. 63-94.

5150. HOWARD (Jane). Margaret Mead. London, Harvill, 84, in-8, 512 p. (ill.).

5151. Innovations et technologies dans les pays méditerranéens (XVIe-XXe s.). Actes des Journées d'études, Bendor, 22, 23 et 24 avril 1982. Cah. Méditerranée, 84, n° special, 208 p.

5152. JANKO (Jan). Relations between nature and society, in the light of the problem of maintenance of peace. In: Jointly in the struggle ... [Cf. n° 692], p. 67-89.

5153. JOSEF (Dušan). Mosty. Naše mosty historické a současné. (Brücken. Unsere hist. u. gegenwärtigen Brucken [in d. Tschechoslowakei].) Praha, Nadas, 84, in-8, 228 p. (80 Fig., 60 Phot., 24 Taf., 100 Kt.). [Deutsche Zsfassung. - Eng. summary]

5154. KELLEY (Donald R.). The science of anthropology: an essay on the very old Marx. J. Hist. Ideas, 84, vol. 45, n° 2, p. 245-262.

5155. KERNBAUER (Alois). Die Empanzipation der Chemie in Österreich um die Mitte des 19. Jahrhunderts. Von d. Hilfswiss. z. freien Wissenschaftsdisziplin. Mitt. d. österr. Ges. f. Gesch. d. Naturwiss., 84, Bd 4, n° 1, p. 11-44.

5156. KIDWELL (Peggy Aldrich). Women astronomers in Britain, 1780-1930. Isis, 84, vol. 75, n° 278, p. 534-545.

5157. KNIGHT (Isabel F.).) Freud's "Project": a theory for Studies on Hysteria. J. Hist. behavioral Sci., 84, vol. 20, n° 4, p. 340-358.

5158. KONDYLĒS (Panagiōtēs). To hēliokentriko systēma kai hē plēthys tou kosmou. Mia kosmotheōrētikē machē ston hellēniko 18 aiōna. (Le systeme héliocentrique et la pluralité des mondes. Un combat sur la théorie de l'univers dans le XVIIIe siècle grec.) In: Amētos [Cf. n° 481], p. 79-96.

5159. LAGET (Mireille), LUU (Claudine). Médecine et chirurgie des pauvres au XVIIIe siècle. D'après le livret de Dom Alexandre. Toulouse, Privat, 84, in-8, 160 p. (Résurgences)

5160. LESCH (John E.). Science and medicine in France: the emergence of experimental physiology, 1790-1855. Cambridge, Mass., Harvard U.P., 84, in-8, VIII-276 p.

5161. LINTSEN (H.). Segmentatie en innovatie. Nederlandse waterstaatsingenieurs en de waterbouwkundige technologie tussen 1800 en 1850. (Segmentation and innovation. Dutch hydraulic engineers a. technology, 1800-1850.) Econ.-hist. Jb., 83 [84], vol. 46, p. 79-92 (1 tab.).

5162. McCOSH (F.W.J.). Boussingault: chemist and agriculturist. Boston, Mass., D. Reidel, 84, in-8, XV-280 p.

5163. McEVOY (John G.). Joseph Priestley, scientist, philosopher and divine. Proc. am. philos. Soc., 84, vol. 128, n° 3, p. 193-199.

5164. MacFARLANE (Gwyn). Alexander Fleming. London, Hogarth, 84, in-8, 320 p.

5165. MAIENSCHEIN (Jane). What determines sex? A study of convergent research approaches, 1880-1916. Isis, 84, vol. 75, n° 278, p. 457-480.

5166. MANNING (Kenneth R.). Black Apollo of science: the life of Ernest Everett Just. New York a. London, Oxford U.P., 84, in-8, 410 p. (ill.).

5167. MAVRODIN (V.V.), MAVRODIN (Val. V.). Iz istorii otečestvennogo oružija: Rus. vintovka. (On the history of national weaponry: a Russian rifle.) 2-e izd., dop. Leningrad, LGU, 84, 168 p. (ill.).

5168. MERLEAU-PONTY (Jacques). La science de l'univers à l'âge du positivisme. Etudes sur les origines de la cosmologie contemporaine. Paris, Vrin, 84, in-8, 368 p. (L'Hist. des sciences, 15)

5169. MERRENS (H. Roy), TERRY (George D.). Dying in paradise: malaria, mortality, and the perceptual environment in colonial South Carolina. J. south. Hist., 84, vol. 50, n° 4, p. 533-550.

5170. MIQUEL (Pierre). Histoire de la radio et de la télévision. Paris, Perrin, 84, in-8, 339 p.

5171. MOKRZECKI (Lech). Związek teorii z praktyka w dorobku uczonych gdańskich doby Baroku i Oświecenia (Na przykładzie problematyki morskiej). (Le rapport entre théorie et pratique dans les travaux des savants de Gdańsk à l'époque du Baroque et au siècle des Lumières: l'exemple de la problématique maritime.) Roczn. gdański, 84, vol. 44, fasc. 1, p. 133-143.

5172. MOORE (Barrington). Historical notes on the doctors' work ethic. J. soc. Hist., 84, vol. 17, n° 4, p. 547-572.

5173. MORRELL (Jack), THACKRAY (Arnold). Gentlemen of science: early correspondence of the British Association for the Advancement of Science. London, Roy. Hist. Soc., 84, in-8, 388 p.

5174. MOSES (L.G.). The Indian man: a biography of James Mooney. Urbana, Univ. of Illinois Press, 84, in-8, XVII-293 p. [U.S. anthropologist]

5175. NASH (Stanley). Prostitution and charity: the Magdalen Hospital, a case study. J. soc. Hist., 84, vol. 17, n° 4, p. 617-628.

5176. NEVSKAJA (N.I.). Peterburgskaja astronomičeskaja škola XVIII v. (The Petersburg astronomical school of the 18th century.) Leningrad, Nauka, 84, 238 p. (ill.). (AN SSSR. In-t istorii estestvoznanija i tekhniki)

5177. NIEL (Alfred). Die großen k. u. k. Kurbäder und Gesundbrunnen. Graz, Wien u. Köln, Styria, 84, in-8, 131 p.

5178. NOLTE (Hans-Heinrich). Technologietransfer in Rußland nach 1914. Möglichkeiten u. Grenzen nachholender Industrialisierung. Technikgesch., 84, Bd 51, p. 319-334.

5179. OSTERBROCK (Donald E.). James E. Keeler: pioneer American astrophysicist and the early development of American astrophysics. New York, Cambridge U.P., 84, in-8, XII-411 p.

5180. PEARLE (Kathleen M.). Ärzteemigration nach 1933 [aus Deutschland] in die USA. Der Fall New York. Medizinhist. J., 84, Bd 19, p. 112-137.

5181. POGGENDORF (Johann Christian). Biographisch-literarisches Handwörterbuch der exakten Naturwissenschaften. Hrsg. v. d. Sächs. Akad. d. Wiss. zu Leipzig. Bd 7b. Leitung d. Red.: Lebrecht WEICHSEL. T. 7, [Lfg. 3. Cf. Bibl. 83, n° 5227.] Lfg. 4-5: Sbrana, Francesco (Schluß) - Smyth, Henry De Wolf (Abschluß v. T. 7). Berlin, Akad.-Verl., 84, in-8, p. 4681-5001.

5182. POST (John D.). Climatic variability and the European mortality wave of the early 1740s. J. interdisc. Hist., 84, vol. 15, n° 1, p. 1-30.

5182a. Problémy a hlavní tendence vědy a techniky 2. poloviny 19. a počátku 20. století. Vědecké zasedání Liblice 3.-7. 10. 1983. (Probleme und Haupttendenzen der Wissenschaft und Technik in der 2. Hälfte des 19. und am Anfang des 20. Jahrhunderts. Wissenschaftl. Tagung Liblice, 3.-7. Okt. 1983.) Ed. Lyboš NOVÝ. Praha, Ustav českoslov. a svět. dějin ČSAV, 84, in-8, 400 p. (Práce z dějin ČSAV, 84, in-8, 400 p. (Práce z dějin přírodních věd, 18)

5183. QUETEL (Claude). Syphilis et politiques de santé à l'époque moderne. Hist., Econ. et Soc., 84, a. 3, n° 4, p. 543-556.

5184. Radioactivité (La) artificielle a cinquante ans (1934-1984). Paris, Ed. du C.N.R.S., 84, in-8, 174 p.

5185. REGELMANN (Johann-Peter). Theorie und Praxis bei Charles Darwin. Das Problem d. Begründung e. Selektionstheorie d. Evolution. Medizinhist. J., 84, Bd 19, p. 70-99.

5186. ROGERS (Naomi). The proper place of homeopathy: Hahnemann medical college and hospital in an age of scientific medicine. Pennsylvania Mag. Hist., 84, vol. 108, n° 2, p. 179-202.

5187. ROSIŃSKA (Grazyna). Scientific writings and astronomical tables in Cracow. A census of manuscript sources (14th - 16th centuries). Wrocław, Ossolineum, 84, in-8, 561 p. (Pol. Acad. of Sciences, Inst. for the Hist. of Science, Educ. a. Technol., Centre for Copernican Studies. Studia Copernicana, 22)

5188. ROSNER (Erhard). "Gewöhnung" an die Malaria in chinesischen Quellen des 18. Jahrhunderts. Sudhoffs Arch., 84, Bd 68, p. 43-60.

5189. ROSSITER (Margaret W.). The history and philosophy of science programm at the [U.S.] National Science Foundation. Isis, 84, vol. 75, n° 276, p. 95-104.

5190. SANDELOWSKI (Margarete). Pain, pleasure, and American childbirth: from the twilight sleep to the Read method, 1914-1960. Westport, Conn., Greenwood, 84, in-8, XIX-152 p. (Contrib. in Medical Hist., 13)

5191. SAWARD (Dudley). Bernard Lovell, a biography. London, Hale, 84, in-8, 288 p. (ill.).

5192. SCULL (Andrew). A brilliant career? John Conolly and Victorian psychiatry. Victorian Stud., 84, vol. 27, n° 2, p. 203-236.

5193. SEELY (Bruce E.). The scientific mystique in engineering: highway research at the Bureau of Public Roads, 1918-1940. Technol. a. Cult., 84, vol. 25, n° 4, p. 798-831.

5194. SEMENZA (G.). Selected topics in the history of biochemistry: personal recollections. Vol. 1. London, Elsevier, 84, in-8, XVIII-404 p.

5195. SIMPSON (George Gaylord). Discoverers of the lost world: an account of some of those who broght back to life South American mammals long buried in the abyss of time. New Haven, Conn., Yale U.P., 84, in-8, VIII-222 p.

5196. SIRAISI (Nancy G.). Some current trends in the study of Renaissance medicine. Renaissance Quar., 84, vol. 37, n° 4, p. 585-600.

5197. SNODGRASS (Jon). William Healy (1869-1963): pioneer child psychiatrist and criminologist. J. Hist. behavioral Sci., 84, vol. 20, n° 4, p. 332-339.

5198. SOKAL (Michael M.). The Gestalt psychologists in behaviorist America. Am. hist. R., 84, vol. 89, n° 5, p. 1240-1263.

5199. SPILLANE (John D.). Medical travellers: narratives from the 17th, 18th and 19th centuries. London, Oxford U.P., 84, in-8, 248 p. (ill., maps). (Oxford Med. Publ.)

5200. STAPLETON (Darwin H.), CARTER (Edward C.) II. "I have the itch of botany, of chemistry, of mathematics ... strong upon me": the science of Benjamin Henry Latrobe. Proc. am. philos. Soc., 84, vol. 128, n° 3, p. 173-192.

5201. ŠTRBÁŇOVÁ (Soňa). Genetic engineering, benefits, hazards and the responsibility of the scientist: a historical survey. In: Jointly in the struggle ... [Cf. n° 692], p. 91-120.

5202. Studie o technice v českých zemích 1800-1918. (Studien über die Technik in den böhmischen Ländern.) [Vol. 1. Cf. Bibl. 83, n° 5243.] Vol. 2. Edit. František JÍLEK et coll. Praha, Národní technické muzeum, 84, in-8, 568 p. (Sborník Národního technického muzea v Prace, 20)

5203. SZASZ (Ferenc Morton). The day the sun rose twice: the story of the Trinity Site nuclear explosion, July 16, 1945. Albuquerque, Univ. of New Mexico Press, 84, in-8, XI-233 p.

5204. TARR (Joel A.). Water and wastes: a retrospective assessment of wastewater technology in the United States, 1800-1932. Technol. a. Cult., 84, vol. 25, n° 2, p. 226-263.

5205. TATON (René). D'Alembert, Euler et l'Académie de Berlin. XVIIIe Siècle, 84, n° 16, p. 55-68.

5206. TOMES (Nancy). A generous confidence: Thomas Story Kirkbride and the art of asylum-keeping, 1840-1883. New York, Cambridge U.P., 84, in-8, XV-387 p. (Cambridge Hist. of Medicine)

5207. VAN BERKEL (K.). Issac Beeckman (1588-1637) en de mechanisering van het wereldbeeld. (I. Beeckman, 1588-1637, and the mechanization of the world picture.) Amsterdam, Rodopi, 83, in-8, 344 p. (ill.). (Nieuwe Nederlandse bijdrgen tot de gesch. d. geneeskunde en d. natuurwetenschappen, 9)

5208. VAN LIEBURG (M.J.). De syfilitische patient in de geschiedenis van het Nederlandse ziekenhuiswezen vóór 1900. (The syphilitic patient in the history of the Dutch hospitals before 1900.) T. soc. Gesch., 82, vol. 8, p. 156-179.

5209. VINCENTI (Walter G.). Technological knowledge without science: the innovation of flush riveting in American airplanes, c. 1930 - c. 1950. Technol. a. Cult., 84, vol. 25, n° 3, p. 540-576.

5210. VUCINICH (Alexander). Empire of knowledge: the Academy of Sciences of the USSR, 1917-1970. Berkeley a. Los Angeles, Univ. of California Press, 84, in-8, X-484 p. [Cf. Bibl. 70-71, n° 6336]

5211. WALLACE (William A.). Galileo and his sources: the heritage of the Collegio Romano in Galileo's science. Princeton, N.J., Princeton U.P., 84, in-8, XIV-371 p.

5212. WARD (W. Peter), WARD (Patricia C.). Infant birth weight and nutrition in industrializing Montreal. Am. hist. R., 84, vol. 89, n° 2, p. 324-345.

5213. WEINER (Douglas R.). Community ecology in Stalin's Russia: "socialist" and "bourgeois" science. Isis, 84, vol. 75, n° 279, p. 684-696.

5214. WESTPHALEN (Raban Graf von). Geschichte der Technik. Geisteswiss. Voraussetzungen. Köln, Deutscher Inst.-Verl., 84, in-8, 128 p. (Grundwissen: Technik u. Gesellschaft, 1)

5215. WILSON (David). Rutherford, a simple genius. London, Hodder, 84, in-8, 639 p.

5216. WISAN (Winifred Lovell). Galileo and the process of scientific creativity. Isis, 84, vol. 75, n° 277, p. 269-286.

5217. Wissenschaft und Gesellschaft 1917-1945. Hrsg. im Auftr. d. Arbeitskreises Wissenschaftsgesch. beim Ministerium f. Hoch- u. Fachschulwesen d. DDR v. Günter WENDEL. Berlin, Deutsch. Verl. d. Wiss., 84, in-8, 231 p.

5218. YEO (Richard). Science and intellectual authority in mid-nineteenth-century Britain: Robert Chambers and "vestiges of the natural history of creation". Victorian Stud., 84, vol. 28, n° 1, p. 5-32.

Cf. n°s 891, 3643, 4746, 4866, 5016, 5072, 5788.

§ 7. Letteratura.

a. Opere generali.

5219. ABDALĒ (A.K.). Hē "Enkyklopaideia Philologikē" tou Iōannē Patousa. Symbolē stēn historia tēs Paideias tou Neou Hellēnismou 1710-1839. (L'Encyclopédie Littéraire" de Jean Patousa. Contribution à l'histoire de l'enseignement du Néo-Hellénisme 1710-1839.) Athènes, N. Karabias, 84, in-8, 378 p.

5220. AMORY (Hugh). "De facto copyright"? Fielding's Works in partnership, 1769-1821. Eighteenth-Cent. Stud., 84, vol. 17, n° 4, p. 449-476.

5221. DARNTON (Robert). Sounding the literary market in prerevolutionary France. Eighteenth-Cent. Stud., 84, vol. 17, n° 4, p. 477-492.

5222. DOLLIMORE (Jonathan). Radical tragedy: religion, ideology, and power in the drama of Shakespeare and his contemporaries. Chicago, Univ. of Chicago Pres, 84, in-8, VIII-312 p.

5223. ERICKSON (Paul D.). Daniel Webster's myth of the pilgrims. New England Quar., 84, vol. 57, n° 1, p. 44-64.

5224. HAYWARD (Max). Writers in Russia. London, Harvill, 84, in-8, 352 p.

5225. KELLEY (Mary). Private woman, public stage: literary domesticity in nineteenth-century America. New York, Oxford U.P., 84, in-8, XX-409 p.

5226. KÖLLŐ (Károly). Két irodalom mezsgyéjén. Tanulmányok a román-magyar irodalmi kapcsolatok történetéből. (Interférence des littératures. Etudes sur l'histoire des relations littéraires roumano-magyares.) Bucureşti, Kriterion, 84, in-8, 406 p.

5227. LEBEAUX (Richard). Thoreau's seasons. Amherst, Mass., Univ. of Massachusetts Press, 84, in-8, XVI-410 p.

5228. LUNDBERG (David). The American literature of war: the civil war, world war I, and world war II. Am. Quar., 84, vol. 36, n° 3, p. 373-388.

5229. Russkaja kniga v dorevoljucionnoj Sibiri: Knigopisnaja dejatel'nost' i krug čtenija sibirjakov. (The Russian book in pre-revolutionary Siberia: Book writing activities and the range of reading of the Siberians.) Sbornik nauč. tr. Redkol.: E. I. DERGAČEVA-SKOP (otv. red.) i dr. Novosibirsk, GPNTB SO AN SSSR, 84, 163 p. (AN SSSR. Sib. otd-nie GPNTB)

5230. SCARLAT (Mircea). Istoria poeziei româneşti. (Histoire de la poésie roumaine.) Vol. 1, 2. Bucureşti, Minerva, 82-84, 2 vol. in-8, 427, 387 p.

5231. SMITH (Carl S.). Chicago and the American literary imagination, 1880-1920. Chicago, Univ. of Chicago Press, 84, in-8, XIV-232 p.

5232. STARNAWSKI (Jerzy). Dzieje wiedzy o literaturze polskiej (do końca wieku XVIII). (Histoire de la science sur la littérature polonaise jusqu'àa la fin du XVIIIe siècle.) Wrocław, Zakł. Nauk. im. Ossolińskich, 84, in-8, 420 p. (Pol. Akad. Nauk, Inst. Hist. Nauki, Oświaty i Techn.)

5233. WITTSTOCK (Joachim). Universalität und Provinzialismus der rumäniendeutschen Literatur. Forsch. Volks- u. Landeskde, 84, Bd 27, p. 57-72.

5234. WOODMANSEE (Martha). The genius and the copyright: economic and legal conditions of the emergence of the "author". Eighteenth-Cent. Stud., 84, vol. 17, n° 4, p. 405-448.

b. Rinascimento.

* 5235. Shakespeare-Bibliographie für [1981. Cf. Bibl. 83, n° 5271.] 1982. Mit Nachträgen aus früheren Jahren. Bearb. v. Karl-Heinz MAGISTER. Shakespeare-Jb., 84, Bd 120, p. 209-278.

** 5236. BULANIN (D.M.). Perevody i poslanija Maksima Greka: Neizd. teksty. (Translations and messages of Maxim the Greek. Unpublished texts.) Leningrad, Nauka, 84, 277 p. (ill.). (AN SSSR. In-t rus. lit. Puškin. dom)

5237. BIETENHOLZ (Peter G.). Schüler und Freunde des Erasmus in Lübeck und Montpellier. Arch. f. Reformationsgesch., 84, Jg. 75, p. 78-92.

5238. COSSART (Axel). Französische Renaissance. Frankreichs Literatur im 16. Jh. Frankfurt (Main), Haag u. Herchen, 84, in-8, 152 p.

5239. Deutsche Dichter des 17. Jahrhunderts. Ihr Leben u. Werk. Unter Mitarb. zahlr. Fachgelehrter hrsg. v. Harald STEINHAGEN u. Benno von WIESE. Berlin, E. Schmidt, 84, in-8, 983 p.

5240. GAMBERINI (Federico). Materiali per una ricerca sulla diffusione di Plinio il Giovane nei secoli XV e XVI. Studi class. orient., 84, vol. 34, p. 133-170.

5241. GUSBERTI (Enrico). Un mito del Cinquecento: Lorenzo il Magnifico. B. Istit. stor. ital. Medioevo, 84, n° 91, p. 183-279.

5242. HOLECZEK (Heinz). Erasmus von Rotterdam und die volkssprachliche Rezeption seiner Schriften in der deutschen Reformation 1519-1536. Z. f. hist. Forsch., 84, Bd 11, p. 129-163.

5243. Jan Kochanowski. Epoka renesansu. W 450 rocznicę urodzin poety 1530-1980. (Jan Kochanowski. Epoque de la Renaissance. Pour le 450e anniversaire de la naissance du poète, 1530-1980.) Sous la réd. de Teresa MICHAŁOWSKA. Warszawa, Państw. Wydawn. Nauk., 84, in-8, 504 p.

5244. MAYER (Claude-Albert). Lucien de Samosate et la Renaissance française. Genève, Slatkine, 84, in-8, 241 p. (La Renaissance, franç., Etudes et monogr., 3)

5245. Mélanges sur la littérature de la Renaissance, à la mémoire de Verdun-L. Saulnier. Ed. par la Soc. Franç. des Seiziémistes. Préf. d. P. G. CASTEX.

Genève, Droz, 84, in-8, XIV-806 p. (4 pl.). (Travaux d'Humanisme et Renaissance, 202)

5246. NICHOLL (Charles). Cup of news: the life of Thomas Nashe. London, Routledge, 84, in-8, 356 p. (ill.).

5247. NORBROOK (David). Poetry and politics in the English Renaissance. London, Routledge, 84, in-8, 280 p.

5248. NORTON (Glyn P.). The ideology and language of translation in Renaissance France. Genève, Droz, 84, in-8, 364 p. (Travaux d'Humanisme et Renaissance, 201)

5249. PARRY (G.J.R.). William Harrison and Holinshed's Chronicles. Hist. J., 84, vol. 27, p. 789-810.

5250. PELC (Janusz). Europejskość i polskość literatury naszego renesansu. (Le caractère européen et polonais de la littérature de notre Renaissance.) Warszawa, Czytelnik, 84, in-8, 642 p.

5251. Personnage (Le) dans la littérature du Siècle d'Or: statut et fonction. Table ronde, Casa de Velázquez [Madrid], 8-9 nov. 1979. Avant-propos de Didier OZANAM. Introd. d'Antonio PRIETO. Paris, Recherche sur les civilisations, 84, in-4 113 p.

5252. Przełom wieków XVI i XVII w literaturze i kulturze polskiej. (Le tournant du XVIe au XVIIe siècle dans la littérature et la culture polonaises.) Sous la réd. de Barbara OTWINOWSKA et Janusz PELC. Wrocław, Zakł. Narod. im. Ossolińskich, 84, in-8, 343 p. (Pol. Akad. Nauk, Inst. Badań Liter. Studia Staropol., 52)

5253. Renaissance - Reformation, Gegensätze und Gemeinsamkeiten. Vortr., gehalten anläßl. eines Kongresses d. Wolfenbütteler Arbeitskreises f. Renaissanceforsch. v. 20.-23. Nov. 1983. Hrsg. v. August BUCK. Wiesbaden, Harrassowitz, 84, in-8, 297 p. (graph. Darst.). (Wolfenbütteler Abh. z. Renaissanceforsch., 5)

5254. SAHEL (Pierre). La pensée politique dans les drames historiques de Shakespeare. Paris, Didier-Erudition, 84, in-8, V-660 p. (Atelier de reproduction des thèses de Lille)

5255. ŚLASKI (Jan). Literatura włoska w Polsce na pograniczu renesansu i baroku. (La littérature italienne en Pologne entre la Renaissance et le Baroque.) Odrodzen. Reform. Polsce, 83 [84], vol. 29, p. 91-117.

5256. Studien zur deutschen Literatur im 17. Jahrhundert. Akad. d. Wiss. d. DDR, Zentralinst. f. Literaturgesch. Berlin u. Weimar, Aufbau-Verl., 84, in-8, 530 p.

5257. TAZBIR (Janusz). La littérature polonaise des XVIe et XVIIe siècles face au passé. Acta Poloniae hist., 83 [84], vol. 48, p. 37-56.

5258. TEENSMA (B.N.). Erasmus bewerkt, vertaald, ontkerstend en verjoodst. Twee Portugese versies van De Civilitate Morum Puerilium: Coimbra 1796 en Amsterdam 1816. (Erasmus adapted, translated, dechristianized and adapted to Jewish usage: two Portuguese versions of De Civilitate Morum Puerilium.) Studia Rosenth., 83, vol. 16, p. 147-176.

c. Classicismo.

* 5259. HENNING (Hans). Goethe-Bibliographie [1981. Cf. Bibl. 83, n° 5286.] 1982. Goethe-Jb., 84, Bd 101, p. 413-478.

* 5260. Internationale Bibliographie zur deutschen Klassik 1750-1850. Bearb. unter d. Leitung v. Siegfried SEIFERT u. Mitarbeit v. Klaus KADEN, Günther MÜHLPFORDT u. Heidi ZEILINGER. Folge [24, 25. Cf. Bibl. 83, n° 5287.] 26: 1979. Weimar, Nationale Forschungs- u. Gedenkstätten d. klass. deutschen Literatur, 84, in-8, 478 p.

** 5261. Quellen und Zeugnisse zur Druckgeschichte von Goethes Werken. Hrsg. vom Zentralinst. f. Literaturgesch. d. Akad. d. Wiss. d. DDR. [T. 2. Cf. Bibl. 82, n° 5242.] T. 4: JENSEN (Inge). Die Einzeldrucke. Berlin, Akad.-Verl., 84, in-8, 825 p.

5262. BEJCZY (Gunila de). Kriget och poeterna i 1700-talets Sverige. (War and the poets in 18th-century Sweden.) Scandia, 84, vol. 50, p. 153-170. [Eng. summary, p. 211]

5263. BRADY (Frank). James Boswell: the later years, 1769-1795. London, Heinemann, 84, in-8, 636 p.

5264. DECOTE (Georges). L'itinéraire de Jacques Cazotte (1719-1792). Genève, Droz, 84, in-8, VI-636 p. (Hist. des idées et critique litt., 224)

5265. Diēmero Korae 29 kai 30 Apriliou 1983. Prosengisēs stēn glossikē theōria, tē skepsē kai to ergo tou Korae. (Deux journées Korais 29-30 avril 1983. Approches de la théorie linguistique, de la pensée et de l'oeuvre de Korais.) Athènes, Kentro Neohellēnikōn Ereunōn tou Ethnikou Hidrymatos Ereunōn, 84, in-8, 256 p.

5266. DOWNIE (J.A.). Jonathan Swift, political writer. London, Routledge, 84, in-8, 408 p.

5267. FINLAYSON (Iain). The moth and the candle: the life of James Boswell. London, Constable, 84, in-8, 288 p. (ill.).

5268. HADDAD (Adnan). Fables de La Fontaine d'origine orientale. Paris, CDU-Sedes, 84, in-8, 255 p. (Litt. comparée)

5269. HAMMOND (Brean S.). Pope and Bolingbroke: a study of friendship and influence. Columbia, Univ. of Missouri Press, 84, in-8, 190 p.

5270. HERRERA ZAPIEN (Tarsicio). Buena fe y humanismo en Sor Juana. Diálogos y ensayos. Las obras latinas. Los Sorjuanistas recientes. México, Porrua, 84, in-8, 275 p.

5271. JONGELING (K.). Petrus Werner Neuman, 18e eeuws hebraist. (Neuman, a 18th-century hebraist.) Studia Rosenth., 83, vol. 16, p. 32-40.

5272. LORENTZ (Stanisław), ROTTERMUND (Andrzej). Klasycyzm w Polsce. (Le classicisme en Pologne.) Warszawa, Arkady, 84, in-4, 304 p. (Dzieje Sztuki w Pol.)

5273. MACIĄG (Włodzimierz). Życie Ignacego Krasickiego. Zapisy i domysły. (La vie d'Ignacy Krasicki. Notices et suppositions.) Warszawa, Czytelnik, 84, in-8, 372 p.

5274. MANNINGS (David). Reynolds, Garrick, and the choice of Hercules. Eighteenth-Cent. Stud., 84, vol. 17, n° 3, p. 259-283.

5275. MORVAN (Alain). La tolérance dans le roman anglais de 1726 à 1771. Paris, Didier-Erudition, 84, in-8, 526 p. (Et. anglaises, 88. Publ. de la Sorbonnne-Littérature I, 12)

5276. Nation und Gelehrtenrepublik. Lessing im europ. Zusammenhang. Beitr. z. internat. Tagung d. Lessing Soc. in d. Werner-Reimersstiftung Bad Homburg v. H., 11.-13. Juli 1983. Hrsg. v. Wilfried BARNER u. Albert M. REH. München, Text + Kritik; Detroit, Wayne State U.P., 84, in-8, 363 p.

5277. PAZ (Octavio). Sor Juana Inés de la Cruz o las trampas de la fe. 2a ed. México, Fondo de Cultura económica, 83, in-8, 658 p. (ill.).

5278. POIRIER (Germain). Corneille et la vertu de prudence. Genève, Droz, 84, in-8, 360 p. (2 pl.). (Hist. des idées et critique litt., 223)

5279. TODD (Janet). Dictionary of British and American women writers, 1660-1800. London, Methuen, 84, in-8, 464 p.

d. Romanticismo ed età contemporanea.

* 5280. ARNAUD (Jacqueline), AMACKER (Françoise). Répertoire mondial des travaux universitaires de la littérature maghrébine de langue française. Paris, L'Harmattan, 84, in-8, 78 p. (Centre d'Et. litt. francophones, Univ. Paris XIII, 15)

** 5281. BURNEY (Fanny). Journal and letters. Ed. by Joyce HEMLOW a. others. [Vol. 9, 10. Cf. Bibl. 82, n° 5278.] Vol. 11: Mayfair 1818-1824. Vol. 12: Mayfair 1825-1840. London, Oxford U.P., 84, 2 vol. in-8, 1088 p.

** 5282. BYRON (Lord G. G.). Selected letters and journals. Ed. by Leslie A. MARCHAND. London, Pan Books, 84, in-8, 416 p. (Picador Books)

** 5283. CHEKHOV (Anton). Selected letters. Ed. by Lillian HELLMAN. Tr. from the Russian. London, Pan Books, 84, in-8, 368 p. (Picador Books)

** 5284. COWPER (William). Letters and prose writings. Ed. by James KING a. Charles RYSKAMP. Vol. [3. Cf. Bibl. 82, n° 5282.] 4: Letters, 1792-1799. London, Oxford U.P., 84, in-8, 532 p.

** 5285. DOSTOEVSKY (F.M.). Diary of a writer. Tr. from the Russ. by B. BRASOL. Haslemere, Ianmead, 84, in-8, 1135 p.

** 5286. [ELISABETH, Kaiserin von Österreich.] Kaiserin Elisabeth. Das poetische Tagebuch. Hrsg. v. Brigitte HAMANN. Wien, Verl. d. Österr. Akad. d. Wiss., 84, in-8, 392 p. (Fontes rerum Austriacarum, Abt. 1, 12)

** 5287. FULLER (Margaret). The letters of Margaret Fuller. Vol. [1, 2. Cf. Bibl. 83, n° 5316.] 3: 1842-1844. Ed. by Robert N. HUDSPETH. Ithaca, N.Y., Cornell U.P., 84, in-8, 269 p.

** 5288. HARDY (Thomas). Collected letters. Ed. by Richard Littel PURDY a. Michael MILLGATE. Vol. [3. Cf. Bibl. 82, n° 5286.] 4: 1909-1913. London, Oxford U.P., 84, in-8, 352 p.

** 5289. HEINE (Heinrich). Werke, Briefwechsel, Lebenszeugnisse. Hrsg. v. d. Nationalen Forsch.- u. Gedenkstätten d. Klass. Deutsch. Lit. in Weimar u. d. Centre National de la Recherche Scientifique in Paris. Säkularausgabe. Bd [27. Cf. Bibl. 80, n° 4755.] 20-27: Briefwechsel 1815-1856. Register. Bearb.: Christa STÖKKER. Berlin, Akad.-Verl.; Paris, Ed. du C.N.R.S., 84, in-8, 366 p.

** 5290. LAWRENCE (David Herbert). Letters. Ed. by James T. BOULTON a. Andrew ROBERTSON. Vol. [1, 2. Cf. Bibl. 82, n° 5289.] 3: 1916-1921. London, Cambridge U.P., 84, in-8, 762 p.

** 5291. LYTTELTON (George), HART-DAVIS (Rupert). The Lyttelton Hart-Davis letters: correspondence of George Lyttelton and Rupert Hart-Davis. Vol. [5. Cf. Bibl. 83, p. 5317.] 6: 1961-1962. London, J. Murray, 84, in-8, 208 p. (ill.).

** 5292. MacDIARMID (Hught). Letters. Ed. by Alan BOLD. London, H. Hamilton, 84, in-8, 910 p.

** 5293. MANSFIELD (Katherine). Collected letters. Ed. by Vincent O'SULLIVAN a. Margaret SCOTT. Vol. 1: 1903-1917. London, Oxford U.P., 84, in-8, 400 p.

** 5294. RHYS (Jean). Letters, 1931-1966. Ed. by Francis WYNDHAM a. Diana MELLY. London, Deutsch, 84, in-8, 336 p.

** 5295. RUSKIN (John). My dearest Dora: letters to Dora Livesey, her family and friends from John Ruskin, 1860-1900. Ed. by Olive WILSON. Windermere, O. Wilson, 84, in-8, 130 p. (ill., facs.).

** 5296. SACKVILLE-WEST (Victoria). Letters of Vita Sackville-West to Virginia Woolf. Ed. by Louise DeSALVO a. Mitchell

§ 7. LETTERATURA

A. LEASKA. London, Hutchinson, 84, in-8, 480 p. (ill.).

** 5297. SCHUSTER (Gerhard). Hugo von Hofmannsthal. Briefwechsel mit dem Insel-Verlag 1901-1929. Arch. f. Gesch. d. Buchwesens, 84, Bd 25, Sp. 1-1090.

** 5298. SYNGE (John M.). Collected letters. Ed. by Anne SADDLEMYER. Vol. [1. Cf. Bibl. 83, n° 5326.] 2: 1907-1909. London, Oxford U.P., 84, in-8, 286 p.

** 5299. WOOLF (Virginia). Diary. Ed. by Anne Olivier BELL. Vol. [4. Cf. Bibl. 82, n° 5297.] 5: 1936-1941. London, Hogarth Press, 84, in-8, 416 p.

** 5300. WORDSWORTH (William). Letters. Ed. by Alan G. HILL. New selection. London, Oxford U.P., 84, in-8, 400 p. (Oxford Publ.)

5301. ACKROYD (Peter). T. S. Eliot. London, H. Hamilton, 84, in-8, 400 p.

5302. ALEKSEEV (M.P.). Puškin. Sravnitel'no-ist. issledovanija. (Pushkin. Comparative-historical research.) Leningrad, Nauka, 84, 478 p.

5303. AL-KHOZAI (M.A.). The development of early Arabic drama, 1847-1900. London, Longman, 84, in-8, 260 p.

5304. ANNAN (Lord Noel). Leslie Stephen. London, Weidenfeld a. Nicolson, 84, in-8, 456 p.

5305. BABAEV (E.G.). Iz istorii russkogo romana XIX veka: Puškin, Gercen, Toltsoj. (From the history of the Russian novel of the 19th cent.. Pushkin, Herzen, Tolstoi.) Moskva, Izd-vo MGU, 84, 270 p.

5306. BALD (Suresh Ranjan). Novelists and political consciousness: literary expression of Indian nationalism, 1919-1947. Delhi, Chanakya; London, Books from India, 84, in-8, XVI-176 p.

5307. BETHEA (David M.). 1944-1953: Ivan Bunin and the time of troubles in Russian émigré literature. Slavic R., 84, vol. 43, n° 1, p. 1-16.

5308. BROGAN (Hugh). The life of Arthur Ransome. London, Cape, 84, in-8, 472 p.

5309. BUCI-GLUCKSMANN (Christine). La raison baroque. De Baudelaire à Benjamin. Paris, Galilée, 84, in-8, 247 p. (Débats)

5310. BULL (Angela). Noel Streatfeild, a biography. London, Collins, 84, in-8, 256 p.

5311. Cahier Heine. [2. Cf. Bibl. 82, n° 5318.] 3: Ecriture et contraintes. Rédaction: Michel ESPAGNE, Almuth GRESILLON, Catherine VIOLLET. Paris, Ed. du C.N.R.S., 84, in-8, 144 p.

5312. COLENBRANDER (Joanna). Portrait of Fryn: a biography of R. Tennyson Jesse. London, Deutsch, 84, in-8, 32 p. (ill.).

5313. COPLEY (Stephen). Literature and social order in 18th-century England. London, Croom Helm, 84, in-8, 224 p.

5314. DANILEVSKIJ (R. Ju.). Rossija i Švejcarija: lit. svjazi XVIII-XIX vv. (Russia and Switzerland: literary ties of the 18th - 19th cent.) Leningrad, Nauka, 84, 274 p. (AN SSSR. In-t rus. lit. Puškin. dom)

5315. DEFLAUX (Pierre). Aspects idéologiques du roman américain de la Seconde guerre mondiale. Paris, Didier-Erudition, 84, in-8, 683 p. (Atelier de reproduction des thèses de Lille)

5316. DEJEUX (Jean). Dictionnaire des auteurs maghrébins de langue française. Paris, Karthala, 84, in-8, 400 p.

5317. DROSNEVA (Elka). Bolgarskie sjužety v rannem tvorčestve I. I. Sreznevskogo. (Les sujets bulgares dans les premières oeuvres de I. I. Sreznevskij.) In: Etudes hist. [Cf. n° 689], n° 11, p. 113-128.

5318. DUKORE (Bernard F.). American dramatists, 1918-1945. London, Macmillan, 84, in-8, 208 p. (Modern Dramatists)

5319. DWORSKI (Andrzej). Puszkin w kręgu kultury polskiej. (Pouchkine dans la culture polonaise.) Wrocław, 84, in-8, 300 p. (Acta Univ. Wratislaviensis, 720. Slavica Wratislaviensia, 30

5320. ELBERT (Sarah). A hunger for home: Louisa May Alcott and Little Women. Philadelphia, Pa., Temple U.P., 84, in-8, XIII-278 p.

5321. ENGEL (Elliot), KING (Margaret F.). The Victorian novel before Victoria: British fiction during the reign of William IV. London, Macmillan, 84, in-8, 168 p.

5322. FIRCHOW (Peter E.). The death of the German cousin: the great war and changes in British literary views of Germany. South Atlantic Quar., 84, vol. 83, n° 2, p. 193-215.

5323. FITCH (Noel Riley). Sylvia Beach and the lost generation: a history of literary Paris in the 20's and 30's. London, Souvenir Press, 84, in-8, 448 p.

5324. FRANK (Joseph). Dostoevsky. Vol. [1. Cf. Bibl. 76-77, n° 5885.] 2: The years of ordeal, 1850-1859. London, Robson, 84, in-4, 346 p. (ill.).

5325. GAUTHIER (Henri). L'image de l'homme intérieur chez Balzac. Préf. de P.-G. CASTEX. Genève, Droz, 84, in-8, 352 p. (Hist. des idées et critique litt., 217)

5326. GIEBELS (L.A.M.). Jacob Israel de Haan in Palestina. [Cf. Bibl. 80, n° 4788]. Studia Rosenth., 81, vol. 14, p. 111-142; 82, vol. 15, p. 88-233. [Eng. summary]

5327. GISH (Nancy K.). Hugh MacDiarmid, the man and his work. London, Macmillan, 84, in-8, 248 p.

5328. GORDON (Lyndall). Virginia Woolf, a writer's life. London, Oxford U.P., 84, in-8, 350 p. (ill.).

5329. GOUNELAS (Charalampos-Dēmētrēs). Sosialistikē syneidēsē stēn Hellēnikē logotechnia 1897-1912. (Conscience socialiste dans la littérature hellénique 1897-1912.) Athènes, Kedros, 84, in-8, 335 p.

5330. GROSSIR (Claudine). L'Islam des romantiques, 1811-1840. Paris, Maisonneuve et Larose, 84, in-8, 176 p. (Islam et Occident, 3)

5331. HETZER (Armin). die "Erveheja" von Muhamet Kyçyku (Cami). Eine Untersuchung z. alban. Literatur in arab. Schrift u. deren Bedeutung im Rahmen d. Nationalbewegung d. 19. Jh. Südost-Forsch., 84, Bd 43, p. 181-239.

5332. HEYDEBRAND (Renate). Literatur in der Provinz Westfalen, 1815-1945. Ein literaturhist. Modellentwurf. Münster, Regensberg, 83, in-8, XI-335 p. (Veröff. d. Hist. Komm. f. Westfalen, 22. Geschichtl. Arbeiten z. westfäl. Landesforschung, B: Geistesgeschichtl. Gruppe, 2)

5333. HOWARTH (William). Book of concord: Thoreau's life as a writer. Harmondsworth, Penguin, 84, in-8, XII-260 p.

5334. HUANNOU (Adrien). La littérature béninoise de langue française, des origines à nos jours. Paris, Karthala, 84, in-8, 336 p. (pl.).

5335. HYDE (Harford Montgomery). Lord Alfred Douglas. London, Methuen, 84, in-8, 256 p.

5336. Istorija russkoj sovetskoj poèzii: 1941-1980. (History of Russian soviet poetry, 1941-1980.) Otv. red. V. V. BUZNIK. Leningrad, Nauka, 84, 399 p.

5337. KOLEVSKI (Vasil). Literatura na svobodata. Problemi na socialističeskija realizăm v bălgarskata literatura sled 9 septemvri 1944. (La littérature de la liberté. Problèmes du réalisme socialiste dans la littérature bulgare après le 9 sept. 1944.) Sofija, Nauka i Izkustvo, 83, in-8, 356 p.

5338. KONOMOS (Dinos). Ho Geōrgios Tertsetēs kai ta euriskomena erga tou. (Geōrgios Tertsetēs et ses oeuvres retrouvées.) Athènes, Bibliothēkē tēs Boulēs tōn Hellēnōn, 84, in-4, 918 p.

5339. KOSSOFF (Philip). Valiant heart: the biography of Heinrich Heine. London, Dent, 84, in-8, 350 p.

5340. KRAKOVITCH (Odile). Les Romantiques et la censure au théâtre. R. Hist. Théâtre, 84, a. 36, n° 1, p. 56-68.

5341. LAGERCRANTZ (Olaf) August Strindberg. Tr. from the Swedish by A. HOLLO. London, Faber, 84, in-8, 399 p. (ill.).

5342. LANE (Maggie). Jane Austen's family. London, Hale, 84, in-8, 240 p. (ill.).

5343. LEBENSAFT (Elisabeth). Die Eskapade in die Wissenschaft. Materialien zum Geschichtsstudium Heimito von Doderer. Mitt. d. Inst. f. österr. Gesch.-Forsch., 84, Bd 92, p. 407-440.

5344. LEKOV (Dočo). Literatura. Obštestvo. Kultura. Literaturno-sociologičeski i literaturno-istoričeski problemi na Bălgarskoto văzraždane. (Littérature. Société. Culture. Problèmes socio- et historico-littéraires de la Renaissance bulgare.) Sofija, Nauka i Izkustvo, 82, in-8, 367 p. - IDEM. Za literaturnite pokolenija prez Văzraždaneto. (Sur les générations littéraires au cours de la Renaissance [bulgare]. Lit. Misăl, 82, n° 1, p. 30-55.

5345. McALEER (John). Ralph Waldo Emerson: days of encounter. Boston, Mass., Little, Brown, 84, in-8, XIX-748 p.

5346. MELLOW (James R.). Nathaniel Hawthorne in his times. London, Houghton Mifflin, 84, in-8, 684 p.

5347. MIĄZEK (Bonifacy). Polnische Literatur 1863-1914. Darstellung u. Analyse. Wien, Leber, 84, in-8, 347 p. (Edition Slavica)

5348. MIGLIACCIO (Giulia Papoff). Histoire et témoignage dans l'oeuvre d'André Chamson. A. Istit. univ. orient. Napoli, 84, t. 26, n° 1, p. 59-90.

5349. NAJDER (Zdzislaw). Joseph Conrad, a chronicle. London, Cambridge U.P., 84, in-4, 647 p.

5350. PAGE (Norman). Jenry James: interviews and recollections. London, Macmillan, 84, in-8, 180 p.

5351. PARNELL (N.). Eric Linklater, a critical biography. London, J. Murray, 84, in-8, 384 p.

5352. PATAI (Daphne). The Orwell mystique: a study in male ideology. Amherst, Univ. of Massachusetts Press, 84, in-8, X-334 p.

5353. PIEPER (Annemarie). Albert Camus. München, Beck, 84, in-8, 231 p. (4 Abb.). (Große Denker - Leben, Werk, Wirkung)

5354. PIKOULIS (John). Alun Lewis, a life. Bridgend, Poetry Wales Press, 84, in-8, 320 p. (ill., maps).

5355. Praktika Synedriou "Koraēs kai Chios", Chios, 11-15 Maiou 1983. (Actes du Congrès "Korais et Chios", Chio, 11-15 mai 1983.) Vol. 1. Athènes, Homēreion Pneumatikon Kentron, 84, in-8, 390 p. [Cf. n°s 4997, 5043]

5356. PREBELAKIS (Pandelis). Angelos Sikelianos. Tria kephalaia biographika kai henas prologos. (Angelos Sikelianos. Trois chapitres biographiques et une préface.) Athènes, Morphōtiko Hidryma Ethnikēs Trapezēs Hellados, 84, in-8, 240 p.

5357. PRITACHARD (William H.). Deeper into life: Roberto Frost's last years. Am. Scholar, 84, vol. 53, n° 4, p. 522-532.

5358. Russkaja literatura i žurnalistika načala XX veka, 1905-1917: Bol'ševistskie i obščedemokr. izdanija. (Russian literature and journalism in the beginning of the 20th century, 1905-1917: Bolshevist and general democratic publications.) Otv. red. B. A. BJALIK. Moskva, Nauka, 84, 352 p. (AN SSSR. In-t mirovoj lit. im. A. M. Gor'kogo)

5359. Russkaja literatura i žurnalistika načala XX veka, 1905-1917: Buržuazno-liber. i modernist. izd. (Russian literature and journalism in the beginning of the 20th century, 1905-1917: Bourgeois-liberal and modernist publications.) Otv. red. B. A. BJALIK. Moskva, Nauka, 84, 367 p. (AN SSSR. In-t mirovoj lit. im. A. M. Gor'kogo)

5360. SAMSON (John). The dynamics of history and fiction in Melville's Typee. Am. Quar., 84, vol. 36, n° 2, p. 276-290.

5361. SMITH (Olivia). The politics of language, 1791-1819. London, Oxford U.P., 84, in-4, 284 p.

5362. Stendhal. L'écrivain, la société, le pouvoir. Colloque du bicentenaire (Grenoble, 24-27 janv. 1983). Textes rec. et prés. par Philippe BERTHIER. Grenoble, Presses univ. Grenoble, 84, in-8, 368 p.

5363. ŠTĚPÁNEK (Vladimír). Karel Hynek Mácha. Praha, Melantrich, 84, in-8, 377 p. (34 fig.). (Odkazy pokrokových osobností naší minulosti, 73)

5364. SWINDEU (Petrick). The English novel of history and society, 1940-1980. London, Macmillan, 84, in-8, 272 p.

5365. THWAITE (Ann). Edmund Gosse. London, Secker a. Warburg, 84, in-8, 656 p. (ill.).

5366. TRÄGER (Claus). Geschichte und Romantik. Berlin, Akad.-Verl., 84, in-8, 106 p. (Zur Kritik d. bürgerl. Ideologie, 103)

5367. ȚUGUI (Grigore). Ion Heliade Rădulescu, îndrumătorul cultural și scriitorul. (I. H. Rădulescu, le guide culturel et l'écrivain.) București, Minerva, 84, in-8, 310 p.

5368. VAN DEN BURG (F.). De Vrije Katheder. Een platform van communisten en niet-communisten, 1945-1950. (De Vrije Katheder. A platform of communists and non-communists, 1945-1950.) Amsterdam, Van Gennep, 83, in-8, 378 p.

5369. VEČEV (Dimităr). Pisarev i obščestvennij progress. (Pisarev et le progrès social.) In: Etudes hist. [Cf. n° 689], n° 11, p. 87-112.

5370. WEST (Anthony). H. G. Wells, aspects of a life. London, Hutchinson, 84, in-8, 417 p.

5371. WEST (F.R.). Gilbert Murray, a life. London, Croom Helm, 84, in-8, 272 p.

5372. WILSON (A.N.). Hilaire Belloc. London, H. Hamilton, 84, in-8, 288 p.

5373. ZAMMITO (John H.). The great debate: "Bolshevism" and the literary left in Germany, 1917-1930. New York, Peter Lang, 84, in-8, 208 p. (Am. Univ. Stud., ser. 9: Hist., 4)

5374. Zeit der Moderne. Zur deutschen Literatur v. d. Jahrhundertwende bis z. Gegenwart. Bernhard Zeller z. 65. Geburtstag. Hrsg. v. Hans-Henrik KRUMMACHER, et al. Stuttgart, Kröner, 84, in-8, XV-540 p.

§ 8. Arti ed arti applicate.

a. Opere generali.

* 5375. SATCO (Emil). Arta în Bucovina. Ghid bibliografic. (L'art en Bucovine. Guide bibliographique.) Vol. 1. Suceava, Comitetul județean de cultură și educație socialistă, 84, in-8, 304 p.

5376. ANGERER (Birgit). Die Münchner Kunstakademie zwischen Aufklärung und Romantik. Ein Beitr. z. Kunsttheorie u. Kunstpolitik unter Max I. Joseph. München, Uni-Druck, 84, in-8, 154 p. (XXXII p. Ill.). (Miscellanea Bavarica Monacensia, 123)

5377. BRÜNING (H. Joachim). Zur Kunst- und Baugeschichte der Abtei Corvey in der Barockzeit. Westfalen, 84, Bd 62, p. 129-152.

5378. FARR (Dennis). English art, 1870-1940. Rev. ed. of "Oxford History of English Art". Vol. 11. London, Oxford U.P., 84, in-4, 526 p. (ill.).

5379. FERNANDEZ (Dominique). Le banquet des anges. L'Europe baroque de Rome à Prague. Paris, Plon, 84, in-8, 386 p.

5380. Geschichte der deutschen Kunst, 1470-1550. (1:) Architektur und Plastik. Leipzig, E. A. Seemann, 84, in-8, 444 p. (Abb.).

5381. GRADOWSKA (Anna). Sztuka młodej Polski. (L'art de la Jeune Pologne.) Warszawa, Wydawn. Artyst. i Filmowe, 84, in-8, 199 p. (VIII p. ill.). (Sztuka Pol.)

5382. KOOLHAAS-GROSFELD (E.). Nationale versus goede smaak. Bevordering van nationale kunst in Nederland, 1780-1840. (Promotion of "national" art in the Netherlands.) In: Natievorming van België en Nederland ... [Cf. n° 3144], p. 605-636.

5383. KRUSZELNICKI (Zygmunt). Historyzm i kult przeszłości w sztuce pomorskiej XVI-XVIII w. (Historisme et culte du passé dans l'art poméranien, XVIe-XVIIIe s.) Warszawa, Państw. Wydawn. Nauk., 84, in-8, 198 p. (Tow. Nauk. w Toruniu, Prace Wydz. Filol.-Filoz., t. 29, z. 3)

5384. Lyon et l'Italie. Six études d'histoire de l'art. Etudes réunies par Gilles CHOMER et Marie-Félicie PEREZ, sous la dir. de Daniel TERNOIS. Paris, Ed. du C.N.R.S., 84, in-4, 248 p. (41 phot., 36 pl., 2 cartes).

5385. Ot Srednevekov'ja k Novomy vremeni: Materialy i issledovanija po rus. iskusstvu XVIII - pervoj poloviny XIX v. (From Middle Ages to Modern times: Materials and research on Russian art of the 18th - first half of the 19th cent.) Pod red. T. V. ALKSEEVOJ. Moskva, Nauka, 84, 239 p. (ill.). (AN SSSR. VNII istkusstvoznanija M-va kul'tury SSSR)

5386. PARRIS (Leslie). Pre-Raphaelite papers. London, A. Lane, 84, in-4, 256 p. (ill.).

5387. SCHWEIGER (Werner J.). Wiener Werkstätte: design in Vienna, 1903-1932. London, Thames a. Hudson, 84, in-4, 272 p. (ill., pl.).

5388. SECREST (Meryle). Kenneth Clark. London, Weidenfeld a. Nicolson, 84, in-8, 352 p. (ill.).

5389. STERNIN (G. Ju.). Russkaja khudožestvennaja kul'tura vtoroj poloviny XIX - načala XX veka. (Russian art culture of the second half of the 19th - beginning of the 20th cent.) Moskva, Sov. khudožnik, 84, 295 p. (ill.). (B-ka iskusstvoznanija)

5390. STRONG (Roy C.). British art and design, 1900-1960. London, Victoria a. Albert Museum, 84, in-4, 222 p. (ill., pl.).

Cf. n° 4675.

b. Architettura.

** 5391. Iz istorii sovetskoj arkhitektury. 1926-1932 gg. (From the history of soviet architecture, 1926-1932.) Dokumenty i materialy. Otv. red. K. N. AFANAS'EV. Moskva, Nauka, 84, 139 p. (ill.).

** 5392. LUTYENS (Sir Edwin). Letters. Ed. by Clare PERCY a. Jane RIDLEY. London, Collins, 84, in-8, 352 p. (ill.).

5393. ADAMS (Nicholas). The United States Housing Corporation's munitions worker suburb in Bethlehem, Pennsylvania, and its architectural context. Pennsylvania Mag. Hist., 84, vol. 108, n° 1, p. 59-86.

5394. AXEL-NILSSON (Göran). Makalös: fältherren greve Jakob De la Gardies hus i Stockholm. (Makalös: le palais du comte Jacob De la Gardie [1583-1652] à Stockholm.) Stockholm, LiberFörlag, 84, in-4, 323 p. (ill.). (Monogr. utg. av Stockholms kommun, 51) [Rés. franç.]

5395. BARTENEV (I.A.), BATAŽKOVA (V. N.). Russkij inter'er XIX veka. (The Russian interior of the 19th century.) Leningrad, Khudožnik RSFSR, 84, 228 p. (ill.).

5396. BINNEY (Marcus). Sir Robert Taylor: from rococo to neo-classicism. London, Allen a. Unwin, 84, in-8, 152 p. (ill.).

5397. BROWARD (Robert C.). The architecture of Henry John Klutho: the Prairie School in Jacksonville. Jacksonville, Univ. of North Florida Press, 84, XVIII-361 p.

5398. CURL (Donald W.). Mizner's Florida: American resort architecture. Cambridge, Mass., MIT Press, 84, XII-250 p.

5399. DAVIES (Philip). Splendours of the Raj: British architecture in India, 1750-1947. London, J. Murray, 84, in-4, 256 p. (ill.).

5400. ETLIN (Richard A.). The architecture of death: the transformation of the cemetery in eighteenth-century Paris. Cambridge, Mass., MIT Press, 84, XIV-441 p.

5401. GARSTANG (Donald), HARRIS (John). Giacomo Serpotta and the Stuccatori of Palermo, 1560-1790. London, Zwemmer, 84, in-4, 304 p. (ill.). (Stud. in Architecture)

5402. HAUPT (Herbert). Das unausgeführte Projekt eines kaiserlichen Hofstallgebäudes aus dem Jahre 1659. Wien. Gesch.-Bl., 84, Bd 39, p. 149-158.

5403. HAYDEN (Dolores). Redesigning the American dream: the future of housing, work, and family life. New York, W. W. Norton, 84, X-270 p.

5404. JULLIAN (René). Histoire de l'architecture moderne en France, de 1889 à nos jours. Paris, Ph. Sers, 84, in-8, 328 p. (300 ill.). [Avec index des architectes, index des bâtiments par lieux, Paris et province]

5405. KOTZUR (Hans-Jürgen). Die Nürnberger Burg als bayerisches Königsschloß. Ein Beitr. z. Gesch. d. Bauwerks im 19. Jh. Mitt. d. Ver. f. Gesch. Nürnberg, 84, Bd 71, p. 242-254.

5406. LILEYKO (Jerzy). Zamek Warszawski rezydencja królewska i siedziba władz Rzeczypospolitej 1569-1763. (Le château de Varsovie, résidence royale et siège des autorités de la République 1569-1763.) Wrocław, Zakł. Narod. im. Ossolińskich, 84, in-8, 364 p. (Pol. Akad. Nauk, Inst. Sztuki - Studia z Hist. Sztuki, 35)

5407. MEISCHKE (R.). De modernisering van de twee grote zalen van het Huis Honselaarsdijk in 1637 door Jacob van Campen. (The modernization of the two large salons at Honselaarsdijk by Jacob van Campen in 1637.) Nederlands kunsthist. Jb., 82 [84], vol. 33, p. 191-206 (2 fig.). [Eng. summary]

5408. MOY (Johannes Graf von). König Ludwig III. von Bayern und Schloß Anif. Mitt. d. Ges. f. salzburg. Landeskde, 84, Bd 124, p. 467-475.

5409. PEROUSE DE MONTCLOS (Jean-Marc). Les prix de Rome. Concours de l'Académie d'Architecture au XVIIIe siècle. Paris, Berger-Levrault, 84, in-4, 260 p. (ill.).

5410. PHILIPPIDĒS (Dēmētrēs). Neohellēnikē architektonikē. (Architecture néo-hellénique.) Athènes, Melissa, 84, in-8, 465 p.

5411. PIRCHER (Wolfgang). Verwüstung

§ 8. ARTI ED ARTI APPLICATE

und Verschwendung. Adeliges Bauen nach der Zweiten Türkenbelagerung [Wiens, 1683]. Wien, Deuticke, 84, in-8, 104 p. (Forschungen u. Beitr. z. Wiener Stadtgesch., 14)

5412. ROBINSON (John Martin). Georgian model farms, a study of decorative and model farm buildings in the age of improvement, 1700-1846. London, Oxford U.P., 84, in-8, 206 p. (ill.).

5413. SCHÄFFER (Roland). Festungsbau an der Türkengrenze. Die Pfandschaft Rann im 16. Jahrhundert. Z. d. hist. Ver. f. Steiermark, 84, Bd 75, p. 35-59.

5414. SINCLAIR (Fiona). Scotstyle: an examination of the best Scottish architecture, 1834-1894. London, Architect. Press, 84, in-4 128 p. (ill.). (Roy. Incorp. of Architects in Scotland)

5415. STROUD (Dorothy). Sir John Soane, architect. London, Faber, 84, in-4, 300 p. (ill.).

5416. TERWEN (J.J.). Mag de bouwkunst van het Hollands classicisme "palladiaans" genoemd worden? (Can Dutch classicist architecture be called Palladian?) Nederlands kunsthist. Jb., 82 [84], vol. 33, p. 169-189 (24 fig.). [Eng. summary]

Cf. n° 917.

c. Scultura. Pittura.
Stampa e disegni.

** 5417. KONENKOV (S. T.). Vospominanija. Stat'i. Pis'ma. (Memoirs. Articles. Letters.) V 2-kh kn. Kn. 1: Moj vek. (My century.) Sost. i avt. komment. Ju. A. BYČKOV. Moskva, Izobrazit. iskusstvo, 84, 278 p. (ill.).

** 5418. PRADIER (James). Correspondence. T. 1: 1790-1833. T. 2: 1834-1842. Textes réunis, classés et annotés par Douglas SILER. Notice de Jacques de CASO. Genève, Droz, 84, 2 vol. in-8, XXXII-384, XII-349 p. (15 pl.). (Hist. des idées et critique litt., 221, 225)

5419. BEDAUX (J.B.). Beelden van "leersucht" en tucht. Opvoedingsmetaforen in de Nederlandse schilderkunst van de zeventiende eeuw. (Images of "willingness to learn" and discipline. Metaphors for education in Dutch 17th-century painting.) Nederlands kunsthist. Jb., 82 [84], vol. 33, p. 49-74 (29 fig.). [Eng. summary]

5420. BOGEMSKAJA (K.G.). Klod Mone. (Claude Monet.) Moskva, Iskusstvo, 84, 143 p. (ill.).

5421. BOSCHLOO (A.W.A.). Giampietro Zanotti en de Academia Clementina in Bologne. Nederlands konsthist. Jb., 82 [84], vol. 33, p. 119-167 (15 fig.). [Eng. summary]

5422. BRJUSOVA (V.G.). Russkaja živopis' 17 veka. (Russian painting of the 17th century.) Moskva, Iskusstvo, 84, 338 p. (ill.).

5423. BROWN (Christopher). Scenes of everyday life: Dutch genre painting of the 17th century. London, Faber, 84, in-4, 240 p. (ill., pl.).

5424. BULUŢĂ (Gheorghe), CRAIA (Sultana). Manuscrise miniate şi ornate din epoca lui Matei Basarab. (Manuscrits miniés et ornés de l'époque de Matei Basarab [prince de Valachie, 1632-1654].) Bucureşti, Meridiane, 84, 122 p.

5425. CAMPBELL (Julian). Irish Impressionists: Irish artists in France and Belgium, 1850-1914. Gerrards Cross, C. Smythe, 84, in-4, 280 p. (ill., pl.).

5426. CATHCART (L.L.). American still life, 1945-1983. London, Harper a. Row, 84, in-4, 144 p. (ill., pl.).

5427. CHRZANOWSKI (Tadeusz). Działalność artystyczna Tomasza Tretera. (L'activité artistique de Tomasz Treter.) Warszawa, Państw. Wydawn. Nauk., 84, in-8, 255 p.

5428. COOK (A.). Change of signification in Bosch's Garden of earthly delights. Oud-Holland, 84, vol. 98, p. 76-97 (5 fig.).

5429. ČUGUNOV (G.I.). Mstislav Valerianovič Dobužinskij. (Mstislav Valerianovich Dobuzhinsky.) Monogr. Leningrad, Khudožnik RSFSR, 84, 299 p. (ill.).

5430. EGERTON (Judy). George Stubbs, 1724-1806. London, Tate Gallery, 84, in-4, 248 p. (ill., pl.).

5431. EGGUM (Arne). Edvard Munch: paintings, sketches and studies. London, Thames a. Hudson, 84, in-4, 306 p. (ill., pl.).

5432. FLINT (Kate). The Impressionists in England. London, Routledge, 84, in-8, 408 p. (ill.);

5433. HAAK (Bob). Hollandse schilders in de Gouden Eeuw. (Dutch painters in the Golden Age.) Amsterdam, Meulenhoff, 84, in-4, 536 p. (ill., pl.). - In Eng.: The Golden Age: Dutch painters of the 17th century. London, Thames a. Hudson, 84, in-4, 544 p. (ill., pl.).

5434. HARBISON (C.). Lucas van Leyden, the Magdalen and the problem of secularization in early sixteenth-century northern art. Oud-Holland, 84, vol. 98, p. 117-129 (11 fig.).

5435. HELLER (Rainhold). Munch, his life and work. London, J. Murray, 84, in-4, 240 p. (ill., pl.).

5436. HOUFE (Simon). John Leach and the Victorian scene. London, Antique Collector's Club, 84, in-4, 264 p. (ill., pl.).

5437. KLERK (A. de). De Teecken-Const, een 17de eeuws Nederlands traktaatje. (The Teecken-Const, a 17th-century Dutch treatise.) Oud-Holland, 82, vol. 96, p. 16-60 (12 pl.). [Eng. summary]

5438. KOZAKIEWICZOWA (Helena). Rzeźba XVI wieku w Polsce. (La sculpture du XVIe siècle en Pologne.) Warszawa, Państw. Wydawn. Nauk., 84, in-8, 191 p.

5439. LAANSTRA (W.), BRUIJN (H. C. de), RINGELING (J.H.A.). Cornelis Springer (1817-1891). (Springer, a Dutch painter.) Utrecht, Tableau, 84, in-4, 223 p. (ill.).

5440. LANE (John R.), LARSEN (Susan C.). Abstract painting and sculpture in America, 1927-1944. London, Abrams, 84, in-4, 256 p. (ill., pl.).

5441. MAAS (Jeremy). Holman Hunt and the Light of the World. Menston, Scolar Press, 84, in-8, 256 p. (ill.).

5442. MURRAY (Linda). Michelangelo, his life, work and times. London, Thames a. Hudson, 84, in-4, 240 p. (ill., pl.).

5443. MYKONIATĒS (Helias). Ho glyptēs Iōannēs Kossos 1822-1873. (Le sculpteur Jean Cossos 1822-1873.) Epistēmonikē Epetēris tēs philos. Scholēs, 84, t. 22, p. 377-458 (57 pl.).

5444. PETINOVA (E.F.). Petr Vasil'evič Basin. (Peter Vasilievich Basin.) Leningrad, Khudožnik RSFSR, 84, 272 p. (ill.).

5445. ROSENBLUM (Robert). Art of the 19th century: painting and sculpture. London, Thames a. Hudson, 84, in-4, 528 p. (ill., pl.).

5446. PRELINGER (Elizabeth). Edvard Munch, master printmaker. London, W. W. Norton, 84, in-8, 176 p. (ill.).

5447. ROSS (Stephanie). Painting the passions: Charles LeBrun's Conference sur l'Expression. J. Hist. Ideas, 84, vol. 45, n° 1, p. 25-48.

5448. SCHAPELHOUMAN (M.). Een album met tekeningen, vervaardigd door Mattheus Terwesten te Rome in 1697. (An album of drawings made by Terwesten in Rome in 1697.) Nederlands kunsthist. Jb., 82 [84], vol. 33, p. 21-48 (14 fig.). [Eng. summary]

5449. SCHLOSS (Chr.). The early Italianate genre paintings by Jan Weenix (ca. 1642-1719). Oud-Holland, 83, vol. 97, p. 69-97 (31 fig.).

5450. Sovetskaja živopis'. (The soviet painting.) Vyp. 6. Sost. O. R. NIKULINA. Moskva, Sov. Khudožnik, 84, 336 p. (ill.).

5451. ŠUMOVA (M.N.). Russkaja živopis' serediny XIX veka. (Russian painting of the mid-19th century.). Moskva, Iskusstvo, 84, 239 p. (ill.).

5452. SVETLOV (I.E.) O sovetskoj skul'pture. 1960-1980. (On soviet sculpture, 1960-1980.) Očerki. Moskva, Sov. Khudožnik, 84, 247 p. (ill.). (Iskusstvo: probl., istorija, praktika)

5453. TESTA (J.). The Beatty Rosarium reconstructed: a manuscript with exised miniaturs by Simon Bening. Oud-Holland, 84, vol. 98, p. 189-236 (51 fig.).

5454. TŁOCZEK (Ignacy). Polskie snycerstwo. (La sculpture polonaise.) Wrocław, Zakł. Narod. im. Ossolińskich, 84, in-8, 134 p. (Pol. Rzemiosło i Pol. Przemysł.)

5455. VAN HELSDINGEREN (H.W.). Michel Anguier's voordracht over de Hercules Farnese, Parijs 1669. (Anguier's lecture on the Farnese Hercules, Paris, 1669.) Nederlands kunsthist. Jb., 82, [84], vol. 33, p. 75-118 (5 fig.). [Eng. summary]

5456. VAN THIEL (P.J.J.) Werner Jacobsz. van den Valckert [ca. 1580 - ca. 1627]. Oud-Holland, 83, vol. 97, p. 128-195 (47 fig.) [Eng. summary]

5457. VRIES (L. de). Groepen en stromingen in de Hollandse historieschilderkunst. (Groups and movements in Dutch history painting.) Nederlands kunsthist. Jb., 82 [84], vol. 33, p. 1-19 (14 fig.). [Eng. summary]

5458. WAKEFIELD (David). French 18th-century painting. London, Gordon Fraser, 84, in-4, 208 p. (ill., pl.).

5459. WENTWORTH (Michael). James Tissot. London, Oxford U.P., 84, in-4, 350 p. (ill., pl.).

5460. WHITE (Barbara Ehrlich). Renoir, his life, art and letters. London, Abrams, 84, in-4, 316 p. (ill., pl.).

Cf. n° 3966.

d. Arti applicate ed popolari.

5461. CARDINAL (Catherine). Catalogue des montres du Musée du Louvre [à Paris]. 1: La collection Olivier. Paris, Ed. des Musées nationaux, 84, in-4, 260 p. (ill.).

5462. LAMBERT (Susan). Pattern and design: design for the decorative arts, 1480-1980. London, Victoria a. Albert Museum, 84, in-4, 196 p. (ill., pl.).

5463. LEWIS (John), LEWIS (Griselda). Pratt ware: English and Scottish relief decorated and underglaze coloured earthenware, 1780-1840. London, Antique Collectors' Club, 84, in-4, 304 p. (ill., pl.).

5464. LISTER (Raymond). Prints and printmaking: dictionary and handbook of the art in 19th-century Britain. London, Methuen, 84, in-8, 272 p. (ill.).

5465. MABILLE (Gérard). L'orfèvrerie française des XVIe, XVIIe et XVIIIe siècles. Paris, Flammarion/Musée des arts décoratifs, 84, in-4, 240 p. (ill.).

5466. MILBOURN (M.), MIBOURN (E.). Understanding miniature British pottery and porcelain, 1730 - present day. London, Antique Collectors' Club, 84, in-8, 184 p. (ill., pl.).

5467. SAMEK (Jan). Polskie rzemiosło artystyczne. Czasy nowożytne. (L'artisanat d'art polonais. Temps modernes.) Warszawa, Wydawn. Artyst. i Filmowe, 84, in-8, 465 p.

5468. Sovetskoe dekorativnoe iskusstvo, 1917-1945. Očerki istorii. (Soviet decorative art, 1917-1945. Essays on its history.) Otv. red. V. P. TOLSTOJ. Moskva, Iskusstvo, 84, 256 p. (ill.).

4569. THORNTON (Peter). Authentic decor: the domestic interior, 1620-1920. London, Weidenfeld a. Nicolson, 84, in-4, 408 p. (ill., pl.).

5470. WARD-JACKSON (Peter). English furniture designs of the 18th century. London Zwemmer, 84, in-4, 336 p. (ill.). (Victoria a. Albert Mus., London)

Cf. n° 5740.

§ 9. Musica, teatro e cinema.

* 5471. Bach-Schrifttum (Das). [1973-1977. Cf. Bibl. 81, n° 4927.] 1978-1980. Zusammengest. v. Rosemarie NESTLE. Bach-Jb., 84, Jg. 70, p. 131-173.

** 5472. Carmina scholastica Amstelodamensia. A selection of sixteenth-century school songs from Amsterdam. Ed. by Chr. L. HEESAKKERS a. W. G. KAMERBEEK. Leiden, Brill, 84, in-8, XXIX-137 p. (Textus minores, 55)

** 5473. Franz Liszt. Unbekannte Presse und Briefe aus Wien 1822-1886. Hrsg. v. Dezsö LEGÁNY. Wien, Köln u. Graz, Böhlau, 84, in-8, 265 p. (29 Abb., Notenbeispiele). (Wiener musikwiss. Beitr., 13)

** 5474. GOBBI (Tito). Tito Gobbi on his world in Italian opera. London, H. Hamilton, 84, in-8, 320 p. (ill.).

** 5475. MUSORGSKIJ (M.P.). Pis'ma. (Letters.) Moskva, Muzyka, 84, 446 p.

** 5476. STRAVINSKY (Igor Fedorovitch). Selected correspodence. Ed. by Robert CRAFT. Vol. [1. Cf. Bibl. 82, n° 5513.] 2. London Faber, 84, in-8, 544 p.

5477. ABEL (Richard). French cinema: the first wave, 1915-1929. Princeton, N.J., Princeton U.P., 84, XXI-672 p.

5478. AMARANTIDĒS (Amarantos) Ho Beethoven mesa apo tēn allēlographia tou. (Beethoven à travers sa correspondance.) Athènes, Nephelē, 84, in-8, 278 p.

5479. Archaio (To) theatro sēmera. (Le théâtre antique aujourd'hui.) Congrès Internat. de Delphes, 18-22 août 1981. Athènes, Eurōpaïko Polit. Kentro Delphon, 84, in-8, 256 p.

5480. Arts du spectacle et histoire des idées: recueil offert en hommage à Jean Jacquot. Avant-propos de Jean-Michel VACCARO. Tours, Soc. des amis du Centre d'études supér. de la Renaissance, 84, in-8, 325 p.

5481. Beethoven (Zu). Aufsätze u. Dokumente. Hrsg. v. Harry GOLDSCHMIDT. [1. Cf. Bibl. 78-79, n° 5623.] 2. Berlin, Verl. Neue Musik, 84, in-8, 205 p. (Taf.).

5482. BRAGO (Michael). Goldoni, Haydn, and Il mondo della luna. Eighteenth-Cent. Stud., 84, vol. 17, n° 3, p. 308-332.

5483. BRONFIN (E.A.) Muzykal'naja kul'-tura Petrograda pervogo poslerevoljucionnogo pjatiletija. 1917-1922. Issledovanie. (Petrograd's musical culture of the first five post-revolutionary years. 1917-1922. Researches.) Leningrad, Sov. Kompozitor, 84, 216 p. (ill.).

5484. BURBANK (Richard). Twentieth century music. London, Thames a. Hudson, 84, in-4, 512 p. (ill.).

5485. BUTLER (Martin). The theatre and crisis, 1632-1642. London, Cambridge U.P., 84, in-8, 340 p. (ill., tab.).

5486. BYCKLING (Liisa). The Russian theatre in Helsinki. Narinkka, 84, p. 90-110.

5487. CANDÉ (Roland de). Jean-Sebastien Bach. Paris, Ed. du Seuil, 84, in-8, 496 p. (ill.).

5488. DALHAUS (Carl), DEATHRIDGE (John). Wagner. London, Macmillan, 84, in-4, 256 p. (New Grove Composer Biogr.)

5489. DESSEN (Alan C.). Elizabethan stage conventions and modern interpreters. London, Cambridge U.P., 84, in-8, 190 p.

5490. DRAGOUMIS (M. Ph.). To islamiko stoicheio stēn mousikē mas paradosē. (L'élément islamique dans notre tradition musicale.) In: Amētos [Cf. n° 481], p. 310-316.

5491. DUPECHEZ (Charles). Histoire de l'Opéra de Paris. Un siècle au palais Garnier, 1875-1980. Préf. de Pierre-Jean REMY. Paris, Libr. acad. Perrin, 84, in-8, 443 p. (ill.).

5492. FLEURIOT (François). Le hautbois dans la musique française, 1650-1800. Paris, Picard, 84, in-8, 208 p. (24 pl.). (La vie musicale en France sous les rois Bourbons, sér. Etudes)

5493. FONTEYN (Dame Margot). Pavlova. London, Weidenfeld a. Nicolson, 84, in-4, 160 p. (ill.).

5494. FRIEDMAN (Saul S.). The Oberammergau Passion play: a lance against civilization. Foreword by Emil FACKENHEIM. Carbondale, Southern Illinois U.P., 84, in-8, XXVII-270 p.

5495. GANDINO (Germana). Nouvelle histoire e cinema, modalità di un incontro. B. stor. bibliogr. subalpino, 84, a. 82, p. 479-510.

5496. GARÇON (François). De Blum à Pétain: cinéma et société française, 1936-1944. Paris, Ed. du Cerf, 84, in-8, 208 p. (Septième art, 70)

5497. GLATZ (Ferenc). Zene, politikai közgondolkodás, nemzeti eszmények. Társadalmi és kultúrtörténeti megjegyzések a Kossuth szimfóniáról. (La musique, la mentalité politique, les idéaux nationaux. Notes d'histoire sociale et culturelle sur la Symphonie Kossuth de Béla Barkók.) Tört. Szle, 84, vol. 27, n° 1-2, p. 165-171.

5498. GORJAJNOV (Ju.). G. Ju. Lomakin: Dirižer. Kompozitor. Učitel'. (G. Ju. Lomakin. Conductor. Composer. Teacher.) Moskva, Muzyka, 84, 231 p. (ill.). (Rus. muzykanty XIX v.)

5499. GOURRET (Jean). Ces hommes qui ont fait l'Opéra, 1669-1984. Préf. d'André CHABAUD. Paris, Albatros, 84, in-8, 298 p. (8 p. de phot.).

5500. GOZENPUD (A.A.). Leoš Janaček i russkaja kul'tura. (Leoš Janáček and Russian culture.) Issledovanie. Leningrad, Sov. kompozitor, 84, 198 p.

5501. GUEST (Ivor). Jules Perrot, master of the Romantic Ballet. London, Dance Books, 84, in-8, VI-384 p.

5502. Händel-Handbuch in 5 Bänden. Gleichzeitig Supplement z. Hallischen Händel-Ausgabe (krit. Gesamtausg.). Hrsg. v. Kuratorium d. Georg-Friedrich-Händel-Stiftung v. Walter EISEN u. Margret EISEN. Bd [1. Cf. bibl. 78-79, n° 5643.] 2: Thematisch-systemat. Verzeichnis. Orator. Werke, vokale Kammermuski. Zsgest. v. Bernd BASELT. Leipzig, Verl. f. Musik, 84, in-4, 800 p.

5503. HANNING (Barbara Russano). Music in Italy on the brink of the Baroque. Renaissance Quar., 84, vol. 37, n° 1, p. 1-20.

5504. HAPPEL (H.-G.). Der historische Spielfilm im Nationalsozialismus. Frankfurt (Main), Fischer, 84, in-8, 103 p.

5505. HEIKKILÄ (Ritva). Ida Ahlberg: suomalaisen teatterin tähti. (Ida Ahlberg: l'étoile du théâtre finlandais.) Helsinki, Tammi, 84, in-4, 159 p. (ill.).

5506. HILL (Errol). Shakespeare in sable: a history of black Shakespearean actors. Forew. by John HOUSEMAN. Amherst, Univ. of Massachusetts Press, 84, XXVIII-216 p.

5507. HODSON (Philip). Who's who in Wagner's life and work. London, Weidenfeld a. Nicolson, 84, in-8, 200 p.

5508. HÖSLE (Johannes). Das italienische Theater von der Renaissance bis zur Gegenreformation. Darmstadt, Wiss. Buchges., 84, in-8, IX-137 p. (Erträge d. Forsch., 210)

5509. JABŁOŃSKI (Zbigniew). Z problematyki badań nad historią teatru. (La problématique des études sur l'histoire du théâtre.) Historyka, 84, vol. 14, p. 115-127.

5510. JACOBS (Arthur). Arthur Sullivan, a Victorian musician. London, Oxford U.P., 84, in-8, 400 p. (ill.).

5511. KANNONIER (Reinhard). Zeitwenden und Stilwenden. Sozial- u. geistesgeschichtl. Anmerkungen z. Entwicklung d. europ. Kunstmusik. Köln u. Wien, Böhlau, 84, in-8, 294 p. (30 Abb., Notenbeisp., Graph.). (Kulturstudien, 2)

5512. KATZ (Ruth). Collective "problem-solving" in the history of music: the case of the Camerata. J. Hist. Ideas, 84, vol. 45, n° 3, p. 361-378.

5513. KENNY (Shirley Strum). The British theatre and the other arts, 1660-1800. London, Dent, 84, in-8, 380 p. (ill.).

5514. KOSTER (S.). "Vreemde speelder" in Gelderland rond 1600. (Foreign comedians in Gelderland, c. 1600.) Gelre, 82 [83], vol. 73, p. 14-39 (10 fig.).

5515. KRJUKOV (A.N.). Aleksandr Konstantinovič Glazunov. (A. K. Glazunov.) Moskva, Muzyka, 84, 143 p. (ill.). (Rus. i sov. kompozitory)

5516. LANDON (H. C. Robbins). Handel and his world. London, Weidenfeld a. Nicolson, 84, in-4, 256 p. (ill., pl.).

5517. LARGE (David C.), WEBER (William) a. others. Wagnerism in European culture and politics. Ithaca, Cornell U.P., 84, 361 p.

5518. LEONT'EVA (O.T.). Karl Orf. (Carl Orff.) Moskva, Muzyka, 84, 334 p.

5519. McARTHUR (Benjamin). Actors and American culture, 1880-1920. Philadelphia, Pa., Temple U.P., 84, XIV-289 p.

5520. MARCZAK-OBORSKI (Stanisław) Teatr w Polsce 1918-1939. Wielkie ośrodki. (Le théâtre en Pologne, 1918-1939. Les grands centres.) Warszawa, Państw. Inst. Wydawn., 84, in-8, 467 p.

5521. MAXWELL (D.E.S.). A critical history of modern Irish drama, 1891-1980. London, Cambridge U.P., 84, in-8, 250 p. (ill.).

5522. MILLINGTON (Barry). Wagner. London, Dent, 84, in-8, 352 p. (ill.). (Master Musicians)

5523. MOORE (Jerold Northrop). Edward Elgar, a creative life. London, Oxford U.P., 84, in-8, 900 p. - IDEM. The spirit of England: Edward Elgar. London, W. Heinemann, 84, in-8, 200 p.

5524. MOOREHEAD (Caroline). Sidney Bernstein, a biography. London, Cape, 84, in-8, 344 p. (ill.).

5525. Muzyka XX veka: Očerki v 2-kh č. 1890-1945. (Music of the 20th century, 1890-1945.) Redkol.: B. M. JARUSTOVSKIJ (otv. red.) i dr. Č. 2: 1917-1945. Kn. 4. Redkol.: D. V. ŽITOMIRSKIJ, L. N. RAABEN. Moskva, Muzyka, 84, 509 p. (VNII istkusstvoznanija M-va Kul'tury SSSR. Leningr. gos. in-t teatra, muzyki i kinematografii M-va Kul'tury RSFSR)

5526. NEMESKÜRTY (István). A képpé

§ 9. MUSICA, TEATRO E CINEMA 229

varázsolt idő. A magyar film története és helye az egyetemes kultúrábon, párhuzamos kitekintéssel a világ filmmüvészetére. (Le temps transformé en image: histoire du film hongrois et sa place dans la culture générale, avec des parallèles de l'art du film dans le monde.) Budapest, Magvető Kiadó, 84, in-8, 798 p.

5527. ORLOVA (E.M.), KRJUKOV (A.N.). Akademik Boris Vladimirovič Asaf'ev. (Academician B. V. Asafiev.) Monografija. Leningrad, Sov. kompozitor, 84, 271 p. (ill.).

5528. PATRIKALAKĒS (Phaidōn). Historia tēs skēnographias. (Histoire de la scénographie.) Athènes, Aigokerōs, 84, in-8, 127 p.

5529. PAUL (Agnès). Les auteurs du théâtre de la foire à Paris au XVIIIe siècle. Bibl. Ec. Chartes, 83 [84], t. 141, livr. 2, p. 307-335.

5530. PESTELLI (Giorgio). The age of Mozart and Beethoven. London, Cambridge U.P., 84, in-8, 323 p.

5531. PETERS (Margot). Mrs. Pat, a biography of Mrs. Patrick Campbell. London, Bodley Head, 84, in-8, 544 p. (ill.).

5532. PRIBEGINA (G.A.). Petr Il'ič Čajkovskij. (P. I. Tchaikovsky.) 2-e izd. Moskva, Muzyka, 84, 191 p. (ill.). (Rus. i sov. kompozitory)

5533. PRICE (Curtis A.). Henry Purcell and the London stage. London, Cambridge U.P., 84, in-8, 380 p. (ill.).

5534. PUCHNER (Walter). Europaïkē theatrolgia. Hendeka meletēmata. (Théâtrologie européenne. Onze études.) Athènes, Hidryma Goulandri-Horn, 84, in-8, 557 p. - IDEM. Historia neohēllēnikou theatrou. Hexi meletēmata. (Historique du théâtre néo-hellénique. Six études.) Athènes, Païridēs, 84, in-8, 221 p.

5535. REID (Charles). Music monster: a biography of James William Davison. London, Quartet Books, 84, in-8, 256 p.

5536. ROCH (Jerome). North Italian church music in the age of Monteverdi. London, Oxford U.P., 84, in-8, 208 p.

5537. ROSSELLI (John). The opera industry in Italy from Cimarosa to Verdi: the role of the impresario. London, Cambridge U.P., 84, in-8, 214 p. (ill., tab.).

5538. ROWELL (George), JACKSON (Anthony). The repertory movement, a history of regional theatre in Britain. London, Cambridge U.P., 84, in-8n 230 p. (ill., dr., tab.).

5539. RÜSKAMP (Wulf). Dramaturgie ohne Publikum. Lessings Dramentheorie u. die zeitgenöss. Rezeption v. "Minna von Barnhelm" u. "Emilia Galotti". Ein Beitr. z. Gesch. d. deutschen Theaters u. seines Publikums. Köln u. Wien, Böhlau, 84, in-8, VIII-489 p. (Kölner germanist. Stud., 18)

5540. Russkij teatr i obščestvennoe dviženie (konec XVIII - nač. XX v.). (Russian theatre and the social movement, end of the 18th - beginning of the 20th century.) Sbornik nauč. tr. Redkol.: N. V. KOROLEVA (otv. red.) i dr. Leningrad, Leningr. gos. in-t teatra, muzyki i kinematografii, 84, 139 p.

5541. SANDERSON (Michael). From Irving to Olivier: a social history of the acting profession in England, 1890-1980. London, Athlone, 84, in-8, 352 p. (ill.).

5542. SAVENKO (S.I.). Sergej Ivanovič Taneev. (S. I. Taneev.) Moskva, Muzyka, 84, 174 p. (Rus. i sov. kompozitory)

5543. SCHERFT (P.). Een speurtocht door Zeeuws muziekverleden. (A search into the history of music in the province of Zeeland.) Middelburg, Koningl. Zeeuwsch Genootschap d. Wetenschappen, 84, in-8, IX-218 p. (ill.). (Werken uitg. door het Koninkl. Zeeuwsch Genootschap der Wetenschappen, 2)

5544. TIERNEY (Neil). Sir William Walton. London Hale, 84, in-8, 320 p. (ill.).

5545. UNGER (D.). De Nederlandse historisch speelfilm. (The Dutch historical film.) T. soc. Gesch., 83, vol. 9, p. 108-139.

5546. Vita teatrale in Italia e Polonia fra Seicento e Settecento. Atti del VI Convegno di Studi proposto ed organizzato dall'Istituto d'Arte dell'Academia Polacca delle Scienze e dalla Fondazione Giorgio Cini di Venezia, Varsavia, 14-17 ottobre 1980. A cura di Michał BRISTIGER, Jerzy KOWALCZAK e Jacek LIPIŃSKI. Warszawa, Państw. Wydawn. Nauk., 84, in-8, XVIII-326 p.

5547. WALKER (Malcolm). Sir Adrian Boult. London, Robson Books, 84, in-8, 224 p.

5548. WEAVER (William). Duse, a biography. London, Thames a. Hudson, 84, in-8, 384 p. (ill.).

5549. WEBER (William). "La musique ancienne" in the waning of the Ancien Regime. J. mod. Hist., 84, vol. 56, n° 1, p. 58-88.

5550. WOODFIELD (J.). The English theatre in transition, 1889-1914. London, Croom Helm, 84, in-8, 224 p.

5551. WULSTAN (David). Tudor music. London, Dent, 84, in-8, 288 p. (mus. extrs.).

Cf. n°s 4541, 5303, 5340, 5341.

N

STORIA ECONOMICA E SOCIALE DELL'ETA' MODERNA

§ 1. Economia politica. 5552-5581. - § 2. Storia economica generale. 5582-5695. - § 3. Industria, miniere e traffici. 5696-5808. - § 4. Commercio. 5809-5859. - § 5. Agricultura e problemi agrari. 5860-5967. - § 6. Moneta e finanza. 5968-6027. - § 7. Demografia ed urbanismo. 6028-6084. - § 8. Storia sociale e dei costumi. 6085-6319. - § 9. Movimento operaio e socialismo. 6320-6488.

§ 1. Economia politica.

** 5552. GRAMSCI (Antonio). Opere di Antonio Gramsci. Vol. 1: Scritti, 1913-1926, t. 3: Il nostro Marx, 1918-1919. A cura di S. CAPRIOGLIO. Torino, Einaudi, 84, 734 p.

** 5553. PARETO (Vilfredo). Lettere a Maffeo Pantaleoni (1890-1923). A cura di G. DE ROSA. T. 1-3. Genève, Droz, 84, 3 vol. in-8, XXIV-510, 474, 582 p. (Oeuvres complètes, 28. Travaux de Droit, d'Econ., de Sociol. et de Sci. pol., 141) - IDEM. Lettere ai Peruzzi (1872-1900). A cura di R. GIACALONE-MONACO. T. 1, 2. Genève, Droz, 84, 2 vol. in-8, CIV-646, 704 p. (Oeuvres complètes, 27. Travaux de Droit, d'Econ., de Sociol. et de Sci. pol., 140) [Emilia et Ubaldino Peruzzi]

** 5554. STURZO (Luigi). Opera omnia di Luigi Sturzo. In cop. Pubblicazioni a cura dell'Istituto Luigi Sturzo. Ser. 3: Scritti vari. Vol. 5: Scritti storico-politici, 1926-1946. A cura di L. BRUNELLI. Roma, Cinque lune, 84, in-8, 281 p.

5555. Aspects de l'économie politique en France au XVIIIe siècle. Econ. et Soc., 84, t. 18, n° 3 [spécial], 231 p.

5556. AUBAIN (Monique). Par-dessus les marchés: gestes et paroles de la circulation des biens d'après Savary des Brulons. A. Ec., Soc., Civ., 84, a. 39, n° 4, p. 820-830.

5557. BEREND (T. Iván). Gazdasági útkeresés, 1956-1965. A szocialista gazdaság magyarországi modelljének történetéhez. (Les alternatives de la vie économique, 1956-1965. Contribution à l'histoire de la formation du modèle de l'économie socialiste en Hongrie.) Budapest, Magvető Kiadó, 83, in-8, 463 p. (Nemzet és emlékezet)

5558. CARTELIER (Jean). De l'ambiguïté du Tableau économique [de François Quesnay]. Cah. Econ. pol., 84, n° 9, p. 39-59.

5559. DAWSON (Nelson L.). Louis D. Brandeis, George Gilder, and the nature of capitalism. Historian, 84, vol. 47, n° 1, p. 72-85.

5560. EINAUDI (Luigi). La guerra e l'unità europea. Pref. di M. ALBERTINI. Con un saggio di S. MONTI BRAGADIN. Firenze, Le Monnier, 84, in-8, XI-131 p. (Strumenti/Fondazione Luigi Einaudi)

5561. GIACOMETTI (Jacques). Langage et monnaie chez Locke et Turgot. Econ. et Soc., 84, t. 18, n° 3, p. 119-137.

5562. HARPHAM (Edward J.). Liberalism, civic humanism, and the case of Adam Smith. Am. pol. Sci. R., 84, vol. 78, n° 3, p. 764-774.

5563. HESSION (Charles H.). John Maynard Keynes. London, Collier Macmillan, 84, in-8, 416 p.

5564. JAFFE (William). The antecedents and early life of Leon Walras. Hist. pol. Econ., 84, vol. 16, n° 1, p. 1-57.

5565. JUNGNICKEL (Jürgen). Die Ausbreitung der Theorie von der ökonomischen Gesellschaftsformation und die Theorie des relativen Mehrwerts (1861 bis 1863). Marx-Engels-Jb., 84, Jg. 7, p. 254-282.

5566. KUCZYNSKI (Jürgen). 60 Jahre Konjunkturforscher. Erinnerungen u. Erfahrungen. Und Bibliogr. d. Schriften v. Jürgen Kuczynski 1978-1983. Zusammengest. v. Erika BEHM. Berlin, Akad.-Verl., 84, in-8, 249 p. (Jb. f. Wirtschaftsgesch., Sonderband)

5567. McCASKIE (T.C.). Ahyiamu - "a place of meeting": an essay on process and event in the history of the Asante State. J. afr. Hist., 84, vol. 25, p. 169-188.

5568. MASSON (Bernard). Circuit et circulation chez Quesnay. Cah. Econ. pol., 84, n° 9, p. 19-38. - IDEM. La notion de production en relation avec la constitution des classes chez F. Quesnay. Econ. et Soc., 84, t. 18, n° 3, p. 161-174.

5569. MORRA (Umberto). Vita di Piero Gobetti. Con un saggio di N. BOBBIO e una testimonianza di A. PASSERIN d'ENTREVES. Torino, Unione tipograf. editrice torinese, 84, in-8, 143 p. (ill., tav.).

5570. NAGY (Zsuzsa), L. A liberális

ellenzék gazdaságpolitikai nézeteiről. (L'opinion de l'opposition libérale sur la politique économique [du gouvernement hongrois].) Tört. Szle, 84, vol. 27, n° 1-2, p. 232-240.

5571. NEUFELDT (Leonard N.). Henry David Thoreau's political economy. New England Quar., 84, vol. 57, n° 3, p. 359-383.

5572. PAGGI (Leonardo). Le strategie del potere in Gramsci: tra fascismo e socialism in un solo paese, 1923-1926. Roma, Editori riuniti, 84, in-8, XXXV-504 p. (Bibliot. di storia, 110)

5573. Per una rifondazione del Welfare state. A cura di Achille ARDIGO'. Milano, Angeli, 84, in-8, 208 p. (La ricerca sociale, 32)

5574. POLLARD (Sideny). Keynesianismus und Wirtschaftspolitik seit der Großen Depression. Gesch. u. Ges., 84, Jg. 10, p. 185-210.

5575. RAVIX (Joël), ROMANI (Paul-Marie). L'idée de progrès comme fondement des analyses économiques de Turgot. Econ. et Soc., 84, t. 18, n° 3, p. 97-118.

5576. RUDOLPH (Günther). Karl Rodbertus und die Grundrententheorie. Polit. Ökonomie aus d. deutschen Vormärz. Berlin, Akad.-Verl., 84, in-4, 333 p. (Schr. d. Zentralinstituts f. Wirtschaftswiss., 21)

5577. SEMMEL (Bernard). John Stuart Mill and the pursuit of virtue. New Haven, Conn., Yale U.P., 84, in-8, XI-212 p.

5578. STEINER (Philippe). Locke et Quesnay: une conception de l'économie politique. Econ. et Soc., 84, t. 18, n° 3, p. 139-159.

5579. TRIBE (Keith). Cameralism and the science of government. J. mod. Hist., 84, vol. 56, n° 2, p. 263-284.

5580. VETTER (Cesare). Carlo Pisacane e il socialismo risorgimentale: fonti culturali e orientamenti politico-ideali. Milano, Angeli, 84, in-8, 195 p. (Storia, 37)

5581. WEULERSSE (Georges). La physiocratie à l'aube de la Révolution, 1781-1792. Introd. de Corinne BEUTLER. Paris, Ecole des Hautes Etudes en Sci. soc., 84, in-8, 452 p. (Biblioth. gén. de l'Ec. des Hautes Et. en Sci. soc.)

Cf. n° 7536.

§ 2. Storia economica generale.

* 5582. LÓPEZ ROSADO (Diego G.). Bibliografía económica de la Revolución Mexicana, 1910-1930. México, Univ. Nacional Autónoma de México, 82, in-8, 362 p. (Inst. de Invest. Bibliográfica, Ser. Bibliograffas, 10)

* 5583. PRICE (Roger). Recent work on the economic history of nineteenth-century France. Econ. Hist. R., 84, ser. 1, vol. 37, n° 3, p. 417-434.

* 5584. VOLKMANN (Hans-Erich). Wirtschaft im Dritten Reich. Eine Bibliographie. Teil [1. Cf. Bibl. 80, n° 5038.] 2: 1939-1945. Koblenz, Bernard u. Graefe, 84, in-8, XXI-443 p. (Schr. d. Bibliothek f. Zeitgesch., 23)

** 5585. LANGUESSE (J.L.). Précis statistique du Département de la Meuse Inférieure (rive gauche). Uitg. door J.C. G.M. JANSEN. Stud. soc. econ. Gesch. Limburg, 82, vol. 27, p. 23-103.

** 5586. VAUBEL (Ludwig). Zusammenbruch und Wiederaufbau. Ein Tagebuch aus d. Wirtschaft 1945-1949. Hrsg. v. Wolfgang BENZ. München u. Wien, Oldenbourg, 84, in-8, 304 p. (Biograph. Quellen z. deutschen Gesch. nach 1945, 1)

5587. ALDRICH (Robert). Economy and society in Burgundy since 12950. London a. Canberra, Croom Helm, 84, in-8, 246 p.

5588. ALESTALO (Matti), KUHNLE (Stein). The Scandinavian route. Economic, social, and political developments in Denmark, Finland, Norway and Sweden. Helsinki, 84, in-8, 70 p. (Research reports. Research group of comparative sociology, Univ. of Helsinki, 31)

5589. ALEXANDRESCU (I.). Economia României în perioada premergătoare retragerii României din Axa fascistă. (L'économie de la Roumanie avant la retraite de la Roumanie de l'Axe fasciste.) In: Actul de la 23 August 1944 ... [Cf. n° 4225], p. 191-209.

5590. ALFORD (Katrina). Production or reproduction? The economic history of women in Australia, 1788-1855. Melbourne a. London, Oxford U.P., 84, in-8, 272 p. (ill., tab.).

5591. ALLEN (Edward A.). Deforestation and fuel crisis in pre-revolutionary Languedoc, 1720-1789. French hist. Stud., 84, vol. 13, n° 4, p. 455-473.

5592. AMBROSIUS (Gerold). Die öffentliche Wirtschaft in der Weimarer Republik. Kommunale Versorgungsunternehmen als Instrument d. Wirtschaftspolitik. Baden-Baden, Nomos, 84, in-8, 306 p. (Schr. z. öffentl. Verwaltung u. öffentl. Wirtschaft, 78) - IDEM. Der Staat als Unternehmer. Öffentl. Wirtschaft u. Kapitalismus seit d. 19. Jh. Göttingen, Vandenhoeck u. Ruprecht, 84, in-8, 198 p. (Kleine Vandenhoeck-Reihe, 1498)

5593. APFELKNAB (Egbert). Waffenrock und Schnürschuh. Die Monturbeschaffung d. österr. Armee im 18. u. 19. Jh. Wien, Österr. Bundesverl., 84, in-8, 186 p. (Militärgeschtl. Diss. österr. Univ., 4)

5594. ASAJIMA (Shôichi). Senkan-ki Sumitomo Zaibatsu Keiei-shi. (Histoire du trust Sumitomo de l'entre-deux-guerres.) Tokyo, Tôdai Shuppan, 83, in-8, 600 p.

5595. ASSELAIN (Jean-Charles). Histoire économique de la France, du XVIII siècle à nos jours. T. 1: De l'Ancien Régime à la Première guerre mondiale. T. 2: De 1919 à la fin des années 1970. Paris, Ed. du Seuil, 84, 2 vol. in-8, 221, 209 p. (Points, sér. Hist., 71, 72)

5596. AUGUST (Jochen). Die Entwicklung des Arbeitsmarkts in Deutschland in den 30er Jahren und der Masseneinsatz ausländischer Arbeitskräfte während des Zweiten Weltkrieges. Das Fallbeispiel d. poln. zivilen Arbeitskräfte u. Kriegsgefangenen. Arch. f. Sozialgesch., 84, Bd 24, p. 305-353.

5597. BAKSAY (Zoltán). A munkaerőhelyzet alakulása és a munkanélküliség felszámolása Magyarországon, 1045-1949. (La situation de la main-d'oeuvre et la liquidation du chômage en Hongrie, 1945-1949.) Budapest, Akad. Kiadó, 83, in-8, 206 p. (Értekezések a történeti tudományok köréből, 99)

5598. BARTLOVÁ (Alena). Hospodárska kríza na Slovensku v rokoch 1929-1933. (Die Wirtschaftskrise in der Slowakei in den Jahren 1929-1933.) Hist. Čas., 84, vol; 32, p. 219-241.

5599. BRAUN (Hans-Joachim). Wirtschafts- und finanzpolitische Entscheidungsprozesse in England in der ersten Hälfte des 19. Jahrhunderts. Frankfurt (Main), Bern u. New York, Lang, 84, in-8, 236 p. (7 graph. Darst.). (Europ. Hochschulschr., Reihe 3: Gesch. u. ihre Hilfswiss., 200)

5600. BRAUN (Rudolf). Das ausgehende Ancien Régime in der Schweiz. Aufriß einer Sozial- u. Wirtschaftsgesch. d. 18. Jh. Göttingen u. Zürich, Vandenhoeck u. Ruprecht, 84, in-8, 328 p. (9 Tab., 5 Diagr., 3 Kt.).

5601. BROADBERRY (S.N.). The North European depression of the 1920s. Scand. econ. Hist. R., 84, vol. 32, p. 159-167.

5602. BROWAEYS (Xavier), CHATELAIN (Paul). La France du travail. Paris, Presses univ. France, 84, in-8, 272 p. (graph., cartes). (Recherches polit.)

5603. BUCHHEIM (Christoph). Deutschland auf dem Weltmarkt am Ende des 19. Jahrhunderts. Erfolgreicher Anbieter v. konsumnahen gewerbl. Erzeugnissen. Vjschr. f. Soz.- u. Wirtschaftsgesch., 84, Bd 71, p. 199-216.

5604. BUCK (P. de), LINDLBAD (J. Th.). De scheepvaart en handel uit de Oostzee op Amsterdam en de Republiek, 1722-1780. (Baltic shipping and trade with Amsterdam and the Republic.) T. Gesch., 83, vol. 96, p. 536-562.

5605. CHANDLER (Alfred D.) Jr. The emergence of managerial capitalism. Business Hist. R., 84, vol. 58, n° 4, p. 473-503.

5606. CLARK NELSON (Marie). Through a looking glass: report on the famine in Norrbotten as seen through the eyes of Norrbotten-Kuriren, 1867-1869. [Svensk] Hist. T., 84, vol. 103, p. 179-204.

5607. Contributions à l'histoire économique et sociale de l'Empire ottoman. Etudes ... publ. et prés. par Jean-Louis BACQUE-GRAMMONT et Paul DUMONT. Leuven, Peeters, 83, in-8, 503 p. (Coll. turcica, 3) [Cf. n°s 806, 881, 2417, 2541, 4933, 5637, 5681, 5776, 5850, 5852, 5906, 5951, 5981, 6017, 6051, 6146, 6603]

5608. CRAFTS (N.F.R.). Economic growth in France and Britain, 1830-1910: a review of the evidence. J. econ. Hist., 84, vol. 44, n° 1, p. 49-68.

5609. DELAUNAY (Jean-Claude). Salariat et plus-value en France depuis la fin du XIXe siècle. Paris, Presses de la Fondation nat. des Sci. pol., 84, in-8, 368 p.

5610. DOCKES (Pierre), ROSIER (Bernard). Rythmes économiques. Crises et changement social [aux XIXe et XXe s.], une perspective historique. Paris, La Découverte-Maspero, 83, in-8, 313 p.

5611. DUNLAP (Thomas R). Values for varmints: predator control and environmental ideas, 1920-1939. Pacific hist. R., 84, vol. 53, n° 2, p. 141-162.

5612. DUTTON (H.I.). The patent system and inventive activity during the Industrial Revolution, 1750-1852. Manchester, Univ. Press, 84, in-8, 240 p.

5613. ENGERMAN (Stanely L.). Economic change and contract labor in the British Caribbean: the end of slavery and the adjustment to emancipation. Explor. in econ. Hist., 84, vol. 21, n° 2, p. 133-150.

5614. FAROQHI (Suraiya). Towns and townsmen of Ottoman Anatolia: trade, crafts, and food production in an urban setting, 1520-1650. London a. New York, Cambridge U.P., 84, in-4, XIV-425 p. (ill., dr., tabl., maps). (Cambridge Stud. in Islamic Civ.)

5615. FELDMAN (Gerald D.). Vom Weltkrieg zur Weltwirtschaftskrise. Studien z. deutschen Wirtschafts- u. Sozialgesch. 1914-1932. Göttingen, Vandenhoeck u. Ruprecht, 84, in-8, 272 p. (Krit. Stud. z. Geschichtswiss., 60)

5616. FERBER (Katalin). Egy nemzeti jövedelem és vagyonszámítás 1921-ből. (Un calcul du revenu national et de la richesse nationale [de la Hongrie] en 1921.) Tört. Szle, 83, vol. 26, n° 3-4, p. 380-414.

5617. FIJALKOWSKI (Jürgen). Gastarbeiter als industrielle Reservearmee? Zur Bedeutung d. Arbeitsimmigration f. d. wirtschaftliche u. gesellschaftl. Entwicklung d. Bundesrepublik Deutschland. Arch. f. Sozialgesch., 84, Bd 24, p. 399-456.

5618. FORNDRAN (Erhard). Die Stadt- und Industriegründungen Wolfsburg und Salzgitter. Entscheidungsprozesse im nationalsozialist. Herrschaftssystem. Frankfurt (Main) u. New York, Campus-Verl., 84, in-8, 447 p. (Campus-Forsch., 402. Wolfsburger Beiträge z. Stadtgesch. u. Stadtentwicklung)

§ 2. STORIA ECONOMICA GENERALE

5619. GAILLARD (J.-M.), LESPAGNOL (A.). Les mutations économiques et sociales au XIXe siècle. Paris, Nathan, 84, in-8, 190 p.

5620. GOLDIN (Claudia). The historical evolution of female earnings functions and occupations. Explor. in econ. Hist., 84, vol. 21, n° 1, p. 1-27.

5621. GONZÁLES NAVARRO (Moisés). Cinco crisis mexicanas. México, Colegio de México, 83, in-8, 100 p. (Jornadas, 99)

5622. GOOD (David F.). The economic rise of the Habsburg empire, 1750-1914. Berkeley a. Los Angeles, Univ. of California Press, 84, in-8, XVI-309 p.

5623. GRIFFITHS (R.T.). The creation of a national Dutch economy, 1795-1909. In: Natievorming van België en Nederland ... [Cf. n° 3144], p. 513-537.

5624. GRIFFITHS (R.T.), MEERE (J. de). The growth of the Dutch economy in the nineteenth century: back to basics? T. Gesch., 83, vol. 96, p. 563-572.

5625. GROENENDAAL (J.). Dertig jaar publiekrechtelijke bedrijfsorganisatie in Nederland. (Dreißig Jahre staatliche Betriebsorganisation in den Niederlanden, 1950-1980.) Econ.-hist. Jb., 82 [83], vol. 45, p. 187-231.

5626. GROZDANOVA (Elena), ANDEEV (Stefan). Solarstvoto po bălgarskoto Černomorie prez XV-XIX vek. (Le saunage sur le littoral bulgare de la mer Noire aux XVe-XIXe s.) Sofija, Nauka i Izkustvo, 82, in-8, 175 p.

5627. Handwerker in der Industrialisierung. Lage, Kultur u. Politik vom späten 18. bis ins frühe 20. Jh. Hrsg. v. Ulrich ENGELHARDT. Stuttgart, Klett-Cotta, 84, in-8, 667 p. (Industrielle Welt, 37)

5628. HARRISON (J.R.). The Spanisdh economy in the 20th century. London, Croom Helm, 84, in-8, 224 p.

5629. HARVEY (Richard). English pre-industrial ballads on poverty, 1500-1700. Historian, 84, vol. 46, n° 4, p. 539-561.

5630. HASHIMOTO (Hisao). Daikyôkô-ki no Nihon Shihonshugi. (Le capitalisme japonais à l'époque de la crise économique de 1929.) Tokyo, Tôdai Shuppan, 84, in-8, 400 p.

5631. HUSTON (James L.). The panic of 1857, southern economic thought, and the patriarchal defense of slavery. Historian, 84, vol. 46, n° 2, p. 163-186.

5632. ISHII (Kanji). Kindai Nihon to Igirisu Shihon. (Le Japon contemporain et le capitalisme britannique.) Tokyo, Tôdai Shuppan, 84, in-8, 430 p.

5633. ISRAEL (J.I.). The economic contribution of Dutch Sephardi Jewry to Holland's Golden Age, 1595-1713. T. Gesch., 83, vol. 96, p. 505-535.

5634. JAMES (John A.). Public debt management policy and nineteenth-century American economic growth. Explor. in econ. Hist., 84, vol. 21, n° 2, p. 192-217. - IDEM. The use of general equilibrium analysis in economic history. Ibid., n° 3, p. 231-253.

5635. JANSEN (P.C.). La nuova storia economica e sociale [nei Paesi Bassi]: gli sviluppi dopo il 1945. R. stor. ital., 83 [84], a. 95, fasc. 3, p. 753-777.

5636. JENNINGS (Ronald C.). The population, society, and economy of the region of Erciyeş dağı in the sixteenth century. In: Contrib. à l'hist. écon. et soc. de l'Empire ottoman [Cf. n° 5607], p. 149-250.

5637. JEZIERSKI (Andrzej). Problemy rozwoju gospodarczego ziem polskich w XIX i XX wieku. (Problèmes du développement économique des terres polonaises aux XIXe et XXe s.) Warszawa, Książka i Wiedza, 84, in-8, 322 p.

5638. KANTER (Herschel). Defense economics: 1776 to 1983. Armed Forces a. Soc., 84, vol. 10, n° 3, p. 426-448.

5639. KATUS (László). Public finance and economic growth in Hungary during the age of Dualism (1867-1913). Acta hist. Acad. Sci. hungaricae, 83, vol. 29, n° 2-4, p. 257-263.

5640. KHALATBARI (Parviz). Ökonomische Unterentwicklung. Eine hist.-politökonom. Analyse. Berlin, Akad.-Verl., 84, in-8, 447 p.

5641. KNITTLER (Herbert). Gewerblicher Eigenbetrieb und frühneuzeitliche Grundherrschaft am Beispiel des Waldviertels. Mitt. d. Inst. f. österr. Gesch.-Forsch., 84, Bd 92, p. 115-146.

5642. KOPAČKA (Ludvík). Die Energetik in der wirtschaftlichen Entwicklung der Tschechoslowakei nach dem Jahr 1945. In: Energy in history [Cf. n° 829], p. 199-223.

5643. KURGAN-VAN HENENRYK (G.). La formation d'un capitalisme national en Belgique. In: Natievorming van België en Nederland ... [Cf. n° 3144], p. 488-506.

5644. LACINA (Vlastislav). Velké hospodářská krize v Československu 1929-1934. (Die große Wirtschaftskrise in der Tschechoslowakei 1929-1934.) Praha, Academie, 84, in-8, 217 p. - IDEM. Historiografie hospodářských dějín Československa v letech 1918-1945. (Historiographie der Wirtschaftsgeschichte der Tschechoslowakei in den Jahren 1918-1945.) Sborn. k Děj. 19. a 20. Stol., 84, vol. 9, p. 83-104.

5645. LEBERGOTT (Stanley). The Americans, an economic record. London, W. W. Norton, 84, in-8, 560 p. (ill.).

5646. LIATA (Eutychia). Times kai agatha stēn Athēna 1839-1846. Mia martyria apo to katasticho tou emporou Christodoulou Euthymiou. (Prix et richesses à Athènes 1839-1846. Un témoignage à partir du livre de comptes du marchand Chrystodoulou Euthymiou.) Athènes, Morphōtiko Hidryma Ethnikēs Trapezēs, 84, in-8, 127 p.

5647. LITTLEFIELD (Douglas R.). The Potomac Company: a misadventure in financing an early American internal improvement project. Business Hist. R., 84, vol. 58, n° 4, p. 562-585.

5648. LOCKE (Robert R.). The end of the practical man: entrepreneurship and higher education in Germany, France, and Great Britain, 1880-1940. Greenwich, Conn., JAI Press, 84, in-8, XII-363 p.

5649. Löhne im vor- und frühindustriellen Deutschland. Materialien z. Entwicklung v. Lohnsätzen v. d. Mitte d. 18. bis z. Mitte d. 19. Jh. Hans-Jürgen GERHARD (Hrsg.). Göttingen, Schwartz, 84, in-8, 631 p. (Göttinger Beitr. z. Wirtschafts- u. Sozialgesch., 7)

5650. LÓPEZ ROSADO (Diego G.). Problemas económicas de México. México, Univ. Nacional Autónoma de México, 84, in-8, 405 p. (graf.). (Inst. de Invest. Econ., Textos Universitarios)

5651. ŁUCZAK (Czesław). Dzieje gospodarcze Niemiec 1871-1945. (Histoire économique de l'Allemagne 1871-1945.) Poznań, 84, in-8, 275 p. (Uniw. im. Adama Mickiewicza w Poznaniu, Historia, 123)

5652. LUNDBERG (Ove). Skogsbolagen och bygden: ekonomisk, social och politisk omvandling i Örnsköldsviksområdet 1860-1900. (Sawmill companies and society: economic, social and political transformation in the district of Örnsköldsvik, 1860-1900.) Umeå, Univ., 84, in-4, 242 p. (Umeå stud. in econ. hist., 5) [Eng. summary]

5653. MALLON (Florencia E.). The defense of community in Peru's central highlands: peasant struggle and capitalist transition, 1860-1940. Princeton, N.J., Princeton U.P., 84, in-8, XIV-369 p.

5654. MICKUN (Nina). La mesta au XVIIIe siècle. Etude d'hist. soc. et écon. de l'Espagne au XVIIIe siècle. Budapest, Akad. Kiadó, 84, in-4, 364 p. 7 pl.).

5655. MILEWSKI (Jan Jakub). Początki rodzimego kapitalizmu w Nigerii, 1900-1939. (Les débuts du capitalisme indigène au Nigeria, 1900-1939.) Warszawa, 84, in-8, 309 p. (Rozpr. Uniw. Warsz., 213)

5656. MILLER (Harold L.). The American Bureau of Industrial Research and the origins of the "Wiskonsin School" of labor history. Labor Hist., 84, vol. 25, n° 2, p. 165-188.

5657. MILLWARD (Robert). The early stages of European industrialization: economic organization under serfdom. Explor. in econ. Hist., 84, vol. 21, n° 4, p. 406-428.

5658. MITTERMAYER (Josef). Materialien zur Wirtschafts- und Sozialgeschichte des Mühlviertels. Das Oberneukirchner Brau- und Rathaus. Oberösterr. Heimatbl., 84, Bd 38, n° 1, p. 47-76.

5659. NELSON (Lawrence J.). Welfare capitalism on a Mississippi plantation in the great depression. J. south. Hist., 84, vol. 50, n° 2, p. 225-250.

5660. NESLÁDKOVÁ (Ludmila). Diferenciace ekomonického a populačního vývoje tzv. starých a nových železářských středisek za průmyslové revoluce. (Die Differenzierung der ökon. u. demograph. Entwicklung der sogenannten alten und neuen Eisenzentren in der Zeit der Industriellen Revolution.) Sborn. Prací ped. Fak. v Ostravě - C, 84, vol. 19, p. 7-26.

5661. OHLANDER (Ann-Sofie), NORMAN (Hans). Kriser och katastrofer: ett forskningsprojekt om effekterna av nöd, svält och epidemier i det förindustriella Sverige. (Crises and catastrophes: a research project concerning the effects of hardships, starvation and epidemics in pre-industrial Sweden.) [Svensk] Hist. T., 84, vol. 193, p. 163-178. [Eng. summary]

5662. PAMUK (Sevket). The Ottoman empire in the "great depression" of 1873-1896. J. econ. Hist., 84, vol. 44, n° 1, p. 107-118.

5663. PARKER (William N.). Europe, America and the wider world: essays on the economic history of Western capitalism. Vol. 1: Europe and the world economy. London, Cambridge U.P., 84, in-8, 270 p. (tab.). (Stud. in Econ. Hist.)

5664. PETERSON (Bo). "Yppighets nytta och tortighets fägnad": pamflettdebatten om 1766 års överflädsförordning. ("The benefits of luxury and the delights of being poor": the pamphlet debate on the [Swedish] affluence ordinance, 1766.) [Svensk] Hist. T., 84, vol. 103, p. 3-46. [Eng. summary]

5665. PHILOPOULOU-DESYLLA (Kōnstantina). Taxidiōtes tēs Dyseōs. Pēgē gia tēn oikonomikē zōē tēs Othōmanikēs Autokratorias stous chronous tou Souleīman tou Megaloprepous 1520-1566. (Voyageurs de l'Occident. Source concernant la vie économique de l'Empire ottoman durant le règne de Soliman le Magnifique 1520-1566.) Athènes, l'auteur, in-8, 338 p.

5666. Planification (La) en Albanie socialiste, 1944-1984. Institut d'etude sur l'Albanie socialiste. Paris, Libr. le Point du jour, 84, in-8, 188 p. (ill.). (Cah. de l'INEAS, 2)

5667. POLLITT (Brian H.). The Cuban sugar economy and the great depression. B. lat. am. Research, 84, vol. 3, n° 2, p. 3-28 (9 tables).

5668. PURŠ (Jaroslav). Asynchronism, phase shift and periodisation of the industrieal revolution: a historical perspective. Hist. Geogr. [Praha], 84, vol. 23, p. 11-52.

5669. RÁNKI (György). Mozgásterek, kényszerpályák. Válogatott tanulmányok. (Marges d'action et parcours forcés. Etudes choisies.) Budapest, Magvető Kiadó, 83, in-8, 542 p. (Elvek és utak) [Etudes concernant l'hist. écon. de l'entre-deux-guerres. - IDEM. A dél-európai gazdasági fejlődés kérdései, 1919-1938. (Les problèmes du développement économique de l'Europe du Sud, 1919-1938.) Tört. Szle, 84, vol. 27, n° 1-2, p. 203-231. - IDEM. Oroszország gazdasági fejlődése 1861-1917. (Développement économique de la Russie entre 1861 et 1917.) Századok, 84, vol. 118, n° 3, p. 433-485.

5670. RAO (V.K.R.V.). India's national income, 1950-1980, an analysis of economic growth and change. London, Sage, 84, in-8, 202 p.

5671. RESSAISSI (Raouf). Settlement colonization and transnational labor emigrations in the Maghreb: a comparative study of Algeria and Tunisia. Lund, Ekon.-hist. fören., 84, in-8, VIII-216 p. (Skr. utg. av Ekon.-hist. fören. i Lund, 42) [Rés. franç.]

5672. RETTIG (Rudi). Strukturverschiebungen der privaten Konsumnachfrage in Deutschland 1850 bis 1913. Vjschr. f. Soz.- u. Wirtschaftsgesch., 84, Bd 71, p. 342-356.

5673. SCHINZINGER (Francesco). Die Kolonien und das Deutsche Reich. Die wirtschaftl. Bedeutung d. deutschen Besitzungen in Übersee. Stuttgart, Steiner, 84, in-8, 179 p. (Kt.). (Wiss. Paperbacks Sozial- u. Wirtschaftsgesch., 20)

5674. SCHRÖTER (Verena). Die deutsche Industrie auf dem Weltmarkt 1929 bis 1933. Außenwirtschaftl. Strategien unter d. Druck d. Weltwirtschaftskrise. Frankfurt (Main), Bern, New York u. Nancy, Lang, 84, in-8, 581 p. (4 graph. Darst.). (Europ. Hochschulschriften, Reihe 3: Gesch. u. ihre Hilfswiss., 251)

5675. SCHULTZ (Helga). Landhandwerk im Übergang vom Feudalismus zum Kapitalismus. Vergleichender Überblick u. Fallstudie Mecklenburg, Schwerin. Berlin, Akad.-Verl., 84, in-8, 271 p. (Tab., Kt.). (Forsch. z. Wirtschaftsgesch., 21)

5676. SEEGERS (J.J.). De conjuncturele ontwikkeling van Nederland tussen de twee wereldoorlogen. Een aanzet tot analyse van een aantal kenmerken van de cyclische beweging in tijdreeksen 1919-1939. (Analysis of the economic fluctuations in the Netherlands between the two world wars.) Econ.-soc. Jb., 82 [83], vol. 45, p. 154-186 (9 fig., 5 appendices).

5677. SHAMMAS (Carole). The eighteenth-century English diet and economic change. Explor. in econ. Hist., 84, vol. 21, n° 3, p. 254-269.

5678. SIMSON (Gerhard). Bibel und Börse. Die relig. Wurzeln d. Kapitalismus. Arch. f. Kulturgesch., 84, Bd 66, p. 87-115.

5679. SÖDERBERG (Johan). A long-term perspective on regional economic development in Sweden, ca. 1550-1914. Scand. econ. Hist. R., 84, vol. 32, p. 1-16.

5680. STĘPIŃSKI (Włodzimierz). Przemiany kapitalistyczne w życiu gospodarczym Szczecina w pierwszej połowie XIX wieku. (Les transformations capitalistes dans la vie économique de Szczecin dans la première moitié du XIXe siècle.) Warszawa, Państw. Wydawn. Nauk., 84, in-8, 193 p. (Szczecińskie Tow. Nauk. Wydz. Nauk. Społ., 36)

5681. STOIANOVICH (Traian). Commerce et industrie ottomans et maghrébins: pôles de diffusion, aires d'expansion. In: Contrib. à l'hist. écon. et soc. de l'Empire ottoman [Cf. n° 5607], p. 329-352.

5682. Studien zur Wirtschaftsgeschichte Großbritanniens, der USA und der ehemaligen habsburgischen Monarchie. Von e. Autorenkoll. Leipzig, Deutsch. Verl. f. Grundstoffindustrie, 84, in-8, 134 p. (Freiberger Forschungshefte, D, 155)

5683. TAJIMA (Keiji). Hamiruton Taisei Kenkyû Josetsu. Kenkoku Shoki Amerika Gasshû Koku no Keizaishi. (An economic history of the United States of America in the early days after the foundation. The epoch of Alexander Hamilton.) Tokyo, Keisô Shobô, 84, in-8, 554 p.

5684. TEICHERT (Eckart). Autarkie und Großraumwirtschaft in Deutschland 1930-1939. Außenwirtschaftl. Konzeptionen zw. Wirtschaftskrise u. Zweitem Weltkrieg. München u. Wien, Oldenbourg, 84, in-8, 390 p. (Stud. z. mod. Gesch., 30)

5685. TERANISHI (Shigeo). Nihon no Keizai Hatten to Kinyû. (La finance et le développement économique du Japon [XXe s.].) Tokyo, Iwanami, 82, in-8, 652 p.

5686. Theorie und Empirie in Wirtschaftspolitik und Wirtschaftsgeschichte. Festschr. f. Wilhelm Abel z. 80. Geburtstag. Hrsg. v. Karl Heinrich KAUFHOLD u. Friedrich RIEMANN. Göttingen, Schwartz, 84, in-8, 242 p. (Ill., graph. Darst.). (Göttinger Beitr. z. Wirtschafts- u. Sozialgesch., 11)

5687. TREUE (Wilhelm). Wirtschaft im Dritten Reich. Anmerkungen zu einigen Neuerscheinungen. Z. f. Unternehmensgesch., 84, Jg. 29, p. 131-149.

5688. VAN STUIJVENBERG (P.). Heden en verleden in de moderne economische geschiedenis. (Present and past in modern economic history.) Groningen, Wolters/Noordhoff, 83, in-8, 167 p.

5689. WALKER (David W.). Business as usual: the Empresa del Tabaco in Mexico, 1837-44. Hisp. am. hist. R., 84, vol. 64, n° 4, p. 675-706.

5690. WEIR (David R.). Life under pressure: France and England, 1670-1870. J. econ. Hist., 84, vol. 44, n° 1, p. 27-48.

5691. WILLIAMSON (Jeffrey G.). Why was British growth so slow during the Industrial Revolution? J. econ. Hist., 84, vol. 44, n° 3, p. 687-712.

5692. Wirtschaftspolitik im britischen Besatzungsgebiet 1945-1949. Hrsg. v. Dietmar PETZINA u. Walter EUCHNER. Düsseldorf, Schwann, 84, in-8, 338 p. (1 graph. Darst.). (Düsseldorfer Schr. z. neueren Landesgesch. u. z. Gesch. Nordrhein-Westfalens, 12)

5693. ZALESKI (Eugène). La planification stalinienne. Croissance et fluctuations économiques en U.R.S.S., 1933-1950. Préf. d'A. PIATIER. Introd. de John H. MOORE. Paris, Economica, 84, in-8, 1120 p.

5694. ZANK (Wolfgang). Wirtschaftsplanung und Bewirtschaftung in der Sowjetischen Besatzungszone. Besonderheiten u. Parallelen im Vergl. z. westl. Besatzungsgebiet, 1945-1949. Vjschr. f. Soz.- u. Wirtschaftsgesch., 84, Bd 71, p. 485-504.

5695. ZIEBURA (Gilbert). Weltwirtschaft und Weltpolitik 1922/24-1931. Zwischen Rekonstruktion u. Zusammenbruch. Frankfurt (Main), Suhrkamp, 84, in-8, 229 p. (Edition Suhrkamp, 1261 = N.F., 261. Neue hist. Bibl.)

Cf. n°s 244, 3119, 3157, 3276, 3459, 3492, 4291, 4294, 5760, 5986, 6214, 6230, 7262.

§ 3. Industria, miniere e traffici.

* 5696. CROUZET (François). Cliométrie et révolution industrielle. Hist., Econ. et Soc., 84, a. 2, n° 4, p. 607-624.

* 5697. Výběrová bibliografie z dějin podniků, továren a závodů v českých zemích. (Auswahlbibliographie z. Geschichte der Unternehmen, Fabriken und Betriebe in den böhmischen Ländern.) Vol. 1-3. Edit. Hana BEZDĚKOVÁ. Praha, Národní tech. muzeum, 82-84, 3 vol. in-8, 386, 370, 420 p. (Bibliografie, prameny Národního tech. muzea v Praze, 22)

** 5698. Hessen im Zeitalter der industriellen Revolution. Text- u. Bilddokumente aus hess. Arch. beschreiben Hessens Weg in d. Industriegesellschaft während d. 19. Jh. Hrsg. v. Klaus EILER. Frankfurt (Main), Insel-Verl., 84, in-8, 445 p. (Ill.).

** 5699. LASCU (Stoica Gh.). Mărturii documentare privind elaborarea unor proiecte ale Canalului Dunăre-Marea Neagră. (Témoignages documentaires concernant l'élaboration de projets de construction du canal Danube - Mer Noire.) R. Ist., 84, t. 37, n° 6, p. 534-555.

** 5700. Produktion (Die) der deutschen Hüttenindustrie 1850-1914. Ein hist.-statist. Quellenwerk. Bearb. v. Stefi JERSCH-WENZEL u. Jochen KRENGEL. Unter Mitarb. v. Bernd MARTIN. Mit e. Vorw. v. Otto BÜSCH u. Wolfram FISCHER. Berlin, Colloquium-Verl., 84, in-8, XLVI-852 p. (Einzelveröff. d. Hist. Komm. zu Berlin, 43. Quellenwerke)

5701. ALLEN (Sir Peter). Transport pioneers of the 20th century. Ed. by Graham ROBSON. London, P. Stephens, 84, in-8, 240 p. (ill.).

5702. ARMOUR (Charles). The B.B.C. and the development of broadcasting in British colonial Africa, 1946-1956. African Affairs, 84, vol. 83, p. 359-402.

5703. BEATTY (Bess). Textile labor in the North Carolina Piedmont mill owner images and mill worker response, 1830-1900. Labor Hist., 84, vol. 25, n° 4, p. 485-503.

5704. BERG (Werner). Wirtschaft und Gesellschaft in Deutschland und Großbritannien im Übergang zum "organisierten Kapitalismus". Unternehmer, Angestellte, Arbeiter u. Staat im Steinkohlenbergbau d. Ruhrgebietes u. v. Südwales, 1850-1914. Berlin, Duncker u. Humblot, 84, in-8, 888 p. (Volkswirtschaftl. Schr., 339)

5705. BETTINI (Virginio). Borotalco nero: carbone tra sfida autarchica e questione ambientale. Premessa di Gianni MATTIOLI e Massimo SCALIA. Postfazione di Giorgio NEBBIA. Milano, Angeli, 84, in-8, 186 p. (Ambiente e società, 1. Strumenti, 1)

5706. BILS (Mark). Tariff protection and production in the early U.S. cotton textile industry. J. econ. Hist., 84, vol. 44, n° 4, p. 1033-1046.

5707. BONGARTZ (Wolfram). Unternehmensleitung und Kostenkontrolle in der rheinischen Montanindustrie vor 1914. Dargest. am Beisp. d. Firmen Krupp u. Gutehoffnungshütte. Z. f. Unternehmensgesch., 84, Jg. 29, p. 33-55, 73-113.

5708. BOOM (S.), SAAL (P.). Spoorwegaanleg en het beeld van de eerste helft van de negentiende eeuw. (The construction of railways in the first half of the 19th century.) Econ.-soc. hist. Jb., 83 [84], vol. 46, p. 5-25 (4 tab., 2 maps)

5709. BROEHL (Wayne G.) Jr. John Deere's company: a history of Deere and Company and its times. New York, Doubleday, 84, XV-870 p. [agricultural machinery]

5710. BUFFEVENT (Béatrix de). L'économie dentellière en région parisienne au XVIIe siècle. Préf. de Pierre GOUBERT. Pontoise, Soc. hist. et archéol. de Pontoise, 84, in-8, 390 p. (12 pl.).

5711. BURGER (J.E.J.M.), ROORDA (D.J.). Kanalenaanleg in Engeland (1750-1820). (The digging of the British canals, 1750-1820.) Econ.-soc. hist. Jb., 83 [84], vol. 46, p. 154-179 (1 fig., 1 map).

5712. CARLOS (Ann M.). Steel rails versus iron rails: evidence from Canada. Explor. in econ. Hist., 84, vol. 21, n° 2, p. 169-175.

5713. CARSTENSEN (Fred V.). American enterprise in foreign markets: studies of Singer and International Harvester in imperial Russia. Chapel Hill, Univ. of North Carolina Press, 84, in-8, VI-289 p.

§ 3. INDUSTRIA, MINIERE E TRAFFICI

5714. CAYEZ (Pierre). Métiers Jacquard et hauts fourneaux. Aux origines de l'industrie lyonnaise. Lyon, Presses univ. Lyon, 84, in-8, 476 p.

5715. ČERNJAK (A. Ja.). Stanovlenie stalelitejnogo proizvodstva v Rossi (V ljudjakh i épizodakh prošlogo stoletija). (Formation of the steel-making industry in Russia. About people and events of the past century.) Vopr. Ist., 84, n° 7, p. 101-111.

5716. CHARLESWORTH (George). History of British motorways. London, Telford, 84, in-8, 312 p.

5717. CLARK (Gregory). Authority and efficiency: the labor market and the managerial revolution of the late nineteenth century. J. econ. Hist., 84, vol. 44, n° 4, p. 1069-1084.

5718. COUVARES (Francis G.). The remaking of Pittsburgh: class and culture in an industrializing city, 1877-1919. Albany, State Univ. of New York Press, 84, in-8, VIII-187 p.

5719. CUTLER (Carl C.). Greyhounds of the sea: the story of the American clipper ship. London, P. Stephens, 84, in-4, 688 p. (ill., dr., pl., maps).

5720. DAVIES (R.W.). The socialist market: a debate in Soviet industry, 1932-33. Slavic R., 84, vol. 42, n° 2, p. 201-223.

5721. DUDEK (František). Potravinářský průmysl v sociálně ekonomickém vývoji českých zemí v 19. století. (The food industry in the socio-economic development of the Czech lands in the 19th century.) Hosp. Děj., 84, vol. 12, p. 5-48.

5722. ENDREI (Walter). Capital and labor. A case study of the silk throwing mill. Acta hist. Acad. Sci. hungaricae, 83, vol. 29, n° 2-4, p. 239-243.

5723. EPERJESSY (Géza). Zsidó iparűzők a reformkori szabad királyi városokban. (Les Juifs dans les métiers industriels des villes libres royales [de la Hongrie] à l'ère des Réformes.) Századok, 83, vol. 117, n° 4, p. 711-740.

5724. FISCHER (E.J.). Fabriquers en fabrikanten. De Twentse katoennijverheid en de onderneming S. J. Spanjaard te Borne tussen circa 1800 en 1930. (Study on the textile industry of Twente in the nineteenth century, focused on the firm S. J. Spanjaard in Borne.) Utrecht, Matrijs, 83, in-8, XI-325 p. (ill.). - IDEM. Sviluppi nell'industria olandese tra il 1815 e il 1914. R. stor. ital., 83 [84], a. 95, fasc. 3, p. 872-903.

5725. FLINN (Michael Walter). The history of the British coal industry. Vol. 2: 1700-1830: the Industrial Revolution. Assisted by David STOKER. London a. New York, 84, in-8, XVIII-491 p. (ill., tab., maps). [first vol. publ.]

5726 FREMDLING (Rainer). Die Rolle ausländischer Facharbeiter bei der Einführung neuer Techniken im Deutschland des 19. Jahrhunderts (Textilindustrie, Maschinenbau, Schwerindustrie). Arch. f. Sozialgesch., 84, Bd 24, p. 1-45.

5727. FRITSCHY (W.). Spoorwegaanleg in Nederland van 1831 tot 1845 en de rol van de staat. (The construction of railways in the Netherlands 1831-1845 and the role of the state.) Econ.-soc. hist. Jb., 83 [84], vol. 46, p. 180-227 (2 appendices).

5728. GERMAN (Andrew W.). Otter trawling comes to America: the Bay State Fishing Company, 1905-1938. Am. Neptune, 84, vol. 44, n° 2, p. 114-131.

5729. GILBERT (Geoffrey). Maritime enterprise in the new republic: investment in Baltimore shipping, 1789-1793. Business Hist. R., 84, vol. 58, n° 1, p. 14-29.

5730. GOLLIN (Alfred). No longer an island: Britain and the Wright brothers, 1902-1909. London, Heinmann, 84, in-8, 528 p.

5731. GULVIN (J.). The Scottish hosiery and knitwear industry, 1680-1980. Edinburgh, J. Donald, 84, in-8, 200 p.

5732. HAFTER (Daryl M.). The business of invention in the Paris industrial exposition of 1806. Business Hist. R., 84, vol. 58, n° 3, p. 317-335.

5733. HERBERT (Ulrich). Zwangsarbeit als Lernprozeß. Zur Beschäftigung ausländ. Arbeiter in d. westdeutschen Industrie im Ersten Weltkrieg. Arch. f. Sozialgesch., 84, Bd 24, p. 285-304.

5734. HILDEN (Patricia). Class and gender: conflicting components of women's behaviour in the textile mills of Lille, Roubaix and Tourcoing, 1880-1914. Hist. J., 84, vol. 27, p. 361-385.

5735. HLAVAČKA (Milan). Dopravní revoluce v Českých zemích. (The transportation revolution in the Czech lands.) Hosp. Děj., 84, vol. 12, p. 227-263. - IDEM. Mobile Dampfmaschinen in den böhmischen Ländern und in der Habsburgischen Monarchie in der Epoche der Industriellen Revolution. In: Energy in history [Cf. n° 829], p. 99-126.

5736. HOBSBAWM (Eric John). Worlds of labour. London, Weidenfeld a. Nicolson, 84, in-8, 384 p.

5737. HOWE (Anthony). The cotton masters, 1830-1860. London a. New York, Oxford U.P., 84, in-8, XII-359 p. (Oxford Hist. Mongr.)

5738. HUNNICUTT (Benjamin Kline). The end of shorter hours. Labor Hist., 84, vol. 25, n° 3, p. 373-404.

5739. HYDE (Charles K.). From "subterranean lotteries" to orderly investment: Michigan copper and eastern dollars, 1841-1865. Mid-Am., 84, vol. 66, n° 1, p. 3-20.

5740. HYVÖNEN (Heikki). Nuutajärven

fajanssitehdas. (Die Fayencefabrik Nuutajärvi.) Suomen Museo, 84, t. 91, p. 53-70. [Deutsche Zsfassung]

5741. Industriepolitik im agrarischen Osten. Ein Beitr. z. Gesch. Ostpreußens zw. d. Weltkriegen. Bericht und Dokumentation. Friedrich RICHTER. Mit e. Geleitwort v. Hans RAUPACH. Wiesbaden, Steiner, 84, in-8, IX-325 p. (graph. Darst., Kt.).

5742. JINDRA (Zdeněk). Podíl zbrojního koncernu "Fried. Krupp AG" na formování státně monopolistického kapitalismu v Německu 1914-1918. (Der Anteil des Waffenkonzerns "Friedrich Krupp AG" an der Gestaltung des staatsmonopolistischen Kapitalismus in Deutschland 1914-1918.) Sborn. k Problem. Děj. Imper., 84, vol. 17, p. 29-62.

5743. JONES (Robert E.). Getting the goods to St. Petersburg: water transport from the interior 1703-1811. Slavic R., 84, vol. 43, n° 3, p. 413-433.

5744. KEREMITSIS (Dawn). Latin American women workers in transition: sexual division of the labor force in Mexico and Colombia in the textile industry. Americas, 84, vol. 40, n° 4, p. 491-504.

5745. KIESEWETTER (Hubert). Staat und Unternehmen während der Frühindustrialisierung. Das Königreich Sachsen als Paradigma. Z. f. Unternehmensgesch., 84, Jg. 29, p. 1-32.

5746. KILLINGRAY (David). "A swift agent of government": air power in British colonial Africa, 1916-1939. J. afr. Hist., 84, vol 25, p. 429-444.

5747. KINT (Ph.), VAN DER VOORT (R.C.V.). Stedelijke industriële arbeidsmarkten in 1819: een modern kwantitatief economisch-historisch onderzoek. (Industrial labour-market in some Flemish towns in 1819.) Econ.-hist. Jb., 83 [84], vol. 46, p. 113-127 (8 tab.).

5748. KOPAČKA (Ludvík). Historickogeografická analýza změn struktury československého průmyslu po roce 1945. (Historicogeographic analysis of the changes in the structure of Czechoslovakian industry after 1945.) Hist. Geogr. [Praha], 84, vol. 22, p. 123-136.

5749. KOS-RABCEWICZ-ZUBKOWSKI (Ludwik), GREENING (William Edward). Sir Gzowski. Trad. de l'anglais par Józef RADZICKI. Warszawa, Iskry, 84, in-8, 205 p.

5750. LACINA (Vlastislav). Die Entwicklung der Elektrifizierung in der Tschechoslowakei bis zum Jahre 1938. In: Energy in history [Cf. n° 829], p. 159-180.

5751. LARSON (John Lauritz). Bonds of enterprise: John Murray Forbes and western development in America's railway age. Forew. by Alfred D. CHANDLER, Jr. Cambridge, Mass., Harvard U.P., 84, in-8, XVII-257 p.

5752. LASNIK (Ernst). Kleine Beiträge zur Geschichte der Weststeirischen Eisenindustrie. Bl. f. Heimatkde [Graz], 84, Bd 58, p. 81-89.

5753. LEMKE (Heinz). Das Scheitern der Verhandlungen über die offizielle Beteiligung Frankreichs am Bagdadbahnunternehmen 1903. Jb. f. Gesch., 84, Bd 29, p. 227-262.

5754. LEPETIT (Bernard). Chemins de terre et voies d'eau. Réseaux de transport et organisation de l'espace en France, 1740-1840. Paris, Ecole des Hautes Etudes en Sci. Soc., 84, in-8, 148 p. (fig., tabl.). (Recherches d'hist. et de Sci. soc., 7)

5755. LINDQVIST (Svante). Technology on trial: the introduction of steam power technology into Sweden, 1715-1736. Stockholm, Almqvist o. Wiksell internat., 84, in-4, 392 p. (ill.). (Uppsala stud. in hist. of science, 1)

5756. LUFFMAN (George A.), REED (Richard). Strategy and performance of British industry, 1970-1980. London, Macmillan, 84, in-8, 280 p.

5757. McHUGH (Cathy L.). Earnings in the post-bellum southern cotton textile industry: a case study. Explor. in econ. Hist., 84, vol. 21, n° 1, p. 28-39.

5758. MANDLER (Peter). Cain and Abel: two aristocrats and the early Victorian Factory Acts. Hist. J., 84, vol. 27, p. 83-109.

5759. MATĚJČEK (Jiří). Vývoj uhelného průmyslu vo českých zemích po průmyslové revoluci do roku 1914. (Die Entwicklung der Kohlenindustrie in den böhmischen Ländern nach der Industriellen Revolution bis z. J. 1914.) Praha, Academia, 84, in-8, 256 p.

5760. MERGER (Michèle). Chemins de fer et croissance économique en Italie au XIXe siècle et au début du XXe siècle. Etat de la question. Hist., Ec. et Soc., 84, a. 3, n° 1, p. 123-144.

5761. MITCHELL (B.R.). Economic development of the British coal industry, 1800-1914. London a. New York, Cambridge U.P., 84, in-4, XV-381 p. (tab.).

5762. MONTGOMERY (Florence M.). Textiles in America, 1650-1870. London, W. W. Norton, 84, in-4, 432 p. (ill.).

5763. MOWERY (David C.). Firm structure, government policy, and the organization of industrial research: Great Britain and the United States, 1900-1950. Business Hist. R., 84, vol. 58, n° 4, p. 504-531.

5764. MURAYAMA (Yuzo). Contractors, collusion, and competition: Japanese immigrant railroad laborers in the Pacific northwest, 1898-1911. Explor. in econ. Hist., 84, vol. 21, n° 3, p. 290-305.

5765. MUTSCHLECHNER (Georg). Erzbergbau und Bergwesen im Berggericht Rattenberg. Rattenberg, Selbstverl., 84, in-8, 163 p.

§ 3. INDUSTRIA, MINIERE E TRAFFICI

5766. MYLLYNTAUS (Timo). The inroduction of hydraulic turbines and its socio-economic setting in Finland, 1840-1940. Helsinki, 84, in-8, III-37 p. (ill.). (Communications, Inst. of econ. a. soc. Hist., Univ. of Helsinki, 14)

5767. NAKURA (Bunji). Nihon Tekkôgyôshi no Kenkyû. 1910 nendai kara 30 nendai zenhan no Kôzôteki Tokuchô. (Etude sur l'histoire de la sidérurgie japonaise. Sa structure des années 1910 aux premières années de 1930.) Tokyo, Kondô, 84, in-8, 656 p.

5768. NEUNINGER (Heinz). Untersuchungen an Probierschälchen des spätmittelalterlichen und frühneuzeitlichen Bergbaues aus Kärnten. Neues aus Alt-Villach, 84, Bd 21, p. 39-48.

5769. PAPATHANASOPOULOS (Kon.). Hetaireia Hellēnikēs Atmoploïas 1857-1869. Hypotheseis ereunas kai problēmatikē. (La Compagnie de Navigation Grecque 1857-1869. Hypothèses et problématique.) Mnēmōn, 84, t. 9, p. 194-210.

5770. PIERENKEMPER (Toni). Pre-1900 industrial white collar employees at the Krupp steel casting works: a new occupational category in Germany. Business Hist. R., 84, vol. 58, n° 3, p. 384-408.

5771. PRICKLER (Harald). Der Eisenbergbau Ludwig Batthyánys zu Bocksdorf-Stegersbach-Loipersdorf (1745 - ca. 1770). Burgenländ. Heimatbl., 84, Bd 46, n° 2, p. 64-75.

5772. Promyšlenny perevorot i ego social'no-èkonomičeskie posledstvija. (The industrial revolution and its socio-economic consequences.) Nov. novejš. Ist., 84, n° 2, p. 70-93.

5773. Protagonisti (I) dell'intervento pubblico in Italia. Scritti di Franco BONELLI, et al. A cura di Alberto MORTARA. Milano, CIRIEC; Milano, Angeli, 84, in-8, 745 p. (Coll. Ciriec, 26)

5774. PURŠ (Jaroslav). Energy crisis in the milling industry of late feudalism: Bohemia's case. In: Energy in history [Cf. n° 829], p. 57-66. - IDEM. New energy in transport and automobile revolution: the case of Czechoslovakia. Ibid., p. 181-198.

5775. PUŚ (Wiesław). Przemysł Królestwa Polskiego w latach 1870-1914. Problemy struktury i koncentracji. (L'industrie du Royaume de Pologne dans les années 1870-1914. Problèmes de structure et de concentration.) Łódź, 84, in-8, 366 p. (Acta Univ. Lodziensis, Ser. 1: Nauki Humanist.-Społ.)

5776. QUATAERT (Donald). The silk industry of Bursa, 1880-1914. In: Contrib. à l'hist. écon. et soc. de l'Empire ottoman [Cf. n° 5607], p. 481-503 (5 tables).

5777. ROMANO (Roberto). Nascita dell'industria in Italia. Roma, Editori riuniti, 84, in-8, 156 p. (ill.). (Libri di base, 68)

5778. ROSE (Mark H.). Urban environments and technological innovation: energy choices in Denver and Kansas city, 1900-1940. Technol. a. Cult., 84, vol. 25, n° 3, p. 503-539.

5779. RUBNER (Heinrich). Technisch-industrielle Entwicklung, Waldzerstörung und Waldwirtschaft von der Aufklärung bis zur Gründung des Deutschen Reiches. Technikgesch., 84, Bd 51, p. 94-103.

5780. SAMSONOV (A.M.). Vtoraja mirovaja vojna i ideologičeskaja bor'ba (Opyt i suždenija). (The second world war and ideological struggle: experience and opinions.) Nov. novejš. Ist., 84, n° 5, p. 78-100.

5781. SAVICKIJ (I.M.). Promyšlennye kadry poslevoennoj Sibiri (1946-1960). (Industrial personnel of post-war Siberia.) Novosibirsk, Nauka, 84, 239 p. (AN SSSR. Sib. otd-nie. In-t ist., filol. i filos.)

5782. SCHMIECHEN (James A.). Sweated industries and sweated labor: the London clothing trades, 1860-1914. Urbana, Univ. of Illinois Press, 84, in-8, 209 p.

5783. SCRANTON (Philip). Varieties of paternalism: industrial structures and the social relations of production in American textiles. Am. Quar., 84, vol. 36, n° 2, p. 235-257.

5784. SEPP (J.C.). De overgang van zeil naar motor in de binnenlandse scheepvaart 1900-1940. (From sailing to motoring. The Dutch inland navigation 1900-1940.) Econ.-soc. hist. Jb., 83 [84], vol. 46, p. 60-78 (6 tab., 1 graph.).

5785. SMITH (Harold L.). The womanpower problem in Britain during the Second World War. Hist. J., 84, vol. 27, p. 925-945.

5786. SOKOLOFF (Kenneth L.). Was the transition from the artisanal shop to the nonmechanized factory associated with gains in efficiency? Evidence from the U.S. manufacturing censuses of 1820 and 1850. Explor. in econ. Hist., 84, vol. 21, n° 4, p. 351-382.

5787. SPUFFORD (Margaret). The great reclothing of rural England: Petty Chapman and their wares in the 17th century. London, Hambledon, 84, in-8, XIV-258 p. (ill., tab., maps).

5788. STRANGES (Anthony). Friedrich Bergius and the rise of the German synthetic fuel industry. Isis, 84, vol. 75, n° 279, p. 643-667.

5789. SWAN (Maureen). The 1913 Natal Indian strike. J. southern afr. Stud., 84, vol. 10, p. 239-258.

5790. TAKAHASHI (Hideyuki). Puroisen Shô-kômushô no Seiritsu Katei, 1803-1843. (Politique d'industrialisation et naissance du Ministère du Commerce et de l'Industrie en Prusse entre 1803 et 1843.) Ooitadaigaku Keizai Ronshû, 83, vol. 34, n° 4-6, p. 75-102.

5791. THOMPSON (Anne-Gabrielle). The uses unad misuses of capital: New Caledonia's mining industry 1871-1901. J. pacific Hist., 84, vol. 19, n° 1-2, p. 66-82.

5792. TIFFANY (Paul A.). The roots of decline: business-government relations in the American steel industry, 1945-1960. J. econ. Hist., 84, vol. 44, n° 2, p. 407-420.

5793. TODOROVA (Cvetana). Problemi na industrializacijata na Bălgarija 1912-1915 g. (Problèmes de l'industrialisation de la Bulgarie 1912-1915.) Ist. Pregled, 82, n° 1, p. 3-20.

5794. TREUE (Wilhelm). Wirtschafts- und Technikgeschichte Preußens. Berlin u. New York, de Gruyter, 84, in-8, XVIII-657 p. (Veröff. d. Hist. Komm. zu Berlin, 56)

5795. TRZOSKA (Jerzy). Z dziejów gorzelnictwa gdańskiego w drugiej połowie XVII e w XVIII wieku. (Histoire de la distillerie à Gdańsk dans la seconde moitié du XVIIe et au XVIIIe s.) Rocsn. gdański, 84, vol. 44, fasc. 1, p. 145-187.

5796. TURRELL (Rob). Kimberley's model compounds. J. afr. Hist., 84, vol. 25, p. 59-75.

5797. TZAMTZES (A.I.). Ta liberty kai hoi Hellēnes. To chroniko mias eirēnikēs armadas. Symbolē stē neōterē nautikē mas historia. (Les "liberty" et les Grecs. Notre chronique de la flotte pacifique. Contribution à notre histoire navale moderne.) Athènes, Hestia, 84, 400 p. (ill.).

5798. USSELMAN (Steven W.). Air brakes for freight trains: technological innovation in the American railroad industry, 1869-1900. Business Hist. R., 84, vol. 58, n° 1, p. 30-50.

5799. VÁMOS (Éva), SZABADVÁRY (Ferenc). The role of South-German merchant firms in Upper Hungarian (Central Slovakian) mining in the period directly following the Fuggers (1548-1569). Acta hist. Acad. Sci. hungaricae, 83, vol. 29, n° 2-4, p. 233-237.

5800. VAN DEN BROEKE (W.). De financiering en de financiers van de spoorwegen in Nederland. De maatschappij tot Exploitatie van Staatsspoorwegen 1863-1870. (The financing of the Dutch railways and its financiers.) Econ.-soc. hist. Jb., 83 [84], vol. 46, p. 26-44.

5801. VANPAEMEL (J.). De industrialisatie van de Kempen. (The industrialization of the Kempen [1885-1910].) Stud. soc. econ. Gesch. Limburg, 84, vol. 29, p. 36-82 (19 tab.).

5802. VARGA (László). A csepeli gyáróriás kialakulásának története. (L'histoire de la formation de l'usine géante de Csepel.) Századok, 83, vol. 117, n° 6, p. 1322-1358.

5803. WEBER (R.E.J.). De seinboeken voor Nederlandse oorlogsvloten en konvooien tot 1690. (Sailing instructions for the Dutch navies and convoys up to 1690.) Amsterdam, North Holland Publ. Comp., 82, in-8, XII-177 p. (Verh. Kon. Ned. Akad. Wetensch., afd. Letterkde, N.R., 112)

5804. WILKINSON (Norman B.). Lammot du Pont and the American explosives industry, 1850-1884. Charlottesville, U.P. of Virginia, 84, in-8, XII-332 p.

5805. WOOLF (Arthur G.). Electricity, productivity, and labor saving: American manufacturing, 1900-1929. Explor. in econ. Hist., 84, vol. 21, n° 2, p. 176-191.

5806. WORONOFF (Denise). L'industrie sidérurgique en France pendant la Révolution et l'Empire. Préf. d'Ernest LABROUSSE. Paris, Ecole des Hautes Etudes en Sci. soc., 84, in-8, 592 p. (ill.). (Civilisations et sociétés, 71)

5807. WRAY (William D.). Mitsubishi and the N.Y.K., 1870-1914: business strategy in the Japanese shipping industry. Cambridge, Mass., Harvard U. P., 84, XX-672 p. (Subseries on the Hist. of Japanese Business a. Industry) [N.Y.K. = Nippon Yûsen Kaisha]

5808. ZIMMECK (Meta). Strategies and stratagems for the employment of women in the British Civil Service, 1919-1939. Hist. J., 84, vol. 27, p. 901-924.

Cf. n°s 297, 4291, 5887, 6625, 7602.

§ 4. Commercio.

** 5809. Bronnen voor de geschiedenis van de Nederlandse Oostzeehandel in de 17e eeuw. (Sources for the history of the Dutch trade with the Baltic in the 17th century.) Vol. [2. Cf. Bibl. 76-77, n° 6483.] 3-6. Ed. by P. H. WINKELMAN. s'-Gravenhage, Nijhoff, 81-83, 4 vol. in-4, XXVIII-636, LXXIV-642, VIII-672, VIII-856 p. (Rijks Geschiedk. Publ., gr. s., 178, 184-186)

** 5810. Notarial records relating to the Portuguese Jews in Amsterdam up to 1639. [Cf. Bibl. 80, n° 5308.] Studia Rosenth., 81, vol. 14, p. 143-154, 245-255; 82, vol. 15, p. 61-84, 196-218; 83, vol. 16, p. 66-79, 210-217; 84, vol. 17, p. 61-73, 159-176.

5811. BÁCSKAI (Vera), NAGY (Lajos). Piackörzetek, piacközpontok és városok Magyarországon 1828-ban. (Sphères des marchés, centres de marchés et villes e., Hongrie en 1828.) Budapest, Akad. Kiadó, 84, in-8, 402 p. (carte).

5812. BENEDICT (Philip). Rouen's foreign trade during the era of the religious wars (1560-1600). J. european econ. Hist., 84, vol. 13, n° 1, p. 29-74.

5813. BOUBAKEUR (Sadok). Simon Merlet, marchand marseillais dans la Régence de Tunis (1963-1741). Provence hist., 84, t. 34, fasc. 37, p. 327-343.

5814. BRUIJN (J.R.). Schepen van de VOC en een vergelijking met de vaart op Azië door andere compagnieën. (The shipping of the Dutch East India Company compared with other East India Companies.) Bijdr. Meded. Gesch. Ned., 84, vol. 99, p. 1-20.

5815. BUCHHEIM (Christoph). Deutsche Gewerbeexporte nach England im 19. Jahrhundert. Zur Wettbewerbsfähigkeit e. "Entwicklungslandes" auf d. Markt einer Industrienation. Ostfildern, Scripta Mercaturae, 84, in-8, 156 p. (9 Tab.). (Studien z. Wi.-u. Sozialgesch., 5)

5816. CARRIERE (Charles), COURDURIE (Marcel). Un sophisme économique: Marseille s'enrichit en achetant plus qu'elle ne vend (réflexions sur les mécanismes commerciaux levantins au XVIIIe siècle). Hist., Econ. et Soc., 84, a. 3, n° 1, p. 8-51.

5817. COCHRAN (L.E.). Scottish trade with Ireland in the 18th century. Edinburgh, J. Donald, 84, in-8, 250 p.

5818. COLLINS (James B.). The role of Atlantic France in the Baltic trade: Dutch trader and Polish grain at Nantes, 1625-1675. J. european econ. Hist., 84, vol. 13, n° 2, p. 239-289.

5819. CSATÓ (Tamás). A külföldi tőke szerepe a magyar belkereskedelemben a két világháboru között. (Le rôle du capital étranger dans le commerce intérieur de Hongrie entre les deux guerres mondiales.) Tört. Zsle, 84, vol. 27, n° 1-2, p. 258-268.

5820. DENIZE (Eugen). Relaţiile comerciale româno-spaniole pînă la pacea de la Adrianopol (1829). (Les relations commerciales roumano-espagnoles jusqu'à la paix d'Andrinople, 1829.) R. Ist., 84, t. 37, n° 5, p. 470-481.

5821. DONAGHAY (Marie). The best laid plans: French execution of the Anglo-French commercial treaty of 1786. European Hist. Quar., 84, vol. 14, n° 4, p. 401-422.

5822. ERICSSON (Tom). "Inom handelsvärlden härskar en borgerlig anda": arbetsgivare och anställda inom handeln, 1890-1914. ("The world of reatail trade is pervaded by a bourgeois mentality": employers and employees in the retail trade, 1890-1914.) [Svensk] Hist. T., 84, vol. 103, p. 401-421. [Eng. summary]

5823. ESTEBAN (Javier Guenca). Trends and cycles in U.S. trade with Spain and the Spanish empire, 1790-1819. J. econ. Hist., 84, vol. 44, n° 2, p. 521-544.

5824. FEATHER (John). The commerce of letters: the study of eighteenth-century book trade. Eighteenth-Cent. Stud., 84, vol. 17, n° 4, p. 405-424.

5825. FEDERICO (Giovanni). Commercio dei cereali e dazio sul grano in Italia (1863-1913). Una analisi quantitativa. Nuova R. stor., 84, a. 68, fasc. 1-2, p. 46-198.

5826. FIRRO (Kais). The role of Marseille in Franco-Ottoman commercial relations, 1861-1914. Asian a. afr. Stud., 84, vol. 18, p. 297-323.

5827. FORTUNE (Stephen Alexander). Merchants and Jews: the struggle for British West Indian commerce, 1650-1750. Gainesville, Univ. Presses of Florida, 84, XIII-244 p. (Latin Am. Monogr., 2nd ser., 26)

5828. GASSER (Peter). Triests Handelsversuche mit Spanien und die Probleme der österreichischen Schiffahrt in den Jahren 1750-1800. 2. Teil. Mitt. d. österr. Staatsarch., 84, Bd 37, p. 172-197.

5829. HAUSMAN (William J.). Cheap coals or limitations of the vend: the London coal trade, 1770-1845. J. econ. Hist., 84, vol. 44, n° 2, p. 321-328. - IDEM. Market power in the London coal trade: the limitation of the vend, 1770-1845. Explor. in econ. Hist., 84, vol. 21, n° 4, p. 383-405.

5830. HEGEMANN (Margot). Zur Außenwirtschaftspolitik der europäischen Volksdemokratien beim Übergang zum Aufbau des Sozialismus - dargestellt am Beispiel Rumäniens. Jb. f. Gesch., 84, Bd 30, p. 299-352.

5831. HEJL (František), FIŠER (Rudolf). Obchod východoslovenských miest so zahraničím v 17. storočí. (East-Slovakian towns did a lot of trade with foreign countries in the 17th century.) Hist. Čas., 84, vol. 32, p. 926-938.

5832. HINKKANEN-LEVONEN (Merja-Liisa). British trade and enterprise in the Baltic States, 1919-1925. Helsinki, Societas historica Finlandiae, 84, in-8, 312 p. (Stud. hist., 14)

5833. ISRAEL (J.I.). An Amsterdam Jewish merchant of the Golden Age: Jeronimo Nunes Da Costa (1620-1697), agent of Portugal in the Dutch Republic. Studia Rosenth., 84, vol. 17, p. 21-40 (2 tab.).

5834. KAPLAN (Steven Laurence). Provisioning Paris: merchants and millers in the grain and flour trade during the eighteenth century. Ithaca, N. Y., Cornell U.P., 84, in-8, 666 p.

5835. KELLER (Angela). Die Getreideversorgung von Paris und London in der zweiten Hälfte des 17. Jahrhunderts. Bonn Röhrscheid, 84, in-8, 162 p. (Bonner hist. Forsch., 50)

5836. KISS (István N.). Preis- und Kaufkraftverschiebungen im deutschen, österreichischen und ungarischen Donaugebiet vom 16. bis zum 18. Jahrhundert. Jb. f. Gesch. d. Feudalismus, 84, Bd 8, p. 311-340.

5837. KORTE (J. de). De jaarlijkse financiële verantwoording in de V.O.C. (The early account in the Dutch East India Company.) Leiden, Nijhoff, 84, in-4, XIV-95 p. (Werken uitg. door de Vereeniging Het Nederlandsch Econ.-Hist. Archief gevestigd te Amsterdam, 17)

5838. LEKSCHAS (Jan). Die handelspolitischen Reibungsflächen zwischen Deutschland und den USA im letzten Jahrzehnt des 19. Jh., insbesondere von 1897 bis 1900. Jb. f. Gesch., 84, Bd 29, p. 129-169.

5839. MARJAMÄKI (Matti). Suomen viennin virrat 1957-81. (Finland's visible exports 1957-81.) Terra, 84, t. 96, p. 239-252. [Eng. summary]

5840. MARSEILLE (Jacques). Les relations commerciales entre la France et son empire colonial, de 1880 à 1913. R. Hist. mod., 84, t. 31, janv.-juin, p. 286-307.

5841. MEREDITH (David). Government and the decline of the Nigerian oil-palm export industry, 1919-1939. J. afr. Hist., 84, vol. 25, p. 311-329.

5842. METTAS (Jean). Répertoire des expéditions négrières françaises au XVIIIe siècle. [1. Cf. Bibl. 78-79, n° 5997.] 2: Ports autres que Nantes. Ed. par Serge DAGET, Michèle DAGET. Paris, Soc. franç. d'hist. d'outre-mer; diff. L'Harmattan, 84, in-8, 972 p. (Bibl. d'hist. d'outre-mer, Instruments de travail, 2)

5843. MIELMANN (Peter). Deutsch-chinesische Handelsbeziehungen am Beispiel der Elektroindustrie, 1870-1949. Frankfurt (Main), Bern, New York u. Nancy, Lang, 84, in-8, VIII-495 p. (graph. Darst., Kt.). (Europ. Hochschulschriften, Reihe 5: Volks- u. Beitriebswirtschaft, 562)

5844. NAKATH (Detlef). Zur Geschichte der Handelsbeziehungen zwischen der DDR und der BRD in der Endphase der Übergangsperiode 1958 bis 1961. Die Rolle d. Handels bei d. Zuspitzung d. imperialist. Wirtschaftskrieges gegen die DDR. Jb. f. Gesch., 84, Bd 31, p. 299-331.

5845. NOORDUYN (J.). De handelsrelaties van het Makassaarse rijk volgens de notities van Cornelis Speelman. (A note of Cornelis Speelman from 1760 on the trade between the Dutch East India Company and Makassar.) In: Nederlandse hist. Bronnen [Cf. n° 769], vol. 3, p. 97-123.

5846. O'CONNELL (Arturo). Free trade in one (primary producing) country: the case of Argentina in the 1920s. Buenos Aires, Instit. Torcuato Di Tella, 84, in-8, 70 p.

5847. PETRÁŇ (Josef). Rayons marchands et débuts de la formation du marché du pays en Bohême. Historica [Praha], 84, vol. 24, p. 241-267.

5848. PURŠ (Jaroslav). Steam drive in the epoch of industrial revolution. In: Energy in history [Cf. n° 829], p. 45-46.

5849. REDDY (William M.). The rise of market culture: the textile trade and French society, 1750-1900. London, Cambridge U.P., 84, in-8, 402 p. (ill., maps).

5850. REED (Howard A.). Yankees at the Sultan's Port: the first Americans in Turkey and early trade with Smyrna and Mocha. In: Contrib. à l'hist. écon. et soc. de l'Empire ottoamn [Cf. n° 5607], p. 353-383.

5851. SEIBOLD (Gerhard). Zur Situation der italienischen Kaufleute in Nürnberg während der zweiten Hälfte des 17. und der ersten Hälfte des 18. Jahrhunderts. Mitt. d. Ver. f. Gesch. Nürnberg, 84, Bd 71, p. 186-207.

5852. SIMON (Bruno). Le blé et les rapports vénéto-ottomans au XVIe siècle. In: Contrib. à l'hist. écon. et soc. de l'Empire ottoman [Cf. n° 5607], p. 267-286.

5853. THOMAS (Ludmila). Rivalitäten deutscher und russischer Schiffahrtsgesellschaften im Transatlantikgeschäft. Polit. u. ökon. Hintergründe. Jb. f. Gesch., 84, Bd 29, p. 39-64.

5854. TSIRPANLĒS (Zacharias N.). Gianniōtes emporoi kai emporikē politikē tēs Benetais 1720-1721. (Marchands de Jannina et politique commerciale de Venise, 1720-1721.) In: Charisteion Serapheim Tika [Cf. n° 512], p. 473-499. [Disponible comme tiré à part]

5855. VAN SANTEN (H.W.). De Verenigde Oost-Indische Compagnie in Gujarat en Hindustan. (The Dutch East India Company in Gujarat and Hindustan, 1620-1660.) Meppel, Krips, 83, in-8, 289 p.

5856. VILA VILAR (Enriqueta). Las ferias de Portobelo: apariencia y realidad del comercio con Indias. Anu. Est. am., 82 [84], t. 39, p. 275-340.

5857. VILLE (Simon). Note: size and profitability of English colliers in the eighteenth century. Business Hist. R., 84, vol. 58, n° 1, p. 103-120.

5858. WESTCOTT (Nicholas), The East African sisal industry, 1929-1949: the marketing of a colonial commodity during depression and war. J. afr. Hist., 84, vol. 25, p. 445-461.

5859. WULF (Dietmar). Der "kleine" Zollkrieg. Zu d. Hintergründen u. d. Verlauf d. deutsch-russischen Zollkonferenz (November 1896 bis Februar 1897). Jb. f. Gesch., 84, Bd 29, p. 65-95.

Cf. n°s 5681, 6855, 6973.

§ 5. Agricoltura e problemi agrari.

* 5860. ROGERS (Earl M.), ROGERS (Susan H.). Significant books on agricultural history published in [1981. Cf. Bibl. 83, n° 5895.] 1982. Agric. Hist., 84, vol. 58, n° 4, p. 617-622.

5861. ADAM (Iosif). Agricultura Transilvaniei în ajunul primului război mondial. (L'agriculture en Transylvanie à la veille de la première guerre mondiale.) [1. Cf. Bibl. 83, n° 5897.] 2. R. Ist., 84, t. 37, p. 313-325.

5862. ALMAGUER (Tomás). Racial domination and class conflict in capitalist agriculture: the Oxnard sugar worker's strike of 1903. Labor Hist., 84, vol. 25, n° 3, p. 325-350.

§ 5. AGRICOLTURA E PROBLEMI AGRARI

5863. ALTRICHTER (Helmut). Die Bauern von Tver. Vom Leben auf d. russ. Dorfe zw. Revolution u. Kollektivierung. München u. Wien, Oldenbourg, 84, in-8, 373 p.

5864. ATACK (Jeremy), BATEMAN (Fred). Self-sufficiency and the origins of the marketable surplus in the rural North [of the U.S.], 1860. Agric. Hist., 84, vol. 58, n° 3, p. 296-313.

5865. ATKINS (Annette). Harvest of grief: grasshopper plagues and public assistance in Minnesota, 1873-1878. St. Paul, Minnesota Hist. Soc., 84, in-8, 147 p.

5866. AYMARD (Maurice). Autoconsommation et marchés: Chayanov, Labrousse et Le Roy Ladurie. A. Ec., Soc., Civ., 83 [84], a. 38, n° 6, p. 1392-1410.

5867. BALASSA (Iván). Die Lohnernte in Ungarn bis 1945. Agrártört. Szle, 83, vol. 25, SuppL, p. 1-26.

5868. BALÁSZ (Magdolna), KATUS (László). Középdunántúli paraszti háztartások a 18. században. (Ménages paysans dans la région cisdanubienne [de la Hongrie] au XVIIIe siècle.) Tört. Szle, 83, vol. 26, n° 1, p. 155-171.

5869. BALTL (Hermann). Paul Adler. Ein Leben für den bäuerlichen Fortschritt. Graz, Leykam, 84, in-8, 113 p.

5870. BARRAN (José Pedro), NAHUM (Benjamín). Uruguayan rural history. Hisp. am. hist. R., 84, vol. 64, n° 4, p. 655-674.

5871. BARRON (Hal S.). Those who stayed behind: rural society in nineteenth-century New England. London a. New York, Cambridge U.P., 84, in-8, XIII-184 p. (ill., dr., tab.).

5872. BEAUR (Gérard). Le marché foncier à la veille de la Révolution. Les mouvements de propriété beaucerons dans les régions de Maintenon et de Janville de 1761 à 1790. Préf. de Pierre GOUBERT. Paris, Ed. de l'Ecole des Hautes Etudes en Sci. soc., 84, in-8, 359 p. (graph., cartes). (Recherches d'hist. et de sci. soc., 9)

5873. BEEMAN (Richard R.). The evolution of the southern back-country: a case study of Lunenburg County, Virginia, 1746-1832. Philadelphia, Univ. of Pennsylvania Press, 84, in-8, XVI-272 p.

5874. BEN-ARTZI (Yosi). Tikhnun we-hitpatehut ha-ma'arakh ha-fizi shel ha-moshavot ha-ivriot be-eretz yisrael, 1882-1914. (Planning and development of the physical pattern of the Jewish moshavot in Palestine, 1882-1914.) Jerusalem, 84, in-4, 274-20 leaves (22 ill., pl., maps). [Thesis. Hebrew Univ. of Jerusalem. - Eng. summary]

5875. BOURCIER (Paul G.). "In excellent order": the gentleman farmer views his fences, 1790-1860. Agric. Hist., 84, vol. 58, n° 4, p. 546-564.

5876. BOUSSARD (Isabel). Principaux aspects de la politique agricole française pendant la Deuxième guerre mondiale. R. Hist. 2e Guerre mond., 84, a. 34, n° 134, p. 1-32.

5877. BRUCKMÜLLER (Ernst). Strukturwandel d. österreichischen Landwirtschaftsgesellschaften im 19. Jahrhundert. Z. f. Agrargesch., 84, Jg. 32, p. 1-30.

5878. BURKERT (Günther R.). Österreichische Bauernvereine 1869-1914 (2. Teil). Gesch. u. Gegenwart, 84, Bd 3, n° 3, p. 198-224.

5879. BUZA (János). Törökkori állattartásunk a "vadszám" és az adózás tükrében. (L'élevage en Hongrie au temps de l'occupation turque d'après les impositions et les "comptes de bétail".) Századok, 84, vol. 118, n° 1, p. 3-63.

5880. Congreso de historia rural, siglos XV al XIX. Actas del Coloquio celebrado en Madrid, Segovia y Toledo del 13 al 16 de octubre de 1981, con la participación de l'Ecole des Hautes Etudes en Sciences sociales, los servicios culturales de la Embajada de Francia. Madrid, Univ. Complutense, 84, in-8, 870 p.

5881. CORVOL (Andrée). L'homme et l'arbre sous l'Ancien Régime. Préf. de Pierre CHAUNU. Avant-propos de Roland MOUSNIER. Paris, Economica, 84, in-8, XIV-758 p.

5882. CRISTEA (Gheorghe). Evoluția obștiilor sătești de arendare între 1907-1916. (L'évolution des communautés villageoises d'affermage entre 1907-1916.) R. Ist., 84, t. 37, p. 226-240.

5883. DANIEL (Pete). The crossroads of change: cotton, tobacco, and rice cultures in the twentieth-century south. J. south. Hist., 84, vol. 50, n° 3, p. 429-456.

5884. Development (The) of agricultural technology in the 19th and the 20th centuries. Papers pres. to section C 3 at the Eight Internat. econ. Hist. Congress, Budapest, 1982. Ed. by H. W. WINKEL a. K. HERRMANN. Ostfildern, Scripta Mercaturae, 84, in-8, 169 p.

5885. DEVINE (Thomas Martin). Farm servants and labour in lowland Scotland, 1780-1914. Edinburgh, J. Donald, 84, in-8, 300 p.

5886. DOMAR (Evsey D.), MACHINA (Mark J.). On the profitability of Russian serfdom. J. econ. Hist., 84, vol. 44, n° 4, p. 919-956.

5887. DUDEK (František). Energy base of the foodstuffs industry in Czech lands during the industrial and technological and scientific revolution. In: Energy in history [Cf. n° 829], p. 67-98. - IDEM. Territorial organization of the agricultural industry and its raw material base in the Czech lands in the 19th century. Hist. Geogr. [Praha], 84, vol. 23, p. 219-250.

5888. EATON (James Winton). The Wyoming Stock Growers Association's treatment of nonmember cattlemen during the 1880s.

Agric. Hist., 84, vol. 58, n° 1, p. 70-80.

5889. Erbhof-Chronik. Mit Dokumentation der Erbhöfe Oberösterreichs. Graz, Wien u. Wiesbaden, Universal Verl., 84, in-4, 128 p., 96 p.

5890. FAHEY (Charles). The wealth of farmers, a Victorian regional study, 1879-1901. Hist. Stud. Australia N.Z., 84, vol. 21, p. 29-51.

5891. FERLEGER (Louis). Self-sufficiency and rural life on southern farms. Agric. Hist., 84, vol. 58, n° 3, p. 314-329.

5892. FINDEISEN (Jörg-Peter). Zwischen Feudalismus und Kapitalismus. Schwedisch-pommersche agrarpolit. Konzeptionen einer Reform d. feudalen Wirtschaftsstruktur. Jb. f. Gesch. d. Feudalismus, 84, Bd 8, p. 341-369.

5893. Formirovanie triedy družstevného rol'níctva v Československu. Kapitoly z dejín socialistického pol'nohospodárstva v Československu. (Die Gestaltung der Klasse der Genossenschaftsbauern in der Tschechoslowakei. Kapitel aus d. Gesch. d. sozialist. Landwirtschaft in d. Tschechoslowakei.) Ed.: Samuel CAMBEL. Zborn. Úst. Marx.-Lenin., 84, vol. 23, n° 2, 504 p.

5894. FRIEDMANN (Karen J.). Fencing, herding, and tethering in Denmark, from open-field agriculture to enclosure. Agric. Hist., 84, vol. 58, n° 4, p. 584-597.

5895. FUJITA (Kôichirô). Kindai Doitsu Nôson Shakai Keizai Shi. (Histoire économique et sociale de l'Allemagne rurale aux temps modernes.) Tokyo, Miraisha, 84, in-8, 292 p.

5896. GAVIGNAUD (Geneviève). Propriétaires-viticulteurs en Roussillon. Structures, conjonctures, sociétés, XVIIIe-XXe siècles. Paris, Publ. de la Sorbonne, 84, 2 vol. in-8, ens. 788 p.

5897. GEBHARDT (Helmut). Die Anfänge der Flurbereinigung und die k.k. Landwirtschaftsgesellschaft in Steiermark. Z. d. hist. Ver. f. Steiermark, 84, Bd 75, p. 125-141.

5898. GEORGELIN (Jean). L'appropriation et l'utilisation du sol en Polésine à la fin du XVIIIe siècle. Hist., Econ. et Soc., 83 [84], a. 2, n° 4, p. 6.

5899. GOLDSMITH (James L.). The agrarian history of preindustrial France. Where do we go from here? J. european econ. Hist., 84, vol. 13, n° 1, p. 175-199.

5900. GUNST (Péter). Agriculture and provisioning in Hungary during World War II. Acta hist. Acad. Sci. hungaricae, 84, vol. 30, n° 1-2, p. 129-150.

5901. HACQUEBORD (L.). De 17e eeuwse Nederlandse walvisvaart: een ecologische benadering. (The 17th-century Dutch whaling industry: an ecological approach.) Geogr. T., 83, n. ser., vol. 17, p. 288-296 (4 fig.).

5902. HADWIGER (Don F.), COCHRAN (Clay). Rural telephones in the United States. Agric. Hist., 84, vol. 58, n° 3, p. 221-238.

5903. HARNISCH (Hartmut). Kapitalistische Agrarreform und industrielle Revolution. Agrarhistor. Unters. über d. ostelbische Preußen zw. Spätfeudalismus u. bürgerl.-demokrat. Revolution v. 1848/49 unter bes. Berücksichtigung d. Provinz Brandenburg. Weimar, Böhlau, 84, in-8, 368 p. (Abb.). (Veröff. d. Staatsarchivs Potsdam, 19)

5904. HOFFMAN (Philip T.). The economic theory of share-cropping in early modern France. J. econ. Hist., 84, vol. 44, n° 2, p. 309-320.

5905. HUSSAIN (Athar), TRIBE (Keith). Paths of development in capitalist agriculture: readings from German social democracy, 1891-1899. Tr. from the Germ. by B. FOWKES. London, Macmillan, 84, in-8, 216 p.

5906. INALCIK (Halil). The emergence of big farms, çiftliks: state, landlords and tenants. In: Contrib. à l'hist. écon. et soc. de l'Empire ottoman [Cf. n° 5607], p. 105-126 (2 tables).

5907. JELEČEK (Leoš). Main historical changes in spatial organization of agriculture in Bohemia in the 2nd half of the 19th century. Hist. Geogr. [Praha], 84, vol. 23, p. 171-218. - IDEM. Power engineering during the technological and scientific revolution in agriculture in the Czech lands. In: Energy in history [Cf. n° 829], p. 127-150.

5908. JONES (Allen W.). Voices for improving rural life: Alabama's black agricultural press, 1890-1965. Agric. Hist., 84, vol. 58, n° 3, p. 209-220.

5909. KÁLLAY (István). Fideikomisse in Ungarn, 1542-1945. A. Univ. Sci. Budapestiensis, Sectio hist., 82, vol. 22, p. 55-69.

5910. KATO (Hirosdhi). Ejiputo ni okeru Shiteki Tochi Shoyû-ken no Kakuritsu. (The establishment of private landownership in Egypt [19th cent.].) Tokyo Daigaku Tôbunken Kiyo, 82, vol. 91, p. 1-179. [Eng. summary]

5911. KIJAS (Artur). System pomiestny w państwie moskiewskim w XV - pierwszej połowie XVI wieku. Historiografia i problematyka. (Le système des "pomestje" dans l'Etat moscovite, du XVe à la première moitié du XVIe s. Historiographie et problématique.) Poznań, 84, in-8, 210 p. (Uniw. im. Adama Mickiewicza w Poznaniu, Historia, 119)

5912. KOBRIN (V.B.). Iz istorii pravitel'stvennoj politiki v oblasti knjažeskogo i votčinnogo zemlevladenija v XV - XVI vekakh (Zakony 1551, 1562 i 1572 gg.). (From the history of governmental policies in the area of princely and patrimonial landowning in the 15th and 16th centuries: the laws of 1551, 1562 and 1572.) Ist. SSSR, 84, n° 1, p. 172-184.

§ 5. AGRICOLTURA E PROBLEMI AGRARI

5913. KRAJČOVIČOVÁ (Natália). Začiatky pozemkovej reformy na Slovensku v dvadsiatych rokoch. (The origin of land reform in Slovakia in the twenties.) Hist. Čas., 84, vol. 32, p. 574-592.

5914. KUTZ (Martin). Kriegserfahrung und Kriegsvorbereitung. T. 1, 2. Z. f. Agrargesch., 84, Jg. 32, p. 59-82, 135-164.

5915. LAURENT (Jane K.). The peasant in Italian agrarian treatises. Agric. Hist., 84, vol. 58, n° 4, p. 565-583.

5916. LEE (Harold). Roswell Garst: a biography. Ames, Iowa State U.P., 84, in-8, XV-310 p. (Henry A. Wallace Ser. on Agric. Hist. a. Rural Stud.)

5917. LEWIN (Erwin). Die Bauerninternationale. Ein Beitr. z. Gesch. ihrer Entstehung u. Wirksamkeit 1923 bis 1931. Jb. f. Gesch. d. sozialist. Länder Europas, 84, Bd 28, p. 253-278.

5918. LUNDAHL (Mats). Defence and distribution: agricultural policy in Haiti during the reign of Jean-Jacques Dessalines, 1804-1806. Scand. econ. Hist. R., 84, vol. 32, p. 77-103.

5919. LUXARDO (Hervé). Rase campagne: la fin des communautés villageoises. Paris, Aubier-Montaigne, 84, in-8, 256 p. (Floréal)

5920. MACFARLANE (Alan). The myth of the peasantry: family and economy in a norther parish [16th - 17th cent.]. In: Land, kinship a. life-cycle [Cf. n° 838], p. 333-350.

5921. McMURRY (Sally). Progressive farm families and their houses, 1830-1855: a study in independent design. Agric. Hist., 84, vol. 58, n° 3, p. 330-346.

5922. MARCHANDIAU (Jean-Noël). Outillage agricole de la Provence d'autrefois. Préf. d'Emmanuel LE ROY LADURIE. Aix-en-Provence, Edisud, 84, in-8, 224 p. (ill.).

5923. MATĚJEK (František). Moravské vinice a třicetiletá válka. Part 1. (Mährische Weinberge und der Dreißigjährige Krieg.) Sborn. hist., 84, vol. 30, p. 49-119.

5924. Materialy po istorii sel'skogo khozjajstva i krest'janstva Rossii. Sel'skokhoz. instrukcii (pervaja polovina XVIII v.). (Materials on the history of agriculture and peasantry of Russia. Instructions on agriculture, first half of the 18th century.) Redkol.: E. I. INDOVA (otv. red.), A. A. PREOBRAŽENSKIJ. Moskva, In-t istorii SSSR, AN SSSR, 84, 207 p.

5925. MBRAKATSOULAS (Basilēs). To Agrotiko problēma kai kinēma sten Hallada. T. 4: Apo tēn tourkokratia hōs to 1950. (Le problème et le mouvement agraires en Grèce. Vol. 4: Depuis la domination ottomane jusqu'en 1950.) Athènes, Papazēsēs, 84, in-8, 288 p.

5926. MIGEV (Vladimir). Častnyj sektor v bolkarskom sel'skom khozjajstve v period perekhoda ot kapitalizma k socializmu 1948-1958. (Le secteur privé dans l'agriculture bulgare dans la période de transition du capitalisme au socialisme, 1948-1958.) In: Etudes hist., n° 11 [Cf. n° 689], p. 213-238.

5927. MILLER (Simon). The Mexican hacienda between the insurgency and the Revolution: maize production and commercial triumph of the temporal. J. lat. am. Stud., 84, vol. 16, p. 309-336.

5928. MONTOYA (Alfredo Juan). Cómo evolucionó la ganadería [argentina] in la época del virreinato. Buenos Aires, Plus Ultra, 84, in-8, 400 p.

5929. MOOSER (Josef). Ländliche Klassengesellschaft 1770-848. Bauern u. Unterschichten, Landwirtschaft u. Gewerbe im östl. Westfalen. Göttingen, Vandenhoeck u. Ruprecht, 84, in-8, 521 p. (Krit. Studien z. Geschichtswiss., 64)

5930. MUKHIDDINOV (I.). Osobennosti tradicionnogo zemledel'českogo khozjajstva pripamirasckikh narodnostej v XIX – načale XX veka. (Peculiarities of traditional agriculture of the nationalities in the Pamirs area, 19th - beginning of the 20th century.) Dušanbe, Irfon, 84, 194 p. (ill.). (AN TadžSSR. In-t istorii)

5931. MULLER (Pierre). Le technocrate et le paysan. Essai sur la politique française de modernisation de l'agriculture, de 1945 à nos jours. Paris, Ed. ouvrières, 84, in-8, 176 p. (Développement et civilisations)

5932. MUSELLA (Luigi). Proprietà e politica agraria in Italian, 1861-1914. Napoli, Guida, 84, in-8, 130 p. (Storia, 23)

5933. PALLOT (Judith). Khutora and Otruba in Stolypin's program of farm individualization. Slavic R., 84, vol. 42, n° 2, p. 242-256.

5934. PARKER (William N.) a. others. New sources for rural history. Agric. Hist., 84, vol. 58, n° 2, p. 105-137.

5935. PERCHERON (Nicole). Problèmes agraires de l'Ajusco: sept communautés agraires de la banlieue de Mexico, XVIe – XXe siècle. Mexico, Centre d'études mexicaines et centramér.; diff. Paris, de Boccard, 84, in-4, 166 p. (ill.). (Etudes mésoaméricaines, 8)

5936. PETERSEN (Dwight E.). Sweet success: some notes on the founding of a Brazilian sugar dynasty, the Pais Barreto family of Pernambuco. Americas, 84, vol. 40, n° 3, p. 325-348.

5937. PLECHÁČEK (Ivo). Zdroj zemědělského úvěeru v Českých zemích ve druhé polovině 19. stoleti. (Sources of agricultural credit in the Czech lands in the 2nd half of the 19th century.) Hosp. Děj., 84, vol. 12, p. 321-377.

5938. PRUITT (Bettye Hobbs). Self-sufficiency and the agricultural economy of eighteenth-century Massachusetts. William

a. Mary Quar., 84, vol. 41, n° 3, p. 333-364.

5939. ŠAROVA (P.N.). Kolkhozy RSFSR v 1953-1958 gg. (Collective farms of the RSFSR in 1953-1958.) Ist. Zap., 84, t. 110, p. 295-311.

5940. SCARANO (Francisco A.). Sugar and slavery in Puerto Rico: the plantation economy of Ponce, 1800-1850. Madison, Univ. of Wisconsin Press, 84, in-8, XXV-242 p.

5941. SETTAS (Nikos Ch.). Ta megala agrotika kai dasika problēmata stēn Hallada kai eidikotera stēn Euboia. (Les grand problèmes agraires et forestiers en Grèce et, plus particulièrement, en Eubée.) Athènes, Hetaireia Euboïkōn Spoudon, 84, in-8, 309 p.

5942. SHLOMOWITZ (Ralph). "Bound" or "free"? Black labor in cotton and sugarcane farming, 1865-1880. J. south. Hist., 84, vol. 50, n° 4, p. 569-596. - IDEM. Plantations and smallholdings: comparative perspectives from the world cotton and sugar cane economies, 1865-1939. Agric. Hist., 84, vol. 58, n° 1, p. 1-16.

5943. SIMON (Péter). A magyar parasztság sorsfordulója 1946-1949. (Un tournant du destin de la paysannerie hongroise, 1946-1949.) Budapest, Kossuth Kiadó, 84, in-8, 212 p. (Négy évtized, 3)

5944. SNELDERS (H.A.M.). Landbouw en scheikunde in Nederland in de vóór-Wageningse periode (1800-1876). (Agriculture and chemistry in the pre-Wageningen period in the Netherlands, 1800-1876.) Afd. agr. Gesch., Bijdr., 84, vol. 24, p. 59-104. [Eng. summary]

5945. SNYDER (Robert E.). Cotton crisis [in the U.S., 1932]. Chapel Hill, Univ. of North Carolina Press, 84, in-8, XVII-174 p. (Fred W. Morrison Ser. in Sothern Stud.)

5946. SPRING (David). Land and politics in Edwardian England. Agric. Hist., 84, vol. 58, n° 1, p. 17-42.

5947. ŠROM (František). Obilnářství v SSSR ve třicátých letech. (Die Getreidewirtschaft der UdSSR in den dreißiger Jahren.) Českoslov. Čas. hist., 84, vol. 32, p. 194-217, 340-355.

5948. STOCK (James H.). Real estate mortgages, foreclosures, and midwestern agrarian unrest, 1865-1920. J. econ. Hist., 84, vol. 44, n° 1, p. 89-106.

5949. SULLIVAN (Richard J.). Measurement of English farming technological change, 1523-1900. Explor. in econ. Hist., 84, vol. 21, n° 3, p. 270-289.

5950. SUTTON (J.E.G.). Irrigation and soil conservation in African agricultural history. J. afr. Hist., 84, vol. 25, p. 25-41.

5951. SVANIDZÉ (Mihail H.). L'économie rurale dans la vilâyet d'Akhaltzikhé (Cıldır) d'après le "registre détaillé" de 1595. In: Contrib. à l'hist. écon. et soc. de l'Empire ottoman [Cf. n° 5607], p. 251-266.

5952. SZAKÁCS (Sándor). Az állami gazdaságok dolgozóinak helyzete a társadalomban, 1945-1975. (La situation des travailleurs des fermes d'Etat et leur place dans la société, 1945-1975.) Agrártört. Szle, 83, vol. 25, n° 1-2, p. 56-74.

5953. TERUOKA (Shûzô). Nihon Nôgyô Mondai no Tenkai. (L'évolution de la question agricole au Japon contemporain.) Tokyo, Tôdai Shuppan, 84, in-8, 490 p.

5954. THORNTON (Tamara Plakins). The moral dimensions of horticulture in antebellum America. New England Quar.,84, vol. 57, n° 1, p. 3-24.

5955. TIJMS (W.). Prijzen van granen en peulvruchten. (Prices of cereals and pulse.) Vol. [1. Cf. Bibl. 78-79, n° 6148.] 2: Koevorden 1639-1909. Maastricht 1342-1914. Nijmegen 1558-1916. Hist. Agr., 83, vol. 11, n° 2, p. 1-379 (appendix).

5956. TOMASI (Elisabeth). Die traditionellen Gehöftformen in Niederösterreich. St. Pölten u. Wien, Verl. Niederösterr. Pressehaus, 84, in-8, 64 p. (Wiss. Schriftenreihe Niederösterr., 75/76)

5957. TÓTH (Tibor). A dunántúli kisüzemek termelése és gazdálkodása az 1930-as években. Kísérlet néhány matematikai-statisztikai eljárás alkalmazására. (La production et la productivité des petites entreprises agricoles de Transdanubie dans les années 1930. Une tentative de l'application de quelques procédés mathématiques et statistiques.) Budapest, Akad. Kiadó, 83, in-8, 143 p. (Értekezések a történeti tudományok köréből, 102)

5958. TRAUSCH (Gilbert). Die Luxemburger Bauernaufstände aus dem Jahre 1798. Der "Klöppelkrieg", seine Interpretation u. sein Nachleben in d. Geschichte d. Großherzogtums Luxemburg. Rhein. Vjsbl., 84, Jg. 48, p. 161-237.

5959. VAN DEN EERENBEEMT (H.F.J.M.). Nederlandse zijdeteelt in de twintigste eeuw. (Dutch silk-culture in the 20th century.) Econ.-soc. hist. Jb., 82 [83], vol. 45, p. 232-292. - IDEM. Zijdeteelt in Nederland in de zeventiende en de eerste helft van de achttiende eeuw. (Dutch silk-culture in the 17th and the first half of the 18th century.) Ibid., 83 [84], vol. 46, p. 142-153.

5960. VAN DER MAAS (J.)., NOORDEGRAAF (L.). Smakelijk eten. Aardappelconsumptie in Holland in de achttiende en het begin van de negentiende eeuw. (Consumption of potatoes in Holland in the 18th and the beginning of the 19th century.) T. soc. Gesch., 83, vol. 9, p. 188-220.

5961. VAN ZANDEN (J.L.). De opkomst van een eigenerfde boerenklasse in Overijssel, 1750-1830. (The rise of a class of freehold peasants in Overijssel, 1795-1830.) Afd. agr. Gesch. Bijdr., 84, vol. 24, p. 105-130 (8 tab.). [Eng. summary] - IDEM.

Tienden als bron voor de geschiedenis van de landbouw in Nederland in de achttiende eeuw (1650-1810). (Tithe as a source for the agrarian history of the Netherlands in the 18th century.) Ibid., p. 131-163 (13 tab.). [Eng. summary]

5962. VIRÁGH (Ferenc). Zusammensetzung der Agrarbevölkerung in der ungarischen südlichen Tiefebene an der Wende zum 20. Jahrhundert. A. Univ. Sci. Budapestiensis, Sectio hist., 83, vol. 23, p. 143-165.

5963. VONDRUŠKA (Vlastimil). Problematika homogenosti zemědělských výrobních oblastí v Čechách v 1. polovině 19. století. (The problem of homogeneity of agricultural production regions in Bohemia in the 1st half of the 19th century.) Hosp. Děj., 84, vol. 12, p. 379-406. - IDEM. Vliv přírodních podmínek na orientaci rustikálního zemědělství v Čechách v 1. polovině 19. století. (Der Einfluß der Naturbedingungen auf die grundlegende Orientierung der Landwirtschaft in der ersten Hälfte d. 19. J.) Českoslov. Čas. hist., 84, vol. 32, p. 78-103.

5964. Vývoj lesnictví v českých zemích v první polovině 20. století. (Die Entwicklung des Forstwesens in den böhmischen Ländern in der 1. Hälfte d. 20. Jh.) [Von] Josef TLAPÁK, Emil HOŠEK, et al. Praha, Zemědělské muzeum, 84, in-8, 157 p. (Prameny a studie, 26)

5965. WENDEL (Albrecht). Zur Entwicklungsgeschichte der Keuschen im Nockgebiet. Carinthia, 84, Bd 174, p. 193-216.

5966. WINSTANLEY (Michael J.). Ireland and the land question, 1800-1922. London, Methuen, 84, in-8, 50 p.

5967. ZAUNER (Alois). Die Beschwerden der oberösterreichischen Bauern 1511/12 und 1525. Mitt. d. oberösterr. Landesarch., 84, Bd 14, p. 95-122.

Cf. n°s 821, 3719, 4356, 5606, 5721, 5834, 5835, 6188, 6831.

§ 6. Moneta e finanza.

5968. ALLINNE (Jean-Pierre). Banquiers et bâtisseurs. Un siècle de Crédit Foncier, 1852-1940. Paris, Ed. du C.N.R.S., 84, in-8, 256 p.

5969. ANDRIEU (Claire). A la recherche de la politique du crédit [en France], 1946-1973. R. hist., 84, a. 108, t. 271, n° 549, p. 377-417.

5970. ARMSTRONG (Christopher), NELLES (H.V.). A curious capital flow: Canadian investment in Mexico, 1902-1910. Business Hist. R., 84, vol. 58, n° 2, p. 178-203.

5971. ARMSTRONG (Philip) a. others. Capitalism since World War II: the making and breakup of the great boom. London, Fontana, 84, in-8, 512 p.

5972. AUFGEBAUER (Peter). Der Hoffaktor Michel von Derenburg (gest. 1549) und die Polemik gegen ihn. Bl. f. deutsche Landesgesch., 84, Jg. 120, p. 371-399.

5973. BACCOUCHE (Mounir). Les déterminants sociaux et politiques du système fiscal français (1789-1918). R. hist., 84, a. 108, t. 271, n° 549, p. 339-367.

5974. Bank of England. The development and operation of monetary policy, 1960 to 1983. London, Oxford U.P., 84, in-4, 202 p. (fig.).

5975. BECK (Nathaniel). Domestic political sources of American monetary policy: 1955-1982. J. Politics, 84, vol. 46, n° 3, p. 786-817.

5976. BEREMES (Thanos), KOSTIS (Kostas). Hē Ethnikē Trapeza stē Mikra Asia 1919-1922. (La Banque Nationale en Asie Mineure 1919-1922.) Athènes, Morphōtiko Hidryma Ethnikēs Trapezēs Hellados, 84, in-8, 332 p.

5977. BOSBACH (Franz). Die Kosten des Westfälischen Friedenskongresses. Eine strukturgesch. Untersuchung. Münster, Aschendorff, 84, in-8, XVI-285 p. (graph. Darst.). (Schriftenreihe d. Vereinigung z. Erforschung d. Neueren Gesch., 13)

5978. BOVYKIN (V.I.). Formirovanie finansovogo kapitala v Rossii: konec XIX v. - 1908 g. (The formation of financial capital in Russia, end of the 19th cent. - 1908.) Moskva, Nauka, 84, 287 p. (AN SSSR. In-t istorii SSSR)

5979. CASSIS (Youssef). Les banquiers de la City [de Londres] à l'époque édouardienne. 1980-1914. Genève, Droz, 84, 456 p. (Travaus de Droit, d'Econ., de Sociol. et de Sci. pol., 144)

5980. CREUTZBERG (Alexander F.). On the value of the Finnish markka during 1971-1983. Helsinki, 84, in-8, 37 p. (Report, Economic Planning Centre, 12)

5981. CVETKOVA (Bistra A.). Le crédit dans les Balkans, XVIe-XVIIe siècles. In: Contrib. à l'hist. écon. et soc. de l'Empire ottoman [Cf. n° 5607], p. 299-308.

5982. DOUCET (Michael), WEAVER (John). The North American shelter business, 1860-1920: a study of a Canadian real estate and property management agency. Business Hist. R., 84, vol. 58, n° 2, p. 234-262.

5983. EICHENGREEN (Barry). Central bank cooperation under the interwar gold standard. Explor. in econ. Hist., 84, vol. 21, n° 1, p. 64-87.

5984. EPSTEIN (Gerald) FERGUSON (Thomas). Monetary policy, loan liquidation, and industrial conflict: the Federal Reserve and the open market operation of 1932. J. econ. Hist., 84, vol. 44, n° 4, p. 957-984.

5985. Erfahrungen (Die) der Inflation im internationalen Zusammenhang und Vergleich. Hrsg. v. Gerald C. FELDMAN [u.a.]. Mit Beitr. v. William J. BOUWSMA [u.a.]. Berlin u. New York, de Gruyter,

84, in-8, XV-426 p. (graph. Darst.). (Veröff. d. Hist. Komm. zu Berlin, 57. Beiträge z. Inflation u. Wiederaufbau in Deutschland u. Europa 1914-1924, 2)

5986. FELDMAN (Gerald C.). Bayern und Sachsen in der Hyperinflation 1922/23. Hist. Z., 84, Bd 238, p. 569-609.

5987. FERBER (Katalin). The domestic and international equilibrium of the Hungarian economy in the years following the stabilization of 1924-1931. Acta hist. Acad. Sci. hungariae, 83, vol. 29, n° 2-4, p. 283-286.

5988. Finanze e ragion di Stato in Italia e in Germania nella prima età moderna. A cura di Aldo DE MADDALENA et Hermann KELLENBENZ. Bologna, Il Mulino, 84, in-8, 387 p. (A. Istit. stor. italo-germanic, 14) [Atti della Settimana di studio tenuta a Trento nel 1982]

5989. GONJO (Yasuo). Indoshina Ginko no Tenkai, 1897-1913. Higashi-Ajia ni okeru Furansu Shokuminchi Ginko no Tenai. (L'évolution de la Banque de l'Indochine entre 1897 et 1913. Banque et colonialisme français en Extrême-Orient.) Economia, 83, vol. 78, p. 18-46; vol. 79, p. 9-50.

5990. GRAPPERHAUS (F.H.M.). Alva en de tiende penning. (Taxes in the Low Countries under the Duke of Alva.) Zutphen, De Walburg Pers, 82, in-4, 397 p. (ill.).

5991. GUESLIN (André). Histoire des crédits agricoles. 1: L'envol des caisses mutuelles, 1910-1960. Préf. de Pierre BARRAL. 2: Vers la banque universelle? Depuis 1960. Paris, Economica, 84, 2 vol. in-8, 956, 464 p.

5992. GUY (Donna J.). Dependency, the credit market, and Argentine industrialization, 1860-1940. Business Hist. R., 84, vol. 58, n° 4, p. 532-561.

5993. HÁJEK (Jan). Počátky a rozmach českého záloženského hnutí ve třetí čtvrtině 19. století. (Beginning and develoment of the Czech credit bank movement in the third quarter of the 19th century.) Hosp. Děj., 84, vol. 12, p. 265-320.

5994. HEINDL (Wolfgang). Die Haushalte von Reich, Ländern und Gemeinden in Deutschland von 1925 bis 1933. Öffentl. Haushalte u. Krisenverschärfung. Frankfurt (Main), Bern, New York u. Nancy, Lang, 84, in-8, 419 p. (Europ. Hochschulschr., Reihe 5: Volks- u. Betriebswirtschaft, 565)

5995. JACKSON (Stanley). J. P. Morgan. London, Heinmann, 84, in-4, 352 p.

5996. JANSSENS (V.). Natievorming in België en het geldstelsel. (Nation-building in Belgium and the monetary system.) In: Natievorming van België en Nederland ... [Cf. n° 3114], p. 507-512.

5997. KAGIN (Donald H.). Monetary aspects of the treasury notes of the war of 1812. J. econ. Hist., 84, vol. 44, n° 1, p. 69-88.

5998. KEHR (Eckart). Preußische Finanzpolitik 1806-1810. Quellen zur Verwaltung d. Ministerien Stein u. Altenstein. Hrsg. v. Hanna SCHISSLER u. Hans-Ulrich WEHLER. Göttingen, Vandenhoeck u. Ruprecht, 84, in-8, 557 p.

5999. KINDLEBERGER (Charles P.). The financial history of Western Europe. London, Allen a. Unwin, 84, in-8, 560 p. - IDEM. Financial institutions and economic development: a comparison of Great Britain and France in the eighteenth and nineteenth centuries. Explor. in econ. Hist., 84, vol. 21, n° 2, p. 103-124.

6000. KÖSTER (Thomas). Die Entwicklung kommunaler Finanzsysteme am Beispiel Großbritanniens, Frankreichs und Deutschlands 1790-1980. Berlin, Duncker u. Humblot, 84, in-8, 422 p. (Finanzwiss. Forschungsarbeiten, N.F., 54)

6001. KÖVER (György). A brit tőkepiac és Magyarország: az Angol-magyar Bank 1868-1879. (Le marché britannique de capitaux et la Hongrie: la Banque Anglo-hongroise 1868-1879.) Századok, 84, vol. 118, n° 3, p. 486-512.

6002. LEMKE (Heinz). Verbindungen der Petersburger Internationalen Handelsbank zu deutschen Banken Ende des 19. Jh. Jb. f. Gesch. d. sozialist. Länder Europas, 84, Bd 28, p. 161-185.

6003. LINZBACH (Peter). Der Werdegang der preußischen Einkommensteuer unter besonderer Berücksichtigung ihrer kausalen Entwicklungsfaktoren. Ein Beitr. z. Theorie d. Durchsetzbarkeit d. Einkommensteuer. Frankfurt (Main), Bern, New York u. Nancy, Lang, 84, in-8, 259 p. (Europ. Hochschulschriften, Reihe 5: Volks- u. Betriebswirtschaft, 503)

6004. MADDOCK (Rodney), McLEAN (Ian). Supply-side shocks: the case of Australian gold. J. econ. Hist., 84, vol. 44, n° 4, p. 1047-1068.

6005. MIKOŁAJCZYK (Andrzej). W kwestii znalezisk nowożytnych monet niderlandzkich na ziemiach koronnych. (Au sujet des trouvailles de pièces de monnaie néerlandaises modernes sur les terres de la Couronne [polonaise].) Zap. hist., 84, vol. 49, n° 2, p. 5-30.

6006. NAUMOVA (G.R.). Rossijskie monopolii (Istočnikoved. probl.). (Russian monopolies.) Moskva, Izd-vo MGU, 84, 122 p.

6007. NOWAK (Andrzej). Podatki w procesie tworzenia i podziału dochodów w ustroju feudalnym. (Les impôts dans le processus de la formation et de la répartition des revenus dans le régime féodal [XVIe-XVIIIe s.].) Roczn. Dziej. społ. gosp., 83 [84], vol. 44, p. 1-56.

6008. PÉTERI (György). "Tying up a loose end" British foreign economic strategy in 1924: the Hungarian stabilization. Acta hist. Acad. Sci. hungaricae, 84, vol. 30, n° 3-4, p. 321-351.

§ 7. DEMOGRAFIA ED URBANISMO 249

6009. PILLORGET (René). Système monétaire européen et indépendance nationale au temps de Louis XIII et de Richelieu. R. universelle, 84, n° 100, p. 30-47.

6010. PLATT (Desmond Christopher M.). Foreign finance in continental Europe and the United States, 1815-1870: quantities, origins, functions, and distribution. London a. Boston, Allen a. Unwin, 84, in-8, VIII-216 p. - IDEM. British finance in Mexico, 1821-1867. B. lat. am. Research, 84, vol. 3, n° 1, p. 45-62. [In Spanish: Cf. Bibl. 82, n° 6060]

6011. REDISH (Angela). Why was specie scarce in colonial economies? An analysis of the Canadian currency, 1796-1830. J. econ. Hist., 84, vol. 44, n° 3, p. 713-728.

6012. RILEY (James C.). Monetary growth and price stability: France, 1650-1700. J. interdisc. Hist., 84, vol. 15, n° 2, p. 235-254.

6013. ROCKOFF (Hugh). Drastic measures: the history of wage and price controls in the United States. London, Cambridge U.P., 84, in-8, 289 p. (ill., dr.).

6014. SCHEPPER (Hugo de). La organización de las "finanzas" públicas en los Países Bajos reales, 1480-1700. Una reseña. Cuad. Invest. hist., 84, t. 8, p. 7-34.

6015. SCHMIDT (Peter). Zur Rolle der Währungsreformen im revolutionären Umgestaltungsprozeß in den volksdemokratischen Ländern Europas. Jb. f. Gesch., 84, Bd 30, p. 353-371.

6016. SOLOV'EVA (A.M.). Pribyli krupnoj promyšlennoj buržuazii v akcionernykh obščestvakh Rossii v konce XIX - načale XX veka. (Profits of the big industrial bourgeoisie in Russian joint stock companies in the late 19th - early 20th cent.) Ist. SSSR, 84, n° 3, p. 34-49.

6017. STURDZA (Mihaïl Dim.). Haute banque et Sublime Porte: préliminaires financiers de la guerre de Crimée. In: Contrib. à l'hist. écon. et soc. de l'Empire ottoman [Cf. n° 5607], p. 451-480.

6018. Vacat.

6019. VAN FENSTERMAKER (J.). FILER (John E.), HERREN (Robert Stanley). Money statistics of New England, 1785-1837. J. econ. Hist., 84, vol. 44, n° 2, p. 441-454.

6020. VAN MAANEN (R.C.J.). Hollandse vermogensheffingen in de zeventiende en achttiende eeuw. (Property-tax in Holland in the 17th and 18th century.) Nederlands Archievenbl., 84, vol. 88, p. 61-72 (3 fig.).

6021. VRIES (J. de). Lion Markus en de comptabiliteit in Nederland omstreeks 1900. (Lion Markus and the accountancy in the Netherlands ca. 1900.) Meded. Akad. Wet., Afd. Leterkde, 83, N.R., vol. 46, p. 107-133.

6022. WALLENSTEIN (Peter). Rich man's war, rich man's fight: civil war and the transformation of public finance in Georgia. J. south. Hist., 84, vol. 50, n° 1, p. 15-42.

6023. WALLIS (John Joseph). The birth of the old federalism: financing the New Deal, 1932-1940. J. econ. Hist., 84, vol. 44, n° 1, p. 139-160.

6024. WEBB (Steven B.). The supply of money and Reichsbank financing of government and corporate debt in Germany, 1919-1923. J. econ. Hist., 84, vol. 44, n° 2, p. 499-508.

6025. WEGNER-KORFES (Sigrid). Politische und ökonomische Aspekte des deutschen Kapitalexports in den privaten russischen Eisenbahnbau in den 80er und 90er Jahren des 19. Jh. Jb. f. Gesch., 84, Bd 29, p. 7-37.

6026. WHITE (Eugene Nelson). A reinterpretation of the banking crisis of 1930. J. econ. Hist., 84, vol. 44, n° 1, p. 119-138.

6027. Zarys Mennictwa europejskiego. (Précis du monnayage européen.) Réd.: Lesław MORAWIECKI. T. 9: Geneza i rozwój nowożytnej monety polskiej na tle europejskim (XVI - pol. XVIII w.). (T. 9: Genèse et développement de la monnaie polonaise moderne sur le fond européen, XVIe - XVIIIe s.) Auteur: Andrzej MIKOŁAJCZYK. Kraków, Pol. Tow. Archeolog. i Numizmat. Oddz. w Krakowie, 83 [84], in-8, 218 p. [Premier t. paru]

Cf. n°s 3157, 3770, 4715, 5685, 5937, 5961.

§ 7. Demografia ed urbanismo.

** 6028. Arbeiterstatistik zur Ausländerkontrolle: die "Nachweisungen" d. preuß. Landräte über d. "Zugang, Abgang u. Bestand ausländ. Arbeiter im preuß. Staate" 1906-1914. Hrsg. v. Klaus J. BADE. Arch. f. Sozialgesch., 84, Bd 24, p. 163-283. [Cf. n° 6033]

6029. ANDERSON (Letty). Hard choices: supplying water to New England towns. J. interdisc. Hist., 84, vol. 15, n° 2, p. 211-234.

6030. ASSION (Peter), BREDNICH (Rolf Wilhelm). Bauen und Wohnen im deutschen Südwesten. Dörfliche Kultur vom 15. bis zum 19. Jh. Stuttgart, Berlin, Köln u. Mainz, Kohlhammer, 84, in-8, 236 p. (130 Ill.).

6031. Australia (L'), gli australiani e la migrazione italiana. Di C. BETTONI, et al. A cura di G. CRESCIANI. Relazioni presentate ad un convegno tenuto a Sidney nel 1982. Milano, Angeli, 84, in-8, 175 p. (Quad. Affari soc. internaz., 8)

6032. Auswanderer - Wanderarbeit - Gastarbeiter. Bevölkerung, Arbeitsmarkt u. Wanderung in Deutschland seit d. Mitte d. 19. Jh. Referate u. Diskussionsbeiträge d. Internat. Wissenschaftl. Symposiums "Vom Auswanderungsland zum Einwanderungsland" an d. Akad. f. Polit. Bildung. Tutzing 18 - 21. 19. 1982. Bd 1, 2. Hrsg. v. Klaus J. BADE. Ostfildern, Scripta Mercaturae, 84, 2 vol. in-8, XIV-822 p.

6033. BADE (Klaus J.). "Preußengänger" und "Abwehrpolitik": Ausländerkontrolle auf d. Arbeitsmarkt in Preußen vor d. Ersten Weltkrieg. Arch. f. Sozialgesch., 84, Bd 24, p. 91-162. [Cf. n° 6028]

6034. BALOGH (Sándor). Die Aussiedlung der Bevölkerung deutscher Nationalität aus Ungarn nach dem 2. Weltkrieg. A. Univ. Sci. Budapestiensis, Sectio hist., 82, vol. 22, p. 221-250.

6035. BECCHIA (Alain). Etude des comportements démographiques et des mutations sociales à travers la reconstitution des lignées. A. Démogr. hist., 84, p. 25-44.

6036. BOONSTRA (O.W.A.), VAN DER WOUDE (A.M.). Demographic transition in the Netherlands. A statistical analysis of regional differences in the level and development of the birth rate and fertility, 1850-1890. Afd. agr. Gesch. Bijdr., 84, vol. 24, p. 1-57 (17 fig., 12 tab.).

6037. BRUK (S.I.), KABUZAN (V.M.). Migracija naselenija v Rossii v XVIII - načale XX veka (Čislennost', struktura, geografija). (Migration of population in Russia in the 18th - early 20th cent. Number, structure, geography.) Ist. SSSR, 84, n° 4, p. 41-59.

6038. CARREIRA (António). O primero "censo" de população da capitania das Ilhas de Cabo Verde (1731). (Le premier "recensement" de la population de la capitainerie des Iles du Cap Vert, 1731.) R. Hist. econ. soc. [Lisboa], 84, n° 13, p. 51-66.

6039. CERVELLATI (Pier Luigi). La città post-industriale. Bologna, Il Mulino, 84, in-8, 222 p. (Contemporanea, 8)

6040. CONDRAN (Gretchen A.), WILLIAMS (Henry), CHENEY (Rose A.). The decline in mortality in Philadelphia from 1870 to 1930: the role of municipal services. Pennsylvania Mag. Hist., 84, vol. 108, n° 2, p. 153-178.

6041. DOUGLASS (William A.). Emigration in a south Italian town: an anthropological history. New Brunswick, N.J., Rutgers U.P., 84, in-8, XVI-283 p.

6042. Emigracja z ziem polskich w czasach nowożytnych i najnowszych (XVIII-XX w.). (L'émigration des terres polonaises à l'époque moderne et contemporaine, XVIIIe - XXe s.) Réd.: Andrzej PILCH. Warszawa, Państw. Wydawn. Nauk, 84, in-8, 537 p.

6043. FRANK (Tibor). Misintegration and remigration. Temporary Austro-Hungarian immigrants in the United States. A. Univ. Sci. Budapestiensis, Sectio hist., 83, vol. 23, p. 263-270.

6044. GYIMESI (Sándor). Városi önkormányzat és állami centralizáció Közép-Kelet-Európában a 18-19. században. (Munici-palité et centralisation de l'Etat en Europe centrale-orientale aux XVIIIe-XXe s.) Tört. Szle, 84, vol. 27, n° 1-2, p. 111-122.

6045. HALES (Peter B.). Silver Cities: the photography of American urbanization, 1839-1915. Philadelphia, Pa., Temple U.P., 84, X-315 p.

6046. HIGMAN (B.W.). Slave popultions of the British Caribbean, 1807-1834. Baltimore, Md., Johns Hopkins U.P., 84, in-8, XXXIII-781 p. (Johns Hopkins Stud. in Atlantic Hist. a. Cult.)

6047. HILLBRAND (Erich). Die Türme von Linz. Ein Festungssystem aus d. 19. Jh. Hist. Jb. Linz, 84, p. 11-213.

6048. HIPPEL (Wolfgang von). Auswanderung aus Südwestdeutschland. Studien z. württemberg. Auswanderung u. Auswanderungspolitik im 18. u. 19. Jh. Stuttgart, Klett-Cotta, 84, in-8, 352 p. (40 graph. Darst., Kt.). (Industrielle Welt, 36)

6049. HOUDAILLE (Jacques). La mortalité des enfants dans la France rurale de 1690 à 1779. Population, 84, a. 39, n° 1, p. 77-104.

6050. JACQUEMET (Gérard). Belleville [quartier de Paris] au XIXe siècle: du faubourg à la ville. Préf. d'Adeline DAUMARD. Paris, Jean Touzot - Ecole des Hautes Etudes en Sci. soc., 84, in-8, 452 p. (52 tabl., 12 graph., 8 cartes). (Biblioth. gén. de l'Ecole des Hautes Etudes en Sci. soc.)

6051. KARPAT (Kemal H.). Population movements in the Ottoman state in the nineteenth century: an outline. In: Contrib. à l'hist. écon. et soc. de l'Empire ottoman [Cf. n° 5607], p. 353-428.

6052. KENDE (János), SIPOS (Péter). Ipari munkásság és asszimiláció Magyarországon, 1870-1910. (Ouvriers industriels et assimilation en Hongrie, 1870-1910.) Tört. Szle, 83, vol. 26, n° 2, p. 238-254.

6053. KLEIN (Kurt). Die Bevölkerung niederösterreichischer Ortschaften in den Jahren 1794-97. Unsere Heimat [Wien], 84, Bd 55, n° 1, p. 3-29.

6054. KRABBE (Wolfgang R.). Die Anfänge des "sozialen Wohnungsbaus" vor dem Ersten Weltkrieg. Kommunalpolit. Bemühungen um eine Lösung d. Wohnungsproblems. Vjschr. f. Soz.- u. Wirtschaftsgesch., 84, Bd 71, p. 30-58.

6055. LAMARRE (Christine). La population de la Bourgogne à la fin du XVIIIe siècle à travers le dénombrement Amelot (1786). A. Bourgogne, 83 [84], a. 55, p. 65-99.

6056. LEHNING (James R.). Literacy and demographic behavior: evidence from family reconstitution in nineteenth-century France. Hist. Educat. Quar., 84, vol. 24, n° 4, p. 545-560.

6057. LEMMER (Herbert E.). Nickel Thum (gest. 1541). Der Kammermeister Herzog

§ 7. DEMOGRAFIA ED URBANISMO

Heinrichs des Frommen und seine Heiratskreise. Ein Beitr. z. Bevölkerungs- u. Verwaltungsgesch. Oberschlesiens im 15. u. 16. Jh. Bl. f. deutsche Landesgesch., 84, Jg. 120, p. 401-460.

6058. LICHTBLAU (Albert). Wiener Wohnungspolitik 1892-1919. Wien, Verl. f. Gesellschaftskritik, 84, in-8, VIII-172 p. (Österr. Texte z. Gesellschaftskritik, 19)

6059. LUCASSEN (J.). Naar de kusten van de Noordzee. Trekarbeid in Europees perspektief, 1600-1900. (The magnet of the North Sea coast. Systems of migrant labour in Europe 1600-1900.) Gouda, s.n., 84, in-8, 406 p. (ill.). [Diss. Utrecht. - Eng. summary]

6060. Malthus, hier et aujourd'hui. Congrès international de démographie historique. Paris, C.N.R.S., mai 1980. Ed. par la Soc. de Démographie hist., sous la dir. d'Antoinette FAUVE-CHAMOUX. Paris, Ed. du C.N.R.S., 84, in-8, 512 p.

6061. MARASLĒS (Alekos A.). Historia tēs Patras. Hē exelixē mias protoporiakēs polēs. (Histoire de Patras. Le dévelomment d'une cité d'avant-garde.) Patras, l'auteur, 83, in-8, 306 p. (ill.).

6062. MARSCHALCK (Peter). Bevölkerungsgeschichte Deutschlands im 19. und 20. Jahrhundert. Frankfurt (Main), Suhrkamp, 84, in-8, 202 p. (Ed. Suhrkamp, 1244 = N.F., 244: Neue hist. Bibliothek)

6063. MATOSSIAN (Mary Kilbourne). Mold poisoning and population growth in England and France, 1750-1850. J. econ. Hist., 84, vol. 44, n° 3, p. 660-686.

6064. MBAPHOUNĒS (Giannēs). Gamoi stēn Hermpoupolē 1845-1853. Dēmographika phainomena mias modernas polēs tou hellēnikou 19ou aiōna. (Mariages à Hermoupolis 1845-1853. Phénomènes démographiques d'une ville moderne du XIX siècle grec.) Mnēmōn, 84, t. 9, p. 211-245.

6065. MUÑOZ-PEREZ (Francisco), TRIBALAT (Michèle). Mariages d'étrangers et mariages mixtes en France: évolution depuis la Première guerre [mondiale]. Population, 84, a. 39, n° 3, p. 427-462.

6066. OLMO (Carlo), CURTO (Roberto). La città tra mercato e industrializzazione: il caso di Torino. Pass. e Pres., 84, n° 5, p. 27-60.

6067. PETRI (Franz). Heinz Stoobs Begriff der "Exulantenstadt" im Lichte der neueren Forschung. Zur Entstehung d. frühneuzeitl. Festungen u. Stadtbefestigungen in d. nördl. Niederlanden zw. 1570 u. 1680. In: Festschr. f. H. Stoob [Cf. n° 510], Bd 2, p. 844-865.

6068. POWER (Garrett). High society: the building height limitation on Baltimore's Mt. Vernon place. Maryland hist. Mag., 84, vol. 79, n° 3, p. 197-219.

6069. PUSKÁS (Julianna). Hungarian migration patterns. New research in Hungary. Acta hist. Acad. Sci. hungaricae, 83, vol.

29, n° 2-4, p. 265-272. - EADEM. Kelet-Európából az USA-ba vándorlás folyamata, 1861-1924. (Immigration de l'Europe de l'Est aux Etats-Unis, 1861-1924.) Tört. Szle, 84, vol. 27, n° 1-2, p. 145-164.

6070. RUSIŃSKI (Władysław). Deutsche Siedlungen auf polnischem Boden im 16.-19. Jahrhundert. Mythen u. Wirklichkeit. Acta Poloniae hist., 83 [84], vol. 47, p. 209-256.

6071. Russkij gorod. (The Russian town.) Sbornik. Issledovanija i materialy. Vyp. [6. Cf. Bibl. 83, n° 6130.] 7. Pod. red. V. L. JANINA. Moskva, Izd-vo MGU, 84, 213 p. (ill.).

6072. SCHULZ (Knut). Störer, Stümpler, Pfuscher, Bönhasen und "Fremde". Wandel u. Konsequenzen d. städtischen Bevölkerungs- u. Gewerbepolitik seit d. Mitte d. 16. Jh. In: Festschr. f. H. Stoob [Cf. n° 510], Bd 2, p. 683-705.

6073. SILVER (Christopher). Twentieth-century Richmond: planning, politics, and race. Knoxville, Univ. of Tennessee Press, 84, in-8, X-342 p.

6074. STAVROPOULOS (Artistotelis C.). La nosologie dans l'espace hellénique du XVIIe au XIXe siècle et ses incidences démographiques et économiques. Athènes, l'auteur, 84, in-8, 45 p. [Communication prés. au IIe Colloque Internat. d'Hist., Athènes, 1983]

6075. Suomen kaupunkilaitoksen historia. (Histoire urbaine de la Finlande.) Päätoim. (Réd. en chef) Päiviö TOMMILA. [2. Cf. Bibl. 83, n° 6135.] 3: Itsenäisyyden aika. (L'ère de l'indépendance.) Kirj. (Par) Eino JUTIKKALA, et al. Helsinki, Suomen kaupunkiliitto, 84, in-8, 604 p. (ill., cartes).

6076. SUTCLIFFE (Anthony) a. others. Metropolis, 1890-1940. Chicago, Univ. of Chicago Press, 84, VIII-458 p.

6077. TIMOFEENKO (V.I.). Goroda Severnogo Pričernomor'ja vo vtoroj polovine XVIII veka. (Towns of the North Black Sea region in the second half of the 18th cent.) Kiev, Nauk. dumka, 84, 218 p. (ill.). (AN SSSR. In-t istorii)

6078. TRAJKOV (Veselin). Les aspects socio-économiques de l'émigration bulgare en Valachie après la guerre russo-turque de 1828-1829. Et. balk., 83, n° 4, p. 32-48.

6079. VAN POPPEL (F.). Sociale ongelijkheid voor de dood. Het verband tussen sociaal-economische positie en zuigelingen- en kindersterfte in Nederland in de periode 1850-1940. (Socio-economic determinants of infant mortality in the Netherlands 1850-1940.) T. soc. Gesch., 82, vol. 8, p. 231-281 (3 fig., 22 tab., 3 pl.).

6080. Vieillisement (Le). Implications et conséquences de l'allongement de la vie humaine depuis le XVIIIe siècle. Sous la dir. de A.-E. IMHOF. Lyon, Presses univ. Lyon, 83, in-8, 224 p.

6081. WEIR (David R.). Life under pressure: France and England, 1670-1870. J. econ. Hist., 84, vol. 44, n° 1, p. 27-47.

6082. WU (Celia). The population of the city of Querétaro in 1791. J. lat. am. Stud., 84, vol. 16, p. 277-307.

6083. YASUMOTO (Minoru). Igirisu no Jinkō to Keizai Hatten. Rekishi-jinkōgaku teki Sekkin. (Population and economic growth in England. A study on historical demography.) Kyoto, Minerva, 82, in-8, 440 p.

6084. ZELLER (Olivier). Les recensements lyonnais de 1597 et 1636. Démographie historique et géographie sociale. Lyon, Presses univ. Lyon, 84, in-8, 472 p. - IDEM. Les structures familiales à Mâcon pendant la Ligue. Hist. Econ. et Soc., 84, a. 3, n° 2, p. 163-181.

Cf. n°s 250, 4062, 5182, 5660, 5671, 6179, 6214, 6710, 6827, 6879, 7677.

§ 8. Storia sociale e dei costumi.

* 6085. FREY (Linda). Women in western European history: a select chronological, geographical, and topical bibliography; the nineteenth and twentieth centuries. Westport, Conn., Greenwood, 84, LIV-1024 p.

* 6086. KRALLERT-SATTLER (Getrud). Auswahlbibliographie zum Flüchtlings- und Zwangswanderungsproblem. AWR-B., 84, Bd 22 (31), n° 3, p. 3-87.

** 6087. Madame ou Mademoiselle? Itinéraires de la solitude féminine, XVIIIe-XXe siècles, rassemblés par Arlette FARGE et Christine KLAPISCH-ZUBER. Paris, Arthaud-Montalba, 84, in-8, 304 p.

** 6088. TURNER (Thomas). Diary, 1754-1765. Ed. by David VAISEY. London, Oxford U.P., 84, in-8, 420 p. (ill.).

6089. ALEXAKIS (Elefth. P.). Hē exagora tēs nyphēs. Symbolē stē meletē tōn gamēleōn thesmōn sten neoterē Hellada. (Le prix de la fiancée. Contribution à l'étude des prestations matrimoniales en Grèce.) Athènes, l'auteur, 84, in-8, 143 p.

6090. ALTER (George). Work and income in the family economy: Belgium, 1853 and 1891. J. interdisc. Hist., 84, vol. 15, n° 2, p. 255-276.

6091. ALTSCHULER (Glenn C.), SALTZGABER (Jan M.). Clearinghouse for paupers: the poorfarm of Seneca sounty, New York, 1830-1860. J. soc. Hist., 84, vol. 17, n° 4, p. 573-600.

6092. ANDAI (Ferenc). Az Északnyugat kanadai magyar telepesek helyzete a századfordulón. (La condition des immigrés hongrois du Nord-Ouest du Canada au tournant du siècle.) Tört. Szle, 84, vol. 27, n° 3, p. 433-444.

6093. ANDOLF (Göran). Den svenska officerskårens sociala ursprung. (The social origines of the Swedish officer corps during the twentieth century.) Militärhist. T., 84, vol. 6, p. 75-131. [Eng. summary]

6094. ANDRESEN (Astri). Norge og de russiske Pasviksamene fra 1826-1924. (Norway and the Pasvik Skolts 1826-1924. [Norsk] Hist. T., 84, vol. 63, p. 287-314. [Eng. summary]

6095. ANFIMOV (A.M.). Ėkonomičeskoe položenie i klassovaja bor'ba krest'jan Evropejskoj Rossii, 1881-1904 gg. (Economic state and class-struggle of European Russia's peasants, 1881-1904.) Moskva, Nauka, 84, 231 p. (AN SSSR. In-t istorii)

6096. ARGERSINGER (Peter H.), ARGERSINGER (Jo Ann E.). The machine breakers: farmworkers and social change in the rural midwest of the 1870s. Agric. Hist., 84, vol. 58, n° 3, p. 393-410.

6097. ARNOLD (Odile). Le corps et l'âge: la vie des religieuses au XIXe siècle. Préf. de Jean-Pierre PETER. Paris, Ed. du Seuil, 84, in-8, 373 p. (L'Univers historique)

6098. ASHBY (Leroy). Saving the waifs: reformers and dependent children, 1890-1917. Philadelphia, Pa., Temple U.P., 84, in-8, XII-313 p.

6099. BACHRACH (Susan). Dames employées: the feminization of postal work in nineteenth-century France. New York, Inst. for Research in Hist., 84, in-8, IX-134 p. (Women a. History, 8)

6100. BALMORI (Diana) a. others. Notable family networks in Latin America. Chicago, Univ. of Chicago Press, 84, in-8, VII-290 p.

6101. BARBAGLI (Marzio). Sotto lo stosso tetto: mutamenti della famiglia in Italia dal XV al XX secolo. Bologna, Il Mulino, 84, in-8, 557 p. (Saggi, 267)

6102. BARCLAY (David E.). Rudolf Wissell als Sozialpolitiker, 1890-1933. Berlin, Colloquium-Verl., 84, in-8, VI-305 p. (Einzelveröff. d. Hist. Komm. zu Berlin, 44)

6103. BARRETT (James R.). Unity and fragmentation: class, race, and ethnicity on Chicago's south side, 1900-1922. J. soc. Hist., 84, vol. 18, n° 1, p. 37-56.

6104. BATTAFARANO (Italo Michele). Armenfürsorge bei Albertinus und Drexel. Ein sozialpolit. Thema im erbaulichen Traktat zweier Schriftsteller d. Münchner Hofes. Z. f. bayer. Landesgesch., 84, Bd 47, p. 141-180.

6105. BECHER (Harvey B.). The social origins and post-graduate careers of a Cambridge intellectual elite, 1830-1860. Victorian Stud., 84, vol. 28, n° 1, p. 97-128.

6106. BEKKER-VAN DER KOOIJ (C.). De maatschappelijke positie van verpleegsters in de periode 1880-1940. (The social status

§ 8. STORIA SOCIALE E DEI COSTUMI

of nurses in the period 1880-1940.) In: Arts en samenleving [Cf. n° 822], p. 454-475.

6107. BENYEI (Laszlo). Xenophobia in Australia - fact or question? AWR-B., 84, Bd 22 (31), n° 4, p. 214-221.

6108. BERARD (Pierre). Le sexe entre tradition et modernité, XVIe-XVIIIe siècle. Cah. int. Sociol., 84, vol. 76, n. sér., a. 31, janv.-juin, p. 135-160.

6109. BEREMES (Th.), GARDIKA (A.), et al. Opseis tēs hellēnikēs koinōnias tou 19ou aiōna. (Aspects de la société grecque du XIXe s.) Dir. de l'éd.: D. G. TSAOUSĒS. Athènes, Hestia, 84, in-8, 191 p.

6110. BERGER (Karin). Zwischen Eintopf und Fließband. Frauenarbeit u. Frauenbild im Faschismus. Österreich 1938-1945. Wien, Verl. f. Gesellschaftskritik, 84, in-8, 265 p. (Österr. Texte z. Gesellschaftskritik, 21)

6111. BERNARD (Henri). Alcoolisme et antialcoolisme en France au XIXe siècle (autour de Magnus Huss). Hist., Econ. et Soc., 84, a. 3, n° 4, p. 609-628.

6112. BLACKWELDER (Julia Kirk). Women of the depression: caste and culture in San Antonio, 1929-1939. College Station, Texas A&M U.P., 84, in-8, XVIII-279 p.

6113. BLUCHE (François). La vie quotidienne au temps de Louis XIV. Paris, Hachette, 84, in-8, 398 p. (La vie quotidienne)

6114. BODŽOLJAN (M.T.). Reformy 20-30kh gg. XIX veka v Osmanskoj imperii. (Reforms of the 20s-30s of the 19th century in the Ottoman empire.) Erevan, Izd-vo AN ArmSSR, 84, 155 p. (AN ArmSSR, In-t vostokovedenija)

6115. BOGUCKA (Maria). Gdańscy ludzie morza w XVI - XVIII w. (Les hommes de la mer de Gdańsk aux XVIe - XVIIIe s.) Gdańsk, Wydawn. Morskie, 84, in-8, 183 p. (Hist. Morska)

6116. BOIS (Jean-Pierre). Le vieillard dans la France moderne, XVIIe-XVIIIe siècles. Essai de problématique pour une histoire de la vieillesse. Hist., Econ. et Soc., 84, a. 3, n° 1, p. 67-94.

6117. BOLLENOT (Gilles). L'adoption au XIXe siècle: La Fortune de Gaspard de la comtesse de Ségur. R. hist., 84, a. 108, t. 271, n° 549, p. 311-337.

6118. BOSWELL (Thomas D.), CURTIS (James R.). The Cuban-American experience: culture, images, and perspectives. Totowa, N.J., Rowman a. Allanheld, 84, in-8, XIII-200 p.

6119. BOYLAN (Anne M.). Women in groups: an analysis of women's benevolent organizations in New York and Boston, 1797-1840. J. am. Hist., 84, vol. 71, n° 3, p. 497-523.

6120. BRANDSTRÖM (Anders). "De kärleks-lösa mödrarna" spädbarnsdödligheten i Sverige under 1800-talet med särskild hänsyn till Nedertorneå. ("The loveless mothers": infant mortality in Sweden during the 19th century, with special attention to the parish of Nedertorneå.) Stockholm, Almqvist o. Wiksell internat., 84, in-8, 271 p. (ill.). (Umeå studies in the humanities, 62) [Eng. summary]

6121. BRIAIS (Bernard). Contrebandiers du sel: la vie des faux-sauniers au temps de la gabelle. Paris, Aubier-Montaigne, 84, in-8, 288 p. (Floréal)

6122. BRIGGS (Asa), MACARTNEY (Anne). Toynbee Hall, the first 100 years. London, Routledge, 84, in-4, 256 p. (ill.).

6123. BRUCKMÜLLER (Ernst) Nation Österreich. Sozialhist. Aspekte ihrer Entwicklung. Wien, Köln u. Graz, Böhlau, 84, in-8, 271 p. (Stud. zu Politik u. Verwaltung, 4)

6124. BRUMBERG (Joan). "Ruined" girls: changing community responses to illegitimacy in upstate New York, 1890-1920. J. soc. Hist., 84, vol. 18, p. 247-272.

6125. BÜTTNER (Lothar), MEYER (Bernhard). Gesundheitspolitik der Arbeiterbewegung. Vom Bund d. Kommunisten bis z. Thälmannschen Zentralkomitee d. KPD. Berlin, Volk u. Gesundheit, 84, in-8, 223 p. (Medizin u. Gesellschaft, 25)

6126. BUKOWCZYK (John J.). The transformation of working class ethnicity: corporate control, Americanization, and the Polish immigrant middle class in Bayonne, New Jersey, 1915-1925. Labor Hist., 84, vol. 25, n° 1, p. 53-82.

6127. CABANTOUS (Alain). La vergue et les fers. Mutins et déserteurs dans la marine de l'ancienne France. Paris, Tallandier, 84, in-8, 250 p.

6128. CABOURDIN (Guy). La vie quotidienne en Lorraine aux XVIIe et XVIIIe siècles. Paris, Hachette, 84, in-8, 322 p. (La vie quotidienne)

6129. CAMPBELL (D'Ann). Women at war with America: private lives in a patriotic era. Cambridge, Mass., Harvard U.P., 84, in-8, XIV-304 p.

6130. CAPECI (Dominic J.) Jr. Race relations in wartime Detroit: the Sojourner Truth housing controversy of 1942. Philadelphia, Pa., Temple U.P., 84, in-8, XII-240 p.

6131. CARON (Xavier). Images d'une élite au XVIIIe siècle [en France]: quarante négociants anoblis face à la question sociale. Hist., Econ. et Soc., 84, a. 3, n° 3, p. 381-426.

6132. CASTLE (Terry). Eros and liberty at the English masquerade, 1710-1790. Eighteenth-Cent. Stud., 84, vol. 17, n° 2, p. 156-176.

6133. CENSER (Jane Turner). North Carolina planters and their children. Baton

Rouge, Louisiana State U.P., 84, XXV-191 p.

6134. ČERTKOV (V.L.). Činovničestvo Tropičeskoj Afriki. (Bureaucracy of Tropical Africa.) Nar. Azii Afr., 84, n° 2, p. 51-61.

6135. CHAN (Sucheng). Chinese livelihood in rural California: the impact of economic change, 1860-1880. Pacific hist. R., 84, vol. 53, n° 3, p. 273-308.

6136. CHAPALAIN-NOUGARET (Christine). Les secours en temps de disette au XVIIIe siècle: l'exemple du diocèse de Rennes. A. Bretagne, 84, t. 91, n° 2, p. 135-155.

6137. CHEVALIER (Louis). Classes laborieuses et classes dangereuses à Paris pendant la première moitié du XIXe siècle. Paris, Hachette, 84, in-8, 730 p. (Coll. Pluriel, 8845 K.)

6138. CLAIR (Pierre). Libertinage et incrédules (1665-1715). Paris, Ed. du C.N.R.S., 84, in-8, 296 p. (Recherches sur le XVIIe siècle, 6)

6139. CLARE (Lucien). Les triomphes du corps ou la noblesse dans la paix: la place des exercices physiques dans la vie de l'honnête homme, d'après l'"Idéé des spectacles anciens et nouveaux" de Michel de Pure (1668). Hist., Econ. et Soc., 84, a. 3, n° 3, p. 339-380.

6140. COHEN (Lucy M.). Chinese in the post-civil war South [of the U.S.]: a people without a history. Baton Rouge, Louisiana State U.P., 84, in-8, XVIII-211 p.

6141. Cornettes et blouses blanches: les infirmières dans la société française (1880-1980). Paris, Hachette, 84, in-8, 366 p.

6142. CRONIN (J.E.). Labour and society in Britain, 1918-1979. London, Batsford, 84, in-8, 256 p.

6143. DAUMARD (Adeline). A la recherche de la bourgeoisie française au XXe siècle: réflexions de méthode. B. Sect. Hist. mod. contemp., 84, n° 14, p. 54-84. - EADEM. Problemi relativi allo studio della borghesia francese nel XIX secolo. Quad. stor., 84, a. 19, n° 56, p. 517-547.

6144. DEKKER (R.), ROODENBURG (H.). Humor in de zeventiende eeuw. Opvoeding, huwelijk en seksualiteit in de moppen van Aernout van Overbeke (1632-1674). (Humour in the 17th century. Education, marriage and sexuality in the jokes of Van Overbeke [Holland].) T. soc. Gesch., 84, vol. 10, p. 243-266.

6145. DENNIS (Richard). English industrial cities of the 19th century: a social geography. London, Cambridge U.P., 84, in-8, 368 p. (tab.). (Cambridge Stud. in Hist. Geogr.)

6146. DESMET-GREGOIRE (Hélène). De la perception d'une femme ottomane à celle des femmes ottomanes: le récit de voyage d'une Européenne du XIXe siècle, la princesse de Belgiojoso [paru en 1858]. In: Contrib. à l'hist. écon. et soc. de l'Empire ottoman [Cf. n° 5607], p. 429-449.

6147. DEVRIES (James E.). Race and kinship in a midwestern town: the black experience in Monroe, Michigan, 1900-1915. Urbana, Univ. of Illinois Press, 84, in-8, XIII-189 p.

6148. DI LEONARDO (Micaela). The varieties of ethnic experience: kinship, class, and gender among California Italian-Americans. Ithaca, N.Y., Cornell U.P., 84, in-8? 262 p.

6149. DINWIDDY (J.R.). Early 19th-century reactions to Benthamism. Trans. roy. hist. Soc., 84, vol. 34, p. 47-69.

6150. Dizionario di sociologia e antropologica culturale. Dir. da S. ACQUAVIVA. A cura di E. PACE. Assisi, Cittadella, 84, in-8, 630 p. (Dizionari tascabili Ce)

6151. DROBIŽEV (V.Z.). Social'naja politika sovetskogo gosudarstva i rabočij klass (Nekotorye itogi i zadači izučenija problemy). (Social policies of the Soviet state and the working class: some results and tasks of studying the problem.) Ist. SSSR, 84, n° 2, p. 71-84.

6152. Drobnomieszczaństwo XIX i XX wieku. (La petite bourgeoisie des XIXe et XXe s.) Sous la réd. de Stefania KOWALSKA-GLIKMAN. T. 1. Warszawa, Państw. Wydawn. nauk., 84, in-8, 321 p.

6153. DULONG (Claude). La vie quotidienne des femmes au Grand Siècle. Paris, Hachette, 84, in-8, 306 p. (La vie quotidienne)

6154. EDEL (Matthew) a. others. Shaky palaces: homeownership and social mobility in Boston's suburbanization. New York, Columbia U.P., 84, in-8, XXIV-459 p. (Columbia Hist. of Urban Life)

6155. EDMONDSON (Linda Harriet). Feminism in Russia, 1900-1917. Stanford, Calif., Stanford U.P., 84, in-8, XI-197 p.

1656. EISENBACH (Artur). Emancypacja Żydów na ziemiach polskich w XIX w. na europejskim tle porównawczym. (L'émancipation des Juifs au XIXe siècle sur les territoires polonais par rapport à la situation européenne de l'époque.) Przegl. hist., 83 [84], vol. 74, p. 615-629.

6157. Emotionen und materielle Interessen. Sozialanthropolog. u. hist. Beiträge z. Familienforschung. Hrsg. v. Hans MEDICK u. David SABEAN. Göttingen, Vandenhoeck u. Ruprecht, 84, in-8, 523 p. (Ill., graph. Darst.). (Veröff. d. Max-Planck-Inst. f. Gesch., 75)

6158. ERICSSON (Tom). The "Mittelstand" in Swedish class society, 1870-1913. Scand. J. Hist., 84, vol. 9, p. 313-328.

6159. EVANS (N.). Urbanization, elite attitudes and philanthropy: Cardiff 1850-1914. Int. R. soc. Hist., 82 [83], vol. 27, p. 290-323.

6160. FAIRCHILDS (Cissie). Domestic enemies: servants and their masters in old regime France. Baltimore, Md., Johns Hopkins U.P., 84, in-8, XVI-325 p.

6161. FALLENBÜCHI (Zoltán). Zur Entwicklung der Intelligenzberufe in Ungarn im 18. und am Anfang des 19. Jahrhunderts. Anz. d. österr. Akad. d. Wiss., Phil.-hist. Kl., 83 [84], Jg. 120, p. 24-48.

6162. FEDERICI (Silvia), FORTUNATI (Leopoldina). Il grande Calibano: storia del corpo sociale ribelle nella prima fase del capitale. Milano, Angeli, 84, in-8, 306 p. (ill.). (La società, 98)

6163. FISCHER (Jasna). Die Industrialisierung und die Veränderung der Sozialstruktur in den slowenischen Gebieten in den Jahren 1870-1914. Österr. Osthefte, 84, Bd 26, n° 1, p. 49-57.

6164. FLAMANT-PAPARATTI (Danielle). Bien-pensantes, cocottes et bas-bleus: la femme bourgeoise [en France] à travers la presse féminine et familiale, 1873-1887. Paris, Gonthier, 84, in-8, 208 p. (ill.). (Coll. Femme)

6165. FORD (Lacy K.). Rednecks and merchants: economic development and social tensions in the South Carolina upcountry, 1865-1900. J. am. Hist., 84, vol. 71, n° 2, p. 294-318.

6166. FRASER (Antonia). The weaker vessel: the women's lot in 17th-century England. London, Weidenfeld a. Nicolson; New York, A. A. Knopf, 84, in-8, XVI-544 p. (ill.).

6167. FREDERIC (Louis). La vie quotidienne au Japon au début de l'ère moderne, 1868-1912. Paris, Hachette, 84, in 8, 404 p. (La vie quotidienne)

6168. FREDRIKSON (Erkki). Suomalaisen pontikan tarina. (L'histoire de l'eau de vie finlandaise.) Jyväskylä, Keski-Suomi, 84, in-8, 56 p. (ill.).

6169. FREVERT (Ute). Krankheit als politisches Problem 1770-1880: soziale Unterschichten in Preußen zwischen med. Polizei u. staatl. Sozialversicherung. Göttingen, Vandenhoeck u. Ruprecht, 84, in-8, 469 p. (Krit. Stud. z. Geschichtswiss., 62)

6170. FRIJHOFF (W.). Non satis dignitatis ... Over de maatschappelijke status van de geneeskundigen tijdens de Republiek. (The appreciation of the medical profession in the Dutch Republic.) In: Arts en samenleving [Cf. n° 822], p. 379-406.

6171. FRYER (Peter). Staying power: black people in Britain since 1504. London, Pluto Press, 84, in-8, 648 p.

6172. FUCHS (Rachel Ginnis). Abandoned children: foundlings and child welfare in nineteenth-century France. Albany, State Univ. of New York Press, 84, in-8, XVII-357 p. (SUNY Ser. in Mod. Eur. Soc. Hist.)

6173. GABACCIA (Donna R.). From Sicily to Elizabeth Street: housing and social change among Italian immigrants, 1884-1930. Albany, State Univ. of New York Press, 84, in-8, XXI-174 p. (SUNY Ser. in Am. Soc. Hist.)

6174. GALENSON (David W.). The rise and fall of indentured servitude in the Americas: an economic analysis. J. econ. Hist., 84, vol. 44, n° 1, p. 1-26.

6175. GAY (Peter). The discreet pleasures of the bourgeoisie. Am. Scholar, 84, vol. 53, n° 1, p. 91-99.

6176. GELIS (Jacques). L'arbre et le fruit: la naissance dans l'Occident moderne, XVIe - XIXe siècles. Paris, Fayard, 84, in-8, 650 p. (ill.).

6177. GILLET (Marcel). Histoire sociale du Nord et de l'Europe du Nord-Ouest. Recherches sur les XIXe et XXe siècles. Préf. de Jean BOUVIER. Lille, Univ. de Lille III, 84, in-8, 286 p.

6178. GILMAN (Amy). From widowhood to wickedness: the politics of class and gender in New York City private charity, 1799-1860. Hist. Educat. Quar., 84, vol. 24, n° 1, p. 59-74.

7179. GIZELĒ (Bika D.). Koinōnikoi metaschēmatismoi kai proeleusē tēs koinōnikēs katoikias stēn Hellada 1920-1930. (Transformations sociales et origines du logement social en Grèce, 1920-1930.) Athènes, Epikairotēta, 84, in-8, 372 p.

6180. GLEN (Robert). Urban workers in the early industrial revolution. New York, St. Martin's, 84, in-8, 348 p.

6181. GLICKMAN (Rose L.). Russian factory women: workplace and society, 1880-1914. Berkeley a. Los Angeles, Univ. of California Press, 84, in-8, XIII-325 p.

6182. GRÜTTNER (Michael). Arbeitswelt an der Wasserkante. Sozialgesch. d. Hamburger Hafenarbeiter 1886-1914. Göttingen, Vandenhoeck u. Ruprecht, 84, in-8, 331 p. (Krit. Studien z. Geschichtswiss., 63)

6183. GUNGA (Martin). Medizin und Theologie in der öffentlichen Sozialfürsorge des 19. Jahrhunderts am Beispiel des Landarmen- und Arbeitshauses Benninghausen 1820-1945. Tecklenburg, Burgverl., 84, in-8, 340 p. (19 p. Ill., graph. Darst.). (Münstersche Beitr. z. Gesch. u. Theorie d. Medizin, 21)

6184. GUTTMANN (Allen). The games must go on: Avery Brundage and the Olympic movement. New York, Columbia U.P., 84, XIV-317 p.

6185. GYÁNI (Gábor). Család, háztartás és városi cselédség. (Famille, ménage et domestiques de ville.) Budapest, Magvetö Kiadó, 83, in-8, 251 p. (Gyorsuló idö)

6186. GYSSELS (M.C.). Het voorechtelijk seksueel gedrag in Vlaanderen. (Pre-marital sexual contact in Flanders.) T. soc. Gesch., 84, vol. 10, p. 71-104.

6187. HAKS (D.). Huwelijk en gezin in Holland in de 17de en 18de eeuw. Processtukken en moralisten over aspecten van het laat 17de- en 18de-eeuwse gezinsleven. (Marriage and family in Holland in the 17th and 18th centuries. Case records and moralists on aspects of late 17th- and 18th-century family life.) Assen Van Gorcum, 82, in-8, XVI-300 p. (Van Gorcum's Hist. Biblitheek, 98)

6188. HALL (P.K.). Japan's farm sector, 1920-1940: a need for reassessment. Agric. Hist., 84, vol. 58, n°= 4, p. 598-616.

6189. HANÁK (Péter). Polgárosodás és urbanizáció. Polgári lakáskultúra Budapesten a 19. században. (Embourgeoisement et urbanisation. La culture d'ameublement bourgeois à Budapest, au XIXe siècle.) Tört. Szle, 84, vol. 27, n+ 1-2, p. 123-144.

6190. HANDL (Johann). Educational changes and occupational opportunities of women: a socio-historical analysis. J. soc. Hist., 84, vol. 17, n° 3, p. 463-488.

6191. HANNON (Joan Underhill). Poverty in the antebellum northeast: the view from New York state's poor relief rolls. J. econ. Hist., 84, vol. 44, n° 4, p. 1007-1032.

6192. HASS (Ludwik). Ambicje, rachuby, rzeczywistość. Wolnomularstwo w Europie Środkowo-Wschodniej 1905-1928. (Ambitions, prévisions, réalités. La franc-maçonnerie en Europe Centrale-Orientale 1905-1928.) Warszawa, Państw. Wydwn. Nauk., 84, in-8, 398 p. IDEM. The Russian masonic movement in the years 1906-1918. Acta Poloniae hist., 83 [84], vol. 48, p. 95-131.

6193. HAUG (Werner). Identitätsprobleme südostasiatischer Flüchtlinge in d. Schweiz. AWR-B., 84, Bd 21 (30), n° 1-2, p. 1-9.

6194. HEGGEN (Alfred). Massenarmut, "Branntweinpest" und Mäßigkeitsbewegungen in Nordwestdeutschland um 1840. Westfäl. Z., 84, Bd 134, p. 465-388.

6195. HILL (Bridget). Eighteenth-century women: an anthology. Boston, Allen a. Unwin, 84, in-8, IX-271 p.

6196. HIMMELFARB (Gertrude). The idea of poverty: England in the early industrial age. London, Faber, 84, in-8, 624 p. (ill.).

6197. HORN (Margo). The moral message of child guidance, 1925-1945. J. soc. Hist., 84, vol. 18, n° 1, p. 25-36.

6198. HORSTMANN (Kurt) Zur angeblichen Überkriminalität der Ausländer. AWR-B., 84, Bd 22 (31), n° 4, p. 210-214.

6199. HOULBROOKE (Ralph A.). The English family, 1450-1700. London a. New York, Longman, 84, in-8, VII-272 p. (Themes in British Soc. Hist.)

6200. HUBBARD (William H.). Social mobility and social structure in Graz, 1857-1910. J. soc. Hist., 84, vol. 17, n° 3, p. 453-462.

6201. HUFF (Robert A.). Anne Miller and the Geneva political equality club, 1897-1912. New York Hist., 84, vol. 65, n° 4, p. 325-348.

6202. JOHANSON (Ulla). Fattiga och tiggare i Stockholms stad och län under 1700-talet: studier kring den offentliga fattigvården under frihetstiden. (Arme Leute und Bettler in Stockholm, Stadt und Land, im 18. Jahrhundert: Studien über d. öffentl. Armenfürsorge während d. schwed. Freiheitszeit.) Stockholm, LiberFörlag, 84, in-8, 382 p. (ill.). (Monogr. utg. av Stockholms kommun, 56) [Deutsche Zsfassung]

6203. JOHNSON (Michael P.), ROARK (James L.). Black masters: a free family of color in the Old South. New York, W. W. Norton, 84, in-8, XVI-422 p.

6204. JOHNSON (Michael P.), ROARK (James L.) a. others. No chariot let down: Charleston's free people of color on the eve of the Civil War. Chapel Hill, Univ. of North Carolina Press, 84, in-8, XII-174 p.

6205. JOHNSON (Paul). Self-help versus state help: old age pensions and personal savings in Great Britain, 1906-1937. Explor. in econ. Hist., 84, vol. 21, n° 4, p. 329-350.

6206. JOYNER (Charles). Down by the riverside: a South Carolina slave community. Urbana, Univ. of Illinois Press, 84, in-8, XXII-345 p. (Blacks in the New World)

6207. JÜTTE (Robert). Obrigkeitliche Armenfürsorge in deutschen Reichsstädten der frühen Neuzeit. Städt. Armenwesen in Frankfurt am Main u. Köln. Köln u. Wien, Böhlau, 84, in-8, VIII-399 p. (Kölner hist. Abh., 31) - IDEM. Andreas Hyperius (1511-1564) und die Reform des frühneuzeitlichen Armenwesens. Arch. f. Reformationsgesch., 84, Jg. 75, p. 113-138.

6208. KAELBLE (Hartmut). Eras of social mobility in 19th and 20th century Europe. J. soc. Hist., 84, vol. 17, n° 3, p. 489-504.

6209. KAMEN (Henry). European society, 1500-1700. London, Hutchinson Educ., 84, in-8, 276 p.

6210. KEIL (Hartmut). Einwandererviertel und amerikanische Gesellschaft. Zur Integration deutscher Einwanderer in d. amer. städtisch-industrielle Umwelt d. ausgehenden 19. Jh. am Beispiel Chicagos. Arch. f. Sozialgesch., 84, Bd 24, p. 47-89.

6211. KELLEY (Donald R.), SMITH (Bonnie G.). What was property? Legal dimensions of the social question in France (1789-1848). Proc. am. philos. Soc., 84, vol. 128, n° 3, p. 200-230.

6212. KELLY (Joan). Women, history, and theory: the essays of Joan Kelly. Chicago, Univ. of Chicago Press, 84, in-8, XXVI-163 p.

6213. KERTZER (David I.). Family life in central Italy, 1880-1910: sharecropping, wage labor, and coresidence. New Brunswick, N.J., Rutgers U.P., 84, in-8, XVII-250 p.

6214. KINTZ (Jean-Pierre). La société strasbourgeoise, du milieu du XVIe siècle à la fin de la guerre de Trente ans (1560-1650). Essai d'histoire démographique, économique et sociale. Paris, Ophrys, 84, in-8, 549 p. (ill., tab., graph.).

6215. KIRBY (Jack Temple). Black and white in the rural south, 1915-1954. Agric. Hist., 84, vol. 58, n° 3, p. 411-422.

6216. KNAPP (Ulla). Frauenarbeit in Deutschland. Bd 1: Ständischer und bürgerlicher Patriarchalismus. Bd 2: Hausarbeit und geschlechtsspezifischer Arbeitsmarkt im deutschen Industrialisierungprozeß. München, Minerva-Publikation, 84, 2 vol. in-8, XVI-294, XIX-704 p.

6217. KNUTSEN (Paul). Norsk arbeidsgiverforening i 1920-åra. Problemer og perspektiver. (Norwegian employers' association in the 1920s. Problems and perspectives.) [Norsk] Hist. T., 84, vol. 63, p. 52-67.

6218. KOCKA (Jürgen). Family and class formation: intergenerational mobility and marriage patterns in nineteenth-century Westphalian towns. J. soc. Hist., 84, vol. 17, n° 3, p. 411-434.

6219. KÖCKRITZ (Sieghardt von). Eingliederung von Aussiedlern und Zuwanderern - Möglichkeiten und Grenzen der Aufnahme von ausländischen Arbeitnehmern und Flüchtlingen. AWR-B., 84, Bd 22 (31), n° 4, p. 228-244.

6220. KOPANEV (A.I.). Krest'jane Russkogo Severa v XVII v. (Peasants of the Russian \ North in the 17th century.) Leningrad, Nauka, 84, 244 p. (AN SSSR. In-t istorii SSSR)

6221. KRAFELD (Franz Josef). Geschichte der Jugendarbeit. Von d. Anfängen bis z. Gegenwart. Weinheim u. Basel, Beltz, 84, in-8, 230 p.

6222. KUHNERT (Reinhold P.). Urbanität auf dem Lande. Badereisen nach Pyrmont im 18. Jh. Göttingen, Vandenhoeck u. Ruprecht, 84, in-8, 295 p. (graph. Darst.). (Veröff. d. Max-Planck-Inst. f. Gesch., 77)

6223. KUSHNER (Howard I.). Immigrant suicide in the United States: toward a psycho-social history. J. soc. Hist., 84, vol. 18, n° 1, p. 3-24.

6224. LADD (Doris M.). La nobleza mexicana en la época de la Independencia, 1780-1826. Trad. de Marita MARTÍNEZ DEL RIO DE REDO. México, Fondo de Cultura Económica, 84, in-8, 353 p.

6225. LANE (A.T.). American trade union, mass immigration and the literary test: 1900-1917. Labor Hist., 84, vol. 25, n° 1, p. 5-25.

6226. LAPIS (Bohdan). U źródel polskich refleksji na praca. (Aux origines de la réflexion polonaise sur le travail [XVe-XVIe s.].) Warszawa, Pax, 84, in-8, 212 p.

6227. LAPSANSKY (Emma Jones). Friends, wives, and strivings: networks and community values among nineteenth-century Philadelphia Afroamerican elites. Pennsylvania Mag. Hist., 84, vol. 108, n° 1, p. 3-24.

6228. LASKARATOS (I.). Hē katastasē tēs hygeias kai hē perithalpsē sto Ionio Kratos. (La condition de la santé et les soins dans l'Etat Ionien.) In: To Ionio [Cf. n° 753], p. 143-158.

6229. LEACH (William R.). Transformations in a culture of consumption: women and departement stores, 1890-1925. J. am. Hist., 84, vol. 71, n° 2, p. 319-342.

6230. LE BAS (C.). Introduction à l'histoire sociale des faits économiques: le XIXe siècle en France. Lyon, Presses univ. Lyon, 84, in-8. (Analyse, épistémologie, hist. économiques)

6231. LEBSOCK (Suzanne). The free women of Petersburg [Va., USA]: status and culture in a southern town, 1784-1860. New York, W. W. Norton, 84, in-8, XX-326 p.

6232. LeGRAND (Catherine). Labor acquisition and social conflict on the Colombian frontier, 1850-1936. J. lat. am. Stud., 84, vol. 16, p. 27-49. [Tranformation of independent frontier squatters into tenant farmers a. wage laborers]

6233. LEHMANN (Albrecht). Krieg - Urlaub - Gastarbeiter. Zur Erfahrung "des Ausländers" in d. Lebensgesch. v. Hamburger Arbeitern. Arch. f. Sozialgesch., 84, Bd 24, p. 457-480.

6234. LEWIS (David Levering). Parallels and divergences: assimilationist strategies of Afro-American and Jewish elites from 1910 to the early 1930s. J. am. Hist., 84, vol. 71, n° 3, p. 543-564.

6235. LILEYKO (Jerzy). Życie codzienne w Warszawie za Wazów. (La vie quotidienne à Varsovie au temps des Wasa [XVIe-XVIIe s.].) Warszawa, Państw. Inst. Wydawn., 84, in-8, 391 p.

6236. MANNINEN (Merja). Pigornas levnadslopp i Uleåborg på 1700-talet. (La vie des bonnes à tout faire à Oulu [Finlandeä au XVIIIe s.]) Hist. T. f. Finland, 84, t. 69, p. 207-231.

6237. MARGOLIS (Maxine L.). Mother and such: views of American women and why they changed. Berkeley a. Los Angeles, Univ. of California Press, 84, in-8, X-346 p.

6238. MAR'INA (V.V.). Krest'janstvo v revoljucijakh 40-kh godov Central'noj i Jugo-vostočnoj Evropy. (Peasantry in the revolutions of the 40s in Central and

South-East Europe.) Moskva, Nauka, 84, 312 p. (AN SSSR. In-t slavjanovedenija i balkanistiki)

6239. MARTIN (F.). De liedjeszanger als massamedium. Straatzangers in de achttiende en negentiende eeuw. (Street-singers in the 18th and 19th centuries.) In: Vormen van communicatie [Cf. n° 893], p. 422-446.

6240. MATĚJČEK (Jiří). Reálné mzdy zaměstnaných dělníků železářských v českých zemích od poloviny 19. století do roku 1914. (Reallöhne der Eisenhüttenarbeiter in den böhmischen Ländern von der Mitte des 19. Jahrhunderts bis 1914.) Teil [1. Cf. Bibl. 83, n° 6291.] 2. Z Děj. hut., 84, vol. 12, p. 110-143.

6241. MAY (Martha). The "good managers": married working class women and family budget studies, 1895-1915. Labor Hist., 84, vol. 25, n° 3, p. 351-372.

6242. METZ (Karl H.). "The survival of the unfittest". Die sozialdarwinist. Interpretation d. brit. Sozialpolitik vor 1914. Hist. Z., 84, Bd 239, p. 565-601.

6243. MILLER (Fredric). Black migration to Philadelphia: a 1924 profile. Pennsylvania Mag. Hist., 84, vol. 108, n° 3, p. 315-350.

6244. MONKKONEN (Eric H.) a. others. Walking to work: tramps in America, 1790-1935. Lincoln, Univ. of Nebraska Press, 84, in-8, 253 p.

6245. MORAWSKA (Ewa). "For bread with butter": life-worlds of peasant immigrants from east central Europe, 1880-1914. J. soc. Hist., 84, vol. 17, n° 3, p. 387-404.

6246. MOSCHONAS (N.G.). Koinōnikes domes sta Ionia nēsia stē metabyzantinē periodo. (Structures sociales dans les Iles Ioniennes durant la période post-byzantine.) In: To Ionio [Cf. n° 753], p. 197-206.

6247. MÜLLER (Richard). Xenophobie und Integration in den Mitgliedstaaten des Europarates. AWR-B., 84, Bd 22 (31), n° 4, p. 203-210.

6248. NOORDEGRAAF (L.). Crisis? Wat voor crisis? Duurte, hongersnood en sociale politiek in de Republiek aan het eind van de zestiende eeuw. (High coasts of living, famine and social policy in the Dutch Republic at the end of the 16th century.) Econ.-soc. hist. Jb., 82 [83], vol. 45, p. 39-57 (3 fig.).

6249. OFFRINGA (C.). Ars Veterinaria: ambacht, professie, beroep. Sociologische theorie en historische praktijk. (Medical profession. Sociological theory and historical practice.) In: Arts en samenleving [Cf. n° 822], p. 407-432.

6250. OTTO (John Solomon). Cannon's point plantation, 1794-1860: living conditions and status patterns in the Old South. London a. Orlando, Fla., Academic Press, 84, in-8, XVII-217 p. (Stud. in Hist. Archaeol.)

6251. PANEJAKH (V.M.). Kholopstvo v pervoj polovine XVII v. (Slavery in the first half of the 17th century.) Leningrad, Nauka, 84, 261 p. (AN SSSR. In-t istorii SSSR. Leningr. otd-nie)

6252. PARADOWSKA (Maria). Podróżnicy i emigranci. Szkice z dziejów polskiego wychodźstwa w Ameryce Południowej. (Voyageurs et émigrants. Essais sur l'histoire de l'émigration polonaise en Amérique du Sud.) Warszawa, Interpress, 84, in-8, 218 p.

6253. PARKERSON (Donald H.). The structure of New York society: basic themes in nineteenth-century social history. New York Hist., 84, vol. 65, n° 2, p. 159-188.

6254. PATCH (William L.) Jr. German social history and labor history: a troubled partnership. J. mod. Hist., 84, vol. 56, n° 3, p. 483-498.

6255. PERROT (Philippe). Le travail des apparences ou les transformations du corps féminin, XVIIIe-XIXe siècle. Paris, Ed. du Seuil, 84, in-8, 280 p. (ill.).

6256. PETACCO (Arrigo). Come eravamo negli anni di guerra: cronaca e costume 1940-1945. Novara, Istit. geogr. De Agostini, 84, in-8, 238 p. (ill.).

6257. PETERSON (M. Jeanne). No angels in the house: the Victorian myth and the Paget women. Am. hist. R., 84, vol. 89, n° 3, p. 677-708.

6258. PETRONŌTĒ (Marina). Symbōle stē meletē tēs oikonomikēs autonomias tōn gynaikōn sta nēsia Kalymno, Samo kai Karpatho. (Contribution à l'étude de l'indépendance économique des femmes dans les îles de Kalymnos, Samos et Karpathos.) Karpathiakai Meletai, 84, t. 3, p. 243-267. [Disponible comme tiré à part]

6259. PINGUET (Maurice). La mort volontaire au Japon. Paris, Gallimard, 84, in-8, 384 p. (ill.). (Biblioth. des histoires)

6260. PLESSY (Bernard), CHALLET (Louis). La vie quotidienne des mineurs au temps de Germinal [de Zola]. Paris, Hachette, 84, in-8, 339 p. (La vie quotidienne)

6261. Bibl. 83, n° 6318. Rabočy klass Rossii ot zaroždenija do načala XX v. (The working class of Russia from the origin till the beginning of the 20th century.) - CR: M. O. Bič, Ist. SSSR, 84, n° 2, p. 171-174.

6262. Räuber, Volk und Obrigkeit. Studien z. Gesch. d. Kriminalität in Deutschland seit d. 18. Jh. Hrsg. v. Heinz REIF. Frankfurt (Main), Suhrkamp, 84, in-8, 259 p. (Suhrkamp-Taschenb. Wiss., 453)

6263. RANZATO (Gabriele). Sudditi operosi e cittadini inerti: sopravvivenze della società di antico regime nella industrializzazione di una città catalana. Milano, Angeli, 84, in-8, 186 p. (Storia, 38)

6264. Regesty dokumentów i ekscerpty z Metryki Koronnej do historii Żydów w

§ 8. STORIA SOCIALE E DEI COSTUMI

Polsce (1697-1795). (Les regitres de documents et les excerpta de la Métrique de la Couronne pour l'histoire des Juifs en Pologne.) Ed. Maurycy HORN. T. 1: Czasy saskie (1697-1763). (L'époque des rois de Saxe.) T. 2: Rządy Stanisława Augusta (1764-1795). (Le règne de Stanislas Auguste.) le partie: 1764-1779. Wrocław, Zakł. Narod. im. Ossolińskich, 84, 2 vol. in-8, IX-165, 210 p. (Żydowski Inst. Historyczny)

6265. RILEY (J.C.). That your widows may be rich. Providing for widowhood in Olde Regime Europe. Econ.-soc. hist. Jb., 82 [83], vol. 45, p. 58-76.

6266. ROBERTS (Elizabeth). Woman's place: an oral history of working class women, 1890-1940. Oxford, Blackwell, 84, in-8, 246 p. (ill.). - EADEM. Working-class standards of living in three Lancashire towns, 1890-1914. Int. R. soc. Hist., 82 [83], vol. 27, p. 43-65.

6267. ROBERTS (J.). Drink, temperance and the working class in 19th-century Germany. London, Allen a. Unwin, 84, in-8, 168 p.

6268. ROBERTSON (Claire C.). Sharing the same bowl: a socio-economic history of women and class in Accra, Ghana. Bloomington, Indiana U.P., 84, in-8, X-299 p.

6269. ROORDA (D.J.). La ricerca sul patriziato cittadino nei Paesi Bassi. R. stor. ital., 83 [84], a. 95, fasc. 3, p. 726-752.

6270. ROOS (Jeja-Pekka). Studying the Finnish new middle class: in French dressing. Helsinki, 84, in-8, 24 p. (Univ. of Helsinki, Department of Social Policy, 3/1984)

6271. RUSSELL (Colin). Science and social change, 1700-1900. London, Macmillan, 84, in-8, 326 p.

6272. SABATIER (Jacqueline). Figaro et son maître. Maîtres et domestiques à Paris au XVIIIe siècle. Paris, Perrin, 84, in-8, 339 p.

6273. SBORONOS (Nikos). Koinōnikes domes kai politistikē anaptyxē tōn poleōn ston hellēniko chōro kata tēn Tourkokratia. (Structures sociales et développement culturel des villes de l'espace héllenique durant la domination ottomane.) In: Amētos [Cf. n° 481], p. 330-339.

6274. SCHATZ (Ronald W.). Connecticut's working class in the 1950s: a catholic perspective. Labor Hist., 84, vol. 25, n° 1, p. 83-101.

6275. SCHIFFKORN (Aldemar). Materialien zur Sozial- und Wirtschaftsgeschichte "Erlebnisse eines Wanderburschen 1875-1880". Oberösterr. Heimatbl., 84, Bd 38, n° 4, p. 319-355.

6276. SCHIMETSCHEK (Bruno). Der österreichische Beamte. Gesch. u. Tradition. Wien, Verl. f. Gesch. u. Politik, 84, in-8, 244 p.

6277. SCHÖFFMANN (Irene). Ein (anderer) Blick auf die katholische Frauenbewegung der Zwischenkriegszeit. Österr. in Gesch. u. Lit., 84, Bd 28, n° 3, p. 155-168.

6278. SCHRAMM (Gottfried). Szlachta a państwo na przykładzie Brandenburgii i Rzeczypospolitej Obojga Narodów w XVII wieku. (La noblesse et l'Etat d'après l'exemple du Brandebourg et de la République des Deux Nations au XVIIe s.) Zap. hist., 84, vol. 49, n° 3, p. 29-49.

6279. SCOTT (Anne Firor). Making the invisible woman visible. Urbana, Univ. of Illinois Press, 84, in-8, XXVII-387 p. - EADEM. On seeing and not seeing: a case of historical invisibility. J. am. Hist., 84, vol. 71, n° 1, p. 7-21. [women's voluntary organizations in the United States]

6280. SELLIER (François). La confrontation sociale en France, 1936-1981. Paris, Presses univ. France, 84, in-8, 240 p.

6281. SERCZYK (Władysław Andrzej). Na dalekiej Ukrainie. Dzieje Kozaczysny do 1648 r. (Dans la lointaine Ukraine. Histoire des Cosaques jusqu'à l'année 1648.) Kraków, Wydawn. Liter., 84, in-8, 373 p.

6282. SHARPE (J.A.). Crime in early modern England, 1550-1750. London, Longman, 84, in-8, 340 p.

6283. SKOUTERĒ-DIDASKALOU (Nora). Anthrōpologika gia to gynaikeio zētēma. (Etude anthropologique concernant le problème de la femme.) Athènes, Ho Politēs, 84, in-8, 271 p.

6284. SKRYNNIKOV (R.G.). Narodnye vystuplenija v 1602-1603 godakh. (People's uprisings in 1602-1603.) Ist. SSSR, 84, n° 4, p. 57-70.

6285. SŁODOWA-HEŁPA (Małgorzata). O badaniach zmian i zróżnicowania struktury społecznej. (Sur les recherches concerant les changements et la différenciation de la structure sociale.) Dzieje najnowsze, 84, a. 16, n° 2, p. 3-20.

6286. SMIRNOV (A.V.). Glavnyj istočnik našej sily: Rabočie promyšlennosti SSSR. 1945-1970 gg. (The main source of our strenght: industrial workers of the USSR, 1945-1970.) Moskva, Mysl', 84, 200 p.

6287. SMITH (Woodruff D.). The function of commercial centers in the modernization of European capitalism: Amsterdam as an information exchange in the seventeenth century. J. econ. Hist., 84, vol. 44, n° 4, p. 1007-1032.

6288. SMYKOV (Ju. I.). Krest'jane Srednego Povolž'ja v period kapitalizma. (Peasantry of the middle Volga area in the period of capitalism.) Soc.-ekon. issled. Moskva, Nauka, 84, 232 p. (AN SSSR. Kazan. fil. In-t jaz., lit. i istorii)

6289. Sozialreform und Rhetorik. The rhetoric of welfare. August BEBEL, et al. Hrsg. v. Helmut VIERBOCK. Kommentare v. David DAICHES, et al. Stuttgart, Steiner,

84, in-8, 174 p. (Studien z. Rhetorik d. neunzehnten Jh., 4)

6290. STEARNS (Peter Nathaniel). Old age in pre-industrial society. London, Homes a. Meier, 84, in-8, 280 p. (ill., tab.).

6291. STEVENSON (John). British society, 1914-1945. Harmondsworth, Penguin, 84, in-8, 512 p. (tab.). (Pelican Soc. Hist. of Britain)

6292. TIDL (Georg). Die Frau im Nationalsozialismus. Wien, München u. Zürich, Europaverl., 84, in-8, 321 p. (zahlr. Abb.).

6293. TIŠKIN (G.A.). Ženskij vopros v Rossii, 50 - 60-e gg. (The woman question in Russia, 50s - 60s of the 19th cent.) Leningrad, LGU, 84, 239 p. (ill.).

6294. UEDA (Reed). The high school and social mobility in a streetcar suburb: Somerville, Massachusetts, 1870-1910. J. interdisc. Hist., 84, vol; 14, n° 4, p. 751-772.

6295. VAKSEG (A.Z.), IZMOZIK (V.S.). Izmenenie obščcestvennogo oblika sovetskogo rabočego 20 - 30-kh godov. (Changes in the social make-up of the soviet workers in the 1920s - 1930s.) Vopr. Ist., 84, n° 11, p. 93-109.

6296. VAN ARKEL (D.). De groei van het anti-Joodse sterotype. Een poging tot een hypotetisch-deductieve werkwijze in historisch onderzoek. (The growth of the anti-Jewish stereotype.) T. soc. Gesch., 84, vol. 10, p. 34-70.

6297. VANDENBROEKE (Chr.). Kwantitatieve en kwalitatieve aspecten van het vleesverbruik in Vlaanderen. (Quantitative and qualitative aspects of the meat-consumption in Flanders.) T. soc. Gesch., 83, vol. 9, p. 221-257.

6298. VAN DEN EECKHOUT (P.), SCHOLLIERS (P.). De hoofdelijke voedselconsumptie in België, 1831-1939. (Food-consuption per head in Belgium, 1831-1939.) T. soc. Gesch., 83, vol. 9, p. 273-301.

6299. VAN DIJK (Henk). Regional differences in social mobility patterns in the Netherlands between 1830 and 1940. J. soc. Hist., 84, vol. 17, n° 3, p. 435-452.

6300. VAN LIEBURG (M.J.). De tweede geneeskundige stand (1818-1865). Een bijdrage tot de geschiedenis van het medisch beroep in Nederland. (History of the medical profession in the Netherlands, 1818-1865.) In: Arts en samenleving [Cf. n° 822], p. 433-453.

6301. VAN ZANDEN (J.L.). Lonen en arbeidsmarkt in Amsterdam, 1800-1865. (Wages and the labour-market in Amsterdam, 1800-1865.) T. soc. Gesch., 83, vol. 9, p. 3-27.

6302. VAN ZANDEN (J.L.), VAN DER VEEN (D.J.). Boeren, keuters en landarbeiders. De sociale structuur van Salland aan het begin van de negentiende eeuw. (The social structure of Salland [prov. Overijssel] in the beginning of the 19th century.) T. soc. Gesch., 84, vol. 10, p. 155-193.

6303. VARGA (László). The great generation of the Hungarian bourgeoisie. Acta hist. Acad. Sci. hungaricae, 84, vol. 30, n° 3-4, p. 353-379. - IDEM. Egy finánctőkés karrier. A Weiss-család és Weiss Manfréd. (La carrière d'un capitaliste financier: la famille Weiss et Manfred Weiss.) Tört. Szle, 83, vol. 26, n° 1, p. 36-66.

6304. VASSBERG (David E.). Land and society in Golden Age Castile. London a. New York, 84, in-8, XVII-263 p. (tab., maps). (Cambridge Iberian a. Lat. Am. Stud.)

6305. Vereinswesen und bürgerliche Gesellschaft in Deutschland. Hrsg. v. Otto DANN. München, Oldenbourg, 84, in-8, 180 p. (Hist. Z., Beih. N.F., 9)

6306. Visages (Les) de l'amour au XVIIe siècle. 13e Colloque du Centre méridional de rencontres sur le XVIIe siècle, Toulouse, 28-30 janv. 1983. Toulouse, Univ. de Toulouse-Le Mirail, 84, in-8, 289 p.

6307. VLASOVA (I.V.). Tradicii krest'janskogo zemlepol'zovanija v Pomor'e i Zapadnoj Sibiri v XVII-XVIII vv. (Traditions of peasant land-tenure in the Coastal Area and Western Siberia in the 17th - 18th cent.) Moskva, Nauka, 84, 232 p. (ill.). (AB SSSR. In-t étnografii)

6308. VOSKUIL (J. J.). De weg naar luilekkerland. (The way to Cockaigne.) Bijdr. Meded. Gesch. Ned., 83, vol. 98, p. 460-482.

6309. WARNER (Sam Bass) Jr. Province of reason [Boston, Mass.]. Cambridge, Mass., Belknap Press of Harvard U.P., 84, in-8, VIII-302 p.

6310. WATTS (Sheldon J.). A social history of Western Europe, 1450-1720: tensions and solidarities amongst the rural people. London, Hutchinson Educ., 84, in-8, 336 p. (ill.).

6311. WENDT (Bernd-Jürgen). Tendenzen und Ergebnisse der englischen Sozialgeschichtsschreibung zum 19. und 20. Jahrhundert. Ein Literaturbericht. Arch. f. Sozialgesch., 84, Bd 24, p. 493-554.

6312. WERTH (Nicolas). La vie quotidienne des paysans russes, de la Révolution à la collectivisation (1917-1939). Paris, Hachette, 83, in-8, 420 p. (La vie quotidienne)

6313. WIESENBERGER (Dorothea). Das Dienstbotenbuch. Ein Beitr. z. steirischen Dienstbotenwesen von 1847-1922. Mitt. d. steiermärk. Landesarch., 84, Bd 34, p. 113-136.

6314. WILLEN (Diane). Guildswomen in the city of York, 1560-1700. Historian, 84, vol. 46, n° 2, p. 204-218.

6315. WIMSHURST (Kerry). Control and resistance: reformatory school girls in the late nineteenth century South Australia. J. soc. Hist., 84, vol. 18, n° 2, p. 273-288.

6316. YOUINGS (Joyce). Sixteenth century England. London, A. Lane, 84, in-8, 432 p. (Soc. Hist. of Britain)

6317. ZDATNY (Steven). The artisanat in France: an economic portrait, 1900-1956. French hist. Stud., 84, vol. 13, n° 3, p. 415-440.

6318. ZULL (Getraud). Das Bild vom Dienstmädchen um die Jahrhundertwende. Eine Unters. d. stereotypen Vorstellungen über d. Charakter u. d. soziale Lage d. städt. weibl. Hauspersonals. München, tuduv, 84, in-8, 282 p. (tuduv-Studien, Reihe Kulturwiss., 11)

6319. ŻYTKOWICZ (Leonid). Przesłanki i rozwój przytwierdzenia do gleby ludności wiejskiej w Polsce - połowa XIV - początek XVI wieku. (L'attachement à la glèbe de la population rurale en Pologne, du XIVe au XVIe siècle, ses motifs et son développement.) Przegl. hist., 84, vol. 75, p. 3-22.

Cf. n°s 244, 2659, 3117, 3140, 3228, 3276, 3496, 3976, 4159, 4847, 4882, 4975, 5541, 5587, 5602, 5610, 5635, 5654, 5734, 5744, 5770, 5863, 5929, 5961, 6058, 6351, 6498, 6592, 6612, 6829, 6832, 7546.

§ 9. Movimento operaio e socialismo.

* 6320. BIEŃKOWSKI (Wiesław). Biografistyka polskiego ruchu robotniczego. (Littérature biographique du mouvement ouvrier polonais.) Z Pola Walki, 84, a. 27, n° 1-2, p. 355-368. [Publications 1876-1981]

* 6321. GILREATH (James). Labor history sources in the Library of Congress rare book and special collections division. Labor Hist., 84, vol. 25, n° 2, p. 243-251.

* 6322. Mouvement (Le) ouvrier bulgare. Publications socialistes bulgares 1882-1918. Essai bibliographique. Etabli sous la dir. de Georges HAUPT, avec la collab. d'Elena SAVOVA, par Alexandre THIKIAN et Monique ARMAND. Paris, Ed. de l'Ecole des Hautes Etudes en Sci. soc., Inst. d'Etudes slaves, 84, in-8, 256 p.

** 6323. Bund der Kommunisten. Dokumente u. Materialien. Inst. f. Marxismus-Leninismus bei ZK d. SED; Inst. f. Marxismus-Leninismus bei ZK d. KPdSU. Bd [2. Cf. Bibl. 82, n° 6447.] 3: 1851-1852. Berlin, Dietz, 84, in-8, 655 p.

** 6324. Dokumente zur Geschichte der Arbeiterbewegung in Württemberg und Baden 1848-1949. Ausgew. u. bearb. v. Peter SCHERER u. Peter SCHAAF. Stuttgart, Theiss, 84, in-8, 724 p. (Dok. z. Gesch. d. Arbeiterbewegung in Deutschland, 1)

** 6325. HIRSCH (H.), PELGER (H.). Ein unveröffentlichter Brief von Karl Marx an Sophie von Hatzfeld - zum Streit mit Karl Blind nach Ferdinand Lasalles Tod. Int. R. soc. Hist., 82 [83], vol. 27, p. 208-238.

** 6326. KELLES-KRAUZ (Kazimierz). Listy. (Lettres.) Réd. et avant-propos: Feliks TYCH. Recueil et éd.: Wiesław BIEŃKOWSKI, Aleksandra GARLICKA, Aleksander KOCHAŃSKI. T. 1: 1890-1897, lettres 1-366. T. 2: 1898-1905, lettres 367-834. Wrocław, Zakł. Narod. im. Ossolińskich, 84, 2 vol. in-8, 752, 926 p. (Pol. Akad. Nauk, Wydz. I Nauk. Społ.)

** 6327. LUXEMBURG (Rosa). Gesammelte Briefe. Inst. f. Marxismus-Leninismus beim ZK d. SED. Bd [4. Cf. Bibl. 83, n° 6386.] 5. Berlin, Dietz, 84, in-8, 512 p.

** 6328. MARX (Karl), ENGELS (Friedrich). Gesamtausgabe (MEGA). Hrsg. v. Inst. f. Marxismus-Leninismus bei ZK d. KPdSU u. v. Inst. f. Marxismus-Leninismus beim ZK d. SED. Abt. 1: Werke, Artikel, Entwürfe. [Bd 22. Cf. Bibl. 78-79, n° 6576.] Bd 12: Januar bis Dezember 1853. Text. Apparat. Bd 18: Oktober 1859 bis Dezember 1860. Text. Apparat. Bd 24: Dezember 1872 bis Mai 1875. Text. Apparat. Abt. 3: Briefwechsel. Bd 4: Januar bis Dezember 1851. Text. Apparat. Berlin, Dietz, 84, 8 vol. in-8, 48-642 p.; p. 647-1290; 37-648 p.; p. 653-1155; 48-582 p.; p. 587-1375; 39-557 p.; p. 563-1108. [Cf. Bibl. 83, n° 6387]

** 6329. ROBERT (Jean-Louis). Documents: les "programmes minimum" de la C.G.T., de 1918 à 1921. Cah. Hist. Inst. Rech. marxistes, 84, n° 16, p. 58-78.

** Cf. n° 3835.

6330. AJRAPETOV (A.G.). Ervin Sabo: plamennyj revoljucioner, socialist. (Ervin Szabó - ardent revolutionary, socialist.) Moskva, Mysl', 84, 141 p. (ill.). (Vydajuščiesja dejateli kom., rabočego i nac.-osvobodit. dviženija)

6331. ÅMARK (Klas). Forskingspresentation: facklig politik och facklig makt 1910-1960. (Trade union politics and trade union power, 1910-1960.) [Svensk] Hist. T., 84, vol. 103, p. 303-314.

6332. ANSORG (Klaus). Johann Plenges Sozialismusvorstellungen und ihre Rezeption in der Sozialdemokratie während des Ersten Weltkrieges. Frankfurt (Main), R. G. Fischer, 84, in-8, 193 p. (graph. Darst.).

6333. Arbeiter in Hamburg. Unterschichten, Arbeiter u. Arbeiterbewegung seit d. ausgehenden 18. Jh. Hrsg. v. Arno HERZIG, et al. Hamburg, Verl. Erziehung u. Wiss., 83, in-8, 606 p. (Ill., Kt.).

6334. ARMSTRONG (Thomas F.). The transformation of work: turpentine workers in coastal Georgia, 1865-1901. Labor Hist., 84, vol. 25, n° 4, p. 518-532.

6335. Aufstieg des Nationalsozialismus, Untergang der Republik, Zerschlagung der Gewerkschaften. Beitr. z. Gesch. d. Arbeiterbewegung zw. Demokratie u. Diktatur. Dokumentation d. hist.-polit. Konferenz d. DGB im Mai 1983 in Dortmund. Ernst BREIT (Hrsg.). Red.: Ulrich BORSDORF, et al. Köln, Bund-Verl., 84, in-8, 265 p.

6336. AVRICH (Paul). The Haymarket tragedy. Princeton, N.J., Princeton U.P., 84, in-8, XV-535 p. [Workers' riot, Haymarket Square, Chicago, 4 May 1886]

6337. BAKE (Rita). Vorindustrielle Frauenerwerbsarbeit. Arbeits- u. Lebensweise v. Manufakturarbeiterinnen im Deutschland d. 18. Jh. unter bes. Berücks. Hamburgs. Köln, Pahl-Rugenstein, 84, in-8, 339 p. (Ill., graph. Darst.). (Pahl-Rugenstein-Hochschulschr., Gesellschafts- u. Naturwiss., 177)

6338. BAMBACH (Ralf). Der französische Frühsozialismus. Opladen, Westdeutscher Verl., 84, in-8, VIII-756 p. (Beiträge z. sozialwiss. Forschung, 53)

6339. BARKAN (Joel D.). Visions of emancipation: the Italian Workers' Movement, 1945-1983. London, Praeger, 84, in-8, 288 p.

6340. BAZYLOW (Ludwik). Badania nad międzynarodowym ruchem robotniczym. Możliwości komparatystyki. (Etudes sur le mouvement ouvrier international. Possibilités d'une recherche comparative.) Z Pola Walki, 84, a. 27, n° 1-2, p. 335-342.

6341. BEAN (R.). Custom, job regulation and dock labour in Liverpool, 1911-39. Int. R. soc. Hist., 82 [83], vol. 27, p. 271-289.

6342. BEIER (Gebhard). Arbeiterbewegung in Hessen. Zur Gesch. d. hess. Arbeiterbewegung durch 150 Jahre (1834-1984). Frankfurt (Main, Insel-Verl., 84, in-8, 671 p. (Ill., graph. Darst., Kt.).

6343. BENSON (J.). The working class in England, 1875-1914. London, Croom Helm, 84, in-8, 224 p. (ill.).

6344. BERLANSTEIN (Lenard R.). The working people of Paris, 1871-1914. Baltimore, Md., Johns Hopkins U.P., 84, in-8, XVII-274 p. (Johns Hopkins Univ. Stud. in Hist. a. Pol. Sci., 102d ser., 2)

6345. BILES (Roger). Ed Crump versus the unions: the labor movement in Memphis during the 1930s. Labor Hist., 84, vol. 25, n° 4, p. 533-552.

6346. BLIDBERG (Kersti). Splittrad gemenskap: kontakter och samarbete inom nordisk socialdemokratisk arbetarrörelse 1931-1945. (Zersplitterte Gemeinschaft: Kontakte und Zusammenarbeit in der nordischen sozialdemokratischen Arbeiterbewegung 1931-1945.) Stockholm, Almqvist o. Wiksell internat., 84, in-8, 284 p. (Stockholm stud. in hist., 32) [Deutsche Zsfassung]

6347. BLINOV (N.V.), ŽELTOVA (V.P.), IVANOVA (N.A., KIR'JANOV (Ju. I.), PUŠKAREVA (I.M.). O metodike sostavlenija khroniki i statistiki rabočego dviženija v Rossii perioda kapitalizma (1861 - fevral' 1917 g.). (On methods of compiling chronicles and statistics of the Russian labor movement under capitalism, 1861 - February 1917.) Vopr. Ist., 84, n° 11, p. 59-78.

6348. BLOBAUM (Robert). Feliks Dzierzyński and the SDKPiL: a study of the origins of Polish communism. Boulder, Colo., East European Monogr., 84, in-8, VIII-307 p. (East European Monogr., 154)

6349. CIMEK (Henryk), KIESZCZYŃSKI (Lucjan). Komunistyczna Partia Polski 1918-1938. (Le Parti Communiste Polonais, 1918-1938.) Warszawa, Książka i Wiedza, 84, in-8, 478 p. (Stulecie Pol. Ruchu Robotn. Zarysy Dziejów)

6350. CLAEYS (G.). Paternalism and democracy in the politics of Robert Owen. Int. R. soc. Hist., 82 [83], vol. 27, p. 161-207.

6351. Condițiile istorice ale apariției și dezvoltării clasei muncitoare din România. Făurirea și afirmarea partidului său politic (1821-1893). (Les conditions historiques et l'appartition et du développement de la classe ouvrière en Roumanie. La création et l'affirmation de son parti politique.) De Nicolae COPOIU, Augustin DEAC (coordinator), Ion IACOȘ et al. Prefață de Ion POPESCU-PUȚURI. București, Ed. politică, 84, in-8, 652 p.

6352. COTKIN (George). Caught in cultures: Samuel Gompers and the problem of the working-class individual in culture. Mid-Am., 84, vol. 66, n° 1, p. 41-47. - IDEM. The socialist popularization of science in America, 1901 to the first world war. Hist. Educat. Quar., 84, vol. 24, n° 2, p. 201-214.

6353. DANILEVIČ (I.V.). Socialističeskie partii Ispanii i Portugalii (1973-1979). Opyt sravn. analiza. (The socialist parties of Spain and Portugal, 1793-1979.) Moskva, Nauka, 84, 257 p. (AN SSSR. In-t meždunar. rabočego dviženija)

6354. DAVIDOVIČ (D.S.). Na barrikadakh Gamburga v 1923 g. (On the Hamburg barricades in 1923.) Nov. novejš. Ist., 84, n° 5, p. 149-168.

6355. Dějiny mezinárodního dělnického hnutí KSČ. (Geschichte der internationalen Arbeiterbewegung und der KPTsch.) [Von] Jarmila WAGNEROVÁ, Ján PLEVA u. Kolletiv. Praha, Stát. pedagog. nakl., 84, in-8, 490 p.

6356. DEUTSCHER (Isaac). Marxism, wars and revolutions: essays from four decades. London, Verso Ed., 84, in-8, 256 p.

6357. Dictionary (A) of Marxist thought. Ed. by Rom BOTTOMORE. Editorial board: Laurence HARRIS, V. G. KIERNAN, Ralph MILIBAND. Cambridge, Mass., Harvard U.P., 83, in-8, XIII-587 p.

6358. DOMONKOS (Anna). O političeskom soderžanii rannikh rabot K. Marksa. (Du contenu politique des premiers ouvrages de K. Marx.) A. Univ. Sci. Budapestiensis,

§ 9. MOVIMENTO OPERAIO E SOCIALISMO

Sectio hist., 83, vol. 23, p. 97-122.

6359. DONALD (M.). Bolshevik activity amongst the working women of Petrograd in 1917. Int. R. soc. Hist., 82 [83], vol. 27, p. 129-160.

6360. DUBSKY (Vladimír). Závodní výbory a rady v předmnichovském Československu. K historii bojů KSČ a Rudých odborů za jednotnou frontu dělnictva. (Die Betriebsausschüsse und -räte in der Tschechoslowakei vor d. J. 1938. Zur Gesch. d. Kämpfe d. KPTsch u. d. Roten Gewerkschaften für d. Einheitsfront d. Arbeiterschaft.) Praha, Práce, 84, in-8, 293 p.

6361. Ende (Das) der Arbeiterbewegung in Deutschland? Ein Diskussionsband z. 60. Geburtstag v. Theo Pirker. Rolf EBBIGHAUSEN, Friedrich TIEMANN (Hrsg.). Mit Beitr. v. Siegfried BRAUN et al. Opladen, Westdeutscher Verl., 84, in-8, 665 p. (graph. Darst.). (Schr. d. Zentralinst. f. Sozialwiss. Forschung d. Freien Univ. Berlin, 43)

6362. FEDORKIN (N.S.). Utopičeskij socializm ideologov revoljucionnogo narodničestva. (Utopian socialism of ideologists of the revolutionary populism.) Moskva, Izd-vo MGU, 84, 200 p. (Istorija filosofii)

6363. FLADELAND (Betty Lorraine). Abolitionists and working class problems in the age of industrialization. London, Macmillan, 84, in-8, 248 p.

6364. FLETCHER (Roger). Revisionism and empire: Socialist imperialism in Germany, 1897-1914. Boston, Mass., a. London, Allen a. Unwin, 84, in-8, VIII-223 p.

6365. FRASER (Steve). From the "new unionism" to the New Deal. Labor Hist., 84, vol. 25, n° 3, p. 405-430.

6366. FREIBURGER (William). War prosperity and hunger: the New York food riots of 1917. Labor Hist., 84, vol. 25, n° 2, p. 217-239.

6367. GANE (Mike). Institutional socialism and the sociological critique of communism (introduction to Durkheim and Mauss). Econ. a. Soc., 84, vol. 13, n° 3, p. 304-330.

6368. GITELMAN (H.M.). Being of two minds: American employers confront the labor problems, 1915-1919. Labor Hist., 84, vol. 25, n° 2, p. 189-216.

6369. GLAZNEK (Jokhanes), KOVALSKI (Verner). Socialističeskijat rabotničeski international 1923-1940. (L'Internâtionale ouvrière socialiste, 1923-1940.) Izv. Inst. Ist. BKP, 83, n° 50, p. 289-321.

3670. GREENBERG (Yitzhak). Mihevrat ovdim lemesheq ovdim. (From workers' society to workers' economy: evolution of the Hevrat Ha'Ovdim idea, 1920-1929.) Tel-Aviv, 84, 2 vol. in-4, 581 p. [Thesis, Tel-Aviv Univ. - Eng. summary]

6371. GRIGULEVIČ (I.R.). Érnesto Če Gevara i revoljucionnyj process v Latinskoj Amerike. (E. Che Guevara and the revolutionary process in Latin America.) Moskva, Nauka, 84, 302 p. (AN SSSR. In-t ètnografii)

6372. Gruppa "Osvoboždenie truda" i obščestvenno-političeskaja bor'ba v Rossii. (The "Emancipation of labour" group and the socio-political struggle in Russia.) Sbornik statej. Otv. red. V. Ja. LAVERY-ČEV. Moskva, Nauka, 84, 270 p. (AN SSSR. In-t istorii SSSR)

6373. GUTERMAN (Alexander). Manhige tenuat ha-poalim ... (Leaders of Jewish origin in the Polish workers movement.) Me'asef, 84, n° 14, p. 141-156.

6374. HAYBURN (R.). The National Unemployed Workers' Movement, 1921-36. A re-appraisal. Int. R. soc. Hist., 83 [84], vol. 28, p. 279-295.

6375. HINE (William C.). Black organized labor in reconstruction Charleston. Labor hist., 84, vol. 25, n° 4, p. 504-517.

6376. HINTEREGGER (Robert), SCHMIDLECHNER (Karin), STAUDINGER (Eduard). Für Freiheit, Arbeit und Recht. Die steirische Arbeiterbewegung zwischen Revolution u. Faschismus (1918-1938). Graz, Kuratorium d. Wanderausstellung, 84, in-4, 185 p.

6377. Histoire mondiale des socialismes, des origines à nos jours. Sous la dir. de Jean ELLEINSTEIN. T. 1: Des origines à 1851. T. 2: De 1852 à 1914. T. 3: De 1914 à 1928. T. 4: De 1929 à 1945. T. 5: De 1945 à 1960. T. 6: De 1961 à nos jours. Paris, A. Colin, 84, 6 vol. in-4, 480, 480, 480, 480, 480, 480 p. (ill., pl., cartes).

6378. HUETING (E.), JONG EDZ. (F. de), NEIJ (R.). Naar groter eenheid. De geschiedenis van het Nederlands Verbond van Vakverenigingen 1906-1981. (To greater unity. The history of the "Nederlands Verbond van Vakverenigingen" [Federation of trade-unions] 1906-1981.) Amsterdam, Van Gennep, 83, in-4, 432 p. (De Nederlandse Arbeidersbeweging, 13)

6379. HUNT (Richard Norman). The political ideas of Marx and Engels. Vol. [1. Cf. Bibl. 74-75, n° 6927.] 2: Classical Marxism, 1850-1895. London, Macmillan, 84, in-8, 448 p.

6380. HYFLER (Robert). Prophets of the left: American socialist thought in the twentieth century. Westport, Conn., Greenwood, 84, in-8, X-187 p. (Contrib. in Pol. Sci., 109)

6381. Im Prinzip Hoffnung. Arbeiterbewegung in Vorarlberg 1870-1946. Hrsg. v. Kurt GREUSSING. Bregenz, Fink, 84, in-8, 368 p. (Beitr. z. Gesch. u. Ges. Vorarlbergs, 4)

6382. Bibl. 83, n° 6437. Istorija rabočego dviženija v SŠA v novejšee vremja. 1965-1980. (History of the working-class movement in USA in contemporary times, 1965-1980.) - CR: B.S. Popov, Vopr. Ist., 84, n° 5, p. 134-137.

6383. Istorija socialističekikh učenij. (History of socialist teachings.) Sbornik statej. Otv. red. L. S. ČIKOLINI. Moskva, Nauka, 84, 284 p. (AN SSSR. In-t vseobšč. Ist.)

6384. Istorija sovetskogo rabočego klassa. (History of the soviet working class.) V 6-ti t. Gl. redkol.: S. S. KHRONOV (gl. red.) i dr. T. 1: Rabočij klass v Oktjabr'skoj revoljucii i na zaščite eě zavoevanij, 1917-1920 gg. (The working class in the October Revolution and in defense of its achievements, 1917-1920.) Redkol.: L. S. GAPONENKO (otv. red.) i dr. T. 2: Rabočij klass - veduščaja sila v stroitel'stva socialističeskogo obščestva, 1921-1937 gg. (The working class - leading force in the edification of the socialist society, 1921-1937.) Redkol.: L. S. ROGAČEVSKAJA, A. M. SIVOLOBOV (otv. red.) i dr. T. 3: Rabočij klass SSSR nakanune i vo gody Velikoj Oteč. vojny. 1938-1945 gg. (The working class of the USSR on the eve and during the Great Patriotic War, 1938-1945. Redkol.: A. V. MITROFANOVA (Otv. red.) i dr. Moskva, Nauka, 84, 3 vol., 495, 511, 591 p. (ill.).

6385. JACKSON (Robert Max). The formation of craft labor markets. Orlando, Fla., Academic Press, 84, in-8, XV-353 p.

6836. JAUCH (Susanne), MORELL (Renate), SCHICKLER (Ulla). Gewerkschaftsbewegung in Frankreich und Deutschland. Ein kontrastiver Vergleich ihrer zentralen Merkmale bis z. Ersten Weltkrieg. Mit e. Vorw. v. Hanns-Albert STEGER. Frankfurt (Main) u. New York, Campus-Verl., 84, in-8, 189 p. (Campus. Forschung, 329)

6387. JEMNITZ (János). Marx és a nyugat-európai munkásmozgalom. (Marx et le mouvement ouvrier de l'Europe occidentale.) Tört. Szle, 83, vol. 26, n° 3-4, p. 367-374. - IDEM. Marx és az angol, belga munkásmozgalom, 1877-1883. (Marx et le mouvement ouvrier anglais et belge, 1877-1883.) Századok, 83, vol. 117, n° 6, p. 1196-1224.

6388. JENA (Detlef). Der "legale" Marxismus im Urteil russischer Sozialdemokraten. Jb. f. Gesch., 84, Bd 29, p. 97-128.

6389. JONES (Gareth Stedman). Languages of class: studies in English working class history, 1832-1982. London, Cambridge U.P., 84, in-8, 260 p.

6390. KABACKIJ (N.I.). Social-demokratičeskie organizacii Sibiri v bor'be za massy v revoljucii 1905-1907 godov. (Social-democratic organizations of Siberia in the struggle for the people in the revolution of 1905-1907.) Irkutsk, Izd-vo Irkut. un-ta, 84, 236 p.

6391. Karl Marx 1883-1983. Int. R. soc. Hist., 83 [84], vol. 28, p. 1-142. [Contents: LANGKAU (G.). Marx Gesamtausgabe - dringendes Parteiinteresse oder dekorativer Zweck? Ein Wiener Editionsplan zum 30. Todestag. Briefe u. Briefauszüge, p. 105-142. - OTANI (T.). Zur Datierung der Arbeit von Karl Marx am II. und III. Buch des "Kapital", p. 91-104. - ROJAHN (G.). Marixismus - Marx - Geschichtswissenschaft. Der Fall der sog. "Ökonomisch-philosophischen Manuskripte aus dem Jahre 1844", p. 2-49. - SCHRADER (F.E.). Karl Marxens Smithkommentar von 1861/62 im Heft VII. Zur Rationalität d. aporetischen Arbeitsbegriffs, p. 50-90.]

6392. KARLSEN (A.-V.). Knud Espersen - syn trudovoj Danii. (Knud Jespersen - son of working Denmark.) Nov. novejš. Ist., 84, n° 6, p. 88-114.

6393. KIRSCHNER (Béla). Einige Fragen der strategischen Linie der Kommunistischen Partei Ungarns. Juli 1924 - August 1925. A. Univ. Sci. Budapestiensis, Sectio hist., 82, vol. 22, p. 175-205.

6394. Kommunistische (Die) Internationale 1919-1943. Ihr weltweites Wirken für Frieden, Demokratie, nationale Befreiung u. Sozialismus in Bildern u. Dokumenten. Inst. f. Marxismus-Leninismus beim ZK d. SED. Berlin, Dietz, 84, in-4, 351 p. (Abb.).

6395. Bibl. 83, n° 4106. KOMOLOVA (N.P.), FILATOV (G.S.). Pal'miro Tol'jatti. (Palmiro Togliatti.) - CR: V. A. Trofimov, Nov. novejš. Ist., 84, n° 5, p. 189-191.

6396. KOSTIN (A.F.). Ot utopii k nauke: Iz istorii rev. mysli v Rossii. (From utopia to science. On the history of revolutionary thought in Russia.) Moskva, Mysl', 84, 156 p. (ill.).

6397. KOTH (Harald). Die Teilnahme ausländischer Sozialisten an den Auseinandersetzungen der deutschen Sozialdemokratie mit dem Bernsteinschen Revisionismus 1896 bis 1900. Jb. f. Gesch., 84, Bd 29, p. 169-198.

6398. KOUKOULES (Giõrgos Ph.). Hellēnika syndikata: oikonomikē autodynamia kai exartēsē 1938-1984. (Les syndicats grecs: autonomie et dépendance, 1938-1984.) Athènes, Odysseas, 84, in-8, 190 p.

6399. KUNDEL (Erich), MALYSCH (Alexander). Der Beitrag der Marx-Engels-Gesamtausgabe (MEGA) zur Entwicklung der Marx-Engels-Forschung. Ein Bericht d. Sekretäre d. Redaktionskommission nach d. Erscheinen d. ersten 20 Bde. Marx-Engels-Jb., 84, Jg. 7, p. 171-200.

6400. KUNDERA (Elżbieta). Ferdynand Lassalle (1825-1864). Wrocław, 84, in-8, 136 p. (Acta univ. Wratislaviensis, 715. Prawo, 119) [en polonais]

6401. KUNINA (Waleria). Zur Untersuchung der Geschichte der internationalen Arbeiterbewegung durch Karl Marx. Einige methodolog. Aspekte. Marx-Engels-Jb., 84, Jg. 7, p. 54-79.

6402. LAPICKIJ (M.I.), MOSTOVEC (N. V.). Judžin Dennis: žizn', otdannaja bor'be. (E. Dennis: a life dedicated to struggle.) Nov. novejš. Ist., 84, n° 2, p. 102-120.

6403. LASCOUMES (Pierre), ZANDER (Hartwig). Marx: du vol de bois à la critique

§ 9. MOVIMENTO OPERAIO E SOCIALISMO

du droit. Karl Marx à la Gazette Rhénane: naissance d'une méthode. Paris, Presses univ. France, 84, in-8, 288 p. (Philosophie d'aujourd'hui)

6404. LASLETT (John H. M.), LIPSET (Seymour Martin) a. others. Failure of a dream? Essays in the history of American socialism. Berkeley a. Los Angeles, Univ. of California Press, 84, in-8, XVIII-554 p.

6405. LAVRIN (V.A.). Vozniknovenie revoljucionnoj situacii v Rossii v gody pervoj mirovoj vojny. (Origin of the revolutionary sitaution in Russia during the first world war.) Moskva, Izd-vo MGU, 84, 243 p. (KPSS: istorija i sovremennost')

6406. LEWIS (Jon). Industrialization and trade union organization in South Africa, 1924-1925: the rise and fall of the South African Trades and Labour Council. London, Cambridge U.P., 84, in-8, 246 p. (tab.). (African Stud.)

6407. LINK (Euegene P.). Labor-religion prophet: the times and life of Harry F. Ward. Forew. by Corliss LAMONT. Boulder, Colo., Westview, 84, in-8, XXIII-351 p.

6408. LISS (Sheldon B). Marxist thougth in Latin America. Berkeley a. Los Angeles, Univ. of California Press, 84, in-8, X-374 p.

6409. LISTIKOV (S.V.). Vlijanie revoljucionnykh sobytij v Rossi na bor'bu tečenij v profsojuznom dviženii SŠA (1917-1919 gg.). (Influence of the revolutionary events in Russia on the battle of trends in the US trade-union movement, 1917-1919.) Vopr. Ist., 84, n° 6, p. 34-47.

6410. LJUVAROV (P.E.). Gosudarstvennaja duma i voprosy položenija rabočikh i služaščikh torgovykh zavedenij (Iz istorii bor'by bol'ševikov protiv kadetskoj politiki po rabočemy voprosu). (The State duma and issues of social conditions of workers and trade establishments' employees: on the history of the bolsheviks' fight against the kadets' policies concerning labour problems.) Ist. SSSR, 84, n° 1, p. 162-172.

6411. LÖW (Raimund). Der Zerfall der "Kleinen Internationale". Nationalitätenkonflikte in d. Arbeiterbewegung d. alten Österreich (1889-1914). Wien, Europaverl., 84, in-8, 326 p. (Materialien z. Arbeiterbewegung, 34)

6412. LÖWE (Heinz-Dietrich). Lenins Thesen über Kapitalismus und soziale Differenzierung in der vorrevolutionären Bauerngesellschaft. Eine Kritik. Jb. f. Gesch. Osteuropas, 84, Bd 32, p. 72-113.

6413. ŁUKAWSKI (Zygmunt). Polacy w rosyjskim ruchu rewolucyjnym 1894-1907. (Les Polonais dans le mouvement révolutionnaire russe, 1894-1907.) Warszawa, Książka i Wiedza, 84, in-8, 308 p;

6414. McDONNELL (Lawrence T.). "You are too sentimental": problems and suggestions for a new labor history. J. soc. Hist., 84, vol. 17, n° 4, p. 629-654.

6415. MacKENZIE (Donald). Marx and the machine. Technol. a. Cult., 84, vol. 25, n° 3, p. 473-502.

6416. McKIBBIN (Ross). Why was there no Marxism in Great Britain? Eng. hist. R., 84, vol. 99, p. 297-331.

6417. McLEOD (Hugh). Religion and the working class in 19th-century Britain. London, Macmillan Educ., 84, in-8, 80 p. (Stud. in Econ. a. Soc. Hist.)

6418. MADARÁSZ (Aladár) Victorian travellers to nowhere: socialism and economic utopias in the late 19th century. Acta hist. Acad. Sci. hungaricae, 83, vol. 29, n° 2-4, p. 251-256.

6419. MAI (Gunther). Konservative Stabilisierungsstrategien im Kaiserreich. Zur Praxis d. Sozialistengesetzes in Frankfurt/M. 1878-1890. Hess. Jb. f. Landesgesch., 84, Bd 34, p. 193-206.

6420. MAILJAN (V.R.). Dejatel'nost russkikh marksistov v Zakavkaz'e (s 1880-kh gg. po 1903 g.). (Activites of Russian Marxists in Transcausasia, 1880s - 1903.) Erevan, Ajastan, 84, 124 p. (ill.).

6421. MAKOWSKI (Edmund). Ruch robotniczy w Wielkopolsce. Zarys dziejów do 1981 roku. (Le Mouvement ouvrier en Grande Pologne. Précis de son histoire jusqu'en 1981.) Poznań, Wydawn. Nauk. Uniw. im. Adama Mickiewicza, 84, in-8, 326 p. (Bibl. Kroniki Wielkop.)

6422. MARSZAŁEK (Antoni). Socjaldemokraci niemieccy i austriaccy o gospodarce socjalistycznej 1890-1925. (Les sociaux-démocrates allemands et autrichiens au sujet de l'économie socialiste, 1890-1925.) Łódź, 84, in-8, 159 p. (Acta Univ. Lodziensis, Folia oeconomica, 31)

6423. Marx és a jelenkor. Emlékülés a Magyar Tudományos Akadémián, 1983. április 27-28. Szerk. PACH Zsigmond Pál. (Marx et notre temps. Séance commémorative à l'Académie des Sciences de Hongrie, 27-28 avril 1983. Réd. par - .) Budapest, Kossuth Kiadó - Akad. Kiadó, 83, in-8, 184 p.

6424. MBITSAKĒS (Eutychēs). Karl Marx ho theōrētikos tou proletariatou. (K. Marx - théoricien du problétariat.) Athènes, Gutenberg, 83, in-8, 209 p.

6425. MICHALKIEWICZ (Stanisław). Przemysł i robotnicy na Śląsku (do 1914 roku). (L'industrie et les ouvriers en Silésie avant 1914.) Katowice, Śląsk, 84, in-8, 319 p.

6426. MICHAUD (Stéphane). Flora Tristan, 1803-1844. Paris, Ed. ouvrières, 84, in-8, 136 p. (Aux sources du socialisme)

6427. MICHTA (Norbert). Julian Marchlewski. Warszawa, Książka i Wiedza, 84, in-8, 243 p. (Biografia)

6428. MORGAN (Kenneth Owen). Keir Hardie. London, Weidenfeld a. Nicolson, 84, in-8, 352 p.

6429. MUCSI (Ferenc), SZABÓ (Ágnes). Zsigmond Kunfi (1879-1929). Acta hist. Acad. Sci. hungaricae, 84, vol. 30, n° 1-2, p. 181-207. [in Deutsch]

6430. Myśl socjalistyczna i marksistowska w Polsce 1878-1939. (La pensée socialiste et marxiste en Pologne, 1878-1939.) Choix des textes et avant-propos de Seweryn DZIAMSKI. T. 1, 2. Warszawa, Pánstw. Wydawn. Nauk., 84, 2 vol. in-8, 580, 407 p.

6431. NEČKINA (M.V.). Čitaja Marksa ... (Reading Marx ...) Sbornik rabot. (K 100-letiju so dnja konžiny K. Marska, 1883-1983). Moskva, Nauka, 84, 150 p.

6432. NELSON (Daniel). The CIO at bay: labor militancy and politics in Akron, 1936-1938. J. am. Hist., 84, vol. 71, n° 3, p. 565-586. - IDEM. The rubber workers' southern strategy: labor organizing in the New Deal south, 1933-1943. Historian, 84, vol. 46, n° 3, p. 319-338.

6433. NÉMETH (István). A német munkásmozgalom 1933 első felében. (Le mouvement ouvrier allemand dans la première moitié de 1933.) Párttört. Közl., 83, vol. 29, n° 4, p. 153-188.

6434. NIKOLOPOULOS (Theodōros). Hē allē opsē tou hellēnikou ergatikou kinēmatos (1918-1930). (L'autre aspect du mouvement ouvrier grec, 1918-1930.) Athènes, l'auteur, 83, in-8, 170 p.

6435. NOVIKOV (V.I.). Lenin i dejatel'nost' iskrovskikh grupp v Rossii, 1900-1903. (Lenin and the activites of Iskra groups in Russia, 1900-1903.) 2-e izd., dop. Moskva, Mysl', 84, 271 p. (ill.).

6436. OFFERLE (Michel). Illégitimité et légitimation du personnel politique ouvrier en France avant 1914. A. Ec., Soc., Civ., 84, a. 39, n° 4, p. 681-716.

6437. OSOBOVA (I.P.). K istorii publikacii Ustava I Internacionala. (On the history of the publication of the First International's rules.) Nov. novejš. Ist., 84, n° 6, p. 33-42.

6438. PACH (Zsigmond Pál). Magyar Marx-évfordulók. (Commémorations de Marx en Hongrie.) Századok, 83, vol. 117, n° 6, p. 1189-1195.

6439. PAUL (Diane B.). Eugenics and the left. J. Hist. Ideas, 84, vol. 45, n° 4, p. 567-590.

6440. PERSSON (Lennart). Arbete, politik, arbetarrörelse: en studie av stenindustrins Bohuslän 1860-1910. (Work, politics and the labor movement: a study of the quarrying industry in Bohuslän, 1860-1910.) Göteborg, Univ. Hist. inst., 84, in-4, 484 p. (Meddel. från Hist. inst. i Göteborg, 26) [Eng. summary]

6441. Pervaja marksistskaja organizacija Rossii - gruppa "Osvoboždenie truda". 1883-1903. Dokumenty, stat'i, materialy, perepiska, vospominanija. (The first Marxist organization Russia's: the "Emancipation of labour" group, 1883-1903. Documents, articles, materials, correspondence, memoirs.) Redkol.: M. T. JOVČUK (gl. red.) i dr. Moskva, Nauk, 84, 446 p. (Nauč. sovet AN SSSR po istorii obščestv. mysli i dr. Gos. publ. b-ka im. M. E. Saltykova-Ščedrina, Dom Plekhanova)

6442. PEŠA (Václav). Socialism and peace. In: Jointly in the struggle ... [Cf. n° 692], p. 17-30.

6443. Pierwsze Maje. (Les Premier-Mai.) Ouvrage collectif réd. par Andrzej GARLICKI. Warszawa, Iskry, 84, in-8, 285 p. [Célébration de la Fête du Travail en Pologne, 1892-1945]

6444. POLTAVSKIJ (M.A.). Stanovlenie social-demokratičeskogo dviženija v Avstrii. (The evolution of the social-democratic movement in Austria.) Nov. novejš. Ist., 84, n° 3, p. 35-53.

6445. Přehled dějin československého odborového hnutí. (Übersicht über die Geschichte der tschechoslowakischen Gewerkschaftsbewegung.) Edit. Jaroslav TĚHLE u. Kollektiv. Praha, Práce, 84, in-8, 680 p.

6446. PUGH (Patricia). Educate, agitate, organise: 100 years of Fabian Socialism. London, Methuen, 84, in-8, 260 p.

6447. RADICE (Lisanne). Beatrice and Sidney Webb. London, Macmillan, 84, in-8, 342 p. (ill.).

6448. Réformisme et révisionnisme dans les socialismes allemand, autrichien et français. Sous la dir. de François-Georges DREYFUS. Paris, Ed. de la Maison des Sci. de l'Homme, 84, in-8, 195 p.

6449. REITANO (Joanne). Working girls unite. Am. Quar., 84, vol. 36, n° 1, p. 112-134.

6450. Bibl. 82, n° 6589. Revoljucionnyj process na Vostoke. Istorija i sovremennost'. (The revolutionary process in the East. Past and present.) Otv. red. R. A. UL'JANOVSKIJ. - CR: M. F. Jur'ev, Nov. novejš. Ist., 84, n° 2, p. 186-188.

6451. RIEBER (Christof). Das Sozialistengesetz und die Sozialdemokratie in Württemberg 1878-1890. Teilband 1, 2. Stuttgart, Müller u. Gräff, 84, 2 vol. in-8, 420 p., p. 421-900. (Schr. z. südwestdeutschen Landeskde, 19)

6452. RIOSA (Alceo). Il movimento operaio tra società e Stato: il caso italiano nell'epoca della II Internazionale. Milano, Angeli, 84, in-8, 222 p. (La società italiana moderna e contemporaena, 11)

6453. RÖHR (Werner). Was kann die Arbeiterklasse von der zeitgenössischen Bourgeoisie erben? Zur Kontroverse Hans Günthers mit Ernst Bloch 1936 in der "Internationalen Literatur". Jb. f. Gesch., 84, Bd 29, p. 321-358.

6454. ROVDE (Olav). Småbrukarlaget og arbeidarrørsla i 1930-ara. (The Smallholders' association and the labour movement

§ 9. MOVIMENTO OPERAIO E SOCIALISMO

in the 1930s.) [Norsk] Hist. T., 84, vol. 63, p. 28-51. [Eng. summary]

6455. RYBIKOWA (Alla). Probleme der revolutionären Bewegung Rußlands im "Volksstaat". Marx-Engels-Jb., 84, Jg. 7, p. 283-302.

6456. SAMUŚ (Paweł). Dzieje SDKPiL w Łodzi 1893-1918. (Histoire de la Social-Démocratie du Royaume de Pologne et de Lituanie à Łódź, 1893-1918.) Łódź, Wydawn. Łódzkie, 84, in-8, 288 p.

6457. SCHÖNEBURG (Karl-Heinz), SEEBER (Gustav). Arbeiterklasse und Parlament. Parlamentar. Traditionen d. revolut. Arbeiterbewegung 1848 bis 1949. Berlin, Staatsverl. d. DDR, 84, 182 p. (Abb.).

6458. Bibl. 83, n° 3871. SEDYKH (V.N.). Žak Djuklo. (Jacques Duclos.) - CR: Ju. N. Pankov, Nov. novejš. Ist., 84, n° 5, p. 187-188.

6459. SEIBERT (Hubertus). Zur Geschichte der Arbeiterbewegung im Großraum Koblenz in der Weimarer Republik (1920-1933). Jb. f. westdeutsche Landesforsch., 84, Jg. 10, p. 179-214.

6460. ŠEVJAKOV (A.A.). Vydajuščijsja političeskij i gosudarstvennyj dejatel'novoj Rumynii. (A prominent political and state figure of new Rumania.) Vopr. Ist., 94, n° 11, p. 110-122.

6461. Bibl. 82, n° 6602. SEV'JAN (D.A.). Iz istorii Sojuza kommunistov Jugoslavii. 1919-1945. (From the history of the Communist Leage of Yugoslavia, 1919-1945. - CR: G. M. Slavin, Vopr. Ist. KPSS, 84, n° 4, p. 136-139.

6462. SIMON (Dan). Das Frankreichbild der deutschen Arbeiterbewegung 1859-1865. Gerlingen, Bleicher, 84, in-8, 334 p. (Schriftenreihe d. Inst. f. Deutsche Gesch., Univ. Tel-Aviv, 6)

6463. SIPOS (Péter). A szakszervezetek és a magyarországi Szociáldemokrata Párt, 1890-1930. (Les syndicats et le Parti social-démocrate de Hongrie, 1890-1930.) Budapest, Akad. Kiadó, 84, in-8, 129 p. (Értekezések a történeti tudományok köréből, 103) - IDEM. Peyer Károly a magyar munkásmozgalomban 1944-ig. (K. Peyer dans le mouvement ouvrier hongrois jusqu'en 1944.) Századok, 83, vol. 117, n° 6, p. 1280-1321.

6464. SMITH (Harold L.). Sex vs. class: British feminists and the labour movement, 1919-1929. Historian, 84, vol. 47, n° 1, p. 19-37.

6465. SOBCZAK (Jan). Międzynarodowe powiązania polskiego ruchu robotniczego. (Les liaisons internationales du mouvement ouvrier polonais.) Z Pola Walki, 84, a. 27, n° 1-2, p. 35-47.

6466. SOÓS (Katalin). Wallisch Kálmán. Egy baloldali szociáldemokrata munkásvezér élete és kora, 1889-1934. (Une vie et une époque: Kálmán Wallisch, dirigeant ouvrier social-démocrate de gauche.) Budapest, Akad. Kiadó, 83, in-8, 261 p. (8 pl.).

6467. STEFFEN (Charles G.). The mechanics of Baltimore: workers and politics in the Age of Revolution, 1763-1812. Urbana, Univ. of Illinois Press, 84, in-8, XV-296 p. (Working Class in Am. Hist.)

6468. Streiks und Aussperrungen im Deutschen Kaiserreich. Eine sozialgesch. Dokumentation f. d. Jahre 1871-1875. Lothar MACHTAN. Berlin, Colloquium-Verl., 84, in-8, VI-541 p. (Kte). (Beih. z. Internat. wiss. Korrespondenz z. Gesch. d. deutschen Arbeiterbewegung, 9)

6469. SZABÓ (Ágnes), PINTÉR (István). Legális és illegális munkásmozgalom Magyarországon, 1919-1944. (Les mouvements ouvriers légal et clandestin en Hongrie entre 1919 et 1944.) Párttört. Közl., 83, vol. 29, n° 2, p. 161-186.

6470. TAYLOR (A.J.). The miners and nationalisation [in England], 1931-36. Int. R. soc. Hist., 83, vol. 28, p. 176-199.

6471. TEPLJAŠINA (E.I.). Dejatel'nost' V. I. Lenina v period podgotovki Velikoj Oktjabr'skoj socialističeskoj revljucii. (V. I. Lenin's activities in the period of preparation for the Great October Socialist revolution.) Vopr. Ist. KPSS, 84, n° 9, p. 93-105.

6472. THANE (Pat). The working class and state "welfare" in Britain, 1880-1914. Hist. J., 84, vol. 27, p. 877-900.

6473. THOMPSON (Dorothy). The Chartists: popular politics in the industrial revolution. London, M. T. Smith; New York, Pantheon, 84, in-8, 399 p.

6474. THOMPSON (Ruth). The limitations of ideology in the early Argentine labour movement: anarchism in the trade unions, 1890-1920. J. lat. am. Stud., 84, vol. 16, p. 81-99.

6475. VADÁSZ (Sándor). Marx mint történetíró. (Marx comme historien.) Századok, 83, vol. 117, n° 6, p. 1225-1245.

6476. Bibl. 82, n° 6622. VANDALKOVSKAJA (M.G.). Istorija izučenija russkogo revoljucionnogo dviženija serediny XIX veka. (The history of the study of Russian revolutionary movements in the middle of the 19th century.) - CR: A. F. Smirnov, Vopr. Ist., 84, n° 5, p. 115-117.

6477. VEBER (A.B.). Iz istorii khozjajstvennykh organizacij rabočego dviženija v kapitalističeskikh stranakh. (From the history of economic organisations of the working-class movement in capitalist countries.) Vopr. Ist., 84, n° 4, p. 57-72.

6478. VINCENT (K. Steven). Pierre-Joseph Proudhon and the rise of French repubican socialism. New York, Oxford U.P., 84, in-8, VIII-320 p.

6479. Bibl. 82, n° 6624. VOLOBUEV (O.V.), MURAV'EV (V.A.). Leninskaja koncepcija revoljucii 1905-1907 godov v Rossii i sovetskaja istoriografija. (Lenin's conception of the revolution of 1905-1907 in Russia and soviet historiography.) - CR: E. N. Gorodeckij, Vopr. Ist., 84, n° 6, p. 135-138.

6480. WILENTZ (Sean). Chants democratic: New York City and the rise of the American working class, 1789-1850. New York a. London, Oxford U.P., 84, in-8, 448 p. (ill.).

6481. WILKS (Ivor). South Wales and the risings of 1839: class struggle as armed struggle. Urbana, Univ. of Illinois Press, 84, in-8, 270 p. (The working class in European Hist.)

6482. WOIROL (Gregory R.). Observing the I.W.W. in California, may - july 1914. Labor Hist., 84, vol. 25, n° 3, p. 437-447.

6483. WÓJCIK (Alicja). Ruch robotniczy na Lubelszczyźnie do 1918. (Le mouvement ouvrier dans la région de Lublin jusqu'à l'an 1918.) Lublin, Wydawn. Lub., 84, in-8, 252 p.

6484. ZAGLADINA (Kh. T.). Irlandskij revoljucioner Džejms Konnoli. (The Irish revolutionary James Connolly.) Nov. novejš. Ist., 84, n° 1, p. 168-187.

6485. ZAHN (Lola). Utopischer Sozialismus und Ökonomiekritik. Eine ökonomiegeschichtl. Untersuchung zu d. theoret. Quellen d. Marxismus. Berlin, Akad.-Verl., 84, in-8, 236 p.

6486. ŻARNOWSKI (Janusz). Klasa robotnicza a ruch robotniczy. (La classe ouvrière et le mouvement ouvrier.) Z Pola Walki, 84, a. 27, n° 1-2, p. 21-34.

6487. ZASTENKER (N.E.). Očerki istorii socialističeskoj mysli. (Essays on the history of socialist thought.) Moskva, Mysl', 84, 286 p.

6488. ZIEGER (Robert H.). Rebuilding the Pulp and Paper Worker's Union, 1933-1941. Knoxville, Univ. of Tennessee Press, 84, in-8, XI-242 p.

Cf. n°s 282, 3503, 4175, 4366, 5074, 6737, 7079.

O

STORIA DEL DIRITTO E DELLE COSTITUZIONI DELL'ETA' MODERNA

§ 1. Storia generale del diritto. 6489-6527. - § 2. Storia del diritto costituzionale. 6528-6554. - § 3. Diritto pubblico e istituzioni pubbliche. 6555-6592. - § 4. Diritto civile e penale. 6593-6622. - § 5. Diritto internazionale. 6623-6626.

§ 1. Storia generale del diritto.

* 6489. BRUIN (J. de). Plakkaten van Stad en Lande. Overzicht van Groningse rechtsvoorschriften in de periode 1594-1795. (List of statutes and ordonnances issued in the province Groningen, 1594-1795.) Groningen, Nederlands Agronomisch-Historisch Instituut, 83, in-8, 394 p. (Historia Agriculturae, 14)

* 6490. Gelderse plakkatenlijst 1740-1815. (Liste of statutes and ordonnances issued in the province Gelderland, 1740-1815.) Samengest. door J. DROST. Onder begeleiding van G. J. MENTINK, O. MOORMAN VAN KAPPEN, C. O. A SCHIMMELPENNINCK VAN DER OIJE. Zutphen, De Walburg Pers, 82, in-8, 256 p. (Werken d. Stichting tot Uitgaaf d. Bronnen van het Oud-Vaderlandse Recht, 8)

* 6491. KUNDERT (Werner). Katalog der Helmstedter juristischen Disputationen, Programme und Reden 1574-1810. Wiesbaden, Harrassowitz, 84, in-8, 543 p. (Repertorien z. Erforsch. d. frühen Neuzeit, 8)

* 6492. PETERSEN (Walter). Verzeichnis der Einblattdrucke und Handschriften aus dem Rechtsleben des Herzogtums Braunschweig-Lüneburg. Erg. um d. Nachweis weiterer Rechtsquellen. T. 1: 1418-1714. T. 2: 1714-1807. Wiesbaden, Harrassowitz; Wolfenbüttel, Herzog-August-Bibliothek, 84, 2 vol. in-8, 439 p., p. 441-1146. (Repertorien z. Erforsch. d. frühen Neuzeit, 9)

* 6493. SPRUIT (J.E.). J. Ph. de Monté Ver Loren, een overzicht van zijn geschriften. (Monté Ver Loren, a bibliography of his writings.) R. Hist. Droit, 84, vol. 52, p. 45-52.

** 6494. Briefwisseling van Hugo Grotius. (The correspondence of Hugo Grotius.) Vol. [10. Cf. Bibl. 76-77, n° 7295.] 11: 1640. Ed. by B. L. MEULENBROEK, P. P. WITKAM. 's-Gravenhage, Nijhoff, 81, in-4, XVI-803 p. (Rijks Geschiedk. Publ., gr. s., 179)

** 6495. MAY (Sir Thomas Erskine). Private journal, 1883-1886. Ed. by W. R. MACKAY. London, H. M. Stationery Office, 84, in-8, XXIII-33 p. (House of Commons Libr. Doc.)

6496. AMELANG (James S.). Barristers and judges in early modern Barcelona: the rise of a legal elite. Am. hist. R., 84, vol. 89, n° 5, p. 1264-1284.

6497. BAKER (L.). Brandeis and Frankfurter, a dual biography. London, Harper a. Row, 84, in-8, 576 p.

6498. BARBEY (Jean). Bouleversement culturel et "Bel Esprit" dans le monde judiciaire au XVIIIe siècle [en France]. Mémoire, 84, n° 1, p. 3-19.

6499. BARCLAY (J.B.). Society of Solicitors in the Supreme Courts of Scotland, 1784-1984. Edinburgh, Soc. Solicitors Library, 84, in-4, 368 p. (ill., pl.).

6500. BERG (Roger), URBAN-BORNSTEIN (Marianne). Les Juifs et le droit français: législation et jurisprudence, de la fin du XIXe siècle à aujourd'hui. Paris, Commission franç. des Archives juives, 84, in-8, 282 p. (Coll. franco-judaica, 11)

6501. BJÖRNE (Lars). Deutsche Rechtssysteme im 18. und 19. Jahrhundert. Ebelsbach, Gremer, 84, in-8, X-292 p. (Abh. z. rechtswiss. Grundlagenforschung, 59)

6502. BODENHAMER (David J.) ELY (James W.) Jr. a. others. Ambivalent legacy: a legal history of the South. Jackson, U.P. of Mississippi, 84, X-270 p.

6503. CHRISTIANSON (Paul). Young John Selden and the ancient constitution, ca. 1610-18. Proc. am. philos. Soc., 84, vol. 128, n° 4, p. 271-315.

6504. ESQUIVEL OBREGÓN (Toribio). Apuntes para la historia del derecho en México. Prólogo de Julio d'ACOSTA Y ESQUIVEL OBREGÓN. 2a ed. México, Porrua, 84, 2 vol. in-8.

6505. FEENSTRA (R.). Jacobus Maestertius (1610-1658). Zijn juridisch onderwijs in Leiden en het Leuvense disputatiesysteem van Gerardus Corselius. (Maestertius' juridical teaching in Leiden and the system of disputations in Leuven by Corselius.) R. Hist. Droit, 82, vol. 50, p. 297-335.

6506. FERGUSON (Robert A.). Law and letters in American culture. Cambridge, Mass., Harvard U.P., 84, in-8, VIII-417 p.

6507. Forschungen aus Akten des Reichskammergerichts. Hrsg. v. Bernhard DIESTELKAMP. Köln u. Wien, Böhlau, 84, in-8, XXI-185 p. (Quellen u. Forsch. z. höchsten Gerichtsbarkeit im Alten Reich, 14)

6508. FOWLER-MAGERL (Linda). Ordo iudiciorum vel ordo iudiciarius. Begriff u. Literaturgattung. Frankfurt (Main), Klostermann, 84, in-8, XII-341 p. (Ius commune. Sonderheft, 19. Repertorium z. Frühzeit d. gelehrten Rechte)

6509. GAMPL (Inge). Staat - Kirche - Individuum in der Rechtsgeschichte Österreichs zwischen Reformation und Revolution. Köln u. Wien, Böhlau, 84, in-8, XVI-229 p. (Wiener rechtsgeschichtl. Arbeiten, 15)

6510. HIRSCH (M.), MAJER (D.), MEINCK (J.). Recht, Verwaltung und Justiz im Nationalsozialismus. Köln, Bund-Verl., 84, in-8, 590 p.

6511. Hugo Grotius 1583-1983. Maastricht Grotius colloquium, March 31, 1983. Faculty of Law, University of Limburg. Assen, Van Corcum, 84, in-8, 62 p.

6512. JAKUBOWSKI (Ireneusz). Prawo rzymskie w projektach kodyfikacyjnych polskiego Oświecenia. (Le droit romain dans les projets de codification du siècle des Lumières en Pologne.) Łódź, 84, in-8, 121 p. (Acta Univ. Lodziensis, Folia juridica, 15)

6513. LIAKOPOULOS (Than.), TRAULOSTZANETATOS (Dem.), PAPACHRISTOS (Thanasēs). Marxismos kai dikaio. Prologos: Aristoboulos MANESĒS. (Marxisme et justice. Préface: Aristoboulos MANESES.) Thessalonique, Paratērētēs, 84, in-8, 115 p.

6514. MANCHESTER (A.M.). Sources of English legal history, 1750-1950. London, Butterworth, 84, in-8, 480 p.

6515. MARTIN (Benjamin F.). The hypocrisy of justice in the Belle Epoque. Baton Rouge, Louisiana State U.P., 84, in-8, XX-251 p.

6516. Memoria del III Congreso de historia del derecho mexicano (1983). Coordinada por José Luis SOBERANES FERNÁNDEZ. México, Univ. Nacional Autónoma de México, 84, in-8, 734 p. (Inst. de Invest. Jurídicas, Ser. C: Estudios hist., 17)

6517. MOSCATI (Laura). Da Savigny al Piemonte. Cultura storico-giuridica subalpina tra la Restaurazione e l'Unità. Roma, Carucci, 84, in-8, 361 p. (Quad. di Clio, 3)

6518. NEUMANN (Wilhelm). Ein Kärntner Fiedeikommiß von 1589 und seine Folgen.

Mitt. d. oberösterr. Landesarch., 84, Bd 14, p. 133-148.

6519. OBERKOFLER (Gerhard). Studien zur Geschichte der österreichischen Rechtswissenschaft. Frankfurt (Main), Bern, New York u. Nancy, Lang, 84, in-8, 456 p. (Rechtshist. Reihe, 33)

6520. RUSSO (Giuseppe). Scritti di storia del diritto e di storia della Chiesa. A cura di Aldo DELL'ORO e Giovanni SANTINI. Milano, Giuffrè, 84, in-8, XI-304 p. (ritr., tav.). (Pubbl. Fac. Giurispr. Dip. Sci. giur., Univ. Modena, N. Ser., 1)

6521. SEJERSTED (Francis). Demokrati og rettsstat: politisk-historiske essays. (Democracy and the state governed by law.) Oslo, Univ.forl., 84, in-8, 164 p. (Demokrati og samfunnsstyring)

6522. SŁOWIŃSKI (Jan). Zewnętrzne przejawy stanowienia i realizowania prawa na wsi polskiej w XVI-XVIII wieku. (Comment la création et l'exercice des droits se manifestaient dans les campagnes polonaises aux XVIe-XVIIIe s.) Kwart. Hist. Kult. mater., 84, a. 32, n° 1, p. 39-52.

6523. SÓLYOM (László). Die Persönlichkeitsrechte: eine vergleichend-historische Studie über ihre Grundlagen. Budapest, Akad. Kiadó; Köln, Heymanns, 84, in-8, 227 p.

6524. STAMATĒS (Kostas M.). Ho Hellēnikos nomikos idealismos sto mesopolemo. (L'idéalisme juridique grec dans l'entre-deux-guerres.) Thessalonique, Sakkoulas, 84, in-8, 335 p.

6525. Svenska (Den) juridikens uppblomstring i 1600-talets politiska, kulturella och religiösa stormaktssamhället: föreläsningar vid ett svenskt-finskt rättshistoriskt tvärvetenskapligt symposium i Uppsala, 18-20 april 1983. Red. Göran INGER. (The flourishing jurisprudence in the political, cultural and religious seventeenth century great power society: lectures at the Swedish-Finnish legal history interdisciplinary symposium in Uppsala, 18th - 20th April, 1983. Ed. by - .) Stockholm, Nord. bokh., 84, in-8, 323 p. (ill.). (Skr. utg. av Inst. för rättshist. forskning, Ser. 2: Rättshist. stud., 9)

6526. TIBEŃSKY (Ján). Slovenský Sokrates. Život a dielo Adama Františka Kollára. (Der slowakische Sokrates. Leben u. Werk Adam František Kollárs. Bratislava, Tatran, 83, 160 p. (16 fig.). (Korene, 13) [Kollár: Rechtshistoriker, 1718-1783]

6527. World (The) of Grotius (1583-1645). Proceedings of the international colloquium organized by the Grotius Commmittee of the Royal Netherlands Academy of Arts and Sciences, Rotterdam, 6-9 April 1983. Amsterdam, APA-Holland Univ. Press, 84, in-8, VII-215 p.

Cf. n° 482.

§ 2. Storia del diritto costituzionale.

** Cf. n° 4118.

6528. BICKEL (Alexander M.), SCHMIDT (Benno C.) Jr. The judiciary and responsible government, 1910-1921. New York, Macmillan 84, in-8, XIV-1041 p. (Hist. of the Supreme Court of the U.S.)

6529. BOJČEV (Georgi). Săzdavane na formata na bălgarskata socialističeska dăržava. (Création de la forme de l'Etat socialiste bulgare.) God. sofijsk. Univ., jurid. Fak., 82, n° 72, fasc. 2, p. 319-351.

6530. BOLDT (Hans). Einführung in die Verfassungsgeschichte. Zwei Abh. z. ihrer Methodik u. Gesch. Düsseldorf, Droste, 84, in-8, 217 p.

6531. COOPMANS (J.P.A.). Het Plakkaat van Verlatinge (1581) en de Declaration of Independence (1776). (The "Plakkaat" compared with the "Declaration of Independence".) Bijdr. Meded. Gesch. Ned., 83, vol. 98, p. 540-567.

6532. D'AVACK (Lorenzo). Dal regno alla repubblica: studi sullo sviluppo della coscienza costituzionale in Inghilterra. Milano, Giuffrè, 84, in-4, VIII-253 p. (Pubbl. Fac. giurispr., Univ. di Macerata, 2 ser., 47)

6533. Dawne sądy i prawo. (Les anciens tribunaux et la loi.) Réd. par Adam LITYŃSKI. Katowice, 84, in-8, 196 p. (Prace Nauk. Uniw. Śląskiego w Katowicach, 607)

6534. EPSTEIN (David F.). The political theory of The Federalist. Chicago, Ill., Univ. of Chicago Press, 84, in-8, IX-234 p.

6535. FREYER (Tony). The Little Rock crisis: a constitutional interpretation. Westport, Conn. Greenwood, 84, in-8, XII-186 p. (Contrib. in Legal Stud., 30)

6536. FURTWANGLER (Albert). The authority of Publius [i.e. John Jay]: a reading of the Federalist papers. Ithaca, N.Y., Cornell U.P., 84, in-8, 151 p.

6537. HEDIN (Göran). Att stadfästa ett provisorium: tillkomsten av den västtyska grundlagen. (The genesis of the West German constitution.) [Svensk] Hist. R., 84, vol. 103, p. 370-390. [Eng. summary]

6538. HOFFER (Peter Charles), HULL (N.E.). Impeachment in America, 1635-1805. New Haven, Conn., Yale U.P., 84, in-8, XIV-325 p.

6539. HUBER (Ernst Rudolf). Deutsche Verfassungsgeschichte. Seit 1789. [Bd 6. Cf. Bibl. 81, n° 5988.] Bd 7: Ausbau, Schutz und Untergang der Weimarer Republik. Stuttgart, Berlin, Köln u. Mainz, Kohlhammer, 84, in-8, IL-1281 p.

6540. KARPEN (Ulrich). Die geschichtliche Entwicklung des liberalen Rechtsstates.

Vom Vormärz bis z. Grundgesetz. Hrsg. v. Günther RÜTHER. Mainz, Hase u. Koehler, 84, in-8, 145 p. (Studien z. polit. Bildung, 10)

6541. KOCH (H.W.). The constitutional history of Germany in the 19th and 20th centuries. London, Longman, 84, in-8, XVI-400 p.

6542. KONGSRUD (Helge). Den kongelige arvereten til Norge 1536-1661: idé og politisk instrument. (The royal right of succession to Norway 1536-1661.) Oslo, Univ.forl., 84, in-8, 366 p.

6543. PÉREZ GUILHOU (Dardo). El pensamiento conservador de Alberdi y la Constitución [argentina] de 1853. Buenos Aires, Depalma, 84, in-8, 177 p.

6544. PHILIP (Loïc). Des intentions des constituants de 1946 à la pratique constitutionnelle de la Ve République ou de la continuité en droit constitutionnel français. R. Droit public Sci. pol. France Etr., 84, n° 5, p. 1245-1254.

6545. POP (Teodor Leon). Constituțiile României (1831-1965). (Les constitutions de la Roumanie.) București, Ed. ştiinţ. şi enciclop., 84, in-8, 124 p.

6546. SAGUEZ-LOVISI (Claire). Les lois fondamentales au XVIIIe siècle. Recherches sur la loi de dévolution de la Couronne. Paris, Presses univer. France, 84, in-8, 184 p. (Publ. de l'Univ. de droit, d'écon. et de sci. soc. de Paris, Sci. historiques)

6547. SCHMIDT (Georg). Der Städtetag in der Reichsverfassung. Eine Unters. z. korporativen Politik d. freien u. Reichsstädte in d. 1. Hälfte d. 16. Jh. Stuttgart, Steiner, 84, in-8, XII-575 p. (Veröff. d. Inst. f. Europ. Gesch. Mainz, 113: Abt. Universalgesch.) (Beitr. z. sozial- u. Verfassungsgesch. d. Alten Reiches, 5)

6548. SILVERSTEIN (Mark). Constitutional faiths: Felix Frankfurter, Hugo Black, and the process of judicial decision making. Ithaca, N.Y., Cornell U.P., 84, in-8, 234 p.

6549. STANKIEWICZ (Zbigniew). Sejm Królestwa Polskiego 1815-1831. Uwagi o roli ustrojowej i politycznej. (La Diète du Royaume de Pologne, 1815-1831. Remarques sur son rôle constitutionnel et politique.) Czas. prawno-hist., 84, vol. 36, fasc. 1, p. 105-142.

6550. STRUM (Philippa). Louis D. Brandeis: justice for the people. Cambridge, Mass., Harvard U.P., 84, in-8, XV-508 p.

6551. TOKUŠEV (Dimităr). Izvori za istorijata na bălgarskata dăržava i pravo. (Sources concernant l'histoire de l'Etat et du droit bulgares.) Sojija, Nauka i Izkustvo, 83, in-8, 257 p.

6552. TORKELSEN (Edwin), BLOM (Grethe Authén). Fra gammel rett til ny lov. Noen problemer knyttet til nymaelers "gyldighet". (From old justice to new law. Some problems related to the "validity" of new rules.) [Norsk] Hist. T., 84, vol. 63, p. 235-286. [Eng. summary]

6553. Verfassung und Verfassungswirklichkeit in Ländern Asiens und Afrikas. Leiter d. Autorenkoll.: Gerhard BREHME. Berlin, Staatsverl. d. DDR, 84, 151 p.

6554. WEIZENDORF (Alfred). Die Verfassung [Österreichs] 1934. Gesch. u. Gegenwart, 84, Bd 3, n° 2, p. 90-115.

Cf. n° 3610.

§ 3. Diritto pubblico
ed istituzioni pubbliche.

** 6555. Dijkcollege (Het) van de Zwijndrechtse Waard in 1568. Een documentatie bijeengebracht door J. L. VAN DER GOUW. (Documents concerning the water control board of the Zwijndrechtse Waard [province of South Holland] in 1568.) Versl. Meded. oud-vaderl. Recht, 82 [83], N.R., vol. 3, p. 31-86.

** 6556. Dokumenty po istorii obšćiny, 1861-1880 gg. (Documents on the history of the "obshchina", 1861-1880.) 2. Otv. red. A. M. ANFIMOV, B. G. LITVAK. Moskva, In-t istorii SSSR AN SSSR, 84, 235 p.

** 6557. KRANIG (A.). Arbeitsrecht im NS-Staat. Texte u. Dokumente. Köln, Bund-Verl., 84, in-8, 200 p.

** 6558. Kanonismoi (Hoi) ton Orthodoxōn Hellēnikōn koinotētōn tou Othōmanikou kratous kai tēs diasporas. Tomos A: Nomothetikes pēges. Kanonismos Makedonias. (Les règlements des communautés grecques orthodoxes de l'Empire ottoman et de la diaspora. Dir. de l'éd.: Ch. K. PAPASTATHES. Vol. 1: Sources législatives. Règlements de Macédoine.) Thessalonique, Aphoi Kyriakidē, 84, in-8, 394 p.

6559. Administrations (Les) municipales québécoises, des origines à nos jours. Anthologie administrative. T. 1: BACCIGALUPO (Alain). Les municipalités. Avec la collab. de Luc RHEAUME. Préf. de Robert BOURASSA. Montréal, Agence d'Arc, 84, in-8, 611 p.

6560. Affaires étrangères et le corps diplomatique français. T. 1: De l'Ancien régime au Second Empire. T. 2: 1870-1980. Ouvrage publ. sous la dir. de Jean BAILLOU. Paris, Ed. du C.N.R.S., 84, 2 vol. in-8, 866, 1042 p. (36 pl., cartes). (Hist. de l'administration franç.)

6561. Állami és jogintézmények (Az) változásai a XX. század első felében Magyarországon. Szerk. CSIZMADIA Andor, et al. (L'évolution des institutions d'Etat et juridiques en Hongrie dans la première moitié du XXe siècle. Réd. par - .) Budapest, Eötvös Loránd Tudományegyetem, 83, in-8, 216 p. (Jogtörténeti értekezések, 13)

6562. ANGERMEIER (Heinz). Die Reichsreform, 1410-1555. Die Staatsproblematik in Deutschland zw. Mittelalter u. Gegenwart.

München, Beck, 84, in-8, 334 p.

6563. BAKSAY (Zoltán). A munkanélküliség esetére szóló kötelező biztosítás és a munkanélküli-segély kérdése az ellenforradalmi Magyarországon. (L'assurance chômage obligatoire et le problème des allocations dans le Hongrie contre-révolutionnaire.) Századok, 83, vol. 117, n° 4, p. 741-803.

6564. BARTEL (Wojciech Maria). Zgromadzenie Reprezentantów Wolnego Miasta Krakowa. (L'Assemblée des représentants de la Ville Libre de Cracovie [1815-1846].) Czas. prawno-hist., 84, vol. 36, fasc. 1, p. 143-153.

6565. BEHNEN (Michael). Herrscherbild und Herrschaftstechnik in der "Politica" des Johannes Althusius. Z. f. hist. Forsch., 84, Bd 11, p. 417-472.

6566. Cour des Comptes (La). Paris, Ed. du C.N.R.S., 84, in-8, 1192 p. (Hist. de l'administration franç.)

6567. DAUNTON (M.J.). Councillors and tenants: local authority housing in English cities, 1919-1939. Leicester, Univ. Press, 84, in-8, 236 p. (ill.).

6568. FORD (T.H.). Truro, Brougham and law reform during Russell's administration. R. Hist. Droit, 84, vol. 52, p. 21-43.

6569. GILISSEN (J.). De eerste administratieve organisatie van België ten tijde van de tijdelijke regering (september 1830 - februari 1831). (La première organisation administrative en Belgique pendant le gouvernement provisoire.) R. Hist. Droit, 84, vol. 52, p. 301-342.

6570. HAGENEDER (Othmar). Verwaltung im vorindustriellen Europa. Neuere Perspektiven d. hist. Forschung. Mitt. d. Inst. f. österr. Gesch.-Forsch., 84, Bd 92, H. 1-2, p. 73-113.

6571. HAJDU (Lajos). A közjó szolgálatában. A jozefinizmus igazgatási és jogi reformjairól. (Au service du bien public. Au sujet des réformes administratives et juridiques du Joséphisme.) Budapest, Magvető Kiadó, 83, in-8, 398 p. (Nemzet és emlékezet)

6572. HERNÁNDEZ ESTEVE (Esteban). Estructura y funciones del consejo de hacienda de Castilla durante su proceso constituyente (1523-1525). Cuad. Invest. hist., 84, t. 8, p. 35-64.

6573. IUNG (Jean-Eric). L'organisation du service des vivres aux armées de 1550 à 1650. Bibl. Ec. Chartes, 83 [84], t. 141, livr. 2, p. 269-306.

6574. LABOURDETTE (Jean-François). La Compagnie écossaise des gardes du corps du Roi [de France] au XVIIIe siècle: recrutement et carrières. Hist., Econ. et Soc., 84, a. 3, n° 1, p. 95-122.

6575. MACIEJEWSKI (Tadeusz). Prawo sądowe w ustawodawstwie miasta Gdańska w XVIII wieku. (La loi judiciaire dans la

§ 4. DIRITTO CIVILE E PENALE

législation de la ville de Gdańsk au XVIIIe siècle.) Wrocław, Zakł. Narod. im. Ossolińskich, 84, in-8, 185 p. (Gdańskie Tow. Nauk. Wydz. I Nauk Społ. i Humanist. Ser. Monografii, 80)

6576. MERKEL (Philip L.). The origins of an expanded federal court of jurisdiction: railroad develoment and the ascendancy of the federal judiciary. Business Hist. R., 84, vol. 58, n° 3, p. 336-358.

6577. MÜLLER (Uwe). Die ständische Vertretung in den fränkischen Markgraftümern in der ersten Hälfte des 16. Jahrhunderts. Neustadt (Aisch), Degener, 84, in-8, XV-351 p. (graph. Darst., Noten). (Schr. d. Zentralinst. f. Fränk. Landeskunde u. Allg. Regionalforsch. an d. Univ. Erlangen-Nürnberg, 24)

6578. NARDOVA (V.A.). Gorodskoe samoupravlenie v Rossii v 60-kh - načale 90-kh godov XIX v.: Pravitel'stvennaja politika. (Municipal self-government in Russia in the 60s - beginning of the 90s of the 19th century: the governemental policy.) Leningrad, Nauka, 84, 260 p. (AN SSSR. In-t istorii. Leningr. otd-nie)

6579. ORNAGHI (Lorenzo). Stato e corporazione: storia di una dottrina nella crisi del sistema politico contemporaneo. Milano, Giuffrè, 84, in-8, XII-320 p. (Arcana imperii, 7)

6580. PÉREZ FERNÁNDEZ DEL CASTILLO (Bernardo). Historia de la escribanía en la Nueva España y el notariado en México. México, Univ. Nacional Autónoma de México, 84, in-8, 175 p. (ill.). (Inst. de Invest. Jurídicas, Ser. C: Estudios históricos, 15)

6581. PRICKLER (Harald). Die burgenländischen Walachensiedlungen und ihre "Freiheiten". Österr. Osthefte, 84, Bd 26, n° 2, p. 246-272.

6582. PUNGĂ (Titus). "Cartea românească de învăţătură" 1646. Unele particularităţi ale receptării dreptului romano-bizantin reflectate în structura şi conţinutul instituţiilor sale juridice. ("Le livre roumain d'enseignement" 1646. Particularités de la réception du droit romano-byzantin reflétées dans la structure et le contenu de ses institutions juridiques.) Studii Cercet. jurid., 84, t. 29, n° 1, p. 60-78.

6583. PUTSCHÖGL (Gerhard). Zur Geschichte des Raitkollegiums der oberösterreichischen Landstände. Mitt. d. oberösterr. Landesarch., 84, Bd 14, p. 291-304.

6584. RADTKE (Irena). Akta spraw w systemie kancelarii pruskiej. (Les dossiers des affaires judiciaires dans la chancellerie prussienne [XIXe-XXe s.].) Archeion, 84, vol. 78, p. 163-192.

6585. ROBERTS (W.A.). Elizabethan court rolls of Stokenham Manor in South Devon, 1560-1602. Transl. from the Latin. Kingsbridge, W. A. Roberts, 84, in-4, 386 p. (Facs. Ed.)

6586. SELINGER (Maren), UCAKAR (Karl).

Wahlrecht und Wählerverhalten in Wien 1848-1932. Privilegien, Partizipationsdruck u. Sozialstruktur. Wien u. München, Jugend u. Volk, 84, in-8, 271 p. (Hist. Atlas v. Wien, Kommentare, 3)

6587. SOBOCIŃSKI (Władysław) Rada Stanu Księstwa Warszawskiego jako sąd kasacyjny (Zarys ustrojowy). (Le Conseil d'Etat du Duché de Varsovie comme cour de cassation: esquisse de sa structure.) Archeion, 84, vol. 77, p. 5-43.

6588. Städteordnungen des 19. Jahrhunderts. Beiträge z. Kommunalgesch. Mittelu. Westeuropas. Hrsg. v. Helmut NAUNIN. Köln u. Wien, Böhlau, 84, in-8, XXXIV-345 p. (Städteforschung, Reihe A: Darst., 19)

6589. STEEDMAN (Carolyn). Policing the Victorian community: the formation of English provincial police forces, 1856-1880. London, Routledge, 84, in-8, 288 p.

6590. STILLMAN (Richard J.). Basic documents of American public administration since 1950. London, Holmes a. Meier, 84, in-4, 312 p.

6591. WALINE (Jean). L'évolution du contrôle de l'administration [française] depuis un siècle. R. Droit public Sci. pol. France Etr., 84, n° 5, p. 1327-1349.

6592. WUNDER (Bernd). Die Institutionalisierung der Invaliden-, Alters- und Hinterbliebenenversorgung der Staatsbediensteten in Österreich (1748-1790). Mitt. d. Inst. f. österr. Gesch.-Forsch., 84, Bd 92, p. 341-406.

Cf. n° 248, 2486, 3766, 3816, 4150, 4417, 6807.

§ 4. Diritto civile e penale.

** 6593. JOSSERAND (Louis). Les mobiles dans les actes juridiques du droit privé. Paris, Ed. du C.N.R.S., 84, in-8, 432 p. [Réimpression de l'éd. de 1928]

6594. Actes du 107e Congrès national des sociétés savantes, Brest, 1982. Section d'histoire moderne et contemporaine. T. 1: Justice e répression de 1610 à nos jours. Paris, Comité des travaux hist. et scientif., 84, in-8, 427 p.

6595. AYERS (Edward L.). Vengeance and justice: crime and punishment in the 19th-century American South. New York, Oxford U.P., 84, in-8, IX-353 p.

6596. BARYLI (Andreas). Konzessionsystem contra Gewerbefreiheit. Zur Diskussion d. österr. Gewerberechtsreform 1835-1860. Frankfurt (Main), Bern, New York u. Nancy, Lang, 84, in-8, 143 p. (Rechtshist. Reihe, 32)

6597. BLOK (A.). Openbare strafvoltrekkingen als rites de passage. (Public executions as passage rites.) In: Vormen van communicatie [Cf. n° 893], p. 470-481.

6598. CAP (Otto). 130 Jahre Kreisgericht Korneuburg. 115 Jahre Sparkasse der Stadt Korneuburg. Korneuburg, Kreisgericht, 84, in-8, 72 p.

6599. DAVIS (Jennifer). A poor man's system of justice: the London police courts in the second half of the 19th century. Hist. J., 84, vol. 27, p. 309-335.

6600. FEENSTRA (R.), DUYNSTEE (M.). Les "Cas briefs selon le droit civil". Annexe de la somme rurale de Jean Boutillier impruntée aux "Casus legum" des Décrétales. R. Hist. Droit, 83, vol. 51, p. 365-400.

6601. FUSCO DI RAVELLO (Anna). Tra conservazione e ragione: la tortura giudiziaria nello Stato pontificio del '700. Arch. Soc. rom. Stor. pa., 84, vol. 107, p. 307-324.

6602. GLENN (Myra C.). Campaigns against corporal punishment: prisoners, sailors, women, and children in antebellum America. Albany, State Univ. of New York Press, 84, in-8, X-221 p. ((SUNY Ser. in Am. Soc. Hist.)

6603. IMBER (Colin). Zina in Ottoman law. In: Contrib. à l'hist. écon. et soc. de l'Empire ottman [Cf. n° 5607], p. 59-92. [Zina: illegal sexual intercourse]

6604. JENSEN (Jens). Die Ehescheidung des Bischofs Hans von Lübeck von Prinzessin Julia Felicitas von Württemberg-Weiltingen AD 1648-1653. Ein Beitr. z. protestant. Ehescheidungsrecht im Zeitalter d. beginnenden Absolutismus. Frankfurt (Main), Bern, New York u. Nancy, Lang, 84, in-8, 219 p. (Rechtshist. Reihe, 35)

6605. JOWELL (J. L.), McAUSLAN (J. P. W. B.). Lord Denning: the judge, the law. London, Sweet a. Maxwell, 84, in-8, XXXV-486 p.

6606. KEVE (Paul W.). The McNeil century: the life and times of an island prison. Chicago, Nelson-Hall, 84, XI-331 p. [McNeil Island prison, Puget Sound]

6607. KING (Peter). Decision-makers and decision-making in the English criminal law, 1750-1800. Hist. J., 84, vol. 27, p. 25-58.

6608. LABALME (P.H.). Sodomy and Venetian justice in the Renaissance. R. Hist. Droit, 84, vol. 52, p. 217-254.

6609. PÁNEK (Jaroslav). Městské hrdelní soudnictví v pozdněfeudálních Čechách. (Die städtische Halsgerichtsbarkeit im spätfeudalen Böhmen.) Českoslov. Čas. hist., 84, vol. 32, p. 693-728.

6610. PARACHRISTOU (A.K.). Hē ideologikē leitourgia tou Dikaiou kai hē glōssa tōn nomikōn kanonōn. Hē periptōse tou Gallikou Astikou kōdika. (Le fonctionnement idéologique du droit et la langue des canons juridiques. Le cas du Code Civil français.) In: Amētos [Cf. n° 481], p. 154-161.

6611. PETIT (C.). Derecho comun y derecho castellano. Notas de literatura jurfdica para su estudio (siglos XV-XVIII). R. Hist. Droit, 82, vol. 50, p. 157-195.

6612. PORTEMER (Jean). Réflexion sur les pouvoirs de la femme, selon le droit français au XVIIe siècle. XVIIe Siècle, 84, a. 36, n° 144, p. 189-202.

6613. ROETS (A.M.). Vrouwen en criminaliteit: Gent in de achttiende eeuw. (Women and criminality: Gent in the 18th century.) T. Gesch., 82, vol. 95, p. 363-378.

6614. SAUER (Paul). Im Namen des Königs. Strafgesetzgebung u. Strafvollzug im Königreich Württemberg von 1806-1871. Stuttgart, Theiß, 84, in-8, 256 p.

6615. SCHNAPPER (B.). De la charité à la solidarité: l'assistance judiciaire française 1851-1972. R. Hist. Droit, 84, vol. 52, p. 105-150 (5 tab., 3 graph.).

6616. SEIBEZEDER (Franz). Ehemalige Besitzverhältnisse kirchlicher und weltlicher Herrschaften in Unter- und Oberloiben/Wachau. Waldviertel, 84, Bd 33 (44), n° 7-9, p. 138-143.

6617. SIMPSON (A. W. Brian). Cannibalism and the common law: the story of the tragic last voyage of the Mignonette and the strange legal proceedings to which it gave rise. Chicago, Ill., Univ. of Chicago Press, 84, in-8, XIV-353 p.

6618. SOETERMEER (F.P.W.). Recherches sur Franciscus Accursii. Ses Casus Digesti Novi et sa répétition sur la loi Cum pro eo (C. 7, 47 un). R. Hist. Droit, 83, vol. 51, p. 3-50.

6619. THIREAU (J.L.). Aux origines des articles 1217 à 1225 du Code Civil. L'extricatio labyrinthi dividui et individui de Charles Du Moulin. R. Hist. Droit, 83, vol. 51, p. 51-109.

6620. TRUEBA GÓMEZ (Eduardo). La jurisdicción marítima en la carrera de Indias durante el siglo XVI. Anu. Est. am., 82 [84], t. 39, p. 93-131.

6621. VAN RULLER (S.), IPPEL (P.). Diefstal, doodstraf en lijfsgenade in de negentiende eeuw. (Theft, death penalty and reprieve in the 19th century [in the Netherlands].) T. soc. Gesch., 84, vol. 10, p. 3-33.

6622. ZANZINGER (Erich). Die Geschichte der Strafvollzugsanstalt Suben. Oberösterr. Heimatbl., 84, Bd 38, n° 2, p. 146-171.

Cf. n°s 327, 6792, 7162.

§ 5. Diritto internazionale.

* 6623. Répertoire des documents de la Cour de La Haye. Série I (1922-1945). T. 4: Les compétences de l'Etat. Genève, Droz, 84, 1774 p.

6624. FISCH (Jörg). Die europäische Expansion und das Völkerrecht. Die Auseinandersetzungen um d. Status d. überseeischen Gebiete v. 15. Jh. bis z. Gegenwart. Stuttgart, Steiner, 84, in-8, XVI-569 p. (Beiträge z. Kolonial- u. Überseegeschichte, 26)

6625. TINSCHMIDT (Alexander). Der Kampf der Sowjetunion und der volksdemokratischen Staaten um die Durchsetzung ihrer souveränen Rechte im Verkehrsregime auf der Donau 1945 bis 1948. Jb. f. Gesch., 84, Bd 30, p. 149-178.

6626. TUSA (Ann), TUSA (John). The Nuremberg trial. London, Macmillan, 84, in-8, 448 p.

P

STORIA DELLE RELAZIONI TRA GLI STATI MODERNI

§ 1. Opere generali. 6627-6703. - § 2. Storia coloniale (a. Opere generali; b. Asia; c. Africa; d. America; e. Oceania). 6704-6881. - § 3. Storia dal 1500 al 1789 (a. Opere generali; b. 1500-1648; c. 1648-1789). 6682-6936. - § 4. Storia dal 1789 al 1816. 6937-6963. - § 5. Storia dal 1815 al 1910. 6964-7034. - § 6. Dal 1910 al 1935. La prima guerra mondiale. 7035-7140. - § 7. Dal 1935 al 1945. La seconda guerra mondiale. (a. Opere generali; b. Diplomazia. Economia; c. Operazioni militari; d. Resistenza). 7141-7375. - § 8. Storia dal 1945 in poi. 7376-7483.

§ 1. Opere generali.

* 6627. ESSER (Alfons). Bibliographie zu den deutsch-chinesischen Beziehungen, 1860-1945. München, Minerva-Publ., 84, in-8, XVIII-120 p. (Berliner China-Stud., 6)

* 6628. LEOPOLD (Richard W.). Historians and American foreign policy: a new guide to the field. Dipl. Hist., 84, vol. 8, n° 3, p. 273-285.

** 6629. Rossija i osvoboditel'naja bor'ba moldavskogo naroda protiv osmanskogo iga (1769-1812). (Russia and the liberation struggle of the Moldavian people against the Ottoman yoke, 1769-1812.) Sbornik dokumentov. Pod red. N. A. MOKHOVA, D. M. DRAGNEVA. Kišinev, Štiinca, 84, 296 p. (AN MSSR. In-t istorii)

** 6630. Sovetsko-čekhoslovackie otnošenija, 1977-1982. (Soviet-Czechoslovak relations, 1977-1982.) Dokumenty i materialy. Redkol.: V. F. MAL'CEV i dr. (Sov. čast'), S. MURIN i dr. (čekhosl. čast'). Moskva, Politizdat, 84, 512 p. (M-vo inostr. del SSSR, M-vo inostr. del ČSSR)

** 6631. Vnešnjaja politika Sovetskogo Sojuza i meždunarodnye otnošenija. 1983. (Foreign policy of the Soviet Union and international relations, 1983.) Sbornik dokumentov. Sost.: I. A. KIRILIN i N. F. POTAPOVA. Moskva, Meždunar. otnošenija, 84, 318 p. [Cf. Bibl. 82, 6752]

6632. APUNEN (Osmo). Continuity and change in Finnish foreign policy from the period of Autonomy to the Kekkonen era. Y.B. finnish for. Pol., 84, t. 12, p. 19-30.

6633. ASTAF'EV (G.V.). International'naja pomošč' SSSR Kitaju (1917-1945 gg.). (Soviet internationalist aid to China, 1917-1945.) Vopr. Ist., 84, n° 9, p. 74-82.

6634. ASTER (Sydney). British foreign policy, 1918-1945, a guide to research and research material. Tunbridge Wells, Costello, 84, in-8, 335 p.

6635. BARTLETT (C.J.). Global conflict, 1880-1970. London, Longman, 84, in-8, 412 p.

6636. Bibl. 82, n° 7032. BAŽOVA (A.P.). Russko-jugoslavjanskie otnošenija vo vtoroj polovine XVIII v. (Russo-Yugoslavian relations in the second half of the 18th century.) - CR: M. M. Frejdenberg, Nov. novejš. Ist., 84, n° 4, p. 202-208.

6637. BOLKHOVITINOV (N.N.). Rossija i SŠA: arkhivnye dokumenty i istoričeskie issledovanija. Analit. obzor. (Russia and USA: archives, documents and historical research.) Moskva, INION AN SSSR, 84, 105 p. (Nac. kom. istorikov Sov. Sojuza, INION AN SSSR)

6638. BOLL (Michael M.). Cold war in the Balkans: American foreign policy and the emergence of Communist Bulgaria, 1943-1947. Lexington, U.P. of Kentucky, 84, in-8, IX-250 p.

6639. BORISOV (Ju. V.). SSSR i Francija: 60 let diplomatičeskikh otnošenij. (USSR and France. 60 years of diplomatic relations.) Moskva, Meždunar. otnošenija, 84, 240 p.

6640. Britische Deutschlandbild (Das) im Wandel des 19. und 20. Jahrhunderts. Bernd Jürgen WENDT (Hrsg.). Beitr.: Adolf BIRKE, et al. Bochum, Brockmeyer, 84, in-8, 241 p. (Veröff. Arbeitskreis Deutsche England-Forsch., 3. Jahrestagung. Arbeitskreis Deutsche England-Forsch., 1983)

6641. BROWN (L. Carl). Inernational politics and the Middle East: old rules, dangerous game. Princeton, N.J., Princeton U.P., 84, in-8, XII-363 p. (Princeton Stud. on the Near East)

6642. CAMARIANO-CIORAN (Ariadna). Contributions à l'histoire des relations gréco-roumaines: l'Epire et les pays roumains. Jannina, Ed. de l'Assoc. d'Etudes Epirotes, 84, in-8, 292 p.

§ 1. OPERE GENERALI

6643. CIACHIR (Nicolae). Les Roumains et la lutte de libération des peuples du Sud-Est de l'Europe. R. Et. sud-est europ., 84, vol. 22, p. 211-228.

6644. CIACHIR (Nicolae), BERCAN (Gheorghe). Diplomația europeană în epoca modernă. (La diplomatie européenne à l'époque moderne.) București, Ed. științ. și enciclop., 84, in-8, 540 p.

6645. CIOBANU (Veniamin). Les Principautés Roumaines et la politique européenne (1699-1815). București, Ed. științ. și enciclop., 84, in-8, 96 p.

6646. DAMJANOVA (Ečka). Bălgarija i Polša 1918-1941. (La Bulgarie et la Pologne, 1918-1941.) Sofija, BAN, 82, in-8, 316 p.

6647. DIMITROV (Georgi). Malcinstvenobežanskijat văpros v bălgaro-grăckite otnošenija 1919-1939. (La question des minorités et des réfugiés dans les relations bulgaro-grecques 1919-1939.) Blagoevgrad, Partizdat, 82, in-8, 340 p.

6648. DIÓSZEGI (István). A magyar külpolitika útjai. Tanulmányok. (Les chemins de la politique étrangères de la Hongrie. Etudes.) Budapest, Gondolat Kiadó, 84, in-8, 419 p.

6649. Bibl. 83, n° 6628. Dokumenty i materialy po istorii sovetsko-čekhoslovackikh otnošenij. (Documents and materials on the history of Soviet-Czechoslovak relations.) T. 4, Kn. 2. - CR: F. P. Petrov, Vopr. Ist., 84, n° 1, p. 130-133.

6650. GĂRDEV (Kostadin). Bulgarischungarische Wirtschaftsbeziehungen 1920-1940. R. bulg. Hist., 82, n° 3, p. 49-62.

6651. GILBERT (Victor F.), TATLA (Darshan Singh). Immigrants, minorities and reace relations: theses and dissertations at British and Irish universities, 1900-1981. London, Mansell, 84, in-4, 188 p.

6652. Bibl. 83, n° 6638. GIRENKO (Ju. S.). Sovetsko-jugoslavskie otnošenija. (Soviet-Yugoslavian relations.) - CR: A. Ja. Manusevič, Nov. novejš. Ist., 84, n° 5, p. 191-194; L. Ja. Gibianskij, Vopr. Ist., 84, n° 6, p. 122-125.

6653. GRAEBNER (Norman A.). America as a world power: a realist appraisal from Wilson to Reagan. Wilmington, Del., Scholarly Resources, 84, in-8, XXVIII-307 p.

6654. HASLAM (Jonathan). The Soviet Union and the struggle for collective security in Europe, 1933-1939. London, Macmillan; New York, St. Martin's Press, 84, in-8, XII-310 p.

6655. HOCHMAN (Juri). The Soviet Union and the failure of collective security, 1934-1938. Ithaca, Cornell U.P., 84, in-8, 253 p.

6656. HOFFMANN (Fritz L.), HOFFMANN (Olga Mingo). Sovereignty in dispute: the Falklands/Malvinas, 1493-1982. Boulder, Colo., Westview, 84, in-8, XIV-194 p.

6657. HOGAN (Michael J.). Revival and reform: America's twentieth-century search for a new economic order abroad. Dipl. Hist., 84, vol. 8, n° 4, p. 287-310.

6658. HONZÍK (Miroslav). Říkali si vojevůdci (Sie haben sich Feldherren genannt.) Praha, Naše vojsko, 84, in-8, 304 p. (16 pl.). (Fakta a svědectví, 90) [Politiker u. Feldherren d. 19. u. 20. Jh.]

6659. Interactions (The) of Amsterdam and Antwerp with the Baltic region, 1400-1800. De Nederlanden en het Oostzeegebied, 1400-1800. Papers presented at the third international conference of the Association Internationale d'Histoire des Mers Nordiques de l'Europe, Utrecht, August 30th - September 3rd, 1982. Leiden, Nijhoff, 83, in-8, VIII-199 p. (Werken uitg. door de Vereeniging Het Nederlandsch Econ.-Hist. Archief gevestigd te Amsterdam, 16)

6660. IRIYE (Akira). Contemporary history as history: American expansion into the Pacific since 1941. Pacific hist. R., 84, vol. 53, n° 2, p. 191-212.

6661. IVANOV (P.M.). Avstralija i Kitaj. Istorija razvitija otnošenij. (Australia and China. History of their relations.) Moskva, Nauka, 84, 164 p. (AN SSSR. In-t vostokovedenija)

6662. JONAS (Manfred). The United States and Germany: a diplomatic history. Ithaca, N.Y., Cornell U.P., 84, in-8, 335 p.

6663. KARSTEN (Peter) a. others. Military threats: a systematic historical analysis of the determinants of success. Westport, Conn., Greenwood, 84, in-8, XIII-166 p. (Contrib. in Milit. Hist., 36)

6664. KENT (Marian) a. others. The great powers and the end of the Ottoman empire. Boston a. London, Allen a. Unwin, 84, in-8, X-237 p.

6665. KINJAPINA (N.S.), BLIEV (M.M.), DEGOEV (V.V.). Kavkaz i Srednjaja Azija vo vnešnej politike Rossii, vtoraja polovina XVIII - 80-e gg. XIX g. (The Caucasus and Central Asia in the foreign policy of Russia, second half of the 19th - 80s of the 19th cent.) Moskva, Izd-vo MGU, 84, 328 p.

6666. KIRBY (William C.). Germany and republican China. Stanford, Calif., Stanford U.P., 84, in-8, VIII-361 p.

6667. KOLEJKA (Josef). "Národnostní princip" a internacionalismus 1789 - 1860. Vznik marxistické toerie národnostní otázky a "zahraniční politiky". (Das "Nationalitätenprinzip" und der Internationalismus 1789-1860. Der Ursprung d. marxist. Theorie d. Nationalitätenfrage und d. "Außenpolitik".) Brno, Univ. I. E. Purkyně, 84, in-8, 178 p.

6668. KRAKAU (Knud). American foreign relations: a national style? Dipl. Hist., 84, vol. 8, n° 3, p. 253-272.

6669. KUCHARSKI (Wiktor). Kawaleria i

broń pancerna w doktrynach wojennych 1918-1939. (La cavalerie et l'arme blindée dans les doctrines de guerre 1918-1939.) Warszawa, Państw. Wydawn. Nauk., 84, in-8, 215 p.

6670. KYROU (Alexē Ad.). Hellēnikē exōterikē politikē. (La politique extérieure grecque [1821-1954].) Athènes, Hestia, 84, in-8, 470 p.

6671. LEONARD (Thomas M.). The United States and Central America, 1944-1949: perceptions of political dynamics. University, Univ. of Alabama Press, 84, in-8, XII-215 p.

6672. MARQUINO-BARRIO (A.). La diplomacia vaticana y la España de Franco, 1936-1956. Madrid, C.S.I.C., 83, in-8, 710 p.

6673. MAY (Ernest R.) a. others. Knowing one's enemies: intelligence assessment before the two world wars. Princeton, N.J., Princeton U.P., 84, in-8, XIII-561 p.

6674. Monténégro (Le) dans les relations internationales [env. 1711-1918]. Sous la dir. de Jovan R. BOJOVIĆ. Titograd, Inst. d'Hist. de la R.S. Monténégro, 84, in-8, 230 p.

6675. MÜLLER (Michael G.). Die Teilungen Polens 1772 - 1793 - 1795. München, Beck, 84, in-8, 133 p.

6676. NEWTON (Ronald C.). The United States, the German-Argentines, and the myth of the Fourth Reich, 1943-1947. Hist. am. hist. R., 84, vol. 64, n° 1, p. 81-104.

6677. Nicchû Sensô-chi Kenkyû. (Etudes sur l'histoire des guerres sino-japonaises [1930-1945].) Dir. par FURUYA Tetsuo. Tokyo, Yoshikawa Kôbunkan, 84, in-8, 516 p.

6678. Opinion publique et politique extérieure. Actes du Colloque organisé par l'Ecole franç. de Rome et le Centro per gli studi di politica estera e opinione pubblica de l'Université de Milan, Rome, 16-20 février 1981. [T. 1. Cf. Bibl. 82, n° 6777.] T. 2: 1915-1940. Présentation de Philippe LEVILLAIN. Introd. de Brunello VIGEZZI. Roma, Ecole franç. de Rome; diff. Paris, de Boccard, 84, in-8, 430 p.

6679. ORLOF (Ewa). Polska działalność polityczna, dyplomatyczna i kulturalna w Słowacji w latach 1919-1937. (Les activités politique, diplomatique et culturelle polonaises en Slovaquie dans les années 1919-1937.) Rzeszów, Wydawn. Uczelniane Wyższej Szkoły Pedagog., 84, in-8, 268 p.

6680. PAASIVIRTA (Juhani). Suomi ja Eurooppa 1914-1939. (La Finlande et l'Europe 1914-1939.) Helsinki, Kirjayhtymä, 84, in-8, 548 p.

6681. QUESTED (Rosemary K. I.). Sino-Russian relations, a short history. Melbourne a. London, Allen a. Unwin, 84, in-8, 194 p.

6682. Relations (Les) historiques et socioculturelles entre l'Afrique et le monde arabe de 1935 à nos jours. Compte rendu des débats du colloque tenu à Paris du 25 au 27 juillet 1979. Paris, Presses de l'UNESCO, 84, in-8, 222 p. (Hist. gén. de l'Afrique, Etudes et doc.)

6683. Repertorium van buitenlandse vertegenwoordigers, residerende in Nederland 1584-1810. (Repertory of foreign ambassadors in the Dutch Republic, 1584-1810.) Ed. by O. SCHUTTE. 's-Gravenhage, Nijhoff, 83, in-8, XXVI-824 p. (Rijks Geschiedk. Publ.)

6684. REVAULT (Jacques). Le fondouk des Français et les consuls de France à Tunis, 1660-1860. Paris, Recherche sur les civilisations, 84, in-4, 104 p. (ill.). (Mémoire, 43)

6685. Rola mniejszości niemieckiej w rozwoju stosunków politycznych w Europie 1918-1945. (Le rôle de la minorité allemande dans le développement des relations politiques en Europe, 1918-1945.) Ouvrage collectif sous la réd. d'Antoni CZUBIŃSKI. Poznań, 84, in-8, 522 p. (Univ. im. Adama Mickiewicza w Poznaniu, Historia, 118)

6686. Rossija i Jugo-Vostočnaja Evropa. (Russia and Southeastern Europe.) Sbornik statej. Redkol.: A. L. NAROČNICKIJ. Kišinev, Štiinca, 84, 191 p. (AN MSSR. In-t istorii. M-vo vysš. i sred. spec. obrazovanija MSSR. Kišin. gos. ped. in-t)

6687. SALMONOWICZ (Stanisław). Prusy w Europie i świecie. (La Prusse en Europe et dans le monde.) Zap. hist., 84, vol. 49, n° 1, p. 129-136.

6688. SATÔ (Saburô). Kindai Nicchû Kôshô-shi no Kenkyû. (Histoire des relations sino-japonaises à l'époque contemporaine.) Tokyo, Yoshikawa Kôbunkan, 84, in-8, 450 p.

6689. Senkan-ki no Nihon Gaikô. (La politique extérieure du Japon de l'entre-deux-guerres.) Dir. par IRIE Akira et ARUGA Tadashi. Tokyo, Tôdai Shuppan, 84, in-8, 400 p.

6690. SHAI (Aron). Britain and China, 1941-47: imperial momentum. London, Macmillan; New York, St. Martin's Press, 84, in-8, XI-190 p.

6691. Simón Bolívar: Persönlichkeit und Wirkung. Aus Anlaß d. 200. Wiederkehr d. Geburtstages v. Simón Bolívar. Hrsg. v. Wilhelm STEGMANN. Berlin, Reimer, 84, in-8, 202 p.

6692. SIVERSON (Randolph M.), TENNEFOSS (Michael R.). Power, alliance, and the escalation of international conflict, 1815-1965. Am. pol. Sci. R., 84, vol. 79, n° 4, p. 1057-1069.

6693. Stosunki polsko-austraickie w czasach nowożytnych. Materiały sesji Wrocław-Oława, 15-16 IV 1983 r., pod red. Krystyna Matwijowskiego. (Les relations polono-autrichiennes à l'époque moderne. Matériaux de la session Wrocław-Oława,

§ 2. STORIA COLONIALE

15-16 avril 1983, réd. par Krystyna MATWIJOWSKI.) Śląski Kwart. hist. Sobótka, 83 [84], a. 38, n° 4, p. 447-582.

6694. Strany Bližnego i Srednego Vostoka v meždunarodnykh otnošenijakh, XIX-XX vv. (Countries of the Near and Middle East in international affairs, 19th-20th cent.) Sbornik statej. Otv. red. M. A. BABAKHO-DŽAEV. Taškent, Fan, 84, 152 p. (AN UzSSR. In-t vostokovedenija)

6695. TAYLOR (Sandra C.). The ineffectual voice: Japan missionaries and American foreign policy, 1870-1941. Pacific hist. R., 84, vol. 53, n° 1, p. 20-38.

6696. THADEN (Edward C.). Russia's western borderlands, 1710-1870. With the collab. of Marianna Forster THADEN. Princeton, N.J., Princeton U.P., 84, in-4, XI-278 p.

6697. THOMPSON (Kenneth W.). The ethical dimensions of diplomacy. R. Politics, 84, vol. 46, n° 3, p. 367-387.

6698. TURTOLA (Martti). Tornionjoelta rajajoelle. Suomen ja Ruotsin salainen yhteistoiminta Neuvostoliiton hyökkäyksen varalle vuosina 1923-1940. Puolustuspoliittinen vaihtoehto. (From the River Tornio to the Rajajoki: secret cooperation between Finland and Sweden in the event of an attack by the Soviet Union, 1923-1940.) Porvoo, WSOY, 84, in-8, 259 p. [Eng. summary]

6699. Vnešnjaja politika stran Bližnego i Srednego Vostoka. (Foreign policy of Near and Middle East countries.) Otv. red.: A. A. KUCENKOV, A. I. ČIČEROV. Moskva, Meždunar. otnošenija, 84, 287 p. (Vneš. politika razvivajuščikhsja stran. In-t vostokovedenija AN SSSR, In-t meždunar. otnošenij GDR, Pol. In-t meždunar. vopr., In-t vostokovedenija ČSSR)

6700. VOLKOV (V.K.). U istokov sovetskoj programmy poslevoennogo ustrojstva mira v Evrope (1941-1943 gg.). (At the sources of the soviet programme of post-war settlement and security in Europe, 1941-1943.) Nov. novejš. Ist., 84, n° 6, p. 43-62.

6701. WATT (D. Cameron). Succeeding John Bull: America in Britain's place, 1900-1975. New York, Cambridge U.P., 84, in-8, XII-302 p. (Wiles Lectures given at the Queen's Univ. of Belfast)

6702. WELS (C.B.). Aloofness and neutrality. Studies on Dutch foreign relations and policy-making institutions. Utrecht, HES, 82, in-8, 232 p. [Diss. Utrecht]

6703. Wirtschaftliche und politische Integration in Europa im 19. und 20. Jahrhundert. Hrsg. v. Helmut BERDING. Göttingen, Vandenhoeck u. Ruprecht, 84, in-8, 308 p. (Gesch. u. Ges., Sonderh., 10)

§ 2. Storia coloniale.

a. Opere generali.

6704. ANDREWS (Kenneth R.). Trade, plunder and settlement: maritime enterprise and the genesis of the British Empire, 1480-1630. London, Cambridge U.P., 84, in-8, 394 p.

6705. BOWER (Charles Ralph). From Lisbon to Goa, 1500-1750: studies in Portuguese maritime expansion. London, Variorum Repr., 84, in-8, 314 p. (ill.).

6706. Colonialism, neocolonialism, and the anti-imperialist struggle in Africa: Marxist studies on the Berlin conference 1884-85. Ed. by Thea BÜTTNER a. Hans-Ulrich WALTER. Berlin, Akad.-Verl., 84, in-8, VI-114 p. (Asien, Afrika, Lateinamerika, spec. issue, 13)

6707. COWEN (Mike). Early years of the Colonial Development Corporation: British state enterprise overseas during late colonialism. African Affairs, 84, vol. 83, p. 63-75.

6708. ELDRIDGE (C.C.). British imperialism in the 19th century. London, Macmillan, 84, in-8, 222 p. (Problems in Focus)

6709. HIRST (J.B.). Historical reconsiderations. 1: Keeping colonial history colonial: the Hartz thesis revisited. Hist. Stud. Australia N.Z., 84, vol. 21, p. 85-104.

6710. KIRKBY (Dianne). Colonial policy and native depopulation in California and New South Wales, 1770-1840. Ethnohist., 84, vol. 31, n° 1, p. 1-16.

6711. MARSEILLE (Jacques). Empire colonial et capitalisme français: histoire d'un divorce. Paris, E. Michel, 84, in-8, 461 p. (L'aventure humaine)

6712. Perspectives on imperialism and decolonization. Essays in honour of A. F. Madden. Ed. by R. F. HOLLAND, Gowher RIZVI. London, F. Cass, in-8, 210 p.

6713. PORTER (Bernard). The lion's share: a short history of British imperialism, 1850-1983. London, Longman, 84, in-8, 432 p.

6714. SCHUTTE (G.J.). Un panorama della storiografia riguardante le colonie dei Paesi Bassi (1945-1980). R. stor. ital., 83 [84], a. 95, fasc. 3, p. 946-978.

6715. STAFFORD (Robert A.). Geological surveys, mineral discoveries, and British expansion 1835-1871. J. imp. Commonw. Hist., 84, vol. 12, p. 5-32.

6716. WESTPHAL (Wilfried). Geschichte der Deutschen Kolonien. München, Bertelsmann, 84, in-8, 367 p.

Cf. n°s 3914, 3919, 5673, 5840, 6624.

b. Asia.

** 6717. Burma, the struggle for independence, 1944-1948. Documents from official and private sources. Ed. by Hugh TINKER. Vol. [1. Cf. Bibl. 83, n° 6686.] 2: From the general strike to independence, August 31, 1946 to January 4, 1948. London, H. M. Stationery Office, 84, in-4, CXI-947 p.

** 6718. GANDHI (Mohandas K.). My early life. Ed. by J. FUSTE a. M. DESAI. Delhi a. London, Oxford U.P., 84, in-8, IV-88 p. (Books from India)

** 6719. Officiële bescheiden betreffende de Nederlands-Indonesische betrekkingen 1945-1950. (Official documents concerning the Dutch-Indonesian relations.) Ed. by S. L. VAN DER WAL, P. J. DROOGLEVER, M. J. B. SCHOUTEN. [Vol. 8. Cf. Bibl. 78-79, n° 6977.] Vol. 9: 21 mei - 20 juli 1947. Vol. 10: 21 juli - 31 aug. 1947. Vol. 11: 1 sept. - 25 nov. 1947. 's-Gravenhage, Nijhoff, 81-83, 3 vol. in-4, XXVI-818, XXVI-774, XXVIII-784 p. (Rijks Geschiedk. Publ., kl. s., 50, 52, 54)

** 6720. Ontwikkeling (De) van de nationalistische beweging in Nederlandsch-Indië. Development of the nationalist movement in the Netherlands Indies. Eerste - vierde stuk: 1917-1942. Samengesteld door / Ed. by R. C. KWANTES. Groningen, Wolters-Noordhoff, 75-82, 4 vol. in-8, XXXV-625, XXXVIII-783, LV-948, LIX-846 p. (Uitgaven van de commissie voor bronnenpublikatie betr. de geschiedenis van Nederlandsch-Indië 1900-1942 van het Nederlands Hist. Genootschap, 8-11) - CR: E. Locher-Scholten, Bijdr. Meded. Gesch. Ned., 84, vol. 99, p. 45-54.

** 6721. PINTO (Isaac de). Anecdotes historiques touchant le Stadhoudérat des Indes dans l'illustre maison d'Orange en 1748 et 1749. Ed. par A. J. VEENENDAAL Jr. In: Nederlandse hist. Bronnen [Cf. n° 769], vol. 3, p. 125-145.

6722. ARASARATNAM (S.). J. H. O. Paulus and the 1638 Westerwolt treaty in Ceylon: a rejoinder [Cf. Bibl. 80, n° 6169]. Bijdr. Taal-, Land-, Volkenkde, 82, vol. 138, p. 191-210.

6723. BANK (J. Th. M.). Katholieken en de Indonesische Revolutie. (Catholics and the Indonesian Revolution.) Baarn, Ambo, 83, in-8, 576 p.

6724. CHAUDHRI (Sandhya). Gandhi and the partition of India. Delhi, Sterling Publ.; London, Books from India, 84, in-8, IV-236 p.

6725. DRIESCH (Wilhelm). Grundlagen einer Sozialgeschichte der Philippinen unter spanischer Herrschaft (1565-1820). Frankfurt (Main), Bern, New York u. Nancy, Lang, 84, in-8, 867 p. (Europ. Hochschulschriften, Reihe 3: Gesch. u. ihre Hilfswiss., 249)

6726. DUTHIE (John Lowe). Lord Lytton and the second Afghan war: a psychological study. Victorian Stud., 84, vol. 27, n° 4, p. 461-476.

6727. EFFENBERG (Christine). Die politische Stellung der Sikhs innerhalb der indischen Nationalbewegung, 1935-1947. Stuttgart, Steiner, 84, in-8, 232 p. (Ill.).

(Beitr. z. Südasienforschung, 94)

6728. FASSEUR (C.). Nederland en het Indonesische nationalisme. De balans nog eens opgemaakt. (The Netherlands and the Indonesian nationalism.) Bijdr. Meded. Gesch. Ned., 84, vol. 99, p. 21-44.

6729. FLOWER (Raymond). Raffles, the story of Singapore. London, Croom Helm, 84, in-8, 288 p.

6730. GOREV (A.V.). Makhatma Gandi. (Mahatma Gandhi.) Moskva, Meždunar. otnošenija, 84, 319 p. (ill.).

6731. GREENHUT (Jeffrey). Sahib and Sepoy: an inquiry into the relationship between the British officers and native soldiers of the British Indian Army. Milit. Affairs, 84, vol. 48, n° 1, p. 15-18.

6732. GUHA (Ranajit). Elementary aspects of peasant insurgency in colonial India. Delhi, Oxford U.P., 84, in-8, 360 p.

6733. HEUSSLER (Robert). Completing a stewardship: the Malayan Civil Service, 1942-1957. London, Greenwood, 84, in-8, 240 p. (Contrib. in Comparative Colonial Stud.)

6734. INGRAM (Edward). In defence of British India: Great Britain in the Middle East, 1774-1842. London, F. Cass, 84, in-8, 236 p. [Cf. n° 6943]

6735. KORVER (A.P.E.). Sarekat Islam 1912-1916. Opkomst, bloei en structuur van Indonesië's eerste massabeweging. (Sarekat Islam 1912-1016. The first mass movement in Indonesia.) Amsterdam, Historisch Seminarium, 82, in-8, 285 p. (ill.). [Diss. Amsterdam U. v. A.]

6736. KRATOSKA (Paul Harold). Honourable intentions: talks on the British Empire in South-east Asia delivered at the Royal Colonial Institute, 1874-1928. Kuala Lumpur, Oxford U.P., 84, in-8, 480 p.

6737. KRÜGER (Horst). Indische Nationalisten und Weltproletariat. Der nationale Befreiungskampf in Indien u. d. internat. Arbeiterbewegung vor 1914. Berlin, Akad.-Verl., 84, in-8, 486 p. (Die internat. Arbeiterbewegung u. d. indische nationale Befreiungsbewegung / Horst Krüger, 1)

6738. LOUSTAU (Henri-Jean). Les derniers combats d'Indochine, 1952-1954. Paris, A. Michel, 84, in-8, 282 p. (Les combattants)

6739. MARSOT (Alain-Gérard). The crucial year: Indochina 1946. J. contemp. Hist., 84, vol. 19, n° 2, p. 337-353.

6740. MATSUZAWA (Tetsunari). Nihon Fashizumu no Taigai Shinryaku. (L'invasion de l'Asie par le fascisme japonais.) Tokyo, San-ichi, 83, in-8, 412 p.

6741. MOORE (R.J.). The Mountbatten Viceroyalty. J. Commonw. compar. Pol., 84, vol. 22, p. 204-215.

6742. MYERS (Ramon H.), PEATTIE (Mark R.) a. others. The Japanese colonial

§ 2. STORIA COLONIALE

empire, 1895-1945. Princeton, N.J., Princeton U.P., 84, in-8, X-540 p.

6743. NANCY (Ashis). Intimate enemy: the loss and recovery of self under colonialism [in India]. New Delhi, Oxford U.P., 84, in-8, 140 p.

6744. OLDENBURG (Veena Talwar). The making of colonial Lucknow, 1856-1877. Princeton, N.J., Princeton U.P., 84, in-8, XXV-287 p.

6745. PATIL (V.T.). Studies on Gandhi. Delhi, Sterling Publ.; London, Books from India, 84, in-8, VIII-296 p.

6746. RICKLEFS (M.C.). The crisis of 1740-1 in Java. The Javanese, Chinese, Madurese and Dutch, and the fall of the court of Kartasura. Bijdr. Taal-, Land-, Volkenkde, 83, vol. 139, p. 268-290.

6747. SAINT (Max). Flourish for the Bishop and Brooke's friend Grant: two studies in Sarawak history. London, Merlin Books, 84, in-8, 288 p.

6748. SINGH (K.S.). Birsa Munda and his movement, 1874-1901, a study of a millenarian movement in Chotanagpur. New Delhi, Oxford U.P., 84, in-8, 308 p. (ill.).

6749. SINGH (Ranjit). Brunei, 1839-1983, the problems of political survival. London, Oxford U.P., 84, in-8, 272 p.

6750. STOCKWELL (A.J.). British imperial policy and decolonization in Malaya, 1942-1952. J. imp. Commonw. Hist., 84, vol. 13, p. 68-87.

6751. TAKABATAKE (Minoru). Bengaru-chū Nomin Sōgi Hō (1876 nen) no Seitei. (The Agrarian Disputes Act of Bengal. Debates and issues from its inception to extinction.) Hokkaidō Daigagu Bungakubu Kiyo, 83, vol. 31, n° 2, p. 33-90. [Eng. summary]

6752. YONG MUN CHEONG. H. J. Van Mook and Indonesiean independence. A study of his role in Dutch-Indonesian relations 1945-1948. The Hague, Nijhoff, 82, in-8, XIII-255 p. - Cf. BIJKERK (J.C.). De laatste landvoogt: Van Mook en het einde van de Nederlandse invloed in Indië. Alphen aan den Rijn, Sijthoff, 82, in-8, 295 p. (ill.).

Cf. n°s 3777, 5306, 5399, 5814, 5855, 5989, 7570.

c. Africa.

** 6753. FANONY (Fulgence), GUEUNIER (Noël). Deux documents sur l'insurrection malgache de 1947. Et. Océan indien, 84, vol. 3, p. 167-173.

** 6754. GIEGLER (Carl Christian). Sudan memoirs of Carl Christian Giegler Pasha, 1873-1883. Tr. from the German by T. KUPPER. London, Oxford U.P., 84, in-8, 278 p. (maps).

6755. CHRISTPHER (A.). Colonial Africa. London, Croom Helm, 84, in-8, 240 p.

6756. CORAZZI (Paolo). Etiopia 1938-1946. Guerriglia e filo spinato. Milano, Mursia, 84, in-8, 176 p. (ill.).

6757. DELCOURT (Jean). Gorée, six siècles d'histoire. Dakar, Clairafrique, 84, in-8, 99 p. (ill.).

6758. DZIUBIŃSKI (Andrzej). Podbój Maghrebu przez Francję 1830-1934. (La conquête du Maghreb par la France, 1830-1934.) Wrocław, Zakł. Narod. im. Ossolińskich, 84, in-8, 166 p. (Azija, Afryka, Ameryka Lacińska: Historia)

6759. FIELDHOUSE (Roger). Cold war and colonial conflicts in British African adult education, 1947-1953. Hist. Educat. Quar., 84, vol. 24, n° 3, p. 359-372.

6760. FREUND (Bill). The making of contemporary Africa: the development of African society since 1800. Bloomington, Indiana U.P., 84, in-8, XV-357 p.

6761. GANN (Lewis H.), DUIGNAN (Peter). The burden of Empire. Stanford, Calif., Hoover Institution Press, 84, in-8, XII-435 p.

6762. GARLAND (John M.). Budgetary conflict and the northern Nigerian revenue estimates, 1899-1913. Historian, 84, vol. 46, n° 3, p. 361-379.

6763. HARBI (Mohammed). La guerre commence en Algérie, 1954. Bruxelles, Complexe, 84, in-8, 224 p. (Mémoire du siècle)

6764. HARROY (Jean-Paul). Rwanda, de la féodalité à la démocratie, 1955-1962. Paris, Acad. des Sci. d'Outre-Mer; Bruxelles, Hayez, 84, in-8, 512 p.

6765. HOISINGTON (William A.) Jr. The Casablanca connection: French colonial policy, 1936-1943. Chapel Hill, Univ. of North Carolina Press, 84, in-8, XIV-320 p.

6766. ILIFFE (John). Poverty in 19th-century Yorubaland. J. afr. Hist., 84, vol. 25, p. 43-57.

6767. KATAN (Yvette). Les colons de 1848 en Algérie: mythes et réalités. R. Hist. mod., 84, t. 31, avril-juin, p. 177-202.

6768. KIRK-GREENE (A.H.M.). Canada in Africa: Sir Percy Girouard, neglected colonial governor. African Affairs, 84, vol. 83, p. 207-239.

6769. KIYAGA-MULINDWA (D.). The Bechuanaland Protectorate in the Second World War. J. imp. Commonw. Hist., 84, vol. 12, p. 33-53.

6770. LATAILLADE (Louis). Abd El-Kader. Adversaire et ami de la France, 1808-1883. Paris, Pygmalion, 84, in-8, 256 p.

6771. LEVY (Simon). Un livre pour comprendre le Maroc et son histoire: "Les origines de la guerre du Rif" de Germain Ayache [Cf. Bibl. 82, n° 6846.]. Hesperis-Tamuda, 84, vol. 22, p. 119-141.

6772. LYNN (Martin). Commerce, Christianity and the origins of the "Creoles" of Fernando Po. J. afr. Hist., 84, vol. 25, p. 257-278.

6773. MARTEL (Gordon). Cabinet politics and African partition: the Uganda debate reconsidered. J. imp. Commonw. Hist., 84, vol. 13, p. 5-24.

6774. MARTIN (Jean). Grande Comore 1915 et Anjouan 1940: étude comparative de deux soulèvements populaires aux Comores. Et. Océan indien, 84, vol. 3, p. 69-100.

6775. MAYER (Wolfgang), METZGER (Franz), WILHELMI (Jürgen). Schwarz-Weiß-Rot in Afrika. Die deutschen Kolonien 1883-1918. Puchheim, IDEA, 84, in-8, 244 p. (Ill., Kt.).

6776. METTAS (Jean). La Guinée portugaise au XXe siècle. Paris, Acad. des Sci. d'Outre-Mer, 84, in-8, 129 p.

6777. MONTAGNON (Pierre). La guerre d'Algérie. Genèse et engrenage d'une tragédie, 1er nov. 1954 - 3 juillet 1962. Paris, Pygmalion, 84, in-8, 450 p. (tabl., 16 pl., carte).

6778. NASSON (W.R.). Moving Lord Kitchener: black military transport and supply work in the South African war, 1899-1902, with special reference to the Cape Colony. J. southern afr. Hist., 84, vol. 11, p. 25-51.

6779. PACKARD (Randall M.). Maize, cattle and mosquitoes: the political economy of malaria epidemics in colonial Swaziland. J. afr. Hist., 84, vol. 25, p. 189-212.

6780. PEIRES (J.B.). Sir George Grey versus the Kaffir Relief Committee. J. southern afr. Stud., 84, vol. 10, p. 145-169.

6781. PELISSIER (René). Naissance du Mozambique. Resistance et révoltes anticoloniales 1854-1918. S. l., l'auteur, 84, in-8, 884 p. (Ibéro-Africana)

6782. PRIMISTER (Ian). Accommodating imperialism: the compromise of the settler state in Southern Rhodesia, 1923-1929. J. afr. Hist., 84, vol. 25, p. 279-294.

6783. PROCACCI (Giuliano). Dalla parte dell'Etiopia. L'aggressione italiana vista dai movimenti anticolonialisti d'Asia, d'Africa, d'America. Milano, Feltrinelli, 84, in-8, 288 p.

6784. TVEDT (Terje). "Vann-imperialisme" - om den britiske okkupasjonen av Øvre Nilen. (Water-imperialism. The British occupation of the Upper Nile.) [Norsk] Hist. T., 84, vol. 63, p. 416-429.

6785. WILLAN (Brian). Sol Plaatje, South African nationalist, 1876-1932. London, Heinemann Educ., 84, in-8, 436 p.

Cf. n°s 3117, 3143, 3172, 3805, 4899, 5841.

d. America.

* 6786. BLANCO (Richard L.). The war of the American revolution: a selected annotated bibliography of published sources. New York, Garland, 84, XXVII-654 p. (Garland Reference Libr. of Soc. Sci., 154)

** 6787. BOUQUET (Henry). The papers of Henry Bouquet. Vol. [4. Cf. Bibl. 78-79, n° 7069.] 5: September 1, 1760 - October 31, 1761. Ed. by Louis M. WADDELL a. others. Harrisburg, Pa., Hist. a. Museum Comm., 84, XXX-875 p.

** 6788. Proceedings and debates of the British parliaments respecting North American 1754-1783. Vol. [2. Cf. Bibl. 83, n° 6770.] 3: 1768-1773. Ed. by R. C. SIMMONS, P. D. G. THOMAS. Millwood, N.Y., Kraus Internat., 84, XII-530 p.

** 6789. WASHINGTON (George). The papers of George Washington, colonial series. [Vol. 1, 2. Cf. Bibl. 83, n° 6771.] Vol. 3: April - November 1756. Vol. 4: November 1756 - October 1757. Ed. by W. W. ABBOTT, Dorothy TWOHIG a. others. Charlottesville, U.P. of Virginia, 84, 2 vol., XX-488, XVIII-467 p.

6790. ABADÍE-AICARDI (Aníbal). La expedición del gobernador Cevallos al Plata (1756). Anu. Est. am., 82 [84], t. 39, p. 159-216.

6791. ALLAHAR (Antón L.). The Cuban sugar planters (1700-1820): "the most solid and brilliant bourgeois class in all of Latin America". Americas, 84, vol. 40, n° 1, p. 37-58.

6792. ALSTON (Lee J.), SCHAPIRO (Morton Owen). Inheritance laws across colonies: causes and consequences. J. econ. Hist., 84, vol. 44, n° 2, p. 277-288.

6793. AMARAL (Samuel). Public expenditure financing in the colonial treasury: an analysis of the Real Caja de Buenos Aires. Hisp. am. hist. R., 84, vol. 64, n° 2, p. 287-396.

6794. Andalucia y América en el siglo XVI. Tomo 1, 2. Sevilla, Escuela de Estudios hispano-americanos, 84, 2 vol. in-8, LX-555, IX-516 p. (Publ. de la Esc. de Est. hisp.-am., 292)

6795. ANDRIEN (Kenneth J.). Corruption, inefficiency, and imperial decline in the seventeenth-century viceroyalty of Peru. Americas, 84, vol. 41, n° 1, p. 1-20.

6796. ASDRÚBAL SILVA (Hernán). Hamburgo y el Río de la Plata. Vinculaciones económicas a fines de la época colonial. Jb. f. Gesch. Lateinamerikas, 84, Bd 21, p. 189-209.

6797. BAĎURA (Bohumil). Apuntes sobre las composiciones de tierras en la Nueva

España. Historica [Praha], 84, vol. 24, p. 187-239.

6798. BARBIER (Jacques A.). Indies revenues and naval spending: the cost of colonialism for the Spanish Bourbons, 1763-1805. Jb. f. Gesch. Lateinamerikas, 84, Bd 21, p. 171-188.

6799. BERNAL (Irma). Las rebeliones indígenas en el Altiplanto: el problema de las tierras. Buenos Aires, Búsqueda, 84, in-8, 80 p.

6800. BLAIR (B.L.). Wolfert Simon van Hoogenheim in the Berbice slave revolt of 1763-1764. Bijdr. Taal-, Land-, Volkenkde, 84, vol. 140, p. 56-76 (1 map).

6801. BONETTI (Mario). Staat und Gesellschaft im karibischen Raum im 16. Jahrhundert. München, Fink, 84, in-8, 668 p. (Ill., Kt.). (Beitr. z. Soziologie u. Sozialkunde Lateinamerikas, 25)

6802. BORAH (Woodrow). Trends in recent studies of colonial Latin American cities. Hisp. am. hist. R., 84, vol. 64, n° 3, p. 535-554.

6803. BUEL (Joy Day), BUEL (Richard) Jr. The way of duty: a woman and her family in revolutionary America. New York, W. W. Norton, 84, in-8, XVIII-309 p.

6804. BURKHOLDER (Mark A.), CHANDLER (D.S.). De la impotencia a la autoridad. La Corona española y las Audiencias en América, 1687-1808. Trad. de Robert GÓMEZ CIRIZA. México, Fondo de Cultura Económica, 84, in-8, 478 p.

6805. BURRUS (Ernest J.) S.J. Alonso de la Vera Cruz († 1584), pioneer defender of the American Indians. Cath. hist. R., 84, vol. 70, n° 4, p. 531-546.

6806. CAHILL (David). Curas and social conflict in the Doctrinas of Cuzco, 1780-1814. J. lat. am. Stud., 84, vol. 16, p. 241-274.

6807. CALDERÓN QUIJANO (José Antonio). Las defensas indianas en la Recopilación de 1680. Sevilla, Escuela de Estudios hispano-americanos, 84, in-8, XIII-220 p. (Publ. de la Esc. d. Est. hisp.-am., 294)

6808. CARP (E. Wayne). To starve the army at pleasure: continental army administration and American political culture, 1775-1783. Chapel Hill, Univ. of North Carolina Press, 84, in-8, XIII-306 p.

6809. CARR (Lois Green). Sources of political stability and upheaval in seventeenth-century Maryland. Maryland hist. Mag., 84, vol. 79, n° 1, p. 44-70.

6810. CARR (Raymond). Puerto Rico: a colonial experiment. New York, New York U.P., 84, in-8, XXII-477 p.

6811. COX (Edward L.). Free coloreds in the slave societies of St. Kitts and Grenada, 1763-1833. Knoxville, Univ. of Tennessee Press, 84, in-8, XIII-197 p.

6812. EKIRCH (A. Roger). Great Britain's secret convict trade to America, 1783-1784. Am. hist. R., 84, vol. 89, n° 5, p. 1285-1291.

6813. EVERSTINE (Carl N.). Maryland's toleration act: an appraisal. Maryland hist. Mag., 84, vol. 79, n° 2, p. 99-116.

6814. FARRISS (Nancy M.). Maya society under colonial rule: the collective enterprise of survival. Princeton, N.J., Princeton U.P., 84, in-8, XII-585 p.

6815. FAUSZ (J. Frederick). Present at the "creation": the Chesapeake world that greeted the Maryland colonists. Maryland hist. Mag., 84, vol. 79, n° 1, p. 7-20.

6816. GOMEZ (Thomas). L'envers de l'Eldoraro: économie coloniale et travail indigène dans la Colombie du XVIe siècle. Toulouse, Assoc. des Publ. de l'Univ. Toulouse-Le Mirail, 84, in-8, 354 p.

6817. HANDLER (Jerome S.), POHLMANN (John T.). Slave manumissions and freedmen in seventeenth-century Barbados. William a. Mary Quar., 84, vol. 41, n° 3, p. 390-409.

6818. HOGGMAN (Ronald), ALBERT (Peter J.) a. others. Arms and independence: the military character of the American revolution. Charlottesville, U.P. of Virginia, 84, in-8, XII-243 p.

6819. JENNINGS (Francis). The ambiguous Iroquois empire: the covenant chain confederation of Indian tribes with English colonies from its beginnings to the Lancaster treaty of 1744. London a. New York, W. W. Norton, 84, in-8, XXV-438 p. (ill.).

6820. JONES (Alice Hanson). Wealth and growth of the thirteen colonies: some implications. J. econ. Hist., 84, vol. 44, n° 2, p. 239-254.

6821. KELSAY (Isabel Thompson). Joseph Brant, 1743-1807: man of two worlds. New York, Syracuse U.P., 84, in-8, XII-775 p.

6822. KRUGLER (John D.). "With promise of liberty in religion": the Catholic lords Baltimore and toleration in seventeenth-century Maryland, 1634-1692. Maryland hist. Mag., 84, vol. 79, n° 1, p. 21-43.

6823. KUPPERMAN (Karen Ordahl). Roanoke: the abandoned colony. Totowa, N.J., Rowman a. Allanheld, 84, in-9, VIII-182 p. - EADEM. Fear of hot climates in the Anglo-American colonial experience. William a. Mary Quar., 84, vol. 41, n° 2, 213-240.

6824. LEWIS (Kenneth E.). The American frontier: an archaeological study of settlement pattern and process. New York, Academic, 84, XXVI-333 p. (Stud. in Hist. Archaeol.)

6825. LOCKHART (James), SCHWARTZ (Stuart B.). Early Latin America: history of colonial Spanish America and Brazil. London, Cambridge U.P., 84, in-8, 480 p. (dr., tab., maps).

6826. LONCOL (Jean-Marie). Caballero y Góngora et la pacification des communeros en Nouvelle-Grenade (1781-1784). Anu. Est. am., 82 [84], t. 39, p. 133-157.

6827. LOVELL (W. George), LUTZ (Christopher H.), SWEZEY (William R.). The Indian population of southern Guatemala, 1549-1551: an analysis of Lopez de Cerrato's Tasaciones de Tributos. Americas, 84, vol. 40, n° 4, p. 459-478.

6828. LURIE (Maxine N.). Theory and practice of religious toleration in the seventeenth century: the proprietary colonies as a case study. Maryland hist. Mag., 84, vol. 79, n° 2, p. 117-125.

6829. McCAA (Robert). Calidad, Clase, and marriage in colonial Mexico: the case of Parral, 1788-90. Hisp. am. hist. R., 84, vol. 64, n° 3, p. 477-502.

6830. McFARLANE (Anthony). Civil disorders and popular protests in late colonial New Grenada. Hisp. am. hist. R., 84, vol. 64, n° 1, p. 17-54.

6831. MEDINA RUBIO (Arístides). La Iglesia y la producción agrícola en Puebla, 1540-1795. México, Colegio de México, Centro de Estudios hist., 83, in-8, 291 p. (graf., tablas).

6832. MELLAFE (Rolando). La esclavitud en Hispanoamérica. Buenos Aires, Ed. Univ. de Buenos Aires, 84, in-8, 120 p.

6833. MENARD (Russell R.). Population, economy and society in seventeenth-century Maryland. Maryland hist. Mag., 84, vol. 79, n° 1, p. 71-92.

6834. MERANZE (Michael). The penitential ideal in late eighteenth-century Philadelphia. Pennsylvania Mag. Hist., 84, vol. 108, n° 4, p. 419-450.

6835. MEYER (Michael C.). Water in the Hispanic southwest: a social and legal history, 1550-1850. Tucson, Univ. of Arizona Press, 84, in-8, XIII-189 p.

6836. MORRISON (Kenneth M.). The embattled northeast: the elusive ideal of alliance in Abenaki-Euroamerican relations. Berkeley a. Los Angeles, Univ. of California Press, 84, in-8, X-256 p.

6837. NORTON (Mary Beth). The evolution of white women's experience in early America. Am. hist. R., 84, vol. 89, n° 3, p. 593-619.

6838. O'PHELAN GODOY (Scarlett). Hacia una tipología y un enfoque alternativo de las revueltas y rebeliones del Perú colonial (siglo XVIII). Jb. f. Gesch. Lateinamerikas, 84, Bd 21, p. 127-153.

6839. PEACOCK (John). Principles and effects of Puritan appropriation of Indian land and labor. Ethnohist., 84, vol. 31, n° 1, p. 39-44.

6840. PEÑA (José F. de la). Oligarquía y propiedad en Nueva España, 1550-1624. México, Fondo de Cultura Económica, 83, in-8, 308 p. (graf.).

6841. RANLET (Philip). British recruitment of Americans in New York during the American revolution. Milit. Affairs, 84, vol. 48, n° 1, p. 26-29.

6842. REINHART (Theodore R.), HABICHT (Judith A.). Shirley plantation in the eighteenth century: a historical, architectural, and archaeological study. Virginia Mag. Hist. a. Biogr., 84, vo; 92, n° 1, p. 29-49.

6843. RILEY (James D.). Crown law and rural labor in New Spain: the status of Gañanes during the eighteenth century. Hisp. am. hist. R., 84, vol. 64, n° 2, p. 259-286.

6844. ROMANO (Ruggiero). American feudalism. Hisp. am. hist. R., 84, vol. 64, n° 1, p. 121-134.

6845. RUSINOWA (Izabella). Saratoga - Yorktown 1777-1781. Z dziejów wojny amerykańsko-angielskiej (Saratoga - Yorktown 1777-1781. De l'histoire de la guerre américano-anglaise.) Warszawa, Wydawn. Min. Obrony Narod., 84, in-9, 198 p. (Hist. Bitwy)

6846. RUTMAN (Darret B.), RUTMAN (Anita H.). A place in time: Middlesex county, Virginia, 1650-1750. New York, W. W. Norton, 84, in-8, 287 p.

6847. SAGUIER (Eduardo R.). Church and state in Buenos Aires in the seventeenth century. J. Church a. State, 84, vol. 26, n° 3, p. 491-514.

6848. SCHWEIKART (Larry), BURG (B.R.). Stand by to repel historians: modern scholarship and Caribbean pirates, 1650-1725. Historian, 84, vol. 46, n° 2, p. 219-234.

6849. SELEMENT (George P.). The meeting of elite and popular minds at Cambridge, New England, 1638-1645. William a. Mary Quar., 84, vol. 41, n° 1, p. 32-48.

6850. SKAGGS (David Curtis). John Semple and the development of the Potomac valley, 1750-1773. Virginia Mag. Hist. a. Biogr., 84, vol. 92, n° 3, p. 282-308.

6851. SLAUGHTER (Thomas P.). The tax man cometh: ideological opposition to internatl taxes, 1760-1790. William a. Mary Quar., 84, vol. 41, n° 4, p. 566-591.

6852. SLICHER VAN BATH (B.H.). Bevolking en economie in Nieuw Spanje (ca. 1570-1800). (Population and economy in New Spain.) Amsterdam, North Holland Publ. Comp., 81, in-8, 263 p. (Verhand. Kon. Ned. Akad. Wetensch., afd. Letterkde, N.R., 110)

6853. SPALDING (Karen). Huarochiri: an Andean society under Inca and Spanish rule. Stanford U.P., 84, VIII-364 p.

6854. SPURLIN (Paul Merrill). The French enlightenment in America: essays on the times of the founding fathers. Athens, Univ. of Georgia Press, 84, in-8, XI-203 p.

6855. STUDER (Elena F. S. de). La trata de negros en el Río de la Plata durante el siglo XVIII. 2a ed. Buenos Aires, Libros de Hispanoamérica, 84, in-8, 378 p.

6856. TARDIEU (Jean-Pierre). Le destin des noirs aux Indes de Castille, XVIe-XVIIIe siècle. Paris, L'Harmattan, 84, in-8, 350 p. (Racines du présent)

6857. TIEDEMANN (Joseph S.). Communities in the midst of the American revolution: Queens county, New York, 1774-1775. J. soc. Hist., 84, vol. 18, n° 1, p. 57-78.

6858. TOMICKI (Ryszard). Tenochtitlan 1521. Warszawa, Wydawn. Min. Obrony Narod., 84, in-8, 235 p. (Hist. Bitwy)

6859. TYRELL (Alex). The "Moral Radical Party" and the Anglo-Jamaican campaign for the abolition of the negro apprenticeship system. Eng. hist. R., 84, vol. 99, p. 481-502.

6860. VAN ATTA (John R.). Conscription in revolutionary Virginia: the case of Culpeper county, 1780-1781. Virginia Mag. Hist. a. Biogr., 84, vol. 92, n° 3, p. 263-281.

6861. VAN YOUNG (Eric). Conflict and solidarity in Indian village life: the Guadalajara region in the late colonial period. Hisp. am. hist. R., 84, vol. 64, n° 1, p. 55-80.

6862. WEBB (Stephen Saunders). 1676: the end of American independence. New York, Alfred A. Knopf, 84, in-8, XX-440 p.

6863. WEISMAN (Richard). Witchcraft, magic, and religion in 17th-century Massachusetts. Amherst, Univ. of Massachusetts Press, 84, in-8, XIV-267 p.

6864. WETHERELL (Charles). "Boom and bust" in the colonial Chesapeake economy. J. interdisc. Hist., 84, vol. 15, n° 2, p. 185-210.

6865. WITHEY (Lynne). Urban growth in colonial Rhode Island: Newport and Providence in the eighteenth century. Albany, State Univ. of New York Press, 84, in-8, XIV-183 p.

6866. WOOD (Betty). Slavery in colonial Georgia, 1730-1775. Athens, Univ. of Georgia Press, 84, in-8, X-254 p.

6867. ZAVALA (Silvio). El servicio personal de los indios en la Nueva España. I: 1521-1550. México, Colegio de México, Colegio Nacional, 84, in-8, 668 p.

Cf. n°s 277, 298, 3116, 3161, 5856, 5928, 5935, 6082, 6580, 6620.

e. Oceania.

* Cf. n° 681.

** 6868. "Affaires de Koné". Rapport du Brigadier Faure sur les débuts de l'insurrection de 1917 en Nouvelle-Calédonie. J. Soc. Océanistes, 83 [84], t. 39, n° 76, p. 69-88.

** 6869. PARKES (Sir Henry). Letters from Menie: Sir Henry Parkes and his daughter. Ed. by Alan William MARTIN. Melbourne, Univ. Press, 84, in-8, 212 p.

** 6870. Samoan (The) journal of John Williams 1830 and 1832. Ed. by Richard M. MOYLE. Canberra, Australian National Univ., 84, in-8, 302 p. (maps). (Pacific Hist. ser., 11)

6871. BUTLIN (Noel G.). Our original aggression: aboriginal populations of Southeastern Australia, 1788-1850. Sydney, Allen a. Unwin, 84, in-8, 198 p.

6872. COFFEY (Hubert William), MORGAN (Marjorie Jean). Irish families in Australia and New Zealand. Vol. 1: Abbott - Dynan, 1788-1983. Melbourne, Coffey; London, Bailey Bros., 84, in-4, 248 p.

6873. CUNNEEN (Christopher). The King's men: Australia's Governors-General from Hopetown to Isaacs. Sydney a. London, Allen a. Unwin, 84, in-8, 245 p.

6874. DORNOY (Miriam). Politics in New Caledonia. Sydney, Sydney U.P., 84, in-8, XVI-302 p. (tables, maps).

6875. DUNSTAN (Don). Governing the metropolis: Melbourne 1850-1891. Melbourne, Univ. Press, 84, in-8, 362 p. (ill.).

6876. HIRST (J.B.). Convict society and its enemies: the history of early New South Wales. Melbourne a. London, Allen a. Unwin, 84, in-8, 244 p.

6877. SAUSSOL (Alain). Stratégies foncières et dynamique spatiale de la colonisation rurale en Nouvelle-Calédonie: la vallée d'Amoa. J. Soc. Océanistes, 83 [84], t. 39, n° 76, p. 21-31 (2 fig.).

6878. SCARR (Deryck). Fiji: a short history. Honolulu, Univ. of Hawaii Press; Sydney, Allen a. Unwin, 84, in-8, XV-202 p. (ill.).

6879. SHINEBERG (Dorothy). Un nouveau regard sur la démographique historique de la Nouvelle-Calédonie. J. Soc. Océanistes, 83 [84], t. 39, n° 76, p. 33-43.

6880. THORPE (William). Archibald Meston and aboriginal legislation in colonial Queensland. Hist. Stud. Australia N.Z., 84, vol. 21, p. 52-67.

6881. TOULLELAN (Pierre-Yves). Tahiti colonial, 1860-1914. Paris, Publ. de la Sorbonne, 84, in-8, 361 p. (tabl., graph., 16 pl., carte).

Cf. n° 5791.

§ 3. Storia dal 1500 al 1789.

a. Opere generali.

** 6882. Diarium Chigi, 1639-1651. T. 1: Text. Bearb. v. Konrad REPGEN. Münster

(Westf.), Aschendorff, 84, in-8, XLII-533 p. (Diarien, 1) (Acta pacis Westphalicae, Ser. 3, Abt. C)

6883. CSÁKY (Moritz). Ideologie oder "Realpolitik"? Ungar. Varianten d. europ. Türkenpolitik im 16. u. 17. Jh. Anz. d. österr. Akad. d. Wiss., Phil.-hist. Kl., 83 [84], Jg. 120, p. 176-195.

6884. GYIMESI (Sándor). Európa és a harmadik világ találkozása a 16-18. században. (La rencontre de l'Europe et du Tiers Monde aux XVIe-XVIIIe siècles.) Századok, 83, vol. 117, n° 2, p. 384-393.

6885. Osmanskaja imperija i strany Central'noj, Vostočnoj i Jugo-Vostočnoj Evropy v XV-XVI vv.: Gl. tendencii polit. vzaimootnošenij. (Ottoman empire and countries of Central, Eastern and Southeastern Europe in the 15th-16th cent.) Redkol.: I. B. GREKOV (otv. red.) i dr. Moskva, Nauka, 84, 301 p. (AN SSSR. In-t slavjanovedenija i balkanistiki)

Cf. n° 566.

b. 1500-1648.

** 6886. FIGHIERA (J.-P.). Les incursions turques dans la région niçoise en 1543. Cah. Méditerranée, 84, n° 28, p. 77-93.

** 6887. Public Record Office, London. List and analysis of State papers, foreign series: Elizabeth I. Vol. 4: May 1592 - June 1593. London, H. M. Stationery Office, 84, in-8, 506 p.

** 6888. TIEPOLO (Giovanni). Il carteggio di Giovani Tiepolo ambasciatore veneto in Polonia, 1645-1647. A cura di D. CACCAMO. Milano, Giuffrè, 84, in-8, VI-637 p. (Univ. di Roma, Fac. Sci. pol., 45)

** 6889. WENNER (Adam). Tagebuch der kaiserlichen Gesandtschaft nach Konstantinopel 1616-1618. Hrsg. u. erläutert v. Karl NEHRING. München, Finnisch-ugrisches Seminar an d. Univ., 84, in-8, XIV-135 p. (Veröff. d. finnisch-ugr. Seminars a. d. Univ. München, Serie C: Misc., 16)

6890. BARTA (Gábor). A Sztambulba vezető út, 1526-1528. (La voie qui mène à Stamboul, 1526-1528.) Budapest, Magvető Kiadó, 83, in-8, 248 p. (Gyorsuló idő)

6891. BARTEČEK (Ivo). Saská politika a české stavovské povstání (květen 1618 - srpen 1619). (Die sächsische Politik un der Aufstand der böhmischen Stände, Mai 1618 - August 1619.) Sborn. hist., 84, vol. 30, p. 5-47.

6892. BLOK (F.F.). Niclaas Heinsius in Napels (april - juli 1647). Amsterdam, North Holland Publ. Comp., 84, in-8, 38 p. (Verh. Kon. Ned. Akad. Wetensch., Afd. Letterkde, N.R., 125)

6893. BUES (Almut). Die habsburgsiche Kandidatur für den polnischen Thron wärend des Ersten Interregnums in Polen 1572/73. Wien, Verb. d. Wiss. Ges. Österr., 84, in-8, IV-362 p. (Diss. d. Univ. Wien, 163)

6894. CHASIOTĒS (Ioannēs). Hē Peloponnēsos sto plaisio tēs Mesogeiakēs politikēs tou Karolou E'. (Le Péloponnèse dans le cadre de la politique méditerranéenne de Charles Quint.) Peloponnēsiaka, 82-84, vol. 15, p. 187-240.

6895. COGSWELL (Thomas). Foreign policy and Parliament: the case of La Rochelle, 1625-1626. Eng. hist. R., 84, vol. 99, p. 241-267.

6896. ELLIOTT (John Huxtable). Richelieu and Olivares. London a. New York, Cambridge U.P., 84, in-8, VIII-189 p. (ill.). (Cambridge Stud. in Early Mod. Hist.)

6897. GROENVELD (S.). Verlopend getij. De Nederlandse Republiek en de Engelse Burgeroorlog 1640-1646. (Turning tide. The Dutch Republic and the English Civil War, 1640-1646.) Dieren, De Bataafsche Leeuw, 84, in-8, 416 p. (29 fig.).

6898. HOLBAN (Maria). Autour de la première ambassade d'Antonio Rincon en Orient et de sa mission après du voïvode de Transylvanie Jean Zápolya (1522-1523). R. roumaine Hist., 84, vol. 23, p. 101-116.

6899. IVANOV (N.A.). Osmanskoe zavoevanie arabskikh stran, 1516-1574. (The Ottoman conquest of Arabic countries, 1516-1574.) Moskva, Nauka, 84, 237 p. (AN SSSR. In-t vostokovedenija)

6900. KAŠPAR (Oldřich). Obraz Latinské Ameriky v českém prostředí v 16. a na počátku 17. století. (El nuevo mundo en el ambiente checo del siglo XVI y comienzos del siglo XVII.) Sborn. hist., 84, vol. 30, p. 121-143.

6901. KOENIGSBERGER (H.G.). Orange, Granvelle and Philipp II. In: Willem van Oranje [Cf. n° 4162], p. 573-595.

6902. MOUT (M.E.H.N.). "Holendische Propositiones". Een Habsburg plan tot vernietiging van handel, visserij en scheepvaart der Republiek (ca. 1625). (The intention of the Habsburg to destroy the trade, fishery and shipping of the Dutch Republic.) T. Gesch., 82, vol. 95, p. 345-362.

6903. PARKER (Geoffrey). The Thirty Years' War. London, Routledge, 84, in-8, 380 p. (ill.).

6904. PÉTER (Katalin). Bethlen Gábor magyar királysága, az országegyesités és a Porta. (Le royaume hongrois de Gábor Bethlen, l'union du pays et la Porte.) Századok, 83, vol. 117, n° 5, p. 1028-1060.

6905. PRESS (V.). Wilhelm von Oranien, die deuschen Reichsstände und der niederländische Aufstand. In: Willem van Oranje [Cf. n° 4162], p. 677-707.

6906. ROTH (Franz Otto). Die historische Steiermark und die Türkenabwehr in einem südöstlichen Vorfeld. Frühformen u. Randzonen d. nachmaligen Militärgrenze bis 1578. Mitt. d. steiermärk. Landesarch., 84, Bd 24, p. 87-98.

6907. SAJKOWSKI (Alojzy). W stronę Wiednia. Dole i niedole wojenne w świetle listów i pamiętników. (Vers Vienne. Les bons et les mauvais jours de la guerre à la lumière de lettres et de mémoires [XVIe-XVIIe s.].) Poznań, Wydawn. Pozn., 84, in-8, 394 p.

6908. SCHMIDT (Hans). Wallenstein als Feldherr. Mitt. d. oberösterr. Landesarch., 84, Bd 14, p. 241-260.

6909. SINKOVICS (István). Die Eroberungsfeldzüge des Sultans Suleiman I. in Ungarn und die Belagerung von Kőszeg. A. Univ. Sci. Budapestiensis, Sectio hist., 83, vol. 23, p. 17-41.

6910. SWART (K.W.). Wat bewoog Willem van Oranje de strijd tegen de Spaanse overheersing aan te binden. (The motives of William of Orange to fight against the Spanish domination.) In: Willen van Oranje [Cf. n° 4162], p. 554-572.

6911. TIBERG (Erik). Zur Vorgeschichte des Livländischen Krieges: die Beziehungen zwischen Moskau und Litauen 1549-1562. Stockholm, Almqvist o. Wiksell internat., 84, in-8, 266-VII p. (Studia hist. Upsaliensia, 134) [Eng. summary]

6912. TÓTH (Sándor László). A mezőkeresztesi csata története, 1596. október 26. (Histoire de la bataille de Mezőkeresztes, 26 oct. 1596.) Hadtört. Közl., 83, vol. 30, n° 4, p. 553-573.

6913. VAHTOLA (Jouko). Brandenburgs Annäherung an Schweden zu Beginn der Regierungszeit Kurfürst Friedrich Wilhelms 1640-1641. Rovaniemi, Soc. historica Finlandiae Septentrionalis, 84, in-8, 133 p. (Stud. hist. septentrionalia, 7)

6914. WAGNER (Georg). Österreich und die Osmanen im Dreißigjährigen Krieg. Hermann Graf Czernins Großbotschaft nach Konstantinopel 1644/45. Mitt. d. oberösterr. Landesarch., 84, Bd 14, p. 325-392.

6915. WANDRUSZKA (Adam). Das Haus Österreich und die Osmanen im 17. Jahrhundert. Röm. hist. Mitt., 84, Bd 26, p. 243-251.

6916. WERNHAM (R.B.). After the Armada: Elizabethan England and the struggle for western Europe, 1588-1595. London a. New York, Oxford U.P., 84, in-8, XXI-613 p. (maps).

Cf. n°s 4132, 4151, 5413.

c. 1648-1789

* 6917. VOCELKA (Karl). 1693-1983. Ein Jubiläum? Fortschritt oder Stagnation d. historiograph. Aufbereitung d. zweiten Wiener Türkenbelagerung. Mitt. d. Inst. f. österr. Gesch.-Forsch., 84, Bd 92, H. 1-2, p. 165-194.

6918. BABUSCIO (Jack), DUNN (Richard Minta). European political facts, 1648-1789. London, Macmillan, 84, in-8, 400 p.

6919. BENDA (Kálmán). II. Rákóczi Ferenc fejedelem diplomáciai kapcsolatai Velencével, 1704-1709. (Relations diplomatiques du prince François II Rákóczi avec Venise, 1704-1708.) Tört. Szle, 84, vol. 27, n° 1-2, p. 103-110.

6920. BERBIG (Hans Joachim). Oliver Cromwells Irlandpolitik. Arch. f. Kulturgesch., 84, Bd 66, p. 159-173.

6921. BÖHME (Klaus-Richard). Die deutschen Provinzen der schwedischen Krone während der Türkenkriege im 17. Jahrhundert. Z. f. hist. Forsch., 84, Bd 11, p. 165-176.

6922. CHILDS (John). The British brigade in France, 1672-1678. History, 84, vol. 69, p. 384-397.

6923. DUCHHARDT (Heinz). Friedenswahrung im 18. Jahrhundert. Hist. Z., 84, Bd 240, p. 265-282.

6924. HAAS (J.A.K.). Demasqué van een ambassadeur. De Haagse ambassade van Dom Fernando Telles de Faro, 1658-1659. (L'ambassade de Telles de Faro à La Haye, 1658-1659.) Bijdr. Meded. Gesch. Ned., 84, vol. 99, p. 377-395.

6925. HERING (Gunnar). Das Jahr 1683 und die orthodoxen Völker Südosteuropas. Röm. hist. Mitt., 84, Bd 26, p. 361-385.

6926. ISRAEL (J.I.). The diplomatic career of Jeronimo Nunes da Costa: an episode in Dutch-Portuguese relations of the seventeenth century. Bijdr. Meded. Gesch. Ned., 83, vol. 98, p. 167-190.

6927. KACZMARCZYK (Janusz). Ugoda w Perejasławiu - konieczność czy wybór? (L'accord de Perejaslav [1654] - nécessité ou choix? Studia hist., 84, a. 27, fasc. 3, p. 413-435.

6928. MACEK (Jaroslav). Böhmische und mährische Archivalien zur Geschichte des Jahres 1683. Scrinium, 84, Bd 30, p. 431-444. - IDEM. Das Türkenjahr 1683 in der Korrespondenz Kaspar Zdenko Kaplirs v. Sullowitz und des Geheimkollegiums der Deputierten in Wien. Mitt. d. österr. Staatsarch., 84, Bd 37, p. 73-119.

6929. MICHAUD (Claude). Le soleil, l'aigle et le croissant. L'ambassade de Guilleragues à la Porte ottomane et le siège de Vienne de 1683. R. Et. sud-est europ., 84, t. 22, n° 2, p. 145-158.

6930. MIHNEVA (R.). La Russie, l'Empire ottoman et la Suède dans la politique européenne 1741-1743. Et. balkaniques, 82, n° 3, p. 95-108.

6931. MOLČANOV (N.N.). Diplomatija Petra Pervogo. (The diplomacy of Peter the Great.) Moskva, Meždunar. otnošenija, 84, 438 p. (ill.). (B-ka "Vneš. politika, diplomatija")

6932. PITSCHMANN (Benedikt). Kremsmünster und das Türkenjahr 1683. Mitt. d. oberösterr. Landesarch., 84, Bd 14, p. 393-411.

6933. VAN FOREEST (H.A.), WEBER (R. E.J.). De Vierdaagse Zeeslag 11-14 juni 1666. (The naval battle between England and the Dutch Republic, June 11-14, 1666.) Amsterdam, North Holland Publ. Comp., 84, in-8, 222 p. (Verhand. Kon. Ned. Akad. Wetensch., Afd. Letterkde, N.R., 126)

6934. VÁRKONYI (Ágnes), R. Buda visszavívása, 1686. (La reconquête de Buda, 1686.) Budapest, Móra Kiadó, 84, in-8, 374. - EADEM. A nemzetközi törökellenes szövetség genezise és II. Rákóczi György fejedelem. (La naissance de la colation internationale contre les Turcs et le prince György II. Rákóczi.) Tört. Szle, 84, vol. 27, n° 1-2, p. 67-79. - EADEM. Zrinyi Miklós szövetsége Wesselényivel és Nádasdyval a török ellen 1663-ban. (Alliance entre Miklós Zrinyi, Wesselényi et Nádasdy contre les Turcs en 1663.) Ibid., n° 3, p. 341-369.

6935. WACHA (Georg). Linz und die Heilige Liga von 1684. Eine Linzer Ansicht in Venedig. Hist. Jb. Linz, 84, p. 269-284.

6936. WOLFF-POWĘSKA (Anna). Niemiecka myśl polityczna wobec rewolucji francuskiej 1789 r. (La pensée politique allemande face à la Révolution française de 1789.) Przegl. zach., 83 [84], a. 39, n° 5-6, p. 115-140.

Cf. n° 3316.

§ 4. Storia dal 1789 al 1815.

** 6937. Političeskie i kul'turnye otnošenija Rossii s jugslavjanskimi zemljami v XVIII v. Dokumenty. (Russia's political and cultural relations with Yugoslav territories in the 18th century. Documents.) Otv. red. A. L. NAROČNICKIJ, N. PETROVIČ. Moskva, Nauka, 84, 430 p. (In-t istorii AN SSSR. Ist. in-t v Belgrade, Gl. arkh. upr. pri Sovete Ministrov SSSR, Ist.-diplomat. upr. MID SSSR)

6938. DODOLEV (M.A.). Rossija i Ispanija, 1808-1823. Vojna i revoljucija v Ispanii i rus.-isp. otnošenija. (Russia and Spain, 1808-1823. War and revolution in Spain and the Russo-Spanish relations.) Moskva, 84, 268 p. (AN SSSR. In-t vseobšč. Ist.)

6939. HAITSMA MULIER (E.O.G.). La storiografia [olandese] sul tempo dei patrioti e dei batavi. R. stor. ital., 83 [84], a. 95, fasc. 3, p. 843-871.

6940. HAUSMANN (Robert F.). Die Franzosen in der Steiermark anno 1809. Bl. f. Heimatkde [Graz], 84, Bd 58, p. 141-154.

6941. HORTA RODRÍGUEZ (Nicolás). Legislación guerrillera en la España invadida (1808-1814). R. int. Hist. milit., 84, n° 56, p. 157-196.

6942. HORWARD (Donald D.). Napoleon and Iberia - the twin siges of Ciudad Rodrigo and Almeida, 1810. Tallahassee, U.P. of Florida, 84, in-8, XX-419 p.

6943. INGRAM (Edward). Illusions of victory: the Nile, Copenhagen, and Trafalgar revisited. Milit. Affairs, 84, vol. 48, n° 3, p. 140-143. [Cf. n° 6734]

6944. KARPOWICZ (Michał K.). Pokolenie Księstwa Warszawskiego. Kadra oficerska pułku szwoleżerów gwardii Napoleona. (Les officiers du Duché de Varsovie. Les cadres du régiment des chevau-légers de la garde impériale.) Przegl. hist., 83 [84], vol. 74, p. 631-651.

6945. KOCÓJ (Henryk). Wiedeń wobec powstania ko&sciuszkowskiego w świetle raportów Benedykta de Cachégo, posła austriackiego w Warszawie. (Vienne face à l'insurrection de Kościuszko à la lumière des rapports de Benedict de Caché, délégué autrichien à Varsovie [1794].) Studia hist., 84, a. 27, fasc. 1, p. 21-33.

6946. LOGIE (Jacques). Waterloo. L'évitable défaite. Préf. d'Henri BERNARD. Paris, Duculot, 84, in-8, 219 p. (ill.). (Document)

6947. Napoléon et l'Allemagne: la Prusse, 1806. Ed. par Jean TRANIE et Juan-Carlos CARMIGNANI. Paris, Lavauzelle, 84, in-4, 350 p. (ill.).

6948. NEUMEYER (Heinz). Westpreußen 1807-1815, vom Tilsiter Frieden bis zu den Freiheitskriegen. Westpreußen Jb., 84, Bd 34, p. 121-138.

6949. PALMER (Alan). Encyclopaedia of Napoleon's Europe. London, Weidenfeld a. Nicolson, 84, in-8, 328 p. (ill.).

6950. Bibl. 83, n° 6945. Pervoie serbskoe vosstanie 1804-1813 gg. i Rossija. (The first Serbian uprising of 1804-1813 and Russia. - CR: S. L. Tikhvinskij, Vopr. Ist., 84, n° 3, p. 133-136.

6951. PLEŠKOV (V.N.). Vnešnjaja politika SŠA v konce XVIII veka. Očerki anglo-amer. otnošenij. (USA foreign policy at the end of the 18th century. Essays on English-American relations.) Leningrad, Nauka, 84, 301 p. (AN SSSR. In-t istorii SSSR. Leningr. otd-nie)

6952. RATHBONE (Julian). Wellington's war. London, Joseph, 84, in-8, 352 p. (ill., maps).

6953. REBHANN (Fritz M.). Anno neun. Vom Bergisel zum Schönbrunner Frieden. Wien u. München, Herold, 84, in-8, 232 p.

6954. SKOWRONEK (Jerzy). Książe Józef Poniatowski. (Le prince Joseph Poniatowski [maréchal de France].) Wrocław, Zakł. Narod. im. Ossolińskich, 84, in-8, 282 p.

6955. Bibl. 83, n° 6948. STANISLAVSKAJA (A.M.). Političeskaja dejatel'nost' F. F. Ušakova v Grecii. 1798-1800. (Political activities of F. F. Ushakov in Greece.) -

CR: V. G. Sirotkin, Vopr. Ist., 84, n° 7, p. 130-132.

6956. STUART (Reginald C.). Special interests and national authority in foreign policy: American-British provincial links during the embargo and the war of 1812. Dipl. Hist., 84, vol. 8, n° 4, p. 311-328.

6957. SZULTKA (Zygmunt). Echa powstania kościuszkowskiego na Pomorzu Zachodnim. (Les échos de l'insurrection de Kościuszko en Poméranie Occidentale.) Studia Mater. Dziej. Wielkop. Pomorze, 84, vol. 30, fasc. 2, p. 61-69.

6958. TÜMMLER (Hans). Die Befreiungskriege (1813-1815) in der Sicht Goethes. Bl. f. deutsche Landesgesch., 84, Jg. 119, p. 131-140.

6959. UHLÍŘ (Dušan). Slunce nad Slavkovem. (Die Sonne über Slavkov-Austerlitz.) Praha, Mladá fronta, 84, in-8, 424 p. (16 fig.). (Archiv, 39)

6960. VALLE (James E.). The [U.S.] navy's battle doctrine in the war of 1812. Am. Neptune, 84, vol. 44, n° 3, p. 171-178.

6961. WAGNER (Anton Hugo). Das Gefecht bei St. Michael-Leoben am 25. Mai 1809. Wien, Österr. Bundesverl., 84, in-8, 64 p. (Abb.). (Militärhist. Schriftenreihe, 51)

6962. ZAGIDULLINA (G.N.). Anglija i revoljucionnaja Francija. 1789-1793 gg. (England and revolutionary France, 1789-1793.) Nov. novejš. Ist., 84, n° 3, p. 54-69.

6963. ZIESENISS (Charles). Le Congrès de Vienne ou l'Europe des princes. Paris, Belfond, 84, in-8, 200 p. (L'épopée napoléonienne, 15)

Cf. n°s 275, 3415, 4130.

§ 5. Storia dal 1815 al 1910.

* 6964. HETNAL (Adam A.). The Polish question during the Crimean War (1853-1856): a review of sources and historiography. Polish R., 84, vol. 29, n° 1-2, p. 141-146.

** 6965. Documenti (I) diplomatici italiani. A cura del Ministero degli Affari Esteri, Commissione per la pubblicazione dei documenti diplomatici. Seconda serie: 1870-1896. Vol. [6. Cf. Bibl. 83, n° 6951.] 7 (25 marzo - 31 dicembre 1876). Roma, Istit. poligrafico e Zecca dello Stato, 84, in-4, LVI-881 p.

6966. Lettres de Francsco Capacini, agent diplomatique et internonce du Saint-Siège au royaume des Pays-Bas 1828-1831. Ed. annotée par J. P. de VALK et E. LAMBERTS. 's-Gravenhage, Nijhoff, 84, in-4, LXVI-770 p. (Rijks Geschiedk. Publ., kl. s., 53)

** 6967. Bibl. 82, n° 7086. Vnešnjaja politika Rossi XIX i načala XX veka.

(Foreign policy of Russia in the 19th and the beginnings of the 20th century.) - CR: Ju. A. Pisarev, Nov. novejš. Ist., 84, n° 1, p. 188-191.

6968. ALTGELD (Wolfgang). Das politische Italienbild der Deutschen zwischen Aufklärung und europäischer Revolution von 1848. Tübingen, Niemeyer, 84, in-8, XII-401 p. (Bibl. d. Deusch. Hist. Inst. in Rom, 59)

6969. ASPINWALL (Bernard). Portable Utopia: Glasgow and the United States, 1820-1920. Aberdeen, Univ. Press, 84, in-8, 386 p. (ill.).

6970. AUSTENSEN (Roy A.). The making of Austria's Prussian policy, 1848-1852. Hist. J., 84, vol. 27, p. 861-876.

6971. AXEEN (David). "Heroes of the engine room": American civilization and the war with Spain. Am. Quar., 84, vol. 36, n° 4, p. 481.

6972. BATES (Darrell). The Fashoda incicent of 1898: the encounter on the Nile. London, Oxford U.P., 84, in-8, XIII-194 p. (ill.).

6973. BECKER (Felix). Die Hansestädte und Mexiko. Handelspolitik, Verträge u. Handel, 1821-1867. Wiesbaden, Steiner, 84, in-8, IX-126 p. (Acta Humboldtiana, 9)

6974. BOKU (Sôkon). Nisshin Sensô to Chôsen. (La guerre sino-japonaise de 1894-1895 et la Corée.) Tokyo, Aoki, 82, in-8, 320 p.

6975. BORSI-KÁLMÁN (Béla). A Kossuthemigráció és a román nemzeti mozgalom kapcsolatának történetéhez. (Sur l'histoire des relations entre l'émigration groupée autour de Kossuth et le mouvement national roumain.) Budapest, Magevető Kiadó, 84, in-8, 227 p. (Nemzet és emlékezet)

6976. BUCUR (T.). Al. I. Cuza şi momentul unirii Principatelor în documente diplomatice. (A. I. Cuza et le moment de l'union des Principautés [roumaines] dans les documents diplomatiques.) Manuscriptum, 84, vol. 15, p. 44-58.

6977. CORIVAN (Nicolae). Relaţiile diplomatice ale României de la 1859 la 1877. (Les relations diplomatiques de la Roumanie, de 1859 à 1877.) Bucureşti, Ed. ştiinţ. şi enciclop., 84, in-8, 348 p.

6978. CRAWFORD (Suzanne Jones). The Maria Luz affair. Historian, 84, vol. 46, n° 4, p. 583-596. [Ship which sought refuge in Yokohama bay, 1873]

6979. DACH (Krzysztof). Wpływ polskich zwolenników monarchii na dzieje Rumunów w latach 1852-1856. (L'influence des Polonais partisans de la monarchie sur l'histoire des Roumains dans les années 1852-1856.) Studia hist., 84, a. 27, fasc. 2, p. 213-235.

6980. DADDYMAN (James W.). The Matamoros trade: confederate commerce, diplomacy, and intrigue. Cranbury, N.J., Associated Univ. Presses, 84, in-8, 215 p.

6981. DAMJANOV (Simeon). Evropejskata diplomacija i Ilindensko-Preobraženskoto vāstanie. (La diplomatie européenne et l'Insurrection [bulgare] d'Ilinden-Preobraženie.) Ist. Pregled, 83, n° 3, p. 23-41.

6982. DIÓSZEGI (István). Hungarians in the Ballhausplatz. Studies on the Austro-Hungarian common foreign policy. Budapest, Corvina, 83, in-8, 363 p. (16 pl.). (Corvina books) - IDEM. Die Österreichisch-Ungarische Monarchie und die Organisierung Ostrumeliens, 1878-1879. A. Univ. Sci. Budapestiensis, Sectio hist., 82, vol. 22, p. 85-98.

6983. FERNS (Henry Stanley). Gran Bretagna y Argentina en el siglo XIX. Trad. por Alberto Luis BIXIO. Buenos Aires, Solar, 84, in-8, 528 p.

6984. GLUŠKOV (Khristo). Francija i gracko-turskite otnošenija 1878-1881. (La France et les relations gréco-turques, 1878-1881.) Trud. velikotărn. Univ., 83, n° 19, fasc. 3, p. 47-98.

6985. GOLDBERG (Joyce S.). Consent to ascent. The Baltimore affair and the U.S. rise to world power status. Americas, 84, vol. 41, n° 1, p. 21-36.

6986. GRANČAROV (Stojčo). Britain and the Bulgarian internal development at the end of the 19th century. R. bulg. Hist., 83, n° 2, p. 21-40. - IDEM. Kăm văprosa za otnošenijata meždu Bălgarija i balkanskite strani 1900-1903. (Sur la question des relations entre la Bulgarie et les pays balkaniques, 1900-1903. Studia balcanica, 82, n° 16, p. 191-219.

6987. HAMNETT (Brian R.). Liberal policies and Spanish freemasonry, 1814-1820. History, 84, vol. 69, p. 222-237.

6988. HEHN (Paul N.). Capitalism and the revolutionary factor in the Balkans and Crimean war diplomacy. East european Quar., 84, vol. 18, n° 2, p. 155-184.

6989. HEISZLER (Vilmos). Az osztrák katonai vezetés és az Osztrák-Magyar Monarchia külpolitikája 1867-1882 között. (La direction militaire autrichienne et la politique étrangère de la Monarchie austro-hongroise entre 1867 et 1882.) Budapest, Akad. Kiadó, 84, in-8, 135 p. (Értekezések a történeti tudományok köreből, 105)

6990. HEREDIA (Edmundo A.). Primeras relaciones entre Venezuela y Argentina. Anu. Est. am., 82 [84], t. 39, p. 217-249.

6991. HOLMES (Stephen). Benjamin Constant and the making of modern liberalism. New Haven, Conn., Yale U.P., 84, in-8, VII-337 p.

6992. JELAVICH (Barbara). Russia and the formation of the Romanian National State, 1821-1878. London a. New York, Cambridge U.P., 84, in-8, XII-356 p. (maps). (Joint Committee on Eastern Eur. Pub. Ser., 13)

6993. KENNAN (George F.). The fateful alliance: France, Russia, and the coming of the first world war. New York, Pantheon, 84, in-8, XX-300 p.

6994. KIENIEWICZ (Stefan). Risorgimento, Garibaldi i Polska. (Risorgimento, Garibaldi et la Pologne.) Kwart. hist., 84, a. 91, n° 2, p. 279-289.

6995. KNOX (Bruce). British policy and the Ionian Islands, 1847-1864: nationalism and imperial administration. Eng. hist. R., 84, vol. 99, p. 503-529.

6996. KOS (Franz-Josef). Die Politik Österreich-Ungarns während der Orientkrise 1874/75-1879. Zum Verhältnis v. polit. u. milit. Führung. Köln u. Wien, Böhlau, 84, in-8, X-462 p. (Diss. z. neueren Gesch., 16)

6997. Bibl. 81, n° 6450. KUROPJATNIK (G.P.). Rossija i SŠA. Ekonomičeskie, kul'turnye i diplomatičeskie svjazi. 1867-1881. (Russia and USA. Economic, cultural and diplomatic ties.) - CR: N. N. Jakovlev, Vopr. Ist., 84, n° 4, p. 135-137.

6998. KUTOLOWSKI (John F.). British economic interests and the Polish uprising, 1861-1864. Polish R., 84, vol. 29, n° 4, p. 3-26.

6999. LALKOV (Milčo). Balkanskoto nacionalnoosvoboditelno dviženie prez XIX vek (1804-1878). (Le mouvement de libération nationale balkanique au XIXe siècle, 1804-1978.) Sofija, Nauka i Izkustvo, 82, in-8, 175 p.

7000. LAMBI (Ivo Nikolai). The Navy and German power politics, 1862-1914. London a. Boston, Allen a. Unwin, 84, in-8, XIII-449 p.

7001. LAPPALAINEN (Jussi T.). Oskar I:n suunnitelmat 1854-1856. (Die Pläne Oskars I. in den Jahren 1854-1856.) Studia hist. Jyväskyläensia, 84, t. 30, p. 285-299 (Kte). [Deutsche Zsfassung]

7002. LARKIN (Maurice). The Vatican, France and the Roman question, 1898-1902: new archival evidence. Hist. J., 84, vol. 27, p. 177-197.

7003. LEINER (Frederick C.). The unknown effort: Theodore Roosevelt's battleship plan and international arms limitation talks, 1906-1907. Milit. Affairs, 84, vol. 48, n° 4, p. 174-179.

7004. LUKÁCS (Lajos). Relations entre le Vatican et le gouvernement de Versailles au printemps 1871. Acta hist. Acad. Sci. hungaricae, 83, vol. 23, n° 2-4, p. 185-209.

7005. LUNTINEN (Pertti). French information on the Russian war plans 1881-1914. Helsinki, Soc. historica Finlandiae, 84, in-8, 259 p. (Stud. hist., 17)

7006. McLYNN (F.J.). Consequences for Argentina of the war of triple alliance, 1865-1870. Americas, 84, vol. 41, n° 1, p. 81-98.

§ 5. STORIA DAL 1815 AL 1910

7007. MAJOR (John). Who wrote the Hay-Bunau-Varilla convention? Dipl. Hist., 84, vol. 8, n° 2, p. 115-124.

7008. MARINESCU (Beatrice), STAN (Valeriu). The Union of the [Romanian] Principalities as viewed by sir Henry L. Bulwer, the British ambassador in Constantinople (1859-1861). R. roumaine Hist., 84, vol. 23, p. 3-13.

7009. MARTEL (Gordon). The limits of commitment: Rosebery and the definition of the Anglo-German understanding. Hist. J., 84, vol. 27, p. 387-404.

7010. MARTINEAU (Gilbert). L'Entente cordiale. Paris, France-Empire, 84, in-8, 352 p. (8 pl.). (Actualité de l'hist.)

7011. MIKULKA (Jaromír). Slovanství a polská společnost v XIX. století. (Slawentum und die polnische Gesellschaft im 19. Jh.) Praha, Academia, 84, in-8, 164 p.

7012. MILIN (Miodrag). Relaţiile româno-sîrbe în timpul domniei lui Alexandru Ioan Cuza. (Les relations roumano-serbes pendant le règne d'A. I. Cuza.) R. Ist., 84, t. 37, p. 63-76.

7013. MORRIS (Anthony). Scaremongers: advocacy of war and rearmament, 1896-1914. London, Routledge, 84, in-8, 512 p.

7014. ORTEGA (Luis). Nitrates, Chilean entrepreneurs and the origins of the War of the Pacific. J. lat. am. Stud., 84, vol. 16, p. 337-380.

7015. PALOTÁS (Emil). A nemzetközi Duna-hajózás a Habsburg monarchia diplomáciájában, 1856-1883. (Le Danube comme voie internationale de navigation dans la diplomatie de la Monarchie des Habsbourg, 1856-1883.) Budapest, Akad. Kiadó, 84, in-8, 159 p. (Értekezések a történeti tudományok köréből, 104)

7016. PANTEV (Andrej). Prolivite kato faktor v balkanskata politika na Velikobritanija 1887-1897. (Les Détroits en tant que facteur dans la politique de la Grande-Bretagne, 1887-1897.) Studia balcanica, 82, n° 16, p. 60-80.

7017. PAPATHANASĒ-MOUSIOPOULOU (Kal.). Selides historias. Thrakē 1870-1886. (Pages d'histoire. Thrace 1870-1886.) Athènes, Pitsilos, 84, in-8, 223 p.

7018. PISAREV (Ju. A.). Balkany meždu mirom i vojnoj (Londonskie konferencii 1912-1913 gg.). (The Balkans between war and peace. The London conferences of 1912-1913.) Nov. novejš. Ist., 84, n° 4, p. 63-75.

7019. PLATON (Gheorghe). Unirea Principatelor române. (L'Union des Principautés Roumaines.) Bucureşti, Ed. ştiinţ. şi enciclop., 84, in-8, 92 p. [auch in Deutsch]

7020. POHL (Heinz-Alfred). Bismarcks "Einflußnahme" auf die Staatsform in Frankreich 1871-1877. Zum Problem d. Stellenwerts von Pressepolititik im Rahmen d. auswärtigen Beziehungen. Frankfurt (Main), Bern u. New York, Lang, 84, in-8, 529 p. (Europ. Hochschulschr., Reihe 3: Gesch. u. ihre Hilfswiss., 219)

7021. PONOMAREV (V.N.). Russko-amerikanskie otnošenija v gody Krymskoj vojny, 1853-1856. (Russo-American relations in the years of the Crimean war, 1853-1856.) Ist. Zap., 84, t. 110, p. 232-281.

7022. RODGERS (Nini). The Abyssinian expedition of 1867-1868: Disraeli's imperialism or James Murray's war? Hist. J., 84, vol. 27, p. 129-149.

7023. SCHÖLLGEN (Gregor). Imperialismus und Gleichgewicht. Deutschland, England u. d. oriental. Frage 1871-1914. München, Oldenbourg, 84, in-8, XIV-501 p.

7024. SECKINGER (Ron). The Brazilian monarchy and the South American republics, 1822-1831: diplomacy and state building. Baton Rouge, Louisiana State U.P., 84, in-8, XVI-187 p.

7025. ŠNEERSON (L.M.). Na pereput'e evropejskoj politiki: Avstro-rus.-germ. otnošenija (1871-1875 gg.). (At the crossroads of European policy. Austrian-Russian-German relations, 1871-1875.) Minsk, Universitetskoe, 84, 207 p.

7026. VAN DE SANDE (A.W.F.M.). Johann Gotthard Reinhold, de eerste Nederlandse gezant te Rome, 1814-1826. (Reinhold, the first Dutch ambassador in Rome, 1814-1826.) Arch. Gesch. kath. Kerk in Nederland, 83, vol. 25, p. 238-255.

7027. SUTTER (Berthold). Machtteilung als Bürgschaft des Friedens. Eine Denkschrift d. Botschafters Heinrich von Calice 1896 zur Abgrenzung d. Interessensphären zw. Rußland u. Österreich-Ungarn am Balkan. Mitt. d. österr. Staatsarch., 84, Bd 37, p. 290-324.

7028. Szerbek és magyarok a Duna mentén 1848-1849-ben. Tanulmányok a szerb-magyar kapcsolatok köréből. Szerk BONA Gábor. (Serbes et Hongrois sur les rives du Danube en 1848-1849. Etudes sur les relations serbo-hongroises.) Budapest, Akad. Kiadó, 83, in-8, 186 p.

7029. WILLAUME (Małgorzata). Drogi do niepodległości. Polskie i rumuńskie koncepcje polityczne i ich realizacja w latach 1837-1849. (Les voies vers l'indépendance. Conceptions politiques polonaises et roumaines et leur réalisation dans les années 1837-1849.) Warszawa, Państw. Wydawn. Nauk., 84, in-8, 169 p. (Lub. Tow. Nauk. Prace Wydz. Humanist. Monografie, 20)

7030. WOODS (James M.). Expansionism as diplomacy: the career of Solon Borland in Central America, 1853-1854. Americas, 84, vol. 40, n° 3, p. 399-416.

7031. YAMAUCHI (Masayuki). Osuman Teikoku to Ejiputo. 1866-67 nen Kureta Shuppei no Seiji-shi teki Kenkyû. (L'Empire ottoman et l'Egypte. Aspects politiques de l'expédition en Crète de 1866-1867.) Tokyo, Tôdai Shuppan, 84, in-8, 437 p.

7032. ZAJEWSKI (Władysław). W kręgu Napoleona i rewolucji europejskich 1830-1831. (Dans les milieux de Napoléon et des révolutions européennes 1830-1831.) Warszawa, Czytelnik, 84, in-8, 449 p.

7033. Bibl. 83, n° 7009. ZOLOTAREV (V.A.). Rossija i Turcija. Vojna 1877-1878. (Russia and Turkey: the war of 1877-1878.) - CR: V. I. Šeremet, Nar. Azii Afr., 84, n° 3, p. 186-189.

7034. ZOLOTUKHIN (M. Ju.). Bolgarskij krizis 1885-1886 gg. i krakh avstro-russkogo sojuza. (The 1885-1886 Bulgarian crisis and the collapse of the Austro-Russian alliance.) Vopr. Ist., 84, n° 4, p. 43-56.

Cf. n° 5753.

§ 6. Storia dal 1910 al 1935.
La prima guerra mondiale.

* Cf. n° 3103.

** 7035. Akten zur deutschen auswärtigen Politik. 1918-1945. Aus d. Arch. d. Auswärtigen Amts. Ser. A: 1918-1925. Bd [1. Cf. Bibl. 83, n° 7011.] 2: 7. Mai - 31. Dez. 1919. Auswahl d. Dokumente: John P. FOX [u.a.]. Ed. Bearb.: Peter GRUPP. Göttingen, Vandenhoeck u. Ruprecht, 84, in-8, LVI-524 p.

** 7036. Documenten betreffende de buitenlandse politiek van Nederland 1919-1945. (Documents concerning the foreign policy of the Netherlaneds 1919-1945.) Periode A: 1919-1930. Vol. [3. Cf. Bibl. 80, n° 6480.] 4: 1 aug. 1922 - 30 sept. 1923. Ed. by J. WOLTRING. 's-Gravenhage, Nijhoff, 83, in-4, CXXXII-660 p. (Rijks Geschiedk. Publ., gr. s., 181) [Cf. n° 7216]

** 7037. Documents diplomatiques français 1932-1939. 1e série: 1932-1935. T. [11. Cf. Bibl. 83, n° 7014.] 12: 21 août - 15 octobre 1935. Paris, Imprimerie nationale, 84, in-8, LVII-706 p.

** 7038. Foreign and Commonwealth Office, London. Documents on British foreign policy, 1919-1939. Ser. 1, Vol. [23. Cf. Bibl. 82, n° 7155.] 24: Anglo-Italian conversations, 1922; Central Europe and the Balkans, 1922-1923; The Corfu crisis, 1923. London, H. M. Stationery Office, 84, in-8, 1272 p.

** 7039. Friedensversuche (Die) der kriegführenden Mächte im Sommer und Herbst 1917. Quellenkrit. Unters., Akten u. Vernehmungsprotokolle. Bearb. u. hrsg. v. Wolfgang STEGLICH. Stuttgart, Steiner, 84, in-8, CXVIII-722 p. (Quellen u. Studien z. d. Friedensversuchen d. Ersten Weltkriegs, 4)

** 7040. MASEFIELD (John). Letters form the Front, 1915-1917. Ed. by Peter VANSITTART. London, Constable, 84, in-8, 248 p.

** 7041. Recueil général des traités de la France. Accords bilatéraux publiés et non publiés au Journal Officiel de la République Française, 1919-1928. 1e série. Vol. 2. Publ. par Roger PINTO et Henry ROLLET. Paris, Documentation franç., 84, in-8, 670 p. (Trav. et recherches de l'Univ. de Paris I)

7042. AICHELBURG (Wladimir). Sarajevo, 28. Juni 1914. Das Attentat auf Erzherzog Franz Ferdinand v. Österreich-Este in Bilddokumenten. Wien, Orac, 84, in-4, 109 p.

7043. AKHTAMZJAN (A.A.). Stanovlenie diplomatičeskikh otnošenij Sovetskogo gosudarstva s Avstriej (1920-1924 gg.). (The consolidation of diplomatic relations between the Soviet state and Austria. 1920-1924.) Vopr. Ist., 84, n° 4, p. 30-42.

7044. ANDRADE (Ernest) Jr. The cruiser controversy in naval limitations negotiations, 1922-1936. Milit. Affairs, 84, vol. 48, n° 3, p. 113-120.

7045. ARTL (G.). Die österreichisch-ungarische Südtiroloffensive 1916. Wien, Österr. Bundesverl., 83, 201 p.

7046. BABA (Akira). Nicchû Kankei to Gaisei Kikô no Kenkyû. Taishô-Shôwa-ki. (Les relations sino-japonaises et les mécanismes de la diplomatie aux ères de Taishô et de Shôwa.) Tokyo, Hara, 83, in-8, 489 p.

7047. BAĎURA (Bohumil). Los intereses de la burguesía checoslovaca en la Guerra del Gran Chaco. 1. Ibero-Am. Prag., 80 [84], vol. 14, p. 169-201.

7048. BEELEN (George D.). The Harding administration and Mexico: diplomacy by economic persuasion. Americas, 84, vol. 40, n° 2, p. 177-190.

7049. BROOK-SHEPHERD (Gordon). Victims of Sarajevo. London, Harvill, 84, in-8, 320 p. (ill.).

7050. BUCCIANTI (Giovanni). Verso gli accordi Mussolini-Laval: il riavvicinamento italo-francese fra il 1931 e il 1934. Milano, Giuffrè, 84, in-8, VI-266 p. (Col. di studi Pietro Rossi, N.S., 10)

7051. BUTVIN (Jozef). Domáci národnooslobodzovací boj Slovákov za prvej svetovej vojny. (The national liberation movement of the Slovaks in world war I.) Hist. Čas., 84, vol. 32, p. 864-904.

7052. CALDER (Bruce J.). The impact of intervention: the Dominican Republic during the U.S. occupation of 1916-1924. Austin, Univ. of Texas Press, 84, in-8, XXXII-334 p.

7053. CARSTEN (F.L.). Britain and the Weimar Republic. London, Batsford, 84, in-8, 288 p.

7054. CASSELS (Lavender). The Archduke and the assassin: Sarajevo, June 28th 1914. London, Muller, 84, in-8, 272 p. (ill.).

7055. CHLEBOWCZYK (Józef). Początki emigracji politycznej ze wschodniej części Europy Środkowej w czasie pierwszej wojny

§ 6. STORIA DAL 1910 AL 1935

światowej. (Les débuts de l'émigration politique de la partie orientale de l'Europe Centrale pendant la première guerre mondiale.) Studia hist., 84, a. 27, fasc. 3, p. 447-460.

7056. CIENCIALA (Anna M.), KOMARNICKI (Titus). From Versailles to Locarno: keys to Polish foreign policy, 1919-25. Lawrence, U.P. of Kansas, 84, in-8, XVII-384 p.

7057. COLE (Christopher), CHEESMAN (E. F.). The air defence of Britain, 1914-1918. London, Putnam, 84, in-8, 496 p.

7058. D'JAKONOVA (I.A.). Separatnye kontakty carskoj Rossii i kajzerovskoj Germanii v pervuju mirovuju vojnu. (Separate contacts between Tsarist Russia and imperial Germany during the first world war.) Vopr. Ist., 84, n° 5, p. 80-93.

7059. DOENECKE (Justus D.). When the wicked rise: American opinion makers and the Manchurian crisis of 1931-1933. Cranbury, N.H., Associated Univ. Presses, 84, in-8, 188 p.

7060. DOSS (K.). Zwischen Weimar und Warschau. Ulrich Rauscher, deutscher Gesandter in Polen 1922-1930. Eine polit. Biographie. Düsseldorf, Droste, 84, in-8, 143 p.

7061. EKOKO (E.). British war plans against Germany in West Africa, 1903-14. J. strategic Stud., 84, vol. 7, n° 4, p. 441-456.

7062. FINK (Carole). The Genoa conference: European diplomacy, 1921-1922. Chapel Hill a. London, Univ. of North Carolina Press, 84, in-8, XVIII-365 p.

7063. GALBRAITH (John S.). British war aims in World War I: a commentary on "statesmanship". J. imp. Commonw. Hist., 84, vol. 13, p. 25-45.

7064. GARDNER (Ll. Safe for democracy: the Anglo-American response to revolution, 1913-1923. New York a. London, Oxford U.P., 84, in-8, 396 p.

7065. GARSCHA (Winfried R.). Die Deutsch-Österreichische Arbeitsgemeinscahft. Kontinuität u. Wandel deutscher Anschlußpropaganda u. Angleichungsbemühungen vor u. nach d. nationalsozialist. "Machtergreifung". Wien u. Salzburg, Geyer, 84, in-8, VI-441 p. (Veröff. z. Zeitgesch., 4)

7066. GIBBS (William E.). James Weldon Johnson: a black perspective on "big stick" diplomacy. Dipl. Hist., 84, vol. 8, n° 4, p. 329-348.

7067. GOLDBRICK (James). The King's ships were at sea: the war in the North Sea, August 1914 - February 1915. Annapolis, Md., Naval Institute; London, Arms a. Armour, 84, in-8, XV-356 p. (ill.).

7068. GREGOROWICZ (Stanisław). Polskoradzieckie stosunki polityczne w latach 1932-1935. (Les relations politiques polonosoviétiques dans les années 1932-1935.) Wrocław, Zakł. Narod. im. Ossolińskich, 82 [84], in-8, 270 p. (Pol. Akad. Nauk, Inst. Krajów Socjalistycznych)

7069. GUTH (Ekkehart P.). Der Gegensatz zwischen dem Oberbefehlshaber Ost und dem Chef des Generalstabes des Feldheeres 1914/15. Die Rolle d. Majors v. Haeften im Spannungsfeld zw. Hindenburg, Ludendorff u. Falkenayn. Militärgesch. Mitt., 84, H. 35, p. 75-111.

7070. GUTSCHE (Willibald). Der gewollte Krieg. Der deutsche Imperialismus u. d. 1. Weltkrieg. Köln, Pahl-Rugenstein, 84, in-8, 196 p. (Ill., Kt.). (Kleine Bibliothek, 353: Politik, Wiss., Zukunft) - IDEM. Der gewollte Krieg. Zur deutschen Verantwortung für d. Entstehung d. Ersten Weltkrieges. Bl. f. deutsche u. int. Politik, 84, Jg. 29, H. 6, p. 732-753. - IDEM. Sarajevo 1914. Vom Attentat zum Weltkrieg. Berlin, Dietz, 84, in-8, 196 p. (Abb., Kt.).

7071. HAIGH (R.H.) a. others. German-Soviet relations in the Weimar era: friendship from necessity. Farnborough, Gower, 84, in-4, 320 p. (ill.). (Self-teaching guides)

7072. HAUSER (Przemysław). Niemcy wobec sprawy polskiej. Październik 1918 - czerwiec 1919. (L'Allemagne et la question polonaise, oct. 1918 - juin 1919.) Poznań, 84, in-8, 264 p. (Uniw. im. Adama Mickiewicza w Poznaniu, Historia, 121)

7073. HENDERSON (Paul V. N.). Woodrow Wilson, Victoriano Huerta, and the recognition issue in Mexico. Americas, 84,vol. 41, n° 2, p. 151-176.

7074. HONZÍK (Miroslav), HONZÍKOVÁ (Hana). 1914/1918. Léta zkázy a nedĕje. (Jahre der Zerstörung und der Hoffnung.) 467 hist. Photographien. Bildteil zsgest. von Milan KOPŘIVA. Praha, Panorama, 84, in-4, 318 p. (Taf.).

7075. HOVI (Kalervo). Alliance de revers: stabilization of France's alliance policies in East Central Europe 1919-1921. Turku, 84, in-8, 135 p. (A. Univ. Turkuensis, Ser. B, 163)

7076. ILČEV (Ivan). Anglija, Bălgarija i Dardanelskata operacija (maj - oktomvri 1915). (L'Angleterre, la Bulgarie et l'opération des Dardanelles, mai - oct. 1915.) God. sofijsk. Univ. Ist Fak., 83, n° 74, p. 195-224.

7077. IL'IN (V.P.). Ustanovlenie diplomatičeskikh otnošenij meždu SSSR i Rumyniej v 1934 g. (The establishment of diplomatic relations between the USSR and Romania in 1934.) Nov. novejš. Ist., 84, n° 3, p. 16-34.

7078. IORDAN (Constantin). La Roumanie et la Yougoslavie face à l'Italie fasciste (1926-1928): une solidarité défaillante? R. Et. sud-est europ., 84, t. 22, p. 159-170.

7079. JEMNITZ (János). Fordulat a világháboru történetében és a nemzetközi munkásmozgalom, 1916-1917 március. (Un tournant dans l'histoire de la guerre mondiale et le mouement ouvrier international, 1916 - mars 1917.) Budapest, Akad. Kiadó, 83, in-8, 336 p.

7080. JINDRA (Zdeněk). Německo a Rakousko-Uhersko na prahu červencové krize 1914. Výchozí pozice, momentální podmínky a motivy jejich politiky. (Deutschland und Österreich-Ungarn an der Schwelle der Julikrise 1914. Die Ausgangspositionen, die augenblickl. Gründe u. Motive ihrer Politik.) Českoslov. Čas. hist., 84, vol. 32, p. 523-545.

7081. JOLL (James). The origins of the First World War. London, Longman, 84, in-8, XII-228 p.

7082. KAPP (Richard W.). Divided loyalties: the German Reich and Austria-Hungary in Austro-German discussions of war aims, 1914-1916. Central european Hist., 84, vol. 17, n° 2-3, p. 120-139.

7083. KOSEF (Kiril). Podvigăt. 1912-1913. 70 godini ot Balkanskata vojna. (L'exploit, 1912-1913. 70 ans de la Guerre balkanique.) Sovija, Voen. Izd., 83, in-8, 220 p.

7084. KOZLOV (A.I.). Černomorskij flot i sovetsko-germankie otnošenija v 1918 godu. (The Black sea fleet and Soviet-German relations in 1918.) Vopr. Ist., 84, n° 5, p. 28-43.

7085. KŘÍŽEK (Jurij). Zamyšlení nad dějinným významem první světové války. (Gedanken über die historische Bedeutung des Ersten Weltkriegs.) Sborn. k Děj. 19. a 20. Stol., 84, vol. 9, p. 7-14.

7086. KUZNECOVA (N.V.). Ustanovlenie sovetkso-francuzskikh diplomatičeskikh otnošenij. (Establishment of Soviet-French diplomatic relations.) Vopr. Ist., 84, n° 10, p. 63-76.

7087. LALKOV (Milčo). Balkanskata politika na Avstro-Ungarija 1914-1917. Avstroungarskata diplomacija v borba za sjuznici prez părvata svetovna vojna. (La politique balkanique de l'Autriche-Hongrie 1914-1917. La diplomatie austro-hongroise dans la lutte pour gagner des alliés au cours de la première guerre mondiale.) Sofija, Nauka i Izkustvo, 83, in-8, 420 p.

7088. LEITNER (Friedrich Wilhelm). Kärntner Abwehrkampf 1918/1919. Volksabstimmung am 10. Okt. 1920. Klagenfurt, Geschichtsver. f. Kärnten, 84, in-8, 120 p.

7089. LENTIN (A.). Lloyd George, Woodrow Wilson and the guilt of Germany. Leicester, Univ. Press, 84, in-8, 208 p.

7090. LUNGU (Dov B.). Nicolae Titulescu and the 1932 crisis concerning the Soviet-Romanian pact of non-aggression. East european Quar., 84, vol. 18, n° 2, p. 185-213.

7091. McKERCHER (B.J.C.). The second Baldwin government and the United States, 1924-1929: attitudes and diplomacy. London, Cambridge U.P., 84, in-8, 271 p.

7092. MAL'KOV (V.L.). SŠA: ot intervencii k priznaniju Sovetskogo Sojuza (1917-1933 gg.). (USA: from intervention to recognition of the Soviet Union, 1917-1933.) Nov. novejš. Ist., 84, n° 1, p. 125-146.

7093. MANIA (Andrzej). Amerykańska polityka wobec Związku Radzieckiego w latach 1921-1932. (La politique des Etats-Unis envers l'Union Soviétique dans les années 1921-1932.) Studia hist., 84, a. 27, fasc. 1, p. 61-79.

7094. MARJANOVIC (Edith). Die Habsburger-Monarchie in Politik und öffentlicher Meinung Frankreichs 1914-1918. Wien u. Salzburg, Geyer, 84, in-8, 223 p. (Veröff. z. Zeitgesch., 3)

7095. MÉSZÁROS (Károly). Velikie deržavy-pobeditel'nicy o Vengerskoj Sovetskoj Respublike 21-e marta - 7 maja 1919 g. (Les grandes puissances victorieuses sur la République Hongroise des Conseils du 21 mars au 7 mai 1919.) A. Univ. Sci. Budapestiensis, Sectio hist., 83, vol. 23, p. 167-187.

7096. MINC (I.I.). Vozniknovenie Versal'skoj sistemy. (Shaping the Versailles system.) Vopr. Ist., 84, n° 11, p. 3-24.

7097. MITTER (Armin). Galizien - Kriegsherd in den Beziehungen zwischen Österreich-Ungarn und Rußland (1910-1914). Jb. f. Gesch. d. sozialist. Länder Europas, 84, Bd 28, p. 207-233.

7098. MOCANU (Vasile). Anotimpurile de foc ale Oituzului, August 1916 - August 1917. (Les saisons de feu [du défilé] de l'Oituz [Roumanie]. București, Ed. militară, 84, in-8, 272 p.

7099. MORAVCOVÁ (Dagmar). Německý imperialismus a otázka reparací do roku 1923. (Der deutsche Imperialismus und die Reparationsfrage bis z. J. 1923.) Sborn. k Problem. Děj. Imper., 84, vol. 17, p. 109-151.

7100. MÜLLER (Rolf-Dieter). Das Tor zur Weltmacht. Die Bedeutung d. Sowjetunion f. d. deutsche Wirtschafts- u. Rüstungspolitik zw. d. Weltkriegen. Boppard (Rhein), Boldt, 84, in-8, XI-403 p. (Wehrwiss. Forsch.: Abt. militärgeschichtl. Studien, 32)

7101. NAŁĘCZ (Tomasz). Polska Organizacja Wojskowa 1914-1918. (L'Organisation Militaire Polonaise 1914-1918.) Wrocław, Zakł. Narod. im. Ossolińskich, 84, in-8, 256 p. (Pol. Akad. Nauk, Wydz. I Nauk Społ.)

7102. NASSIBIAN (Akaby). Britain and the Armenian question, 1915-1923. New York, St. Martin's Press, 84, in-8, 294 p.

7103. NEILSON (Keith). Strategy and supply: the Anglo-Russian alliance, 1914-17. Boston a. London, Allen a. Unwin, 84, in-8, XIV-338 p.

7104. OLSON (William J.). Anglo-Iranian relations during World War I. London, F. Cass, 84, in-8, 305 p.

§ 6. STORIA DAL 1910 AL 1935

7105. ORMOS (Mária). Padovátol Trianonig, 1918-1920. (De Padoue au Grand Trianon, 1918-1920.) Budapest, Kossuth Kiadó, 83, in-8, 450 p. (ill.).

7106. PANAJOTOV (Ljubomir). Balkanskijat săjuz i vojnata ot 1912 - 1913 g. (L'Union balkanique et la guerre de 1912-1913.) Voen. ist. Sbornik, 82, n° 4, p. 3-22.

7107. PANAJOTOV (Panajot). Bălgaro-săvetski otnošenija i vrăzki 1917-1923. (Relations et liens bulgaro-soviétiques, 1917-1923.) Sofija, Nauka i Izkustvo, 82, in-8, 295 p.

7108. PANTENIUS (Hans-Jürgen). Der Angriffsgedanke gegen Italien bis Conrad von Hötzendorf. Ein Beitr. z. Koalitionsführung im 1. Weltkrieg. Bd 1, 2. Köln u. Wien, Böhlau, 84, 2 vol. in-8, IX-628 p.; IV p., p. 629-1312. (Diss. z. neueren Gesch., 15/1, 2)

7109. PANTEV (Andrej), PETKOV (Petăr). SAŠT i Bălgarija po vreme na Părvata svetovna vojna. (Les Etats-Unis et la Bulgarie durant la première guerre mondiale.) Sofija, Nar. Prosveta, 83, in-8, 152 p.

7110. PEDEN (G.C.). The burden of imperial defence and the continental commitment reconsidered. Hist. J., 84, vol. 27, p. 405-423.

7111. PESQUIÈS-COURBIER (Simone). Les sidérurgistes de l'Est [de la France] et la politique de bombardement d'usines en 1914-1918. R. Hist. mod., 84, t. 31, janv.-mars, p. 54-73.

7112. PITT (Barrie). 1918, the last act. London, Papermac, 84, in-8, 336 p.

7113. PRITZ (Pál). Das Geheimnis der auf mehreren Bahnen betriebenen deutschen Außenpolitik. Das deutsch-ungar. Verhältnis v. Herbst 1934 bis z. Herbst 1935. Acta hist. Acad. Sci. hungaricae, 83, vol. 29, n° 1, p. 35-55.

7114. RAKOVÁ (Svatava). Vztahy Spojených států k Německu do přijetí Dawesova plánu (1920-1924). (The American-German relations before the Dawes plan 1920-1924.) Českoslov. Čas. hist., 84, vol. 32, p. 356-389.

7115. RHODES (Benjamin D.). A prophet in the Russian wilderness: the mission of Consul Felix Cole at Archangel, 1917-1919. R. Politics, 84, vol. 46, n° 3, p. 388-409.

7116. RIMELL (R.L.). Zeppelin. A battle for air supremacy in World War I. London, Conway, 84, in-8, 256 p.

7117. ROBBINS (Keith). The First World War. London, Oxford U.P., 84, in-8, 256 p. (maps). (Opus Books)

7118. ROMSICZ (Ignác). Franciaország, Bethlen és a frankhamisítás. (La France, [István] Bethlen et l'affaire des faux francs.) Tört. Szle, 83, vol. 26, n° 1, p. 67-86.

7119. ROSENFELD (Günter). Sowjetunion und Deutschland, 1922-1933. Berlin, Akad.-Verl.; Köln, Pahl-Rugenstein, 84, in-8, 512 p. [1917-1922. Cf. Bibl. 60, n° 6751]

7120. ROSENFELDT (Günter), KALISCH (Johannes), ZÖLLNER (Martin). Die Außenpolitik Deutschlands gegenüber den slawischen Staaten nach dem ersten Weltkrieg (1918-1933). Jb. f. Gesch. d. sozialist. Länder Europas, 84, Bd 28, p. 9-29.

7121. ROSTOW (Nicholas). Anglo-French relations, 1934-1936. London, Macmillan; New York, St. Martin's Press, 84, in-8, XII-314 p.

7122. Russie (La) et la Pologne des années vingt. 2e Journée des slavisants, mai 1983. Sous la dir. de Marion PANKOWSKI et Jean PLANKOFF. Bruxelles, Ed. de l'Univ. de Bruxelles, 84, in-8, 98 p.

7123. SCHIEDER (Theodor). Außenpolitik von Weimar bis Hitler. Das Dokumentationswerk "Akten zur deutschen Auswärtigen Politik 1918-1945". Walter Bußmann z. 70. Geburtstag. Hist. Z., 84, Bd 238, p. 633-643.

7124. SCHMITT (Bernadotte E.), VEDELER (Harold C.). The world in the crucible, 1914-1919. London a. New York, Harper a. Row, 84, in-8, XVII-553 p. (Rise of Modern Europe)

7125. SCHRAMM (Tomasz). Historycy francuscy o genezie wielkiej wojny. (Les historiens français sur la genèse de la grande guerre.) Poznań, 84, in-8, 144 p. (Uniw. im. Adama Mickiewicza w Poznaniu, Historia, 116)

7126. SEBESTYÉN (Sándor). Das ungarische-deutsche Verhältnis: das oppositionelle Echo der illegalen volksdeutschen Bewegung 1933-1934. A. Univ. Sci. Budapestiensis, Sectio hist., 83, vol. 23, p. 189-215.

7127. SIERPOWSKI (Stanisław). Narodziny Ligi Narodów. Powstanie, organizacja i zasady działania. (L'origine de la Société des Nations. Fondation, organisation et principes de fonctionnement.) Poznań, 84, in-8, 310 p. (Uniw. im. Adama Mickiewicza w Poznaniu, Historia, 115) - IDEM. Dylematy mniejszościowe Ligi Narodów (cz. 1). (Les dilemmes des minorités de la Société des Nations, 1e partie.) Przegl. zach., 84, a. 40, n° 3, p. 25-59.

7128. SIKLÓS (András). Die letzte Offensive der Österreichisch-Ungarischen Monarchie (15.-24. Juni 1918). Acta hist. Acad. Sci. hungaricae, 84, vol. 30, n° 1-2, p. 69-127.

7129. STEGLICH (Wolfgang). Die Friedensversuche der kriegführenden Mächte im Sommer und Herbst 1917. Quellenkrit. Untersuchungen, Akten u. Vernehmungsprotokolle. Wiesbaden, Steiner, 84, in-8, 722 p. (Quellen u. Studien zu d. Friedensversuchen d. Ersten Weltkrieges, 4)

7130. SZÁSZ (Zoltán). A Tisza-féle magyar-román "paktumtárgyalások" feltételrendszere, 1910-1914. (Les conditions des "négociations du pacte" hungaro-roumaines conduites par [István] Tisza, 1910-1914.) Tört. Szle, 84, vol. 27, n° 1-2, p. 182-191.

7131. TERRAINE (John). The road to Passchendaele. 2nd rev. ed. London, Secker a. Warburg, 84, in-8, 366 p. (maps). [1st ed. Cf. Bibl. 76-77, n° 8125]

7132. TILKOVSZKY (Loránt). Erdély nemzetiségei és a weimari Németország diplomáciája. (Les minorités nationales de Transylvanie et la diplomatie de l'Allemagne à l'époque de la république de Weimar.) Századok, 83, vol. 117, n° 5, p. 1097-1102.

7133. TOMASZEWSKI (Jerzy). Position of Poland in inter-war Central Europe in conceptions of politicians. Acta Poloniae hist., 83 [84], vol. 47, p. 103-128.

7134. TONCH (Hans). Wirtschaft und Politik auf dem Balkan. Unters. zu den deutsch-rumän. Beziehungen in d. Weimarer Republik unter bes. Berücksichtigung d. Weltwirtschaftskrise. Frankfurt (Main), Bern, New York u. Nancy, 84, in-8, 248 p. (Europ. Hochschulschr., Reihe 3: Gesch. u. ihre Hilfswiss., 252)

7135. TURCU (Constantin I.), VOICU (Ioan). Nicolae Titulescu în universul diplomaţiei păcii. (N. Titulescu dans l'univers de la diplomatie de la paix.) Cuvînt înainte: Jacques FREYMOND. Bucureşti, Ed. politică, 84, in-8, 451 p.

7136. VALK (J. F. de). Italië, het Vaticaan en de NSB (1933-1937). (Italy, the Vatican and the NSB [National-Socialist Movement, Netherlands].) Arch. Gesch. kath. Kerk in Nederland, 84, vol. 26, p. 91-118.

7137. WINTERHAGER (Wilhelm Ernst). Mission für den Frieden. Europ. Mächtepolitik u. dän. Friedensvermittlung im 1. Weltkrieg, von August 1914 bis z. ital. Kriegseintritt Mai 1915. Stuttgart, Steiner, 84, in-8, XII-730 p. (Quellen u. Studien z. d. Friedensversuchen d. Ersten Weltkrieges, 5)

7138. ŻARNOWSKI (Janusz). November 1918. Transl. from the Pol. by Jan SĘK. Warsaw, Intepress, 84, in-8, 231 p. (Panorama of Pol. History, Facts a. Myths) - IDEM. L'Europe de Versailles, 1918-1923. Nationalités et sécurité collective. Acta Poloniae hist., 83 [84], vol. 47, p. 81-101.

7139. ZECHLIN (E.). Zum Kriegsausbruch 1914. Die Kontroverse. Gesch. in Wiss. u. Unterr., 84, Jg. 35, H. 4, p. 211-221.

7140. ZETTERBERG (Seppo). Die finnisch-estnischen Unionspläne 1917-1919. Jb. f. Gesch. Osteuropas, 84, Bd 32, p. 517-540.

Cf. n°s 351, 4287, 4860, 5733, 6677, 7264, 7590.

§ 7. Dal 1935 al 1945.
La seconda guerra mondiale.

a. Opere generali.

* 7141. CLAUDE (Hubert). Bibliographie sommaire [d'histoire de la Deuxième guerre mondiale: livres]. R. Hist. 2e Guerre mond., 84, a. 34, n° 135, p. 139-143. [Cf. Bibl. 83, n° 7098]

* 7142. ENSER (A.G.S.). Subject bibliography of the Second World War: Books in English, 1975-1983. Epping, Gower, 84, in-8, 192 p.

* 7143. LEVY (Claude). Note bibliographique sur la Libération de la France. B. Inst. Hist. Temps présent, 84, n° 15, p. 21-55.

* 7144. Third Reich (The) at war: a historical bibliography [of periodical literature, 1973-1982]. Santa Barbara, Calif., ABC-Clio, 84, in-8, XII-270 p. (ABC-Clio research guide, 11)

* Cf. n° 3103.

** 7145. Ecoul internaţional al revoluţiei din August 1944 şi al contribuţiei României la războiul antihitlerist. (L'écho international de la révolution d'août 1944 et la contribution de la Roumanie dans la guerre anti-hitlerienne.) Vol. întocmit de Gheorghe TUDOR, Florian TUCĂ, Florin CONSTANTINIU, et al. Bucureşti, Ed. politică, 84, in-8, 215 p.

** 7146. Gdańsk 1939. Wspomnienia Polaków-Gdańszczan. (Souvenirs de Polonais de Gdańsk.) Choix et éd. de Brunon ZWARRA. Avant-propos de Marian PELCZAR. Gdańsk, Wydawn. Morskie, 84, in-8, 720 p.

** 7147. Oflag II C Woldenberg. Wspomnienia jeńców. (Oflag II C Woldenberg. Souvenirs de prisonniers de guerre.) Com. de réd.: Edmund GINALSKI et al. Warszawa, Książka i Wiedza, 84, in-8, 360 p.

** 7148. Śląsk chciał być polski. Wspomnienia młodzieży śląskiej z lat okupacji hitlerowskiej 1939-1945. (La Silésie voulait être polonaise. Mémoires de la jeunesse silésienne des années de l'occupation nazie, 1939-1945.) Recueil, choix et éd.: Mieczysława MITERA-DOBROWOLSKA a collab. de Krystyna HESKA-KWAŚNIEWICZ. Katowice, Śląski Inst. Nauk., 84, in-8, 343 p. (Silesiana)

7149. AMORT (Čestmír). Srdcem a mečem. Osvobození Československa Sovětskou armádou. (Mit Herz und Schwert. Die Befreiung d. Tschechoslowakei durch d. Rote Armee.) Praha, Horizont, 84, in-8, 120 p. — IDEM. Československo a SSSR v letech 1938-1941. (Die Tschechoslowakei und UdSSR in d. Jahren 1938-1941.) Slov. hist. Stud., 84, vol. 14, p. 36-83.

7150. ARONSON (Shlomo). Die dreifache Falle. Hitlers Judenpolitik, die Alliierten und die Juden. Vjhefte f. Zeitgesch., 84, Jg. 32, H. 1, p. 29-65.

§ 7. STORIA DAL 1935 AL 1945

7151. BOSSCHER (Ph. M.). De Koninklije Marine [der Nederlanden] in de Tweede Wereldoorlog. (The [Dutch] Royal Navy in the Second World War.) Vol. 1. Franeker, Weber, 84, in-8, 635 p. (ill.).

7152. BUZATU (Gheorghe). Evenimentele din August 1944 în context internaţional. (Les événements d'août 1944 dans le contexte international.) In: Actul de la 23 August 1944 ... [Cf. n° 4225], p. 286-327. - IDEM. Presa internaţională şi evenimentele din România. (La presse internationale et les événements en Roumanie. Ibid., p. 442-466. - En franç.: R. roumaine Hist., 84, t. 23, n° 3, p. 241-256.

7153. CEAUŞESCU (Ilie), CONSTANTINIU (Florin), IONESCU (Mihail E.). 200 de zile mai devreme. Rolul României în scurtarea celui de-al doilea război mondial. (200 jours plus tôt. Le rôle de la Roumanie dans l'abrègement de la seconde guerre mondiale.) Bucureşti, Ed. ştiinţ. şi enciclop., 84, in-8, 167 p.

7154. CEBO (Lechosław). Więźniarki w obozie hitlerowskim w Oświęcimiu-Brzezince. (Les détenues dans le camp de concentration nazi à Oświecim-Brzezinka.) Katowice, 84, in-8, 141 p. (Prace Nauk. Uniw. Śląskiego w Katowicach, 526)

7155. CONWAY (John S.). Der Holocaust in Ungarn. Neue Kontroversen u. Überlegungen. Vjhefte f. Zeitgesch., 84, Jg. 32, H. 2, p. 179-212.

7156. DENHAM (H.M.). Inside the Nazi ring: Naval Attaché in Sweden, 1940-1945. London, J. Murray, 84, in-8, 224 p.

7157. DESTOPOULOS (A.I.). La guerre gréco-italienne et gréco-allemande (28 oct. 1940 - 31 mai 1941). R. Hist. 2e Guerre mond., 84, a. 34, n° 136, p. 3-47.

7158. Deutschland im zweiten Weltkrieg. Akad. d. Wiss. d. DDR, Zentralinsst. f. Gesch., Wissenschaftsbereich Deutsche Gesch. 1917-1945. In Zusammenarb. mit d. Militärgesch. Inst. d. DDR. Von e. Autorenkoll. unter Leitung v. Wolfgang SCHUMANN. Hrsg.-Kollegium: Walter BARTEL. [Bd 4. Cf. Bibl. 81, n° 6596.] Bd. 5: Der Zusammenbruch der Defensivstrategie des Hitlerfaschismus an allen Fronten (Januar bis August 1944). Leitung: Wolfgang SCHUMANN. Unter Mitarb. v. Wolfgang BLEYER. Berlin, Akad.-Verl., 84, in-4, 702 p. (Abb., Kt.).

7159. Dokumenty internacional'noj solidarnosti. (Documents of international solidarity.) Publ. odg. nauč. sotrudnikami In-t marksizma-leninizma pri CK KPSS V. M. ENDAKOVOJ, V. S. NEVOLINOJ, B. N. ŠČEČILINOJ i dr. Vopr. Ist. KPSS, 84, n° 9, p. 3-18.

7160. EREZ (Zvi). The Jews of Budapest and the plans of Admiral Horthy, August - Ocotober 1944. Yad Vashem Stud., 84, vol. 16, p. 177-203.

7161. FRANCIS (Hywel). Miners against Fascism: Wales and the Spanish Civil War. London, Lawrence a. Wishart, 84, in-8, 32 p. (maps).

7162. GONDEK (Leszek). Polskie cywilne sądownictwo podziemne 1942-1944 (Zarys genezy i struktury). (La juridiction civile polonaise clandestine 1942-1944. Précis de sa genèse et de sa structure.) Studia hist., 84, a. 27, fasc. 4, p. 641-655.

7163. GRYNBBERG (Michał). Żydzi w rejencji ciechanowskiej 1939-1942. (Les Juifs dans la régence de Ciechanów [Pologne], 1939-1942.) Warszawa, Państw. Wydawn. Nauk., 84, in-8, 200 p. (Żydowski Inst. Hist. w Pol.)

7164. HEUMOS (Peter). Flüchtlingslager, Hilfsorganisationen, Juden im Niemandsland. Zur Flüchtlings- u. Emigrationsproblematik in d. Tschechoslowakei im Herbst 1938. Bohemia, 84, Bd 25, p. 245-275.

7165. HINSLEY (F.H.), THOMAS (E.E.), a. others. (British intelligence in the Second World War: its influence on strategy and operations. [Vol. 2. Cf. Bibl. 81, n° 6605.] Vol. 3, Pt. 1. New York, Cambridge U.P., 84, in-8, XVI-693 p. (maps).

7166. HOCHSTUHL (Kurt). Zwischen Frieden und Krieg: das Elsaß in d. Jahren 1938-1940. Ein Beitr. zu d. Problemen einer Grenzregion in Krisenzeiten. Frankfurt (Main), Bern, New York u. Nancy, Lang, 84, in-8, 438 p. (Europ. Hochschulschr., Reihe 3: Gesch. u. ihre Hilfswiss., 250)

7167. HOMAN (Gerlof D.). The United States and the Netherlands East Indies: the evolution of American anticolonialism. Pacific hist. R., 84, vol. 53, n° 4, p. 425-446.

7168. HUMBERT (Geneviève). Les grandes lignes de la politique allemande de la jeunesse en Alsace occupée, 1940-1944. R. Alsace, 84, t. 110, p. 183-218.

7169. JAGODA (Zenon), KŁODZIŃSKI (Stanisław), MASŁOWSKI (Jan). Więźniowie Oświęcimia. (Les détenus d'Oświęcim.) Avant-propos de Józef BOGUSZ. Kraków, Wydawn. Liter., 84, in-8, 247 p.

7170. JAKOBSON (Max). Finland survived. An account of the Finnish-Soviet Winter War, 1939-1940. 2nd enlarged ed. Helsinki, Otava, 84, in-8, 281 p.

7171. JELLISON (Charles A.). Besieged: the World War II ordeal of Malta, 1940-1942. Hanover, N.H., U.P. of New England, 84, in-8, XII-288 p. (ill., maps).

7172. JONG (L. de). Het Koninkrijk der Nederlanden in de Tweede Wereldoorlog. (The Netherlands in the Second World War.) [Vol. 9. Cf. Bibl. 78-79, n° 7571.] Vol. 10, A, B: Het laatste jaar, I, II. Vol. 11, A: Nederlands-Indië, I. 's-Gravenhage, Nijhoff, 80-84, 3 vol. in-8, VIII-1100, VIII-1543, XIV-1199 p. (ill.).

7173. JULKUNEN (Martti). Information-work in Finland during the Second World War on the contry's foreign relations. Turku, Turun yliopisto, 84, in-8, p. 127-160. (Turun yliopisto. Poliittisen historian julkaisuja, E. 3/1984)

7174. KACZANOWSKI (Longin). Hitlerowskie fabryki śmierci na Kielecczyźnie. (Les fabriques de la mort nazies dans la région de Kielce.) Warszawa, Książka i Wiedza, 84, in-8, 229 p. (Rada Ochrony Pomników Walki i Męczeństwa, Bibl. Pamięci Pokoleń)

7175. KEREN-PATKIN (Nilly). Hazalat ha-yeladim ha-yehudim be-zorfat. (Jewish children salvation projects in France.) Yalkut Moreshet, 83, n° 36, p. 101-150.

7176. KOZACZUK (Władysław). Enigma - la clef du secret du IIIe Reich 1933-1945. Varsovie, Interpress, 84, in-8, 56 p.

7177. LEVIN (Dov). July 1944: the crucial month for the remnant of Lithuanian Jewry. Yad Vashem Stud., 84, vol. 16, p. 333-361.

7178. LEWANDOWSKA (Stanisława). Kryptonim "legalizacja" 1939-1945. (Le cryptonyme "légalisation" 1939-1945.) Warszawa, Książka i Wiedza, 84, in-8, 429 p.

7179. LEWIN (Ronald). Hitler's mistakes. London, Secker a. Warburg, 84, in-8, 256 p.

7180. LOGHIN (Leonida). Al doilea război mondial. Acțiuni militare, politică și diplomație. Cronologie. (La Seconde guerre mondiale. Actions militaires, politique et diplomatie. Chronologie.) București, Ed. politică, 84, in-8, 624 p.

7181. LOISEAUX (Gérard). La littérature de la défaite et de la collaboration. D'après Phönix oder Asche? (Phénix ou centres?) de Bernhard Payr. Paris, Publ. de la Sorbonne, 84, in-8, 570 p. (Publ. de la Sorbonne, sér. France XIXe-XXe s.)

7182. LOULIS (J.). Les gouvernements grecs en Grèce et à l'étranger (1941-1944). R. Hist. 2e Guerre mond., 84, a. 34, n° 136, p. 75-90.

7183. ŁUKOWSKI (Stanisław). Zbrodnie nieukarane. Studia nad faszyzmem na Śląsku Opolskim w okresie II wojny światowej. (Crimes impunis. Etudes sur le fascisme en Silésie d'Opole pendant la Seconde guerre mondiale.) Wrocław, 84, in-8, 308 p. (Inst. Kształcenia Nauczycieli im. Władysława Spasowskiego w Warszawie, Oddz. Doskonalenia Nauczycieli)

7184. MADAJCZYK (Czesław). Faszyzm i okupacje 1938-1945. Wykonywanie okupacji przez państwa Osi w Europie. [T. 1. Cf. Bibl. 83, n° 7131.] T. 2: Mechanizmy realizowania okupacji. (Fascisme et occupations 1938-1945. La réalisation des occupations par les pays de l'Axe en Europe. T. 2: Les mécanismes de la réalisation des occupations.) Poznań, Wydawn. Pozn., 84, in-8, 735 p.

7185. MALONE (Richard S.). A portrait of war, 1939-1943. London, Collings, 84, in-8, 274 p. (ill.).

7186. MARSZAŁEK (Józef). Majdanek. Konzentrationslager Lublin. Übers. aus d. Poln. v. Rita MALCHER. Warszawa, Interpress, 84, in-8, 198 p.

7187. MASON (Henry L.). Testing human bonds within nations: Jews in the occupied Netherlands. Pol. Sci. Quar., 84, vol. 99, n° 2, p. 315-344.

7188. MERIN (Yehuda), PORTER (Jack Nusan). Three Jewish family-camps in the forests of Volyn, Ukraine, during the Holocaust. Jewish soc. Stud., 84, vol. 46, n° 1, p. 83-92.

7189. MOŽEJKO (I.V.). Zapadnyj veter - jasnaja pogoda: Jugo-Vostočnaja Azija vo vtoroj mirovoj vojne. (Westerly wind - clear weather: Southeastern Asia in the Second World War.) Moskva, Nauk, 84, 352 p. (AN SSSR. In-t vostokovedenija)

7190. Nederland en het Duitse Exil. 1933-1940. (The Netherlands and the German Exile, 1933-1940.) Ed. by K. DITTRICH a. H. WÜRZNER. Amsterdam, Van Gennep, 83, in-8, 328 p. (ill.). - Berlijn-Amsterdam. Wisselwerkingen. Ed. by K. DITTRICH a. others. Amsterdam, Querido, 82, in-4, 408 p. (ill.).

7191. Österreicher im Exil. Eine Dokumentation. Hrsg. v. Ulrich WEINZIERL. Wien, Österr. Bundesverl.; Wien u. München, Jugend u. Volk, 84, in-8, VIII-249 p. (8 p. Abb.).

7192. ORANGE (Vincent). Sir Keith Park. London, Methuen, 84, in-8, 228 p. (maps).

7193. Pedut: hazala bime ha-sho'a. (Pedut: rescue in the Holocaust. Texts a. studies.) Ed. by Nathaniel KATZBURG. Ramat-Gan, Bar-Ilan Univ., 84, in-8, 240 p. [Eng. abstracts]

7194. PIETRZYKOWA (Aleksandra). Region tarnowski w okresie okupacji hitlerowskiej. Polityka okupanta i ruch oporu. (La région de Tarnów à l'époque de l'occupation nazie. La politique de l'occupant et la Résistance.) Warszawa, Państw. Wydawn. Nauk., 84, in-8, 591 p.

7195. PORAT (Dina). Helqa shel hanhalat ha-sokhnut biyershalayim ba-ma'amazzim lehazzalat yehude Eropa. (The role played by the Jewish Agency in Jerusalem in the efforts to rescue the Jews in Europe 1942-1945.) Tel-Aviv, 83, 3 vol. in-4, 576 p. [Thesis. Tel-Aviv Univ. - Eng. summary] - EADEM. Parshat Transnistria ... (The Zionist leadership in Palestine and the "Transnistria Plan" 1942-1943.) Ha-Ziyyonut, 84, vol. 9, p. 259-284.

7196. PRASOLOV (S.I.). Čekhoslovakija i Malaja Antanta v 1936-1937 gg. (Czechoslovakia and the Litte Entente in 1936-1937.) Nov. novejš. Ist., 84, n° 3, p. 99-112; n° 4, p. 125-147.

7197. Puissance (La) en Europe, 1938-1940. Actes du colloque internat. de Sèvres, 14-18 avril 1982, organisé par le Centre d'hist. de la France contemporaine de Paris X, sous la dir. de René GIRAULT et Robert FRANCK. Paris, Publ. de la Sorbonne, 84, in-4, 404 p.

7198. PUȘCAȘ (Vasile). Efectele evenimentelor din România în Europa est-centrală. (Les effets des événements de Roumanie

§ 7. STORIA DAL 1935 AL 1945

dans l'Europe de l'Est et Centrale.) In: Actul de la 23 August 1944 ... [Cf. n° 4225], p. 341-368.

7199. REID (Patrick Robert). Colditz, the full story. London, Macmillan, 84, in-8, 352 p. (ill.).

7200. RŽEŠEVSKIJ (O.A.). Vojna i istorija. Buržuaznaja istoriografija SŠA o vtoroj mirovoj vojne. (War and history. Bourgeois historiography of the USA on world war two.) 2-e izd., dop. i pererab. Moskva, Mysl', 84, 333 p.

7201. SAIZU (Ioan). Importanța internațională a cotiturii României reflectată în presa internă. (L'importance internationale du tournant dans la vie de la Roumanie d'après la presse du pays.) In: Actul de la 23 August 1944 ... [Cf. n° 4225], p. 427-441.

7202. SAJTI (Enikö), A. Székely telepités és nemzetiségi politika a Bácskában, 1941. (L'établissement des Sicules et la politique minoritaire dans la Bácska, 1941.) Budapest, Akad. Kiadó, 84, in-8, 63 p. (Nemzetiségi füzetek, 6)

7203. SCHREIBER (G.), STEGEMANN (B.), VOGEL (D.). Der Mittelmeerraum und Südosteuropa, von der "non belligeranza" Italiens bis zum Kriegseintritt der Vereinigten Staaten. Stuttgart, Deutsche Verl.-Anst., 84, in-8, 733 p.

7204. SHAPIRO (Edward S.). The approach of war: congressional isolationism and anti-Semitism, 1939-1941. Am. jewish Hist., 84, vol. 74, n° 1, p. 45-65.

7205. STENTON (Michael). Conditions and politics in occupied Western Europe, 1940-1945. Brighton, Harvester Press, 84, in-8, 118 p.

7206. STRUM (Harvey). Fort Ontario refugee shelter, 1944-946. Am. jewish Hist., 84, vol. 73, n° 4, p. 398-421.

7207. SZAROTA (Tomasz). Germans in the eyes of Poles during World War II. Acta Poloniae hist., 83 [84], vol. 47, p. 151-195.

7208. SZEFER (Andrzej). Hitlerowskie próby zasiedlania ziemi śląsko-dąbrowskiej w latach II vojny światowej (1939-1945). (Les essais nazis de colonisation sur la terre de la Silésie de Dąbrowa dans les années de la Seconde guerre mondiale, 1939-1945.) Katowice, Śląski Inst. Nauk, 84, in-8, 262 p. - IDEM. Jak powstała niemiecka spejalna księga gończa "Sonderfahndungsbuch Polen". (Comment fut établi le livre allemand spécial de mandats d'arrêt "Sonderfahndungsbuch Polen" [1939].) Zaranie śląskie, 83 [84], a. 46, n° 3, p. 213-240.

7209. TEC (Nechama). Sex distinctions and passing as Christians during the holocaust. East european Quar., 84, vol. 18, n° 1, p. 113-123.

7210. TSUR (Yaron). Yehude Tunis ... (A community divided in time of crisis: the Jews of Tunis during the Nazi occupation.) Yahadut Zémanenu, 84, vol. 2, p. 153-175. [Eng. summary]

7211. Udział kapelanów wojskowych w drugiej wojnie światowej. (La participation des chapelains militaires dans la Seconde guerre mondiale.) Ouvrage collectif réd. par Julian HUMEŃSKI. Warszawa, Akad. Teologii Kat., 84, in-8, 516-LXIV p.

7212. VELD (N.K.C.A. in 't). De zuivering van artsen en advocaten. Een bijdrage tot de geschiedschrijving van de zuivering van het vrije beroep. (The purge of two liberal professions: physicians and barristers.) 's-Gravenhage, Staatsuitgeverij, 83, in-8, 134 p. (Cahiers over Nederland en de Tweede Wereldoorlog, 5)

7213. WEBBER (B.). Silent siege. Japanese attacks against North America in World War II. Fairfield, Conn., Ye Galleon Press, 84, in-8, VI-396 p.

7214. Wojna i okupacja na ziemiach polskich 1939-1945. (La guerre et l'occupation sur les terres polonaises 1939-1945.) Réd. Władysław GORA. Warszawa, Książka i Wiedza, 84, in-8, 809 p.

Cf. n°s 703, 3821, 4255, 4857, 4925, 6677, 7136.

b. Diplomazia. Economia.

** 7215. Churchill and Roosevelt: the complete correspondence. Vol. 1: Alliance emerging: October 1933 - November 1942. Vol. 2: Alliance forged: November 1942 - February 1944. Vol. 3: Alliance declining: February 1944 - April 1945. Ed. by Waren F. KIMBALL. Princeton, N.J., Princeton U.P., 84, 3 vol., CLXIV-674, 773, 742 p.

** 7216. Documenten betreffende de buitenlandse politiek van Nederland 1919-1945. (Documents concerning the foreign policy of the Netherlands 1919-1945.) Periode C: 1940-1945. Vol. [3. Cf. Bibl. 80, n° 6691.] 4: 8 dec. 1941 - 30 juni 1942. Ed. by A. E. KERSTEN, A. F. MANNING, T.J.B.M. DUYNSTEE. 's-Gravenhage, Nijhoff, 84, in-4, CXII-746 p. (Rijks Geschiedk. Publ., gr. s., 188 [Cf. n° 7036]

** 7217. Documents diplomatiques français 1932-1939. 2e série: 1936-1939. T. [16. Cf. Bibl. 83, n° 7153.] 17: 25 juin - 12 août 1939. Paris, Imprimerie nationale, 84, in-8, XCVIII-922 p.

** 7218. Dokumenty a materiály k dějinám československo-sovětských vztahů. (Dokumente u. Materialien z. Gesch. d. tschechoslowak.-sowjet. Beziehungen.) [Teil 4, Bd 1. Cf. Bibl. 82, n° 7318.] Dfl 4, sv. 2: Prosinec 1943 - květen 1945. (Dez. 1943 - Mai 1945.) Ed.: A. I. NEDOREZOV, Ján PIVOLUSKA, J. N. ŠČERBAKOV, Ivan ŠŤOVÍČEK. Praha, Academia, 84, in-8, 572 p.

** 7219. Foreign and Commonwealth Office, London. Documents on British policy overseas. Ser. 1, vol. 1: The conference at Potsdam. London, H.M. Stationery Office, 84, in-8, 1386 p.

** 7220. Foreign (The) Office and the Kremlin: British documents on Anglo-Soviet relations, 1941-1945. Ed. by Ross GRAHAM. London a. New York, Cambridge U.P., 84, in-8, XI-303 p.

** 7221. SMITH (Truman). Berlin alert: the memoirs and reports of Truman Smith. Ed. by Robert HESSEN. Foreword by A. D. WEDEMEYER. Stanford, Calif., Hoover Inst. Press, 84, XX-172 p. (Hoover Press Publ., 289) [Smith: U.S. military attaché in Berlin, 1935-1939]

** 7222. Sovetskij Sojuz na meždunarodnykh konfenrencijakh perioda Velikoj Otečestvennoj vojny, 1941-1945 gg. (The Soviet Union at the international conferences during the Great Patriotic War, 1941-1945.) Sbornik dokumentov. Gl. red. komis.: A. A. GROMYKO i dr. T. 1: Moskovskaja konferencija ministrov inostrannykh del SSSR, SŠA i Velikobritanii (19 - 30 kot. 1943 g.). (The Moscow foreign ministers conference of the U.S.S.R., U.S.A. and Great Britain.) T. 2: Tegeranskaja konferencija rukovoditelej trekh sojuznykh deržav - SSSR, SŠA i Velikobritanni (28 nojab. - 1 dek. 1943 g.) (The Teheran conference of the leaders of the three allied nations - S.S.S.R., U.S.A. and Great Britain.) T. 3: Konferencija predstavitelej SSSR, SSA i Velikobritanii v Dumbarton-Okse (21 avg.- 28 sent. 1944 g.) (The conference of the representatives of the U.S.S.R., U.S.A. and Great Britain at Dumbarton Oaks.) T. 4: Krymskaja konferencija rukovoditelej trekh sojuznykh deržav - SSSR, SŠA i Velikobritanii (4 - 11 fevr. 1945 g.) (The Crimean conference of the three allied nations.) T. 5: Konferencija Ob'edinennykh Nacij v San-Francisko (25 apr. - 26 ijunja 1945 g.) (The conference of the United Nations at San Francisco.) t. 6: Berlinskaja (Potsdamskaja) Konferencija rukovoditelej trekh sojuznykh deržav - SSSR, SŠA i Velikobritanii (17 ijul'ja - 2 avg. 1945 g.) (The Berlin (Potsdam) conference of the leaders of the three allied nations.) Moskva, Politizdat, 84, 6 vol., 384, 175, 271, 302, 654, 511 p. (ill.).

** 7223. Sovetsko-amerikanskie otnošenija vo vremja Velikoj Otečestvennoj vojny, 1941-1945. (Soviet-American relations during the Great Patriotic war, 1941-1945.) Dokumenty i materialy v 2-kh t. T. 1: 1941-1943. T. 2: 1944-1945. Redkol.: G. A. ARBATOV i dr. Moskva, Politizdat, 2 vol., 510, 575 p.

7224. ADAMTHWAITE (Anthony). War origins again. J. mod. Hist., 84, vol. 56, n° 1, p. 100-115.

7225. BATOWSKI (Henryk). Walka dyplomacji hitlerowskiej przeciw Polsce 1939-945. (La lutte de la diplomatie hitlérienne contre la Pologne, 1939-1945.) Kraków, Wydawn. Liter., 84, in-8, 207 p. - IDEM. Z dziejów dyplomacji polskiej na obczyźnie (wrzesień 1939 - lipiec 1941). (De l'histoire de la diplomatie polonaise à l'étranger, sept. 1939 - juillet 1941.) Kraków, Wydawn. Liter., 84, in-8, 453 p.

7226. BEREŽKOV (V.M.). Konferencija v Dumbarton-Okse i bor'ba SSSR za edinstvo velikikh deržav. (The Dumbarton-Oaks conference [1944] and the struggle of the U.R.S.S. for the unity of the Great powers.) SŠA - Ékon., Polit., Ideol., 84, n° 4, p. 66-79.

7227. Bibl. 83, n° 7165. BORISOV (A. Ju.). SSSR i SŠA: sojuzniki v gody vojny. 1941-1945. (USSR and USA: allies in the years of war, 1941-1945.) - CR: R. E. Kantor, Vopr. Ist., 84, n° 7, p. 135-138.

7228. BUZATU (Gheorghe), SIMION (Aurică). Preliminarii diplomatice ale actului de la 23 August 1944. In: Actul de la 23 August 1944 ... [Cf. n° 4225], p. 210-285.

7229. ČADAEV (Ja. E.). Ékonomika SSSR v gody Velikoj Otečestvennoj vojny (1941-1945 gg.). (Economics of the USSR in the years of the Great Patriotic war, 1941-1945.) 2-e izd., pererab. i dop. Moskva, Mysl', 84, 494 p.

7230. CARR (E. Hallett). The Comintern and the Spanish Civil War. Ed. by Tamara DEUTSCHER. London, Macmillan; New York, Pantheon, 84, in-8, XIX-111 p.

7231. ČEJKA (Eduard). Na cestě k čs.-sovětské spojenecké smlouvě z prosince 1943. (Auf dem Wege zum tschechoslowakisch-sowjetischen Bündnisvertrag vom Dez. 1943.) Hist. Vojen., 84, vol. 33, n° 3, p. 14-42.

7232. CLYMER (Kenton J.). The education of William Phillips: self-determination and American policy toward India, 1942-1945. Dipl. Hist., 84, vol. 8, n° 1, p. 13-36.

7233. DASCĂLU (Nicolae). Aspecte ale situatiei din România în viziunea administrației Roosevelt. (Aspects de la situation de la Roumanie dans la vision de l'administration Roosevelt.) In: Actul de la 23 August 1944 ... [Cf. n° 4225], p. 392-426.

7234. DIMITROV (Ilčo). Anglija i Bălgarija (1938-1941). (Angleterre et Bulgarie, 1938-1941.) Sofija, Nauka i Izkustvo, 83, in-8, 278 p.

7235. DOBRINESCU (Valeriu Florin). Acțiuni diplomatice ale României pentru recunoașterea statului de cobeligerantă. (Actions diplomatiques de la Roumanie pour la reconnaissance de son statut de pays cobelligérant.) In: Actul de la 23 August 1944 ... [Cf. n° 4225], p. 467-500.

7236. FRITZ (M.). A question of practical politics. Economic neutrality during the Second World War. R. int. Hist. milit., 84, n° 57, p. 95-118.

7237. GAUNSON (A.B.). Churchill, De Gaulle, Spears and the Levant affair, 1941. Hist. J., 84, vol. 27, n° 3, p. 697-713.

7238. GORODETSKY (Gabriel). Stafford Cripps' mission to Moscow, 1940-1042. London, Cambridge U.P., 84, in-8, 362 p.

7239. GROSSMANN (Anton). Polen und Sowjetrussen als Arbeiter in Bayern 1939-

1945. Arch. f. Sozialgesch., 84, Bd 24, p. 355-397.

7240. HILLIKER (J.F.). Distant ally: Canadian relations with Australia during the Second World War. J. imp. Commonw. Hist., 84, vol. 13, p. 46-67.

7241. HÖBELT (L.). Die britische Appeasementpolitik: Entspannung u. Nachrüstung 1937-1939. Wien, Österr. Bundesverl., 83, in-8, 232 p.

7242. JOHANSSON (Alf W.). Svensk medgörlighet: ljus över Günther och Per Albin Hansson inför operation Barbarossa. (Swedish "appeasement": Günther and Per Albin Hansson before the Barbarossa operation.) [Svensk] Hist. T., 84, vol. 103, p. 391-400. [Eng. summary]

7243. JOHNSON (Howard). The Anglo-Caribbean Commission and the extension of American influence in the British Caribbean, 1942-1945. J. Commonw. compar. Stud., 84, vol. 22, p. 180-203.

7244. JUHÁSZ (Gyula). A német-magyar viszony néhány kérdése a második világháború alatt. (Quelques problèmes des relations germano-hongroises pendant la Seconde guerre mondiale.) Tört. Szle, 84, vol. 27, n° 1-2, p. 269-278.

7245. KACZMAREK (Kazimierz). Gospodarka Polski Ludowej na potrzeby wojny 1944-1945. (La participation de l'économie de la Pologne Populaire dans l'approvisionnement du front en 1944-1945.) Wojsk. Przegl. hist., 84, a. 29, n° 2, p.13-48.

7246. KÁRNÝ (Miroslav). Hledání východiska. Příspěvek k výzkumu strategie německého imperialismu v době po ztroskotání "Barbarossy". (Die Suche nach dem Ausweg. Beitr. z. Erforschung d. Strategie d. deutschen Imperialismus in d. Zeit nach d. Scheitern d. Planes "Barbaross".) Českoslov. Čas. hist., 84, vol. 32, p. 852-885. - IDEM. K problematice "revizionistické" etapy v zahraniční politice fašistického Německa. (Zur Problematik der "Revisionsetappe" in der auswärtigen Politik des faschistischen Deutschlands.) Sborn. k Problem. Děj. Imper., 84, vol. 17, p. 171-197.

7247. KÁRNÝ (Miroslav). Úloa řídících štábů SS v mechanismu válečného hospodářství: případ Litoměřice. (Die Funktion der SS-Führungsstäbe im Mechanismus der Kriegswirtschaft: der Fall Leitmeritz.) Sborn. hist., 84, vol. 30, p. 145-186.

7248. KEIZER (N. de). Appeasement en aanpassing. Het Nederlandse bedrijfsleven en de Deutsch-Niederländische Gesellschaft 1936-1942. (Appeasement and adaptation. The Dutch economy and the German-Dutch Society, 1936-1942.) 's-Gravenhage, Staatsuitgeverij, 84, in-8, 234 p. (Cahiers over Nederland en de tweede wereldoorlog, 7/8)

7249. KERSTEN (A.E.). Buitenlandse Zaken in ballingschap 1040-1945. Institutionele aspecten van het buitenlands beleid in een stroomversnelling. (The Dutch Ministry of Foreign Affairs in exile 1940-1945. Changes in the institutional aspects of foreign policy.) Alphen aan den Rijn, Sijthoff, [81], in-8, 468 p. (18 fig.).

7250. KOLENDO (Ireneusz T.). Problem graniczny a konceptcja powojennego związku Polski i Czechoslowacji z lat 1940-1943 (świetle dokumentów). (Le problème des frontières et la conception, en 1940-1943, de l'union entre la Pologne et la Tchécoslovaquie après la guerre à la lumière des documents.) Kwart. hist., 84, a. 91, n° 1, p. 89-109.

7251. KRAUTKRÄMER (Elmar). Admiral Darlan, de Gaulle und das royalistische Komplott in Algier 1942. Polit. Implikationen d. Kriegswende in Französisch-Nordafrika. Vjhefste f. Zeitgesch., 84, Jg. 32, H. 4, p. 529-581.

7252. KREBS (Gerhard). Japans Deutschlandpolitik 1935-1941. Eine Studie z. Vorgesch. d. Pazifischen Krieges. Bd 1, 2. Hamburg, Ges. f. Natur- u. Völkerkunde Ostasien, 84, 2 vol. in-8, 628, 345 p. (Mitt. d. Ges. f. Natur- u. Völkerkunde Ostasiens, 91)

7253. KUC (E.R.). Bor'ba SSSR za demokratičeskoe rešenie pol'skogo voprosa, 1941-1945. (The struggle of the USSR for a democratic solution of the Polish problem, 1941-1045.) Kiev, Nauk. dumka, 84, 151 p. (AN SSSR. In-t obščestv. nauk)

7254. KUUSISTO (Seppo). Alfred Rosenberg in der nationalsozialistischen Außenpolitik 1933-39. Helsinki, Soc. historica Finlandiae, 84, in-8, 436 p. (Stud. hist., 15)

7255. LEBEDEVA (N.S.). Sekretnye kontakty èmissarov deržav "osi" i Zapada v 1941-1942 gg. (Secret contacts of the emissaries of the "axis" powers and of the West in 1941-1942.) Nov. novejš. Ist., 84, n° 6, p. 115-132.

7256. LEWIN (Isaac). Attempts at rescuing European Jews with the help of Polish diplomatic missions during World War II. Polish R., 84, vol. 29, n° 4, p. 71-86.

7257. LINOWSKI (Jan). Anszlus Austrii a polityka zagraniczna W. Brytanii i Polski. (L'Anschluss de l'Autriche et la politique étrangère de la Grande-Bretagne et de la Pologne.) Wojsk. Przegl. hist., 84, a. 29, n° 1, p. 149-162.

7258. LIVEANU (Vasile). Projecte de scoatere a României din Axa (octombrie 1943 - mai 1944). (Projets de faire sortir la Roumanie de l'Axe.) R. ist., 84, t. 37, p. 760-781.

7259. McKINNON (Malcolm). "Equality of sacrifice": Anglo-New Zealand relations and the war economy, 1939-1945. J. imp. Commonw. Hist., 84, vol. 12, p. 54-76.

7260. MAGA (Timothy P.). The United States, France, and the European refugee problem, 1933-1940. Historian, 84, vol. 46, n° 4, p. 503-519.

7261. MARKS (Frederich W.) III. The origin of FDR's promise to support Britain militarily in the Far East - a new look. Pacific hist. R., 84, vol. 53, n° 4, p. 447-462.

7262. NAKAMURA (Takahide). Senji Nihon no Kahoku Keizai Shihai. (La domination économique de la Chine du Nord par le Japon pendant les dernières guerres.) Tokyo, Yamakawa, 83, in-8, 394 p.

7263. NÁLEVKA (Vladimír). Nacistický zájem o Brazflii. (Nazistisches Interesse für Brasilien.) Sborn. k Problem. Děj. Imper., 84, vol. 17, p. 213-261.

7264. NORDLING (Carl O.). Defence or imperialism? An aspect of Stalin's military and foreign policy, 1933-1941. Uppsala, Nordic Comm. for Soviet a. East Europ. Stud., 84, in-4, 127 p.

7265. PAPASTRATIS (Procopis). British policy towards Greece during the Second World War, 1941-1944. London a. New York, Cambridge U.P., 84, in-8, VII-274 p. (International Stud.)

7266. PARSADANOVA (V. S.). Sovetsko-pol'skie i sovetsko-rumynskie otnošenija nakanune vtoroj mirovoj vojny (sentjabr' 1938 - sentjabr' 1939 g.). (Soviet-Polish and Soviet-Romanian relations on the eve of the second world war, Sept. 1938 - Sept. 1939.) Vopr. Ist., 84, n° 3, p. 23-41.

7267. PAVLOV (V.T.). Politika imperialističeskikh deržav v Indokitae v konce vtoroj mirovoj vojny. (Imperialist powers' policy in Indochina at the end of the Second World War.) Nar. Azii Afr., 84, n° 4, p. 44-51.

7268. PEDEN (G.C.). A matter of timing: the economic background to British foreign policy, 1937-1939. History, 84, vol. 69, p. 15-28.

7269. PONOMAREVA (I.B.), SMIRNOVA (N. A.). Sozdanie amerikanskoj sistemy baz v gody vtoroj mirovoj vojny. (The establishment of the American system of bases during the Second World War.) Vopr. Ist., 84, n° 9, p. 29-44.

7270. PORATH (Yehoshua). Weizmann, Philby ... (The "Philby Episode".) Ha-Ziyyonut, 84, vol. 9, p. 221-257.

7271. RŽEŠEVSKIJ (O.A.). Problema vtorogo fronta i eě rešenie. (The problem of the second front in Europe and its solution) SŠA - Ékon., Pol., Ideol., 84, n° 4, p. 38-51.

7272. SCHAUSBERGER (Norbert). Hitler und Österreich. Öster. in Gesch. u. Lit., 84, Bd 28, n° 6, p. 363-377.

7273. SEEBER (Eva). Die Mächte der Antihitlerkoalition und die Auseinandersetzung um Polen und die ČSR 1941-1945. Berlin, Akad.-Verl., 84, in-8, 459 p. (Quellen u. Studien z. Gesch. Osteuropas, 27)

7274. SEITENFUS (Ricardo Silva). Ideology and diplomacy: Italian fascism and Brazil (1935-38). Hisp. am. hist. R., 84, vol. 64, n° 3, p. 503-534.

7275. SIPOS (Péter), VIDA (István). The policy of the United States towards Hungary during the Second World War. Acta hist. Acad. Sci. hungaricae, 83, vol. 29, n° 1, p. 79-110.

7276. ŠIŠOV (N.I.). V bor'be s fašizmom, 1941-1945 gg. (Internacional'naja pomošč' SSSR narodam evrop. stran). (In the struggle against fascism, 1941-1945. Internat. assistance of the USSR to the peoples of European countries.) Moskva, Mysl', 84, 270 p.

7277. SMIRNOVA (N.D.). Politika SŠA v otnošenii Grecii (1943-1945). (US policy towards Greece, 1943-1945.) Nov. novejš. Ist., 84, n° 1, p. 44-62.

7278. SOKOŁOWSKI (Marek). Utworzenie "rządu Dönitza" i kapitulacja III Rzeszy (30 kwietnia - 8 maja 1945 r.). (La formation du gouvernement de Dönitz et la capitulation du IIIe Reich, 30 avril - 8 mai 1945.) Dzieje najnowsze, 83 [84], a. 15, n° 4, p. 31-67.

7279. SPASOV (Ljudmil). Projets de pacte de la mer Noire à la veille de la Deuxième guerre mondiale. Et. balkaniques, 82, n° 1, p. 85-100.

7280. TAYLOR (Graham D.). The axis replacement program: economic warfare and the chemical industry in Latin America, 1942-44. Dipl. Hist., 84, vol. 8, n° 2, p. 145-164.

7281. TEJCHMAN (Miroslva). Československo-jugoslávské vztahy v letech druhé světové války. (Tschechoslowakisch-jugoslawische Beziehungen in der Zeit des 2. Weltkrieges.) Slov. hist. Stud., 84, vol. 14, p. 84-120.

7282. THIELENHAUS (Marion). Zwischen Anpassung und Widerstand. Deutsche Diplomaten 1938-1941: die polit. Aktivitäten d. Beamtengruppe um Ernst v. Weizsäcker im Auswärtigen Amt. Paderborn, Schönigh, 84, in-8, 247 p.

7283. VARGA (F. János). Az Angliai Magyar Tanács története 1944-45. (Histoire du Conseil Hongrois en Angleterre, 1944-1945.) Századok, 83, vol. 117, n° 1, p. 152-175.

7284. VOLKMANN (Hans-Erich). Landwirtschaft und Ernährung in Hitlers Europa 1939-45. Militärgesch. Mitt., 84, H. 35, p. 9-74.

7285. YOUNG (Robert J.). Soldiers and diplomats: the French embassy and Franco-Italian relations, 1935-1936. J. strategic Stud., 84, vol. 7, n° 1, p. 74-91.

7286. Bibl. 82, n° 7361. ZEMSKOV (I. N.). Diplomatičeskaja istorija vtorogo fronta v Evrope. (Diplomatic history of the second front in Europe.) - CR: P. P. Sevost'janov, Nov. novejš. Ist., 85, n° 1, p. 194-196.

Cf. n°s 5589, 5596, 5876, 7065, 7470.

§ 7. STORIA DAL 1935 AL 1945

c. Operazioni militari.

* 7287. GABEL (Christopher R.). Books on Overlord: a select bibliography and research agenda on the Normandy campaign, 1944. Milit. Affairs, 84, vol. 48, n° 3, p. 144-156.

* 7288. SMITH (Myron J.) Jr. World War II: the European and Mediterranean theaters: an annotated bibliography. New York, Garland, 84, XXIII-450 p. (Wars of the United States, 2)

** 7289. MACMILLAN (Harold). War diaries: the Mediterranean, 1943-1945. London, Macmillan, 84, in-8, 800 p. (ill.).

** 7290. Obrona Warszawy 1939 we wspomnieniach. (La défense de Varsovie de 1939 en souvenirs.) Choix et éd.: Mieczysław CIĘZPLEWICZ, Eugeniusz KOZŁOWSKI. Auteurs: Tadeusz TOMASZEWSKI et al. Warszawa, Wydawn. Min. Obrony Narod., 84, in-8, 417 p.

** 7291. Pe drumurile biruinţei, 23 august 1944 - 12 mai 1945. Extrase din jurnalele de operaţii ale unor mari unităţi şi subunităţi române participante la războiul antihitlerist. (Sur les chemins de la victoire. Extraits des journaux des opérations de quelques grandes unités militaires roumaines ayant participé à la guerre antihitlérienne.) Vol. întocmit de Antone MARINESCU, Ioan TALPEŞ, Alexandru DUŢU. Bucureşti, Ed. militară, 84, in-8, 508 p.

7292. ALLEN (Louis). Burma, the longest war, 1941-1945. London, Dent, 84, in-8, 640 p. (ill.).

7293. AMBROSE (Stephen E.). Pegasus Bridge, June 6, 1944. London, Allen a. Unwin, 84, in-8, 172 p.

7294. BANTEA (Eugen). Cotitura României şi desfăşurările militare de pe linia fortificată Focşani-Nămoloasa-Brăila. (Le tournant dans la vie de la Roumanie et les actions militaires sur la ligne fortifiée Focşani-Nămoloasa-Brăila.) In: Actul de la 23 August 1944 ... [Cf. n° 4225], p. 328-340.

7295. BASOV (A.N.). Bor'ba na Baltike v 1944-1945 gg. s nemeckimi podvodnymi lodkami. (The struggle against German submarines in the Baltic, 1944-1945.) Ist. Zap., 84, t. 110, p. 228-294.

7296. CABOZ (René). La bataille de Metz, 25 août - 15 sept. 1944. Sarreguemines, Pierron, 84, in-8, 383 p. (32 pl.). (Doc. lorrains)

7297. DESTREM (Maja). L'aventure de Leclerc. Paris, Fayard, 84, in-8, 456 p. (ill.).

7298. DREA (Edward J.). Missing intentions: Japanese intelligence and the Soviet invasion of Manchuria, 1945. Milit. Affairs, 84, vol. 48, n° 2, p. 66-73.

7299. ELLIS (John). Cassino, the hollow victory - the battle for Rome, January - June 1944. London, Deutsch, 84, in-8, 544 p. (ill.).

7300. FITOWA (Alina). Bataliony Chłopskie w Małopolsce 1939-1945. (Działalność organizacyjna, polityczna i zbrojna. (Les Bataillons Paysans en Petite Pologne 1939-1945. Activité organisatrice, politique et armée.) Warszawa, Państw. Wydawn. Nauk., 84, in-8, 580 p.

7301. FLISOWSKI (Zbigniew). Przez środek Pacyfiku. (Par le centre du Pacifique.) Poznań, Wydawn. Pozn., 84, in-8, 226 p. [batailles navales, 1939-1945]

7302. GAUJAC (Paul). La bataille de Provence, 1943-1944. Paris, Lavauzelle, 84, in-8, 292 p. (phot., croquis, cartes). - IDEM. La bataille et la libération de Toulon, 18 au 28 août 1944. Paris, Fayard, 84, in-8, 388 p. (20 pl.).

7303. GELEWSKI (Tadeusz Maria). Bitwa na Morzu Jawajskim. (La bataille de la Mer de Java [1942].) Gdańsk, Wydawn. Morskie, 84, in-8, 249 p. (Wojny Morskie)

7304. GINALSKI (Edmund), WYSOKIŃSKI (Eugeniusz). Dziewiąta Drezdeńska. Z dziejów 9 Derzdeńskiej Dywizji Piechoty. (La Neuvième de Drezno. Histoire de la 9e Division d'Infanterie de Drezno.) Warszawa, Wydawn. Min. Obrony Narod., 84, in-8, 475 p. (Wojsk. Inst. Hist. im. Wandy Wasilewskiej)

7305. HAPGOOD (David), RICHARDSON (David). Monte Cassino. London, Angus a. Robertson; New York, Congdon a. Weed, 84, in-8, 269 p. (ill.).

7306. HASTINGS (Max). Overlord: D-Day and the battle for Normandy. London, M. Joseph, 84, in-8, 326 p. (ill., maps).

7307. HERDE (Peter). Pearl Harbour aus unbekannter revisionistischer Sicht. Neue Materialien aus den nachrichtendienstl. Hintergrund d. japan. Angriffs v. 7. Dez. 1941. Hist. Jb., 84, Jg. 104, p. 63-112.

7308. HØGEVOLD (John). Vår militære innsats hjemme og ute 1940-45. (Our military engagement at home and abroad, 1940-1945.) Utg. av Forsvarets overkommando. (Publ. by the Defence HQ.) Oslo, 84, in-8, 249 p. (maps).

7309. HORA (Tomio). Nankin Dai-gyakusatsu. (Le massacre à Nankin en 1937.) Tokyo, Tokuma, 82, in-8, 302 p. [massacre de civils chinois par des soldats japonais]

7310. HOW (J.J.). Hill 112, cornerstone of the Normandy campaign. London, Kimbar, 84, in-8, 224 p. (ill.).

7311. HOYT (Edwin P.). The Kamikazes. London, Hale, 84, in-8, 344 p. (ill.).

7312. HUBÁČEK (Miloš). Invaze. (Die Invasion.) Praha, Panorama, 84, in-8, 472 p. (32 fig.).

7313. Istorija na Otečestvenata vojna na Bǎlgarija 1944-1945. V 4 toma. (Histoire de la Guerre nationale de la Bulgarie 1944-1945. En 4 vol.) 2: Učastieto na Bălgarija v razgromjavaneto na nemskofašistkite vojski na Balkanite (septemvri - noemvri 1944). (La participation de la Bulgarie à l'écrasement des armées fascistes allemandes dans les Balkans, sept. - nov. 1944.) T. 3: Učastieto na Bălgarija v osvoboždenieto na Jugoslavija, Ungarija i Avstrija (noem. 1944 - maj 1945). (La participation de la Bulgarie à la libération de la Yougoslavie, de la Hongrie et de l'Autriche, nov. 1944 - mai 1945.) Sofija, Voen. Izd., 82-83, 2 vol. in-4, 164, 387 p.

7314. JANSEN (A.A.). Sporen aan de hemel. Kroniek van een luchtoorlog. (Airwar above the Netherlands.) [2. Cf. Bibl. 80, n° 6768.] 3: Januari 1944 - april 1945. Baarn, Hollandia, 81, in-8, 430 p.

7315. JURGA (Tadeusz). Bzura 1939. (La bataille sur la Bzura.) Warszawa, Wydawn. Min. Obrony Narod., 84, in-8, 164 p. (Hist. Bitwy)

7316. KISELEV (A.A.). Krušenie planov fašistskoj Germanii v Zapoljar'e. (Collapse of fascist Germany's plans in the Polar region.) Vopr. Ist., 84, n° 11, p. 25-38.

7317. KULIKOV (V.G.). Boevoe sodružestvo Sovetskoj Armii i Vojska Pol'skogo v osvoboždenii Pol'ši ot fašistskikh zakhvatčikov. (Combat comradeship of the Soviet and Polish armies in the liberation of Poland from fascist invaders.) Nov. novejš. Ist., 84, n° 4, p. 3-18.

7318. LANNURIEN (Georges de). Une action de guerre mal connue: les combattants français en Slovaquie (août 1944 - février 1945). R. hist. Armées, 84, n° 1, p. 71-103.

7319. LEARY (William M.). Perilous missions: Civil Air Transport and covert operations in Asia. University, Univ. of Alabama Press, 84, in-8, X-281 p.

7320. MADCONALD (Charles B.). The battle of the Bulge. London, Weidenfeld a. Nicolson, 84, in-8, 704 p. (ill., maps).

7321. MAJEWSKI (Ryszard). Z problematyki walk o wazwolenie Wrocławia w 1945 r. (La problématique des luttes pour la libération de Wrocław en 1945.) Śląski Kwart. hist. Sobótka, 84, a. 39, n° 3, p. 411-427.

7322. MICHEL (Henri). Et Varsovie fut détruite. Paris, Michel, 84, in-8, 455 p. (Histoire)

7323. MILNER (Marc). Convoy escorts: tactics, technology and innovation in the Royal Canadian Navy, 1939-1943. Milit. Affairs, 84, vol. 48, n° 1, p. 19-25.

7324. MOLONY (C.J.C.) a. others. Victory in the Mediterranean. Pt. 1: April 1 - June 4, 1044. London, H.M. Stationery Office, 84, in-8, XI-520 p. (The Mediterranean and the Middle East, 6)

7325. MÜLLER (Franz). Die Besetzung des Bezirkes Gänserndorf [Niederösterreich] durch die Rote Armee im April 1945. Unsere Heimat [Wien], 84, vol. 55, n° 3, p. 214-236.

7326. MULARSKA-ANDZIAK (Lidia). Hiszpania a operacja "Torch". (L'Espagne et l'opération "Torch" [débarquement des Alliés en Afrique du Nord, 1942].) Kwart. hist., 84, a. 91, n° 2, p. 313-322.

7327. MUNTJAN (M.A.). Jassko-Kišinevskoe sraženie i osvoboždenie Rumynii. (The Jassy-Kishinev battle and the liberation of Romania.) Nov. novejš. Ist., 84, n° 4, p. 19-32.

7328. Osvobození Československa Sovětskou armádou. (Die Befreieung der Tschechoslowakei durch die Rote Armee.) [Von] Václav ČADA, Jan ANGER, Jiří DVOŘAN, Jan ŠTAIGL. Praha, Svoboda, 84, in-8, 162 p.

7329. PESZKE (Michael Alfred). The Polish parachute brigade in World War two: a paradigm for the Polish military in exile. Milit. Affairs, 84, vol. 48, n° 4, p. 188-193.

7330. PIEKALKIEWICZ (J.). Rommel und die Geheimdienste in Nordafrika, 1941-1943. München, Herbig, 84, in-8, 240 p.

7331. POWELL (Geoffrey). The devil's birthday: the bridge to Arnhem, 1944. London, Buchan a. Enright, 84, in-8, 224 p. (ill., maps).

7332. RÁNKI (György). Unternehmen Margarethe. Die deutsche Besetzung Ungarns. Budapest, Corvina; Wien, Köln u. Graz, Böhlau, 84, in-8, 442 p. (16 Taf.).

7333. RAWSKI (Tadeusz). Piechota w II wojnie światowej. (L'infanterie dans la Seconde guerre mondiale.) Warszawa, Wydawn. Min. Obrony Narod., 84, in-8, 293 p. (Bibl. Wiedzy Wojsk. Rodzaje Pojsk i Sił Zbrojnych)

7334. ROHWEHR (Jürgen). Radio intelligence and its role in the Battle of the Atlantic. Militärhist. T., 84, vol. 6, p. 133-147.

7335. SANTONI (Alberto). Guerra segreta sugli oceani: l'ULTRA britannico e i corsari tedeschi. Milano, Mursia, 84, in-8, 230 p. (tav., ill.). (Bibl. del mare, 262. La guerra sui mari, 39)

7336. SAWARD (Dudley). "Bomber" Harris, the authorized biography. London, Buchan a. Enright, 84, in-8, 352 p. (ill., maps).

7337. SIMPSAS (M.). Les forces armées helléniques hors de Grèce (1941-1944). R. Hist. 2e Guerre mond., 84, a. 34, n° 136, p. 49-73.

7338. SKIBIŃSKI (Franciscek). Udział Polaków w wyzwoleniu krajów Europy Zachodniej 1944-1945. (La participation des Polonais à la libération des pays de l'Europe occidentale, 1944-1945.) Wojsk. Przegl. hist., 84, a. 29, n° 3, p. 69-83.

7339. SKIBIŃSKI (Leonard). 1 Brygada

§ 7. STORIA DAL 1935 AL 1945

Artylerii Armat 1943-1945. Dzieje 1 Warszawskiej Brygady Artylerii Armat im. gen. Józefa Bema. (La 1e Brigade de l'Artillerie des Canons 1943-1945. Histoire de la 1e Brigade d'Artillerie des Canons de Varsovie "Gén. Józef Bem".) Warszawa, Wydawn. Min. Obrony Narod., 84, in-8, 271 p. (Wojsk. Inst. Hist. im. Wandy Wasilewskiej)

7340. SMILEY (David). The Albanian assignement. London, Chatto, 84, in-8, 192 p.

7341. SMITH (Peter Charles). Hold the narrow sea: naval warfare in the English Channel, 1939-1945. Ashbourne, Derby, 84, in-8, 260 p. (ill., maps).

7342. STEPHAN (John J.). Hawaii under the rising sun: Japan's plans for conquest after Pear Harbor. Honolulu, Univ. of Hawaii Press, 84, in-8, XII-228 p.

7343. TUCHOLSKI (Jędrzej). Cichociemni. (Les parachutistes polonais.) Warszawa, Pax, 84, in-8, 533 p.

7344. WHITING (Charles). The Ardennes, the secret war. London, Century Publ. Co., 84, in-8, 224 p. - IDEM. First Blood: the battle of the Kasserine Pass, 1943. London, Secker a. Warburg, 84, in-8, 256 p. (ill.).

7345. WIECZOREK (Mieczysław). Armia Ludowa. Działalność bojowa 1944-1945. (Armée Populaire [polonaise]. L'action de guerre 1944-1945.) Warszawa, Wydawn. Min. Obrony Narod., 84, in-8, 374 p. (Wojek. Inst. Hist. im. Wandy Wasilewskiej, Wojsk. Akad. Polit. im. Feliksa Dzierżyńskiego)

7346. WITKOWSKI (Henryk). "Kedyw" Okręgu Warszawskiego Armii Krajowej w latach 1943-1944. (Le Commandement de Diversion de l'Armée de l'Intérieur de l'arrondissement de Varsovie dans les années 1943-1944.) Warszawa, Inst. Wydawn. Związków Zawodowych, 84, in-8, 471 p. (Fakty i Dokumenty)

7347. WORNISZEWSKI (Józef Kazimierz). Barykada Września. Obrona Warszawy w 1939 roku. (Barricade de septembre. La défense de Varsovie en 1939.) Warszawa, Wydawn. Min. obrony Narod., 84, in-8, 340 p.

d. Resistenza.

** 7348. Bohaterowie spod znaku lilijki. Harcerze Śląska i Zakłębia Dąbrowskiego w latach wojny i okupacji hitlerowskiej w świetle zeznań własnych i świadków. (Les héros à l'emblème de lis. Les éclaireurs de la Silésie et du bassin de Dąbrowa dans les années de la guerre et de l'occupation nazie à la lumière de leurs déclarations et de celles de témoins.) Choix et éd.: Andrzej SZEFER. Katowice, Śląski Inst. Nauk., 84, in-8, 353 p. (Silesiana)

** 7349. Kampf, Widerstand, Verfolgung der sudetendeutschen Sozialdemokraten. Dokumentation d. deutschen Sozialdemokraten aus d. Tschechoslowakei im Kampf gegen Henlein und Hitler. Erarb. v. Adolf HASENÖHRL. Stuttgart, Seliger-Gemeinde; München, Die Brücke, 83, in-4, 649 p. (Ill., Kt.).

7350. ALLARD (H.), DEUVE (J.). Indochine 1945: témoignages sur une résistance méconnue: la lutte contre les Japonais au Laos. Paris, Univ. Paul Valéry, 84, in-8, 106 p.

7351. ARAD (Yitzhak). Treblinka: ovdan wa-mered. (Treblinka: hell and revolt.) Tel-Aviv, Am Oved, 83, in-8, 287 p. (ill., portr., 7 p. of pl.).

7352. Aufstand des Gewissens. Der militär. Widerstand gegen Hitler u. d. NS-Regime 1933-1945. Im Auftr. d. Bundesmin. d. Verteidigung z. Wanderausstellung hrsg. v. Militärgeschichtl. Forschungsamt. Herford u. Bonn, Mittler, 84, in-8, 552 p. (zahlr. Ill.).

7353. BORZOBOHATY (Wojciech). "Jodła" - Okręg Radomsko-Kielecki ZWZ - AK 1939 - 1945. ("Jodła" ["Sapin"] - district Radom-Kielce de la ZWZ - AK [Union de Lutte Armée - Armée de l'Intérieur], 1939-1945.) Warszawa, Pax, 84, in-8, 466 p.

7354. BRODSKIJ (E.A.). V gorakh Tirolja. O sovmestnoj bor'be sovetskikh i avstrijskikh patriotov protiv fašizma v gody vtoroj mirovoj vojny. (In the Tirol mountains. About the joint struggle of Soviet and Austrian patriots against fascism during the Second World War.) Nov. novejš. Ist., 84, n° 1, p. 125-146.

7355. CIECHANOWSKI (Jan Mieczysław). Powstanie warszawskie. Zarys podłoża politycznego i dyplomatycznego. (L'insurrection de Varsovie: sa base politique et diplomatique.) Avant-propos d'Aleksander SKARŻYŃSKI. Warszawa, Państw. Inst. Wydawn., 84, in-8, 533 p. (Hist. Najnowsza)

7356. ČIERNY (Ján). Partizánske boje na Slovensku po ústupe do hor. (Die Partisanenkämpfe in der Slowakei nach dem Rückzug ins Gebirge.) Českoslov. Čas. hist., 84, vol. 32, p. 827-851.

7357. CIORBEA (Valentin). Aspecte privind contribuția Dobrogei la mișcarea de rezistență (1940-1044). (Aspects de l'apport de la Dobroudja au mouvement de résistance, 1940-1944.) R. Ist., 84, t. 37, n° 7, p. 649-664.

7358. Dejiny Slovenského národného povstania 1944. (Geschichte des Slowakischen Nationalaufstandes 1944.) Edit.: Viliam PLEVZA, Samuel CAMBEL, Miroslav KROPILÁK, et al. Bd 1: Protifašistický odboj a príprava SNP. (Der antifaschist. Widerstandskampf u. d. Vorbereitung d. slowak. Nationalaufstandes.) Bd 2: SNP a jeho historický význam. (Der slowak. Nationalaufstand u. seine hist. Bedeutung.) Bd 3: Dokumenty. (Dokumente.) Bd 4: Spomienky a kroniky. (Erinnerungen u. Chroniken.) Zsgestellt v. Marta VARTÍKOVÁ. Bd 5: Encyclopédia odboja a SNP. (Enzyklopädie d. Widerstandskampfes u. d. slowak. Nationalaufstandes.) Bratislava, Pravda, 84, 5 vol. in-4, 373, 644, 673, 800, 656 p.

7359. Drugi front w Europie. (Le second front en Europe.) Auteurs: Witold BIEGAŃSKI et al. Warszawa, 84, in-8, 111 p. (Wojsk. Inst. Hist. im. Wandy Wasilewskiej)

7360. DURACZYŃSKI (Eugeniusz). La Pologne clandestine face à la résistance européenne. Remarques, polémiques, rappels. Acta Poloniae hist., 83 [84], vol. 47, p. 129-149.

7361. FOOT (M.R.D.). SOE: an outline history of the Special Operations Executive, 1940-46. London, British Broadkasting Corporation, 84, in-8, 280 p.

7362. GEBHART (Jan), ŠIMOVČEK (Ján). Partyzáni v Československu, 1941-1945. (Die Partisanen in der Tschechoslowakei.) Praha, Naše vojsko; Bratislava, Pravda, 84, in-8, 560 p.

7363. Geneza powstania warszawskiego 1944. Dyskusje i polemiki. (La genèse de l'insurrection de Varsovie 1944. Discussions et polémiques.) Choix et réd.: Leszek GROT. auteurs: Jan RZEPECKI et al. Warszawa, Wydawn. Min. Obrony Narod., 84, in-8, 285 p.

7364. HÁJKOVÁ (Alena). Praha v komunistickém odboji. (Prag im kommunistischen Widerstand.) Praha, Svoboda, 84, in-8, 494 p. (14 fig.).

7365. JANIN (A.A.). Istoriografija Slovackogo nacional'nogo vosstanija 1944 g. (The Czechoslovak and Soviet historians' view of the Slovak national uprising in 1944.) Nov. novejš. Ist., 84, n° 5, p. 50-64.

7366. KROPILÁK (Miroslav). Povstanie a revolícia. (Aufstand und Revolution [in d. Tschechoslowakei].) Bratislava, Obzor, 84, in-8, 208 p. (48 fig.).

7367. KWIATOWSKA VIATTEAU (Alexandra). 1944, Varsovie insurgée. Bruxelles, Complexe, 84, in-8, 216 p. (Mémoire du siècle, 35)

7368. LUZA (Radomir V.). The resistance in Austria, 1938-1945. Minneapolis, Univ. of Minnesota Press, 84, in-8, XV-366 p.

7369. MOMMSEN (Hans). Fritz-Dietlof Graf von der Schulenburg und die preußische Tradition. Vjhefte f. Zeitgesch., 84, Jg. 32, p. 213-239.

7370. NOGUERES (Henri). La vie quotidienne des résistants, de l'Armistice à la Libération (1940-1945). Paris, Hachette, 84, in-8, 272 p. (La vie quotidienne)

7371. PIASECKI (Henryk). Idee i czyn Mordechaja Anielewicza. (Les idées et l'oeuvre de Mordechaj Anielewicz.) B. żyd. Inst. hist., 83 [84], a. 33, n° 2-3, p. 13-35. [Anielewicz: dirigeant de l'insurrection du Ghetto de Varsovie]

7372. SAGAJLLO (Witold). The man in the middle: the story of the Polish Resistance, 1940-1945. London, Secker a. Warburg, 84, in-8, 256 p. (ill., maps).

7373. SZOKOLAY (Katalin). És a varsói gettó felkelt ... (Le soulèvement du Ghetto de Varsovie ...) Budapest, Kossuth Kiadó, 83, in-8, 221 p. (8 pl.). (Népszerü történelem)

7374. Vsenarodnaja bor'ba v Belorussii protiv nemecko-fašistskikh zakhvatčikov v gody Velikoj Otečestvennoj vojny. (The people's struggle in Byelorussia against the German-fascist aggressors in the years of the Great Patriotic war.) V 3-kh t. Gl. redkol.: A. T. KUZ'MIN (predsedatel') i dr. T. [1. Cf. Bibl. 83, n° 7278.] 2. Red.: A. A. FILIMONOV (rukovoditel') i dr. Minsk, Beralrus', 84, 551 p. (ill.). (In-t istorii partii pri CK KPB - fil. In-ta marksizma-leninizma pri CK KPSS)

7375. ZAMOJSKI (Jan). Rezonans powstania w getcie warszawskim wśród społeczności żydowskiej w Francji (1943-1944). (La résonance de l'insurrection du ghetto de Varsovie dans la société juive en France, 1943-1944.) Dzieje najnowsze, 84, a. 16, n° 1, p. 127-148.

Cf. n° 3283.

§ 8. Storia dal 1945 in poi.

* 7376. BURNS (Richard Dean), LETTENBURG (Milton). The wars in Vietnam, Cambodia, and Laos, 1945-1982. A bibliographic guide. Santa Barbara, Calif., ABC-Clio, 84, XXXII-290 p. (War/Peace Bibliogr. Ser., 18)

* 7377. VEITER (Theodor). Bibliographie zur Südtirolfrage (1945-1983). Wien, Braumüller, 84, in-8, XI-281 p. (Ethnos, 26)

** 7378. Dokumente zur Außenpolitik der Deutschen Demokratischen Repubilk. Hrsg. v. Inst. f. Internat. Beziehungen an d. Akad. f. Staats- u. Rechtswiss. d. DDR, Potsdam-Babelsberg, in Zusammenarbeit mit d. Hauptabt. Rechts- u. Vertragswesen d. Ministeriums f. Auswärt. Angelegenheiten d. DDR. [Bd 26. Cf. Bibl. 83, n° 7284.] Bd 27: 1979, Halbbd 1, 2. Bd 28: 1980, Halbbd 1, 2. Berlin, Staatsverl. d. DDR, 84, 4 vol. in-8, 703 p., p. 709-1259, 843 p., p. 853-1353.

** 7379. Foreign relations of the United States, 1952-1954. [Vol. 1, 4, 5, 11. Cf. Bibl. 83, n° 7287.] Vol. 2, Pt. 1, 2: National security affairs. Vol. 12, Pt. 1: East Asia and the Pacific. Vol. 15, Pt. 1, 2: Korea. Washington, D.C., Government Printing Office, 84, 5 vol., XXVI-844 p.; XXVI p., p. 845-1928; XIV-1113 p.; XXIX-1151 p.; XXIX p., p. 1152-1997.

** 7380. LUKACS (Yehuda). Documents on the Israel-Palestinian conflict, 1967-1983. London, Cambridge U.P., 84, in-8, 247 p.

** 7381. SINGH (Darshan). Soviet foreign policy documents, 1983. New Delhi, Sterling; London, Books from India, 84, in-8, XXVIII-272 p.

** 7382. Sovetsko-vengerskie otnošenija. 1977-1982. (Soviet-Hungarian relations,

§ 8. STORIA DAL 1945 IN POI 307

1977-1982.) Dokumenty i materialy. Redkol.: V. F. MAL'CEV (sov. čast'), ROŠKA I. (veng. čast') i dr. Moskva, Politizdat, 84, 422 p. (M-vo inostr. del SSSR, M-vo inostr. del VNR)

** 7383. Vereinten (Die) Nationen und ihre Spezialorganisationen. Dokumente. Hrsg. v. Wolfgang SPRÖTE, Harry WÜNSCHE. Bd [10. Cf. Bibl. 83], n° 7291.] 8: Die Organisation der Vereinten Nationen für Erziehung, Wissenschaft und Kultur. Zusammengest. u. eingel. v. Wolfgang KLEIN-WÄCHTER u. Falko RAAZ unter Mitarb. v. Heinz JUNG. Berlin, Staatsverl. d. DDR, 84, in-8, 597 p.

** 7384. Za mir i bezopasnost' narodov. Dokumenty vneš. politiki SSSR, 1967 god. (For peace and security of the peoples.) V 2-kh kn. Kn. 1 (Janvar' - ijun', 1967). Redkol.: A. V. GRIŠIN i dr. Kn. 2 (Ijul' - dekabr', 1967). Redkol.: A. V. GRIŠIN i dr. Moskva, Politizdat, 84, 2 vol., 335, 413 p. (M-vo inostr. del SSSR. Komis. po izd. diplomat. dokumentov)

7385. AGAEV (S.L.). Iranskaja revoljucija, SŠA i meždunarodnaja bezopasnost': 444 dnja v založnikakh. (Iranian revolution, USA and international security: 444 being in hostages.) Moskva, Nauka, 84, 278 p.

7386. BARKER (Elisabeth). The British between the superpowers, 1945-1950. London, Macmillan, 84, in-8, 284 p.

7387. BARYSNIKOV (B.I.). Neuvostoliitto ja Suomi: rauhan ja turvallisuuden ongelmia Pohjois-Euroopassa 1940-luvu jälkipuoliskolla. (L'URSS et la Finlande: des poblèmes de la paix et de la sécurité dans l'Europe de Nord pendant la dernière moitié des années quarante.) Hist. Ark., 84, t. 84, p. 113-135.

7388. BENZ (Wolfgang). Die Gründung der Bundesrepublik. Von d. Bizone z. souveränen Staat. München, Deutscher Taschenbuch-Verl., 84, in-8, 219 p. (Kt.). (dtv, 4523)

7389. BERNIER (Serge). Relations politiques franco-britanniques (1947-1958). Etude du comportement d'une alliance. Préf. de Fernand L'HUILLIER. Sherbrooke, Naaman, 84, in-8, 288 p. (Civilisations, 14)

7390. BONSDORFF (Göran von). Perspektiv på Falklands-problemet. (Horizons sur le problème des îles Malouines.) Finsk T., 84, t. 215-216, p. 241-247.

7391. BORDEN (William S.). The Pacific alliance: United States foreign economic policy and Japanese trade recovery, 1947-1955. Madison, Univ. of Wisconsin Press, 84, in-8, XIII-320 p.

7392. BOWEN (Gordon L.). U.S. policy toward Guatemala, 1954-1963. Armed Forces a. Soc., 84, vol. 10, n° 2, p. 165-191.

7393. Bundesrepublik (Die) Deutschland. Entstehung - Entwicklung - Struktur. Wolf-Dieter NARR, Dietrich THRÄNHARDT (Hrsg.). Königstein (Ts.), Athenäum, 84, in-8, 330 p. (graph. Darst.). (Athenäum-Taschenbücher, 7250: Sozialwiss.)

7394. CARBALLO (Pablo Marcos). Halcones sobre Malvinas. Buenos Aires, Ed. del Curzananate, 84, in-8, 308 p.

7395. ČIERNA-LANTAYOVÁ (Dagmar). Mierové usporiadanie v Europe a československo-maďarské vzťahy v rokoch 1945-1948. (Friedensregelung in Europa und die tschechoslowakisch-ungarischen Beziehungen in den Jahren 1945-1948.) Hist. Čas., 84, vol. 32, p. 251-270.

7396. COSTIGLIOLA (Frank). The failed design: Kennedy, de Gaulle, and the struggle for Europe. Dipl. Hist., 84, vol. 8, n° 3, p. 227-252.

7397. CRANKSHAW (Edward). Putting up with the Russians, 1947-1982. London, Macmillan, 84, in-8, 288 p.

7398. Crisi (La) del Medio Oriente: dimensione regionale e internazionale. A. ARIOLI, et al. Milano, Angeli, 84, in-8, 264 p. (Dossier/CeSPI, 1)

7399. De Gaulle et le Tiers Monde. Actes du Colloque organisé à Nice, les 25 et 26 février 1983, par l'Inst. Charles de Gaulle et l'Inst. de Droit de la paix et du développement. Paris, Pédone, 84, in-8, 420 p.

7400. Dějiny národně osvobozeneckého hnutí v zemích subsaharské Afriky v 60. a 70. letech. (Geschichte der nationalen Befreiungsbewegung in den Ländern Afrikas südlich der Sahara in d. 60er und 70er Jahren.) Von Karel LACINA u. Kolletktiv. Praha, Acad., 84, in-8, 304 p. (20 fig.).

7401. Deutschlandfrage (Die) und die Anfänge des Ost-West-Konfliktes 1945-1949. Mit Beitr. v. Alexander FISCHER [u. a.]. Berlin, Duncker u. Humblot, 84, in-8, 114 p. (Veröff. Göttinger Arbeitskreis, 434. Studien z. Deutschlandfrage, 7)

7402. DRIFTE (Reinhard). The unholy alliance: perspectives on Euro-Japanese foreign policy since 1945. Tenterden, P. Norbury, 84, in-8, 180 p.

7403. DUNMORE (Timothy). Soviet politics, 1945-1953. London, Macmillan, 84, in-8, 176 p. (tab., charts).

7404. EL-AYOUTY (Yassin), ZARTMAN (I. William). The Organization of African Unity after 20 years. London, Praeger, 84, in-8, 416 p.

7405. ERDMANN (Karl Dietrich). Politik und Wirtschaft. Die europ. Herausforderung bei Briand, Adenauer, Schuman, De Gasperi. Gesch. in Wiss. u. Unterricht, 84, Jg. 35, p. 421-433.

7406. ERMACORA (Felix). Südtirol und das Vaterland Österreich. Wien u. München, Amalthea, 84, in-8, 544 p.

7407. FELDMAN (Lily Gardner). The special relationship between Germany and

Israel. Boston, Allen a. Unwin, 84, in-8, XIX-330 p.

7408. FERRARI (P.), VERNET (J.M.). Une guerre sans fin: Indochine, 1945-1954. Paris, Lavauzelle, 84, in-8, 195 p.

7409. Foreign policy of the British Labour Governments, 1945-1951. Leicester, Univ. Press, 84, in-8, 208 p.

7410. GERHARDT (Gunther). Das Krisenmanagement der Vereinigten Staaten während der Berliner Blockade (1948, 1949). Intentionen, Strategien u. Wirkungen. Berlin, Duncker u. Humblot, 84, in-8, 366 p. (4 Ill., 26 graph. Darst. u. Kt.). (Hist. Forsch., 25)

7411. Geschichte der Außenpolitik der DDR. Abriß. Hrsg.: Inst. f. Internat. Beziehungen, Potsdam-Babelsberg. Berlin, Staatsverl. d. DDR, 84, in-8, 448 p.

7412. GOLUBEV (A.V.). Sovetsko-anglijskie otnošenija na rubeže 70 - 80-kh godov. (Soviet-British relations at the turn of the 70s - 80s.) Vopr. Ist., 84, n° 7, p. 43-58.

7413. GORMLY (James L.). The Washington declaration and the "poor relation": Anglo-American atomic diplomacy, 1945-46. Dipl. Hist., 84, vol. 8, n° 2, p. 125-144.

7414. GRAF (Herbert), JOSEPH (Detlef). Volksrepublik Moçambique. Werden u. Wachsen eines jungen Staates. Berlin, Staatsverl. d. DDR, 84, 285 p.

7415. GRAHAM (Robert J.). Vietnam: an infantryman's view of our failure. Milit. Affairs, 84, vol. 48, n° 3, p. 133-139.

7416. GRAY (R.C.), MICHALAK (S.J.). American foreign policy since detente. London, Harper a. Row, 84, in-8, 228 p.

7417. GREEN (Stephen). Taking sides: America's secret relations with a militant Israel, 1948-1967. London, Faber, 84, in-8, 370 p.

7418. GREENWOOD (Sean). Ernest Bevin, France and "Western Union": August 1945 - February 1946. European Hist. Quar., 84, vol. 14, n° 3, p. 319-338.

7419. HALLENBERG (Jan). Foreign policy change: United States' foreign policy toward the Soviet Union and the People's Republic of China, 1961-1980. Stockholm, Univ., 84, in-8, 347 p. (Stockholm studies in politics, 25)

7420. HARRINGTON (Joseph F.). Romanian-American relations during the Kennedy administration. East european Quar., 84, vol. 18, n° 2, p. 215-236.

7421. HERRING (George C.), IMMERMAN (Richard H.). Eisenhower, Dulles, and Dienbienphu: "the day we didn' go to war" revisited. J. am. Hist., 84, vol. 71, n° 2, p. 343-363.

7422. HOGAN (Michael J.). Paths to plenty: Marshall planners and the debate over European integration, 1947-1948. Pacific hist. R., 84, vol. 53, n° 3, p. 337-366.

7423. HUNDT (Walter), BURKHARDT (Volker), SCHÜTTPELZ (Bert). Charakter, Determinanten und Hauptentwicklungsetappen der Beziehungen zwischen Aufghanistan und Pakistan von 1947 bis 1978. Asie, Afrika, Lateinamerika, 84, Jg. 12, H. 4, p. 631-650.

7424. JARGY (Simon). L'Orient déchiré. Entre l'Ouest et l'Est, 1955-1982. Paris, Labor et Fides, 84, in-8, 270 p. (Arabiya, 15)

7425. JOYCE (James Avery). One increasing purpose: the United Nations since 1945. Ammanford, C. Davies, 84, in-8, 234 p. (ill.).

7426. KAHLER (Miles). Decolonization in Britain and France: the domestic consequences of international relations. Princeton, N.J., Princeton U.P., 84, in-8, XIV-426 p.

7427. KAUFMAN (Menahem). Mediniyyut yerushalayim ... (American Jerusalem policy, 1947-148.) Shalem, 84, vol. 4, p. 339-408. [Eng. summary]

7428. KONTĒS (B.). Hē anglo-amerikanikē politikē kai to hellēniko problēma 1945-1949. (La politique anglo-américaine et le problème grec, 1945-1949.) Thessalonique, Paratērētēs, 84, in-8, 495 p.

7429. KORYN (Andrzej). Rumunia w polityce wielkich mocarstw 1944-1947. (La Roumanie dans la politique des grandes puissances, 1944-1947.) Wrocław, Zakł. Narod. im. Ossolińskich, 83 [84], in-8, 308 p. (Pol. Akad. Nauk, Inst. Krajów Socialist.)

7430. KRANIDIŌTĒS (Giannos N.). To kypriako problēma. (Le problème chypriote.) Athènes, Themelio, 84, in-8, 407 p.

7431. LACROIX-RIZ (Annie). Négociation et signature des accords Blum-Byrnes (octobre 1945 - mai 1946), d'après les Archives du Ministère des Affaires étrangères. R. Hist. mod., 84, t. 3, juil.-sept., p. 417-447.

7432. LAFEBER (Walter). From confusion to cold war: the memoirs of the Carter administration. Dipl. Hist., 84, vol. 8, n° 1, p. 1-12. - IDEM. The Reagan administration and revolutions in Central America. Pol. Sci. Quar., 84, vol. 99, n° 1, p. 1-26.

7433. LAMB (Franklin P.). Reason not the need: eyewitness chronicles of Israel's war in Lebanon. Nottingham, Spokeman Books, 84, in-8, 935 p. (ill., dr., maps).

7434. LEARY (William M.), STUECK (William). The Chennault plan to save China: U.S. containment in Asia and the origins of the CIA's aerial empire, 1949-1950. Dipl. Hist., 84, vol. 8, n° 4, p. 349-364.

7435. LEFFLER (Melvyn P.). The American conception of national security and the beginnings of the Cold War, 1945-48. Am. hist. R., 84, vol. 89, n° 2, p. 346-381.

7436. LITWAK (Robert S.). Detente and the Nixon doctrine: American foreign policy and the pursuit of stability, 1969-1976. London, Cambridge U.P., 84, in-8, 232 p. (Internat. Stud.)

7437. LOTH (Wilfried). Die doppelte Eindämmung. Überlegungen z. Genesis d. Kalten Krieges 1945-1947. Hist. Z., 84, Bd 238, p. 611-631.

7438. LOUIS (William Roger). The British empire in the Middle East, 1945-1951: Arab nationalism, the United States, and postwar imperialism. London a. New york, Oxford U.P., 84, in-8, XVIII-803 p.

7439. MADDOX (Robert J.). The rise and fall of Cold War revisionism. Historian, 84, vol. 46, n° 3, p. 416-428.

7440. MAI (Gunter). Containment und militärische Intervention. Elemente amerikan. Außenpolitik zwischen d. Griechenland-Krise v. 1947 u. d. Koreakrieg v. 1950. Vjhefte f. Zeitgesch., 84, Jg. 32, H. H, p. 491-528.

7441. MANSINGH (S.). India's search for power: Indira Gandhi's foreign policy, 1966-1982. London, Sage Publ., 84, in-8, 391 p.

7442. Nationale (Die) Front der DDR. Geschichtl. Überblick. Hrsg.: Parteihochschule "Karl Marx" beim ZK d. SED, Lehrstuhl Gesch. d. SED. Berlin, Dietz, 84, in-8, 255 p. (Abb.). (Schriftenreihe Geschichte)

7443. NEDEVA (Ivanka). Amerikanskata istorigrafia za meždubalkanskite otnošenija 1944-1948. (L'historiographie américaine sur les relations interbalkaniques 1944-1948.) Ist. Pregled., 82, n° 5, p. 91-104.

7444. NEVAKIVI (Jukka). Miten Suomen ja Neuvostoliiton välinen YAA-sopimus otettiin vastaan Englannin ulkoministeriössä helmimaaliskuussa 1948. (Accueil de l'accord de coopération et d'assistance entre la Finlande et l'URSS au ministère des Affaires étrangères de l'Angleterre aux mois de février et mars 1948.) Hist. Ark., 84, t. 84, p. 137-153.

7445. NOER (Thomas J.). The new frontier and African neutralism: Kennedy, Nkrumah, and the Volta river project. Dipl. Hist., 84, vol. 8, n° 1, p. 61-80.

7446. NOVÁK (Miloslav). NSR a úsilí socialistických států o mírové soužití. (Die Bundesrepublik Deutschland u. die Bemühungen d. sozialist. Staaten um ein friedl. Zusammenleben.) Praha, Svoboda, 84, in-8, 366 p.

7447. PAINTER (David S.). Oil and the Marshall plan. Business Hist. R., 84, vol. 58, n° 3, p. 359-383.

7448. PALMER (Bruce) Jr. The 25-year war: America's military role in Vietnam.

Lexington, U.P. of Kentucky, 84, in-8, IX-236 p.

7449. PAŠKOVÁ (Irena). Československosovietske kultúrne vztahy v období národnej a demokratickej revolúcie. (Czechoslovak-Soviet relations in the period of the national and democratic revolution.) Hist. Čas., 84, vol. 32, p. 758-780.

7450. PORTER (Bruce D.). The USSR in third world conflicts: Soviet arms and diplomacy in local wars, 1945-1980. London a. New York, Cambridge U. P., 84, in-8, VIII-248 p.

7451. PRATT (John Clark). Vietnam voices: perspectives on the war years, 1941-1982. Harmondsworth, Penguin, 84, in-8, XII-708 p.

7452. QUARTARO (R.). L'Italia e il piano Marshall (1947-1952). Stor. contemp., 84, a. 15, n° 4, p. 647-722.

7453. RICE (Desmond), GAVSHON (Arthur). The sinking of the "Belgrano". London, Secker a. Warburg, 84, in-8, 192 p.

7454. RICE-MAXIMIN (Edward). The United States and the French left, 1945-1949: the view from the State Department. J. contemp. Hist., 84, vol. 19, n° 4, p. 729-747.

7455. ROBIN (Gabriel). La crise de Cuba, octobre 1962. Du mythe à l'histoire. Paris, Inst. franç. des relations internat.; diff. Economica, 84, in-8, 170 p.

7456. ROZANCEVA (N.A.). Francija v OON (1945-1950). (France in the UN, 1945-1950.) Moksva, Nauka, 84, 223 p. - CR: M. V. Nečkina, K. P. Zueva, Nov. novejš. Ist., 84, n° 6, p. 176-178.

7457. RUBOTTOM (Richard), MURPHEY (Carter). Spain and the United Nations since World War II. London, Praeger, 84, in-8, 176 p.

7458. RYSKOVÁ (Světlana). Některé rysy utváření amerických zahraničně politických doktrín na počátku 60. let. (Certain features of the formation of the American foreign policy doctrine in the early sixties.) Českoslov. Čas. hist., 84, vol. 32, p. 27-51.

7459. RYSTAD (Göran). Eurocommunism in American foreign policy during the 1970's. Scandia, 84, vol. 50, p. 191-205.

7460. SEEBER (Eva). Die Befreiermächte und die nationale Souveränität der Völker am Ende des zweiten Weltkrieges. Dargestellt am Vergleich d. Verwaltungsregelung in Frankreich u. d. Tschechoslowakei. Jb. f. Gesch., 84, Bd 30, p. 71-115.

7461. SIMEONI (Héctor Rubén). Malvinas: contrahistoria. Buenos Aires, Inédita, 84, in-8, 223 p.

7462. SIRRIYEH (Hussein). United States policy in the Gulf, 1968-1977: the aftermath of British withdrawal. London, Ithaca Press, 84, in-8, 304 p. (maps).

7463. ŠKORPIL (Pavel). Hospodářské vztahy mezi dvěma německými státy a jejich historické místo v politice NSR. (Die wirtschaftlichen Beziehungen zwischen den beiden deutschen Staaten u. ihre geschichtliche Stellung in der Politik der BRD.) Českoslov. Čas. hist., 84, vol. 32, p. 645-667, 811-826.

7464. SMITH (Arthur L.). Die deutschen Kriegsgefangenen und Frankreich 1045-1949. Vjhefte f. Zeitgesch., 84, Jg. 32, H. 1, p. 103-121.

7465. SMITH (R.B.). International history of the Vietnam war. Vol. 1: Revolution versus containment, 1955-1961. London, Macmillan, 84, in-8, 320 p.

7466. Sovremennaja vnešnaja politika SŠA. (Current foreign policy of the USA.) V 2-kh t. T. 1, 2. Redkol.: G. A. ARBATOV i dr. Moskva, Nauk, 84, 2 vol., 462, 479 p. (AN SSSR. In-t SŠA i Kanady)

7467. SPERONI (José). La real dimensión de una agresión. Buenos Aires, Círculo Militar, 84, in-8, 160 p.

7468. SSSR i Pakistan. (USSR and Pakistan.) Redkol.: I. V. KHALEVINSKIJ (otv. red.) i dr. Moskva, Nauka, 84, 224 p. (SSSR i strany Vostoka. AN SSSR. In-t vostokovedenija)

7469. TJUL'PANOV (S.I.). V pervye poslevoennye gody na nemeckoj zemle. (In the first post-war years on the German soil.) Nov. novejš. Ist., 84, n° 2, p. 121-136; n° 4, p. 104-124.

7470. TOYOSHITA (Naohiko). Itaria Senryō Shi Josetsu. Sengo Gaikō no Kiten. (The occupation of Italy as a starting point of the diplomatic history after World War II.) Tokyo, Yûhikaku, 84, in-8, 348 p.

7471. TRASK (Roger R.). Spruille Braden versus George Messersmith: World War II, the Cold War, and Argentine policy, 1945-1947. J. inter-am. Stud. a. World Affairs, 84, vol. 26, n° 1, p. 69-96.

7472. TRINQUIER (Roger). Le premier bataillon des Bérets rouges. Indochine, 1947-1949. Paris, Plon, 84, in-8, 259 p. (ill.).

7473. TUCKER (Nancy Bernkopf). American policy toward Sino-Japanese trade in the postwar years: politics and prosperity. Dipl. Hist., 84, vol. 8, n° 3, p. 183-208.

7474. ULAM (Adam B.). Dangerous relations: the Soviet Union in world politics, 1970-1982. New York a. London, Oxford U.P., 84, in-8, 336 p. (Galaxy Books)

7475. VANDENBROUCKE (Lucien S.). Anatomy of a failure: the decision to land at the Bay of Pigs. Pol. Sci. Quar., 84, vol. 99, n° 3, p. 471-492. - IDEM. The "confessions" of Allen Dulles: new evidence on the Bay of Pigs. Dipl. Hist., 84, vol. 8, n° 4, p. 365-376.

7476. VASILEVA (Bojka). Migracionnye peredviženija naselenija meždu Bolgariej i Jugoslaviej 1044-1955. (Les échanges de populations entre la Bulgarie et la Yougoslavie, 1944-1945.) In: Etudes hist., n° 11 [Cf. n° 689], p. 199-212.

7477. VESELÝ (Zdeněk). Československo a Marshallův plán. Příspěvek k problematice mezinárodních souvislostí revolučního procesu v Československu 1945-1948. (Die Tschechoslowakei und der Marshall-Plan. Ein Beitrag z. Problematik d. internat. Zusammenhänge d. Revolutionsprozesses in d. Tschechoslowakei 1945-1948.) Praha, Univ. Karlova, 84, in-8, 119 p. (Acta Univ. Carolinae, Philosophica et historica, Mongrafia, 92)

7478. Vooružennaja bor'ba narodov Azii za svobodu i nezavisimost'. 1945-1980. (Armed struggle of the peoples of Asia for freedom and independence 1945-1980.) Otv. red. I. A. BABIN. Moskva, Nauka, 84, 341 p. (ill.). (AN SSSR. In-t voen. istorii M-va oborony SSSR)

7479. WATSON (Bruce W.), DUNN (Peter M.). Military lessons of the Falkland Islands war: views from the United States. London, Arms a. Armour Press, 84, in-8, 190 p.

7480. YOUNG (J.W.). Britain, France and the unity of Europe, 1945-1951. Leicester, Univ. Press, 84, in-8, 240 p.

7481. Za mir, razoruženie i bezopasnost' narodov (Letopis' vnešnej politiki SSSR). (For peace, disarmament and security of the peoples. Chronicle of USSR' foreign policy.) 2-e izd., dop. Pod obšč. red. N. I. LEBEDEVA. Moskva, Politizdat, 84, 480 p.

7482. ZUEV (F. G.). Socialističeskoe sodružestvo i razrjadka v Evrope. Ist. opyt polit. razrjadki vtoroj poloviny 60-kh - pervoj poloviny 70-kh godov. (Socialist cooperation and détente in Europe.) Moskva, Nauka, 84, 335 p. (AN SSSR. In-t slavjanovedenija i balkanistiki)

7483. ZYBLIKIEWICZ (Lubomir). Polityka Stanów Zjednoczonych i Wielkiej Brytanii wobec Polski 1944-1949. (La politique des Etats-Unis et de la Grande-Bretagne envers la Pologne 1944-1949.) Warszawa, Książka i Wiedza, 84, in-8, 399 p.

Cf. n°s 3142, 6625, 6671, 6682, 6701.

R

ASIA

§ 1. Opere generali. 7484-7491. - § 2. Asia occidentale e centrale. 7492-7529. - § 3. India. Ceylon. 7530-7560. - § 4. Indocina. Insulindia. 7561-7581. - § 5. Cina. 7582-7646. - § 6. Giappone (fino al 1868). 7647-7688. - § 7. Corea. 7689-7692.

§ 1. Opere generali.

7484. Drevnie kul'tury Srednej Azii i Indii. (Ancient cultures of Central Asia and India.) Pod red. V. M. MASSONA. Leningrad, Nauka, 84, 187 p. (ill.). (AN SSSR. In-t arkheologii)

7485. Évoljucija vostočnykh obščestv: sintez tradicionnogo i sovremennogo. (Evolution of Eastern societies: synthesis of traditional and present-day nature.) Otv. red. L. I. REJSNER, N. A. SIMONIJA. Moskva, Nauka, 84, 581 p. (Puti razvitija osvobodivšikhsja stran Vostoka. AN SSSR. In-t vostokovedenija)

7486. Fol'klor, literatura i istorija Vostoka. (Folklore, literature and history of the East.) Materialy III Vsesojuz. tjurkolog. konferencii. Redkol.: KH. Z. ZIJAEV (otv. red.) i dr. Taškent, Fan, 84, 422 p. (Otd-nie lit. i jaz. AN SSSR. Sov. kom. tjurkologov pri OLJA AN SSSR, AN UzSSSR. Otd-nie istorii jazykoznanija i literaturovedenija. In-t jaz. i lit. im. A. S. Puškina. In-t istorii)

7487. Higashi Ajia Sekai ni okeru Nihon Kodaishi Kôza. (Histoire du Japon antique dans l'Asie orientale.) Dir. par INOUE Mitsusada, et al. Vol. 6: Nihon Ritsuryô Kokka to Higashi Ajia. (L'Etat japonais du système ritsu-ryô et ses rapports avec l'Asie orientale.) Vol. 9: Higashi Ajia Sekai ni okeru Girei to Kokka. (Les cérémonies et l'Etat dans l'Asie orientale.) Tokyo, Gakuseisha, 82, 2 vol. in-8, 365, 300 p. [Cf. n°s 7616, 7692]

7488. MASUBICIII (Tatsuo). Rekishi-ka no Dôjidaishiteki Kôsatsu ni tsuite. (L'historien et le temps présent. Réflexions sur l'histoire contemporaine.) Tokyo, Iwanami, 83, in-8, 286 p.

7489. Pis'mennye pamjatniki Vostoka. Ist.-filol. issled. (Written monuments of the East. Hist. a. philol. researches.) Ežegodnik. [1975. Cf. Bibl. 82, n° 7544.] 1976-1977. Redkol.: G. F. GIRS (predsedatel') i dr. Moskva, Nauka, 84, 366 p. (AN SSSR. In-t vostokovedenija)

7490. Tibetan and Buddhist studies. Commemorating the 200 anniversary of the birth of Alexander Csoma de Kőrös. Vol. 1,

2. Ed. by Louis LIGETI. Budapest, Akad. Kiadó, 84, 2 vol. in-8, 387, 440 p. (1 pl.). (Bibliotheca orientalis Hungarica, 29/1, 2)

7491. Toprak kala. Dvorec (Toprak-Kala. The palace.) Vyp. 14: Trudy Khorezm. arkheol.-ètnogr. èkspedicii. Istorija, iskusstvo i religija drevnego Srednego Vostoka. (Works of the Khorezmian archaeol.-ethnogr. expedition. History, art and religion of the ancient Middle East.) Otv. red. Ju. A. RAPOPORT, E. E. NERAZIK. Moskva, Nauka, 84, 303 p. (ill.).

§ 2. Asia occidentale e centrale.

** 7492. From Hecataeus to al-Huwārizmi. Bactrian, Pahlavi, Sogdian, Persian, Sanskrit, Syriac, Arabic, Chinese, Greek and Latin sources for the history of pre-Islamic Central Asia. Ed. by János HARMATTA. Budapest, Akad. Kiadó, 84, in-8, 352 p. (47 pl.). (Coll. of the sources on the history of pre-Islamic Central Asia, 3)

** 7493. MANO (Eiji). Bâbur-nâma no Kenkyû. Ferugâna Shô Nihongo Yaku. Kâburu Shô Nihongo Yaku. (A study of the Bâbur-nâma. Japanese transl. of the Ferghana section. ... of the Kabul section.) Kyôto Daigaku Bungakubu Kenkyû Kiyô, 83, vol. 22, p. 189-347; 84, vol. 23, p. 29-231.

7494. ABBOTT (K.E.). Cities and trade: Consul Abbott on the economy and society of Iran, 1847-1866. London, Ithaca Press, 84, in-8, 320 p.

7495. AMIN (S.H.). Farrashbashi, a historical event before the Iranian constitutional revolution. [In Persian.] Glasgow, Royston, 84, in-8, 200 p. (ill.).

7496. Arabie (L') du Sud. Histoire et civilisation. Ed. par Joseph CHELHOD. T. 1: Le peuple yéménite et ses racines. T. 2: ·La société yéménite de l'Hégire aux idéologies modernes. Paris, Maisonneuve et Larose, 83-84, 2 vol. in-8, 290, 266 p. (pl.). (Islam d'hier et d'aujourd'hui)

7497. BEKCER (Jillian). P. L. O., the

rise and fall of the Palestine Liberation Organization. London, Weidenfeld a. Nicolson, 84, in-8, 328 p.

7498. BIGGS (Robert D.). Hebraica, American Journal of Semitic Languages and Literatures, Journal of Near Eastern Studies, 1884-1984. J. near east. Stud., 84, vol. 43, n° 1, p. 1-8.

7499. BOSWORTH (E.). HULLENBRAND (C.). Qajar Iran, 1800-1925: political, social and cultural change. Edinburgh, Univ. Press, 84, in-8, 416 p. (ill.).

7500. Collected works of Alexander CSOMA de KŐRÖS. Ed. by József TERJÉK. Vol. 1-4 a. Supp.: TERJÉK Józsezf. Alexander Csoma de Kőrös, 1784-1842. A short biography. Vol. 1: Tibetan-English dictionary. Vol. 2: Grammar of the Tibetan language. Vol. 3: Sanskrit-Tibetan-English vocabulary. Being an edition and translation of the Mahāvyutpatti. Vol. 4: Tibetan studies. Being a reprint of the articles contributed to the Journal of the Asiatic Society of Bengal and Asiatic Researches. Budapest, Akad. Kiadó, 84, 4 vol. in-8, LX-351 p. (pl.); XVI-204-40 p. a. Suppl. XXXI p.; XXXVII-390 p. a. Suppl. XXXI p.; IX-459 p. a. Suppl. XXXI p.

7501. Drevnjaja Baktrija. (Ancient Bactria.) Otv. red. I. T. KRUGLIKOVA. Vyp. 31: Materialy sovetsko-afgan. arkhol. ékspedicii. Moskva, Nauka, 84, 152 p. (ill.). (AN SSSR. In-t arkheologii)

7502. Gosudarstvennaja vlast' i obščestvenno-političeskie struktury v arabskikh stranakh. Istorija i sovremennost'. (State power and socio-political structures in Arabic countries. Past and present.) Sbornik statej. Redkol.: I. M. SMILJANSKAJA (otv. red.) i dr. Moskva, Nauka, 84, 256 p. (AN SSSR. In-t vostokovedenija)

7503. ISAMIDDINOV (M. Kh.), SULEJMANOV (R. Kh.). Erkurgan (stratigrafija i periodizacija). (Erkurgan: stratigraphy and division into periods.) Taškent, Fan, 84, 160 p. (ill.).

7504. Istočnikovedenie i tekstologija srednevekovogo Bližnego i Srednego Vostoka. (Study and critique of the sources of medieval Near And Middle East.) Redkol.: G. F. GIRS, E. A. DAVIDOVIČ. Moskva, Nauka, 84, 246 p. (AN SSSR. In-t vostokovedenija)

7505. Iz istorii živopisi Srednej Azii. Tradicii i novatorstvo. (From the history of painting of Central Asia. Traditions and innovations.) Sbornik statej. Nauč. red.: G. A. PUGAČENKOVA. Taškent, Izd-vo lit. i iskusstva, 84, 285 p. (ill.). (In-t iskusstvoznanija M-va kul'tury UzSSR)

7506. KABANO (S.K.). Arkheologičeskie dannye k izučeniju genezisa feodalizma v Srednej Azii (po materialam Nakhšeba, Khorezma i doliny r. Ču.). (Archaeological date for the study of the genesis of feudalism in Central Asia: case-study of Nakhsheb, Khorezm and the Chu valley.) Sovet. Arkheol., 84, n° 3, p. 48-58.

7507. KOVALEVSKAJA (V.B.). Kavkaz i alany. Veka i narody. (The Caucasus and the Alani.) Moskva, Nauka, 84, 193 p. (ill.). (Po sledam isčeznuvšikh kul'tur Vostoka. AN SSSR. In-t vostokovedenija)

7508. KŠIBEKOV (D.). Kočevoe obščestvo: genezis, razvitie, upadok. (Nomad society: genesis, development, dawnfall.) Alma-Ata, Nauka, 84, 233 p. (AN KazSSR. In-t filosofii i prava)

7509. KUSHNER (David). Intercommunal strife in Palestine during the late Ottoman period. Asian a. african Stud., 84, vol. 18, p. 187-204.

7510. KUZNECOV (V.A.). Očerki istorii alan. (Essays on the history of the Alani.) Ordžonikidze, Ir, 84, 302 p. (ill.). (Sev.-Oset. NII ist., filol. i ékon. pri Sovete Ministrov SO ASSR)

7511. LEWIS (Bernard). The Jews of Islam. Princeton, N.J., Princeton U.P., 84, in-8, XII-245 p.

7512. LITVINSKIJ (B..A.), SEDOV (A.V.). Kul'ty i rituali kušanskoj Baktrii. Pogreb. obrjad. (Cults and rituals of Kushanic Bactria. The funeral rite.) Moskva, Nauka, 84, 239 p. (ill.). (AN SSSR. In-t vostokovedenija, AN TadžSSR. In-t istorii)

7513. LUNT (James). Glubb Pasha. London, Harvill Press, 84, in-8, 264 p.

7514. MENTEŠAŠVILI (A.M.) Kurdy: Očerki obščestvenno-ékon. otnošenij, kul'tury i byta. (Kurds: essays on social and economic relations, culture and mode of life.) Moskva, Nauka, 84, 238 p.

7515. MORNY (Michael G.). Iraq after the muslim conquest. Princeton, N.J., Princeton U.P., 84, in-8, IX-689 p. (Princeton Stud. on the Near East)

7516. Novejšaja istorija Jemena, 1917-1982 gg. (Contemporary history of Yemen, 1917-1982.) Redkol.: O. G. GERASIMOV (otv. red.) i dr. Moskva, Nauka, 84, 230 p. (AN SSSR. In-t vostokovedenija)

7517. OCHSENWALD (William). Religion, society, and the state in Arabia: the Hijaz under Ottoman control, 1840-1908. Columbus, Ohio State U.P., 84, in-8, XIII-241 p.

7518. Revoljucionnyi perekhod Mongolii k socializmu. (The revolutionary transition of Mongolia to socialism.) Redkol.: N. I. GANIN, B. LKHAMSUREN (rudovoditeli) i dr. Moskva, Mysl', 84, 206 p. (Akad. obščest. nauk pri CK KPSS i dr. In-t obščestv. nauk pri CK MNRP, Vysš. part. Šk. im. D. Sukhe-Batora pri CK MNRP)

7519. RICE (M.). Dilmun discovered: the early years of archaeology in Bahrain. London, Longman, 84, in-8, VI-206 p.

7520. ROSEN (Minna). The Naqîb al-Ashraf rebellion in Jerusalem and its repercussion on the city's Dhimmīs. Asian a. african Stud., 84, vol. 18, p. 249-270.

7521. RTVELADZE (E.V.). Kušanskaja

krepost' Kampyr-tepe. (A Kushan fortress at Kampyr-tepe.) Isssled. i otkrytija. Vest. drevn. Ist., 84, n° 2, p. 87-106.

7522. SARIANIDI (V.I.). Batrija skvoz' mglu vekov. (Bactria, through haze of centuries.) Moskva, Mysl', 84, 159 p. (ill.).

7523. SATO (Tsugitaka). The Iqtâ system of Iraq under the Buwayhids [10th - 11th cent.] Orient, 82, vol. 18, p. 83-105.

7524. SHIMADA (Masao). Arutan-Han no Hôten. (The code of Altan-Kahn [Mongol ruler, 16th cent.].) Meiji Daigaku Hôritsu Ronsô, 83, vol. 56, n° 4, p. 1-40.

7525. SHIMO (Hirotoshi). Iru Han-koku ni okeru Mongoru-jin. (The Mongols under the Ilkhanate [Persia, 13th - 15th cent.].) Tôyôshi Kenkyû, 84, vol. 42, n° 4, p. 130-166. [Eng. summary]

7526. ŠIKHSAIDOV (A.R.). Épigrafičeskie pamjatniki Dagestana X-XVII vv. kak istoričeskij istočnik. (Epigraphic monuments of Daghestan of the 10th - 17th centuries as historical source.) Moskva, Nauka, 84, 463 p. (AN SSSR. Dag. fil. In-t Istorii, jaz. i literatury)

7527. STEIN (Kenneth W.). The land question in Palestine, 1917-1939. Chapel Hill, Univ. of North Carolina Press, 84, in-8, XVIII-314 p.

7528. WOODS (John E.). Turco-Iranica II: notes on Timurid decree of 1396-798. J. near east. Stud., 84, vol. 43, n° 4, p. 331-338.

7529. YAMAGUCHI (Zuihô). Toban Okoku Seiritsu-shi Kenkyû. (Etude sur la naissance du royaume de Tibet [début du VIIe s.].) Tokyo, Iwanami, 83, in 8, 1003 p.

Cf. n° 1044.

§ 3. India e Ceylon.

* 7530. India. Comp. by Brijen K. GUPTA a Datta S. KHARBAS, with the assistance of Judith N. KHARBAS a. Arthur D. LOPATIN. Santa Barbara, Calif., a. Oxford, Clio, 84, in-8, XVIII-268 p. (World bibliogr. ser., 26)

** 7531. WILSON (Lady). Letters from India. London, Century Publ. Co., 84, in-8, 432 p.

7532. ALAEV (L.B.). Indijskaja derevnja skvoz' veka. (The Indian countryside throughout the ages.) Vopr. Ist., 84, n° 4, p. 97-108.

7533. ALLCHIN (Bridget) a. others. South Asian archaeology: International Conference proceedings, 1981. London, Cambridge U.P., 84, in-4, 347 p. (Cambr. Oriental Publ.)

7534. ALLEN (Charles), DWIVEDI (Shavade). Lives of the Indian Princes. London, Century Publ. Co., 84, in-4, 352 p. (iil., pl.).

7535. ARA (Matsuo). Derî-Sarutanatto Makki no Mosuku to Rôdî Shihaisô. (Afghan rulers and the construction of mosques in medieval Delhi [15th -16th cent.].) Tokyo Daigaku Tobunken Kiyô, 82, vol. 88, p. 1-43. [Eng. summary]

7536. BARDHAN (Pranab). The political economy of development in India. Oxford, Blackwell, 84, in-8, 118 p. (tab.).

7537. BURGHART (Richard). The formation of the concept of nation-state in Nepal. J. asian Stud., 84, vol. 44, n° 1, p. 101-126.

7538. DEVI (Gayatri), RAU (Santha Rama). A Princess remembers: memoirs of the Maharani of Jaipur. London, Century Publ. Co., 84, in-8, 336 p. (ill.).

7539. ENGINEER (Ashgar Ali). Communal riots in post-independence India. London, Sangam Books, 84, in-8, 340 p.

7540. GANDHI (Arun). The Poraji papers: the fall of the Janata governement. New Delhi, Vision Books; London, Books from India, 84, in-8, VI-256 p.

7541. GOPAL (Sarvepalli). Jawaharlal Nehru: a biography. [Vol. 2. Cf. Bibl. 78-79, n° 7904.] Vol. 3: 1956-1964. Cambridge, Mass., Harvard U.P., London, Cape, 84, in-8, 336 p.

7542. GUHA (Ranajit). Subaltern studies: writings on South Asian history and society. Vol. [1. Cf. Bibl. 82, n° 7617.] 2. Delhi, Oxford U.P., 84, in-8, 368 p. (tab., maps).

7543. HOLMBERG (David). Ritual paradoxes in Nepal: comparative perspectives on Tamang religion. J. asian Stud., 84, vol. 43, n° 4, p. 697-722.

7544. HUNTINGTON (Susan). The art of ancient India: Buddhist, Hindu, Jain. London, Phaidon, 84, in-4, 800 p. (ill., pl.).

7545. JOHAR (Surinder Singh). Giani Zail Singh: biography. Delhi, Sterling; London, Books from India, 84, in-8, III-254 p. (ill.).

7546. KUMAR (Ravinder). Essays in the social history of modern India. Delhi, Oxford U.P., 84, in-8, 306 p.

7547. MATHPAL (Yashodhar). Prehistoric rock paintings of Bhimbetka. Delhi, Abhinav; London, Books from India, 84, in-4, 236 p. (ill., pl.).

7548. MAYER (P.B.). Congress (I), Emergency (I): interpreting Indira Gandhi's India. J. Commonw. compar. Pol., 84, vol. 22, p. 128-150.

7549. MEISTER (Michael W.), DHAKY (M.A.). Encyclopaedia of Indian temple architecture: South India, Lower Davidadesa, 200 B.C. - 1324 A.D. London, Oxford U.P., 84, 2 vol. in-4, 376, 312 p. (ill., fig., tab.).

7550. NAKAZATO (Nariaki). 19 seiki-matsu 20 seiki-shotô no Dakka Chihô ni okeru Tochi Shijô no Kôsatsu. (Land market and landlordism in the Dacca Division [Bengal, India] at the turn of the 19th century.) Tôdai Tôbunken Kiyô, 83, vol. 93, p. 133-227. [Eng. summary]

7551. NELSON (William A.). The Dutch forts of Sri Lanka. Edinburgh, Canongate, 84, in-4, 164 p.

7552. NJAMMASCH (Marlene). Untersuchung zur Genesis des Feudalismus in Indien. Berlin, Akad.-Verl., 84, in-8, 166 p. (Schr. z. Gesch. u. Kultur d. Alten Orients, 17) - EADEM. Die sozialökonomischen Wurzeln der Stagnationserscheinungen in der nordindischen Feudalgesellschaft des 10. bis 12. Jahrhunderts. Jb. f. Gesch. d. Feudalismus, 84, Bd 8, p. 114-143.

7553. RAMASWAMI (N.S.). Political history of Carnatic under the Nawabs. Delhi, Abhinav; London, Books from India, 84, in-8, VIII-436 p.

7554. SARKAR (Sir Jadunath). History of Jaipur. London, Sangam Books, 84, in-8, XVI-416 p. (ill., pl.).

7555. ŠEPTUNOVA (I.I.). Očerki istorii éstetičeskoj mysli Indii v novoe i novejšee vremja. (Essays on the history of the aesthetic tought in India in modern and contemporary times.) Moskva, Nauka, 84, 189 p. (AN SSR. VNII iskusstvoznanija M-va kul'tury SSSR)

7556. SHETTY (B. Vasantha). Studies in Karnataka history. Delhi, Sterling; London, Books from India, 84, in-8, XII-132 p. (ill., maps).

7557. VANINA (E. Ju.). Indijskoe gorodskoe tkačestvo v XVI-XVIII vv. (Indian urban weaving in the 15th - 18th centuries.) Nar. Azii Afr., 84, n° 5, p. 90-99.

7558. WINSLOW (Deborh). A political geography of deities: space and the Pantheon in Sinhalese Buddhism. J. asian Stud., 84, vol. 43, n° 2, p. 273-292.

7559. WOLPERT (Stanley). Jinnah of Pakistan. New York a. London, Oxford U.P., 84, in-8, 434 p. (ill., maps).

7560. WOOD (John B.). British versus princely legacies and the political integration of Gujarat. J. asian Stud., 84, vol. 44, n° 1, p. 65-100.

Cf. n° 5670.

§ 4. Indocina ed Insulindia.

7561. BANDILENKO (G.G.). Kul'tura i ideologija srednevekovykh gosudarstv Javy. Očerk istorii VIII - XV vv. (Culture and ideology of medieval states of Java. Essay on the history of the 8th - 15th cent.) Moskva, Nauka, 84, 253 p. (ill.). (Kul'tura narodov Vostoka. AN SSSR. Otd-nie istorii, MGU, In-t stran Azii i Afriki)

7562. Brunej: Istorija, ékonomika, politika. (Brunei: history, economics, politics.) Redkol.: A. I. IONOVA (otv. red.) i dr. Moskva, Nauka, 84, 128 p. (AN SSSR. In-t vostokovedenija)

5763. ETCHESON (C.). The rise and demise of democratic Kampuchea. London, F. Pinter, 84, in-8, 300 p.

7564. EVANS (Grant), ROWLEY (Kelvin). The red brotherhood of war: Cambodia, Laos and Vietnam since the fall of Saigon. London, Verso Editions, 84, in-8, 354 p. (maps).

7565. FESSEN (Helmut), KUBITSCHECK (Hans-Dieter). Geschichte Malaysias and Singapurs. Berlin, Deutsch. Verl. d. Wiss., 84, in-8, 240 p. (Abb., Kt.).

7566. GLAZUNOV (E.P.), ISAEV (M.P.). Strany Indokitaja: Put' bor'by i sveršenij. (The countries of Indochina: path of struggle a. achievements.) Moskva, Mysl', 84, 271 p. (ill.).

7567. GUREVIČ (E.M.). Politiceskaja sistema sovremennogo Singapura. (The political system of contemporary Singapore.) Moskva, Nauka, 84, 162 p. (AN SSSR. In-t vostokovedenija)

7568. KOLOSKOV (B.T.). Malajzija včera i segodnja. Opyt probl. issled. istorii razvivajuščikhsja stran. (Malaysia yesterday and today.) Moskva, Mysl', 84, 303 p. (ill.).

7569. KUBITSCHECK (Hans-Dieter). Südostasien. Völker u. Kulturen. Berlin, Akad.-Verl., 84, in-8, 319 p. (Abb., Kt.).

7570. KUZNECOVA (S.S.). Javanskie khroniki XVII-XVIII vv., kaka istočnik po istorii Indonezii. (Javanese chronicles of the 17th - 18th centuries as a source for Indonesia's history.) Moskva, Nauka, 84, 195 p. (AN SSSR. In-t vostokovedenija)

7571. LIEBERMAN (Victor B.). Burmese administrative cycles: anarchy and conquest, c. 1580-1760. Princeton, N.J., Princeton U.P., 84, in-8, XII-338 p.

7572. MONTGOMERY (Brian). Shenton of Singapore. London, Secker a. Warburg, 84, in-8, 256 p.

7573. MOSKALENKO (V.N.). Vnešnjaja politika Pakistana: Formirovanie i osnovnye étapy évoljucii. (Foreign policy of Pakistan: forming and basic stages of its evolution.) Moskva, Nauka, 84, 301 p. (AN SSSR. In-t vostokovedenija)

7574. Novejšaja istorija V'etnama. (Contemporary history of Vietnam.) Otv. red.: S. A. MKHITARJAN. Moskva, Nauka, 84, 424 p. (AN SSSR. In-t vostokovedenija)

7575. REBRIKOVA (N.V.), KALAŠNIKOV (N. I.). Tailand: obščestvo i godudarstvo. (Thailand: society and state.) Moskva, Nauka, 84, 270 p. (AN SSSR. In-t vostokovedenija)

7576. SAKURAI (Yumio). 18 Seiki oyobi 19 Seiki Shoki Kôga Deruta ni okeru Ryûsan

Sonraku no Kenkyû. (A study on the abandoned villages in the Red River Delta [Vietnam] in the 16th a. early 19th cent.) Tônan Ajia Kenkyû, 82, vol. 20, n° 2, p. 145-166. [Eng. summary]

7577. SEARLE (Peter Whiford). Politics in Sarawak, 1970-1976: the Iban perspective. Kuala Lumpur, Oxford U.P., 84, in-8, 352 p.

7578. SINCLAIR (James). Uniting a nation: the postal and telecommunications services of Papua-New Guinea. New York, Oxford U.P., 84, in-8, VIII-287 p.

7579. SUZUKI (Tsuneyuki). Paremban Ôkoku no Taigai Kankei. 17-seiki o Chûshin to shite. (Les relations extérieures du royaume de Palembang au XVIIe siècle.) Shiron, 84, vol. 37, p. 1-29.

7580. VICKERY (Michael). Cambodia, 1975-1982. Melbourne a. London, Allen a. Unwin, 84, in-8, 374 p.

7581. ZAKHOŽAJA (A.N.). Bangladeš: stanovlenie i razvitie gosudarstvennosti. (Bangladesh: formation and develoment of its state system.) Moskva, Nauka, 84, 106 p. (AN SSSR. In-t vostokovedenija)

§ 5. Cina.

* 7582. Revue bibliographique de sinologie. Nouv. série. T. 1: 1983. T. 2: 1984. Réd. par Michel CARTIER, Danielle ELISSEEFF. Paris, Ecole des Hautes Etudes en Sci. soc., 83-84, 2 vol. in-8, 224, 292 p.

7583. ADSHEAD (S.A.M.). Province and politics in late imperial China: viceregal government in Szechwan, 1898-1911. London, Curzon Press, 84, in-8, 146 p. (Scandinavian Inst. of Asian Stud., Monogr.)

7584. AUBIN (Françoise). Etudes Song. Song studies. In memoriam Etienne Balazs. Paris, Ecole des Hautes Etudes en Sci. soc., 84, in-8, 126 p. (Etudes, Song, sér. Civilisations, 3)

7585. BOGOSLOVSKIJ (V.A.), MOSKALEV (A.A.). Nacional'nyj vopros v Kitae (1911-1949). (The national problem in China, 1911-1949.) Moskva, Nauka, 84, 262 p. (AN SSSR. In-t Dal. Vostoka)

7586. BONAVIA (David). Verdict in Peking: the trial of the Gang of Four. London, Burnett Books, 84, in-8, 225 p.

7587. BOROKH (L.N.). Obščestvennaja mysl' Kitaja i socializm (načalo XX veka). (Social thought in China and socialism, beginning of the 20th century.) Moskva, Nauk, 84, 206 p. (AN SSSR. In-t vostokovedenija)

7588. BUCK (David D.). Themes in the socioeconomic history of China, 1840-1949: a review article. J. asian Stud., 84, vol. 43, n° 3, p. 459-474.

7589. CHERPAK (Evelyn M.). Remembering days in old China: a navy bride recalls life on the Asiatic station in the 1920's. Am. Neptune, 84, vol. 44, p. 179-185.

7590. CHONG (Key Ray). Americans and Chinese reform and revolution, 1898-1922: the role of private citizens in diplomacy. Lanham, Md., U.P. of America, 84, in-8, XIII-308 p.

7591. Chûgoku Ritsu-ryô Sei no Tenkai to Sono Kokka Shakai to no Kankei. (L'évolution du système de Lü-ling en Chine dans ses rapports avec l'Etat et la société.) Dir. par Tôdai-shi Kenkyû-kai. Tokyo, Tôsui, 84, in-8, 196 p. [Cf. n° 7601]

7592. Chûgokushi-zô no Saikôsei. Kokka to Nômin. (Nouvelle approche de l'histoire de Chine. L'Etat et les paysnas.) Dir. par Chûgokushi Kenkyûkai. Tokyo, Bunrikaku, 83, in-8, 333 p. [Cf. n° 7636]

7593. COHEN (Paul A.). Discovering history in China: American historical writing on the recent Chinese past. New York, Columbia U.P., 84, in-8, XVIII-243 p. (Stud. of the East Asian Inst., Columbia Univ.)

7594. ČŽAN JACIN. Keramika neolitičeskikh kul'tur Vostočnogo Kitaja. (Ceramics of neolithic cultures of East China.) Novosibirsk, Nauka, 84, 108 p. (ill.). (Istorija i kul'tura Vostoka Azii. AN SSSR. Sib. otd-nie. Komis. po vostokovedeniju. In-t ist., filol. i filos.)

7595. DU BOULAY (Anthony). Christie's pictorial history of Chinese ceramics. London, Phaidon Christie's, 84, in-4, 320 p. (ill., pl.).

7596. EASTMAN (Lloyd E.). Seeds of destruction: nationalist China in war and revolution, 1937-1949. Stanford, Calif., Stanford U.P., 84, in-8, IX-311 p.

7597. EBREY (Patricia). Conceptions of the family in the Sung dynasty. J. asian Stud., 84, vol. 43, n° 2, p. 219-246.

7598. GYSS-VERMANDE (Caroline). La vie et l'oeuvre de Huang Gongwang, 1269-1354. Paris, Inst. des Hautes Etudes chinoises; diff. de Boccard, 84, in-8, XX-184 p. (ill.). (Mém. de l'Inst. des Hautes Et. chin., 23)

7599. HEMMEL (Vibeke), SINDBJERG (Pia). Women in rural China: policy towards women before and after the cultural revolution. London, Curzon Press, 84, in-8, 168 p.

7600. HIRANO (Tadashi). Chûgoku Minshu Dômei no Kenkyû. (Etude sur l'Uion des démocrates chinois [1944-].) Tokyo, Kembun, 83, in-8, 454 p.

7601. HORI (Toshikazu). Chûgoku ni okeru Ritsu-ryô Hôten no Keisei. (La codification du Lü-ling en Chine.) In: Chûgoku Ritsu-ryô Sei no Tenkai to Sono Kokka Shakai to no Kankei [Cf. n° 7591], p. 5-22.

7602. HUENEMANN (Ralph William). The

dragon and the iron horse: the economics of railroads in China, 1867-1937. Cambridge, Mass., Harvard U.P., 84, in-8, XII-347 p. (Harvard East Asian Monogr., 109)

7603. KARETINA (G.S.). Čžan Czolin' i političeskaja bor'ba Kitae v 20-e gody XX v. (Zhang Zualin and the political struggle in China in the 20s of the 20th century.) Moskva, Nauka, 84, 198 p.

7604. KASOFF (Ira E.). The thought of Chang Tsai, 1020-1077. London, Cambridge U.P., 84, in-8, 209 p. (Stud in Chinese Hist., Lit. a. Institutions)

7605. KAWAHARA (Masahiro). Kan-minzoku Kanan Hattenshi Kenkyû. (Histoire des peuples Han dans la Chine du Sud.) Tokyo, Yoshikawa Kôbun Kan, 84, in-8, 436 p.

7606. KOBAYASHI (Yoshihiro). Ôyôshû ni okeru Rekishi Kijutsu to Keireki no Kaikaku. (Ouyang Xiu's historiography and the Qingli Reform [Sung Dynasty, 11th cent.].) Shirin, 83, vol. 66, n° 4, p. 28-61.

7607. KRJUKOV (M.V.), MALJAVIN (V.V.), SOFRONOV (M.V.). Kitajskij étnos v srednie veka (VII-XVIII vv.). (The Chinese people in the middle ages, 7th - 13th cent.) Moskva, Nauka, 84, 335 p. (ill.). (AN SSSR. In-t Dal. Vostoka. In-t étnografii)

7608. LEE (Chong-Sik). Revolutionary struggle in Manchuria: Chinese communism and Soviet interest, 1922-1945. Berkeley a. Los Angeles, Univ. of California Press, 83, in-8, XV-366 p.

7609. LENOARD (Jane Kate). Wei Yuan and China's rediscovery of the maritime world. Cambridge, Mass., Harvard U.P., 84, in-8, XVIII-276 p. (Harvard East Asian Monogr., 111)

7610. LIAO (Kuang-Sheng). Antiforeignism and modernization in China, 1860-1980: linkage between domestic politics and foreign policy. Foreword by Allen S. WHITING. New York, St. Martin's Press, 84, in-8, XIX-333 p.

7611. McDERMOTT (Joseph P.). Charting blank spaces and disputed regions: the problems of Sung land tenure. J. asian Stud., 84, vol. 44, n° 1, p. 13-42.

7612. MARKS (Robert). Rural revolution in south China: peasants and the making of history in Haifeng county, 1570-1930. Madison, Univ. of Wisconsin Press, 84, in-8, XXV-339 p.

7613. NAKAMURA (Hiroichi). Tôdai no Seishoshiki ni tsuité. (Concerning the Chih-shu document form of the T'ang period.) Shigaku-Zasshi, 82, vol. 91, n° 9, p. 39-62. [Eng. summary]

7614. NAKAMURA (Keiji). Nan-chô Kizoku no Chiensei ni kansuru Ichi Kôsatsu. Iwayuru Kyo Gun Ken no Kentô o Chûshin ni. (A study on the localism of the artistocrat in the Southern Dynasties: an examination of ch'iao-chün-hsien.) Toyo Gakuhô, 83, vol. 64, n° 1-2, p. 33-68. [Eng. summary]

7615. NINKOVICH (Frank). The Rockefeller Foundation, China, a. cultural change. J. am. Hist., 84, vol. 70, n° 4, p. 799-820.

7616. NISHIJIMA (Sadao). Chûgoku Kodai Kokka to Higashi Ajia Sekai. (L'Etat de la Chine antique et le monde extrême-oriental.) Tokyo, Tôdai Shuppan, 83, in-8, 832 p.

7617. OGATA (Isamu). Chûgoku no Sokui Girei. (La cérémonie de l'intronisation en Chine.) In: Higashi Ajia Sekai ni okeru Nihon Kodaishi Kôza [Cf. n° 7487], vol. 9, p. 21-48.

7618. OKAYASU (Isamu). Chûgoku Kodaishiryô ni arawareta Sekiji to Kôtei Seimen ni tsuite. (The seat-orders and the emperor's facing west in the records of ancient China.) Shigaku-Zasshi, 83, vol. 92, n° 9, p. 1-32. [Eng. summary]

7619. RODZINSKY (W.). The walled kingdom: the history of China from 2000 B.C. to the present. London, Fontana, 84, in-8, 450 p. (Flamingo Ser.)

7620. ROSTOCKER (William), BRONSON (Bennet), DVORAK (James). The cast-iron bells of China. Technol. a. cult., 84, vol. 25, n° 4, p. 750-767.

7621. ROWE (William T.). Hankow: commerce and society in a Chinese city, 1796-1886. Stanford, Calif., Stanford U.P., 84, in-8, VIII-436 p.

7622. ROZMAN (Gilbert) a. others. Soviet studies of premodern China: assessments of recent scholarship. Ann Arbor, Center for Chinese Stud., Univ. of Michigan, 84, in-8, IX-247 p. (Michigan Monogr. in Chinese Stud., 50)

7623. SANGREN (Steven P.). Traditional Chinese corporations: beyond kinship. J. asian Stud., 84, vol. 43, n° 3, p. 391-416.

7624. SCHMIDT (Vera). Aufgabe und Einfluß der europäischen Berater in China: Gustav Detring (1842-1913) im Dienste Li Hung-changs. Wiesbaden, Harrassowitz, 84, in-8, VIII-178 p. (Veröff. d. Ostasien-Inst. d. Ruhr-Univ. Bochum, 34)

7625. SCHRAM (Stuart R.). Ideology and policy in China since the Third Plenum, 1978-1984. London, Univ., School of Or. a. Afr. Stud., 84, in-8, VIII-82 p.

7626. SEKIO (Shirô). Rikuchô-ki Kônan no Shakai. (La société de la Chine méridionale aux temps des Six Dynasties [IIIe-VIe s.].) Rekishigaku Kenkyû, 83, n° spécial, p. 34-42.

7627. SHÔGAKINAI (Masahiro). "Uiguru Kan Yaku Go" no Kenkyû. Mindai Seimen Kôgo no Saikô. (Etude sur "wei-wu-êrh kuan i yü", ou analyse de la langue parlée des Ouïghours de l'époque de la dynastie des Ming.) Kôbeshi Gaikokugo Daigaku Gaikokugo Kenkyû, 84, vol. 14, p. 51-172.

§ 6. GIAPPONE

7628. SLADKOVSKIJ (M.I.). Znakomstvo s Kitaem i kitajcami. (Acquaintance with China and Chinese.) Moskva, Mysl', 84, 381 p. (ill.).

7629. Sôdai no Shakai to Bunka. (Société et culture dans la Chine des Song.) Dir. par Sôdai-shi Kenkyû-kai. Tokyo, Kyûko, 83, in-8, 309 p. [Cf. n° 7630]

7630. TAKAHASHI (Yoshirô). Sôdai no Kôso to Kôkenryoku. (K'ang-tsu et le pouvoir public dans la Chine des Song.) In: Sôdai no Shakai to Bunka [Cf. n° 7629], p. 69-99.

7631. TAKENAMI (Takayoshi). Hokugi ni okeru Jinshin Baibai to Mibunsei Shihai. (The human traffic and the status control in the Northern Wei dynasty [6th cent.].) Shigaku Zasshi, 84, vol. 93, n° 3, p. 1-35. [Eng. summary]

7632. TIKHVINSKY (S.L.). A modern history of China. Tr. from the Russ. by V. SCHNIERSON. London, Central Books, 84, in-8, 735 p.

7633. TJAPKINA (N.I.). Derevnja i krest'-janstvo v social'no-politič́eskoj sisteme Kitaja (vtoraja polovina XIX - nač. XX v.). (Countryside and peasantry in the socio-political system of China, second half of the 19th - beginning of the 20th cent.) Moskva, Nauka, 84, 223 p. (AN SSSR. In-t vostokovedenija)

7634. VAN HEURCK (Philippe). Chants attribués à Tsang Yang Gyatso, sixième Dalaï Lama. Contribution à l'étude de la littérature tibétaine. Rikon, Tibet-Institut, 84, in-8, 145 p. (Opuscula tibetana, 16) [En tibétain et franç.]

7635. WAKEMAN (Frederic) Jr. Romantics, stoics, and martyrs in seventeenth-century China. J. asian Stud., 84, vol. 43, n° 4, p. 631-667.

7636. WATANABE (Shinichiro). Bunden Kô. Kokka-teki Tochishoyû no ideorogî. (Réflexions sur le fen-t'ien [système agraire du Ve au VIIIe s.], ou l'idéologie du monopole étatique de la propriété foncière.) In: Chûgokushi-zô no Saikôsei [Cf. n° 7592], p. 91-127.

7637. WATSON (James L.). Class and social stratification in post-revolutionary China. London, Cambridge U.P., 84, in-8, 289 p. (dr., tab.). (Contemp. China Inst. Publ.)

7638. WATSON (William). T'ang and Liao ceramics. London, Thames a. Hudson, 84, in-4, 290 p. (ill., pl.).

7639. WILBUR (C. Martin). The Nationalist revolution in China, 1923-1928. London, Cambridge U.P., 84, in-8, 232 p. (maps).

7640. WILLS (John E.) Jr. Embassies and illusions: Dutch and Portuguese envoys to K'ang-hai, 1666-1687. Cambridge, Mass., Harvard U.O., 84, in-8, XI-303 p. (Harvard East Asian Mongr., 113)

7641. WILSON (Dick). Chou, the story of Zhou Enlai, 1898-1976. London, Hutschinson, 84, in-8, 348 p. (ill.).

7642. WOMACK (Brantly). Modernization and democratic reform in China. J. asian Stud., 84, vol. 43, n° 3, p. 417-440.

7643. YOKOYAMA (Hiroaki). Son Chûzan no Kakumei to Seiji Shidô. (Sun Yat-sen, dirigeant de la révolution et de la politique révolutionnaire en Chine.) Tokyo, Kembun, 83, in-8, 422 p.

7644. YOSHIKAWA (Tadao). Rikuchô Seishinshi Kenkyû. (Etudes sur l'histoire des idées dans la Chine des Six Dynasties [IIIe - VIe s.].) Tokyo, Dôhôsha, 84, in-8, 606 p.

7645. ZAJAC (T.S.). Cju Czin'. Žizn' i tvorčestvo (1875-1907). (Qiu Jin. Life and poetry. 1875-1907.) Vladivostok, Izd-vo Dal'nevost. un-t, 84, 136 p.

7646. ZELIN (Madeleine). The magistrate's tael: rationalizing fiscal reform in eighteenth-century Ch'ing China. Berkeley, Univ. of California Press, 84, in-8, XVIII-385 p.

§ 6. Giappone (fino al 1868).

** 7647. TAMAMURA (Takeji). Gozan Zensô Denki Shûsei. (Recueil des biographies des bonzes du zen des Gozan [cinq temples bouddhiques suprêmes, XIVe s.].) Tokyo, Kôdansha, 83, in-8, 805 p.

7648. AMINO (Yoshihiko). Nihon Chûsei no Hi-nôgyômin to Tenno. (L'Empereur et la population non-agricole du Japon médiéval.) Tokyo, Iwanami, 84, in-8, 624 p.

7649. AMINO (Yoshihiko), ISHII (Susumu), KASAMATSU (Hiroshi), et al. Chûsei no Tsumi to Batsu. (Crime et châtiment au Japon médiéval.) Tokyo, Tôdai Shuppan, 83, in-8, 350 p.

7650. ARAKI (Moriaki). Nihon Hôken Shakai Seiritsu-shi Ron. (La formation de la société féodale japonaise.) Vol. 1. Tokyo, Iwanami, 84, in-8, 344 p.

7651. FUJINO (Tamotsu). Nihon Hôkensei to Bakuhan Taisei. (Féodalisme et système shôgun-daïmyo au Japon.) Tokyo, Hanawa, 83, in-8, 332 p.

7652. GOMI (Fumihiko). Insei-ki Shakai no Kenkyû. (Etude sur la société japonaise à l'époque de l'Insei [vers 1066 - vers 1185].) Tokyo, Yamakawa, 84, in-8, 522 p.

7653. GOTÔ (Yôichi). Kinsei Sonraku no Shakai-shi teki Kenkyû. (Histoire sociale des villages au Japon aux temps modernes.) Hiroshima, Keisui, 82, in-8, 450 p.

7654. HARADA (Toshimaru). Kinsei Sonraku no Keizai to Shakai. (Economie et sociétés du monde rural au Japon aux temps modernes.) Tokyo, Yamakawa, 83, in-8, 446 p.

7655. INOUE (Mitsusada). Nihon Kodai no

Ôken to Saishi. (Le pouvoir royal et la célébration de l'office dans l'antiquité japonaise.) Tokyo, Tôdai Shuppan, 84, in-8, 250 p.

7656. ISKENDEROV (A.A.). Iz istorii portugal'skogo proniknovenija v Japoniju. (From the history of the Portuguese penetration into Japan.) Nar. Azii Afr., 84, n° 1, p. 44-55.

7657. KASAMATSU (Hiroshi). Hô to Kotoba no Chûsei-shi. (Une histoire médiévale: les lois et les mots.) Tokyo, Heibonsha, 84, in-8, 276 p. - IDEM. Tokuseirei. (Les ordonnances de magnanimité [mesures de secours ou de grâce prises aux XIIIe - XVIe siècles].) Tokyo, Iwanami, 83, in-8, 213 p.

7658. KAWANE (Yoshihei). Chûsei Hôken Shakai no Shuto to Nôson. (La capitale et le monde rural dans la société féodale du Japon médiéval.) Tokyo, Tôdai Shuppan, 84, in-8, 250 p.

7659. KAWAZOE (Shôji). Kyûshû Chûsei-shi no Kenkyû. (Etude sur l'histoire médiévale de Kyûshû.). Tokyo, Yoshikawa Kôbunkan, 83, in-8, 358 p.

7660. KIKUCHI (Yoshiko). Une interprétation cyclique et bouddhique de l'histoire: le Gukan-shô de Jien (1155-1225). Stor. della Storiogr., 84, n° 5, p. 115-124. [Riassunto ital. - Eng. summary]

7661. KISHI (Toshio). Kodai Kyûto no Tankyû. (Recherches sur les capitales japonaises de l'antiquité.) Tokyo, Hanawa, 84, in-8, 248 p.

7662. KISHIDA (Hiroyuki). Daimyô Sakoku no Kôseiteki Tenkai. (L'évolution de la politique de sakoku [fermeture du pays aux étrangers] menée par les daimyôs.) Tokyo, Yoshikawa Kôbunkan, 83, in-8, 544 p.

7663. KITAJIMA (Masamoto). Kinsei no Minshû to Toshi. Bakuhansei Kokka no Kôzô. (Le peuple et les villes sous le Shogounat.) Tokyo, Meicho Shuppan, 84, in-8, 490 p. - IDEM. Kinsei no Shihai Taisei to Shakai Kôzô. (Stystème de domination et structures sociales au Japon aux temps modernes.) Tokyo, Yoshikawa Kôbunkan, 83, in-8, 674 p.

7664. KURODA (Hideo). Nihon Chûsei Kaihatsu-shi no Kenkyû. (Histoire des exploitations au Japon médiéval.) Tokyo, Azekura, 84, in-8, 365 p.

7665. MATSUMOTO (Shirô). Nihon Kinsei Toshi Ron. (Les villes japonaises aux temps modernes.) Tokyo, Tôdai Shuppan, 83, in-8, 332 p.

7666. MAUCLAIRE (Simone). Du conte au roman: un cendrillon japonais du Xe siècle: l'Ochikubo monogatari. Paris, Maisonneuve et Larose, 84, in-8, 374 p. (Collège de France, Biblioth. de l'Inst. des Hautes Etudes japonaises)

7667. MIYAGAWA (Mitsuru). Kazoku no Rekishiteki Kenkyû. (Etude historique sur la famille au Japon.) Tokyo, Nihon Tosho Center, 83, in-8, 404 p.

7668. MIYAKE (Kazuo). Ki-ki Shinwa no Seiritsu. (La formation de la mythologie du Kojiki et du Nihonshoki [712-720].) Tokyo, Yoshikawa Kôbunkan, 84, in-8, 300 p.

7669. MORI (Shigeaki). Nanbokuchô-ki Kô-bu Kankei-shi no Kenkyû. (Histoire des relations entre empereur et shôgun à l'époque des Deux Cours [1336-1392].) Tokyo, Bunken Shuppan, 84, in-8, 556 p.

7670. NAKAMURA (Ken). Chûsei Sôson-shi no Kenkyû. (Etude sur la communauté villageoise au moyen âge [XIVe-XVIe s.].) Tokyo, Hôsei Daigaku Shuppan, 84, in-8, 560 p.

7671. NAKATA (Yasunao). Kinsei Taigai Kankei-shi no Kenyû. (Les relations extérieures du Japon aux temps modernes.) Tokyo, Yoshikawa Kôbunkan, 84, in-8, 620 p.

7672. Nihon Ritsu Fukugen no Kenkyû. (Etudes pour la reconstitution du Ritsu japonais [code pénal du VIIIe s.].) Dir. par Kokugakuin Daigaku Nihon Bunka Kenkyû-jo. Tokyo, Kokusho Kankôkai, 84, in-8, 851 p.

7673. ÔSUMI (Kazuo). Chûsei Shisô-shi eno Kôsô. (Une perspective sur l'histoire des pensées médiévales japonaises.) Tokyo, Meicho Kankô Kai, 84, in-8, 248 p.

7674. OWADA (Tetsuo). Go-Hôjôshi Kenkyû. (Etude sur les Go-Hôjô [seigneurs féodaux du Japon de l'Est, XVe et XVIe s.].) Tokyo, Yoshikawa Kôbunkan, 83, in-8, 560 p.

7675. SASAKI (Junnosuke). Bakuhansei Kokka-ron. (De l'Etat shogounal.) Tokyo, Tôdai Shuppan, 84, 2 vol. in-8, 370 p., p. 371-740.

7676. SATÔ (Shinichi). Nihon no Chûsei Kokka. (L'Etat du Japon médiéval.) Tokyo, Iwanami, 83, in-8, 237 p.

7677. SUMI (Toshiteru). Zenkindai Nihon Kazoku no Kôzô. (La structure de la famille au Japon pré-moderne.) Tokyo, Kobûndô, 83, in-8, 275 p.

7678. TAKAHASHI (Masaaki). Kiyomori Izen. (Avant le temps de Kiyomori [1118-1181].) Tokyo, Heibonsha, 84, in-8, 321 p.

7679. TAKEDA (Sachiko). Kodai Kokka no Keisei to Ifuku-sei. (La formation de l'Etat japonais de l'antiquité et les habits officiels.) Tokyo, Yoshikawa Kôbunkan, 84, in-8, 352 p.

7680. TANAHASHI (Mitsuo). Chûsei Seiritsu-ki no Hô to Kokka. (Le droit et l'Etat japonais au début du moyen âge.) Tokyo, Hanawa, 83, in-8, 759 p.

7681. TOBY (Ronald P.). State and diplomacy in early modern Japan: Asia in the development of the Tokugawa Bakufu. Princeton, N.J., Princeton U.P., 84, in-8, XXVIII-309 p. (Stud. of the East Asian Inst., Columbia Univ.)

7682. TOKORO (Rikio). Tokugawa Shôgun Kenryoku no Kôzô. (La structure de l'Etat shogunal des Tokugawa.) Tokyo, Yoshikawa Kôbunkan, 84, in-8, 692 p.

7683. TÔNO (Haruyuki). Nihon Kodai Mokkan no Kenkyû. (Etude sur les mokkan [manuscrits sur planche de bois] de l'antiquité japonaise.) Tokyo, Hanawa, 83, in-8, 414 p.

7684. TOYAMA (Mikio). Daimyô Sakoku Keisei Katei no Kenkyû. (La formation de la politique de sakoku [fermeture du pays aux étrangers] des daimyôs.) Tokyo, Yûzankaku, 83, in-8, 759 p.

7685. YAMAO (Yukihisa). Nihon Kodai Ôken Keisei Shiron. (La formation du pouvoir royal dans l'antiquité japonaise.) Tokyo, Iwanami, 83, in-8, 501 p.

7686. YAMAZAKI (Ryûzô). Kinsei Bukkashi Kenkyû. (Histoire des prix au Japon aux temps modernes.) Tokyo, Hanawa, 83, in-8, 425 p.

7687. YOSHIDA (Hisaichi). Nihon Hinkon Shi. (Histoire de la pauvreté au Japon.) Tokyo, Kawashima, 84, in-8, 482 p.

7688. YOSHIDA (Takashi). Ritsu-ryô Kokka to Kodai no Shakai. (L'Etat du ritsu-ryô et la société de l'antiquité japonaise.) Tokyo, Iwanami, 83, in-8, 460 p.

§ 7. Corea.

** 7689. DENNY (Owen Nickerson). An American adviser in late Yi Korea: the letters of Owen Nickerson Denny. Ed. by Robert R. SWARTOUT, Jr. University, Univ. of Alabama Press, 84, in-8, XII-195 p.

7690. BUTIN (Ju. M.). Koreja: ot Čosona k Trem Gosudarstvam (II v. do n. è. - IV v.). (Korea: from Chosen to the Three Kingdoms, 2nd cent. B.C. - 4th cent. A.D.) Novosibirsk, Nauka, 84, 255 p. (AN SSSR. Sib. otd-nie. In-t ist., filol. i filos.)

7691. CONDIT (Jonathan). Music of the Korean Renaissance: songs and dances of the 15th century. London, Cambridge U.P., 84, in-8, 351 p.

7692. KIMURA (Makoto). Sankoku-ki Sinra no Ôki to Rikubu. (Wanggi and Yukbu of Silla in the Samguk Period [7th - 10th centuries].) Toritsudaigaku Jimmon Gakuhô, 84, vol. 167, p. 131-154. [Eng. summary] - IDEM. Tôitsu Sinra no Kanryô Sei. (La bureaucratie en Corée au temps de Sin-ra VIIe siècle - 935].) In: Higashi Ajia Sekai ni okeru Nihon Kodaishi Kôza [Cf. n° 7487], vol. 6, p. 136-167.

Cf. n° 125.

S

AFRICA
(dalle origini alla colonizzazione)

Nᵒˢ 7693-7707.

7693. AHMED (Khidir Abdelkarim). Meroitic settlement in Central Sudan. London, Brit. Archaeol. Rep., 84, in-4, 308 p. (fig.).

7694. AMBORN (Hermann). Elements obstructive to economic development: a comparative study of early African states, the Nile valley and the Western Sudan. Ethnohist., 84, vol. 31, n° 2, p. 63-78.

7695. DARLING (P.J.). Archaeology and history in Southern Nigeria. London, Brit. Archaeol. Rep., 84, in-4, 517 p. (ill.).

7696. DEACON (Janette). The later Stone Age in southernmost Africa. London, Brit. Archaeol. Rep., 84, in-4, 441 p. (ill.).

7697. FRANCHINI (Vittorio). La casa delle stelle. Milano, Jaca book, 84, in-8, 125 p. (L'Occidente a confronto, 1)

7698. GAVRAND (Henry). La civilisation Sereer. T. 1: Cosaan: les origines. Préf. de Léopold Sédar SENGHOR. Dakar, Nouv. ed. africaines, 83, in-8, 361 p. (ill.).

7699. HALL (M.), VERY (G.). Frontiers, Southern African archaeology today. London, Brit. Archaeol. Rep., 84, in-4, 379 p. (ill.).

7700. HERBERT (Eugenia W.). Red gold of Africa: copper in precolonial history and culture. Madison, Univ. of Wisconsin Press, 84, in-8, XXIII-413 p.

7701. LETHIELLEUX (Jean). Ouargla, cité saharienne. Des origines au début du XXe siècle. Paris, Geuthner, 84, in-8, 298 p. (pl.). (Doc. d'hist. maghrébine, 4)

7702. LOUCOU (Jean-Noël). Histoire de la Côte-d'Ivoire. T. 1: La formation des peuples. Abidjan, Centre d'édition et de diff. africaine; diff. Paris, L'Harmattan, 84, in-8, 208 p. (phot., schémas, cartes).

7703. Meroitistische Forschungen. 1980. Akten d. 4. Internat. Tagung für Meroitist. Forschungen v. 24. bis 29. Nov. 1980 in Berlin. Hrsg. v. Fritz HINTZE. Berlin, Akad.-Verl., 84, in-8, 640 p. (Abb., 16 Taf.). (Meroitica, 7)

7704. OGUAGHA (P.A.), OKPOKO (A.I.). History and ethno-archaeolgoy in Eastern Nigeria. London, Brit. Archaeol. Rep., 84, in-4, 298 p. (fig.).

7705. REMOTTI (Francesco). Centri, capitali, città: un'esplorazione nelle strutture politiche dell'Africa pre-coloniale sub-sahariana. Torino, Giappichelli, 84, in-8, XII-272 p.

7706. TROST (Franz L.). Untersuchungen an protohistorischen Grabbauten im Maghreb und in der Sahara. Arch. f. Orientforsch., 84, Bd 38, p. 57-101 (31 fig.).

7707. VANSINA (Jan). Western Bantu expansion. J. afr. Hist., 84, vol. 25, p. 129-145.

T

AMERICA
(dalle origini alla colonizzazione)

N°s 7708-7742.

7708. Aire (L') archéologique du Sud-Est du Piaui (Brésil). Sous la dir. de Nièdе GUIDON. Ed. par la Mission archéol. franco-brésilienne. T. 1: Le milieu et les sites. Paris, Recherche sur les civilisations, 84, in-4, 120 p. (ill., pl.). (Synthèse, 16)

7709. ASHMORE (Wendy). Quirigua archaeology and history revisited. J. Field Archaeol., 84, vol. 11, n° 4, p. 365-386 (10 fig., 2 tables).

7710. BAQUEDANO (Elizabeth). Aztec sculpture. London, Brit. Museum Publ., 84, in-4, 96 p. (ill.).

7711. BAUDOT (Georges). Conscience historique et écriture de l'histoire dans le Mexique précolombien. Stor. della Storiogr., 84, n° 5, p. 4-18. [Riassunto ital. - Eng. summary]

7712. BEAUDRY (Marilyn P.). Ceramic production and distribution in the South Eastern Maya periphery. London, Brit. Archaeol. Rep., 84, in-4, 335 p. (ill.).

7713. BELL (Robert E.). The prehistory of Oklahoma. London, Academic Press, 84, in-8, 432 p. (ill.).

7714. BEREZKIN (Ju. E.). Kul'turnaja preemstvennost' na severnom poberez'e Pery v V-XV vv. (po dannym mifologii i izobrazitel'nogo iskusstva.) (The cultural sequence on the north coast of Peru in the 5th - 15th centuries on the evidence of mythology and figurative art.) Sovet. Ėtnogr., 84, n° 2, p. 50-66.

7715. BERLO (Janet). Text and image in pre-Columbian art. London, Brit. Archaeol. Rep., 84, in-4, 412 p. (ill.).

7716. BOONE (Elizabeth H.). Ritual human sacrifice in Mesoamerica. Washington, D.C., Dumbarton Oaks Research Library, 84, VIII-247 p. (fig., phot., map).

7717. BORODATOVA (A.A.). Proricateli i žrecy u drevnikh majaj. (Prophets and priests in ancient Maya society.) Sovet. Ėtnogr., 84, n° 1, p. 72-89.

7718. BOUCHARD (Jean-François). Recherches archéologique dans la région de Tumaco (Colombie). Paris, Recherche sur les civilisations, 84, in-4, 200 p. (34 fig., 37 pl.). (Mémoire, 34)

7719. BROWMAN (David L.) a. others. Social and economic organization in the prehispanic Andes. London, Brit. Archaeol. Rep., 84, in-4, 247 p. (ill.).

7720. CHARTKOFF (Joseph L.), CHARTKOFF (Kerry Kona). The archaeology of California. Stanford, Calif., Univ. Press, 84, XII-456 p. (ill.).

7721. CONRAD (Geoffrey W.), DEMAREST (Arthur A.). Religion and Empire: the dynamics of Aztec and Inca expansionism. London a. New York, Cambridge U.P., 84, in-8, XII-266 p. (18 fig., 3 tables, plan, 7 maps). (New Stud. in Archaeol.)

7722. CROOK (Morgan R.) Jr. Evolving community organization on the Georgian coast. J. Field Archaeol., 84, vol. 11, n° 3, p. 247-263 (8 fig.).

7723. ERŠOVA (G.G.). Majja: formula vozroždenija. (Maya: formula of revival.) Lat. Am., 84, n° 5, p. 124-136; n° 6, p. 118-131.

7724. FAGAN (Brian M.). The Aztecs. Reading, W. H. Freeman, 84, in-4, 322 p. (ill.).

7725. FREIDEL (David A.), SABLOFF (Jeremy A.). Cozumel: late Maya settlement patterns. London, Academic Press, 84, in-8, 208 p. (ill.). (Stud. in Archeol.)

7726. HYSLOP (John). The Inca road system. Orlando, Fla., Academic Press, 84, XIX-377 p. (13 fig., 63 phot., 48 plans, 22 maps). (Stud. in Archaeol.)

7727. KENDALL (Ann). Current archaeological projects in the Central Andes. London, Brit. Archaeol. Rep., 84, in-4, 375 p. (ill.).

7728. LAVIN (Lucianne). Connecticut prehistory: a synthesis of current archaeological investigations. B. archaeol. Soc. Connecticut, 84, vol. 47, p. 5-40.

7729. LECHTMAN (Heather). Andean value systems and the development of prehistoric metallurgy. Technol. a. Cult., 84, vol. 25, n° 1, p. 1-36.

7730. MANSUR-FRANCHOMME (Estela). Préhistoire de Patagonie: industrie "Nivel II" de la province de Santa Cruz. London, British Archaeol. Rep., 84, in-4, 372 p. (ill.).

7731. MERRELL (James H.). The Indian's new world: the Catawba experience. William a. Mary Quar., 84, vol. 41, n° 4, p. 537-565. - IDEM. The racial education of the Catawba Indians. J. south. Hist., 84, vol. 50, n° 3, p. 363-384.

7732. MICHELET (Dominique). Rio Verde, San Luis Potosí (Mexique). México, Centre d'Etudes mexicaines et centramér.; diff. Paris, de Boccard, 84, in-4, 438 p. (ill.). (Etudes mésoamer., 9)

7733. MONTBRUN (Christian). Les Petites Antilles avant Christophe Colomb. Vie quotidienne des Indiens de la Guadeloupe. Préf. d'Alain ANSELIN. Paris, Karthala, 84, in-8, 190 p.

7734. MORATTO (Michael J.). California archaeology. With contributions by David A. FREDRICKSON, Christopher RAVEN, Claude N. WARREN. With a foreword by Francis A. RIDDELL. New York, Academic Press, 84, in-8, XXXVIII-757 p. (ill.). (New World archaeol. Record)

7735. New light on Chaco Canyon. Ed. by David Grant NOBLE. Seattle, Univ. of Washington Press, 84, 95 p. (8 fig., 101 phot., 3 plans, 5 maps).

7736. NEWMAN (Robert W.). An introduction to Louisiana archaeology. Baton Rouge, Louisiana State U.P., 84, XVI-366 p. (17 phot., 54 pl., 3 maps).

7737. OFFNER (Jerome A.). Law and politics in Aztec Texcoco. London, Cambridge, 84, in-8, 340 p. (ill.). (Latin Amer. Stud.)

7738. Perspectives on Gulf Coast prehistory. Ed. by Dave D. DAVIS. Gainesville, Univ. of Florida Press, 84, XI-379 p. (61 fig., 14 phot., 32 tables, 6 plans, 4 maps).

7739. Pre-Columbian plant migration. Ed. by Doris STONE. Cambridge, Mass., Harvard U.P., 84, XIII-183 p. (17 fig., 33 phot., 5 tables, 11 maps). (Papers of the Peabody Museum, 76)

7740. PROSKOURIAKOFF (Tatiana). Incidents of ancient Maya history. Proc. am. philos. Soc., 84, vol. 128, n° 2, p. 164-166.

7741. STARNA (William A.), HAMELL (George R.), BUTTS (William L.). Northern Iroquoian horticulture and insect infestation: a cause for village removal. Ethnohist., 84, vol. 31, n° 3, p. 197-208.

7742. ZUCCHI (Alberta), TARBLE (Kay), VAZ (J. Eduardo). The ceramic sequence and new TL and C-14 dates for the Agüerito site of the middle Orinoco, Venezuela. J. Field Archaeol., 84, vol. 11, n° 2, p. 5-180 (6 fig., 9 tables).

Cf. n°s 258, 6853.

U

OCEANIA
(dalle origini alla colonizzazione)

Nos 7743-7755.

* Cf. n° 681.

7743. ALLEN (Jim). In search of the Lapita homeland: reconstructing the prehistory of the Bismarck Archipelago. J. pacific Hist., 84, vol. 19, n° 3-4, p. 86-201.

7744. HOWE (K.B.). Where the waves fall: a new South Sea islands history from first settlement to colonial rule. Honolulu, Univ. of Hawaii Press; Sydney, Allen a. Unwin, 84, XIX-403 p. (ill., maps). (Pacific Islands Monograph Ser., 2)

7745. KIRCH (Patrick Vinton). The evolution of the Polynesian chiefdoms. New York, Cambridge U.P., 84, XII-314 p. (fig., tables, plans, pl., maps). (New Stud. in Archaeol.) - IDEM. The Polynesian outliers: continuity, change, and replacement. J. pacific Hist., 84, vol. 19, n° 3-4, p. 224-238.

7746. LA CROIX (Sumner J.), ROUMASSET (James). An economic theory of political change in premissionary Hawaii. Explor. in econ. Hist., 84, vol. 21, n° 2, p. 151-168.

7747. Nezavisimye gosudarstva Okeanii (Osobennosti stanovlenija i razvitija). (Independent states of Oceania: peculiarities of their formation and development.) Otv. red.: K. V. MALAKHOVSKIJ, V. P. NIKOLAEV. Moskva, Nauka, 84, 215 p. (AN SSSR. In-t vostokovedenija)

7748. PAWLEY (Andrew), GREEN (Roger C.). The Proto-Oceanic language community. J. pacific Hist., 84, vol. 19, n° 3-4, p. 123-146.

7749. POULSEN (Jens). The chronology of early Tongan prehistory and the Lapita ware. J. Soc. Océanistes, 83 [84], t. 39, n° 76, p. 46-56.

7750. RALSTON (Caroline). Hawaii 1778-1854: some aspects of maka'ainana response to rapid cultural change. J. pacific Hist., 84, vol. 19, n° 1-2, p. 21-40. [Maka'ainana: ordinary Hawaiian men a. women]

7751. SAYES (Shelley Ann). Changing paths of the land: early political hierarchies in Cadaudrove, Fiji. J. pacific Hist., 84, vol. 19, n° 1-2, p. 3-20.

7752. SERJEANTSON (S.W.). Migration and admixture in the Pacific: insights provided by human leukocyte antigens. J. pacific Hist., 84, vol. 19, n° 3-4, p. 160-171.

7753. SINOTO (Yosihiko). An analysis of Polynesian migrations based on the archaeological assessments. J. Soc. Océanistes, 83 [84], t. 39, n° 76, p. 57-67.

7754. SPRIGGS (Matthew). The Lapita cultural complex: origins, distribution, contemporaries and successors. J. pacific Hist., 84, vol. 19, n° 3-4, p. 201-223.

7755. TRYON (D.T.). The peopling of the Pacific: a linguistic appraisal. J. pacific Hist., 84, vol. 19, n° 3-4, p. 147-159.

INDICE DEGLI AUTORI E DELLE PERSONE[1]

A

Abadíe - Aicardi (Aníbal), 6790.
Abbott (K.E.), 7494.
Abbott (W.W.), 6789.
Abbri (Ferdinando), 5107.
Abdalē (A.K.), 5219.
Abd ar-Raḥmān Ier, émir de Cordoue, 2798.
Abd ar-Raḥmān II, émir de Cordoue, 2798.
Abd el-Kader, émir de Mascara, 6770.
Abd el-Raziq (Mahmud), 1178.
Abdi (Jiyd Ould), 1023.
Abdulrahman (A.J.), 4030.
Abel (Richard), 5477.
Abel (Wilhelm), 5686.
Abélard (Pierre), 2873.
Abels (Richard), 2289.
Abraham ben Isaac, de Narbonne, 2432.
Abraham (David), 3217.
Abramowiczówa (Zofia), 1505.
Abulafia (David), 2306, 2529.
Accursius (Franciscus), 6618.
Achalm, Grafen von, 75.
Achard (Pierre), 174.
Achilleus, héro de la mythologie grecque, 1348, 1471.
Achúcarro Larrañaga (Mercedes), 2307.
Ackerl (Isabella), 3377.
Ackroyd (Peter), 5301.
Acosta y Esquivel Obregón (Julio d'), 6504.
Acquaviva (S.), 6150.
Ács (Zoltán), 3986.
Acton (John Emmerich Edward Dalberg Acton, 1st baron), 392, 571.
Acuna (René), 166.
Adam von Bremen, 2118, 2992.
Adam (Anne-Marie), 1584.
Adam (Iosif), 5861.
Adam (Jean-Pierre), 1832.
Adams (Charles F.), 3632.
Adams (Charles J.), 2437.
Adams (Herbert Baxter) 393.
Adams (Marilyn McCord), 2847.
Adams (Nicholas), 5393.
Adamthwaite (Anthony), 7224.
Addison (Alexander), 3663.
Adelbold, Bischof von Utrecht, 2223.
Adelmann (Paul), 3836.
Adelung (Friedrich von), 4815.
Adelung (Johann Christoph), 5087.
Adenauer (Konrad), 3185, 7405.
Aderet (Avraham), 1254.
Adler (Friedrich), 3379.
Adler (Paul), 5869.
Ado (A.A.), 3837.
Adolf von Nassau, deutscher König, 2275.
Adon, Archiepiscopus Viennensis, Martyr, Sanctus, 2186.
Adorisio (Antonio Maria), 3.
Adriani (Achille), 480.
Adshead (S.A.M.), 7583.
Aelianus (Claudius), 1455.
Aeneas, v. Aineias.
Aethelred II, king of the English, 2335.
Afán (Per), 79.
Afanas'ev (Ju. N.), 329.
Afanas'ev (K.N.), 5391.
Afigbo (A.E.), 4106.
Afonso (Gaspar), 4428.
Africanus (Sextus Julius), 2000.
Agaev (S.L.), 4028, 7385.
Ageron (Charles-Robert), 4899.
Agethen (Manfred), 4989.
Aggeus, propheta biblicus, 2424.
Agilolfinger, Herzogsgeschlecht, 2923.
Agius (Dionisius A.), 516.
Agosto (P.), 4060.
Agricola (Gnaeus Julius), 1792.
Agrippa (Marcus Vipsanius), 1686.
Aguadé Nieto (Santiago), 2530.
Aguardo Otal (C.), 1833.
Aguirre (R.), 1941.
Agulhon (Maurice), 3801.
Ahlberg (Ida), 5505.
Ahlberg-Cornell (G.), 1527.
Ahlström (G.W.), 1100.
Ahmed (Kidir Abdelkarim), 7693.
Ahrens (Dieter), 490.
Aicardide Saint Paul (M.), 4105.
Aichelburg (Wladimir), 7042.
Aineias, Aeneas, héro de la mythol. gréco-romaine, 1779.
Aires (Pentti), 4317.
Aischinēs Sphēttios, 1440.
Aischylos, 418, 1493, 1500, 1508.
Ajnenkiel (Andrzej), 774, 4171.
Ajrapetov (A.G.), 6330.
Ajzin (B.A.), 714.
Akhtamzjan (A.A.), 7043.
Akopjan (G.P.), 1160.
Akropolites (Georgios), 2092.
Alaev (L.B.), 7532.
Alagoa (Ebiegberi J.), 330.
Alba (Fernando Álvarez de Toledo, duque de), 5990.
Alberdi (Juan Bautista), 3355, 3363, 6543.
Alberigo (Giuseppe), 377.
Albert Ier, roi des Belges, 3449.
Albert (Gerhard), 1632.
Albert (Peter J.), 6818.
Albert-Samuel (Colette), VI.
Alberti (Joan), 4694.
Albertini (M.), 5560.
Albertinus (Agidius), 6104.
Albertus Magnus, Sanctus, 2158, 2772, 2863.
Albin (Janusz), 4745.
Albrecht II., deutscher König, 2147.
Albrecht I. der Bär, Markgraf von Brandenburg, 2310.

---

1. I nomi slavi, specialmente quelli russi, sono riprodotti quali suonano nella lingua nazionale, ma trascritti con il metodo consueto, e vengono collocati nel posto che loro spetta secondo tale trascrizione. - Le lettere con segni diacritici sono mescolate con le lettere dei caratteri ordinari (p. ex.: č, š, ś, con c, s). Le vocali germaniche modificate (ä, ö, ø, ü) vengono considerate come se fossero scritte ae, oe, ue. - I nomi dei santi e dei papi compaiono nella forma latina. - I nomi Mac, Mc, M' sono tutti considerati come Mac.

Albrecht V., Hzg. v. Österreich, v. Albrecht II., deutscher König.
Albrecht (Günter), 1000.
Alcalá-Zamora y Castillo, (Niceto), 2457.
Alcott (Louisa May), 5320.
Alcuin, 2295.
Al-Daffa (Ali Abdullah), 2438.
Aldcroft (Derek H.), 817.
Aldea (Quintin), 940.
Alden (John R.), 3532.
Aldenhoff (Rita), 3193.
Aldrich (Robert), 5587.
Aleksandr Ier, empereur de Russie, 4926.
Aleksandrov (Ivan), 3463.
Aleksandrov (V.A.), 619, 4330.
Alekseev (A.I.), 4331.
Alekseev (M.P.), 5302.
Alekseev (T.V.), 5385.
Alembert (Jean Le Rond d'), 4980, 5008, 5205.
Alessandrone (Ersilia), 4046.
Alestalo (Matti), 5588.
Aletti (A.), 202.
Alexakis (Elefth. P.), 6089.
Alexander III [Orlando Bandinelli], Papa, 2894.
Alexander VII [Fabio Chigi], Papa, 6882.
Alexander Nequam, 2723.
Alexander (June Granatir), 4482.
Alexander (Tz.), 3967.
Alexandre, empereurs de Russie, v. Aleksandr.
Alexandre d'Aphrodise, 1334.
Alexandrescu (I.), 5589.
Alexandrescu (Vasile), 4219.
Alexandros hō Megas [le Grand], roi de Macédoine, 1178, 1337, 1351, 2749, 4751.
Alexandru del Bun [le Bon], prince de Moldavie, 2367.
Alexios IV Angelos, empereur de Byzance, 2058.
Alfani (Tommaso M.), 4058.
Alföldi (Andreas), 1633.
Alföldi - Rosenbaum (Elisabeth), 1633, 1885.
Alfonso V el Magnánimo, rey de Aragón y de Nápoles, 2361.
Alfonso X el Sabio, rey de Castilla y de León, 2145, 2219.
Alfonso XI, rey de Castilla y de León, 2482, 3024.
Alford (Katrina), 5590.
Alfred the Great, king of Wessex, 2861.
Alibizatos (N.), 3967.
Alkaios, 1469.
Al-Khozai (M.A.), 5303.
Allahar (Antón L.), 6791.
Allan (J.P.), 3063.
Allard (André), 2025.
Allard (H.), 7350.
Allchin (Bridget), 7533.
Alleblas (J.), 765.
Allen (Charles), 7534.
Allen (Edward A.), 5591.

Allen (Florence Ellinwood), 3682.
Allen (Jim), 7743.
Allen (Louis), 7292.
Allen (Michael J. B.), 2848.
Allen (Sir Peter), 5701.
Allen (T.W.), 1333.
Allinne (Jean-Pierre), 5968.
Allony (Nehemiah), 30.
Almaguer (Tomás), 5862.
Aloni (Antonio), 1353.
Alonso Piñeiro (Armando), 3327.
Alsaker (Sigmund), 1068.
Alsterová (Alena), 2958.
Alston (Lee J.), 6792.
Altan-Khan, Mongol ruler, 7524.
Altenstein (Karl, Freiherr vom Stein zum), 3191, 5998.
Alter (George), 6090.
Altgeld (Wolfgang), 6968.
Althusius (Johannes), 6565.
Althusser (Louis), 5086.
Altman (Albert A.), 4941.
Altrichter (Helmut), 5863.
Altschuler (Glenn C.), 6091.
Alva, v. Alba (Fernando Álvarez de Toledo, duque de).
Alveldt (Augustin von), 4683.
Amacker (Françoise), 5280.
Amadei Sala (Ada), 1022.
Amalvi (Christian), 331.
Amandry (Michel), 1529.
Amaral (Samuel), 6793.
Amarantidēs (Amarantos), 5478.
Āmark (Klas), 521, 6331.
Amblard (Sylvie), 1023, 1066.
Amboise (Louis d'), vicomte de Thouars, 2402.
Amborn (Hermann), 7694.
Ambrose (Stephen E.), 3533, 7293.
Ambroselli (Claire), 2788.
Ambrosius, Ep. Mediolanensis, Sanctus, 2011.
Ambrosius (Gerold), 5592.
Ambrosoli (Mauro), 31.
Amelang (James S.), 6496.
Ameling (Walter), 1701, 1778.
Amelot de Chailloux (Jean-Jacques), 6055.
Amenemhet Ier, pharaon d'Egypte, 1182.
Amenhotep IV, pharaon d'Egypte, 1204.
Amersfoort (H.), 4124.
Amin (S.H.), 7495.
Amino (Yoshihiko), 7648, 7649.
Ammianus Marcellinus, 1653.
Amort (Cestmír), 7149.
Amory (F.), 1418.
Amory (Hugh), 5220.
Anagnostou-Cañas (B.) 1739.
Anakreōn, 1338.
Anastasiades (Giorgios Th.), 3968.
Anaxagoras, 1432.
Andai (Ferenc), 6092.
Andeev (Stefan), 5626.
Andĕl (Rudolf), 906.

Anderle (Adám), 518, 3128.
Andersen (Henning Hellmuth), 860.
Anderson (Barbara A.), 4835.
Anderson (Gary C.), 3535.
Anderson (Gidske), 4107.
Anderson (J.C.), 1834.
Anderson (Judith H.), 332.
Anderson (Letty), 6029.
Andics (Hellmut), 3378.
Andolf (Göran), 6093.
Andone (Alecsenia), 4220.
Andrada (Benigno H.), 3350.
Andrade (Ernest) Jr., 7044.
André (Jean-Marie), 1401.
Andrea del Verrocchio, 2789.
Andreau (Jean), 1740.
Andreev (Ju. V.), 1419.
Andrei (Nicolae), 4226.
Andrés Díaz (Rosana de), 2458.
Andresen (Astri), 6094.
Andresen (Carl), 934.
Andrew (Christopher), 3110.
Andrews (Kenneth R.), 6704.
Andrien (Kenneth J.), 6795.
Andrieu (Claire), 5969.
Andronikos (Manolēs), 1530.
Andropov (Jurij), 4409.
Androsov (S.O.), 2789.
Andrusiewicz (Andrzej), 4172.
Anfimov (A.M.), 6095, 6556.
Angell (Alan), 4163.
Angelomatē-Tsoungarakē (Helenē-Nikē), 447.
Angelou (Athanassios), 2055.
Angelov (Bonju), 2680|
Angelov (Dimitǎr), 2234, 2360, 2681.
Angenendt (Arnold), 2882.
Anger (Jan), 7328.
Angerer (Birgit), 5376.
Angermann (Erich), 3536.
Angermeier (Heinz), 103, 6562.
Angiolini (V.), 102.
Anguier (Michel), 5455.
Anielewicz (Mordechai), 7371.
Anjou, maisons des, 2308, 2324, 2339, 2675.
Anjou (François, duc d'), 3760.
Annan (Lord Noel), 5304.
Annas (Julia), 1484.
Anna Boleyn, queen consort of Henry VIII of England, 3875.
Anno, Archiepiscopus Coloniensis, Sanctus, 2951.
Anonimo romano, 2636, 2682.
Anselment (Raymond A.), 3838.
Anselmi (Gian Mario), 2682.
Anson (George Anson, baron), 5143.
Ansorg (Klaus), 6332.
Antalffy (György), 3987.
Antēnōr, héro de la mythologie grecque, 1579.
Anthestērios, 1380.
Anthony (P.D.), 794.
Antip (Constantin), 882.
Antiphōn hō Rhētor, 1452.
Anton (H.), 4759.
Antonaci (A.), 4990.

Antonescu (Dinu), 1124.
Antonescu (Ion), maréchal roumain, 4232, 4259.
Antoninus Pius, empereur romain, 117.
Antonius (Marcus), 1807.
Antonova (E.V.), 620.
Apfelknab (Egbert), 5593.
Apollonius, rex Tyri, 1616, 1630.
Apostolopoulou (Phōtēs),481.
Appelt (Heinrich), 2210.
Appleboom (Th. G.), 1017.
Appleby (Joyce), 3537.
Apunen (Osmo), 6632.
Aquinas, v. Thomas Aquinas, Sanctus.
Ara (Matsuo), 7535.
Arabantinos (Panayiotēs), 2235.
Arad (Yitzhak), 7351.
Arak'eljan (B.N.), 1162.
Araki (Moriaki), 7650.
Arasaratnam (S.), 6722.
Arató (Endre), 3988.
Arató (Paolo), 944.
Arbatov (G.A.), 7223, 7466.
Arbatova (N.K.), 4043.
Arblaster (Anthony), 3111.
Arbousse-Bastide (Paul), 4985.
Arce Martínez (Javier), 1634.
Arce-Robledo (C. de), 3493.
Ardeleanu (Ion), 4220, 4224.
Ardelt (Rudolf Gustav), 3379.
Ardigò (Achille), 5573.
Arendt (Hans Jürgen), 3293.
Argenti (Giovanni), 3984.
Argersinger (Jo Ann E.), 6096.
Argersinger (Peter H.), 3530, 6096.
Argyropoulos (P.), 3965.
Argyropoulou (Rōxanē D.), 4991.
Ariès (Philippe), 394.
Arimia (Vasile), 4220, 4224.
Arioli (A.), 7398.
Aristoboulos,historien, 1351.
Aristophanēs, 1507, 1513.
Aristotelēs,1335, 1336, 1352, 1433, 1449, 1468, 1473, 1491, 1501, 1502, 2748, 2849, 2875, 2879, 5079.
Arius, haeresiarcha, 1417, 2002.
Arkesialos Pitanētis, 1477.
Armand (Monique), 6322.
Arminjon (Catherine), 2790.
Armour (Charles), 5702.
Armstrong (A.H.), 1813.
Armstrong (Christopher), 5970.
Armstrong (Philip), 5971.
Armstrong (Thomas F.), 6334.
Arn, Erzbischof von Salzburg, 2207.
Arnal (Oscar L.), 4483.
Arnaldez (Roger), 1255.
Arnaldi (Girolamo), 2459.
Arnaud (Jacqueline), 5280.
Arnaud (Pascal), 192.
Arnauld (Antoine), 5099.
Arndt (Jürgen), 103.
Arnold (Beverly J.), 1847.

Arnold (Bruce), 4031.
Arnold (C.J.), 747.
Arnold (Günter), 4986.
Arnold (Odile), 6097.
Arnold-Bucci (C.), 106.
Arnoud (Maurice-A.), 2534.
Arnulf von Kärnten, röm.-deutscher Kaiser, 2297.
Arnulf, Herzog von Bayern, 2318.
Arojo (Zak), 3457.
Aron (Raymond), 395.
Aronson (Shlomo), 7150.
Aronson (Theo), 3112.
Árpádiens, dynastie, 2124, 2334, 2553.
Arrhenius (Svante August), 5123.
Arrianus (Flavius), 1337.
Arsenault (Raymond), 3539, 4746.
Arsenios Elassonos, 396.
Arslan (E.A.), 107.
Art (J.), 4589.
Arteaga (O.), 1836.
Arthur, roi légendaire, 2123, 2208, 2209, 2679.
Artl (G.), 7045.
Aruga (Tadashi), 6689.
Asaf'ev (Boris Vladimirovič), 5527.
Asajima (Shōichi), 5594.
Ascheri (Mario), 2466.
Aschoff (Diethard), 1899.
Asdrúbal Silva (Hernán), 6796.
Aseev (I.V.), 2236.
Asenjo González (María), 2535.
Ashby (Leroy), 6098.
Ashmore (Wendy), 7709.
Asthon (Robert), 3839.
Ashtor (Eliyahu), 2361, 2536.
Asmis (Elizabeth), 1422.
Asmus (V.F.), 989.
Aspinwall (Bernard), 6969.
Asquith (Margot), v. Oxford and Asquith (Margot, countess of).
Asselain (Jean-Charles), 5595.
Assion (Peter), 6030.
Assouline (Pierre), 32.
Astaf'ev (G.V.), 6633.
Astas (Reidar), 925.
Aster (Sydney), 6634.
Aston (Margaret), 2964.
Aston (T.H.), 2374.
Astor, family, 3157.
Åström (Paul), 1027.
Asukai (Masamichi), 4072.
Atanasov (Zečo), 4826.
Atatürk, v. Kemal Atatürk (Mustafa).
Athanasia Aeginensis, Sancta, 2027.
Atkins (Annette), 5865.
Atsma (Hartmut), 2905.
Attack (Jeremy), 5864.
Attila, roi des Huns, 183.
Attinger (P.), 1223.
Attreed (L.C.), 2684.
Aubain (Monique), 5556.
Auberson (P.), 1560.
Aubert (Roger), 928.
Aubin (Françoise), 7584.
Aubri de Trois-Fontaines,

2763.
Aubry (Marie-Thérèse), 280.
Audry (Dominique), 2873.
Aufgebauer (Peter), 5972.
August (Jochen), 5596.
Augustinus (Aurelius),Sanctus, 2009, 2012.
Augustus (Gaius Julius Caesar Octavianus), empereur romain, 1650, 1710, 1721, 1734, 1794, 1803.
Aujac (G.), 1424.
Aujoulat (Noël), 1636.
Aumale (Henri d'Orléans, duc d'), 3725.
Aumüller (Gerhard), 5110.
Aupert (Pierre), 1529, 1533.
Aurelius Victor, v. Victor Sextus Aurelius).
Aussedat-Minvielle (Annick), 948.
Austen (Jane), 5342.
Austensen (Roy A.), 6970.
Auza (Néstor Tomás), 4484.
Avella-Widhalm (Gloria), 2255.
Avery (G.), 7699.
Avesani (Rino), 2231.
Avicenna, v. Ibn Sinā.
Avitus, Episcopus Viennensis, Sanctus, 2013.
Avram (Alexandru), 1702.
Avrich (Paul), 4332, 6336.
Avril (François), 310.
Avril (Joseph), 2965.
Axboe (Morton), 2791.
Axeen (David), 6971.
Axel-Nilsson (Göran), 5394.
Ayache (Germain), 6771.
Ayers (Edward L.), 6595.
Aymard (Maurice), 5866.
Azéma (Y.), 1942.

B

Baarda (S.), 767.
Baba (Akira), 7046.
Babaev (E.G.), 5305.
Babakhodžaev (M.A.), 6694.
Babenko (N.S.), 172.
Babij (A.I.), 405.
Babin (A.I.), 7478.
Babini (Nicolás), 3329.
Babur (Zahir ud-Din Mohammed), Mogul ruler, 7493.
Babuscio (Jack), 6918.
Bacchylides, v. Bakchylidēs.
Baccigalupo (Alain), 6559.
Baccouche (Mounir), 5973.
Bach (H.I.), 4709.
Bach (Johann Sebastian), 5471, 5487.
Bachmaier (Peter), 4827.
Bachmann (Werner), 915.
Bachrach (Bernard S.), 2308.
Bachrach (Susan), 6099.
Backhouse (Janet), 2779.
Backus (Irena), 4572.
Bacqué-Grammont (Jean-Louis), 5607.
Bácskai (Vera), 5811.
Baczkowska (Wanda), 4186.
Bade (Klaus J.),6028, 6032, 6033.
Bader (Karl Siegfried), 683.

Badian (Ernst), 1637, 1638.
Badstübner (Rolf), 3194.
Baďura (Bohumil), 6797, 7047.
Bäckström (Anders), 5687.
Baer (Gabriel), 688.
Baer (Karl Ernst von), 215.
Bagnoli (Paolo), 460.
Bahner (Werner), 5087.
Bailey (Anne M.), 602.
Baillou (Jean), 680, 6560.
Bailloud (Gérard), 1064.
Bainville (Jacques), 397.
Bakács (István), 2127.
Bakalopoulos (Konstantinos A.), 3969.
Bakchylidēs, 1347.
Bake (Rita), 6337.
Baker (Alan R. H.), 201.
Baker (L.), 6497.
Baker (Paula), 3540.
Bakker (W.), 4584.
Bakonyiné Ficzura (Judit), 3120.
Baksay (Zoltán), 5597, 6563.
Bakunin (Pavel Aleksandrovič), 4380.
Balagna (Josée), 33.
Balassa (Iván), 5867.
Balazs (Etienne), 7584.
Balázs (Éva), H., 502.
Balázs (Magdolna), 5868.
Balázs (Mihály), 4578.
Balázs (Péter), 295.
Balcer (Jack Martin), 1378.
Bălcescu (Nicolae), 398.
Bald (Suresh Ranjan), 5306.
Baldini (A.), 1425.
Baldus (H.R.), 1639.
Baldwin (B.), 1780.
Baldwin (Robert), 2792.
Baldwin of Bewdley (Stanley Baldwin, 1st earl), 7091.
Ball (Alan), 4333.
Ballbé (M.), 3494.
Balme (M.), 1402.
Balmer (Randall H.), 4588.
Balmori (Diana), 6100.
Balogh (Sándor), 3989, 6034.
Balsamo (Luigi), 34, 43.
Balthazar (H.), 770.
Baltimore, lords, 6822.
Baltl (Hermann), 5869.
Balty (Janine), 1532.
Balvet (Marie), 3711.
Balz (Horst Robert), 943.
Balzac (Honoré de), 5325.
Balzano (Maurizio), 249.
Balzer (Manfred), 3065.
Bambach (Ralf), 6338.
Bammel (C.P.H.), 4.
Bammel (E.), 1930.
Bammer (Anton), 1534.
Bammesberger (A.), 158.
Banac (Ivo), 4423.
Banach (Jerzy), 231.
Bancroft (George), 399.
Bandilenko (G.G.), 7561.
Bandler (Faith), 3369.
Banfield (Gottfried, Baron von), 3381.
Bank (J.), 4142.
Bank (J. Th. M.), 6723.
Bankier (David), 3195.
Bánkuti (Imre), 4236.
Bann (Stephen), 334.
Banning (Lance), 3541.

Bantea (Eugen), 7294.
Bantelmann (Albert), 860.
Banti (Alberto), 108.
Banti (Anna), 108.
Bantock (G.H.), 4828.
Baquedano (Elizabeth) 7710.
Barabanova (A.I.), 4334.
Baradel (Yvette), 3751.
Baran (V.D.), 3072.
Barański (Marek), 2966.
Barany (George), 3990.
Baras (Zvi), 968.
Barat (Christian), 164.
Baratte (François), 1837.
Barbadoro (Idomeneo), 762.
Barbagli (Marzio), 6101.
Barber (Malcolm C.), 2906.
Barber (Richard William), 2237.
Barbero de Aguilera (Abilio), 2290.
Barbey (Jean), 6498.
Barbiche (Bernard), 425, 2141.
Barbie (Klaus), 3261.
Barbier (Frédéric), 35.
Barbier (Jacques A.), 6798.
Barbour (James), 3629.
Barboux (François), 1344.
Barbu (Daniel), 2025.
Bărbulescu (Mihai), 1814.
Barchiesi (Alessandro) 1781.
Barclay (David E.), 6102.
Barclay (J.B.), 6499.
Barclay (William), 4673.
Bardach (Juliusz), 4181.
Bardet (A.C.), 1028.
Bardet (G.), 1222.
Bardhan (Pranab), 7536.
Barg (M.A.), 522.
Barišić (Raffaele), vescovo della Bosnia ed Erzegovina, 4536.
Barkan (Joel D.), 6339.
Barkan (Ömer Lütfi), 806.
Barker (Elisabeth), 7386.
Bark-Kokhba, 1283.
Barnabas, auctor epistolae Barnabae, 1902.
Barnard (Frederick M.), 4992.
Barnard (Leslie), 1943.
Barnard (Robert), 1003.
Barnavi (Elie), 807.
Barner (Wilfried), 5276.
Barnes (Albert), 3693.
Barnes (Samuel H.), 3504.
Barnes (Timothy D.), 1925, 1944.
Barnett-Robisheaux (Th.), 3176.
Barnish (S. J. B.), 2128, 2685.
Barr (Susan), 4112.
Barral (Pierre), 5991.
Barran (José Pedro), 5870.
Barrandon (Jean-Noël), 117.
Barrelet (Marie-Thérèse), 1228.
Barreto, family of Pernambuco, 5936.
Barrett (James R.), 6103.
Barron (Hal S.), 5871.
Barta (Gábor), 6890.
Barta (János) Jr., 3991.
Bartal (Israel), 4033.
Barteček (Ivo), 6891.
Bartel (Horst), 713.

Bartel (Horst), 713.
Bartel (Walter), 7158.
Bartel (Wojciech Maria), 6564.
Bartenev (I.A.), 5395.
Bartha (Antal), 757.
Barthélemy (Dominique), 2538.
Bartlett (C.J.), 6635.
Bartlett (Roger P.), 4335.
Bartlová (Alena), 5598.
Bartók (Béla), 5497.
Bartolini (G.), 1607.
Bartrip (P.W.), 3840.
Barycz (Henryk), 4829.
Baryli (Andreas), 6596.
Barysnikov (B.I.), 7387.
Barzilay (Isaac E.), 4710.
Barzos (Konstantinos), 73.
Bascier (Jean), 3705.
Baselt (Bernd), 5502.
Basileus Magnus, Ep. Caesariensis, Sanctus, 931, 1921, 2014.
Basin (Pëtr Vasil'evič), 5444.
Baslez (Marie-Françoise), 1403.
Basov (A.N.), 7295.
Bassole (Jean-Yves), 3712.
Bassus (Cassianus), 2712.
Baszkiewicz (Jan), 3713.
Bataillon (Louis-Jacques), 2845.
Batažkova (V.N.), 5395.
Bateman (Fred), 5864.
Bates (Darrell), 6972.
Báthory, famille, 4011.
Batowski (Henryk), 7225.
Battafarano (Italo Michele), 6104.
Batthiány (Lajos), 4018, 4026, 5771.
Baucells i Reig (Josep), 2362.
Baud (J.C.), 4120.
Baud (W.A.), 4120.
Baudelaire (Charles Pierre), 5309.
Baudot (Georges), 7711.
Bauduin (François), 4531.
Bauer-Manndorff (Elisabeth), 1029.
Baum (Dale), 3542, 3543.
Baumert (Herbert Erich), 87.
Baumgart (Peter), 3216.
Baumgartner (Lothar), 3431.
Baurain (C.), 1074.
Bautier (Robert-Henri), 19, 471, 2215.
Bauza (H.F.), 1779.
Baxter (Maurice G.), 3544.
Bayle (Pierre), 5066.
Baylen (Joseph O.), 3847.
Baylot (Robert), 1918.
Bažova (A.P.), 6636.
Bazylow (Ludwik), 6340.
Bazzana (A.), 193.
Beach (Mark), 4821.
Beach (Sylvia), 5323.
Beaconsfield (Benjamin Disraeli, earl of), 3882, 7022.
Bean (R.), 6341.
Beard (Charles A.), 3635.
Beatty (Bess), 5703.
Beaudry (Marilyn P.), 7712.

INDICE DEGLI AUTORI E DELLE PERSONE 329

Beaufort (Henry), cardinal, 2994.
Beaulieu (Michèle), 232.
Beauplan (Guillaume LeVasseur, sieur de), 199.
Beaur (Gérard), 5872.
Bebel (August), 6289.
Becchia (Alain), 6035.
Becher (Harvey B.), 6105.
Bechmann (Roland), 2539.
Beck (Irmgard), 1535.
Beck (Kent M.), 3545.
Beck (Nathaniel), 5975.
Becker (Felix), 6973.
Becker (Jillian), 7497.
Becker-Jáckli (Barbara), 4589.
Beckerath (Jürgen), 1180.
Beckermann (Ruth), 4731.
Beckman (Peter R.), 3113.
Beda Venerabilis, Sanctus, 2162, 2898.
Bedaux (J.B.), 5419.
Bedersi (Yedaiah), 2431.
Bednarek (Stefan), 523.
Bedon (R.), 1741.
Beeckman (Isaac), 5207.
Beelen (George D.), 7048.
Beeman (Richard R.), 5873.
Beer (H. de), 274.
Bees (Nikos A.), 296.
Beethoven (Ludwig van), 5481, 5478, 5530.
Behm (Erika), 5566.
Behnen (Michael), 6565.
Behrens (Klaus), 4993.
Beier (Gerhard), 6342.
Beïkos (Theophilos), 990.
Beitzinger (A.J.), 4994.
Bejczy (Gunila de), 5262.
Beke (Johannes de), 2129.
Bekker-Van der Kooij (C.), 6106.
Beldiceanu (Nicoară), 2540.
Beldiceanu-Steinherr (Irène), 2541.
Belgiojoso (Cristina, principessa de), 6146.
Belissariou (Panyiótou),194.
Belke (Klaus), 227.
Bell (Anne Olivier), 5299.
Bell (David Scott), 3714.
Bell (Lanny), 1181.
Bell (Robert E.), 7713.
Bell (Roger), 3546.
Bellamy (John G.), 808.
Bellatalla (Luciana), 4830.
Belloc ([Joseph Pierre] Hilaire), 5372.
Bellocchi (Ugo), 4942.
Belloni (G.G.), 1703.
Beloff (Max, Lord), 3841.
Bełza (Igor), 4781.
Ben Abdalla (Z.), 1611.
Ben-Artzi (Yosi), 5874.
Benczédi (László), 4023.
Benda (Kálmán), 3984, 3992, 6919.
Benda (Klement), 2783.
Benea (Doina), 1682.
Benedetti (G.), 891.
Benedict (Philip), 5812.
Benedictus Nursinus, Sanctus, 1987.
Benedictus XIV [Prospero Lambertini], Papa, 4472
Benin (Stephen D.), 952.
Bening (Simon), 5453.

Benito Ruano (Eloy), 2686.
Benjamin (Thomas), 4091.
Benjamin (Walter), 5309.
Benkő (Samu), 861.
Bennett (Daphne), 3842.
Bennett (Judith M.), 2130, 2542.
Bennigsen (Alexander), 789.
Bensa (Alban), 621.
Ben-Sasson (Menahem), 2418.
Ben-Shammai (Haggai),2419.
Benson (J.), 6343.
Bentham (Jeremy), 4984, 5043, 6149.
Bentley (James), 4590.
Bentley (Michael), 3843.
Bentzien (Ulrich), 2543.
Benyei (Laszlo), 6107.
Benyon (J.), 3844.
Benz (Wolfgang), 5586,7388.
Beránková (Milena), 4279, 4948.
Beranová (Magdalena),2270.
Bérard (F.), 1742.
Bérard (Pierre), 6108.
Berbig (Hans Joachim), 6920.
Bercan (Gheorghe), 4224, 6644.
Bercé (Yves-Marie), 622.
Berceanu (Barbu), 811, 4228.
Berding (Helmut), 6703.
Berdnikov (G.P.), 1009.
Beregovaja (N.A.), 1053.
Beremēs (Thanos M.), 5976, 6109.
Berend (T. Iván), 5557.
Bérenger (Jean), 3382.
Berenson (Edward), 3715.
Berezkin (Ju. E.), 7714.
Berežkov (V.M.), 7226.
Berg (Friedrich), 4532.
Berg (Klaus), 2135.
Berg (Roger), 6500.
Berg (Werner), 5704.
Berger (Karin), 6110.
Bergeron (Henri-Paul), 4485.
Bergeron (Louis), 3751.
Bergier (Jean-François), 823.
Bergin (J.A.), 3716.
Bergius (Friedrich), 5788.
Berglar (Peter), 525.
Bergman (Aleksandra), 4173.
Bergmann (W.), 68.
Bergsma (W.), 4591.
Bergson (Henri), 5071.
Berindei (Aurel), 159.
Berindei (Dan), 398, 400, 4229.
Bering (Vitus Jonassen) 205.
Berkeley (George), 5003.
Berkeley (Kathleen C.) 4831.
Berlanstein (Lenard R.), 6344.
Berlász (Jenő), 304.
Berlo (Janet), 7715.
Bermejo Cabrero (José Luis), 2460.
Bernal (Irma), 6799.
Bernaud (E.), 1330.
Bernand (Yves), 1844.
Bernard (G.), 3845.
Bernard (Henri), 6111, 6946.
Bernardinus Senensis, Sanctus, 959.
Bernardus, Abbas Claraevallensis, Sanctus, 2952.
Bernareggi (Ernesto), 109.
Bernecker (Walther L.), 3495.
Bernet (Jacques), 3717.
Bernhard (Reinhold), 3383.
Bernhardt (Rainer), 1640.
Bernier (Serge), 7389.
Bernold, Chronist, 2178.
Bernstein (Eduard), 6397.
Bernstein (George L.), 3846.
Bernstein (Sidney), 5524.
Berov (Ljuben), 3459.
Berrêdo Carneiro (Paulo E. de), 4985.
Berriot (François), 4444, 4711.
Berry (R. Michael), 3702.
Berschin (Walter), 2687.
Berstein (Serge), 3114.
Bertaud (Jean-Paul), 4943.
Bertaux (J.-J.), 733.
Bertényi (Iván), 88.
Berthe (Maurice), 2544.
Berthelot du Chesnay Charles), 4486.
Berthier (Philippe), 5362.
Bertini (Ferruccio), 2231.
Bertram (M.), 2461.
Bertrand (C.), 1320.
Berza (László), 3994.
Besch (Werner), 187.
Besenval (Roland), 1163.
Beslay (François), 623.
Bessarion (Johannes), cardinal, 2036, 3053.
Bessel (Richard), 3197.
Besseler (Heinrich), 915.
Bessmertny (Y.-L.), 2545.
Bethea (David M.), 5307.
Bethell (Leslie), 3116.
Bethlen (Gábor), roi de Hongrie, prince de Transylvanie, 4025, 6904.
Bethlen (István), 4006, 4017, 7118.
Betthausen (Peter), 901.
Bettini (Virginio), 5705.
Bettoni (C.), 6031.
Beumann (Helmut), 2131, 2252.
Beunders (H.J.G.), 4126.
Beutler (Corinne), 5581.
Bevin (Ernest), 7418.
Beyrau (Dietrich), 4337.
Bezděková (Hana), 5697.
Bèze (Théodore de), 4576, 4610.
Bezzel (Irmgard), 66.
Bianchi (A.), 1641.
Bianchi (E.), 1704, 2014.
Bianchi (Luca), 2849.
Bianchi Fossati Vanzetti (M.), 1705.
Biard (Joël), 2850.
Bichir (Gheorghe), 1642.
Bichler (R.), 1426.
Bickel (Alexander M.),6528.
Bickerman (E.J.), 401.
Biegański (Witold), 7355.
Biel (Gabriel), 3042.
Bielke (Nils), 4275.
Biemans (J.A.A.M.), 2187.
Bienaimé (G.), 1256.
Bieniarzówna (Janina),4176.
Bieńkowski (Wiesław), XIII, 6320, 6326.
Biernacka (Maria), 4832.

Bietak (Manfred), 1075.
Bietenholz (Peter G.), 5237.
Biewer (Ludwig), 3198.
Biggs (Robert D.), 7498.
Bihl (Wolfdieter), 111, 3384.
Biles (Roger), 3547, 6345.
Biller (J.), 220, 1167.
Billot (Claudine), 2141, 2546.
Bils (Mark), 5706.
Bilzer (Franz Ferdinand), 3385.
Binder (Dieter A.), 5111.
Binney (Marcus), 5396.
Bircher (Martin), 4805.
Birger Jarl, descendants of, 2815.
Birke (Adolf M.), 4451, 6640.
Birken (William Joseph), 3848.
Birkner (Michael), 3548.
Birley (Anthony R.), 1693.
Birley (E.), 1783.
Birley (Robert), 4862.
Birnbaum (Henrik), 2688.
Birth (H.W.), 1782.
Birsa Munda, 6748.
Birtsch (Günter), 3199.
Bischoff (B.), 2120.
Biscop (Jean-Luc), 2056.
Bishko (C.J.), 2907.
Bishop (Maurice), 3980.
Bismarck (Otto, Fürst von), 3295, 3303, 3318, 7020.
Bisson (Thomas N.), 2309.
Bixio (Alberto Luis), 6983.
Bizzocchi (Roberto), 2547.
Bjalik (B.A.), 5358, 5359.
Björne (Lars), 6501.
Blaas (P.B.M.), 335.
Black (Anthony), 795.
Black (Hugo L.), 6548.
Black (Jeremy), 3849.
Black (M.H.), 36.
Black (Peter R.), 3200.
Blackbourn (David), 3201.
Blackwelder (Julia Kirk), 6112.
Blänsdorf (A.), 3202.
Blänsdorf (J.), 1839.
Blagg (Thomas), 897.
Blair (B.L.), 6800.
Blair (Pauline Hunter), 2291.
Blair (Peter Hunter), 2291.
Blakemore (Steven), 160.
Blanchard (Ian), 2548.
Blanchard (William H.), 4747.
Blanco (Richard L.), 6786.
Blanke (Horst Walter), 336, 384.
Blanqui (Auguste), 3808.
Blaschke (Karlheinz), 2462.
Blasi Brambilla (Alberto), 3330.
Bleicken (Jochen), 1384.
Blejwas (Stanislaus A.), 4174, 4995.
Bleker (Johanna), 5112.
Bley (Daniel), 626.
Bleyer (Wolfgang), 7158.
Blickle (Peter), 3203.
Blidberg (Kersti), 6346.
Bliev (M.M.), 6665.
Bligny (Bernard), 2883, 2908.

Blind (Karl), 6325.
Blinov (N.V.), 6347.
Bliss (Anne M.), 4425.
Blobaum (Robert), 6348.
Bloch (Ernst), 6453.
Bloch (Herbert), 2132.
Blockmans (W.P.), 4151.
Blok (A.), 893, 4748, 6597.
Blok (D.P.), 770.
Blok (F.F.), 6892.
Blom (Grethe Authén), 6552.
Blom (J.C.H.), 4142.
Bluche (François), 6113.
Bluche (Frédéric), 3718.
Blum (D. Steven), 4944.
Blum (Léon), 5496, 7431.
Blum (Rudolf), 37.
Blumenson (Martin), 3549.
Blumenthal (Elke), 1177, 1182.
Blumenthal (H.J.), 1427.
Bobbio (Norberto), 4046, 5569.
Boberach (Heinz), 3190.
Boberg (Jochen), 3215.
Bočarov (G.N.), 2793.
Boccassini (Daniela), 4593.
Bocci Paccini (P.), 1585.
Bockisch (G.), 1355.
Bocquet (A.), 744.
Bodenhamer (David J.), 6502.
Bodin (Jean), 4444.
Bodó (Sándor), 4009.
Bodžoljan (M.T.), 6114.
Boehm (Eric H.), 678.
Böhm (Irmingard), 4996.
Böhme (Günther), 4749.
Böhme (Helmut), 483.
Böhme (Klaus-Richard), 6921.
Böhr (Elke), 320.
Boelcke (Willi A.), 719.
Boer (E. de), 4125.
Boer (P. den), 526.
Boer (W. den), 4750.
Börner (Karl Heinz), 3204.
Boersma (J.S.), 1840.
Boesch Gaiano (Sofia), 955, 956.
Boethius (Anicius Manlius Severinus), 2064, 2736, 2851, 2861.
Boetsch (Gilles), 626.
Böttcher (Kurt), 1000.
Bogaarts (M.D.), 4142.
Bogaers (J.E.), 1841.
Bogaert (R.), 1183.
Bogdan (Ioan), 359.
Bogemskaja (K.G.), 5420.
Bogoslovskij (V.A.), 7585.
Bogucka (Maria), 4177, 6115.
Bogusz (Józef), 7169.
Boháč (Zdeněk), 2238, 2549.
Boháčová (Milada), 682.
Bohm (Eberhard), 2310.
Bohnke-Kollwitz (Jutta), 3250.
Bois (Guy), 2550.
Bois (Jean-Pierre), 6116.
Bois (Paul), 3719.
Boisgontier (Jacques), 161.
Boismard (Marie-Emile), 1900.
Boiteux (Martine), 824.
Bojadžiev (Stefan), 2794.
Bojčev (Georgi), 6529.

Bojerud (Stellan), 4268.
Bojović (Jovan R.), 6674.
Bokanov (A.N.), 4945.
Boku (Sōkon), 6974.
Bol (Renate), 1536.
Bold (Alan), 5292.
Boldt (Hans), 6530.
Bolesław I [le Vaillant], roi de Pologne, 3003.
Boley (G. E. Saigbe), 4084.
Boleyn (Anne), v. Anne Boleyn.
Bolgár (Elek), 482.
Bolingbroke (Henry St.John, 1st viscount), 5269.
Bolívar (Simón), 3108, 3115, 3128, 3135, 4957, 6691.
Bolkhovitinov (N.N.), 6637.
Boll (Michael M.), 6638.
Bolla (Ilona), 2551.
Bollenot (Gilles), 6117.
Boltzmann (Ludwig), 4816.
Bolzano (Bernard), 4996, 5098.
Bompaire (J.), 1428.
Bona (F.), 1706.
Bona (Gábor), 3993, 7028.
Bonacasa (Nicola), 480.
Bonald (Louis de), 3705.
Bonaparte (Louis), roi de Hollande, 275.
Bonaventura [Giovanni di Fidanza], Ep. Albanensis, Sanctus, 2953.
Bonavia (David), 7586.
Bondoc (Gheorghe), 4224.
Bonelli (Franco), 5773.
Bonetti (Mario), 6801.
Bonev (Aleksandǎr), 1976.
Bonfil (Robert), 2420.
Bongartz (Wolfram), 5707.
Bonnafé (Annie), 1429.
Bonner (Gerald), 1945.
Bonnet (Christian), 3776.
Bonsdorff (Göran von), 7390.
Boockmann (Hartmut), 2133, 2363, 2552.
Boom (S.), 5708.
Boon (P.), 767.
Boone (Elizabeth H.), 7716.
Boonstra (O.W.A.), 6036.
Boorman (Stanley), 2842.
Booth (Catherine), 4665.
Borah (Woodrow), 6802.
Borden (William S.), 7391.
Borghese (Scipione), cardinale, 4522.
Borghi Cedrini (Luciana), 2224.
Borgolte (Michael), 2292.
Borisov (A. Ju.), 7227.
Borisov (Ju. V.), 6639.
Borjaz (V.N.), 665.
Borkowski (Jan), 4175.
Borland (Solon), 7030.
Borm (F.), 4127.
Born (Richard), 3550.
Bornewasser (J.A.), 770, 4487, 4524.
Borodatova (A.A.), 7717.
Borokh (L.N.), 7587.
Borossy (András), 2553.
Borret (Marcel), 1430.
Borsa (Iván), 281.
Borsdorf (Ulrich), 6335.
Borsi-Kálmán (Béla), 4230, 6975.
Borst (Arno), 2134.

Borst (Otto), 483.
Borus (József), 756.
Borusiak (Lieselotte), 3177.
Borzobohaty (Wojciech), 7353.
Borzsák (István), 3985, 4751.
Bos (Th. S. H.), XII.
Bos-Rops (J.A.M.Y.J), 274.
Bosbach (Franz), 5977.
Bosch (Hieronymus), 5428.
Boschloo (A.W.A.), 5421.
Boshof (Egon), 2554.
Bosmans (J.), 4115, 4128, 4142.
Boswell (James), 5263, 5267.
Boswell (John Eastburn), 825.
Boswell (Thomas D.), 6118.
Bosworth (E.), 7499.
Bottasso (Enzo), 305.
Bottéro (Jean), 1229.
Bottomore (Rom), 6357.
Boüard (Michel de), 2311.
Boubakeur (Sadok), 5813.
Bouček (Miroslav), 4285.
Bouchard (Jean-François), 7718.
Boucharlat (Rémy), 1161.
Boucher (David), 527.
Bouilly (Víctor), 3331.
Boult (Sir Adrian), 5547.
Boulter (C.G.), 323.
Boulton (James T.), 5290.
Bouquet (Henry), 6787.
Boura (K.), 2099.
Bourassa (Robert), 6559.
Bourassin (Emmanuel), 2967.
Bourbons (les), dynastie, 6798.
Bourcier (Paul G.), 5875.
Boureau (Alain), 2946.
Bourel (Sandrin), 2522.
Bourgeois (J.), 1017.
Bourguiba (Habib), 4315.
Bousquet (B.), 213.
Boussard (Isabel), 5876.
Boussingault (Jean Baptiste), 5162.
Boutang (Pierre), 3720.
Boutillier (Jean), 6600.
Bouttier (Jean), 3721.
Bouvier (Jean), 6177.
Bouvris (Jean-Michel), 74.
Bouwsma (William J.), 5985.
Bovykin (V.I.), 5978.
Bowen (Gordon L.), 7392.
Bowlus (Charles R.), 2293.
Bowman (S.), 3964.
Boxer (Charles Ralph), 6705.
Boyer (Paul), 3551.
Boylan (Anne M.), 6119.
Boyle (L.E.), 1.
Božilov (Ivan), 2239, 2767.
Božinov (Voin), 4833.
Bozóky (Edina), 2968.
Bozzolo (Carla), 38.
Bracciani (Lorenzo), 1579.
Bracher (Karl-Dietrich), 796.
Brachmann (Botho), 279.
Braden (Spruille), 7471.
Bradford (Ernle), 1644.
Bradley (James E.), 3850.
Bradley (K.R.), 1744.
Bradley (Richard), 1030.
Brady (Frank), 5263.
Braemer (Frank), 1537.
Brändström (Anders), 6120.

Braginskij (I.S.), 1004.
Brago (Michael), 5482.
Brake (George Thompson), 4595.
Branca (Vittore), 4757.
Brand (Paul A.), 2463.
Brandeis (Louis Dembitz), 3632, 5559, 6497, 6550.
Brandmüller (Walter), 2893.
Brandon (Betty), 254.
Brandstetter (Bruno), 722.
Brandt (R.), 991.
Brandt (Steven A.), 1038.
Brandus, maison d'édition, 41.
Brandys (Kazimierz), 4168.
Brann (Noel L.), 2689.
Branousses (Leandros), 4997.
Brant (Joseph), 6821.
Brants (Victor), 375.
Brashear (William M.) 1431.
Brašinskij (I.B.), 1404.
Brasol (B.), 5285.
Brasseur (Patrice), 162.
Brătescu (Gheorghe), 5109.
Brătianu (Dumitru), 4248.
Bratkowska (Barbara), 4165.
Bratt (Ingar), 4834.
Bratteli (Trygve), 4107.
Braudel (Fernand), 602.
Braun (C.), 11.
Braun (Hans-Joachim), 5599.
Braun (René), 1938.
Braun (Rudolf), 5600.
Braun (Siegfried), 6361.
Braun-Holzinger (E. A.), 1230.
Braund (D.), 1645.
Bravo (Benedetto), 1405.
Bray (Jennifer R.), 2947.
Breatnach (Liam), 2464.
Brecht (Martin), 4596.
Brednich (Rolf Wilhelm), 6030.
Breebaart (A.B.), 1299.
Breen (William J.), 3552.
Brehme (Gerhard), 6553.
Breihan (John R.), 3851.
Breit (Ernst), 6335.
Breitenbach (William), 4597.
Breitholtz (Lennart), 2294.
Bremer (William W.), 3553.
Bremmer (J.N.), 1514.
Bremmer (M.D.), 4983.
Bremmer (R.H.), 4129.
Brennecke (Hans Christof), 6030.
Brenot (C.), 110, 117.
Brentano (Lujo), 3268.
Brentano (Robert), 528.
Brereton (Sir William), 3831.
Bresc-Bautier (Geneviève), 2137.
Bretone (M.), 1707.
Breuer (Stefan), 2555.
Breunlich (Maria), 4598.
Brewer (Priscilla J.), 4599.
Breymayer (Reinhard), 4678.
Brezeanu (Stelian), 337.
Brezzi (Paolo), 2216.
Briais (Bernard), 6121.
Briand (Aristide), 7405.
Briant (Pierre), 1151.
Briard (Jacques), 1077.
Briçonnet (Guillaume), evêque de Meaux, 4534.
Bridenthal (Renate), 3205.
Bridges (Amy), 3554.

Briggs (Asa), 61??.
Brinkman (J.A.), 1231.
Briquel (Dominique), 1580.
Bristiger (Michał), 5546.
Brixhe (C.), 163.
Brjusova (V.G.), 5422.
Broadberry (S.N.), 5601.
Brock (Peter), 4600.
Brock (Sebastian), 1232.
Brock (William R.), 3555.
Brodskij (E.A.), 7354.
Broehl (Wayne G.) Jr., 5709.
Brogan (Hugh), 5308.
Broich (Ulrich), 1007.
Brokken (H.M.), 2364.
Brombacher (J.A.), 4712.
Brome (Vincent), 5115.
Bromlej (Ju. V.), 624, 673, 862.
Brommer (Peter), 2189.
Bronfin (E.F.), 5483.
Bronson (Bennet), 7620.
Brood (P.), 766, 771.
Brook-Shepherd (Gordon), 7049.
Brooke (Christopher Nugent L.), 2884.
Brooke (Sir James), 6747.
Brooke (Rosalind B.), 2884.
Brookeman (Christopher), 3556.
Brooks (E. Willis), 4338.
Brooks (John Langdon), 5113.
Broqueville (Charles de), 3449.
Broshi (Magen), 1078.
Brosius (Dieter), 505.
Brossellet (Jacqueline), 2969.
Broudic (F.), 999.
Brougham and Vaux (Henry Peter Brougham, 1st baron), 6568.
Brouwer (H.), 5114.
Brouwer (M.), 1842.
Brovkin (Vladimir N.), 4339.
Browaeys (Xavier), 5602.
Broward (Robert C.), 5397.
Browman (David L.), 7719.
Brown (Alison), 4045.
Brown (Charles Oliver), 4698.
Brown (Christopher), 5423.
Brown (Colin), 3557.
Brown (Dorothy M.), 3558.
Brown (Jerome V.), 2852.
Brown (L. Carl), 6641.
Brown (Norman D.), 3559.
Brown (Reginald Allen), 2312, 2344.
Brown (Thomas), philosopher, 5057.
Browne (Lyde), 326.
Browning (Reed), 4998.
Browning (Robert), 402, 484.
Bruce (Dickinson D.) Jr., 338.
Bruce-Gardyne (Jock), 3852.
Bruce-Mitford (Rupert L. S.), 2057.
Bruch (H.), 2129.
Bruch (Rüdiger vom), 4835.
Bruck (Meta), 64.
Bruckmüller (Ernst), 5877, 6123.
Brüning (H. Joachim), 5377.
Brüning (Heinrich), 3180.

Bruggeman (M.), 4130.
Bruhl (Carl Richard), 809.
Bruijn (H. C. de), 5439.
Bruijn (J.R.), 4131, 5814.
Bruin (C. C. de), 2970, 4488.
Bruin (G. de), 4132.
Bruin (J. de), 6489.
Bruin (R. E. de), 4133.
Bruk (S.I.), 6037.
Brumberg (Joan), 6124.
Brun (J.), 1745.
Brundage (Avery), 6184.
Brundage (J.A.), 2690.
Brunelli (L.), 5554.
Brunet (Johannes), 2841.
Brunner 'Otto), 594.
Brunnfeld, v. Helmreichen zu Brunnfeld (Virgil).
Bruno, Carthusianorum institutor, Sanctus, 2908.
Bruno (Cayetano), 3332.
Bruno (Vincent), 1538.
Brunsch (W.), 1173.
Brush (K.), 2691.
Bruss (Joachim), 1015.
Bryant (Sir Arthur), 748.
Bryer (Anthony A. M.), 2058.
Bucci (Onorato), 1300.
Buccianti (Giovanni), 7050.
Bucer (Martin), 4635.
Buchanan (Briggs), 319.
Buchheim (Christoph), 5603, 5815.
Buchholz (P.), 1843.
Buci-Glucksmann (Christine), 5309.
Buck (August), 5253.
Buck (David D.), 7588.
Buck (P. de), 5604.
Buckle (Henry Thomas), 452.
Bucur (Tudor), 4224, 6976.
Budovec (Václav), 4304.
Bühler (Heinz), 75.
Buel (Joy Day), 6803.
Buel (Richard) Jr., 6803.
Bünderlin (Johannes), 4572.
Buenger (Walter L.), 3560.
Bues (Almut), 6893.
Büsch (Otto), 524, 5700.
Büsing (H.), 1539.
Büttner (Lothar), 6125.
Büttner (Thea), 3125, 6706.
Büttner (Ursula), 3324.
Buffévent (Béatrix de), 5710.
Buganov (V.I.), 783, 787, 2404, 4340, 4358, 4408.
Bugenhagen (Johannes), 4640.
Buican (Denis), 5116.
Buisseret (David), 3722.
Bukowczyk (John J.), 6126.
Bukowski (Zbigniew), 1125.
Bulanin (D.M.), 5236.
Bulei (Ion), 4231.
Bulhof (I.N.), 5117.
Bull (Angela), 5310.
Bull (Edvard), 485.
Bulloch (A.W.), 1515.
Bullough (Donald), 2295.
Buluță (Gheorghe), 5424.
Bulwer (Sir Henry L.), 7008.
Bunau-Varilla (Philippe), 7007.
Bunin (Ivan A.), 5307.

Buol-Schauenstein (Karl Ferdinand, Graf von), 3376.
Buonnaccorsi (Filippo), dit Kallimach, 2813.
Burbank (Richard), 5484.
Burchhardt (Jerzy), 2853.
Burck (Erich), 1783.
Burebista, roi des Daces, 1126, 1131.
Burg (André-Marcel), 2136.
Burg (B.R.), 6848.
Burger (J.E.J.M.), 5711.
Burghart (Richard), 7537.
Burgundio da Pisa, 2712.
Burian (Jan), 684.
Burin (S.N.), 3561.
Burius (Anders), 4752.
Burke (Edmund), 160, 4998.
Burke (John P.), 3562.
Burkert (Günther R.), 5878.
Burkert (W.), 1516.
Burkhardt (Volker), 7423.
Burkholder (Mark A.), 6804.
Burleigh (Michael), 2365, 2909.
Burney (Fanny), 5281.
Burns (Edward McNall), 863.
Burns (Richard Dean), 7376.
Burns (Robert Ignatius), 2240, 2269.
Burns (Thomas S.), 2296.
Burr (Aaron), 3528.
Burr (David), 2971.
Burrell (David), 2854.
Burrow (John A.), 2692.
Burrus (Ernest J.), S.J., 6805.
Busaniche (José Luis), 3333.
Buschinger (Danielle), 2532.
Buşe (Constantin), 3115.
Bush (Julia), 3853.
Butin (Ju. M.), 7690.
Butinov (N.A.), 877.
Butler (David Edgewprth), 3854.
Butler (Martin), 5485.
Butlin (Noel G.), 6871.
Butts (William L.), 7741.
Butvin (Jozef), 4280, 7051.
Buwayhids, dynasty, 7523.
Buxton (Michael), 4999.
Buza (János), 5879.
Buzatu (Gheorghe), 4225, 7152, 7228.
Buznik (V.V.), 5336.
Buzzi (Giancarlo), 1586.
Byckling (Liisa), 5486.
Byčkov (Ju. A.), 5417.
Byl (S.), 1345.
Bylina (Stanisław), 2972.
Bynack (Vincent P.), 5000.
Byrnes (James Francis), 7431.
Byron (George Gordon Noel Byron, 6th baron), 5282.
Byvanck-Quarles van Ufford (Lili), 403.

C

Caballero y Góngora (Antonio), arzobispo y virrey, 6826.
Cabantous (Alain), 6127.
Cable (Charles), 1063.

Caboga (Herbert, comte de), 792.
Cabotz (René), 7296.
Cabourdin (Guy), 6128.
Caccamo (D.), 6888.
Cacciatore (Giuseppe), 539.
Caché (Benedict de), 6945.
Čada (Václav), 7328.
Čadaev (Ja. E.), 7229.
Cadena de Hessling (María Teresa), 3334.
Cadwalader (Sandra L.), 3563.
Caesar (Gaius Julius), 1633, 1644, 1676, 1680, 1794, 1818.
Caetani (Antonio) cardinale, 2896.
Cahen (J.), 4732.
Cahier (Gabrielle), 4581.
Cahill (David), 6806.
Cahn (H.A.), 1885.
Caligula (Gaius Julius), empereur romain, 153.
Čajkovskij (Pëtre Il'ič), 5532.
Calabi Limentani (I.), 1385.
Calder (W.M.), 339.
Calderón Quijano (José Antonio), 6807.
Calhoun (John C.), 3515.
Calice (Heinrich von), 7027.
Callahan (Raymond A.), 3855.
Callahan (William J.), 3496, 4489.
Callebat (Louis), 1627.
Callimachus, v. Kallimachos.
Callisthène, v. Kallisthenēs.
Callot (Olivier), 1233.
Calvi (G.), 3206.
Calvin (Jean), 4577, 4614, 4650, 4657, 4680.
Camariano-Cioran (Ariadna), 6642.
Cambeis (H.), 1784.
Cambel (Samuel), 4281, 5893, 7358.
Cambronne (P.), 1257.
Camden (William), 404.
Cameron (Alan), 2028.
Cameron (Averill), 402, 2028.
Cameron (David R.), 5001.
Cameron (Euan), 4601.
Campanile (E.), 419.
Campbell (B.M.S.), 2556.
Campbell (D'Ann), 6129.
Campbell (John B.), 1646.
Campbell (Julian), 5425.
Campbell (Miles W.), 2313.
Campbell (Mrs. Patrick), 5531.
Campbell-Bannerman (Sir Henry), 3946.
Campfens (M.), 282.
Camponovo (Odo), 1258.
Camporeale (G.), 1587.
Camus (Albert), 5353.
Cancik (H.), 1909.
Canclini (Arnaldo), 3335.
Candé (Roland de), 5487.
Čaneva-Dečevska (Neli), 2794.
Cannon (John), 3856.

Canocchi (D.), 1583.
Canovan (Margaret), 5002.
Cantemir (Dimitrie), prince de Moldavie, 405.
Cantera Montenegro (Enrique), 2439, 2557.
Cantera Montenegro (Margarita), 2465.
Canters (Th. A. M.), 4134.
Cantor (G.N.), 5003.
Cantor (Georg Ferdinand Ludwig Philipp), 5139.
Canute [Cnut], king of Denmark, England a. Norway, 2335.
Cap (Otto), 6598.
Capacini (Francesco), 6966.
Capeci (Dominic J.) Jr., 6130.
Capelletti (A.), 1432.
Capitani (Oficio), 762, 2885, 3039.
Čapka (František), 4282.
Caplat (Guy), 4836.
Caplice (R.), 1146.
Cappon (C.M.), 513.
Caprioglio (S.), 5552.
Caputo (G.), 1865.
Carancini (G.L.), 1845.
Carasso-Kok (M.), 2115.
Carayol (Michel), 164.
Carballo (Pablo Marcos), 7394.
Carbonell (Charles-Olivier), 408.
Carcassonne (Ch.), 117.
Cardaillac (Louis), 3505.
Cardascia (Guillaume), 1159.
Cárdenas (Lázaro), 3115.
Cardinal (Catherine), 5461.
Cardini (Franco), 2693.
Carey (Frances), 39.
Carlier (P.), 1386.
Carlo I d'Angiò, re di Napoli e di Sicilia, 2339, 2343.
Carlo III di Borbone, duca di Parma e Piacenza, 4051.
Carlomagno, v. Karl I. der Große, röm. Kaiser, König der Franken.
Carlos (Ann M.), 5712.
Carlotti (Anna Lisa), 3206.
Carlsson (Sten), 4602.
Carlyle (Thomas), 406.
Carmignani (Juan Carlos), 6947.
Carmona (Michel), 3723.
Carolingiens, dynastie, 19, 143, 235, 770, 2177, 2179, 2293, 2295, 2299, 2488, 2573, 2660, 2670, 2687, 2745, 2855, 2925, 3035, 3046.
Carolus Borromaeus, Sanctus, 4537.
Caron (Xavier), 6131.
Carozzi (Claude), 2954.
Carp (E. Wayne), 6808.
Carpani (D.), 4431.
Carr (E. Hallett), 7230.
Carr (Lois Green), 6809.
Carr (Raymond), 6810.
Carradice (Ian), 1747.
Carras (Lydia), 2027.
Carrasco Urgoiti (María Soledad), 2694.

Carreira (António), 6038.
Carrière (Charles), 5816.
Carroll (Margaret), 2060.
Carson (Will), 3604.
Cârstean (Stelian), 625.
Carsten (F.L.), 7053.
Carstensen (Fred V.), 5713.
Cartelier (Jean), 5558.
Carter (Edward C.) III, 5200.
Carter (Jimmy [James Earl]), 7432.
Carter (Joseph Coleman), 1540.
Cartier (Ginette), 2833.
Cartier (Jacques), 4432-4434.
Cartier (Michel), 7582.
Cartwright (David E.), 5004.
Caruso (T.), 111.
Casanova (A.), 1340.
Casanova (Gerardo), 1184.
Casement (Sir Roger David), 3942.
Caso (Jacques de), 5418.
Caspard (Pierre), 4822, 4837.
Caspari (W.A.), 1031.
Cassedy (James H.), 5118.
Cassel (Lavendar), 7054.
Cassiodorus (Flavius Magnus Aurelius C. Senator), 2128, 2227, 2685.
Cassius (Youssef), 5979.
Cassius Dio, v. Dio Cassius Cocceianus.
Cassius Longinus (Gaius), 1706, 2505.
Castañeda (Carmen), 4838.
Casteley (Mary), 306.
Castellan (Angel), 540.
Castello (Antonio), 3336.
Casterline (Gail Farr), 5119.
Castex (Pierre-Georges), 5245, 5325.
Castle (Barbara), 3857.
Castle (Terry), 6132.
Castries (René de la Croix, duc de), 3724.
Castritius (Helmut), 1748.
Catalano (G.), 4042.
Catania (Franco), 2956.
Catanzariti (John), 3526.
Cateni (Gabriele), 1588.
Catharina Alexandrina, Sancta, 2015.
Catharina Genuensis, Sancta, 4496.
Cathcart (L.L.), 5426.
Cato (Marcus Porcius, Censor, 1678, 1796.
Catto (J.I.), 864.
Catullus (Gaius Valerius), 1626, 1809.
Cavallaro (Maria Adele), 1749.
Caviness (Madeline H.), 2139.
Cayez (Pierre), 5714.
Cazan (Gh. M.), 5005.
Căzănişteanu (Constantin), 4219.
Cazelles (Raymond), 2140, 2366, 3725.
Cazotte (Jacques), 5264.
Ceauşescu (Ilie), 779, 4227, 4232, 7153.
Cebo (Lechosław), 7154.
Čechura (Jaroslav), 2910.

Čejka (Eduard), 7231.
Čekhov (Anton Pavlovič), 5283.
Celsus, philosophe grec, 1430.
Censer (Jane Turner), 6133.
Čerepnin (L.V.), 340.
Čerešnja (A.G.), 301.
Čerkasov (P.P.), 3726.
Černega (V.N.), 3727.
Černenko (E.A.), 1121.
Černikov (I.V.), 3149.
Černjaev (A.S.), 5034.
Černjak (A. Ja.), 5715.
Černý (Ervín), 195.
Černý (Jaromír), 2834.
Černyševskij (Nikolaj G.), 5061.
Cerrato (López de), 6827.
Čertkov (V.L.), 6134.
Cervellati (Pier Luigi), 6039.
Cesaretti (Maria Pia), 1647.
Cesari d'Ardea (A.), 102.
Ceterchi (Ioan), 811.
Cevallos (Pedro de), 6790.
Chabaud (André), 5499.
Chabert (Joseph Bernard, marquis de), 5126.
Chabod (Federico), 407.
Chaeremon, v. Chairemon.
Chaffanjon (Arnaud), 3706.
Chailley (Jacques), 1564, 2835.
Chairēmōn, priest a. philosopher, 1339.
Chalasínski (Józef), 652.
Challet (Louis), 6260.
Chaloner (William Henry), 819.
Chamberlain ([Arthur] Neville), 3873.
Chambers (Robert), 5218.
Chambon (Alain), 1080.
Chambord (Henri de Bourbon, duc de Bordeaux, comte de), 3706.
Chamboredon (Jean-Claude), 5006.
Champion (F.), 922.
Champollion-Figeac (Jacques-Joseph), 408.
Chamson (André), 5348.
Chan (Sucheng), 6135.
Chandler (Alfred D.) Jr., 5605, 5751.
Chandler (D.S.), 6804.
Chang (Tso-lin), v. Zhang (Zualin).
Chang Tsai, 7604.
Chapalain-Nougaret (Christine), 6136.
Chapeaurouge (Donat de), 233.
Chapman (Petty), 5787.
Chapsal (J.), 3728.
Charbonnières (Girard de), 3729.
Charlemagne, v. Karl I. der Große, röm. Kaiser, König der Franken.
Charles VII, roi de France, 2402, 2840.
Charles IX, roi de France, 3721.
Charles Ier d'Anjou, v. Carlo I d'Angiò, re di Napoli e di Sicilia.

Charles le Téméraire, duc de Bourgogne, 2534.
Charles Edward Stuart, the Young Pretender, 3913.
Charles (D.), 1433.
Charleston (Robert J.), 898.
Charlesworth (George), 5716.
Charles (Jean-Louis), 1947.
Charlton (Donald Geoffrey), 4753.
Charpentier (Jean-Michel), 165.
Chartier (Marie-Christine), 2911.
Chartier (Roger), 49.
Chartkoff (Joseph L.), 7720.
Chartkoff (Kerry Kona), 7720.
Chasiotēs (Iōannēs), 6894.
Chassey (Francis de), 4088.
Chateaubriand (François René, vicomte de), 565.
Chatelain (Paul), 5602.
Châtillon (Jean), 2695.
Chaucer (Geoffrey), 1006, 2728, 2762.
Chauchadis (Claude), 3497.
Chaudenson (Robert), 164.
Chaudhri (Sandhya), 6724.
Chaumont (M.L.), 1648.
Chaunu (Pierre), 394, 409, 549, 953, 5881.
Chaussinand-Nogaret (Guy), 3751.
Chebli (Michel), 4083.
Checkland (Olive), 3858.
Checkland (Sydney George), 3858.
Cheesman (E.F.), 7057.
Cheetham (Francis), 2795.
Chekhov, v. Čekhov.
Chelhod (Joseph), 7496.
Cheney (C.R.), 2142.
Cheney (Rose A.), 5120, 6040.
Chennault (Claire Lee), 7434.
Cherpak (Evelyn M.), 7589.
Cherry (J.F.), 1081.
Cherubini (Giovanni), 762.
Chesnut (Mary (Boykin), 3620.
Chesson (Michael B.), 3564.
Chevalier (Louis), 6137.
Chevalier (Yves), 1064.
Chevallier (Raymond), 1304, 1804.
Cheynet (Jean-Claude), 2061.
Chicideanu (Ion), 2824.
Chickering (Roger), 3207.
Chicoteau (Marcel), 2017.
Chidiroglou (Paulos), 3970.
Chieregato (M.), 4060.
Chiffoleau (Jacques), 2558, 2973.
Chigi (Fabio), v. Alexander VII, Papa.
Chiha (Michel), 4083.
Childers (Thomas), 3208.
Childs (David), 3859.
Childs (John), 6922.
Ch'ing, v. Qing, Chinese dynasty.
Chiper (Ioan), 4233.
Chiriţă (Grigore), 4234.
Chlebowczyk (Józef), 7055.
Chłopocka (Helena), 499.
Chojnacki (Władysław), 28, 4180.

Chojnacki (Wojciech), 28.
Cholvy (Gérard), 740.
Chomer (Gilles), 5384.
Chong (Key Ray), 7590.
Chou (En-lai), v. Zhou Enlai.
Chouillet (Anne-Marie), 4980.
Chouraqui (Jean-Marc), 4713.
Chourmouziadēs (Nikos Ch.), 1434.
Chovanec (Jaroslav), 4284.
Chrisman (Miriam U.), 4603.
Christ (M.P.), 4135.
Christensen (T.), 1948.
Christian (David), 4407.
Christianson (Gale E.), 5121.
Christianson (Paul), 6503.
Christides (Vassos), 2062.
Christie (Ian Ralph), 3860.
Christoph Bernhard von Galen, Fürstbischof von Münster, 3323.
Christopher (A.), 6755.
Christophilopoulos (Anastasios), 1387.
Chrysanthos Notaras, 4437.
Chrystal (William G.), 4604.
Chrzanowski (Tadeusz) 5427.
Churchill, family, 77.
Churchill (Randolph), 3941.
Churchill (Sir Winston Leonard Spencer), 3855, 7215, 7237.
Churruca (J. de), 1949.
Ciachir (Nicolae), 6643, 6644.
Ciampoli (Donatella), 2466.
Ciavirella (Pietra), 4946.
Čičerin (Georgij V.), 4421.
Cicero (Marcus Tullius), 1613, 1657, 1771, 1784, 1800, 1804, 1821.
Čičerov (A.I.), 6699.
Čičovska (Vesela), 689.
Ciechanowski (Jan Mieczysław), 7355.
Cienciala (Anna M.), 7056.
Cieplewicz (Mieczysław), 7290.
Čierna-Lantayová (Dagmar), 4283, 7395.
Čierný (Ján), 2668, 4283, 7356.
Cieślak (Edmund), 4180.
Cihodaru (Constantin), 20, 2367.
Čikolini (L.S.), 6383.
Cimarosa (Domenico), 5537.
Cimek (Henryk), 6349.
Cimma (Maria Rosa), 1708.
Cincheza-Buculei (Ecaterina), 2796.
Čindina (L.A.), 1101.
Ciobanu (Veniamin), 6645.
Ciocan (Eugenia), 4224.
Ciorbea (Valentin), 7357.
Cipriano (M.T.), 4044.
Cipro (Miroslav), 865.
Cirksena, Fürstenhaus, 3256.
Čistjakov (O.I.), 814.
Ciudad Real (Antonio de), 166.
Claeys (Gregory), 5007, 6350.
Clain-Stefanelli (Elvira E.), 104.
Clair (Pierre), 6138.

Clare (Lucien), 6139.
Clarendon (Edward Hyde, 1st earl of), 3838.
Clark (Gregory), 5717.
Clark (J. Desmond), 1038.
Clark (Kenneth), 5388.
Clark (Linda L.), 4839.
Clark (Mark Wayne), 3549.
Clark (Peter), 3861.
Clark (William), 4436.
Clark Nelson (Marie), 5606.
Clarke (A.), 3829.
Clarke (Harold D.), 3862.
Clarke (Helen), 3068.
Classen (Peter), 2119.
Claude (Hubert), 7141.
Claudianus (Claudius), 1795.
Clausewitz (Karl von), 3282.
Clavadetscher (Otto P.) 486.
Clavel-Lévêque (Monique), 1746, 1750.
Clay (Henry), 3516.
Clemenceau (Georges), 3812.
Clemens I, Papa, Sanctus, 1902.
Clemens VIII [Ippolito Aldobrandini], Papa, 4474.
Clemens Alexandrinus (Titus Flavius), 1940, 1983.
Clementi (Dione), 2138, 2314.
Clementi (Hebe), 3337.
Clements (Kendrick A.), 3565.
Členova (N.L.), 1082.
Cliffe (J.T.), 3863.
Clifton (Robin), 3864.
Cloet (M.), 770.
Cloşca (Constantin), 4754.
Close (Angela E.), 1032.
Clouatre (Dallas L.), 4755.
Clough (Cecil H.), 2368.
Cloulas (Ivan), 3730.
Clymer (Kenton J.), 7232.
Cnut, v. Canute, king of Denmark, England a. Norway.
Cochin (Augustin), 3656.
cochran (Clay), 5902.
Cochran (L.E.), 5817.
Cocks (Anna Somers), 2781.
Codino (Fausto), 1356.
Coert (G.A.), 771.
Coerver (Don M.), 4092.
Coffey (Hubert William), 6872.
Coffman (Edward M.), 541.
Cogswell (Thomas), 6895.
Cohen (Amnon), 688.
Cohen (D.), 1388.
Cohen (Lucy M.), 6140.
Cohen (Paul A.), 7593.
Cohen (Rivka), 4714.
Cohn (Raymond L.), 5122.
Coing (Helmut), 810.
Colardelle (M.), 744.
Cole (Christopher), 7057.
Cole (Donald B.), 3566.
Cole (Felix), 7115.
Cole (Maija Jansson), 3865.
Cole (Susan Guettel), 1389, 1517.
Cole Spielman (Danila), 3373.
Coleman (M. Clare), 2912.
Coleman (Patrick), 5008.
Colenbrander (Joanna), 5312.
Colijn, v. Van Colijn.
Colin (Bonifacius), 3301.
Colish (Marcia L.), 2855.

INDICE DEGLI AUTORI E DELLE PERSONE

Collier (Peter), 3567.
Collingwood (Robin George), 410.
Collins (J.), 1259.
Collins (James B.), 5818.
Collins (R.F.), 1950.
Collins (Roger), 2271.
Collinson (P.), 3829.
Collson (Mary), 4692.
Collura (Paolo), 2913.
Colombo (Cristoforo), 2719.
Colonna (G.), 1589.
Čolpanev (Boris), 2234.
Columbus, v. Colombo (Cristoforo).
Columeau (Philip), 1114.
Comba (Rinaldo),2559, 2669.
Commodianus, 1963.
Comnènes, v. Komnēnoi.
Compère (Marie-Madeleine), 4840.
Comte (Auguste), 4985, 5093, 5102.
Concina (Ennio), 758.
Condit (Jonathan), 7691.
Condorcet (Marie Jean Antoine Nicolas de Caritat, marquis de), 4872.
Condran (Gretchen A.) 6040.
Congreve (William), 1006.
Coniglio (G.), 4066.
Conlan (Timothy J.), 3568.
Conlon (Pierre M.), 4981.
Connolly (James), 6484.
Connolly (John), 5192.
Connor (W. Robert), 1435.
Conon, v. Konōn.
Conrad (D.), 1295.
Conrad (Franziska), 4605.
Conrad (Geoffrey W.), 7721.
Conrad (Joseph), 5349.
Conrad (Klaus), 2200.
Conrad von Hötzendorf (Franz, Graf), 7108.
Conser (Walter H.) Jr., 4606.
Constable (Giles), 2914.
Constant (Jean-Marie), 3731.
Constant de Rebecque (Benjamin), 3772, 6991.
Constantia, épouse de l'empereur d'Orient Licinius, 1920.
Constantinescu (Nicolae), 2272.
Constantiniu (Florin), 4235, 7145, 7153.
Constantinus I, Papa, 2095.
Constantinus I Magnus Flavius Valerius), empereur romain, 1661, 1705, 1725, 1732, 1944.
Constantinus, empereurs de Byzance, v. Konstantinos.
Constantius II (Flavius Julius), empereur romain, 1946.
Conway (John S.), 7155.
Cook (A.), 5428.
Cook (Chris), 3866.
Cook (Don), 3732.
Cook (John W.), 983.
Cooke (Michael A.), 3569.
Cooperman (Bernard D.), 4715.
Coopmans (J.P.A.), 6531.
Copenhaver (Brian P.), 2856.

Copley (Stephen), 5313.
Copoiu (Nicolae), 6351.
Coppola (M.R.), 1846.
Coq (D.), 38.
Corazzi (Paolo), 6756.
Corcella (Aldo), 1436.
Cordero (N.L.), 1350.
Corippus (Cresconius Flavius), 2078, 2088.
Corivan (Nicolae), 6977.
Cormack (R.), 2028.
Cornebise (Alfred E.), 4947.
Corneille (Pierre), 5278.
Corniani de Toni (Lia), 4047.
Corselius (Gerardus), 6505.
Corsetti (Pierre-Paul), I.
Corsten (Severin), 2315.
Cortés Conde (Roberto), 3345.
Cortonesi (Alfio), 2467.
Corvol (Andrée), 5881.
Cosgrove (Art), 2369.
Cossart (Axel), 5238.
Costa (Jeronimo Nuñes da), v. Da Costa (J.N.).
Coste (Jean), 2963.
Costigliola (Frank), 7396.
Cotkin (George), 6352.
Cotoni (Marie-Hélène), 5009.
Cott (Nancy F.), 3570.
Cotta (Georg von), 55.
Cottell (G.A.), 2696.
Coucy, sires de, 2538.
Courdurie (Marcel), 5816.
Courtenay (William J.), 2857.
Courtois (Jacques-Claude), 1073.
Couvares (Francis G.) 5718.
Coverdale (John F.), 3498.
Cowan (Edward), 2273.
Cowdrey (H.E.J.), 2886.
Cowen (Mike), 6707.
Cowper (William), 5204.
Cox (Andrew W.), 3867.
Cox (Edward L.), 6811.
Craft (Robert), 5476.
Crafts (N.F.R.), 5608.
Craia (Sultana), 5424.
Craig (John E.), 4841.
Cramp (Rosemary), 2797.
Crandall (Prudence), 4850.
Crankshaw (Edward), 7397.
Crawford (Elisabeth), 5123.
Crawford (J.W.), 1613.
Crawford (Suzanne Jones), 6978.
Crawley (Eduardo), 3338.
Creaton (Heather H.), VII.
Crenneville, v. Folliot de Crenneville.
Crépin (André), 2532.
Crescenzi (Pietro de'), 31, 2712.
Cresciani (G.), 6031.
Cress (Lawrence Delbert), 3571, 3670.
Cressier (Patrice), 2798.
Creutzberg (Alexander F.), 5980.
Crews (Clyde F.), 4490, 4491.
Crickmore (Julie), 1848.
Criddle (Byron), 3714.
Cripps (Sir [Richard] Stafford), 7238.
Crisp (Olga), 4341.

Crispi (Francesco), 4059.
Crispus (Flavius Julius C. Caesar), 1683.
Cristache (Gheorghe C.), 105.
Cristea (Gheorghe), 5882.
Cristofani (Mauro), 1590, 1591, 1604.
Crocker (Lester G.), 5010.
Croesus, roi de Lydie, 1367.
Crofts (Daniel W.), 3572.
Crognier (Emile), 626.
Croke (B.), 1901.
Cromwell (Oliver), 3899, 6920.
Cronin (J.E.), 6142.
Cronţ (Gheorghe), 811.
Crook (D.P.), 5011.
Crook (Morgan R.) Jr.,7722.
Croskey (Robert M.), 2370.
Cross (Gary), 3733.
Crossick (Geoffrey), 3118.
Crouch (Dora P.), 899.
Crough (Barry), 3573.
Crouzel (Henri), 1939.
Crouzet (Denis), 5012.
Crouzet (François), 5696.
Crovetto (P.L.), 4431.
Crowder (Michael), 685.
Crowell (J.H.), 1199.
Crown (Alan D.), 5.
Cruickshanks (Eveline), 3868.
Crumlin - Pederson (Ole), 2560.
Crump (Edward H.), 6345.
Crusius (Irene), 2974.
Cruz (Sor Juana Inés de la) 5270, 5277.
Csáky (Moritz), 6883.
Csanak (Dóra), F., 4756.
Csató (Tamás), 5819.
Csendes (Peter), 3069.
Cserei (Mihály), 4236.
Csetri (Elek), 411.
Csillik (Eva), 2125.
Csoma (Sándor [Alexander]) 411, 7490, 7500.
Csonkaréti (Károly), 3995.
Csomor (Tibor), 3994.
Čubrilović (V.), 6950.
Čugunov (G.I.), 5429.
Culianu (Ioan P.), 954.
Cullen (Charles T.), 3525.
Cunliffe (Barry), 1102, 1103.
Cunneen (Christopher),6873.
Cunningham (Frank D.), 3574.
Cuoq (Joseph), 957.
Cuozzo (Errico), 2138.
Curl (Donald W.), 5398.
Curtin (Philip D.), 542.
Curtis (James R.), 6118.
Curtis (Robert I.), 1849.
Curto (Roberto), 6066.
Curto (S.), 1185.
Cutler (Anthony), 2063.
Cutler (Carl C.), 5719.
Cutliffe (Stephen H.), 856.
Cutoiu (Vasile), 4237.
Cuvillier (Jean-Pierre), 2316.
Cuza (Alexandru Ioan), prince de Roumanie, 4260, 6976, 7012.
Cvetkova (Bistra A.), 5981.
Cymburskij (V.L.), 1603.

Cyprianus (Caecilius), Ep. Carthaginiensis, Sanctus, 1957, 1993, 2016.
Cyrillus, Apostolus Slavorum, Sanctus, 2729.
Cyrus II Magnus, roi de Perse, 1245, 1299.
Czacharowski (Antoni), 2405.
Čžan Jacin, 7594.
Czeglédi (Ilona), 1024.
Czernin (Hermann, Graf), 6914.
Czigany (Lorant), 1005.
Czizmadia (Andor), 6561.
Czok (Karl), 449.
Czubiński (Antoni), 6685.

D

Dabat (Alejandro), 3339.
Dach (Krzysztof), 6979.
Da Costa (Jeronimo Nunes), 5833, 6926.
Daddyman (James W.), 6980.
Dadian (Cecelia), 3514.
Daget (Michèle), 5842.
Daget (Serge), 5842.
Dagobertus II, rex Australsiae, Sanctus, 2954.
Dagron (Gilbert), 2029.
Dahlheim (Werner), 1649.
Dahlmann (Friedrich Christoph), 707.
Dahmus (Joseph), 2697.
Dahrendorf (Ralf), 3188.
Daiches (David), 6289.
Daim (Falko), 1125a.
Dalamais (Irénée-Henri), 1951.
Dalberg (Karl Theodor von), Kurfürst v. Mainz, 3292.
Daley (B.E.), 2064.
Dalhaus (Carl), 5488.
Dalin (V.M.), 3734.
Dalley (Stephanie), 1234.
Daly (Lawrence J.), 1650.
Damjanov (Simeon), 6981.
Damjanova (Ečka), 6646.
Damó (Csilla), VIII.
Dán (Róbert), 4585.
Dančev (Georgi), 2698.
Dandamaev (M.A.), 1157.
D'Andria (F.), 1581.
Danès (Pierre), 4907.
Daniel, personnage biblique, 1275.
Daniel (Pete), 5883.
Danieljanc (K.G.), 4342.
Daniels (G.), 4409.
Danielsen (Rolf), 4110.
Danilevič (I.V.), 6353.
Danilevskij (R. Ju.), 5314.
Danilova (I.E.), 2782.
Dann (Otto), 6305.
D'Anna (G.), 1785.
Dannenbaum (Ted), 3575.
Dante Alighieri, 2707, 2762.
Danton (Georges Jacques), 3718.
Danylewicz (Marta), 4842.
Darlan (François), amiral, 7251.
Darling (P.J.), 7695.
Darmon (Pierre), 5124.
Darnton (Robert), 5125, 5221.
Darrouzès (Jean), 426, 2030.

Darwin (Charles Robert), 5185.
Dascălu (Nicolae), 4238, 7233.
Daskalov (Dončo), 3460.
Dassmann (Ernst), 498.
Dastin, famille, 74.
Dattrino (L.), 1926.
Daubigney (Alain), 1835.
Daumard (Adeline), 543, 6050, 6143.
Daunton (M.J.), 6567.
Daux (G.), 256.
D'Avack (Lorenzo), 6532.
D'Aversa (Arnaldo), 1592.
David de Wilhem, 4562.
David (E.), 1357, 1437.
David (Ferenc), 4578, 4585.
David (Zdenek V.), 520.
Davidovič (D.S.), 6354.
Davidovič (E.A.), 7504.
Davidson (A.B.), 3869.
Davies (M.C.), 2699.
Davies (Norman), 773.
Davies (Philip), 5399.
Davies (R.R.), 517, 3870.
Davies (R.W.), 5720.
Davies (W.V.), 1186.
Davies (Wendy), 2975.
Davies (William David), 926.
Davila (Enrico Caterino), 412.
Davis (Dave D.), 7738.
Davis (David Brion), 687.
Davis (Jennifer), 6599.
Davis (Kenneth S.), 544.
Davis (Michael T.), 2799.
Davison (James William), 5535.
Dawes (Charles Gates), 7114.
Dawson (Christopher), 413.
Dawson (Nelson L.), 5559.
Day (Gerald W.), 2065.
Day (John), 118.
Day (Leslie Preston), 1541.
Day (Mildred Leake), 2208.
Dayen (Daniel), 4843.
Deac (Augustin), 6351.
Deac (Mircea), 545.
Deacon (Janette), 7696.
Deák (Ferenc), 4016.
Dear (Peter), 5013.
Deathridge (John), 5488.
Debard (Jean-Marc), 4607.
Debord (André), 2561.
De Caprio (V.), 4475.
Decavele (Johan), 4136, 4608.
Decebalus, roi des Daces, 1126, 1131.
Deconchy (J.-P.), 922.
Deconninck-Brossard (Françoise), 3871.
Décote (Georges), 5264.
Deddens (D.), 4584.
Deere (John), 5709.
Deflaux (Pierre), 5315.
Defoer (H.L.M.), 2986.
De Gasperi (Alcide), 4049, 7405.
Degerman (Henrik), 85.
Degl'Innocenti (Maurizio), 3158, 4048.
Degoev (V.V.), 6665.
Dehl (Christiane), 1542.
Dejeux (Jean), 5316.
Dekan (Ján), 909.
Dekker (R.), 6144.

De Laet (S.J.), 1017.
De la Gardie (Jacob Pontusson), 5394.
Delatte (Louis), 1336.
Delaunay (Jean-Claude), 5609.
Del Col (Andrea), 546.
Delcourt (Jean), 6757.
De Leon (Edwin), 3678.
Delestrée (Louis-Pol), 112.
Deletant (Dennis), 2562.
Della Peruta (F.), 761.
Dell'Oro (Aldo), 6520.
Dellsperger (Rudolf), 4609.
Delmaire (R.), 1952, 2012.
Delobel (J.), 420.
Deloria (Vine) Jr., 3563.
Delval (Michel), 4610.
De Maddalena (Aldo), 5988.
Deman (Albert), 1358.
Demandt (Alexander), 1651.
Demandt (Karl E.), 2371.
Démaras (K. Th.), 2235, 4939.
Demarest (Arthur A.), 7721.
Demargne (Pierre), 423.
Deme (Laszlo), 3996.
Dēmētrakopoulos (Phōtios Ar.), 396.
Dēmokritos, 1322, 1458, 1489.
Demolen (Richard L.), 404.
Dēmosthenēs, 1392, 1428, 1442.
Demus (Otto), 2800.
DenBoer (Gordon), 3517.
Dénes (Iván Zoltán), 511.
Denham (H.M.), 7156.
Denikin (Anton Ivanovič), 4350.
Denis (Henri), 5014.
Denize (Eugen), 5820.
Denning (Alfred Denning, baron), 6605.
Dennis (E.), 6402.
Dennis (Richard), 6145.
Denny (Owen Nickerson), 7689.
Denoon (Donald), 3172.
Densușianu (Nicolae), 414.
Derenburg (Michel von), 5972.
Derevjanko (A.P.), 1054.
Dergačeva-Skop (E. I.) 5229.
Deriziōtes (L.A.), 2052.
Derkau (Wolfgang), 4823.
Dernschwam (Hans), 304.
Deroc (A.), 113.
Derolez (Albert), 40.
De Rosa (Gabriele), 377, 5553.
Derville (Alain), 2700.
Desai (M.), 6718.
DeSalvo (Louise), 5296.
Desanges (Jean), 1302.
Descartes (René), 5028, 5065, 5099, 5129.
Descoeudres (G.), 3070.
Desgraves (Louis), 4441.
Desideri (Paolo), 956, 1438, 4060.
Desmet-Grégoire (Hélène), 6146.
Des Places (Edouard), 1416.
Desplat (Christian), 4611.
Desput (Joseph Franz), 3411.
Dessalines (Jean-Jacques), empereur d'Haïti, 5918.
Dessen (Alan C.), 5489.

Destefani (Laurio Hedelvio), 197, 3346.
Destopoulos (A.I.), 7157.
Destrem (Maja), 7297.
Detring (Gustav), 7624.
Deuer (Wilhelm), 2801.
Deutscher (Isaac), 6356.
Deutscher (Tamara), 7230.
Deuve (J.), 7350.
Devi (Gayatri), 7538.
Devine (Thomas Martin), 5885.
Devís Márquez (Federico), 2468.
Devriès (Anik), 41.
Devries (James E.), 6147.
De Vries (Jan), v. Vries (Jan de).
Devroey (Jean-Pierre), 2199, 2915.
Dewerpe (Alain), 3721.
Dewey (H.W.), 2317.
Dewey (John), 3693, 4076, 4999, 5040.
Dewey (P.E.), 3872.
Dhaky (M.A.), 7549.
Diamond (Sigmund), 4844.
Dias Diogo (A.M.), 1850.
Díaz (José Javier), 3341.
Díaz de Molina (Alfredo), 3341.
Dibon (Paul), 4758.
Dick (Franziska), 114.
Dickau (Otto), 76.
Dickinson (A.K.), 547.
Di Crescenzo (Josiane),2141.
Diderot (Denis), 5010, 5027, 5092.
Didier (Philippe), 2564.
Diego Velasco (María Teresa de), 2469.
Dienst (Heide), 617.
Dierichs (A.), 1543.
Diesen (Ingulf), 4612.
Diestelkamp (Bernhard), 6507.
Dietrich von Freiberg, 2768.
Dietrich (Richard), 3216.
Dietzfelbinger (C.), 1953.
Diffley (Kathleen), 3576.
Diggins (John Patrick), 548.
Di Giovanni (P.), 262.
Dihle (Albrecht), 1305.
Di Lella (L.), 1710.
Di Leonardo (Micaela),6148.
Diliberto (O.), 1711.
Dilkes (David), 3873.
Dilks (David), 3110.
Dillard (Heath), 2565.
Diller (George T.), 2701.
Dilthey (Wilhelm), 415, 521.
Dimaras (C. Th.), v. Dēmaras (K. Th.).
Dimitrópulos (Libertad), 3342.
Dimitrov (Georgi), 6647.
Dimitrov (Ilčo), 7234.
Dinekov (Petăr), 2729.
Diner (D.), 3210.
Di Nola (Alfonso Maria), 930.
Dinwiddy (J. R.), 4984, 6149.
Dio Cassius Cocceianus, 1778.
Diocletianus (Gaius Aurelius Valerius), empereur romain, 122, 1734, 1860.

Diodōros Sikelikos, 1496, 1497.
Diogenēs Oinoandaios, 1340.
Diognetus, 1902.
Dionysius Exiguus, 72.
Diophantos Alexandrēotikos, 2025.
Diószegi (István), 6648, 6982.
Dirrigl (Michael), 3211.
Disraeli (Benjamin), v. Beaconsfield (Benjamin Disraeli, earl of).
Dittmar (Johanna), 1200.
Dittrich (K.), 7190.
Dittrich (U.B.), 1653.
Diṭu (Doina), 777.
Di Vita (Antonio), 480.
Divjak (Johannes), 2012.
Dixsaut (Monique), 1439.
Djakin (V.S.), 4368.
D'jakonova (I.A.), 7058.
D'jakov (V.A.), 691, 5015.
D'jakova (O.V.), 2802.
Djakov (Włodzimierz Anatoljewicz), 4208.
Djupsund (Göran), 3696.
Długosz (Jan), 416.
Dobbek (Wilhelm), 4986.
Dobesch (Gerhard), 472.
Dobrinescu (Valeriu Florin), 7235.
Dobson (Richard Barrie), 2976.
Dobužinsky (Mstislav Valerianovič), 5429.
Dockès (Pierre), 5610.
Doderer (Heimito von), 5343.
Dodge (Bertha S.), 827.
Dodolev (M.A.), 6938.
Doedens (A.), 4153.
Doeleman (F.), 2470.
Döllinger (Johann Josef Ignaz von), 571.
Doenecke (Justus D.), 7059.
Dönitz (Karl), Admiral, 3280, 7278.
Döpmann (Hans-Dieter), 342.
Dörflinger (Johannes), 198.
Döring (K.), 1440.
Doering-Manteuffel (Anselm), 3212.
Dogaru (Ion), 115.
Dogaru (Maria), 90.
Dolbeau (François), 2148, 2149.
Dolcino, Fra, 2981.
Dolejší (Antonín), 4343.
Dolet (Etienne), 4572.
Dolezalek (Gero), 6.
Dollimore (Jonathan), 5222.
Domanovszky (Sándor), 417.
Domar (Evsey D.), 5886.
Dombrowski (B.W.A.), 2018.
Dombrowski (Franz Amadeus), 2018, 2440.
Domec (Jean-Philippe), 3735.
Domergue (Lucienne), 42.
Domitianus (Titus Flavius), empereur romain, 1747.
Domonkos (Anna), 6358.
Donagan (Barbara), 4613.
Donaghy (Marie), 5821.
Donald (M.), 6359.
Donat (Peter), 3071.
Dondaine (Colette), 168.
Donner (George), 4438.

Donner (Herbert), 1260.
Donnert (Erich), 4344.
Donovan (James M.), 3736.
Donovan (Kenneth), 5126.
Doorenbosch (P.M.), 998.
Doornink-Hoogenraad(M.M.), 210.
Dordea (Ion), 4221.
Dore (R.N.), 3831.
Dorival (Gilles), 1954.
Dorney (Miriam), 6874.
Doss (K.), 7060.
Dostálová (Ružena), 2046.
Dostjan (I.S.), 6950.
Dostoevskij (Fëdor Mihaijlovič), 5285, 5324.
Doucet (Michael), 5982.
Douglas (Lord Alfred), 5335.
Douglass (Jane Dempsey), 4614.
Douglass (Margaret), 4850.
Douglass (William A.), 6041.
Douxchamps-Lefevre (Cécile), 4949.
Dovere (E.), 1593.
Downie (J.A.), 5266.
Doyle (William), 3737.
Drabina (Jan), 2978.
Drachman (Virginia G.), 5127.
Dragneva (D.M.), 6629.
Dragoumis (M. Ph.), 5490.
Dragoumis (Stephanos), 194.
Drăguț (Vasile), 900.
Drake (Frederick C.), 3577.
Drea (Edward J.), 7298.
Dreer zu Thurnhub (Franz Ritter von), 152.
Drescher (Evelyn), 3391.
Drescher (Hans), 1117.
Drew-Bear (Marie), 1712.
Drexel (Hieremias), 6104.
Dreyfus (François-Georges), 6448.
Driesch (A. von den), 1105.
Driesch (Wilhelm), 6725.
Drieu La Rochelle (Pierre), 3711, 3815.
Drifte (Reinhard), 7402.
Drijvers (H.J.W.), 1955.
Drinkwater (J.F.), 1751.
Drobižev (V.Z.), 6151.
Droege (Georg), 2471.
Drooglever (P.J.), 6719.
Drosneva (Elka), 5317.
Drost (J.), 6490.
Drotleff (Karl), 844.
Droulia (Loukia), 3963.
Droysen (Johann Gustav), 418.
Drucki-Lubecki (Ksawery), 4206.
Drüppel (Christoph Josef), 2151.
Drury (P.J.), 1851.
Dryden (John), 1006.
Dubois (Jacques), 2186, 2916.
Du Boulay (Anthony), 7595.
Du Bourget (Pierre), 1956.
Dubov (I.V.), 2242.
Dubský (Vladimír), 6360.
Duby (Georges), 2574.
Duchêne (Roger),3738, 4492.
Duchesne-Guillemin (J.) 487.
Duchhardt (Heinz), 6923.
Duclos (Jacques), 6458.
Ducos (M.), 1713.

Ducret (Jean-Jacques), 5016.
Dudaş (Florian), 4239.
Duday (Henri), 1114.
Dudek (František), 5721, 5887.
Düding (Dieter), 3213.
Düwell (Kurt), 3291.
Dudzinskaja (E.A.), 5017.
Duignan (Peter), 6761.
Duijčev (Ivan), 2243.
Dukała (Jan), 4493.
Duke (A.C.), 4151.
Dukore (Bernard F.), 5318.
Dulles (Allen), 7475.
Dulles (John Foster), 7421.
Dulong (Claude), 6153.
Dumars (Charles T.), 3578.
Dumas (Jean-Louis), 5018.
Du Mesnil du Buisson (Robert), 91.
Dumézil (Georges), 419, 963, 1521.
Dumitrescu (Vladimir), 1065.
Dumitriu (Dana), 4240.
Dumont (Paul), 5607.
Du Moulin (Charles), 6619.
Dumville (David N.), 2152, 2163.
Dunăre (Nicolae), 627.
Dunčev (Aleksandăr), 4763.
Dunin-Wąsowicz Krzysztof), 4177.
Dunkerley (James), 3451.
Dunlap (Thomas R.), 5611.
Dunlop (Annie L.), 2153.
Dunlop (M.H.), 324.
Dunmore (Timothy), 7403.
Dunn (Peter M.), 7479.
Dunn (Richard Minta), 6918.
Duns Scotus (John), 2852.
Dunstan (Don), 6875.
Dupanloup (Félix Antoine Philibert), 4515.
Dupâquier (Jacques), 549.
Dupèbe (Jean), 5106.
Dupêchez (Charles), 5491.
Duplacy (Jean), 420.
Dupont (Jacques), 1903.
Du Pont (Lammot), 5804.
Dupont-Sommer (André), 421.
Dupré (S.), 1033.
Duraczyński (Eugeniusz), 7360.
Durand (G. M. de), 1923.
Durand (J.-D.), 4049.
Durand (Jean-Marie), 1241.
During (Jean), 628.
Durkheim (Emile), 5006, 6367.
Durko (Janusz), 4165.
Durliat (Jean), 2566.
Duroselle (J.B.), 4195.
Duruy (Victor), 3762.
Dury (G.H.), 2567.
Duse (Eleonora), 5548.
Duthie (John Lowe), 6726.
Dutton (H.I.), 5612.
Duţu (Alexandru), 4760, 7291.
Duval (Noël), 1912.
Duval (Yves-Marie), 2154.
Duval (Yvette), 1957.
Duvalier (François), 3983.
Duvoisin-Bammate (Marianne), I.
Duynstee (M.), 2461, 6600.
Duynstee (T.J.B.M.), 7216.

Dvali (R.R.), 873.
Dvoracek (Maria), 811.
Dvořáček (Zdeněk), 4285.
Dvorak (James), 7620.
Dvořan (Jiří), 7328.
Dvorský (Jiří), 2783.
Dwivedi (Shavade), 7534.
Dworski (Andrzej), 5319.
Dworzaczkowa (Jolanta), 4615.
Dyczewski (Leon), 4494.
Dyer (Christopher), 2568.
Dyson (Stephen L.), 1852.
Džafarov (G.F.), 1034.
Dziamski (Seweryn), 6430.
Dzieduszycki (Wojciech), 2569.
Dzienis (Helena), 133.
Dzierzyński (Feliks), 6348.
Dziubiński (Andrzej), 6758.

E

Eade (J.C.), 1006.
Earl (Donald), 1654.
Eastman (Lloyd E.), 7596.
Eastwood (Bruce Stansfield), 5129.
Eaton (James Winton), 5888.
Ebbesen (Sten), 2755.
Ebbighausen (Rolf), 6361.
Ebendorfer (Heinz), 4845.
Eberhard II, Bischof von Bamberg, 25.
Eberhard (Winfried), 2245.
Ebert (Joachim), 1154.
Ebner (Herwig), 2702.
Ebrey (Patricia), 7597.
Echt (Rudolf), 1035.
Eckart (Wolfgang), 5130.
Eckedal (Lars), 4616.
Eckenrode (T.R.), 2914.
Eckert (Michael), 4816.
Economopoulou (Marietta), 3971.
Edel (Matthew), 6154.
Edinburgh (Alfred Ernest Albert, duke of), 3956.
Edmonds (Bill), 3739.
Edmondson (Linda Harriet), 6155.
Edmonson (Colin N.), 1577.
Edroiu (Nicolae), 466, 4222, 4241, 4258.
Edward I, king of England, 82.
Edward II, king of England, 2409, 3093.
Edward VII, king of Great Britain a. Ireland, 3952, 3959.
Edwards (Anne), 3874.
Edwards (John), 2372.
Effenberg (Christine), 6727.
Egerton (Judy), 5430.
Eggers (T.), 1815.
Eggert (Wolfgang), 2703.
Egglmaier (Herbert Hans), 2472, 5131.
Eggum (Arne), 5431.
Egilmarus, episcopus, 2940.
Ehalt (Hubert Ch.), 556.
Ehlers (Joachim), 2268.
Ehmer (Hermann), 4596.
Ehrmann (Martin S.), 5131.
Eibl (Elfi-Marita), 2297.
Eich (Ulrike), 784.

Eichengreen (Barry), 5983.
Eichhorn (Wolfgang), 550.
Eichler (E.), 4815.
Eichler (Jan), 3740.
Eigner (Diethelm), 1187.
Eike von Repgow, 2494.
Eiler (Klaus), 5698.
Einaudi (Luigi), 5560.
Einhard, Chronist, 2298.
Einhorn (Marion), 3499.
Eirene, widow of Andronikos Komnenos, 2032.
Eisen (Margaret), 5502.
Eisen (Walter), 5502.
Eisenbach (Artur), 6156.
Eisenhower (Dwight David), 3519, 3533, 3608, 3648, 3672, 3679, 7421.
Eisenstein (Herbert), 2441.
Eisler (Jerzy), 3741.
Eitzlmayr (Max), 4545.
Ejdel'man (N. Ja.), 4950.
Ekaterina II, impératrice de Russie, 4335, 4361.
Ekholm (Curt), 4269.
Ekirch (A. Roger), 6812.
Ekkehard IV., Mönch von Sankt Gallen, 2727.
Eklof (Ben), 4846.
Ekoko (E.), 7061.
El-Ayouty (Yassin), 7404.
Elbern (Stephan), 1655.
Elbert (Sarah), 5320.
Eldridge (C.C.), 6708.
Eleanor of Aquitaine, queen consort of Henry II of England, 3073.
Eleanor of Castile, queen consort of Edward I of England, 82.
Eley (Geoff), 3201.
Elgar (Sir Edward William), 5523.
Eliade (Mircea), 954.
Elias (E.R.D.), 116.
Elias (J.A.), 1441.
Eliot (John), 4679.
Eliot (Thomas Stearns), 5301.
Eliou (Maria), 4847.
Elisabeth, Kaiserin von Österreich, Königin von Ungarn, 4743, 5286.
Elisseeff (Danielle), 7582.
Elizabeth I, queen of England a. Ireland, 3885, 3886, 3933, 3934, 4642, 6585, 6887, 6916.
El-Khashab (E. El-M.),1188.
Elleinstein (Jean), 4345, 6377.
Elliott (John Huxtable), 6896.
Ellis (A.S.), 5132.
Ellis (David M.), 3579.
Ellis (Havelock), 652.
Ellis (John), 7299.
Elm (Ludwig), 5020.
Elrod (Richard B.), 3386.
Eltis (David), 5133.
Elton (G.R.), VII.
Ely (James W.) Jr., 6502.
Elze (Reinhard), 2473, 2533.
Ember (Győző), 283.
Embleton (Ronald), 1853.
Emer (Wolfgang), 3286.
Emerson (Ralph Waldo) 5345.
Emery (C.R.), XII.

Emery (Kent) Jr., 4446.
Emmanuelli (François-Xavier), 3776.
Emo, chroniqueur frison, 2726.
Emons (Hans-Heinz), 828.
Emser (Hieronymus), 4683.
Emura (Eiichi), 4068.
Enciu (Gheorghe), 5134.
Endakov (V.M.), 7159.
Endrei (Walter), 5722.
Endres (Rudolf), 4761.
Endres (Werner), 3072a.
Enepekidēs (Polychronēs K.), 3972.
Engel (Elliott), 5321.
Engel (Evamaria), 713.
Engel (Pál), 2373.
Engelbert I., Graf von Nassau-Breda, 2371.
Engelbrekt Engelbrektsson, 2391.
Engelhardt (Ulrich), 5627.
Engels (Friedrich), 360, 798, 1603, 3664, 5032, 6328, 6379, 6399.
Engels (Odilo), 940.
Engerman (Stanley L.), 5613.
Enghien (Louis Antoine Henri de Bourbon-Condé, duc d'), 3817.
Engineer (Asghar Ali), 7539.
Ennaïfer (M.), 1854.
Ennen (Edith), 2570, 3073.
Enrique III, rey de Castilla, 2492.
Enrique IV, rey de Castilla, 2399.
Enser (A.G.S.), 7142.
Eperjessy (Géza), 5723.
Epikouros, 1331, 1422, 1464.
Eppel (Peter), 3387, 4951.
Epstein (David F.), 6534.
Epstein (Gerald), 5984.
Epstein (Julia L.), 5135.
Equini Schneider (E.), 1855.
Erasmus Roterodamus (Desiderius), 3011, 4556, 5237, 5242, 5258.
Erbacher (Hermann), 4617.
Erbe (Michael), 640.
Erdelji (Joszef), 1108.
Erdmann (Karl Dietrich), 4618, 7405.
Erdödy (Gábor), 3214, 3997.
Eremin (V.G.), 4346.
Ereščenko (M.D.), 4243.
Erez (Zvi), 7160.
Ericksen (Robert P.), 4849.
Erickson (Carolly), 3875.
Erickson (Paul D.), 5223.
Ericson (Jonathon E.), 1036.
Ericson (Lars), 4270.
Ericson (Christoffer H.), 1406.
Ericsson (Tom), 5822, 6158.
Eriksson (Gunnar), 867.
Eriksson (Nils-Erik), 2156.
Ermacora (Felix), 7406.
Ermak Timofeevič, 4393.
Ernst (August), 3998.
Ernst (Juliette), I.
Erofeev (N.A.), 3876.
Erroux (Jean), 1114.
Eršova (G.G.), 7723.
Esch (Arnold), 552, 2157.
Escudero (José A.), 2979.

Espérandieu (Emile), 1037.
Espoille de Ruiz (María Emma), 2571.
Esquilache, v. Squillace.
Esquivel Obregón (Toribio), 6504.
Essar (D.F.), 199.
Esser (Alfons), 6627.
Estal (Juan Manuel del), 2145.
Esteban (Javier Guenca), 5823.
Estepa Díez (Carlos), 200.
Estes (J. Worth), 5136.
Estreicher (Karol), 2122.
Etcheson (C.), 7563.
Etienne (Robert), 117.
Etkes (Immanuel), 4716.
Etlin (Richard A.), 5400.
Etschmann (Wolfgang), 3388.
Ettinger (Shmuel), 703.
Ettlinger (Leopold D.), 389.
Euchner (Walter), 5692.
Eucken (Christoph), 1442.
Eudoxos Knidios, 5139.
Eugène (Christian), 959.
Eugippius, abbas Lucullani, 2709, 2777.
Euktēmōn, astronome, 72.
Euler (Leonhard), 5105, 5205.
Eunapios, 1425.
Euripidēs, 1460, 1483, 1507.
Eusebia, épouse de Constantius II, empereur romain, 1636.
Eusebius, Ep. Samosatae, Sanctus, 2014.
Eusebius Caesariensis, 1920.
Euthymiou (Chrystodoulou), 5646.
Euzennat (Maurice), 1656.
Evans (Sir Arthur), 422.
Evans (Ellen L.), 4495.
Evans (Grant), 7564.
Evans (N.), 6159.
Everstine (Carl N.), 6813.
Evtimij, patriarche de Tǎrnovo, 2759.
Ewe (Herbert), 716.
Ewell (Judith), 4422.
Exenberger (Herbert), 3389.
Ezell (Margaret J. M.), 5019.

F

Fábiánné Kiss (Erzsébet), 3999.
Fabiny (Tibor), 4619.
Fabry (Anne-Marie), 856.
Faci Lacasta (Javier), 2859.
Fackenheim (Emil), 5494.
Fagan (Brian M.), 7724.
Fahey (Charles), 5890.
Fahlbusch (Friedrich Bernward), 510, 2375.
Failler (Albert), 426, 2040.
Fairchilds (Cissie), 6160.
Fairfax of Cameron (Thomas Fairfax, 3rd baron),3833.
Faivre (Alexandre), 1958.
Falconi (Ettore), 21.
Falkenhayn (Erich von), 7069.
Falkenstein (Hoyer Graf von), 2494.

Falkenstein (Ludwig), 2894.
Falkowitz (Robert S.), 1235.
Fallenbüchi (Zoltán), 6161.
Falloux (Frédéric Alfred Pierre, comte de), 6161.
Fallows (David), 2836.
Famiglietti (R.C.), 2706.
Fanony (Fulgence), 6754.
Fantar (Mhamed), 1263.
Faragó (Eva), 3994.
Farel (Guillaume), 4583.
Farenc (Claude), 3742.
Farge (Arlette), 6087.
Farina (John), 4496.
Farkas (Csaba), 2125.
Faroqhi (Suraiya), 5614.
Farr (Dennis), 5378.
Farriss (Nancy M.), 6814.
Fascione (Lorenzo), 1714.
Fasoli (Gino), 2533.
Fasseur C.), 6728.
Fāṭimides, dynastie, 2079.
Fatio (Olivier), 4577.
Fătu (Mihai), 4244.
Faure, brigadier, 6868.
Fauser (Winfried), 2158.
Fausser (Hans Constantin), 2318.
Fausz (J. Frederick), 6815.
Fauve-Chamoux (Antoinette), 6060.
Favier (Jean), 291, 471, 738.
Favreau (Robert), 2144.
Feather (John), 5824.
Fedalto (G.), 927.
Federici (Silvia), 6162.
Federico (Giovanni), 5825.
Federigo da Montefeltro, duca di Urbino, 2368.
Fedorkin (N.S.), 6362.
Fedorov (G.B.), 1126.
Feenstra (R.), 6505, 6600.
Fehértói (Katalin), 169.
Feigl (Helmut), 4447.
Feinstein (Howard M.), 5021.
Feissel (Denis), 1905.
Felcman (Ondřej), 4286.
Feldman (Gerald D.), 3217, 5615, 5985, 5986.
Feldman (Lily Gardner), 7407.
Feldman (Louis H.), 1251.
Feldman (Seymour), 2860.
Felicissimus, haeresiarcha, 1962.
Felipe II, rey de España, 3497, 6901.
Felisatti (Antonio), 3343.
Felix, martyr Tiguri, Sanctus, 2017.
Felix III, Papa, Sanctus, 1910.
Felix (Werner), 914.
Fell (Christine), 2456.
Feller (Daniel), 3580.
Fellmann (B.), 1544.
Féner (Tamás), 631.
Feneşan (Costin), 2159.
Fenske (Hans), 4620.
Fenske (Lutz), 491, 2572.
Fenton (Alexander), 840, 2453.
Ferber (Katalin) 5616, 5987.
Ferber (R.), 1443.
Ferdinand I., röm.-deutscher Kaiser, 3373.
Ferdinand II., röm.-deut-

scher Kaiser, 3439.
Ferdinando III, gran-duca di Toscana, 4061.
Ferguson (E. James), 3526.
Ferguson (Robert A.), 6506.
Ferguson (Thomas), 5984.
Fergusson (Thomas G.), 3877.
Ferleger (Louis), 5891.
Ferluga (Jadran), 2247, 2248.
Fernandez (Dominique) 5379.
Fernández Latour de Botas (Olga), 632.
Ferns (Henry Stanley), 6983.
Ferrajoli (Alessandro), 475.
Ferrante (Joan M.), 2707.
Ferrari (M.), 69.
Ferrari (P.), 7408.
Ferrari Nuñez (D. Ángel), 488.
Ferrell (Robert H.), 3581.
Ferrer Benimeli (José A.), 3500.
Ferreyrolles (Gérard), 5022.
Fessen (Helmut), 7565.
Festugière (André-Jean) 489.
Fever (Bryan), 1326.
Fevre (Francis), 2066.
Fiaschi (Fabio), 1588.
Fichtenau (Heinrich), 2573.
Ficino (Marsilio), 2848, 2856.
Fieldhouse (David K.), 3878.
Fieldhouse (Roger), 6759.
Fielding (Henry), 5220.
Fielhauer (Helmut Paul), 3390.
Fiero (G.K.), 2708.
Fierro (Alfred), 4817.
Fighiera (J.-P.), 6886.
Figueira (T.J.), 1390.
Figura (M.), 2020.
Fijalowski (Jürgen), 5617.
Filatov (G.S.), 4050, 6395.
Filer (John E.), 6019.
Filimonov (A.A.), 7374.
Fillion-Lahille (Janine), 1786.
Findeisen (Jörg-Peter), 5892.
Findlay (Allan M.), 4086.
Findlay (Anne M.), 4086.
Fine (Sidney), 3582.
Finger (John R.), 3583.
Fink (Carole), 7062.
Fink (Josef), 490.
Fink (Klaus), 3074.
Finkel (Irving L.), 1236.
Finkelstein (Louis), 926.
Finlayson (Iain), 5267.
Finley (Moses I.), 553.
Finscher (Ludwig), 2838.
Finz (Rudolf), 3391.
Finster-Hotz (U.), 1545.
Firchow (Peter E.), 5322.
Firoiu (Dumitru), 811.
Firpo (G.), 1959.
Firro (Kais), 5826.
Fisch (Jörg), 554, 6624.
Fischer (Alexander), 7401.
Fischer (E.J.), 5724.
Fischer (Hans-Dietrich), 4940.
Fischer (Jasna), 6163.
Fischer (Joseph A.), 1960.
Fischer (Klaus), 896.
Fischer (Thomas), 1105, 3072a.

Fischer (Wolfram), 5700.
Fišer (Rudolf), 5831.
Fisher (Harry B.), 4844.
Fisher (Robert), 3584.
Fitch (Noel Riley), 5323.
Fitowa (Alina), 7300.
Flacelière (Robert), 423.
Fladeland (Betty Lorraine), 6363.
Flamant (J.), 70.
Flamant-Paparatti (Danielle), 6164.
Flavii, empereurs romains, 1829.
Fleckenstein (Josef), 424, 491, 2319.
Fleischer (Dirk), 336.
Fleischer (Ezra), 2421.
Fleischer (H.), 3964.
Fleming (Sir Alexander), 5164.
Flemming (C.), 924.
Flensmarck (Tor), 119.
Fletcher (Sir George), 3939.
Fletcher (Harold), 4430.
Fletcher (R.A.), 2980.
Fletcher (Roger), 6364.
Fleurot (François), 5492.
Flier (Michael S.), 2688.
Flinn (Michael Walter), 5725.
Flint (Kate), 5432.
Flisowski (Zbigniew), 7301.
Floca (Ioan), 811.
Floca (Octavia), 1618.
Flodoard, chroniqueur, 2160.
Flora (Peter), 3122.
Flori (Jean), 2574.
Flower (Raymond), 6729.
Flückinger-Guggenheim (D.), 1517a.
Fo (A.), 1787.
Fochi (Adrian), 633.
Fodor (Adriana), 2161.
Fodor (István), 1127.
Förschner (Gisela), 120.
Foglarová (Eva), 464.
Foisil (Madeleine), 3743.
Fol (Aleksandăr), 1128, 1341.
Folk (Robert), 1089.
Folliot de Crenneville (Franz, Graf), 3407.
Folz (Robert), 2228.
Fomin (A.I.), 4347.
Foner (Philip S.), 3585, 4850.
Fontaine (J.), 2709.
Fonteyn (Dame Margot), 5493.
Foot (M.R.D.), 7361.
Foote (Peter), 2456.
Forbes (John Murray), 5751.
Force (James E.), 5023.
Forcher (Michael), 723.
Ford (Lacy K.), 6165.
Ford T.H.), 6568.
Foreville (Raymonde), 2751.
Forlin Patrucco (Marcella), 956.
Forndran (Erhard), 5618.
Fortenbaugh (W.W.), 1444.
Fortunati (Leopoldina), 6162.
Fortune (Stephen Alexander), 5827.
Fossier (Robert), 2527, 2575.
Foti Talamanca (Giuliana), 1715.

Foucault, famille, 80.
Foucault (Michel), 559, 832.
Foulques Nerra, comte d'Anjou, 2308.
Foult (Claude-Lise), I.
Fournier (Elie), 3744.
Fout (J.), 3150.
Fowkes (Ben), 3218, 5905.
Fowler (Rowena), 3966.
Fowler-Magerl (Linda), 6508.
Fox (John), 2710.
Fox (John P.), 7035.
Fox (Len), 3369.
Fräss-Ehrfeld (Claudia), 724.
Fragomichalos (C.E.), 1407.
Frakes (Jerold C.), 2861, 2862.
Francford (Henri-Paul), 1044, 1546.
Franchini (Vittorio), 7697.
Franciosi (G.), 1730.
Francis (Hywel), 7161.
Franciscus Assisiensis, Sanctus, 2955.
Franciscus de Paola, Sanctus, 2956.
Franck (Robert), 7197.
Franco Silva (Alfonso), 2376.
Franco y Bahamonde (Francisco), 3493, 6672.
François Ier, roi de France, 3773.
François (Etienne), 455.
François (Michel), 425.
Frangipani (Fabio Mirto), Nuntius apostol., 4473.
Frank (Irmgard), 2126.
Frank (Isnard Wilhelm), 2887.
Frank (Joseph), 5324.
Frank (K.S.), 1927.
Frank (Tibor), 6043.
Frank-Van Westrienen (A.), 4851.
Franke (Detlef), 1190.
Frankel (Zacharias), 4725.
Frankfurter (Felix), 6497, 6548.
Franklin (Benjamin), 3520, 4786.
Franklin (Simon), 2074, 2711.
Franks (Kenny A.), 3586.
Frantzen (Allen J.), 2162.
Franz Joseph, Kaiser von Österreich, 3410.
Franz Ferdinand, Erzherzog v. Österreich-Este, 3442, 7042, 7054.
Franz-Willing (Georg), 3219.
Franzè (Giuseppe), 4051.
Franzina (E.), 250.
Frasca (M.), 1856.
Fraser (Antonia), 6166.
Fraser (Peter Marshall), 1191.
Fraser (Steve), 6365.
Frédéric (Louis), 6167.
Fredouille (Jean-Claude), 1917, 1938.
Fredrickson (David A.), 7734.
Fredrikson (Erkki), 6168.
Frei (Norbert), 4938.
Frei (Peter), 1301.
Frei-Stolba (R.), 1816.
Freiburger (William), 6366.

Freidel (David A.), 7725.
Freidman (R.Z.), 5024.
Freihammer (Josef), 3392.
Freis (Helmut), 1617.
Fremal (Karol), 4307.
Fremdling (Rainer), 5726.
Fremersdorf (F.), 1857.
Frendo (Joseph D. C.),2067.
Frere (Sheppard S.), 1858.
Freud (Sigmud), 5115, 5117, 5157.
Freund (Bill), 6760.
Frevert (Ute), 6169.
Frey (Linda), 6085.
Frey (Otto-Herman), 1106.
Freyer (Tony), 6535.
Freymond (Jacques), 7135.
Frick (Adam), 3374.
Fricke (Dieter), 3259.
Fried (Johannes), 2576.
Friedländer (Saul), 3220.
Friedland (Klaus), 2477.
Friedlander (Alan), 2474.
Friedman (Saul S.), 5494.
Friedmann (Karen J.), 5894.
Friedrich I. Barbarossa, röm.-deutscher Kaiser,25, 2576.
Friedrich II., röm.-deutscher Kaiser, 2316.
Friedrich III, röm.-deutscher Kaiser, 2401.
Friedrich Wilhelm, der Große Kurfürst, Kurfürst v. Brandenburg, 6913.
Friedrich III. der Weise, Kurfürst von Sachsen, 3262, 4653.
Friel (J.G.P.), 3075.
Fries (Albert), 2863.
Frihtz (Carl Gösta), 2982.
Frijhoff (W.), 893, 4448, 4497, 6170.
Frijhoff (W. Th. M.), 4151.
Frisby (David P.), 5137.
Fritz (M.), 7236.
Fritz (S.G.), 3221.
Fritz (Wolfgang D.), 2143.
Fritze (Konrad), 2537.
Froissart (Jean), chroniqueur, 2701.
Frojanov (I. Ja.), 385.
Frolova (N.A.), 121.
Frondizi (Arturo), 3328, 3329.
Frontinus (Sextus Julius), 1673.
Frost (Robert), 5357.
Froude (Richard Hurrell), 4469.
Frumentius [Abba Salama], Sanctus, 2018.
Frunze (Mikhail Vasil'evič), 4377.
Fryde (Edmund B.), 343.
Fryer (Peter), 6171.
Fuchs (Ferdinand), 3393.
Fuchs (Gerhard), 3123.
Fuchs (Manfred), 1614.
Fuchs (Rachel Ginnis),6172.
Fuchs (W.), 344.
Fügedi (Erik), 502, 2577.
Fülberth (Georg), 3222.
Fülep (Ferenc), 1859, 2521.
Fuentes Mares (José), 3587.
Fürstenwald (Maria), 4813.
Fugazzola Delpino (Maria Antonietta), 1107.

Fugger, Familie, 5799.
Fuglum (Per), 485.
Fuhrmann (Horst), 960, 2274, 2895.
Fuhrmann (Manfred), 1308, 2851.
Fujimoto (Hiroshi), 3588.
Fujino (Tamotsu), 7651.
Fujioka (Jun), 3589.
Fujita (Kôichirô), 5895.
Fuks (A.), 1408.
Fuks (L.), 4722.
Fuks-Mansfeld (R.G.), 4722.
Fukumoto (Yasunobu), 3590.
Fulford (M.G.), 1262.
Fulk Nerra, v. Foulques Nerra.
Fuller (Margaret), 5287.
Funck (Bernd), 1237.
Fure (Odd-Bjørn),833, 4108.
Furet (François), 476.
Furger Gunti (Andres),1129.
Furlex (D.J.), 1342.
Furlong Cardiff (Guillermo), S.J., 4546.
Furtwangler (Albert), 6536.
Furuya (Tetsuo), 6677.
Fusco di Ravello (Anna), 6601.
Fuste (J.), 6718.
Fyodorov (Ivan), 61.

G

Gaál (Ernő), 1165.
Gabaccia (Donna P.), 6173.
Gabaľ (Andrej), 4292.
Gabalas (Matthias), 2055.
Gabaldón Márquez (Edgar), 3108.
Gabba (Emilio), 1377.
Gabel (Christopher R.), 7287.
Gabrieli (F.), 695.
Gach (Piotr Paweł), 4498.
Gäbler (Ulrich), 4621.
Gänser (Gerald), 2578.
Gaertner (Helga), I.
Gaffey (James P.), 4499.
Gagniers (J.), 1553.
Gagnon (François-Marc), 4432.
Gahbauer (F.R.), 1928.
Gaillard (Eliane), 1344.
Gaillard (J.-M.), 5619.
Gal (Ionel), 4224.
Galambos (Louis), 3519.
Galanda (Brigitte), 3387.
Galasso (Giuseppe), 4052.
Galbiati (E.R.), 202.
Galbraith (John S.), 7063.
Galen (Christoph Bernhard von), v. Christoph Bernhard von Galen, Fürstbischof von Münster.
Galenson (David W.), 6174.
Galenōs, 1342, 1481.
Galil (Gershon), 1264.
Galileo (Galilei),5211, 5216.
Galkin (A.A.), 5034.
Galkin (I.S.), 453.
Gall (Lothar), 2268, 3124, 3223.
Gallay (Alain), 658.
Gallay (Paul), 2019.
Gallet de Santerre (Hubert), 1547.

Gallimard (Gaston), 32.
Gallitzin (Amalie, Fürstin), 4764.
Gallo (Ezequiel), 3345.
Gallo (Luigi), 1391, 1409.
Gallo (Max), 3745.
Galter (Hannes D.), 1238.
Galush (William), 4500.
Gamberini (Federico), 5240.
Gambino (Luigi), 412.
Gamble (A.M.), 3879.
Gamert-Wallert (Ingrid), 1200.
Gampl (Inge), 6509.
Ganda (Arnaldo), 43.
Gandhi (Arun), 7540.
Gandhi (Indira),7441, 7548.
Gandhi (Mohandas Karamchand), 6718, 6730, 6745.
Gandino (Germana), 5495.
Gane (Mike), 6367.
Ganglbauer (Cölestin Josef), Fürstbischof von Wien, 4479.
Ganin (N.I.), 7518.
Gankovskij (Ju. V.), 3171.
Gann (Lewis H.), 6761.
Ganzinger (Kurt), 5138.
Gapenko (L.S.), 6384.
Garam (Eva), 1130.
Carcía IV, rey de Navarra, 2930.
García de Nájera, rey, v. García IV, rey de Navarra.
García Herrero (María del Carmen), 2579.
García Moreno (Luis A.), 2475.
García y García (Antonio), 2983.
Garçon (François), 5496.
Gardanov (V.K.), 644.
Gardet (Louis), 961.
Gardette (Pierre), 170.
Gărdev (Kostadin), 6650.
Gardies (Jean-Louis), 5139.
Gardika (A.), 6109.
Gardin (J.-C.), 1044.
Gardner (Lloyd C.), 7064.
Garenne-Marot (L.), 1192.
Gargilius (Martialis), 1805.
Garibaldi (Giuseppe), 6994.
Garland (John M.), 6762.
Garland (R.S.J.), 1518.
Garlicka (Aleksandra),6326.
Garlicki (Andrzej), 6443.
Garnier (Bernard),142, 555.
Garnier (François), 234, 2803.
Garon (Sheldon M.), 4069.
Garraffo (S.), 1865.
Garrett (Clarke), 4622.
Garrick (David), 5274.
Garrisson (Janine), 3746.
Garscha (Winfried R.),3394, 7065.
Garst (Roswell), 5916.
Garstang (Donald), 5401.
Garvey (Marcus), 3524.
Garzmann (Manfred R. W.), 442.
Garzón Díaz (J.), 1445.
Garzya (Antonius), 2039.
Gascoigne (John), 3880.
Gascou (Jacques), 1716, 1788.
Gash (Norman), 3881.
Gąsiorowski (Antoni), 2642.

Gąsowski (Szczepan), 890.
Gassendi (Pierre), 5045.
Gasser (Peter), 5828.
Gastaldi (S.), 1446.
Gatewood (Willard B.) Jr., 5140.
Gatz (Erwin), 4501.
Gaube (Heinz), 1166.
Gaudemet (Jean), 2320, 2476, 2886, 4470.
Gauer (W.), 1548.
Gauert (Adolf), 2298.
Gauger (J.D.), 1789.
Gaujac (Paul), 7302.
Gaulin (J.L.), 2712.
Gaulle (Charles de), 3727, 3729, 3732, 3775, 3782, 3827, 7237, 7251, 7396, 7399.
Gaunson (A.B.), 7237.
Gaur (Albertine), 171.
Gaussin (P.R.), 2918.
Gaustad (Edwin Scott), 4449.
Gauthier (Henri), 5325.
Gautier (G.), 122.
Gautier (Paul), 426.
Gautier-Dalché (Jean), 427, 2580.
Gavalierová (Krista), 3105.
Gavignaud (Geneviève), 5896.
Gavrilov (Ju. N.), 5035.
Gavrjušin (N.K.), 884.
Gavshon (Arthur), 7453.
Gawain, legendary hero, 2208.
Gawler (George), 3900.
Gawlikowski (Michał), 1860.
Gay (Ebenezer), 4704.
Gay (Peter), 6175.
Gazzaniga (Jean-Louis), 2377, 2984.
Gazzetti (Gianfranco), 249.
Geanakoplos (Deno John), 2031.
Geary (James W.), 3591.
Gebhardt (Helmut), 5897.
Gebhart (Jan), 7362.
Gechter (Marianne), 2985.
Geertman (H.), 1549.
Geesink (M.S.), 998.
Gehrke (Hans-Joachim), 1359.
Gehrt (Wolf), 2919.
Geiger (Joseph), 1657.
Geison (Gerald L.), 3747.
Gelbart (Nina R.), 4952.
Gelewski (Tadeusz Maria), 7303.
Gélis (Jacques), 6176.
Gel'man-Vinogradov (K.B.), 301.
Gelmírez (Diego), arzobispo de Santiago de Compostela, 2980.
Gem (Richard), 2804.
Gembruch (Werner), 3224.
Gemmeke (Anton), 797.
Gemuev (I.N.), 634.
Genet (Jean-Philippe), 2987.
Génicot (Léopold), 2321.
Genizi (Haim), 3592.
Genov (Conko), 4348.
Genovefa, virgo Parisiensis, Sancta, 2201.
Genovski (Mikhail), 3461.
Gentili (Bruno), 1447.
Gentili (Domenico), 2202.
Geoffrey of Monmouth, 2192.

Geoffroy d'Ablis, inquisiteur, 2175.
Georg von Poděbrady, v. Jiří z Poděbrad, roi de Bohême.
George (Alexander L.), 3593.
George (Juliette L.), 3593.
George (Timothy), 4623.
Georgelin (Jean), 5898.
Georgescu (Valentin Al.), 811.
Georgiev (Georgi S.), 3462.
Georgios Pisides, 2067.
Gerardus, Ep. Chanadii, martyr, Sanctus, 2957.
Gerard of Nazareth, chronicler, 2034.
Gerasimenko (G.A.), 4349.
Gerasimov (O.G.), 7516.
Gerber (Douglas E.), 1347.
Gercen (Aleksandr Ivanovič), 4950, 5305.
Gergely (András), 511.
Gergely (Jeno), 4521.
Gerhard (Eduard), 435.
Gerhard (Hans-Jürgen) 5649.
Gerhardt (Gunther), 7410.
Gerics (József), 2322.
Gerlach von Nassau, Erzbischof von Mainz, 2275.
Gerlich (Alois), 2275, 2988.
Germain (Jacques), 635.
German (Andrew W.), 5728.
Gerson (Jean Charlier, dit de), 2626.
Gersonides [Levi ben Gershon], 2854.
Geršov (Z.M.), 3594.
Gertzel (Cherry), 4426.
Gervinus (Georg Gottfried), 428.
Geuss (Eva), 424.
Geuss (Herbert), 707.
Geva (Hillel), 1861.
Geyl (Pieter), 429.
Gherardi (Raffaella), 4053.
Ghișe (Dumitru), 4762.
Ghiță (Simion), 4762.
Ghosh (P.R.), 3882.
Giacalone-Monaco (R.) 5553.
Giacometti (Jacques), 5561.
Gibbon (Eward), 430.
Gibbs (William E.), 7066.
Gibson (Margaret), 2723.
Gid (Denise), 44.
Giebels (L.A.M.), 5326.
Gijswijt-Hostra (M.), 4137.
Gilbert (Felix), 4054.
Gilbert (Geoffrey), 5729.
Gilbert (Victor F.), 6651.
Gilder (Georges), 5559.
Giles (Geoffrey L.), 4852.
Gilissen (J.), 6569.
Gillespie (Kate), 3486.
Gillespie (Michael Allen), 557.
Gillespie (Richard), 5141.
Gillet (Marcel), 6177.
Gilli (Marita), 3226.
Gillingham (John Bennett), 2267, 2324.
Gillispie (Richard), 3344.
Gillon (Werner), 902.
Gilman (Amy), 6178.
Gilman (Sander L.), 4717.
Gilreath (James), 6321.
Ginalski (Edmund), 7147, 7304.

Ginatempo (Maria), 2581.
Gincberg (L.I.), 3227.
Ginzel (G.B.), 3228.
Gioacchini (D.), 2197.
Gioev (M.I.), 4350.
Giolitto (Pierre), 4853.
Giontella (G.), 2197.
Giovannini (Barbara), 866.
Giovannini (Giovanni), 866.
Girard (Alain), 308.
Girard (Raymond), 903.
Giraud (Henri), 3729.
Girault (René), 7197.
Girault de Coursac (Paul), 3748.
Girault de Coursac (Pierrette), 3748.
Girenko (Ju. S.), 6652.
Girenko (N.M.), 636.
Girgensohn (Dieter), 2478, 2896.
Girouard (Sir Percy), 6768.
Girs (G.F.), 7489, 7504.
Gish (Nancy K.), 5327.
Gitelman (H.M.), 3595, 6368.
Giuffrida (C.), 1615.
Giurescu (Constantin), 359.
Given-Wilson (Charles), 2276.
Gizele (Bika D.), 6179.
Gjunter (R.), 1671.
Gjuzelev (Vasil), 2714.
Glabinas (Apostolos), 2068.
Gladigow (B.), 962.
Gladstein (Gerald A.), 5142.
Gladstone (William Ewart), 3896.
Glantschnig (Gerold), 3435.
Glaser (Franz), 3076.
Glasscoe (Marion), 2715.
Glatz (Ferenc), 558, 5497.
Glavackij (M.E.), 4783.
Glaznek (Jokhanes), 6369.
Glazunov (Aleksandr Konstantinovič), 5515.
Glazunov (E.P.), 7566.
Gleason (Philip), 4854.
Glen (Robert), 6180.
Glénisson (Jean), IX.
Glenn (Gary D.), 5025.
Glenn (Myra C.), 6602.
Glickman (Rose L.), 6181.
Glöckl (Otto), 4883.
Gloger (Bruno), 868.
Glopper-Zuijderland (C. C. de), 2479.
Głosek (Marian), 2805.
Główka (Dariusz), 2582.
Glubb (Sir John Bagot), Glubb Pasha, 7513.
Gluškov (Khristo), 6984.
Głuszek (Stanisław), XIII.
Gmeiner (Emmerich), 285.
Gmiterek (Henryk), 4624.
Gob (André), 1017.
Gobbi (Tito), 5474.
Gobetti (Piero), 5569.
Gobineau (Joseph Arthur, comte de), 5085.
Gocev (Dimitǎr), 3463.
Gočeva (Zlatozara), 1612.
Gockel (Michael), 451.
Godart (L.), 7.
Godefroy (Gisèle), 903.
Godwin (William), 5007.
Göbl (Robert), 123.
Goedeke (Karl), 1008.
Goeldel (Denis), 3229.

Görgey (Arthur), 4015.
Goering (Hermann), 3279.
Goethe (Johann Wolfgang von), 5259, 5261, 6958.
Goetting (Hans), 2997.
Goetz (Hans-Werner), 2480, 2481, 2716.
Goheen (Jutta), 2717.
Goitein (Shelomo Dov), 2422.
Goldberg (Joyce S.), 6985.
Gol'denberg (L.A.), 205.
Goldin (Claudia), 5620.
Goldingay (John), 1265.
Goldman (Aaron), 3883.
Goldoni (Carlo), 5482.
Goldrick (James), 7067.
Goldschmidt (Harry), 5481.
Goldsmith (James L.), 5899.
Goldstein (Jan), 559.
Goldstein (Joseph), 4718.
Golicyn (Dmitrij Aleksejevič, prince), 4764.
Golimas (Aurel H.), 105.
Golinelli (P.), 3028.
Gollin (Alfred), 5730.
Golubev (A.V.), 7412.
Golubeva (L.A.), 2583.
Gomez (Thomas), 6816.
Gómez Canedo (Lino), 286.
Gómez Ciriza (Roberto) 6804.
Gómez de Silva (Carla), 2089.
Gómez-Martínez (José Luis), 4982.
Gomi (Fumihiko), 7652.
Gompers (Samuel), 6352.
Gonca (G.V.), 2378.
Gonda (Imre), 697.
Gondek (Leszek), 7162.
Gonen (Rivka), 1084.
Gonjo (Yasuo), 5989.
Gontard (Maurice), 4855.
Gonthier (Nicole), 2584.
González (Julio), 2585.
González Arrili (Bernardo), 5026.
González Crespo (Esther), 2482.
González Fernández (J.), 1717.
González Navarro (Moisés), 5621.
Good (David F.), 5622.
Goodman (M.), 1691.
Goodrich (W.E.), 2920.
Gopal (Sarvepalli), 7541.
Gophna (Ram), 1078.
Góra (Władysław), 7214.
Gordienko (N.S.), 2989.
Gordon (Eleanora C.), 5143.
Gordon (Lyndall), 5328.
Gordon (Sarah), 3230.
Górecki (Danuta Maria), 45.
Gorev (A.V.), 6730.
Gorjaeva (T.M.), 4351.
Gorjajnov (Ju.), 5498.
Gorjuškin (L.M.), 4352.
Gormley (C.M.), 206.
Gormly (James L.), 7413.
Gorodetsky (Gabriel), 7238.
Gorostegui de Torres (Haydée), 3345.
Gorovei (Stefan S.), 93.
Górski (Karol), 4547.
Gorskij (A.A.), 2586.
Gosse (Sir Edmund), 5365.
Gossman (Norbert J.), 3847.
Gostar (Nicolae), 1131.

Gostenkov (A.V.), 3317.
Gotebold, Bamberger Erzpriester, 25.
Gotō (Yōichi), 7653.
Gottlieb (Gunther), 715, 1123.
Gottlieb (Roger S.), 560.
Gou (L. de), 4118.
Goubert (Jean-Pierre), 3749.
Goubert (Pierre), 492, 737, 3750, 5710, 5872.
Gouberville (Gilles de), 3743.
Goulemont (Jean-Marie) 4542.
Gounelas Charalampos-Dēmētrēs), 5329.
Gourevitch (Danielle), 1448, 1790.
Gouron (André), 2483.
Gourret (Jean), 5499.
Gousset (M.-T.), 310.
Goyard-Fabre (Simone) 5027.
Gozenpud (A.A.), 5500.
Grabar (André), 2063.
Graboïs (Arieh), 2423, 2990.
Grabowski (Kathryn), 2163.
Grabski (Władysław Maria), 4856.
Gracchus (Caius), 1652.
Gracia (Jorge J.E.), 2864.
Gracy (David B.) II, 287.
Gradowska (Anna), 5381.
Graebner (Norman A.), 6653.
Graf (Herbert), 7414.
Graf (Klaus), 3231.
Graff (Theodor), 46.
Graham (Frank), 1853.
Graham (Hugh Davis), 3596.
Graham (Robert J.), 7415.
Graham (Ross), 7220.
Graham (T.W.), 746.
Graham-Cambell (James), 2456.
Cralak (Bronisław), 4857.
Gramatopol (Mihai), 1862.
Gramsci (Antonio), 5552, 5572.
Granasztói (György), 417, 2587.
Grančarov (Stojčo), 6986.
Grandjean (Michel), 4581.
Granger (Herbert), 1449.
Grans (R.J.W.), 3232.
Grant (Alexander), 2379.
Grant (Michael), 1266.
Grant (Ulysses S.), 3521, 3561.
Granvelle (Antoine Perrenot de), cardinal, 6901.
Grapperhaus (F.H.M.), 5990.
Graševa (Liljana), 2767.
Grasmann (G.), 124.
Grassl (Herbert), 1752.
Gratiani (Gaspar), Fürst der Moldau, 4262.
Grattarola (P.), 1962.
Grau (Conrad), 4764.
Graves (David), 3884.
Graves (M.A.R.), 3884.
Gravier (Maurice), 689a.
Gravrand (Henri), 7698.
Gray (R.C.), 7416.
Grebing (Helga), 3187.
Grecu (Victor V.), 4245.
Greeley (Horace), 3678.
Green (David), 77.
Green (M.), 1193.
Green (M.J.), 1817.

Green (Martin), 2752.
Green (Roger C.), 7748.
Green (Stephen), 7417.
Greenberg (Mark L.), 5135.
Greenberg (Yitzhak), 6370.
Greene (John C.), 5144.
Greengrass (Mark), 3752.
Greenhut (Jeffrey), 6731.
Greening (William Edward), 5749.
Greenwood (Sean), 7418.
Grēgorios, archevêque de Bulgarie, 2076.
Gregorius Nazianzenus,Sanctus, 2019.
Gregorius Nyssenus, Sanctus, 1906.
Gregorius Turonensis, Sanctus, 2010, 2042.
Gregorius I Magnus, Papa, Sanctus, 1987, 2902.
Gregorius XII [Angelo Correr], Papa, 2896.
Gregorius XIII [Ugo Buoncompagni], Papa, 69.
Gregorowicz (Stanisław), 7068.
Gregory (Derek), 201.
Greindl (Gabriele), 3233.
Greipl (Egon Johannes), 3395.
Greisenegger (Wolfgang), 2718.
Grekov (I.B.), 6885.
Grelot (Pierre), 1929.
Grenaud (Pierre), 3753.
Grendler (Paul F.), 4502.
Grenville (George), 3908.
Grenzmann (Ludger), 2735.
Greppi Olivetti (Alessandra), 345.
Grepstad (Ottar), 4113.
Greschat (Martin), 931.
Gresillon (Almuth), 5311.
Gresky (Reinhard), 2380.
Greussing (Kurt), 6381.
Grew (Raymond), 4858.
Grewolls (Grete), 706.
Grey (Sir George), 6780.
Gribmont (J.), 2014.
Grierson (Benjamin H.) 3624.
Griffith (Elisabeth), 3597.
Griffiths (R.T.), 5623, 5624.
Griffiths (Ralph A.), 517.
Grigor'ev (I.V.), 3160.
Grigor'jan (A.T.), 858.
Grigulevič (I.R.) 664, 3982, 6371.
Grilli (A.), 1753.
Gringmuth-Dallmer (E.), 1020.
Grintz (Yehoshua M.), 1267.
Grišin (A.V.), 7384.
Groarke (Leo), 5028.
Groenendaal (J.), 5625.
Groenman-Van Waateringe (W.), 1031.
Groenwald (S.), 4139, 6897.
Gromyko (A.A.), 7222.
Gromyko (Anat. A.), 3136.
Gronovius (Johannes Fredericus), 4758.
Groot (A. de), 4584, 4592.
Groot (Hugo de), v. Grotius (Hugo).
Groote (Geert), 2970, 2986, 3011.
Groote (Wolfgang), 717.

Grosperrin (Bernard), 4859.
Gross (Abraham), 2424.
Gross (Nachum T.), 4034.
Grossi (G.), 1450.
Grossir (Claudine), 5330.
Grossman (Avraham), 2425.
Großmann (Anton), 7239.
Grot (Leszek), 7363.
Groten (Manfred), 2484.
Grothusen (Klaus-Detlev), 4424.
Grotius (Hugo), 4149, 6494, 6511, 6527.
Grott (Bogumil), 4178.
Grottanelli (Cristiano), 847, 963.
Grousset (René), 690.
Groza (Petru), 4246.
Grozdanova (Elena), 5626.
Grub (J.), 2165.
Gruber (Fritz), 3396.
Gruber (J.), 2851.
Grubmüller (Klaus), 2713.
Gruder (Vivian R.), 3754.
Gruen (Erich S.), 1310.
Grueneis (Max-Peter), 174.
Grüttner (Michael), 6182.
Grunder (Horst), 3234.
Grundmann (Siegfried),3077.
Gruner (Roger), 4087.
Grunt (A. Ja.), 4353.
Gruszka (P.), 1963.
Grycová (Vladimirá), 4765.
Grynberg (Michał), 7163.
Grzybowski (Stanisław), 3885.
Gschwantner (K.), 1863.
Gstrein (Heinz), 4719.
Guarino (Antonio), 1718.
Gubin (E.), 3446.
Gudea (Nicolae), 1864.
Günther (Hans), 6453.
Günther (Rigobert), 2588.
Guerreau (Alain), 2921.
Guerriero (E.), 927.
Gueslin (André), 5991.
Guest (Ivor), 5501.
Güterbock (Hans G.), 1248.
Gueunier (Noël), 6754.
Guevara (Ernesto "Che"), 6371.
Guha (Ranajit), 6732, 7542.
Guhr (Günter), 798.
Guiart (Jean), 621.
Guicciardini (Francesco), 4054.
Guidon (Niède), 7708.
Guigues Ier, prieur de la Grande Chartreuse, 2167.
Guilaine (Jean), 1062.
Guilcher (Jean-Michel), 637.
Guilford (Frederick North, 5th earl of), 293.
Guilleragues (Gabriel-Joseph de Lavergne, comte de), 6929.
Guillermand (Jean), 870.
Guillet (Jacques), 1964.
Guinot (Jean-Noël), 1919, 1965.
Guise, famille, 3716, 3731.
Gukhman (M.M.), 172.
Gulvin (J.), 5731.
Gundert (Sybille), 638.
Gunga (Martin), 6183.
Gunlicks (Arthur B.), 3235.
Gunst (Péter), 5900.
Guntau (Martin), 5145.

Gunther (Ursula), 2838.
Gupta (Brijen K.), 7530.
Gura (Philip F.), 4626.
Gurevič (A. Ja.), 561.
Gurevič (E.M.), 7567.
Gusberti (Enrico), 5241.
Gustafsson (Per Erick), 4627.
Gutenberg (Johann), 52.
Guterman (Alexander), 4179, 6373.
Guth (Ekkehart P.), 7069.
Guth (Morand), 94.
Guthrie (Christopher E.), 4953.
Gutkas (Karl), 725, 3397, 4720.
Gutnova (Evgenija Vladimirovna), 2485, 2589.
Gutsche (Willibald), 7070.
Guttmann (Allen), 6184.
Guy (Donna J.), 5992.
Guzeeva (I.A.), 4329.
Gy (Pierre-Paris), 2991.
Gyáni (Gábor), 6185.
Gyémánt (Amalia), 1864.
Gyémánt (Ladislau), 4221, 4222.
Gyimesi (Sándor), 6044, 6884.
Gyivicsán (Mária), VIII.
Györffy (György), 2168, 2590.
Györffy (István), 431.
Gyss-Vermande (Caroline), 7598.
Gyssels (M.C.), 6186.
Gzowski (Sir Kazimierz Stanisław), 5749.

H

Haag (John), 4860.
Haak (Bob), 5433.
Haak (J.), 4123.
Haalebos (J.K.), 1841.
Haan (Jacob Israel de), 5326.
Habsburg, Dynastie, 697, 3992, 6893, 6902.
Hachlili (Rachel), 1268.
Hacker (Joseph), 4318.
Hackl (Dietrihc), 3375.
Hacquebord (L.), 5901.
Hadas-Lebel (M.), 1269.
Haddad (Adman), 5268.
Hadot (Ilsetraut), 1311.
Haas (J.A.K.), 6924.
Haase (Richard), 1247.
Haase (Wolfgang), 1251, 1635.
Haasse (H.S.), 4121.
Haavaldsen (Per), 346.
Haba (Kumiko), 3398.
Habermas (Jürgen), 5038.
Habicht (Judith A.), 6842.
Hadrianus II, Papa, 2205.
Hadrianus (Publius Aelius), empereur romain, 108, 1693, 1853.
Hadwiger (Don F.), 5902.
Hägele (Günther), 2169.
Hägermann (Dieter), 2591.
Haeften (Hans Maximilian Gustav von), 7069.
Händel (Georg Friedrich), 5502, 5516.

Härdelin (Alf), 2889.
Häusler (A.), 1039.
Häusler (Wolfgang), 478.
Häussling (Angelus Albert), 4503.
Hafström (Gerhard), 493.
Hafter (Daryl M.), 5732.
Hagelia (Hallvard), 4612.
Hageneder (Othmar), 289, 6570.
Haggai, v. Aggeus, propheta biblicus.
Hahn (Hans-Werner), 3236.
Hahn (István), 932.
Hahn (Karl-Heinz), 4986.
Hahnemann (Christian Friedrich Samuel), 5186.
Haiding (Karl), 639.
Haig (A.G.I.), 4450.
Haigh (Christopher), 3886.
Haigl (R.H.), 7071.
Haile Sellassie, empereur d'Ethiopie, 3694.
Haim (Abraham), 4721.
Haiman (György), 47.
Haitsma Mulier (E.O.G.), 4162, 6939.
Hajdu (Lajos), 6571.
Hájek (Jan), 5993.
Hájková (Alena), 7364.
Haks (D.), 6187.
Halada (Jan), 5029.
Halaga (Ondrej R.), 2486.
Haldon (J.F.), 2069.
Hale (John R.), 759.
Hales (Peter B.), 6045.
Halevi (Abraham ben Eliezer), 2429.
Halevi (Ran), 3755.
Hall (David D.), 4628.
Hall (G. Emlin), 3598.
Hall (Linda B.), 4092.
Hall (M.), 7699.
Hall (Marie Boas), 4818.
Hall (P.K.), 6188.
Hall (Richard A.), 2451.
Hall (Thomas), 494.
Hallenberg (Jan), 7419.
Hallencreutz (Carl Fredrik), 2118, 2992.
Haller von Hallerstein (Carl von), 432.
Haller von Hallerstein (Hans), 432.
Halleux (A. de), 1966.
Halleux (R.), 1343.
Hallin (Daniel C.), 3599.
Halperin (J.L.), 1658.
Ham (F. Gerald), 290.
Hamabayashi (Masao), 3887.
Hamanaka (Noboru), 125.
Hamann (Brigitte), 5286.
Hambro (C.J.), 4109.
Hambro (Johan), 4109.
Hamburg (G.M.), 4354.
Hamell (George R.), 7741.
Hamilton (Alexander), 3541, 3652, 5683.
Hamilton (Bernard), 2993.
Hamilton (Richard F.),3237.
Hammarström (Ingrid), 494.
Hammer (Gerhard), 4655.
Hamminger (Josef Dominicus), 3399.
Hammond (Brean S.), 5269.
Hamnett (Brian R.), 6987.
Hanák (Péter), 4000, 6189.
Handl (Johann), 6190.

Handler (Jerome S.), 6817.
Handlin (Lilian), 399.
Hanga (Vladimir), 811.
Hanisch (Ernst), 3400.
Hanisch (Wilhelm), 2487.
Hankey (Maurice Pascal Alers Hankey, 1st baron), 3929.
Hanlon (David), 4629.
Hannes (J.), 770.
Hannibal, général carthaginois, 1783.
Hannig (Jürgen), 2488.
Hanning (Barbara Russano), 5503.
Hannon (Joan Underhill), 6191.
Hans (Linda-Marie), 126.
Hansen (M.H.), 1360, 1392.
Hansen (Marianne V.), 1410.
Hansson (Günther), 7242.
Hansson (Per Albin), 7242.
Hansson (Stina), 4766.
Hapgood (David), 7305.
Happel (H.-G.), 5504.
Hara (Nobuyoshi), 3238.
Harada (Toshimaru), 7654.
Harald III Hardraade, roi de Norvège, 2315.
Harbers (P.), 207.
Harbi (Mohammed), 6763.
Harbison (C.), 5434.
Harbison (Peter), 235.
Harden (D.B.), 422.
Harden (Maximilian), 3192.
Hardie (James Keir), 6428.
Harding (Warren Gamaliel), 7048.
Hardtwig (Wolfgang), 5030.
Hardy (Thomas), 5288.
Harihor, 1210.
Harman (Nicholas), 4427.
Harmand (Jacques), 1659.
Harmatta (János) 1303, 7492.
Harnisch (Hartmut), 434, 5903.
Harper (George W.), 4630.
Harper (Peter), 298.
Harpham (Edward J.), 5562.
Harries (J.), 1791.
Harrigan (Patrick J.), 4858.
Harrington (Joseph F.), 7420.
Harris (Sir Arthur Travers, 1st baronet), 7336.
Harris (James F.), 3239.
Harris (John), 5401.
Harris (Laurence), 6357.
Harrison (J.R.), 5628.
Harrison (John F.C.), 750.
Harrison (William), 5249.
Harriss (G.L.), 2381.
Harroy (Jean-Paul), 6764.
Harsányi (Iván), 3120.
Hart (A. Tindal), 2994.
Hart (C.), 2170.
Hart (Ray), 2325.
Hart (Simon), 433.
Hart-Davis (Rupert), 5291.
Hartlyn (Jonathan), 3482.
Hartmann (Wilfried), 2177.
Hartong (O.A.M.W.), 274.
Hartung (Wolfgang), 3078.
Harvey (John), 2806.
Harvey (P.D.A.), 2638.
Harvey (Richard), 5629.
Hase (F.W. von), 1594.
Hasegawa (Hirotaka), 1754.

Haselgrove (C.), 127.
Haselsteiner (Horst), 4861.
Hasenöhrl (Adolf), 7349.
Hashimoto (Hisao), 5630.
Haslam (Jeremy), 3064.
Haslam (Jonathan), 6654.
Hasmonaeans, v. Maccabées.
Hass (Ludwik), 6192.
Hassler (Gerda), 5031.
Hastings (Max), 7306.
Hatt (Jean-Jacques), 1818.
Hatzfeld (Sopnie, Gräfin von), 6325.
Hauck (Karl), 2791, 2807, 2882, 2995.
Hauf (Reinhard), 467.
Haug (Werner), 6193.
Hauglid (Roar), 2808.
Haupt (Dorothea), 1838.
Haupt (Georges), 6322.
Haupt (Herbert), 5402.
Hausberger (Bernd), 5146.
Hause (Steven C.), 3756.
Hausen (Oswald von), 76.
Hauser (Przemysław), 7072.
Haushofer (Karl), 3210.
Hausman (William J.), 5829.
Hausmann (Friedrich), 4631.
Hausmann (Robert F.), 6940.
Hautmann (Hans), 3394.
Have (W. ten), 4140.
Havenaar (R.), 4141.
Haverkamp (Alfred), 2326, 2592, 2865.
Haversath (J.B.), 1755.
Hawke (Robert), 3370.
Hawkins (Angus), 3888.
Hawthorne (Nathaniel), 5346.
Haxthausen (August Freiherr von), 434.
Hay (John Milton), 7007.
Hay (Melba Porter), 3516.
Hayburn (R.), 6374.
Hayden (Dolores), 5403.
Haydn (Joseph), 5482.
Hayward (Max), 5224.
Healy (Robert M.), 3600.
Healy (William), 5197.
Hearnden (Arthur), 4862.
Heath (Michael), 4316.
Hebblethwaite (Peter), 4476.
Hebert (Catherine A.), 173.
Hecht (P.), 3144.
Hector de Chartres, 2651.
Hedges (John W.), 1040.
Hedin (Göran), 6537.
Heers (Jacques), 255, 2593, 2719, 3079.
Heesakkers (Chr. L.), 5472.
Hegel (Georg Wilhelm Friedrich), 557, 3280, 5014, 5046, 5049, 5060.
Hegemann (Margot), 5830.
Heggen (Alfred), 6194.
Hegyi (Dolores), 1312.
Hegyi (Klára), 2126.
Hehl (Ulrich von), 4456.
Hehn (Paul N.), 6988.
Heidegger (Martin), 557, 5064, 5094.
Heikkilä (Ritva), 5505.
Heim (Wolf-Dieter), 2720.
Heimpel (Hermann) 524, 707, 2171.
Hein (Martin), 4632.
Heindl (Waltraud), 3376.
Heindl (Wolfgang), 5994.
Heine (Hartmut), 3501.

Heine (Heinrich), 5289, 5311, 5339.
Heinemeyer (Walter), 2172.
Heinen (H.), 1967.
Heinrich I., leu*scher König, 2329.
Heinrich II., röm.-deutscher Kaiser, 2223.
Heinrich IV., röm.-deutscher Kaiser, 2131, 2356.
Heinrich der Fromme, Herzog von Oberschlesien, 6057.
Heinrich der Löwe, Herzog von Sachsen u. Bayern, 78.
Heinrich von der Mure, 2722.
Heinrich von Ulmen, 3002.
Heinsius (Anthonie), 4116.
Heinsius (Nicolaas), 6892.
Heinsohn (Gunnar), 1313.
Heinz (Karl Hans), 3401.
Heiß (Gernot), 617.
Heiszler (Vilmos), 6989.
Heitsch (E.), 1452.
Heitsma Mulier (E.O.G.), 799.
Heijl (František), 2668, 5831.
Helbling (Seifried), 2734.
Helck (Wolfgang), 1189.
Helena, épouse de Julianus, empereur romain, 1636.
Heller (Joseph), 4035.
Heller (Maximilian), 4742.
Heller (Reinhold), 5435.
Hellige (Hans Dieter), 3192.
Hellinge (Barbara), 1314.
Hellman (Lillian), 5283.
Hellmann (Manfred), 2247, 2248.
Hellmann (Marie-Christine), 1529.
Hellmuth (Leopold), 2489.
Helmreichen zu Brunnfeld (Virgil von), 5146.
Hemans (Frederick P.), 1021.
Hemlow (Joyce), 5281.
Hemmel (Vibeke), 7599.
Hempenius (A.L.), 274.
Hempton (David), 4633.
Henderson (Paul V.N.), 7073.
Hendrickx (J.-P.), 928.
Henig (M.), 1819.
Henkel (Willi), 4504.
Henle (Mary), 5147.
Henlein (Konrad), 7349.
Henning (Eckart), 84.
Henning (Hans), 5259.
Henning (Hansjoachim), 3240.
Henning (Peter), 708.
Henri Ier, roi de France, 2894.
Henri II, roi de France, 3730, 3773.
Henri IV, roi de France, 3722, 3746, 3752.
Henri de Gand, 2852.
Henry II, king of England, 2308.
Henry V, king of England, 2381.
Henry VII, king of England, 3000.
Henry VIII, king of England, 3940.
Henry (A.), 48.
Henry (Françoise), 905.
Hensel (Arno), 839.

Hensel (Witold), 1132.
Henzen (Wilhelm), 435.
Hérail (Francine), 347.
Hērakleidoi, Héraclides, 1395.
Hērakleitos, 1344, 1423, 1474.
Hēraklēs, Hercules, hérodieu gréco-romain, 231, 1527, 1874, 5274.
Hérault de Séchelles (Marie Jean), 3781.
Herbers (Klaus), 2996.
Herbert (Eugenia W.), 7700.
Herbert (Ulrich), 5733.
Herborn (Wolfgang), 2594.
Hercules, v. Hēraklēs.
Herde (Peter), 7307.
Herder (Johann Gottfried), 4792, 4986.
Heredia (Edmundo A.), 6990.
Hergemöller (Bernd-Ulrich), 510.
Hering (Gunnar), 6925.
Herman (Karel), 348, 3241.
Hermann, Bischof von Bamberg, 25.
Hermann der Lahme von Reichenau, 2134.
Hermann (Werner), II.
Hermary (Antoine), 1550.
Hernández Esteve (Esteban), 6572.
Hernas (Czesław), 1010.
Herodes Atticus (Lucius Vibullius Hipparchus Tiberius Claudius), 1536.
Hērodotos, 1346, 1436, 1461, 1511.
Herre (Franz), 3242.
Herrejón Peredo (Carlos), 4768.
Herren (Robert Stanley), 6019.
Herrera (L.), 935.
Herrera García (Antonio), 730.
Herrera Zapien (Tarsicio), 5270.
Herrin (Judith), 402, 2028.
Herring (George C.), 7421.
Herrmann (Dieter B.), 5148.
Herrmann (Erwin), 8.
Herrmann (Joachim), 562, 696, 1041, 5032.
Herrmann (K.), 5884.
Herzig (Arno), 6333.
Hēsiodos, 1429, 1466, 1470.
Heska-Kwaśniewicz (Krystyna), 7148.
Hess (Jürgen C.), 3889.
Hesse (Peter), 853.
Hessen (Robert), 7221.
Hession (Charles H.), 5563.
Hetnal (Adam A.), 6964.
Hetzer (Armin), 5331.
Heubeck (Alfred), 1453.
Heubner (H.), 1792.
Heumos (Peter), 7164.
Heuss (Alfred), 436, 563, 1359.
Heuss (Theodor), 3188.
Heussler (Robert), 6733.
Heydebrand (Renate), 5332.
Heyen (Franz-Josef), 2922.
Heyer (Friedrich), 936.
Hibbert (Christopher), 3834.
Hiernard (J.), 128.

Hieronymus Stridonius (Eusebius Sophronius), Sanctus, 2154.
Hiestand (Rudolf), 2173.
Higham (John), 393.
Higman (B.W.), 6046.
Hilarius, Ep. Pictavii, Sanctus, 1946, 2020.
Hildegardis, abatissa, Sancta, 2865.
Hildemar, Magister, 2925.
Hilden (Patricia), 5734.
Hildermeier (Manfred), 4355.
Hildesheimer (Françoise), 291.
Hill (Alan G.), 5300.
Hill (Bridget), 6195.
Hill (D.), 869.
Hill (Errol), 5506.
Hill (Robert A.), 3524.
Hillbrand (Erich), 6047.
Hilliker (J.F.), 7240.
Hils (Hans-Peter), 2721.
Hiltbrunner (O.), 157.
Hilton (Rodney H.), 2374, 2595.
Hilts (Victor L.), 5149.
Himmelfarb (Gertrude), 6196.
Hindenburg (Paul von Beneckendorf u. von), 7069.
Hine (William C.), 6375.
Hines (John), 208.
Hinkkanen-Levanen (Merja-Liisa), 5832.
Hinrichs (Ernst), 3757.
Hinsley (F.H.), 7165.
Hinteregger (Robert), 6376.
Hintze (Fritz), 7703.
Hintze (Otto), 437.
Hinz (Hermann), 3080.
Hippel (Wolfgang v.), 6048.
Hipparchos, fils de Peisistratos, 1353.
Hippodamos Milēsios, 1506.
Hippokratēs, 1345, 1448, 2748.
Hippolytus Romanus, Martyr, Sanctus, 1970.
Hirano (Tadashi), 7600.
Hirohito, empereur du Japon, 4073.
Hirsch (H.), 1220.
Hirsch (Helmut), 6325.
Hirsch (M.), 6510.
Hirst (J.B.), 6709, 6876.
Hisdai (Ya'akov), 4723.
Hiskett (Mervyn), 4724.
Hitler (Adolf), 3206, 3208, 3219, 3230, 3238, 3312, 3320, 3404, 4456, 4773, 7123, 7150, 7179, 7225, 7272, 7284, 7349, 7352.
Hlavačka (Milan), 5735.
Hlawitschka (Eduard), 2327.
Hledíková (Zdeňka), 2174.
Hobbs (Gerald R.), 4635.
Hobsbawm (Eric), 495, 5736.
Hobson (Burton), 129.
Hobson (Charles F.), 3601.
Hobson (D.), 1756.
Hochberg (Leonard), 211.
Hochman (Juri), 6655.
Hochstuhl (Kurt), 7166.
Hocquet (Jean-Claude), 834.
Hodge (John E.), 3347.
Hodson (Philip), 5507.
Höbelt (L.), 7241.
Hödl (Günther), 111, 2119.

Hödl (Ludwig), 2866.
Hoeges (Dirk), 565.
Høgevold (John), 7308.
Höing (Hubert), 3081.
Hölscher (Tonio), 1660.
Hölzl (Sebastian), 292, 2382.
Hoenderdaal (G.J.), 4685.
Höner (Sabine), 3243.
Hörander (W.), 496.
Hörmann-von Stepski (Stanislaus), 2045.
Hösle (Johannes), 5508.
Hösle (Vittorio), 1454.
Hofer (Andreas), 3415.
Hofer (Tamás), 608.
Hoff (Annette), 2596.
Hoffer (Peter Charles), 6538.
Hoffman (Philip T.), 4505, 5904.
Hoffmann (A.), 1536.
Hoffmann (Fritz L.), 6656.
Hoffmann (Olga Mingo), 6656.
Hoffmann (Peter), 566.
Hoffmann (R.J.), 1968.
Hofman (H.A.), 4143.
Hofman (J.), 4125.
Hofmann (Gustav), 130.
Hofmann (Inge), 1173.
Hofmannsthal (Hugo von), 5297.
Hofmeister (Wernfried), 2722.
Hofstadter (Richard), 438.
Hogan (Edmund M.), 4558.
Hogan (Michael J.), 6657, 7422.
Hoggman (Ronald), 6818.
Hohenzollern, Dynastie, 3302.
Hohlweg (A.), 2045.
Hoisington (William A.) Jr., 6765.
Holban (Maria), 6898.
Holeczek (Heinz), 5242.
Holinshed (Raphael), 5249.
Holl (Brigitte), 3382.
Holland (R.F.), 6712.
Hollo (A.), 5341.
Holmberg (Åke), 4271.
Holmberg (David), 7543.
Holmes (Richard), 3759.
Holmes (Stephen), 6991.
Holmes (William F.), 3602.
Holmsten (Georg), 718.
Holstein (Friedrich von), 3317.
Holt (James Clarke), 2267, 2597.
Holt (Mack P.), 3760.
Holzer (Harold), 3603.
Holzfurtner (Ludwig), 2923.
Homan (Gerlof D.), 7167.
Hombert (Marcel), 1145.
Homell (Michael W.), 4864.
Homēros, 1287, 1333, 1419, 1421, 1453, 1471, 1479, 1498, 1520, 1781.
Hommel (Hildebrecht), 1969.
Homolka (Jaromír), 2783.
Honold (Konrad), 95.
Honorius III [Cencio Savelli], Papa, 2903.
Honorius (Flavius), empereur romain, 1615, 1795, 2012.
Honzík (Miroslav), 3127, 6658, 7074.
Honzíková (Hana), 7074.
Hook (Judith A.) 2383, 4055.

Hoover (Herbert Clark) 3565, 3625.
Hooykaas (R.), 5104.
Hopper (K. Theodore), 3890.
Hora (Tomio), 7309.
Horan (John F.) Jr., 3604.
Horatius Flaccus (Quintus), 1797, 1812.
Horea (Ursu Nicolae), 414, 4221, 4222, 4239, 4291, 4256-4258.
Hori (Toshikazu), 7601.
Horn (Margo), 6197.
Horn (Maurycy), 4182, 6264.
Horne (Alistair), 3761.
Horowitz (David), 3567.
Horowitz (Helen Lefkowitz), 4865.
Horst (E.), 1661.
Horstkotte (H.J.), 1719.
Horstmann (Kurt), 6198.
Horta Rodríguez (Nicolás), 6941.
Hortense de Beauharnais, reine de Hollande, 3724.
Horthy de Nagybánya (Miklós), 7160.
Horváth (Ferenc), 4794.
Horváth (Lajos), 96.
Horváth (Pál), 482.
Horvath-Peterson (Sandra), 3762.
Horward (Donald D.), 6942.
Horwitz (Rivka), 4725.
Hošek (Emil), 5964.
Hosokawa (Shigeru), 4356.
Hoston (Germaine A.), 4070.
Houdaille (Jacques), 6049.
Houfe (Simon), 5436.
Hough (Richard), 3891.
Houlbrooke (Ralph A.), 6199.
Hourani (George), 2442.
Houseman (John), 5506.
Housley (Norman), 2384.
Hovi (Kalervo), 7075.
How (J.J.), 7310.
Howard (Jane), 5150.
Howard, family, 3939.
Howard-Johnston (J. D.), 2070.
Howarth (William), 5333.
Howatt (Anthony), 871.
Howe (Anthony), 5737.
Howe (K.R.), 7744.
Howes Smith (P.H.G.), 1595.
Hoxie (Frederick E.), 3605.
Hoyer von Falkenstein, v. Falkenstein (Hoyer Graf von).
Hoyer (Siegfried), 859.
Hoyos (B. Dexter), 1662.
Hoyt (Edwin P.), 7311.
Hoz (J. de), 9.
Hozák (Július), 4307.
Hristov (Hristo), v. Khristov (Khristo).
Hronský (Marián), 4287.
Hsia (R. Po-Chia), 4506.
Huang Gongwang, 7598.
Huannou (Adrien), 5334.
Huard (Pierre), 439.
Hubáček (Miloš), 7312.
Hubatsch (Walter), 2924.
Hubbard (William H.), 6200.
Hubenák (Ladislav), 4288.
Huber (Ernst Rudolf), 6539.
Hubert (Annie), 641.
Hubscher (Ronald), 555.

Hucker (Ulrich), 567.
Hučko (Ján), 349.
Hudson (David), 4507.
Hudspeth (Robert N.), 5287.
Hübinger (Gangolf), 428.
Hübner (Wolfgang), 1455.
Hümmler (Heinz), 3244.
Huenemann (Ralph William), 7602.
Hüpper-Dröge (Dagmar), 2490.
Huerta (Victoriano), 7073.
Hürten (Heinz), 3245.
Hueting (E.), 6378.
Huff (Robert A.), 6201.
Hugot (Henri-Jean), 1023.
Hugues Capet, roi de France, 2355.
Huijs (T.P.M.), 274.
Huijsmans (W.A.), 274.
Huisman (C.), 4636.
Huisman (Denis), 992.
Hulin (Nicole), 4866.
Hull (N.E.), 6538.
Hullenbrand (C.), 7499.
Humbert (A.), 193.
Humbert (Geneviève), 7168.
Humbert (Michel), 1155.
Humboldt (Alexander, Freiherr von), 4891.
Hume (David), 5023, 5073, 5084, 5096.
Humeński (Julian), 7211.
Hummer (Hubert), 3441.
Hummerich (H.), 4954.
Humphrey (David C.), 3606.
Humphrey (Hubert Horatio), 3674.
Hunbaut, legendary hero, 2209.
Hundt (Martin), 4955.
Hundt (Walter), 7423.
Hunger (Herbert), 496, 1220, 2780.
Hunger (Ulrich), 5033.
Hunnicutt (Benjamin Kline), 5738.
Hunt (David), 3763.
Hunt (Holman), v. Hunt (William Holman).
Hunt (Lynn), 3764.
Hunt (R.W.), 2723.
Hunt (Richard Norman), 6379.
Hunt (William Holman) 5441.
Hunter (F. Robert), 3487.
Hunter (Graeme), 993.
Hunter (Jane), 4637.
Huntington (Susan), 7544.
Hunyadi (János), 2373, 2408.
Huot (Jean-Louis), 1163.
Huppert (George), 4867.
Hurst (H.R.), 1262.
Huss (Magnus), 6111.
Hussain (Athar), 5905.
Huston (James L.), 5631.
Huter (Franz), 4819.
Hutnikiewicz (Artur), 1010.
Hutt (Maurice), 3765.
Hutten (Ulrich von), 5030.
Hutter (Irmgard), 2780.
Hutton (R.), 3892.
Huygens (Constantijn), 4143.
Huygers (H.), 4153.
Hyde (Charles K.), 5739.
Hyde (Harford Montgomery), 5335.
Hyfler (Robert), 6380.

Hyperius (Andreas), 6207.
Hyslop (John), 7726.
Hyvönen (Heikki), 5740.

I

Iakobos Monachos, 2032.
Iacoș (Ion), 6351.
Iancu de Hunedoara, v. Hunyadi (János).
Iavolenus, v. Javolenus.
Ibn Bibi (al-Ḥusayn b. Muḥammad b. 'Alī al-Ja'farī), 2094.
Ibn Falaquera (Shemtob ben Joseph), 2432.
Ibn Sīnā (Abū Sinā, dit Avicenna), 2858.
Ibragimbejli (Kh. M.), 4322.
Ichioka (Yuji), 3607.
Ignatius, Ep. Antiochenus, Martyr, Sanctus, 931.
Iliescu (O.), 131.
Iliffe (John), 6766.
Il'in (V.P.), 7077.
Il-Khans, Mongol rulers of Iran, 7525.
Illmer (Detlef), 2724.
Ilomäki (Henni), 618.
Ilyin-Zhenevsky (A. F.), 4328.
Imai (Hiroshi), 3893.
Imbault-Huart (Marie-José), 567.
Inalcik (Halil), 5906.
Imber (Colin), 6603.
Imhof (A.-E.), 6080.
Immerman (Richard H.), 7421.
Indova (E.I.), 5924.
Ingeborg de Danemark, v. Isambour.
Inger (Göran), 6525.
Ingram (Edward), 6734, 6943.
Innes (Duncan), 3173.
Innocentius VIII [Guivanni Battista Cibò], Papa, 2900.
Innocentius XI [Benedetto Odescalchi], Papa, 4477.
Inoue (Kowashi), 4078.
Inoue (Mitsusada), 7487, 7655.
Inwood (Brad), 993.
Ioffe (G.Z.), 4357.
Ionescu (Ion), 175.
Ionescu (Mihail E.), 4235, 7153.
Ioniță (Gheorghe I.), 4247.
Ionova (A.I.), 7562.
Iordache (Anastasie), 400, 4248.
Iordan (Constantin), 7078.
Iorga (Nicolae), 440.
Iplikcioglu (Bülent), 1555.
Ippel (P.), 6621.
Iqbal (Afzal), 5036.
Iqbal (Muhammad), 4323.
Irenaeus, Ep. Lugdunensis, Sanctus, 1907, 2021.
Irgang (Winfried), 2210.
Irie (Akira), 6689.
Irie (Kazuo), 3766.
Irigoyen (Hipólito), 3326, 3343.
Iriye (Akira), 6660.

Irminon, abbé de Saint-Germain-des-Prés, 2566.
Irmscher (Johannes), 1421.
Irsigler (Franz), 836.
Irving (Sir Laurence), 5541.
Isaac (Benjamin), 1663.
Isabella of France, queen consort of Edward II of England, 2397.
Isaev (M.P.), 7566.
Isaias, propheta biblicus, 1919.
Isakov (P.F.), 4346.
Isambour ou Ingeborg de Danemark, reine de France, 2320.
Isamiddinov (M. Kh.), 7503.
Iserloh (Erwin), 4654.
Ishii (Kanji), 5632.
Ishii (Susumu), 7649.
Iskenderov (A.A.), 7656.
Isla Frez (Amancio), 2725.
Isler (H.P.), 1596.
Isnardi Parente (M.), 1456.
Israel (J.I.), 5633, 5833, 6926.
Israel (Wilfred), 3308.
Isserlin (B.S.J.), 1270.
Istratov (V.N.), 3894.
István I, v. Stephanus I, rex Hungariae, Sanctus.
Isusov (Mito), 3465.
Itenberg (B.S.), 5041.
Ito (Sadao), 1393.
Itô (Takashi), 4071.
Its (R.F.), 877.
Itzkowicz (Norman), 4325.
Iung (Jean-Eric), 6573.
Ivan III Vasil'evič, grand-prince de Moscou, 2370.
Ivan IV Groznij [le Terrible], tsar de Russie, 4406, 4414.
Ivan Aleksandăr, tsar bulgare, 2360.
Ivanišević (Alojz), 3402.
Ivanov (A.E.), 4377.
Ivanov (A.P.), 4377.
Ivanov (N.A.), 6899.
Ivanov (P.M.), 6661.
Ivanov (R.F.), 3608.
Ivanov (V.G.), 2867.
Ivanov (V.V.), 333.
Ivanova (N.A.), 6347.
Iwańczak (Wojciech), 2251.
Izbicki (Thomas M.), 2491.
Izmozik (V.S.), 6295.
Izquierdo Benito (Ricardo), 2492.
Izsák (Lajos), 4001.

J

Jabłoński (Zbigniew), 5509.
Jabotinsky (Vladimir), 4736, 4739.
Jackman (S.W.), 3895, 4121.
Jackson (Andrew), 3522, 3580, 3660.
Jackson (Anthony), 5538.
Jackson (Richard A.), 742.
Jackson (Robert Max), 6385.
Jackson (Stanley), 5995.
Jacob (Herbert), 1008.
Jacob (James), 3131.
Jacob (Margaret), 3131.
Jacob (Yves), 4433.

Jacobs (Arthur), 5510.
Jacobson (Hanna), 3974.
Jacopo da Voragine, 2946.
Jacquemet (Gerard), 6050.
Jacques de Bourgogne, seigneur de Falais, 4572.
Jacques (François), 213, 1664.
Jacquot (Jean), 5480.
Jäger (Helmut), 510, 3082.
Jäger (Wolfgang), 351.
Järvinen (Helena), 618.
Jaffe (William), 5564.
Jagiello, dynastie, 4184.
Jagoda (Zenon), 7169.
Jaipur (Maharani of), 7538.
Jaitner (Klaus), 4474.
Jakabffy (Imre), VIII.
Jakóbczyk (Witold), 3246.
Jakobs (Hermann), 2891.
Jakobson (Max), 7170.
Jakovlev (A.N.), 3609.
Jakubowska (Urszula), 4956.
Jakubowski (Ireneusz), 6512.
Jalal-ud-din Rumi (Mohammed ibn Mohammed Moulavi Balkhi), 5036.
James (Henry), 5350.
James (John A.), 5634.
James (Joseph B.), 3610.
James (Sydney V.), 4638.
James (T.G.H.), 1194.
James (William), 4999, 5021.
Jameson (John Franklin), 358, 441.
Jamin (M.), 3247.
Jamščikova (E.A.), 4334.
Jan II Kazimierz, roi de Pologne, 4212.
Jan III Sobieski, roi de Pologne, 4182.
Jan van Nassau, v. Johann d. Ä., Graf von Nassau-dillenburg.
Jan van Ruusbroec, 2998.
Janáček (Josef), 4289.
Janáček (Leoš), 5500.
Jandt (Johannes), 709.
Janin (A.A.), 7365.
Janin (V.L.), 788, 814, 2598, 2812, 6071.
Janko (Jan), 5152.
Jankuhn (Herbert), 860.
Jannot (Jean-René), 1597.
Janovski (Boris), 2493.
Jans Enikel, 2734.
Jansen (A.A.), 7314.
Jansen (H.P.H.), 770, 770a, 2599, 2726.
Jansen (J.C.G.M.), 352, 837, 5585.
Jansen (M.), 4360.
Janson (P.C.), 5635.
Janssen (A.E.M.), 4162.
Janssen (J.A.M.M.), 4464.
Janssens (V.), 5996.
Janz (Denis R.), 4639.
Jappe Alberts (M.), 2385.
Jarausch (Konrad H.), 3248.
Jardin (André), 476.
Jargy (Simon), 7424.
Jaritz (Gerhard), 2600.
Jarring (Gunnar), 4272.
Jarustovskij (B.M.), 5525.
Jarvie (Ian C.), 642.
Jastrebickaja (Adel' L'vovna), 2601.

Jauch (Susanne), 6386.
Jaulin (Dolores), 174.
Jaurès (Jean), 3745, 3813.
Javolenus Priscus (C. Octavianus Tidius Tossanius L.), 1706, 2505.
Jay (John), 6536.
Jay (Martin), 5038.
Jażdżewski (Konrad), 1042.
Jean II le Bon, roi de France, 2140.
Jean Casimir, v. Jan II Kazimierz, roi de Pologne.
Jeanne d'Arc, 2402, 2416, 3050.
Jedin (Hubert), 927.
Jędruszczak (Tadeusz), 774.
Jefferson (Thomas), 3523, 3548, 3600, 3627, 3639, 3652, 4910, 5144.
Jeffrey (Thomas E.), 3611.
Jeffreys (M.J.), 2032.
Jehl (Rainer), 2953.
Jelavich (Barbara), 6992.
Jeleček (Leoš), 214, 5907.
Jelen (Christian), 3767.
Jellison (Charles A.), 7171.
Jemnitz (János), 6387, 7079.
Jena (Detlef), 6388.
Jenkins (T.A.), 3896.
Jenner (Edward), 5124.
Jennings (Francis), 6819.
Jennings (Ronald C.), 5636.
Jensen (Inge), 5261.
Jensen (Jens), 6604.
Jensen (Joan M.), 4868.
Jersch-Wezel (Stefi), 5700.
Jespersen (Knud), 6392.
Jespersen (Knud J.V.), 2386.
Jesse (F. Tennyson), 5312.
Jesus Christus, 1635, 1929, 1930, 1935, 1959, 1961, 1972, 4488.
Jezierski (Andrzej), 5637.
Ježkova (Anna), 3105.
Jien, moine japonais, 7660.
Jilek (A.), 1970.
Jilék (František), 5202.
Jindra (Zdeněk), 5742, 7080.
Jiří z Poděbrad, roi de Bohême, 3013.
Joannes (F.), 1222.
Jochmann (Werner), 3324.
Jochums (Gabriele), 84.
Johanek (Peter), 2494.
Johann d. Ä., Graf von Nassau-Dillenburg, 4095.
Johann von Oldenburg-Gottorp, Bischof von Lübeck, 6604.
Johannes Chrysostomus, Patriarcha Byzantinus, Sanctus, 2022.
Johannes Nepomucenus, Sanctus, 2958.
Johannes XXIII [Baldassare Cossa], Papa, 4476.
Johannisson (Karin), 4770.
Johanson (Ulla), 6202.
Johansson (Alf W.), 7242.
Johansson (Erland), 4641.
Johar (Surinder Singh), 7545.
John of Salisbury, 2859.
Johne (Klaus-Peter), 1793.
Johnson (Howard), 7243.
Johnson (James Weldon), 7066.

Johnson (Janet H.), 1181.
Johnson (Lyndon Baines), 3596, 3606.
Johnson (Michael P.), 6203, 6204.
Johnson (Paul), 6205.
Johnston (William M.), 4771.
Johnstone (Penelope), 2446.
Johnstone (R.), 3339.
Jolivet (Jean), 2858.
Jolivet (Vincent), 321, 1598.
Joll (James), 7081.
Joly (E.), 1865.
Joly (R.), 1345.
Jonas (Manfred), 6662.
Jončev (Ljubomir), 2164.
Jones (Alice Hanson), 6820.
Jones (Allen W.), 5908.
Jones (Brian W.), 1665, 1666.
Jones (Calvin P.), 4957.
Jones (Clyve), 3897.
Jones (Gareth Elwyn), 3898.
Jones (Gareth Stedman), 6389.
Jones (Glyn), 1808.
Jones (Ieuan Gwynedd), 517.
Jones (Norman L.), 4642.
Jones (Peter Murray), 2809.
Jones (Robert E.), 4361, 5743.
Jong (L. de), 7172.
Jong (M. de), 2727, 2925.
Jong (O.J. de), 4584.
Jong Edz. (F. de), 6378.
Jongeling (K.), 5271.
Jongste (J.A.F. de), 4144.
Joppich (Gerhard), 2319.
Jordaan (Bee), 3956.
Jordan (Karl), 78, 442.
Jordanes, 2227.
Joris (David), 4707.
Josef (Dušan), 5153.
Joseph II., rom.-deutscher Kaiser, 3399, 4554, 6571.
Joseph (Detlef), 7414.
Josephus, Sanctus, 4485.
Josephus (Flavius), 1251, 1269.
Josserand (Louis), 6593.
Jourdan (Manfred), 1314.
Jourjon (Maurice), 2021.
Jovanović (Borislav), 1108, 1109.
Jovčuk (M.T.), 6441.
Jowell (J.L.), 6605.
Joyce (James Avery), 7425.
Joyner (Charles), 6206.
Joynton (Olin), 5039.
József (Farkas), 4772.
Juana, Sor, v. Cruz (Sor Juana Inés de la).
Juck (Lubomfr), 2226.
Jütte (Robert), 6207.
Jugurtha, roi de Numidie, 1622.
Juhász (Gyula), 4002, 7244.
Julia Felicitas, Prinzessin von Württemberg-Weitlingen, 6604.
Julia (Dominique), 4840.
Julianus (Flavius Claudius), empereur romain, 1634, 1636.
Julio-Claudiens, empereurs romains, 1725, 1749.
Julius III [Giovanni Maria Ciocchi del Monte], Papa, 4480.

Julius Africanus (Sextus), v. Africanus (Sextus Julius).
Julkunen (Martti), 7173.
Jullian (René), 5404.
Juncker (H.), 236.
Jundzill (Juliusz), 1971.
Jung (Heinz), 7383.
Junge (Ewald), 132.
Junghans (Helmar), 4643.
Jungnickel (Jürgen), 5565.
Jungwirth (Johann), 1209.
Jurewicz (Oktawiusz), 2071.
Jurga (Tadeusz), 7315.
Just (Ernest Everett), 5166.
Justinianos I, empereur de Byzance, 1705, 2086.
Justinianos II, empereur de Byzance, 2095.
Jutikkala (Eino), 3698, 6075.

K

Kaartvedt (Alf), 4110.
Kaba (Lansiné), 4726.
Kabackij (N.I.), 6390.
Kabanov (S.K.), 7506.
Kabo (V.R.), 643.
Kabuzan (V.M.), 6037.
Kaczanowski (Longin), 7174.
Kaczmarczyk (Janusz), 6927.
Kaczmarek (Kazimierz), 7245.
Kadackij (V.F.), 3466.
Kádár (Zoltán), 1158.
Kaden (Klaus), 5260.
Kaduškina (N.V.), 4329.
Kaelble (Hartmut), 6208.
Kämpfert (M.), 974.
Kärki (Ilmari), 1224.
Käser (Leonhard), 4631.
Kagin (Donald H.), 5997.
Kahle (Wilhelm), 4563.
Kahler (Miles), 7426.
Kahn (Alfred E.), 3632.
Kaivola (Terttu), 618.
Kajanto (Iiro), 1307, 4869.
Kajmakamova (Milijana), 2188.
Kalašnikov (N.I.), 7575.
Kalisch (Johannes), 7120.
Kállay (István), 878, 5909.
Kalliatakē-Mertikopoulou (Kallia), 3975.
Kallipos Kyzikēnos, 72.
Kallimachos, 1515.
Kallisthenēs, 1351.
Kálmán, roi de Hongrie, 2328, 2333.
Kaltenbrunner (Ernst), 3200.
Kaluza (Zénon), 2874.
Kambylis (Athanasios), 2033.
Kamen (Henry), 6209.
Kamenec (Ivan), 4283.
Kamenetzky (Christa), 4773.
Kamerlingh Onnes-Van Dedem (G.A.), 4121.
Kamienik (Roman), 1667.
Kaminsky (Hans Heinrich), 2176.
Kaminsky (John P.), 3518.
Kammerbeek (W.G.), 5472.
Kammerer (Louis), 4481.
Kamp (Norbert), 2999.
Kamphuis (J.), 4584.
Kamphuis (P.H.), 4145.
Kampling (R.), 1972.
Kanazawa (Yoshiki), 1195.
Kane (George), 2728.

Kanellopoulos (Panagiōtēs), 4774.
K'ang-hsi, empereur de Chine, 7640.
Kannengiesser (Charles), 1924, 1973.
Kannonier (Reinhard), 5511.
Kanowski (M.G.), 1551.
Kant (Immanuel), 5004, 5024, 5041, 5065, 5078.
Kanter (Herschel), 5638.
Kantzenbach (Friedrich Wilhelm), 569.
Kapiszewski (Andrzej), 3612.
Kapitánffy (István), 2124, 2328.
Kapitola (Luděk), 4290.
Kaplan (Fred), 406.
Kaplan (Jonathan), 679.
Kaplan (Michel), 2072.
Kaplan (Steven Laurence), 5834.
Kaplff (Kaspar Zdenko), 6928.
Kapp (Richard W.), 7082.
Karabelias (Evanghelos), 2054.
Karagheorghis (Vassos), 1074, 1083, 1552, 1553.
Karagiannopoulos (I.), 2073.
Karatzas (Stamatēs), 497.
Karetina (G.S.), 7603.
Kark (Ruth), 4036.
Karl I. der Große, Charlemagne, röm.-deutscher Kaiser, König der Franken, 2290, 2295, 2300, 2720.
Karl III., röm.-deutscher Kaiser, 2740.
Karl IV., röm.-deutscher Kaiser, 3012.
Karl V., röm.-deutscher Kaiser, 3373, 6894.
Karlén (W.), 196.
Karlsen (A.-V.), 6392.
Karlsson (Klas-Göran), 570.
Kárný (Miroslav), 7246, 7247.
Károlyi (Iolanda), 466.
Karpat (Kemal H.), 6051.
Karpen (Ulrich), 6540.
Karpf (Ernst), 2329.
Karpowicz (Michał K.), 6944.
Karrer (Geōrgios T.), 97.
Karsten (Peter), 354, 6663.
Karvonen (Lauri), 3969, 3699.
Kasamatsu (Hiroshi), 7649, 7657.
Kašev (Stefan), 2234.
Kasher (Aryeh), 1271.
Kas'janenko (V.I.), 4362.
Kasoff (Ira E.), 7604.
Kašpar (Oldřich), 6900.
Kasper (Monika), 2135.
Katan (Yvette), 6767.
Katasonov (Ju. V.), 3613.
Katayama (Sen), 443.
Kater (Michael H.), 3249.
Kathe (Heinz), 3899.
Kathrein (Werner), 4508.
Kato (Hiroshi), 5910.
Katsaros (Spiros), 754.
Katus (László), 5639, 5868.
Katz (Ruth), 5512.
Katz (S.), 1931.
Katz (Yossef), 4037.
Katzburg (Nathaniel), 7193.

Kaufhold (Karl Heinrich), 5686.
Kaufman (Menahem), 7427.
Kaufman (Peter Iver), 571, 3000.
Kaufman-Osborn (Timothy V.), 5040.
Kaufmann-Heinimann (A.), 1885.
Kaunitz (Wenzel Anton, Reichsfürst von K.-Rietberg), 3425.
Kavanagh (Dennis), 3854.
Kawahara (Masahiro), 7605.
Kawane (Yoshihei), 7658.
Kawazoe (Shōji), 7659.
Kazhdan (Alexander), 2074.
Keaveney (Arthur), 1668.
Kedar (Benjamin Z.), 2034, 2426.
Kedem (Menachem), 3900.
Kedourie (Elie), 572.
Kee (Robert), 3132.
Keel (Othmar), 216.
Keeler (James Edward) 5179.
Keen (Maurice), 2602.
Kehr (Eckart), 3191, 5998.
Keil (Hartmut), 6210.
Keitel (Elizabeth), 1619.
Keizer (M. de), 7248.
Kejř (Jiří), 2387, 2495.
Kekkonen (Urho Kaleva), 6632.
Keldyš (Ju. V.), 908.
Kellenbenz (Hermann), 5988.
Keller (Angela), 5835.
Keller (Hagen), 2330, 2603.
Keller (R.S.), 4459.
Kelles-Krauz (Kazimierz), 6326.
Kelley (Donald R.), 355, 2253, 5154, 6211.
Kelley (Mary), 5225.
Kelly (Edward J.), 3547.
Kelly (Joan), 6212.
Kelly (Paul), 3370.
Kelsay (Isabel Thompson), 6821.
Kelvin (William Thomson, baron), 5055.
Kemal Atatürk (Mustafa), 4323, 4325.
Kemenczei (Tibor), 1085.
Kemény (G. Gábor), 4871.
Kemp (B.J.), 1179.
Kemp (Tom), 4768.
Kendall (Ann), 7727.
Kende (János), 6052.
Kennan (George F.), 6993.
Kennedy, family, 3567.
Kennedy (John Fitzgerald), 3596, 3650, 7396, 7420, 7445.
Kennedy (Michael L.), 3769.
Kenney (Anne R.), 3756.
Kenny (Shirley Strum), 5513.
Kent (Marian), 6664.
Kenyon (Kathleen Mary), 1272.
Kepars (I.), 3367.
Kepartová (Jana), 1757.
Keppie (Lawrence J. F.), 1669, 1720, 1847.
Kerecsényi (Edit), 3133.
Kerekes (Lajos), 3403.
Keremitsis (Dawn), 5744.
Keren-Patkin (Nilly), 7175.
Kerhervé (Jean), 3770.

Kerk (Ruth), 4038.
Kernbauer (Alois), 5155.
Kerov (Vsevolod L.), 2604.
Kersten (A.E.), 7216, 7249.
Kersting (Wolfgang), 5041.
Kertzer (David I.), 6213.
Kessler (L.), 4958.
Ketcham (Ralph), 3614.
Ketsch (Peter), 2605.
Keul (Michael), IX.
Keve (Paul W.), 6606.
Keveházi (Katalin), 304.
Keverling Buisman (F.) 771.
Keyes (Roger), 3447.
Keynes (John Maynard, 1st baron), 5563, 5574.
Khalatbari (Parviz), 5640.
Khalevinskij (I.V.), 7468.
Kharbas (Datta S.), 7530.
Kharbas (Judith N.), 7530.
Khesin (S.S.), 4363, 4389.
Khlebnikova (T.A.), 1134.
Khorošev (A.S.), 2812.
Khristov (Khristo), 729, 3464, 4775.
Khromov (S.S.), 6384.
Khruščev (Nikita S.), 4381.
Kidd (Benjamin), 5011.
Kidwell (Peggy Aldrich), 5156.
Kieckhefer (Richard), 2948.
Kiełtyka (Stanisław), 2952.
Kienast (Burkhart), 1243.
Kienast (Dietmar), 1721.
Kienast (Walther), 2606.
Kieniewicz (Stefan), 4177, 4193, 6994.
Kiermayr (Reinhold), 3001.
Kiernan (V.G.), 6357.
Kiesewetter (Hubert), 5745.
Kieszczyński (Lucjan), 6349.
Kijas (Artur), 5911.
Kikuchi (Yoshiko), 7660.
Kilarski (Maciej), 2810.
Kilian-Dirlmeier (I.), 1086.
Killingray (David), 5746.
Kimball (Warren F.), 7215.
Kimon, général athénien, 1374.
Kimura (Makoto), 7692.
Kindermann (G.-K.), 3404.
Kindleberger (Charles P.), 5999.
King (David A.), 2811.
King (Edmund), 2331.
King (James), 5284.
King (Margaret F.), 5321.
King (Peter), 6607.
King (Philip J.), 261.
Kingsbury (J.D.), 1974.
Kinjapina (N.S.), 6665.
Kint (Ph.), 5747.
Kintz (Jean-Pierre), 6214.
Kintzer (Catherine), 4872.
Kinzer (Bruce), 5042.
Király (Péter), 65.
Kirby (Dianne), 6710.
Kirby (Jack Temple), 6215.
Kirby (M.W.), 3901.
Kirby (William C.), 6666.
Kirch (Patrick Vinton), 7745.
Kirilin (I.A.), 6631.
Kirillov (I.I.), 2236.
Kir'janov (Ju. I.), 6347.
Kirk-Greene (A.H.M.), 6768.
Kirkbridge (Thomas Story), 5206.
Kirpičnikov (A.N.), 3083.

Kirschner (Béla), 6393.
Kis (Miklos), 47.
Kiselev (A.A.), 7316.
Kisfaludy (Katalin), 2388.
Kishi (Toshio), 7661.
Kishida (Hiroyuki), 7662.
Kislinger (Ewald), 2075.
Kiss (Attila), 2607.
Kiss (István N.), 5836.
Kiss (József), 4004.
Kissel' (M.A.), 3771.
Kitajima (Masamoto), 7663.
Kitchener (Horatio Herbert Kitchener, earl of), 6778.
Kitromelides (M.), 5043.
Kittelson (James M.), 874.
Kiyaga-Mulindwa (D.), 6769.
Kiyomori, head of the Taira clan, 7678.
Kjaergaard (J.), 1975.
Klaniczay (Gábor), 2949.
Klapisch-Zuber (Christine), 6087.
Klaus (Arnold), 2496.
Klauser (Theodor), 498, 1933.
Klausner (Israel), 4364.
Klehr (Harvey), 3615.
Kleimola (A.M.), 2317.
Klein (Dan), 911.
Klein (Fritz), 3405.
Klein (Jürgen), 3902.
Klein (Kurt), 6053.
Klein (P.W.), 514, 4142.
Klein (Thomas), 693.
Kleiner (Gerhard), 1554.
Kleinwächter (Wolfgang), 7383.
Kleisthenēs, 1373.
Klement (Frank L.), 3616.
Klengel (Horst), 1146, 1239, 1246.
Kleombrotos (Iakōbos), 964.
Klepirova (Elena), 4409.
Klerk (A. de), 5437.
Klevanskij (A. Kh.), 3147.
Klever (W.N.A.), 4983.
Klichowska (Melania), 1087.
Klimaszewski (Bolesław), 4199.
Klimkeit (H.J.), 904.
Klinck (A.L.), 2497.
Kline (Mary-Jo), 3528.
Klingham (Peter D.), 3617.
Ključevskij (V.O.), 444.
Kłoczowski (Jerzy), 2254.
Kłodziński (Stanisław), 7169.
Kloft (Hans), 1670.
Klokov (V.I.), 785.
Klonder (Andrzej), 2608.
Kloocke (Kurt), 3772.
Kloos (Rudolf M.), 2800.
Kłoskowska (Antonina), 652.
Klučina (Petr), 686.
Kluge (Ulrich), 3406.
Kluiver (J.H.), 4117.
Klutho (Henry John), 5397.
Kluxen (Kurt), 4451.
Knape (Joachim), 573.
Knapp (Éva), 2024.
Knapp (Peter), 574.
Knapp (Ulla), 6216.
Knauf (Ernst Axel), 1273.
Knecht (R.J.), 3773.
Knibbe (Dieter), 1555.
Knight (Alan), 4094.
Knight (David), 1088.
Knight (Isabel F.), 5157.

Knipping (Franz), 3263.
Knittler (Herbert), 5641.
Knobel (Dale T.), 3543.
Knobloch (Wolfgang), 5105.
Knoepfli (Albert), 976.
Knoll (Joachim H.), 612.
Knox (Bruce), 6995.
Knox (John), 4648.
Knox (MacGregor), 3134.
Knutsen (Paul), 6217.
Kobayashi (Yochihiro), 7606.
Kobrin (V.B.), 5912.
Kobusiewicz (Michał), 1055, 1069.
Kobyliński (Zbigniew), 1043.
Koch (H.W.), 6541.
Koch (Hans-Albrecht), 1001.
Koch (Klaus), 1301, 3407.
Koch (Michael), 1274.
Koch (Ursula E.), 4959.
Koch (Uta), 1001.
Koch-Peters (Doroethea), 1976.
Kochanowski (Jan), 5243.
Kochański (Aleksander), 6326.
Kocher (Gernot), 2493.
Kocka (Jürgen), 6218.
Kocój (Henryk), 4217, 6945.
Koder (Johannes), 496, 2048.
Koechlin (Heiner), 3502.
Köckritz (Sieghardt von), 6219.
Köfler (Werner), 980.
Köhler (Erich), 2746.
Köhler (Joachim), 4523.
Koehn (Horst), 4573.
Köhn (Rolf), 2332.
Kölling (Mirjam), 3903.
Köllmann (Wolfgang), 3291.
Köllő (Károly), 5226.
Kölzer (Theo), 22, 2499.
König (Eberhard), 52.
Koenigs (Wolf), 1556
Koenigsberger (H.G.), 6901.
Kőrösi Csoma, v. Csoma (Sándor).
Köstler (Hermann), 53.
Köpeczi (Béla), 3985.
Köprülü, grands vizirs, 4324.
Köster (Thomas), 6000.
Kövér (György), 6001.
Kogut (Simcha), 2427.
Kolb (Robert), 4645.
Kolbe (Maksymilian Maria), v. Maximilianus Maria Kolbe, Sanctus.
Kohl (Philip L.), 1044.
Kohl (Wilhelm), 2926.
Kol (Aleksandăr), 1137.
Kolář (Josef), 3467.
Kolb (Eberhard), 3251.
Kolb (Frank), 1156.
Kolbe (Hans-Georg), 435.
Kolčin (B.A.), 2812.
Koledarov (Petăr), 2277.
Kolejka (Josef), 6667.
Kolendo (Ireneusz T.), 7250.
Kolev (Nikola), 4778, 4873.
Kolevski (Vasil), 5337.
Koll (Thomas), 71.
Kollantz (A.), 2085.
Kollár (Adam František), 6526.
Kollar (Rene), 4646.
Koller (Fritz), 2609.
Koller (Heinrich), 54, 3084.

Kollontaj (Aleksandra Mikhailovna), 4401.
Kolník (Titus), 909.
Kolníková (Eva), 134.
Kołodziejczyk (Ryszard), 4206.
Koloskov (B.T.), 7568.
Kolosov (G.V.), 3904.
Komarnicki (Titus), 7056.
Komnēnoi, Comnènes, dynastie, 73.
Komolova (N.P.), 6395.
Kondufor (Ju. Ju.), 785.
Kondylēs (Panagiōtēs), 5044, 5158.
Konenkov (S.T.), 5417.
Kongsrud (Helge), 6542.
Konkka (U.S.), 645.
Konomos (Dinos), 5338.
Konōn, général athénien, 1375.
Konōn, mythographe, 1341.
Konopczyński (Władysław), 4170.
Konopka (Stanisław), 5103.
Konrad II., röm.-deutscher Kaiser, 2133.
Konrad, Herzog von Schwaben, 2327.
Konrad II., Bischof von Hildesheim, 2974.
Konrad der Münzmeister oder der Apotheker, 2721.
Konrad (Kurt), 445.
Konstantinos XI Palaiologos, empereur de Byzance 2060.
Konstanze, Gemahlin Kaiser Heinrichs VI., Königin von Sizilien, 22.
Konte (Boula), 3963, 7428.
Kooi (P.B.), 1028.
Kooijman (S.), 176.
Koolhaas-Grosfeld (R.) 5382.
Koopmans (J.), 2203.
Kooreman (A.), 403.
Kopačka (Ludvík), 4291, 5642, 5748.
Kopanev (A.I.), 6220.
Kopřiva (Milan), 7074.
Koraēs (Adamantios), 4997, 5043, 5265, 5355.
Kořan (Jan), 826.
Korim (Vojtech), 4307.
Koristka (Karl), 5111.
Korman (Gerd), 4727.
Kornbichler (Thomas), 415.
Korndorf (I.I.), 2230.
Korogly (Kh. G.), 1009.
Koroleva (N.G.), 4365.
Koroleva (N.V.), 5540.
Korom (Mihály), 4005.
Korsunskij (A.R.), 1671.
Korte (J. de), 5837.
Kortekaas (G.A.A.), 1616.
Korver (A.P.E.), 6735.
Koryn (Andrzej), 7429.
Koryo, Korean dynasty, 125.
Korzun (M.S.), 965.
Kos (Franz-Josef), 6996.
Kos (Wolfgang), 4779.
Kos-Rabewicz-Zubkowski (Ludwik), 5749.
Kosarev (M.F.), 1045.
Kosáry (Domokos), 576.
Kościuszko (Tadeusz), 4192, 4217, 6945, 6957.
Košelev (L.V.), 3479.
Košelev (V.S.), 3488.

Koselleck (Reinhart), 177, 577.
Kosev (Dimităr), 729, 3464.
Kosev (Kiril), 7083.
Koskamd (S.P.), 1262.
Kosman (Marceli), 4184.
Koss (Stephen E.), 4960.
Kossack (Georg), 860.
Kossmann-Putto (J.A.), XII.
Kossoff (Philip), 5339.
Kossok (Manfred), 279, 458, 578, 3135.
Kossos (Iōannēs), 5443.
Kossuth (Lajos), 3999, 4018, 6975.
Koster (Adrianus), 4085.
Koster (S.), 5514.
Kostiainen (Auvo), 3700.
Kostin (A.F.), 6396.
Kostis (Kostas), 5976.
Kostomarov (N.I.), 446.
Kostrzak (Jan), 2500.
Kosztolnyk (Z.J.), 2333.
Koth (Harald), 6397.
Kotula (Tadeusz), 1672.
Kotzur (Hans-Jürgen), 5405.
Koukoules (Giōrgios Ph.), 6398.
Koumarianou (Aikaterinē), 4939.
Kouri (E.I.), 3252.
Kourousēs (Stauros I.), 2076.
Kovács (Éva), 2521.
Kovacs (Gizella), 5090.
Kovács (Ilona), 3985.
Koval'čenko (I. D.), 470, 575, 579, 791.
Kovalenko (I.I.), 763.
Kovalenko (V.P.), 2610.
Kovalevskaja (V.B.), 7507.
Kovalski (Verner), 6369.
Kovtunovič (O.V.), 3489.
Kovyčev (E.V.), 2236.
Kowalczyk (Jerzy), 2813, 5546.
Kowalska-Glikman (Stefania), 6152.
Kozaczuk (Władysław), 7176.
Kozakiewiczowa (Helena), 5438.
Kozlov (A.I.), 7084.
Kozłowski (Eligiusz), 4185, 4203, 7290.
Kozma Prezviter, 2741.
Kozyreva (N.V.), 1240.
Krabbe (Wolfgang R.), 6054.
Krafeld (Franz Josef), 6221.
Krajčovičová (Natália) 5913.
Krakau (Knud), 6668.
Krakovitch (Odile), 5340.
Krallert-Sattler (Gertrud), 6086.
Kramer (Henriette), 55.
Kramer (Joel L.), 2868.
Kranidiōtēs (Giannos N.), 7430.
Kranig (A.), 6557.
Krantōr, 1417.
Kranz (P.), 1866.
Krasicki (Ignacy), 5273.
Krasuski (Jerzy), 378.
Kratēs Pergamēnos, 1332.
Krátký (Jozef), 909.
Kratoska (Paul Harold), 6736.
Kraus (Andreas), 509.
Kraus (Walther), 1315.

Krause (Gerhard), 943.
Krauss (Henning), 2746.
Krausz (Tamás), 4366.
Krautkrämer (Elmar), 7251.
Krebs (Gerhard), 7252.
Kreich (Heidi), 424.
Kreissler (Felix), 726.
Kremer (Hans-Jürgen), 3253.
Kremer (K.), 996.
Krengel (Jochen), 5700.
Krenn (Stefan), 389.
Kresten (O.), 496.
Kretzenbacher (Leopold), 3408.
Krieg (Martin), 711.
Krieser (Hannes), 356.
Kristó (Gyula), 2334.
Kritias (Nikolaos), 447.
Kritoboulos Imbrios, 2035.
Křížek (Jurij), 7085.
Krjukov (A.N.), 5515, 5527.
Krjukov (M.V.), 7607.
Krogulska (Maria), 1860.
Kroll (J.H.), 135.
Kroll (Richard W.F.), 5045.
Kroll-Smith (J. Stephen), 4647.
Kromnow (Åke), 4273.
Kropač (Ingo H.), 4780.
Kropilák (Miroslav), 7358, 7366.
Krüger (Horst), 6737.
Krüger (Sabine), 2611.
Krugler (John D.), 6822.
Kruglikova (I.T.), 7501.
Kruk (Janusz), 1067.
Krummacher (Hans-Henrik), 5374.
Krumphanzlová (Zdeňka), 2270.
Krupnik (I.I.), 630.
Krupp, Unternehmen, 5707, 5742, 5770.
Krušanov (A.I.), 4370.
Kruszelnicki (Zygmunt), 5383.
Kruta (Venceslas), 1110.
Kruta Poppi (Luana), 1111.
Krynen (Jacques), 2869.
Kryžickij (S.D.), 1420.
Krzemieńska (Barbara), 2612.
Krzyżaniak (Lech), 1069.
Krzyżanowski (Julian), 1010.
Ksenofontova (N.A.), 4326.
Kšibekov (D.), 7508.
Kubinyi (András), 2613.
Kubitschek (Hans Dieter), 7565, 7569.
Kuc (E.R.), 7253.
Kucenkov (A.A.), 6699.
Kučera (Matúš), 826.
Kuch (Heinrich), 1460.
Kucharski (Wiktor), 6669.
Kuciński (Jerzy), 4187.
Kučkin (V.A.), 2278.
Kučma (V.V.), 1673.
Kuczynski (Jürgen), 694, 5566.
Kudělka (Milan), 875.
Kudlien (F.), 1758.
Kudrna (Jaroslav), 341, 357.
Küas (Herbert), 448.
Küchler (Max), 216.
Kühn (Margarete), 2143.
Kühnel (Gustav), 2814.
Kühnel (Harry), 551, 2531.
Kümmel (Juliane), 2730.

Künzel (R.E.), 2731.
Kürbis (Brygida), 499.
Küsters (Hanns Jürgen), 3185.
Küttler (Wolfgang), 566.
Kuhles (Doris), 710.
Kuhn (Annette), 2605.
Kuhn (Hans Wolfgang), 3002.
Kuhn (Walter), 3085.
Kuhnert (Reinhold P.), 6222.
Kuhnke (Laverne), 5136.
Kuhnle (Stein), 5588.
Kuhoff (Wolfgang), 1123, 1759.
Kuiper-Brussen (L.C.), 309.
Kuithan (Rolf), 2178.
Kujbišev (Valerjan V.), 4386.
Kujbiševa (K.S.), 473.
Kula (Witold), 142.
Kul'čickij (S.V.), 785.
Kulikov (V.G.), 7317.
Kulikova (G.B.), 4389.
Kulka (Otto Dov), 3254.
Kumanev (V.A.), 4369, 4784.
Kumar (Ravinder), 7546.
Kumorovitz (L. Bernát) 2389.
Kun (Miklós), 3137.
Kundel (Erich), 6399.
Kundera (Elżbieta), 6400.
Kundert (Werner), 6491.
Kunfi (Zsigmond), 6429.
Kunina (Waleria), 6401.
Kunkel (Wolfgang), 459, 500.
Kunschak (Leopold), 3417.
Kuntzmann (R.), 1261.
Kunysz (Andrzej), 776.
Kupper (Jean-Louis), 2959.
Kupper (T.), 6753.
Kupperman (Karen Ordahl), 6823.
Kurgan-Van Hentenryk (G.), 5643.
Kuriakē (Daphnē I.D.), 293.
Kurkinen (Pauli), 3704.
Kuroda (Hideo), 7664.
Kuropjatnik (G.P.), 6997.
Kuropka (Joachim), 3255.
Kurth (Godefroid), 375.
Kurz (Gerhard), 4759.
Kushan, dynasty, 7512, 7521.
Kushner (David), 7509.
Kushner (Howard I.), 6223.
Kůstka (Josef), 4934.
Kutolowski (John F.), 6998.
Kutolowski (Kathleen Smith), 3618.
Kutz (Martin), 5914.
Kuusisto (Seppo), 7254.
Kuvaldin (V.B.), 3619.
Kuys (J.), 2221.
Kuz'min (A.T.), 7374.
Kuz'miščev (A.V.), 3138.
Kuz'miščev (V.A.), 4782.
Kuznecov (V.A.), 7510.
Kuznecova (N.V.), 7086.
Kuznecova (S.S.), 7570.
Kuznecova (T.I.), 1461.
Kvaček (Robert), 4293.
Kwantes (R.C.), 6720.
Kwiatowska Viatteau (Alexandra), 7367.
Kybelē, déesse, 237.
Kyçyku [Çami] (Muhamet), 5331.
Kyhlberg (Ola), 2815.
Kyle (Richard G.), 4648.

Kyrou (Alexē Ad.), 6670.

L

Laaksonen (Hannu), 178.
Laanstra (W.), 5439.
Laas (Virginia Jeans), 3620.
Labalme (P.H.), 6608.
Labande (Edmond-René), 2144.
Labatut (Jean-Pierre), 3774.
Labourdette (Jean-François), 6574.
Labrousse (Ernest), 5806, 5866.
Labuda (Gerard), 378, 580, 2960, 3003, 4180.
Lacapra (Dominick), 581.
La Cierva (R. de), 3503.
Lacina (Karel), 7400.
Lacina (Vlastislav), 4294, 5644, 5750.
Lackó (Miklós), 474, 4003, 4006.
Lacocque (A.), 1275.
Lacouture (Jean), 3775.
La Croix (Sumner J.), 7746.
Lacroix-Riz (Annie), 7431.
Ladd (Doris M.), 6224.
Ladenbauer-Orel (Hertha), 1867.
Ladero Quesada (Miguel Ángel), 79, 488.
Ladislaus [László I], rex Hungariae, Sanctus, 2328.
Ladjimi Sebai (L.), 1611.
Längle (Elisabeth), 676.
La Fayette (Marie Joseph Gilbert Motier, marquis de), 3712.
Lafeber (Walter), 7432.
La Fontaine (Jean de), 5268.
Lafortune-Martel (Agathe), 2390.
Lagercrantz (Olaf), 5341.
Laget (Mireille), 5159.
Lahav (Yehuda), 3139.
Lahrkamp (Helmut), 3196.
Laiou (Angeliki E.), 2614.
Lajos Ier, roi de Hongrie et de Pologne, 2384, 2389.
Lake (Brian Douglas), 4961.
Lalkov (Milčo), 6999, 7087.
Lalont (B.), 1222.
Lamant (Hubert), 86.
La Marca (Nicola), 4056.
Lamarche (Paul), 1276.
Lamarre (Christine), 6055.
Lamb (Franklin P.), 7433.
Lamba (Isaac C.), 4649.
Lambert (Angela), 3905.
Lambert (G.R.), 1462.
Lambert (Sheila), 3906.
Lambert (Susan), 5462.
Lamberts (E.), 6966.
Lambertus, Ep. Trajectensis, Martyr, Sanctus, 2959.
Lambi (Ivo Nikolai), 7000.
Lambrecht (U.), 1794.
Lamennais (Félicité Robert de), 247, 4535.
Lamirande (Emilien), 2011.
Lamis (Alexander P.), 3621.
Lamont (Corliss), 6407.
Lamouille (Arnaud), 1900.

Lamprecht (Karl), 449.
Lampsidēs (O.), 2036.
Lamschus (Christian), 3256.
Lancel (Serge), 1302, 2012.
Lanciani (G.), 4428.
Lanciotti (L.), 937.
Land (Aubrey C.), 3622.
Lander (James), 1868.
Landis (James M.), 3632.
Landon (H. C. Robbins), 5516.
Lane (A.T.), 6225.
Lane (John R.), 5440.
Lane (Maggie), 5342.
Lang (B.), 923.
Láng (Imre), 3623.
Lang (Mabel L.), 1346.
Lang (Peter Thaddäus)3290, 4509.
Lange (Fred W.), 1557.
Lange (N. de), 1277.
Langenfeld (Ludwin), 56.
Langer (Lawrence N.), 2501.
Langkau (G.), 6391.
Langlois (Claude), 4548.
Langlois (Monique), 280.
Langlois (Pierre), 1.
Languesse (J.L.), 5585.
Lannurien (Georges de), 7318.
Lanowski (Jerzy), 890.
Lanzilotta (E.), 1368.
Lapas (Kōstas), 4564.
Lapickij (M.I.), 6402.
Lapidge (Michael), 2291.
Lapied (Martine), 3776.
Lapis (Bohdan), 6226.
Lappalainen (Jussi T.), 4274, 7001.
Lappo (G.M.), 673.
Lapsansky (Emma Jones), 627.
Larès (Micheline), 3004.
Large (David C.), 5517.
Larin (E.A.), 3484.
Larkin (Maurice), 7002.
Larocca (John J.), S. J., 3907.
La Roncière (C. de), 4434.
La Roncière (Monique), 217.
Larsen (Susan C.), 5440.
Larson (John Lauritz), 5751.
Larsson (Lars-Olof), 2391.
La Salle (René Robert Cavelier, sieur de), 4440.
Lascoumes (Pierre), 6403.
Lascu (Stoica Gh.), 5699.
Lash (Joseph P.), 3691.
Laskaratos (I.), 6228.
Lasker (Eduard), 3239.
Laskowska-Kusztal (Ewa), 1196.
Laslett (John H.M.), 6404.
Lasnick (Ernst), 5752.
Lassalle (Ferdinand), 6325, 6400.
Lassère (Jean-Marie), 2078.
Lassotta (Arnold), 836.
Last (Martin), 505.
László Ier, roi de Hongrie, v. Ladislaus, rex Hungariae, Sanctus.
László (Gyula), 2816.
Lataillade (Louis), 6770.
Latham (J. Derek), 2615.
Latrobe (Benjamin Henry), 5200.
Lattre de Tassigny (Jean de), 3707.
Laubier (Patrick de), 3140.
Laudage (Johannes), 2897.
Laurent (Jane K.), 5915.
Laurent (V.), 2040.
Laval (Pierre), 7050.
Lavergne (André), 80.
Laveryčev (V. Ja.), 6372.
Lavin (Lucianne), 7728.
Lavrin (V.A.), 6405.
Lavrov (Pëtr L.), 5037.
Lavrov (V.S.), 781.
Lawless (Richard I.), 4086.
Lawrence (Clifford Hugh), 2927.
Lawrence (David Herbert), 5290.
Lawson (M.K.), 2335.
Lawson (Philipp), 3908.
Layard (Sir Austen Henry), 3935.
Laybourn (Keith), 3909.
Layton (David), 4874.
Lázár (György), 4875.
Lazerson (Marvin), 4876.
Leach (William R.), 6229.
Leacroft (Helen), 910.
Leacroft (Richard), 910.
Leaney (A.R.C.), 1278.
Lear (Edward), 3966.
Leary (William M.), 7319, 7434.
Leaska (Mitchell A.), 5296.
Le Bas (C.), 6230.
Lebeaux (Richard), 5227.
Lebedev (N.I.), 7481.
Lebedeva (N.S.), 7255.
Lebegue (Maurice), 3086.
Lebensaft (Elisabeth), 5343.
Lebergott (Stanley), 5645.
Le Bolluec (Alain), 1977.
Le Brun (Charles), 5447.
Lebsock (Suzanne), 6231.
Lechtman (Heather), 7729.
Lechicki (Czesław), 4962.
Leciejewicz (Lech), 2340.
Leckie (Shirley A.), 3624.
Leckie (William H.), 3624.
Leclant (Jean), 1197.
Leclerc (Philippe de Hauteclocque, dit), maréchal, 3782, 7297.
Lecouteux (Claude), 646.
Leczyk (Marian), 4188.
Leder (Hans-Günter), 4640.
Ledonne (John P.), 4371.
Ledoyen (Henri), 947.
Ledwidge (Francis), 2616.
Lee (Chong-Sik), 7608.
Lee (David D.), 3625.
Lee (Egmont), 2216.
Lee (Elizabeth Blair), 3620.
Lee (Harold), 5916.
Lee (Sir Sidney), 3959.
Leech (John), 5436.
Leeuw (L. de), 2221.
Leeuwenberg (H. L. Ph.), 4579.
Leffler (Melvyn P.), 7435.
Le Gal (Patrick), 4650.
Legány (Dezső), 5473.
Le Goff (Jacques), 2623, 2946.
Le Gouriard (Daniel), 3777.
LeGrand (Catherine), 6232.
Legras (Anne-Marie), 2928.
Lefebvre (Georges), 450.
Le Guillou (Louis), 247.

Lehmann (Albrecht), 6233.
Lehmann (Hartmann), 3257.
Lehmann (Rudolf), 451.
Lehner (J.), 1795.
Lehning (James R.), 6056.
Lehtosalo-Hilander (Pirkko-Liisa), 647.
Leibniz (Gottfried Wilhelm), 993.
Leibovici (Sarah), 4728.
Leigh (Ralph A.), 4988.
Leimbach (Rüdiger), 1463.
Leiner (Frederick C.), 7003.
Leinster-Mackay (Ronald), 4877.
Leitner (Friedrich Wilhelm), 7088.
Lekov (Dočo), 5344.
Lekschas (Jan), 5838.
Lel'čuk (V.S.), 4372.
Lemaire (André), 1241.
Lemarié (J.), 2179.
Le Men (Ségolène), 4878.
Lemercier-Quelquejay (Chantal), 4373.
Lemke (Heinz), 5753, 6002.
Lemlein, Familie, 2617.
Lemmel (Hans-Dietrich), 2617.
Lemmel (Herbert F.), 6057.
Lemny (Stefan), 465.
Le Nabour (Eric), 3778.
Lenclos (Anne, dite Ninon de), 3738.
Lenin (Vladimir Il'ič Uljanov, dit), 4332, 4333, 4375, 4382, 4392, 4400, 6412, 6435, 6471, 6479.
Lenman (Bruce), 3910.
Lenormant (François), 136.
Lentin (A.), 7089.
Leo X [Giovanni de' Medici], Papa, 4475.
Leōn VI hō Sophos [le Sage], empereur de Byzance, 2081, 2987.
León Portilla (Miguel), 4093.
León-Sotelo Casado (María del Carmen de), 2929.
Leonard (Jane Kate), 7609.
Leonard (Thomas M.), 6671.
Leonardi (Claudio), 2231.
Leonhardt (Rolf), 3244.
Leont'eva (O.T.), 5518.
Leontsinēs (Geōrg N.), 3976.
Leonzo (Nanci), 452.
Léopold III, roi des Belges, 3447.
Leopold (Richard W.), 6628.
Lepelley (C.), 2012.
Lepetit (Bernard), 5754.
Leplant (Bernadette), 2144.
Lepper (Herbert), 3258.
Lequin (Yves), 3758.
Lerat (Lucien), 501.
Lerner (Robert E.), 863, 3005.
Lerou (Paule), 4442.
Leroux (Jean-Marie), 982.
Le Roy Ladurie (Emmanuel), 3779, 5866, 5922.
Lesage (Jean), 3478.
Lesch (John E.), 5160.
Leschhorn (Wolfgang), 1361.
Lesenne (H.), 1017.
Leskiewiczowa (Janina), 4169.
Lespagnol (A.), 741, 5619.

Lessa (Pedro Augusto Carneiro), 452.
Lessing (Hans-Ulrich), 521.
Lessing (Theodor), 5276, 5539.
Letendre (M.-L.), 922.
Lethielleux (Jean), 7701.
Letocha (Michael), 853.
Letta (Cesare), 1796.
Lettenburg (Milton), 7376.
Lettinck (N.), 2733.
Lev (Yaacov), 2079.
Levašova (O.E.), 908.
Leveau (Philippe), 1674, 1869.
Levene (Gustavo Gabriel), 3348.
Lévêque (M.), 1675.
Lévêque (Pierre), 1675.
Levi, patriarcha biblicus, 1252.
Levi (Albert William), 5046.
Levi (Avner), 4319.
Levi della Vida (Giorgio), 695.
Levillain (Philippe), 6678.
Levin (Dov), 4374, 7177.
Levine (Bruce C.), 3626.
Levine (H.), 4189.
Levine (Lawrence W.), 4785.
Levine (Norman), 582.
Levron (Jacques), 4190.
Lévy (Calmann), 59.
Lévy (Claude), 7143.
Lévy (Marie-Françoise), 4879.
Lévy (Michel), 59.
Lévy (Simon), 6771.
Lewalski (Kenneth F.), 4191.
Lewandowska (Stanisława), 7178.
Lewanski (Richard C.), 4166.
Lewin (Erwin), 5917.
Lewin (Isaac), 7256.
Lewin (Ronald), 7179.
Lewis (Alun), 5354.
Lewis (Archibald R.), 2618.
Lewis (Bernard), 2443, 7511.
Lewis (David Levering), 6234.
Lewis (Griselda), 5463.
Lewis (John), 5463.
Lewis (Jon), 6496.
Lewis (Kenneth E.), 6824.
Lewis (Meriwether), 4436.
Ley (Hermann), 5047.
Leyden (Wolfgang von), v. Von Leyden.
Leygues (Georges), 3708.
Leyser (Karl J.), 2502.
Lhote (Henri), 648.
Li (Hung-chang), 7624.
Liakopoulos (Than.), 6513.
Liao, Chinese dynasty, 7638.
Liao (Kuang-Sheng), 7610.
Liata (Eutychia), 5646.
Libanios, 1499.
Libiszowska (Zofia), 3627.
Lica (Vasile), 1131.
Ličev (Ivan), 7076.
Lichtblau (Albert), 6058.
Lider (Julian), 3911.
Lieberman (Victor B.), 7571.
Liebertz-Grün (Ursula), 2734.
Liebowitz (Harold), 1089.
Lienbacher (Georg), 3432.

Lienhard (Marc), 4651.
Liesenfeld (Vincent J.), 3912.
Lietzmann (Klaus-Dieter), 839.
Lieu (Samuel N. C.), 966.
Lievense-Pelser (E.), 274.
Liger (J.C.), 1546.
Ligeti (Louis), 7490.
Light (Laura), 3006.
Lightman (Marjorie), 3691.
Ligou (Daniel), 739.
Likhačev (D.S.), 649, 883, 2150.
Lileyko (Jerzy), 5406, 6235.
Lincoln (Abraham), 3536, 3603.
Lindberg (Sten G.), 463.
Lindblad (J. Th.), 5604.
Lindeboom (G.A.), 5128.
Lindelöw (Karl-Gustav), 4652.
Lindemann (A.), 1896.
Linder (Ammon), 1280.
Lindgren (Håkan), 583.
Lindner (Rolf), 3260.
Lindon (Denis), 1519.
Lindqvist (Svante), 5755.
Linfert (Andreas), 1554.
Linhardt (Poul Georg), 967.
Link (Arthur S.), 3531.
Link (Eugene P.), 6407.
Linklater (Eric), 5351.
Linklater (Magnus), 3261.
Linner (Barbara), 5048.
Linowski (Jan), 7257.
Lintsen (H.), 5161.
Linzbach (Peter), 6003.
Lipcsay (Ildikó), 4246.
Lipińska (Jadwiga), 1198.
Lipiński (Jacek), 5546.
Lipp (Franz Carl), 676.
Lippert (Andreas), 1125a.
Lippmann (Walter), 4944.
Lipset (Seymour Martin), 6404.
Lirer (Thomas), 2332.
Liss (Sheldon B.), 6408.
List (Gerhard), 2181.
Lister (Raymond), 5464.
Listikov (S.V.), 6409.
Liszt (Franz), 5473.
Littauer (M.A.), 1199.
Little (D.), 1797.
Little (Lester K.), 3007.
Littlefield (Douglas R.), 5647.
Littler (Gérard), 732.
Littman (R.J.), 1722.
Litvak (B.G.), 6556.
Litvinskij (B.A.), 7512.
Litwak (Robert S.), 7436.
Lityński (Adam), 6533.
Liu (Nicolae), 440, 4249.
Liveanu (Vasile), 584, 7258.
Liverpool (Robert Banks Jenkinson, 2nd earl of), 3881.
Liversey (Dora), 5295.
Livingstone (Alastair), 3913.
Livius (Titus), 1461, 1801.
Ljubarov (P.E.), 6410.
Lkhamsuren (B.), 7518.
Lledó Iñigo (E.), 1464.
Lloyd (A.B.), 1179.
Lloyd (Trevor Owen), 3914.
Lloyd (Ward), 911.
Lloyd George of Dwyfor (David Lloyd George, 1st earl), 7089.
Lloyd-Jones (Myfanwy), 3087.
Llull (Ramón), 2870.
Lobbedey (Uwe), 3088.
Lobrichon (Guy), 3008, 3021.
Locherer (Jean-Jacques), 3781.
Locke (John), 5019, 5025, 5045, 5095, 5561, 5578.
Locke (Robert R.), 5648.
Lockhart (James), 6825.
Lockwood (Lewis), 2837.
Lönnrot (Elias), 645.
Lönnroth (Erik), 2619.
Löw (Raimund), 6411.
Löwe (Heinz-Dietrich), 6412.
Loghin (Leonida), 7180.
Logie (Jacques), 6946.
Lohr (Charles M.), 2870.
Lohrmann (Dietrich), 3009.
Loicq (Jean), 1098, 1820.
Loicq-Berger (Marie-Paule), 1098.
Loiseaux (Gérard), 7181.
Loisy (Alfred Firmin), 4519.
Lomakin (G. Ju.), 5498.
Lombard (Jean), 3141.
Lombardi (G.), 1978.
Loncol (Jean-Marie), 6826.
Londei (Luigi), 137.
Longacre (Edward G.), 3628.
Longère (Jean), 3010.
Longo (Oddone), 1362.
Longworth (Ian H.), 1090.
Looby (Christopher), 4786.
Loock (Hans-Dietrich), 4625.
Lopatin (Arthur D.), 7530.
López-Ibor Aliño (Marta), 2392.
López Rosado (Diego G.), 5582, 5650.
Lorenz (Herbert), 1099.
Lorenz (Stanisław), 5272.
Lorenzano (Luis), 3339.
Lorenzo il Magnifico, v. Medici (Lorenzo I de').
Lorillot (Dominique), 3749.
Loring García (María Isabel), 2930.
Los (C.), 3011.
Losemann (Volker), 693.
Losher (Gerhard), 3012.
Losman (Anne), 4275.
Loth (Wilfried), 4511, 7437.
Lotichius (Petrus), Abt von Schlüchtern, 4508.
Lottin (Alain), 4512.
Loucou (Jean-Noël), 7702.
Louis IX, Saint Louis, roi de France, 2663.
Louis XI, roi de France, 2840.
Louis XIII, roi de France, 6009.
Louis XIV, roi de France, 3774, 3794, 6113.
Louis XV, roi de France, 3790.
Louis XVI, roi de France, 3790, 3949.
Louis Bonaparte, roi de Hollande, v. Bonaparte (Louis).
Louis, rois de Hongrie, v. Lajos.
Louis (William Roger), 7438.
Loukares (Kyrillos), 4562.

Loukopoulos (Dēmētrēs), 650.
Loulis (J.), 7182.
Louris (R.), 4168.
Loustau (Henri-Jean), 6738.
Lovag (Zsuzsa), 2521.
Lovell (Bernard), 5191.
Lovell (David W.), 4375.
Lovell (W. George), 6827.
Low (Alfred D.), 3179.
Lowe (Norman), 3915.
Lowery (Charles D.), 3629.
Lowitt (Richard), 3630.
Loyn (Henry Royston), 2279.
Lozito (V.), 2898.
Lubicz-Pachoński (Jan), 4192.
Luca (Gioia de), 1528.
Luca (P.M.), 4685.
Lucanus (Marcus Annaeus), 1610, 1799, 1818.
Lucarelli (Giuliano), 2393.
Lucas, Evangelista, Sanctus, 1908, 2005.
Lucas de Blois, 1643.
Lucas van Leyden, 5434.
Lucas (George R.), Jr., 5049.
Lucassen (J.), 6059.
Lucchesi (E.), 489.
Lucht (Dietmar), 2336.
Lucinge (René de), 4316.
Luckner (K.T.), 323.
Luculentius, 2179.
Luczak (Czesław), 5651.
Ludat (Herbert), 2247, 2248.
Ludendorff (Erich), 7069.
Ludolphy (Ingetraut), 3262, 4653.
Ludwig III., König von Bayern, 5408.
Ludwig (Karl-Heinz), 2591.
Lübke (D.), 1465.
Lübke (Christian), 4376.
Lüdemann (Georg), 2023.
Lueger (Karl), 3378.
Luffman (George A.), 5756.
Lugojan (Simion), 159.
Lukács (György), 5038.
Lukács (Lajos), 4007, 7004.
Lukacs (Yehuda), 7380.
Lukawski (Zygmunt), 6413.
Lukianos, 5344.
Lukin (N.M.), 453.
Lukonin (Ju. V.), 4326.
Lukowski (Stanisław), 7183.
Luna (Álvaro de), 2376.
Luna (Félix), 3349.
Lundahl (Mats), 3983, 5918.
Lundberg (David), 5228.
Lundberg (Ove), 5652.
Lungu (Dov B.), 7090.
Lunt (James), 7513.
Luntinen (Pertti), 7005.
Luoto (Jukka), 1046.
Lupinin (Nicholas), 4565.
Lurie (Maxine N.), 6828.
Lurker (Manfred), 938.
Luther (Martin), 83, 3257, 4574, 4575, 4580, 4618, 4619, 4621, 4625, 4631, 4639, 4643, 4653, 4655.
Lutyens (Sir Edwin L.), 5392.
Lutz (Christopher H.), 6827.
Lutz (Donald S.), 5051.
Lutz (Liselotte), 2255.
Luu (Claudine), 5159.
Luxardo (Hervé), 5919.

Luxemburg (Rosa), 6327.
Luza (Radomir V.), 7368.
Luzzatti (Michele), 2393.
Luzzatto (Simone), 4733.
Lydon (James), 2244.
Lykourgos, 1387.
Lynch (John), 3350.
Lynn (Martin), 6772.
Lyttelton (George), 5291.
Lytton ([Edward] Robert Bulwer-Lytton, 1st earl of), 6726.

M

Maas (Jeremy), 5441.
Maaskant-Kleibrink (M.), 894, 1558.
Babee (Carleton), 4880.
Mabille (Gérard), 5465.
Mably (Gabriel Monod de), 5082.
McAleer (John), 5345.
McAllister (Ian), 3916.
McArthur (Benjamin), 5519.
Macartney (Anne), 6122.
Macaulay (Thomas Babington Macaulay, baron), 554.
McAuliffe (Jane D.), 2444.
McAslan (J.P.W.B.), 6605.
McCaa (Robert), 6829.
Maccabées (les), famille juive, 1271, 1281.
McCammon (A.L.T.), 138.
McCandless (Peter), 3917.
McCann (Frank D.), 3454.
McCaskie (T.C.), 5567.
McCaughey (Robert A.), 4481.
McCloskey (William George), McConnell (Scott), 395.
McCosh (F.W.J.), 5162.
McCoy (Donald R.), 3631.
McCraw (Thomas K.), 3632.
McCrone (Kathleen E.), 4882.
MacCulloch (H.Y.), 1798.
McDermott (Joseph P.), 7611.
MacDiarmid (Hugh), 5292, 5327.
Macdonald (Charles B.), 7320.
Macdonald (Scott), 2871.
McDonnell (Lawrence T.), 6414.
McDonough (Peter), 3504.
Macdougall (Norman), 749.
Maceda Cortes (María Luisa), 2503.
Macek (Jaroslav), 6928.
McElvaine (Robert S.), 3633.
McEvoy (John G.), 5163.
Macfarlane (Alan), 5920.
McFarlane (Anthony), 6830.
MacFarlane (Gwyn), 5164.
McGee (Sandra F.), 3351.
McGlew (James F.), 418.
McGrath (Roger D.), 3634.
McGregor (J.F.), 3918.
McGuire (Robert A.), 3635.
Mácha (Karel Hynek), 5363.
Machiavelli (Niccolò), 454, 4054.
Machina (Mark J.), 5886.
Machtan (Lothar), 6468.
McHugh (Cathy L.), 5757.
Maciąg (Włodzimierz), 5273.

Maciejewski (Tadeusz), 6575.
Maciuszko (Janusz Tadeusz), 4656.
McKay (A.G.), 1776.
MacKay (J.P.), 139.
McKay (John P.), 4378.
Mackay (W.R.), 6495.
McKee (Elsie Anne), 4657.
MacKensie (Jeanne), 3835.
MacKensie (Norman), 3835.
MacKenzie (Donald), 6415.
Mackenzie (John M.), 3919.
McKercher (B.J.C.), 7091.
Mackesy (Pierre), 3920.
McKibbin (Ross), 3921, 6416.
McKinnon (Malcolm), 7259.
McKiterick (David), 57.
McKivigan (John R.), 4658.
McKnight (Gerald D.), 3636.
McLean (Ian), 6004.
McLemore (Lelan), 585.
McLeod (Hugh), 6417.
McLoughlin (William G.), 4659.
McLynn (F.J.), 3352, 7006.
McMahon (Deirdre), 3922.
Macmillan ([Maurice] Harold), 7289.
MacMullen (Ramsay), 1760.
McMurray (Sally), 5921.
MacPherson (Sharon), 3522.
MacQuarrie (Alan), 2280.
McQueen (Humphrey), 3371.
Macune (Charles W.) Jr., 4095.
McVey (Kathleen E.), 2080.
Madajczyk (Czesław), 774, 7184.
Madarás (Aladár), 6418.
Madden (A.F.), 6712.
Maddock (Rodney), 6004.
Maddox (Robert J.), 7439.
Maderthaner (Wolfgang), 4883.
Madison (James), 3527, 3541.
Madison (James H.), 4004.
Madurowicz-Urbańska (Helena), 4888.
Maesawa (Nobuyuki), 1348.
Mastertius (Jacobus), 6505.
Maeyama (Takashi), 3455.
Mafard (Bertrand-Yves), 2620.
Maga (Timothy P.), 3637, 7260.
Magdalino (Paul), 2081.
Magdelain (A.), 1723.
Magiani (A.), 1599.
Maggiar (Raymond), 3782.
Magidovič (I.P.), 218.
Magidovič (V.I.), 218.
Magister (Karl-Heinz), 5235.
Magyar (Eszter), 841.
Mai (Gunther), 693, 6419, 7440.
Maienschein (Jane), 5165.
Maier (Charles S.), 3265.
Maier (Franz Georg), 586.
Maier (Jean-Louis), 1620.
Maier (Karl), 2504.
Maierbrugger (Matthias), 651.
Maierhein (Hubertus), 1314.
Maigret (Michel), 3751.
Mailjan (V.R.), 6420.
Maimonides (Moses ben Maimon, dit), 2422, 2854, 2868, 2878.

Mainoldi (Carla), 1520.
Mair (John R.S.), 2736.
Majer (Dietmut), 6510.
Majeska (George P.), 2182.
Majewski (Ryszard), 7321.
Major (John), 7007.
Majskij (I.M.), 3130.
Majstrov (L.E.), 884.
Makdisi (George), 2445.
Makk (Ferenc), 2337.
Makkai (László), 2621.
Makkay (János), 98.
Makowiecka (Gabriela),4788.
Makowski (Edmund), 6421.
Maksay (Ferenc), 502.
Maksim Grek [le Grec], 5236.
Malakhovskij (K.V.), 3109, 7747.
Mal'cev (V.F.), 6630, 7382.
Malcher (Rita), 7186.
Malcówna (Anna), XIII.
Malebranche (Nicolas de), 4987.
Małecki (Jan Marian), 4176, 4186.
Malettke (Klaus), 3274.
Malingoudi (Iana), 2082.
Malinowski (Bronisław), 652.
Malitz (Jürgen), 1676.
Maljavin (V.V.), 7607.
Malkos, v. Nikolaus von Malkos.
Mal'kov (V.L.), 7092.
Małłek (Janusz), 3266.
Mallet (Lady), 4121.
Mallet (Jean), 10, 2817.
Mallett (Michael E.), 759.
Mallon (Florencia E.), 5653.
Malone (Richard S.), 7185.
Malthus (Thomas Robert), 6060.
Malysch (Alexander), 6399.
Mályusz (Elemér), 502, 2394.
Mamelouks, sultans, 2361.
Manacorda (D.), 4044.
Manasov (M.A.), 3483.
Manasseh ben Joseph of Ilya, 4710.
Manchester (A.M.), 6514.
Mancini (Mario), 2737.
Mandelker (Ira L.), 4452.
Mandell (Richard D.), 4789.
Manderscheid (Hubertus), 11.
Mandich (Giulio), 2622.
Mandler (Peter), 5758.
Mandrou (Robert), 455.
Mane (Perrine), 2623.
Manesēs (Aristoboulos),6513.
Manfred, rè di Sicilia, 22.
Manfred (A.Z.), 3783.
Mango (Cyril A.), 2049.
Mania (Andrzej), 7093.
Manikowska (Halina), 2738.
Manion (Margaret), 2785.
Maniu (Vasile), 456, 4254.
Mann (J.F.), 140.
Mann (Nicholas), 2739.
Mann (Ralph), 587.
Manninen (Merja), 6236.
Manning (A.F.), 770, 4142, 7216.
Manning (Kenneth R.), 5166.
Mannings (David), 5274.
Mannino (V.), 1724.
Mano (Eiji), 7493.
Manoussakas (M.I.), 2037, 4562.
Manrique (Jorge), 2686.
Mansfield (Katherine), 5293.
Mansingh (S.), 7441.
Mansu-Franchomme (Estela), 7730.
Mantel (J.), 1821.
Mantello (F.A.C.), 2184.
Manthe (Ulrich), 1706, 2505.
Mantran (Robert),917, 4320.
Manuēl Korinthios, 2961.
Manutius (Aldus), 56.
Manzano (Francesco di), 457.
Marable (Manning), 3638.
Maras (Raymond J.), 4477.
Maraslēs (Alekos A.), 6061.
Maraval (Pierre), 1979.
Marcaccio (Michael D.), 4963.
Marcel (Etienne), 331, 2366.
Marcellus, Ep. Diensis, Sanctus, 2148.
Marcellus, Ep. Ancyranus, 1999.
Marchand (Leslie A.), 5282.
Marchandiau (Jean-Noël), 5922.
Marchese (Ronald T.), 1316.
Marchese Bastianini (M.P.), 1583.
Marchlewski (Julian), 6427.
Marcion, haeresiarcha,1968.
Marckhgott (Gerhard), 4729.
Marcu (Liviu P.), 811.
Marcus, Evangelista, Sanctus, 1909, 1913, 1974, 2001.
Marczak-Oborski (Stanisław), 5520.
Marenco (Anna Maria), 4885.
Margadant (Ted W.), 3784.
Margo (Robert A.), 4886.
Margolis (Maxine L.), 6237.
Maria Theresia, Gemahlin Kaiser Josephs I., Königin von Ungarn u. Böhmen, Erzherzogin von Österreich, 3425.
Maria Eleonore, épouse de Gustav II Adolf de Suède, 4273.
Maria da Venezia, 3045.
Marianus (Publius Vibius), 1855.
Mařík (Antonín), 3013.
Mar'ina (V.V.), 6238.
Marinatos (N.), 1091.
Marinescu (Antone), 7291.
Marinescu (Beatrice), 7008.
Marinskij (M.M.), 3799.
Marinus, philosophe, 1427.
Maritain (Jacques), 5071.
Marius (Richard), 2962.
Marjamäki (Matti), 5839.
Marjanovic (Edith), 7094.
Mark (I.S.), 1559.
Markiewicz (Henryk), 503.
Markiewicz (Władysław) 652.
Markos hō Eugenikos [le Noble], 2044.
Markov (Walter), 3785.
Markova (Zina), 689, 4566.
Marks (Frederick W.) III, 7261.
Marks (Robert), 7612.
Markus (Georg), 3409, 3410.
Markus (Lion), 6021.
Marmor (Michael F.), 3593.
Marouzeau (J.), I.
Marquino-Barrio (A.), 6672.
Marschalck (Peter), 6062.
Marseille (Jacques), 5840, 6712.
Marshall (George Catlett), 7422, 7447, 7452, 7477.
Marshall (John), 3525.
Marshall (Sir John), 4114.
Marshall (Terence), 5053.
Marsina (Richard), 2185.
Marsot (Afaf Lutfi Al-Sayyid), 3490.
Marsot (Alain-Gérard), 6739.
Marszałek (Antoni), 6422.
Marszałek (Józef), 7186.
Martel (Gordon), 6773, 7009.
Martelli (Martina), 1591.
Martin (A. Lynn), 4473.
Martin (Alan William), 6869.
Martin (Annick), 1980.
Martin (Benjamin F.), 6515.
Martin (Bernd), 5700.
Martin (F.), 6239.
Martin (Gunther), 3381.
Martin (Henri-Jean), 49.
Martin (J.), 1677.
Martin (Jan), 402.
Martin (Janet), 2395.
Martin (Jean), 6774.
Martin (R.), 1466.
Martin-Achard (R.), 1275.
Martindale (C.), 1799.
Martindale (Janet), 2299.
Martineau (Gilbert), 7010.
Martínez del Río de Redo (Marita), 6224.
Martínez Rosales (Alfonso), 4089.
Martino (F.), 4042.
Martischnig (Michael), 4730.
Martola (Nils), 1281.
Marx (Karl), 360, 458, 558, 605, 798, 3664, 3771, 4375, 5044, 5154, 5552, 6325, 6328, 6358, 6379, 6387, 6391, 6399, 6401, 6403, 6415, 6423, 6424, 6431, 6438, 6475.
Mary, queen consort of George V of Great Britain, 3874.
Mary Stuart, queen of Scots, 3934.
Mary, princess, duchess of Teck, 3895.
Masefield (John), 7040.
Masłowski (Jan), 7169.
Masoliver (Alejandro), 2931.
Mason (Henry L.), 7187.
Massaia (Guglielmo), 4557.
Massard (Josiane), 653.
Massignon (Geneviève), 181.
Masson (Bernard), 5568.
Masson (V.M.), 7484.
Mastellone (S.), 4057.
Masterson (Daniel M.), 4164.
Mastrodemetre (P.A.), 519.
Mastreleo (G.), 102.
Masubuchi (Tatsuo), 7488.
Mate (Mavis), 3014.
Matei Basarab, prince de Valachie, 5424.
Matějček (Jiří), 5759, 6240.
Matějek (František), 5923.
Mather (Cotton), 4681.
Mathis (Franz), 830.

INDICE DEGLI AUTORI E DELLE PERSONE

Mathisen (Ralph Whitney), 2625.
Mathpal (Yashodhar), 7547.
Matossian (Mary Kilbourne), 6963.
Matschke (Klaus-Peter), 2083.
Matsumoto (Shirô), 7665.
Matsuo (Taro), 4032.
Matsuzawa (Tetsunari), 6740.
Mattejiet (Roswitha), 2255.
Mattejiet (Ulrich), 2255.
Mattesini (Francesco), 2955.
Mathaei (Hans), 297.
Matthaeus, Evangelista, Sanctus, 1972, 1998.
Mattheus (Michael), 2626.
Matthews (Herbert L.), 3485.
Matthews (Richard K.), 3639.
Matthias, röm.-deutscher Kaiser, 3437.
Matthias I Corvinus, v. Mátyás I Hunyadi, roi de Hongrie et de Bohême.
Matthias, Erzherzog von Österreich, v. Matthias, röm.-deutscher Kaiser.
Mattioli (Gianni), 5705.
Matula (Vladimír), 2263.
Matusov (Allen J.), 3640.
Matwijowksi (Krystyn), 6693.
Mátyás I Hunyadi, roi de Hongrie et de Bohême, 2388.
Matz (Friedrich), 89.
Mauclaire (Simone), 7660.
Maude (George), 3701.
Mauduit (Anne-Marie), 3786.
Maur (Eduard), 654.
Maurer (Armand), 2213.
Maurer (Hans-Martin), 2396.
Maurer (Helmut), 486, 683, 2740.
Maurikios, empereur de Byzance, 2125.
Maurommatēs (Leōnidas), 2050.
Maurras (Charles), 3720.
Maury (Bernard), 917.
Mauss (Marcel), 6367.
Mavleev (E.V.), 1600.
Mavrocordat (Constantin), prince de Valachie, 4266.
Mavrodin (V.V.), 385, 5167, 5167.
Mawson (Douglas), 4430.
Maximilian I., röm.-deutscher Kaiser, 3443.
Maximilian I. Joseph, König von Bayern, 5376.
Maximilian II. Joseph, König von Bayern, 370, 3211.
Maximilianus Maria Kolbe, Sanctus, 4494.
Maximus (Magnus Clemens), usurpateur romain, 1639.
Maxwell (D.E.S.), 5521.
May (Ernest R.), 588, 6673.
May (Martha), 6241.
May (Sir Thomas Erskine), 1st baron Farnborough, 6495.
Mayer (Claude-Albert), 5244.
Mayer (Hans Eberhard), 2338.
Mayer (P.B.), 7548.
Mayer (Wolfgang), 6775.

Mayet (Françoise), 1870.
Mayeur (Françoise), 4887.
Mayeur (Jean-Marie), 3787, 4549.
Mazal (Otto), 11.
Mazel (Jacques), 1411.
Mazilu (Dumitru), 4250.
Mazin (A.I.), 655.
Mazo (Gabriel del), 3326.
Mazon (Mauricio), 3641.
Mazzoni (Stefania), 1092.
Mbaphounēs (Giannēs), 6064.
Mbitsakēs (Eutychēs), 6424.
Mbrakatsoulas (Basilēs), 5925.
Mčedlov (M.P.), 4367.
Meacham (S.), 863.
Mead (Margaret), 4880, 5150.
Meattini (V.), 1467.
Mecenseffy (Grete), 4660.
Mečev (Konstantin), 2741.
Medici (Lorenzo I de'), il Magnifico, 2383, 5241.
Medick (Hans), 6157.
Medina Rubio (Arístides), 6831.
Medvedev (Igor P.), 2084, 2109.
Medynceva (A.A.), 2742.
Meere (J. de), 5624.
Megaloi Komnēnoi, dynastie du Pont, 2094.
Mehaud (Catherine), 680.
Mehmed II, sultan ottoman, 24.
Meier (August), 358.
Meier (Christian), 436. 459.
Meier (Kurt), 3267.
Meijer (F.J.), 1678.
Meiji, Japanese historical period, 347, 4068, 4077-4079.
Meillet (Antoine), 182.
Meinck (Jürgen), 6510.
Meinsma (K.O.), 5054.
Meischke (R.), 5407.
Meister (Michael W.), 7549.
Mela (Pomponius), 206.
Melamed (Abraham), 4733.
Melanchthon (Philipp), 4573.
Melazzo (L.), 67.
Mele (Alfred R.), 1468.
Melikhov (G.V.), 4331.
Melinno, 1789.
Meljukov (A.I.), 1104.
Mellafe (Rolando), 6832.
Mellas (Akylas), 4790.
Mellink (A.F.), 4634.
Mellink (Machteld J.), 1561.
Mellot (Jean-Dominique), 58.
Mellow (James R.), 5346.
Melly (Diana), 5294.
Mel'nikov (Ju. M.), 3642.
Mel'nikova (E.A.), 2743.
Melonio (Françoise), 3788.
Melville (Herman), 5360.
Menache (S.), 2397.
Menard (Russell R.), 6833.
Mendels (D.), 1363.
Menjot (Denis), 427.
Mensing (Hans Peter), 3185.
Mentēšašvili (A.M.), 7514.
Mentink (G.J.), 6490.
Mentré (Mireille), 2818.
Mentzer (Raymond A.) Jr., 4513.
Menu (Bernadette), 1175.

Menyhárt (Lajos), 4379.
Menze (Ernest A.), 3268.
Menzel (Josef Joachim), 2210.
Meranze (Michael), 6834.
Meredith (David), 5841.
Merényi (László), 4010.
Mereri, pharaon d'Egypte, 1186.
Merger (Michèle), 5760.
Merin (Yehuda), 7188.
Meritt (Benjamin D.), 1364.
Merkel (Philip L.), 6576.
Merkelbach (Reinhold), 1822.
Merker (Wolfgang), 3269.
Merleau-Ponty (Jacques), 5168.
Merlet (Simon), 5813.
Merlo (Grado G.), 3016.
Mérovingiens (les), dynastie, 770, 2298, 2588, 3102.
Merrell (James H.), 7731.
Merrens (H. Roy), 5169.
Merrifield (R.), 1871.
Mersenne (Marin), 5013.
Merson (R.A.), 141.
Mertens (Volker), 2704.
Merton (Robert K.), 5055.
Mervaud (Michel), 4380.
Meschkowski (H.), 880.
Mesmer (Franz [Friedrich] Anton), 5125.
Messersmith (George), 7471.
Messner (Francis), 4453.
Meston (Archibald), 6880.
Mesure (Sylvie), 395.
Mészáros (Károly), 7095.
Méthivier (Hubert), 3789.
Methodius, Apostolus Slavorum, Sanctus, 2729, 2960.
Mettas (Jean), 5842, 6776.
Mette (Hans Joachim), 1331, 1332, 1417.
Metz (Karl H.), 6242.
Metz (Rainer), 842.
Metz (Wolfgang), 2256.
Metzger (Franz), 6775.
Meulenbroek (B.L.), 6494.
Meyer (Bernhard), 6125.
Meyer (G. M. de), 2218.
Meyer (Judith Pugh), 4661.
Meyer (Michael C.), 6835.
Meyer (Werner), 2744.
Meyerhof (Max), 2446.
Meyerhoff (D.), 1469.
Meyers (Eric M.), 1284.
Meyers (J.), 4146.
Meyn (Matthias), 4429.
Meževič (M.N.), 4420.
Mezey (László), 2161.
Miasnikov (G.T.), 4332.
Miązek (Bonifacy), 5347.
Michaêl Mauroeidēs, Martyr, Sanctus, 2961.
Michał Korybut Wiśniowiecki, roi de Pologne, 4204.
Michalak (S.J.), 7416.
Michalewicz (Jerzy), 4888.
Michalkiewicz (Stanisław), 6425.
Michałowska (Teresa), 5243.
Michałowski (Roman), 2745, 3017.
Michalski (Herzy), 4181.
Michaud (Claude), 6929.
Michaud (Jean), 2144.
Michaud (Stéphane), 6426.
Michel le Syrien, chroniqueur, 2350.

Michel (Annerose), 451.
Michel (Henri), 7322.
Michel (Jacques), 3790.
Michelangelo Buonarroti, 5442.
Michelet (Dominique), 7732.
Michelson (Paul E.), 359.
Michler (Jürgen), 2819.
Michman (Joseph), 4138, 4147, 4734.
Michta (Norbert), 6427.
Mickiewicz (Adam), 4191.
Mickun (Nina), 5654.
Midas, roi de Phrygie,1168.
Middleton (Arthur Pierce), 4662.
Miège (J.L.), 975.
Miele (Michele), 4058.
Mielmann (Peter), 5843.
Migeotte (Léopold), 1394.
Migev (Vladimir), 5926.
Migliaccio (Giulia Papoff), 5348.
Mihajlov (Emil), 2281.
Mihalcu (Mihail), 912.
Mihneva (R.), 6930.
Mijnhardt (W.W.),353, 4791.
Mikhajlov (A.D.), 1009.
Mikołajczyk (Andrzej), 6005, 6027.
Mikulka (Jaromír), 7011.
Milbourn (E.), 5466.
Milbourn (M.), 5466.
Miles (David), 1103.
Milewski (Jan Jakub), 5655.
Milford Haven (Louis Alexander Mountbatten, 1st marquess of), 3891.
Milford Haven (Victoria Mountbatten, marchioness of), 3891.
Miliband (Ralph), 6357.
Milin (Miodrag), 7012.
Milisauskas (Sarunas), 1067.
Militerni della Morte (P.), 1777.
Mill (John Stuart), 5042, 5577.
Millar (Fergus), 1679, 1680, 1725.
Miller (Anne), 6201.
Miller (Sr. Barbara), 4096.
Miller (Fredric), 6243.
Miller (Harold L.), 5656.
Miller (Ignaz), 2398.
Miller (James), 5056.
Miller (John), 3923.
Miller (Pavla), 4889.
Miller (Robert F.), 4381.
Miller (Simon), 5927.
Miller (T.A.), 1461.
Miller (William Ian), 2506.
Millett (Benignus), 969.
Millett (P.), 1470.
Millet-Gérard (Dominique), 3019.
Millgate (Michael), 5288.
Milligate (John D.), 3643.
Millington (Barry), 5522.
Mills (John A.), 5057.
Millward (Robert), 5657.
Milner (Marc), 7323.
Milns (R.D.), 1666.
Miltenova (Anisava), 2188.
Milward (Alan S.), 3142.
Milz (Josef), 3089.
Milza (Pierre), 3114.
Mikat (Paul), 3018.

Mimler (Manfred), 4429.
Minc (I.I.), 4384, 7096.
Minchinton (Walter Edward), 298.
Minenko (N.A.), 4352.
Miner (Myrtilla), 4850.
Ming, Chinese dynasty, 7627.
Miniero (Alessandro), 4064.
Miquel (Pierre), 5170.
Mirel (Jeffrey), 4890.
Mironov (B.N.), 589, 2627.
Misiło (Eugeniusz), 4965.
Misiou (Dionysia), 1395.
Misiurek (Herzy), 4514.
Miskimin (Harry A.), 2628.
Miskolczy (Ambrus), 4251.
Miskotte (K.H.), 4693.
Mistichelli (Judith A.), 856.
Mitchell (Allan), 3792.
Mitchell (B.R.), 5761.
Mitchell (C.J.), 3793.
Mitchell (Thomas N.), 1800.
Mitera-Dobrowolska (Mieczysława), 7148.
Mitev (Trendafil), 3468.
Mithradatiden (die), Dynastie von Pontus, 220.
Mitrofanova (A.V.), 6384.
Mitter (Armin), 7097.
Mittermayer (Josef), 5658.
Miyagawa (Mitsura), 7667.
Miyakawa (H.), 2085.
Miyake (Kazuo), 7668.
Mizner (Addison Cairns), 5398.
Mjeldheim (Leiv), 4111.
Mkhitarjan (S.A.), 7574.
Mlynský (Jaroslav), 4283.
Moberg (Carl-Axel), 590.
Mocanu (Vasile), 7098.
Mochnacki (Maurycy), 4193.
Modéer (Kjell A.), 270, 493.
Moderhack (Richard), 451.
Modrzejewski (Joseph), 1147, 1148.
Modrzewska (Halina), 2629.
Möcker (Heinrich), 727.
Moeglin (Jean-Marie), 2747.
Mölk (Ulrich), 2765.
Moeller (Robert G.), 3270.
Moeller van den Bruck (Arthur), 3229.
Mörner (Magnus), 843.
Mörner (N.-A.), 196.
Moers (Stephanie L.), 2507.
Moffat (Ann), 484, 2038.
Moggi (M.), 1365.
Mogil'nickij (B.G.), 360.
Moine (Marie-Christine), 3794.
Moïse, v. Moses, législateur d'Israël.
Moiseeva (T.A.), 1168.
Moisescu (Titus), 15.
Mokhova (N.A.), 6629.
Mokrzewski (Lech), 5058, 5171.
Molčanov (N.N.), 6931.
Moldenhauer (Rüdiger),3271.
Moldoveanu (Milică), 4252.
Molin (Jean-Baptiste), 948.
Molin (M.), 1872.
Molinier (Alain), 4663.
Molitor (Heinrich), 52.
Molinari (Ricardo Luis), 3353.
Mollat du Jourdin (Michel),

217, 2140, 2630, 4435.
Mollier (Jean-Yves), 59.
Molnár (Gusztáv), 3924.
Molony (C.J.C.), 7324.
Moltke (Helmuth Karl Bernhard, Graf von), 3242.
Momigliano (Arnaldo), 361, 419, 1823.
Mommaers (P.), 2998.
Mommsen (Hans), 7369.
Mommsen (Theodor), 459.
Mommsen (Wolfgang J.),591, 3272.
Monaci Castagno (A.), 2010.
Monet (Claude), 5420.
Monfrin (Jacques), 2146.
Monkkonen (Eric H.), 6244.
Monloup (Th.), 1569.
Monnier (Raymonde), 3795.
Monod (Adolphe Théodore), 4669.
Monok (István), 304.
Monsacré (H.), 1471.
Montador (Jean), 397.
Montagnon (Pierre), 6777.
Montaigne (Michel Eyquem de), 5062, 5081.
Montanari (Massimo), 2631.
Montbrun (Christian), 7733.
Montdesert (Claude), 1981.
Monté Ver Loren (J. Ph. de), 6493.
Montefiore (Sir Moses Haim), 4033, 4036.
Montes Romero-Camacho(Isabel), 2399.
Montesquieu (Charles Louis de Secondat, baron de), 5060, 5077.
Montessori (Maria), 4931.
Monteverdi (Claudio), 5536.
Montgomery (Brian), 3925, 7572.
Montgomery (Florence M.), 5762.
Montgomery (Sir Robert), 3925.
Monti Bragadin (S.), 5560.
Monticone (Alberto), 377.
Montoya (Alfredo Juan), 5928.
Montuori (M.), 1472.
Monturiol González (María de los Ángeles), 2632.
Mooney (James), 5174.
Moore (Barrington), 5172.
Moore (J.M.), 1473.
Moore (Jerrold Northrop), 5523.
Moore (John H.), 5693.
Moore (R.J.), 6741.
Moorehead (Caroline), 5524.
Moorehead (James H.), 4454, 4664.
Moorehead (John), 2086.
Moorman van Kappen (O.), 6490.
Mor (Carlo Guido), 504.
Moratto (Michael J.), 7734.
Moravcová (Dagmar), 7099.
Moravczik (Gyula), 2124.
Moraw (Peter), 4891.
Morawiecki (Lesław), 6027.
Morawska (Ewa), 6245.
Morazán (Francisco), 3138.
More (Sir Thomas), v. Thomas Morus, Sanctus.
Moreau (Brigitte), VI.

Moreau (Jean-Pierre), 3926.
Morell (Renate), 6386.
Morelli (E.), 4472.
Moreno (Mariano), 3354.
Moreno Nuñez (José Ignacio), 2508.
Moreschini (C.), 1801.
Morgan (John Pierpont), 5995.
Morgan (Kenneth Owen),517, 3927, 6428.
Morgan (Lewis Henry), 605, 798.
Morgan (Marjorie Jean), 6872.
Morgan (Walter), 4139.
Mori (M.), 5059.
Mori (Shigeaki), 7669.
Morimoto (Yochiki), 2633.
Moritani (Kimitoshi), 1366.
Morman (Edward T.), 3644.
Morony (Michael G.), 7515.
Morpurgo (P.), 2748.
Morra (Umberto), 5569.
Morrell (Jack), 5173.
Morrill (John), 3829, 3928.
Morris (Anthony), 7013.
Morris (C.D.), 3090.
Morris (Robert), 3526.
Morris-Suzuki (Tessa), 4073.
Morrison (Kenneth M.),6836.
Morrissey (Thomas E.) 2899, 3020.
Morrisson (C.), 110.
Morsey (Rudolf), 3185.
Morsy (M.), 3143.
Mortara (Alberto), 5773.
Mortimer (Edward), 3796.
Morvan (Alain), 5275.
Mosca (Gaetano), 460.
Moscati (Laura), 6517.
Moscati (Paola), 1601.
Moschonas (N.G.), 6246.
Moser (Harold D.), 3522.
Moser (Josef), 5929.
Moses, législateur d'Israël, 1256.
Moses (L.G.), 5174.
Mosher (Frederick C.),3645.
Mosher (Michael), 5060.
Moskalenko (V.N.), 7573.
Moskalev (A.A.), 7585.
Moss (Bernard H.), 3797.
Mostalac Carrillo (A.),1833.
Mostovec (N.V.), 6402.
Mothes (Gerlinde), 2400.
Motoška (Vladimír), 4307.
Motoyuki (Takabatake), 4070.
Motz (Lotte), 656.
Moubarak (Ali), 461.
Moule (C.F.D.), 1930.
Mountbatten, family, 2891.
Mountbatten (Louis), v. Milford Haven (Louis Alexander Mountbatten, 1st marquess of).
Mountbatten (Victoria), v. Milford Haven (Victoria Mountbatten, marchioness of).
Mountbatten of Burma (Louis Mountbatten, 1st earl), 6741.
Mousnier (Roland), 5881.
Mout (M.E.H.N.), 4148, 4321, 6902.
Moutsopoulos (N.K.), 913.

Mowery (David C.), 5763.
Moy (Johannes Graf von), 5408.
Moyal (Elie), 4735.
Moyle (Richard M.), 6870.
Mozart (Wolfgang Amadeus), 5530.
Možejko (I.V.), 7189.
Mrlian (Rudolf), 7358.
Mroczek (Krystyna), 4199.
Mucsi (Ferenc), 4966, 6429.
Muel (Francis), 2790.
Mühlberg (Dietrich), 4792.
Mühlen (Karl-Heinz zur), 4655.
Mühlpfordt (Günther), 5260.
Muelden (Hermann R.),4892.
Müller (Franz), 7325.
Müller (Gerhard), 943, 4654.
Müller (H.H.), 1019.
Müller (Hans-Heinrich), 694.
Müller (Hans-Joachim), 709.
Müller (Hartmut), 2190.
Müller (Klaus-Jürgen), 3263.
Müller (M.), 1982.
Müller (Michael G.), 6675.
Müller (Peter), 4743.
Müller (Rainer A.), 4893.
Müller (Reimar), 1421.
Müller (Richard), 6247.
Müller (Rolf-Dieter), 7100.
Müller (Ulrich), 2704.
Müller (Uwe), 6577.
Müller-Eiselt (Klaus Peter), 1726.
Müller-Luckner (Elisabeth), 3288.
Müller-Mertens (Eckhard), 2257, 2537.
Müssigbrod (Axel), 3022.
Mütter (Bernd), 362.
Mugnai (Mauro), 918.
Muhammad 'Ali, vice-roi d'Egypte, 3490.
Muhly (J.D.), 1083.
Muhly (Polymnia Metaxa), 1562.
Mukhiddinov (I.), 5930.
Mularska-Andziak (Lidia), 7326.
Mulder (J.R.), 207.
Mulder-Bakker (A.B.), 2749.
Mulford (Elisha), 3557.
Muller (Claude), 4550.
Muller (Héribert), 3023.
Muller (Pierre), 5931.
Munch (Edvard), 5431, 5435, 5446.
Munier (Charles), 1917.
Muñoz-Pérez (Francisco), 6065.
Muntjan (M.A.), 7327.
Murav'ev (S.N.), 1474.
Murav'ev (V.A.), 6479.
Murayama (Yuzo), 5764.
Murdoch (Norman H.), 4665.
Muret (Françoise), 2215.
Murga (J.L.), 1727.
Murin (S.), 6630.
Muroyama (Yoshimasa),4074.
Murphey (Carter), 7457.
Murphey (Rhoads), 881.
Murphy (Frank), 3582.
Murphy (Terrence), 392.
Murray ([George] Gilbert), 5371.
Murray (Hilary), 2452.
Murray (James), 7022.

Murray (Linda), 5442.
Muşat (Mircea), 4224, 4253.
Musella (Luigi), 5932.
Musorgskij (Modest Petrovič), 5475.
Muss (U.), 1506.
Mussert (Anton), 4146.
Musset (Lucien), 2750.
Mussolini (Benito), 7050.
Mussot-Goulard (Renée),143, 2300.
Musterd (C.), 4382.
Mutius (Hans-Georg von), 2428.
Mutschlechner (Georg), 5765.
Myers (Ramon H.), 6742.
Mykoniatēs (Hēlias), 5443.
Mylly (Juhani), 3702.
Myllyntaus (Timo),60, 5766.

N

Nachama (Andreas), 3273.
Nachtergael (Georges), 1145.
Nádasdy (Ferenc), 6934.
Nägler (Thomas), 844.
Näsman (Ulf), 1873.
Naess (Hans Eyvind), 971.
Nagel (Peter), 1285.
Nagl-Docekal (Herta), 592.
Nagy (G.), 1475.
Nagy (Lajos), 5811.
Nagy (László), 4011.
Nagy (Sándor Béla), 4894.
Nagy (Zsuzsa), 5570.
Nahum (Benjamín), 5870.
Najder (Zdzisław), 5349.
Nakam (Géralde), 5062.
Nakamura (Hiroichi), 7613.
Nakamura (Keiji), 7614.
Nakamura (Ken), 7670.
Nakamura (Takahide), 7262.
Nakata (Yasunao), 7671.
Nakath (Detlef), 5844.
Nakazato (Nariaki), 7550.
Nakura (Bunji), 5767.
Nałęcz (Tomasz), 7101.
Nálepkova (Olga), 4295.
Nálevka (Vladimír), 7263.
Namer (Gérard), 3798.
Namsons (Andrivs), 3091.
Nandy (Ashis), 6743.
Napoléon Ier, empereur des Français, 3785, 6942, 6947, 6949, 7032.
Napoléon III, empereur des Français, 3771.
Narboni, v. Abraham ben Isaac, de Narbonne.
Narcy (Michel), 1476.
Nardova (V.A.), 6578.
Naročnickij (A.L.),212, 786, 6686, 6937.
Narr (Wolf-Dieter), 7393.
Narrowe (Morton H.), 4736.
Narváez (Pánfilo de), 4431.
Nash (Stanley), 5175.
Nashe (Thomas), 5246.
Nassibian (Akaby), 7102.
Nasson (W.R.), 6778.
Natmeßnig, Familie, 81.
Naumann (Friederike), 237.
Naumova (G.R.), 6006.
Naunin (Helmut), 6588.
Nauta (D.), 4592, 4895.
Nautin (Pierre), 1910.
Navarro (B. Bernabé), 4793.

Navarro de Anda (Ramiro), 4101.
Naylor (John F.), 3929.
Naylor (Natalie A.), 4896.
Nazarewicz (Ryszard), 4194.
Neal (Steve), 3646.
Neamțu (Alexandru), 4221.
Near (Henry), 4039.
Nearchos, 1351.
Nebbia (Giorgio), 5705.
Necci (M.), 4044.
Nečkina (M.V.), 350, 4383, 6431.
Nedeva (Ivanka), 7443.
Nedorezov (A.I.), 7218.
Neeve (P. W. de), 1761.
Negev (Avraham), 144.
Nehring (Karl), 219, 6889.
Nehru (Jawaharlal), 7541.
Neidhart von Reuental, 2717.
Neidinger (Bernhard), 2933.
Neij (R.), 6378.
Neill (Stephen), 972.
Neilson (Keith), 7103.
Nekrasov (S.M.), 4820.
Nekrylova (A.F.), 657.
Nekuda (Vladimir), 2634.
Nelles (H.V.), 5970.
Nelson (Daniel), 6432.
Nelson (Horatio Nelson, viscount, duke of Brontë), 3955.
Nelson (Lawrence J.), 5659.
Nelson (William A.), 7551.
Nemeskürty (István), 5526.
Németh (István), 311, 6433.
Nemirovskij (A. I.), 1602, 1603.
Nemirovskij (E.L.), 61.
Nenaševa (Z.S.), 4296.
Nendza (James), 5063.
Nequam (Alexander), 2723.
Neraudeau (Jean-Pierre), 1762.
Nerazik (E.E.), 7491.
Nerbovik (Jostein), 4113.
Nero (Claudius Caesar), empereur romain,1647, 1808, 1855.
Nersesjanc (V.S.), 1477.
Nesládková (Ludmila), 5660.
Nestle (Rosemarie), 5471.
Nesvadba (František), 4297.
Neu (John), 855.
Neufeldt (Leonard N.), 5571.
Neugebauer (Wolfgang), 3380.
Neuhaus (Helmut), 3275, 4575.
Neuman (Petrus Werner), 5271.
Neumann (Victor), 456, 4254.
Neumann (Wilhelm), 6518.
Neumeyer (Heinz), 6948.
Neuninger (Heinz), 5768.
Neusner (Jacob), 1286.
Nevakivi (Jukka), 7444.
Neve (P.), 1249.
Neverov (O.), 326.
Neveux (Hugues), 3800.
Nevolin (V.S.), 7159.
Nevskaja (N.I.), 5176.
Newell (W.R.), 5064.
Newman (Aubrey), 3164.
Newman (F.S.), 1478.
Newman (J.K.), 1478.
Newman (John Henry), cardinal, 4469.
Newman (Robert W.), 7736.

Newton (Sir Isaac), 5121, 5135.
Newton (Ronald C.), 6676.
Niccolini (Niccolò), 2699.
NíChatháin (Próinséas), 2890.
Nichol (Jon), 593.
Nicholl (Charles), 5246.
Nicholls (Michael L.), 3647.
Nicol (Donald M.), 2282.
Nicolai (W.), 1479.
Nicolao da Tolentino, 2202.
Nicolet (Claude),1652, 1709.
Niebuhr (Barthold Georg), 462.
Niebuhr (Helmut Richard), 4604.
Niebuhr (Reinhold), 4604.
Nieddu (Gian Franco), 1480.
Niederhauser (Emil), 363, 697.
Niederstätter (Alois), 285.
Niel (Alfred), 5177.
Niemeyer (H.G.), 1287.
Niemöller (Martin), 4590.
Nieto Goria (José Manuel), 3024.
Nietzsche (Friedrich), 5004, 5094, 5100.
Nikephoros, Patriarcha Byzantinus, Sanctus, 2039, 2082, 2105.
Nikolaev (V.P.), 7747.
Nikolaïdou (Eleutheria I.), 2235, 3977.
Nikolaus von Malkos, 3058.
Nikolopoulos (Theodōros), 6434.
Nikolov (Canko), 3469.
Nikonov (V.A.), 3648.
Nikulina (O.R.), 5450.
Ninkovich (Frank), 7615.
Nischan (Bodo), 4666.
Nishijima (Sadao), 7616.
Nisters-Weisbecker (Andrea), 2820.
Niwiński (Nadrzej), 1201.
Nixon (Richard Milhous), 3568, 3648, 7436.
Njammasch (Marlene), 7552.
Nkomo (Joshua), 4427.
Nkrumah (Kwame), 7445.
Noakes (Jeremy), 3276.
Noble (David Grant), 7735.
Noble (Jeremy), 2839.
Nodes (D.J.), 2013.
Noè (Eralda), 1802.
Noël (Léon), 4195.
Noer (Thomas J.), 7445.
Nörr (Dieter), 459, 500.
Nöth (Stefan), 2509.
Noguères (Henri), 7370.
Noll (R.), 1874.
Nollier (Inès), 2873.
Nolte (Hans-Heinrich), 5178.
Nolte (Sharon Hamilton), 4075, 4076.
Noonan (Thomas S.), 145.
Noordegraaf (L.), 5960, 6248.
Noorduyn (J.), 5845.
Nora (Pierre), 3780.
Norbrook (David), 5247.
Nordberg (Michael), 2258.
Norden (Günther van), 4644.
Nordling (Carl O.), 7264.
Nordman (Daniel), 3721.
Nordström (Folke), 2821.
Nordström (Johan), 463.

Norman (Edward Robert), 4471.
Norman (Hans), 5661.
Norman (Naomi J.), 1563.
Norris (Frederick W.), 2019.
Norrman (Ragnar), 4667.
North (Robert), 946.
Northern Wei, Chinese dynasty, 7631.
Nortier (Michel), 733.
Norton (B.T.), 4385.
Norton (Glyn P.), 5245.
Norton (Mary Beth), 6837.
Nostradamus (Michel de Nostredame, dit), 5106.
Notaras, v. Chrysanthos Notaras.
Notker III. Labeo, 2861.
Nouschi (André), 3801.
Novák (Miloslav), 7446.
Novatianus, antipapa, haeresiarcha, 1962.
Novayo (Julio C.), 3354.
Novgorodova (E.A.), 1047.
Novikov (G.N.), 3802.
Novikov (V.I.), 6435.
Nový (Luboš), 5183 a.
Nový (Rostislav), 445.
Nowak (Andrzej), 6007.
Nowak (Zbigniew), 4216.
Ntourou-Heliopoulou (Maria), 2339.
Nuchelmans (G.), 5065.
Núñez Cabeza de Vaca (Alvar), 4431.
Nußbächer (Gernot), 4222.
Nußbaum (T.), 2406.
Nutton (V.), 1481.
Nyberg (Tore), 2900.
Nye (Robert A.), 3803.
Nyeko (Balem), 3172.

O

Oakeshott (Michael), 527.
Oakley (Francis), 995, 2892.
Obenaus (Herbert), 3277.
Oberkofler (Gerhard), 6519.
Oberlé (Raymond), 3751.
Obieta (Adolfo de), 3355.
Obojski (Robert), 129.
Obolensky (Dimitri), 2051.
Obrębski (Józef), 652.
Obretenov (Aleksandăr), 4763.
O'Brien (Denis), 1482.
Ocampo (Victoria), 3356.
Ocasio-Melendez (Marcial), 4091.
O'Cathasiagh (Sean), 5066.
Occhioni (Nicola), 2202.
Ochsenwald (William), 7517.
Ockeghem (Johannes), 2836.
Ockham (William), 2850.
Ockinga (B.), 1202.
O'Connell (Arturo), 5846.
O'Connell (Daniel), 3954.
O'Connell (Marvin R.), 4515.
O'Connell (William Henry), cardinal, 4517.
O'Connor (D.), 1979.
Odendaal (A.), 3174.
Odoacer, roi d'Italie, 2287.
Odorico (Paolo), 2087.
Odria (Manuel), 4164.
Odysseus, héro gréco-romain, 1333, 1466, 1479.
Oeftiger (Klaus), 1112.

Östnor (Lars), 4668.
Oexle (Otto Gerhard), 594, 2635.
Oezelt (Gertrud), 81.
Offen (Karen), 3804.
Offergeld (Peter), 2934.
Offerlé (Michel), 6436.
Offner (Jerome A.), 7737.
Offringa (C.), 822, 6249.
Ofir (Efraim), 4255.
Ogata (Isamu), 7617.
Oggiano-Bitar (Hélène), 1875.
O'Gorman (Frank), 3930.
Ogris (Alfred), 3435.
Oguagha (P.A.), 7704.
Ohlander (Ann-Sofie), 5661.
Ohler (Norbert), 2951.
Ohsfeldt (Robert L.), 3635.
Oiwagawa (Kazumasa), 4040.
Okayasu (Isamu), 7618.
Okazumi (Masahide), 3506.
Okin (Susan Moller), 3931.
Okpoko (A.I.), 7704.
Olajos (Teréz), 2125.
Olami (Ya'aqov), 1048.
Oldenstein (Jürgen), 1824.
Oleson (J.P.), 1317.
Oleszczyński (Antoni), 4196.
Ogden (Robert M.), 5147.
Oldenburg (Veena Talwar), 6744.
Oliva (Gianni), 450.
Oliva (Pavel), 684.
Olivares (Gaspar de Guzman, conde-duque de), 6896.
Olivier (Sir Laurence Kerr), 5541.
Olmo (Carlo), 6066.
Olofsson (Jan), 4276.
Olsen (Asle Bruen), 1068.
Olsen (Rikke Agnete), 2753.
Olshausen (Eckart), 220, 1167.
Olson (William J.), 7104.
Olszak (Julian), 776.
Olszewski (Daniel), 4516.
Olszewski (Henryk), 4197.
Olteanu (Constantin), 4227.
Olteanu (Ştefan), 1135.
Ombres (Robert), 3025.
Onciul (Dimitrie), 359.
Onēsikritos, 1351.
Onofrei (Neonila), 4218.
Opelt (Ilona), 2088.
O'Phelan Godoy (Scarlett), 6838.
Opll (Ferdinand), 3069, 3412.
Oppenheimer (Aaron), 1283.
Oppermann (Manfred), 1318, 1612.
Oprescu (Dan), 5067.
Oracki (Tadeusz), 4198.
Orange, Oranje, dynastie, 4143, 6721.
Orange (Vincent), 7192.
Oranje, v. Orange, dynastie.
Oranje (H.), 1483.
Orbán (Sándor), 4008, 4012.
Orderic Vital, 2750.
Oren (Eliezer D.), 1288.
Orena (R.), 1681.
Orestēs, héro mythol. grec, 1524.
Orff (Carl), 5518.

Orgaz (conde de), 2447a.
Origenēs Adamantios, 1911, 1939, 1965, 2003.
Orioli (Ranier), 2981, 3039.
Orlik (O.V.), 4387.
Orlof (Ewa), 6679.
Orlova (E.M.), 5527.
Orlow (Dietrich), 3180.
Orme (Nicholas I.), 2754.
Ormos (Mária), 7105.
Ornaghi (Lorenzo), 6579.
Ornato (Ezio), 38.
Orosius (Paulus), 1976.
Orpheus, héro mythol. grec, 238.
Ortega (Luis), 7014.
Ortega y Gasset (José), 4982, 5068.
Orwell (George) [pseud. of Eric Arthur Blair], 5352.
Orwin (Clifford), 1349.
Oržekhovskij (I.V.), 4388.
Osborn (Eric), 1940, 1983.
Osen (James L.), 4669.
Oskar Ier, roi de Suède et Norvège, 4274, 7001.
Osobova (I.P.), 6437.
Oss (Adriaan C. van), 4795.
Ossola (Carlo), 4757.
Ostapchuk (Victor), 789.
Osterbrock (Donald E.), 5179.
O'Sullivan (Vincent), 4293.
Osumi (Kazuo), 7673.
Oswald von Wolkenstein, 2717.
Oswald (Friedrich), 4544.
Oswald (Gert), 99.
Otani (T.), 6391.
O'Toolie (James M.), 4517.
Otto II., röm.-deutscher Kaiser, 2327.
Otto von Freising, 2716.
Otto (Hans), 3278.
Ottó (Herman), 3997.
Otto (John Solomon), 6250.
Ottokar von Steiermark, 2734.
Ottonen (die), röm.-deutsche Kaiser, 2670, 2677, 3061.
Otwinowska (Barbara), 5252.
Ouyang Xiu, 7606.
Ovadiah (Asher), 2089.
Ovčarov (Dimităr), 2090.
Oved (Georges), 3805.
Overy (R.J.), 3279.
Ovidius Naso (Publius)1815.
Owada (Tetsuo), 7674.
Owen (Dorothy M.), 2183.
Owen (Robert), 6350.
Oxford and Asquith (Margot countess of), 3842.
Ozanam (Didier), 5251.
Ozols (Jakob), 896.
Ozouf (Mona), 3806.

P

Paasivirta (Juhani), 6680.
Pace (E.), 6150.
Pach (Zsigmond Pál), 6423, 6438.
Pacheco (Josephine F.), 4850.
Pachter (Mordechai), 4737.
Pachymerēs (Geōrgios), 2040.

Pacifici (Vincenzo G.), 4059.
Pack (Edgar), 940.
Packard (Randall M.), 6779.
Pacquay (V.), 2221.
Padel (O.J.), 2192.
Padfield (Peter), 3280.
Paepe (N. de), 2998.
Pätzold (Barbara), 2703.
Páez de la Torre (Carlos), 3357.
Page (Norman), 5350.
Page (R.I.), 12.
Paggi (Leonardo), 5572.
Paillat (Claude), 3807.
Paine (Lauran), 3281.
Painter (David S.), 7447.
Pajkossy (Gábor), 511.
Pakulski (Jan), 272.
Palacký (František), 464.
Paladini (C.), 1225.
Palaiologoi, dynastie byzantine, 2050.
Palaiologos (Dēmētrios), 2075.
Palaiologos (Thomas), 2037.
Palermo (Luciano), 2636.
Pales-Gobilliard (Annette), 2175.
Palešutski (Kostadin), 3470.
Palfenier-Vegter (R. M.), 1059.
Pallot (Judith), 5933.
Palm (L.C.), 5108.
Palme (Rudolf), 2510.
Palmer (Alan), 6949.
Palmer (Bruce) Jr., 7448.
Palmer (L.R.), 1027.
Palmer (Robert C.), 2511.
Palol (Pedro de), 2818.
Pálotás (Emil), 7015.
Pálsson (Hermann), 2453.
Paluch (Andrzej Krzysztof), 652.
Pamuk (Sevket), 5662.
Panajotov (Ljubomir), 3464, 3471, 3472, 7106.
Panajotov (Panajot), 7107.
Pančenko (A.M.), 649, 4796.
Pandula (Attila), 3413.
Panejakh (V.M.), 6251.
Pánek (Jaroslav), 4298, 6609.
Panetta (Rinaldo), 3145.
Pankowski (Marion), 7122.
Pankrat'ev (V.P.), 4326.
Pantaleoni (Maffeo), 5553.
Pantenius (Hans-Jürgen), 7108.
Pantev (Andrej), 7016, 7109.
Paolini (L.), 3039.
Papa Doc, v. Duvalier (François).
Papachristou (A.K.), 6610.
Papadēmētriou (Geōrgios Ant.), 2041.
Papadopoulos (G.K.), 147.
Papanin (Ivan), 228.
Papastathēs (Ch. K.), 6558.
Papastratis (Procopis), 7265.
Papathanasē-Mousiopoulou (Kal.), 7017.
Papathanasopoulos (Kon.), 5769.
Papp (N.G.), 4013.
Paquette (Daniel), 1564.
Parachristos (Thanasēs), 6513.
Paradowska (Maria), 6252.

Paravicini (Werner), 2194.
Parente (F.), 401.
Pareto (Vilfredo), 5553.
Paricio (Javier), 1728.
Parise (Nicola Franco), 847.
Parisse (Michel), 2195, 2341, 2637, 3026.
Park (Sir Keith), 7192.
Parke (H.W.), 1367.
Parker (G.), 3829.
Parker (Geoffrey), 6903.
Parker (Kenneth L.), 4670.
Parker (William N.), 5663, 5934.
Parkerson (Donald H.), 6253.
Parkes (Sir Henry), 6869.
Parlaska (Klaus), 1554.
Parler (Lorena M.), 4097.
Parman (Donald L.), 3649.
Parmenidēs, 1350, 1454, 1485.
Parmet (Herbert S.), 3650.
Parnell (N.), 5351.
Parris (Leslie), 5386.
Parrish (D.), 1876.
Parry (G.J.R.), 5249.
Parsadanova (V.S.), 7266.
Parsons (Anthony), 4029.
Parsons (David), 3027.
Parsons (John Carmi), 82.
Pârvan (Vasile), 465.
Pascal (Blaise), 4492, 4994. 5022.
Pascu (Ştefan), 466, 777, 4221, 4222, 4256.
Paseckij (V.M.), 221.
Pašková (Irena), 7449.
Passerin d'Entreves (A.), 5569.
Passini (Jean), 3092.
Pastor Zapata (José Luis), 845.
Pastoureau (Mireille), 190, 222.
Pašuto (V.T.), 2241.
Patai (Daphne), 5352.
Patay (Pál), 1130.
Patch (William L.) Jr., 6254.
Patil (V.T.), 6745.
Patousa (Iōannēs), 5219.
Patrikalakēs (Phaidōn), 5528.
Patrizi (Francesco), da Cherso, 4990.
Patze (Hans), 448, 505.
Paul (Agnès), 5529.
Paul (Diane B.), 6439.
Paul (Eberhard), 1565.
Paul (G.M.), 1622.
Paul (Jacques), 2935.
Paulhart (Herbert), III.
Paulinus Mediolanensis, 2011.
Paulus, Apostolus, Sanctus, 1950, 2023.
Paulus Eremita, Sanctus, 2024.
Paulus VI [Giovanni Battista Montini], Papa, 4478.
Paulus Venetus, 2196.
Paulusz (J.H.O.), 6722.
Pauly (John J.), 3651.
Pautasso (A.), 13.
Pauwels (Jacques R.), 4897.
Pavelescu (Ion), 4253.

Pavlov (V.T.), 7267.
Pavlova (Anna), 5493.
Pavlova (O.I.), 1203.
Pawley (Andrew), 7748.
Paxton (John), 790.
Payr (Bernhard), 7181.
Paz (Maurice), 3808.
Paz (Octavio), 5277.
Peacock (D.P.), 1262.
Peacock (John), 6839.
Pearce (B.), 4328.
Pearce (Susan M.), 1093.
Pearle (Kathleen M.), 5180.
Pearson (R.), 800.
Pease, Quaker family, 3901.
Peattie (Mark R.), 6742.
Pečatnov (V.O.), 3652.
Pédech (Paul), 1351.
Peden (G.C.), 7110, 7268.
Peeps (J.M. Stephen), 4898.
Peeters (J.P.), 2639.
Peil (Dietmar), 885.
Peires (J.B.), 6780.
Peisistratidoi, Pisistratides (les), 1353.
Pelagatti (P.), 1566.
Pelc (Janusz), 5250, 5252.
Pelczar (Marian), 7146.
Pelech (Markino), 2936.
Pelger (H.), 6325.
Pélissier (René), 6781.
Pelletier (André), 1763.
Pelling (Henry), 3932.
Pemberton (H.J.), 1485.
Peña (José F. de la), 6840.
Penco (Gregorio), 973.
Pénigault-Duhet (Paule), 4848.
Penna (Romano), 1932.
Penniman (Howard R.),3372.
Pennington (Kenneth), 2901.
Pentti (Raili), V.
Percheron (Nicole), 5935.
Percy (Clare), 5392.
Pere, infante de Castilla, 2362.
Pereiah (Alan R.), 2196.
Perepelkin (Ju. Ja.), 1204.
Perès (A.F.), 3770.
Pereyra (Carlos), 564.
Perez (Marie-Félicie), 5384.
Pérez de Tudela Velasco (María Isabel), 2640.
Pérez Fernández del Castillo (Bernardo), 6580.
Pérez Guilhou (Dardo),6543.
Pérez-Prendes (JoséManuel), 812.
Perfahl (Brigitte), 3441.
Perger (Richard), 2401.
Peri (Vittorio), 14.
Perjés (Géza), 3282.
Perkins (Leeman L.), 2840.
Perlman (Michael), 3653.
Pernal (A.B.), 199.
Pernler (Sven-Erik), 4671.
Perón (Eva), 3342.
Perón (Juan Domingo), 3325, 3344, 3349, 3358.
Pérouse de Montclos (Jean-Marc), 5409.
Perrot (Jules), 5501.
Perrot (Philippe), 6255.
Persoons (E.), 2970.
Persowski (Franciszek),776.
Persson (Lennart), 6440.
Pertici (Roberto), 4046.
Peruzzi (Emilia), 5553.

Peruzzi (Ubaldino), 5553.
Pervillé (Guy), 4899.
Perzanowska (Irena), XIII.
Peša (Václav), 6442.
Pesch (P.N.G.), 309.
Pesch (R.), 2023.
Peschel (K.), 1136.
Pešek (Jiří), 4299.
Pesendorfer (Franz), 4061.
Pesez (Jean-Marie), 3066.
Peskin (Allan), 3654.
Pesquiès-Courbier (Simone), 7111.
Pessen (Edward), 3655.
Pestelli (Giorgio), 5530.
Peszke (Michael Alfred), 7329.
Petacco (Arrigo), 6256.
Pétain (Philippe), 5496.
Peter von Aspelt, Kurfürst von Mainz, 2988.
Peter (Jean-Pierre), 6097.
Péter (Katalin), 4797, 6904.
Péteri (György), 6008.
Peters (Heinz), 4900.
Peters (Herbert), 4967.
Peters (Jan), 3283.
Peters (Margot), 5531.
Peters (W.J.Th.), 1877.
Petersen (Dwight E.), 5936.
Petersen (Jens), 4062.
Petersen (Joan M.), 2902.
Petersen (Suzanne), 3809.
Petersen (Walter), 6492.
Petersmann (Hubert), 1305, 1315.
Peterson (Bo), 5664.
Peterson (L.), 3284.
Peterson (M. Jeanne), 6257.
Peterson (Richard H.), 4901.
Peterson (Susan Rae), 5069.
Petinova (E.F.), 5444.
Petit (C.), 6611.
Petitmengin (P.), 313, 1320, 1938.
Petko (Emil), 4300.
Petkov (Petăr), 7109.
Petőfi (Sándor), 4018.
Pětr I Velikij [le Grand], empereur de Russie, 4408, 4796, 6931.
Petráň (Josef), 341, 886, 5847.
Petrarca (Francesco), 2739.
Petré (Bo), 1113.
Petre (Maude), 4491.
Pétrequin (Anne-Marie),658.
Pétrequin (Pierre), 658.
Petrescu (Ioan D.), 15.
Petrescu (Paul), 667.
Petri (Franz), 6067.
Petronōtē (Marina), 6258.
Petropoulos (Geōrgios), 506.
Petrosjan (Ju. A.), 4968.
Petrova (Dimitrina), 689.
Petrovič (N.), 6937.
Petrucci (Armando), 16.
Petrukhin (V. Ja.), 2743.
Petzina (Dietmar), 5692.
Peuntner (Thomas), 2198.
Peyer (Károly), 6463.
Peyras (Jean), 1764.
Peyronnet (Georges), 2402.
Pfaff (Volkert), 2512.
Pfeiffer (Gerhard), 3285.
Pferschy (Gerhard), 3414.
Pfinzing (Katharina), 2401.
Philby (H.St.John B.), 7270.

Phileas, Ep. Thmuitenus, Sanctus, 1898.
Philip (Loïs), 6544.
Philippe II Auguste, roi de France, 2140, 2214, 2320.
Philippe IV le Bel, roi de France, 2474.
Philippe V le Long, roi de France, 2413.
Philippe VI de Valois, roi de France, 278.
Philippe III le Bon, duc de Bourgogne, 2194.
Philippi (Paul), 778.
Philippidēs (Daniël), 4991.
Philippidēs (Dēmētrēs),5410.
Philippikos Bardanēs, empereur de Byzance, 2095.
Phillips (Mark), 454.
Phillips (William), 7232.
Philippus Arabs (Marcus Julius), empereur romain, 1641.
Philon Alexandrinos, 1255, 1257.
Philopoulou-Desylla (Kōnstantina), 5665.
Phimister (Ian), 6782.
Phophors, king of the Bosporus, 121.
Phrynichos Tragikos, 1450.
Piaget (Jean), 5016, 5072.
Piasecki (Henryk), 7371.
Piast, dynastie, 2340, 2353.
Piatier (A.), 5693.
Piccinni (G.), 2669.
Piccirillo (Michele), 1984, 3029.
Pičikjan (I.R.), 1169.
Picon (M.), 1870.
Pidoux (Pierre), 4576.
Piechota (Regina), 272.
Piedmont (René M.), 4902.
Piekalkiewicz (J.), 7330.
Piel (Heinrich), 711.
Pieper (Annemarie), 5353.
Pierenkemper (Toni), 5770.
Pierrard (Pierre), 4518.
Pietersma (Albert), 1898.
Pietri (Charles), 1985.
Pietri (Luce), 1986.
Pietro Leopoldo, granduca di Toscana, 4830.
Pietrzykowa (Aleksandra), 7194.
Pietschmann (Horst), 4504.
Pikoulis (John), 5354.
Pilch (Andrzej), 6042.
Pillinger (Renate), 1878.
Pillorget (René), 6009.
Pilz (Erich), 594a.
Pimenova (L.A.), 3811.
Pina (Antonio López), 3504.
Pinborg (Jan), 2755.
Pinčuk (Ju. A.), 446.
Pindaros, 1478.
Pinguet (Maurice), 6259.
Pini (Ingo), 89.
Pinkus (Benjamin), 4390.
Pinkwart (Doris), 1528.
Pinoteau (Hervé), 100.
Pintér (István), 6469.
Pinto (G.), 2669.
Pinto (Isaac de), 6721.
Pinto (Roger), 7041.
Piponnier (Françoise), 2641.
Pippal (Martina), 389.
Pippidi (D.M.), 1319, 1618.

Pipping (Knut), 2454.
Pircher (Wolfgang), 5411.
Pirinen (Kauko), 3698.
Pirker (Theo), 6361.
Pirnát (Antal), 4585.
Pisacane (Carlo), 5580.
Pisarello Virasoro (Roberto G.), 3328.
Pisarev (Dmitrij Ivanovič), 5369.
Pisarev (Ju. A.), 7018.
Pisidēs (Geōrgios), v. Geōrgios Pisidēs.
Pisistratides, v. Peisistratidai.
Piso (Ivan), 1682.
Pitea (Simion), 882.
Pitschmann (Benedikt), 4479, 6932.
Pitt (Barrie), 7112.
Pitt (William), 3851, 3920.
Pittioni (Richard), 2822.
Pius V [Antonio Ghislieri], Papa, Sanctus, 4480.
Pivoluska (Ján), 7218.
Pizzinini (Meinrad), 3415.
Plá (Alberto J.), 3340.
Plaatje (Sol), 6785.
Place (François de), 2116.
Placido (D.), 1486.
Plaidy (Jean), 3933.
Plankoff (Jean), 7122.
Plaschka (Richard Georg), 3146.
Platelle (Henri), 3030.
Platōn, 993, 1407, 1439, 1441, 1443, 1446, 1454, 1462, 1465, 1467, 1476, 1477, 1482, 1485, 1512, 1520, 2848.
Platon (Gheorghe), 7019.
Platon (Nikolaos), 89.
Platt (Colin), 2823.
Platt (Desmond Christopher M.), 6010.
Płaza (Stanisław), 4200.
Plecháček (Ivo), 5937.
Pleiner (Radomír), 826.
Pleket (H.W.), 822, 1412.
Plenge (Johann), 6332.
Pleškov (V.N.), 6951.
Plessy (Bernard), 6260.
Pleticha (Heinrich), 712.
Pletneva (S.A.), 470.
Pleva (Ján), 6355.
Plevza (Viliam), 4301, 7358.
Plinius Minor (Gaius P. Caecilius Secundus), 1753, 5240.
Plongeron (Bernard), 4442.
Plōtinos, 1456, 1487.
Plotius Grypus, 1742.
Plowden (Alison), 3934.
Pluchon (Pierre), 5070.
Plümacher (Eckhard), 1897.
Plutarchos, 1438, 1807.
Pochmarksi (E.), 1879.
Pocock (Emil), 263.
Poděbrady (Georg von), v. Jiří z Poděbrad, roi de Bohême.
Podgornova (A.I.), 62.
Podlecki (Anthony J.), 1488.
Podobedov (O.I.), 2784.
Podol'nyj (R.G.), 862.
Poelhekke (J.J.), 4149.
Pölöskei (Ferenc), 4014.
Poenaru-Bordea (Gh.), 115.

Pöschl (Viktor), I, 1305.
Pötscher (W.), 1825.
Poggendorf (Johann Christian), 5181.
Pogorel'skij (I.V.), 4391.
Pogrebova (M.N.), 1170.
Pohl (Hans), 4930.
Pohl (Heinz-Alfred), 7020.
Pohlmann (John T.), 6817.
Pohlsander (H.A.), 1683.
Pohrt (Heinz), 4798.
Poinsatte (Anne Marie), 3656.
Poinsatte (Charles), 3656.
Poiret (Pierre), 4572.
Poirier (Germain), 5278.
Poiron (Daniel), 255.
Poisson (Jean-Michel), 2342.
Pokrovskij (N.N.), 2250.
Polasky (Janet L.), 3448.
Pólay (E.), 1729.
Polevoj (L.L.), 1126.
Polgár (László), 4540.
Politis (Alexis), 661.
Polívka (Miloslav), 2403.
Poljakov (Ju. A.), 4389.
Polkowski (Ignacy), 4201.
Pollard (Sidney), 5574.
Pollit (Brian H.), 5667.
Polo (Marco), 554, 2719.
Polonskaja (L.R.), 5035.
Polónyi-Fremersdorf (E.), 1857.
Pol'skij (M.P.), 4392.
Poltavskij (M.A.), 6444.
Polton (Thomas), 2987.
Poma (Gabriella), 1684.
Pomerance (Leon), 1027.
Pomian (Krzysztof), 142, 595.
Pomogáts (Béla), 4969.
Pomorski (Jan), 596.
Pompeius Magnus (Gnaeus), triumvir, 1648, 1701.
Poniatowski (Józef, prince), maréchal de France, 6954.
Ponomarev (V.N.), 7021.
Ponomareva (I.B.), 7269.
Ponyrko (N.V.), 649.
Pop (Denise), 662.
Pop (Teodor Leon), 6545.
Popa (Radu), 2824.
Pope (Alexander), 5269.
Pope (K.O.), 223.
Popescu-Puțuri (Ion), 6351.
Popham (M.R.), 1327.
Popkin (Jeremy D.), 4970.
Popović (Petar), 148.
Popp (Gerhard), 3416.
Popper (Karl), 521, 5071.
Poppo, Erzbischof von Trier, 2922.
Porat (Dina), 7195.
Porath (Yehoshua), 7270.
Porras Arboledas (Pedro A.), 813.
Porsenna, roi étrusque, 1593.
Port (M.H.), 3935.
Portemer (Jean), 6612.
Porter (Bernard), 3936, 6713.
Porter (Bruce D.), 7450.
Porter (Jack Nusan), 7188.
Porthan (Henrik Gabriel), 4869.
Posch (Fritz), 224.
Pospielowsky (D.), 4567.

Possenti (Vittorio), 5071.
Post (John D.), 5182.
Postarnakov (V.F.), 5061.
Postel-Lecocq (Sylvie), VI.
Potapov (L.P.), 665.
Potapova (N.F.), 6631.
Potash (Robert A.), 3358.
Potemra (Michal), 364.
Potkowksi (Edward), 63.
Potthast (August), 2117.
Pottier (Marie-Hélène), 1094.
Pouchet (J.R.), 2014.
Poulat (Emile), 4519.
Poulin (Joseph-Claude), 2201.
Poulle (Emmanuel), 2219.
Poulsen (Jens), 7749.
Pournaropoulou (G.K.), 519.
Poutiers (Jean-Christian), 101.
Powell (Geoffrey), 7331.
Power (Garrett), 6068.
Požarskaja (S.P.), 731.
Pozza (Marco), 2343.
Pradier (Jean-Jacques, dit James), 5418.
Prado-Salmon (G.), 3452.
Prasolov (S.I.), 7196.
Pratt (John Clark), 7451.
Préaud (Maxime), 2756.
Prebelakis (Pandelis), 5356.
Prelinger (Elizabeth), 5446.
Premierfait (Laurent de), 2706.
Přemyslides (les), dynastie 2495.
Prentice (Alison), 4842.
Preobraženskij (A.A.), 2643, 4393, 5924.
Press (Samuel D.), 4604.
Press (V.), 6905.
Preston (Paul), 3507.
Prestwich (J.O.), 2267.
Prestwick (M.), 3093.
Prevenier (W.), 770.
Prévot (Françoise), 1912.
Pribegina (G.A.), 5532.
Price (Curtis A.), 5533.
Price (Richard), 5069.
Price (Roger), 5583.
Price (S.R.F.), 1826.
Price (T.D.), 1056.
Pricha (Willibald), 4816.
Pricker (D.P.), 3812.
Prickler (Harald), 5771, 6581.
Pridham (Geoffrey), 3276.
Priestley (Joseph), 5002, 5163.
Prieto (Antonio), 5251.
Prieur (Jean), 744.
Prigent (P.), 238.
Princip (Gavrilo), 7054.
Pringle (Denys), 2825.
Prinz (Friedrich), 2259, 3031.
Pritchard (William H.), 5357.
Pritsak (Omeljan), 183.
Pritz (Pál), 7113.
Procacci (Giuliano), 6783.
Proklus, 1487.
Prodan (David), 4257.
Prometheus, héro mythol. grec, 1486.
Promponas (Iōannēs K.) 184.
Prontera (F.), 203, 1504.
Propas (Frederic L.), 3657.

Proskouriakoff (Tatiana), 7740.
Prosperi (Adriano), 956.
Protagoras, 1486.
Proudhon (Pierre-Joseph), 6478.
Prous Zaragoza (Socorro), 3032.
Prudentius (Aurelius P. Clemens), 1791, 1947.
Prudhomme (Claude), 4520.
Pruitt (Bettye Hobbs), 5938.
Pryor (John H.), 2644, 2757.
Przekop (Edmund), 3033.
Przyboś (Adam), 4167, 4204.
Ptaszycki (Stanisław), 4170.
Ptolemaios I Soter, roi d'Egypte, 1351.
Ptolémées, dynastie, 1183, 1191, 1195, 1196.
Publius, pseud., v. Jay (John).
Puchner (Walter), 5534.
Püschel (Erich), 2455.
Pugačenkova (G.A.), 7505.
Pugačev (Emil'jan Ivanovič), 4340.
Pugh (Patricia), 6446.
Pulitzer (Joseph), 4940.
Punga (Titus), 6582.
Punshon (John), 4672.
Purcell (Henry), 5533.
Purdy (Barbara A.), 1036.
Purdy (Richard Little), 5288.
Pure (Michel de), 6139.
Purš (Jaroslav), 692, 826, 829, 3148, 5668, 5774, 5848.
Puršová (Jana), 801.
Puś (Wiesław), 5775.
Puscas (Vasile), 7198.
Puschnig (Reiner), 92.
Puškarev (L.N.), 872.
Puškareva (I.M.), 6347.
Puskás (Julianna), 6069.
Puškin (Aleksandr S.), 5302, 5305, 5319.
Puškina (T.A.), 2743.
Pusztaszeri (László), 4015.
Putschögl (Gerhard), 6583.
Py (François), 1114.
Py (Michel), 1114.
Pytheas, 1304.

Q

Qajar, Persian dynasty, 7499.
Qing, Ch'ing, Chinese dynasty, 7646.
Qiu Jin, 7645.
Quadranti (Piergiorgio), 5072.
Quartaro (R.), 7452.
Quarthal (Franz), 2233.
Quataert (Donald), 5776.
Quéniart (Jean), 4903.
Quesnay (François), 5558, 5568, 5578.
Quested (Rosemary K. I.), 6681.
Quetel (Claude), 5183.
Quillet (J.), 2875.
Quintilianus (Marcus Fabius), 1621.

R

Raab (Heribert), 4458.
Raaben (L.N.), 5525.
Raaflaub (Kurt), 802.
Raaz (Falko), 7383.
Rabel (C.), 310.
Rabinovič (M.G.), 663.
Rable (George C.), 3658.
Raby (Julian), 24.
Rachet (Marguerite), 117.
Rachman (Odette Adina), 4972.
Racinet (Philippe), 2937.
Rácz (István), 2816.
Radeva (Marija), 4799.
Radice (Betty), 430.
Radice (Lisanne), 6447.
Radtke (Irena), 6584.
Rădulescu (Ion Heliade), 5367.
Radzicki (Józef), 5749.
Radzik (Tadeusz), 4904.
Räisänen (H.), 2023.
Rafel (Burton), 4800.
Raferty (Ellen), 185.
Raffles (Sir Thomas Stamford), 6729.
Raftery (Barry), 1115.
Ragsdale (Hugh), 4327.
Ragsdale (Lyn), 3659.
Rahe (Paul A.), 1369.
Rahe (Thomas), 2645.
Rahman (Fazlur), 4323.
Răileanu (C.), 2406.
Rainer (M.), 1827.
Rajak (Tessa), 1289.
Rákóczi (Ferenc II), prince de Transylvanie, 3985, 6919.
Rákóczi (György I), prince de Transylvanie, 4011.
Rákóczi (György II), prince de Transylvanie, 6934.
Rakob (F.), 1290.
Raková (Ivana), 4824, 4905.
Raková (Svatava), 7114.
Ralph of Domfront, patriarch of Antioch, 2993.
Ralston (Caroline), 7750.
Ramaswami (N.S.), 7553.
Ramm (Agatha), 3937.
Ramos (Jorge Abelardo), 3359.
Ramos (José Ignacio), 3360.
Ramotowska (Franciszka), 4169.
Ramsay (David), 3669.
Ramsden (John), 3832.
Ramses II, pharaon, 1210.
Ramus (Pierre de La Ramée, dit), 5104.
Ránki (György), 5669, 7332.
Ranlet (Philip), 6841.
Ransome (Arthur), 5308.
Ranzato (Gabriele), 6263.
Rao (V.K.R.V.), 5670.
Rapan (Avner), 1567.
Raphaël-Leygues (Jacques), 3708.
Rapoport (Ju. A.), 7491.
Rapov (O.M.), 3034.
Rappaport (Charles), 3813.
Rappaport (Uriel), 1283, 1288.
Rašba (N.S.), 4322.
Rashid (Subhi Anwar), 915.
Rashed (R.), 2447, 2858.

Rassl (Hermann), 4551.
Rathbone (Julian), 6952.
Rathenau (Walther), 3192.
Rathier, 2149.
Rathmann (Lothar), 859.
Ratkoš (Peter), 2205, 2206.
Rau (Santha Rama), 7538.
Rauch (K.), 229.
Raun (Toivo U.), 4394.
Raupach (Hans), 5741.
Rausch (Wilhelm), 720.
Rauscher (Anton), 4457.
Rauscher (Ulrich), 7060.
Raven (Christopher), 7734.
Raven (M.J.), 1205.
Ravensdale (Jack), 2646.
Ravitch (D.), 4906.
Ravitsky (Aviezer), 2876.
Ravix (Joël), 5575.
Rawlings (John Dunstan R.), 3938.
Rawlins (Clive), 4673.
Rawski (Tadeusz), 7333.
Raymond (André), 917.
Rayner (David R.), 5073.
Razi (Zvi), 2647.
Read (Grantley Dick), 5190.
Reagan (Ronald), 3529, 3568, 3609, 6653, 7432.
Reay (B.), 3918.
Rebas (Hain), 2407.
Rebhann (Fritz M.), 6953.
Rebrikova (N.V.), 7575.
Recchia (V.), 1987.
Rechberg und Rothenlöwen (Johann Bernhard Graf von), 3386.
Rechter (Gerhard), 3287.
Reddy (William M.), 5849.
Redish (Angela), 6011.
Redl, Spionageaffäre, 3409.
Ree (Jonathan), 5074.
Reece (Richard), 140.
Reed (C.M.), 1413.
Reed (Howard A.), 5850.
Reed (Richard), 5756.
Rees (Philip), 3106.
Regelmann (Johann-Peter), 5185.
Regula, Martyr Tiguri, Sancta, 2017.
Reh (Albert M.), 5276.
Reichardt (Rolf), 467.
Reichert (Folker), 2513.
Reichhold (Ludwig), 3417.
Reichmann (Oskar), 187.
Reid (Charles), 5535.
Reid (Patrick Robert), 7199.
Reid (T.B.W.), 2285.
Reif (Heinz), 6262.
Reifenberg (Benno), 4954.
Reimann (Norbert), 2345.
Reimer (H.), 2648.
Reimer (S.), 3150.
Reina (Cassiodoro de), 4572.
Reinalter (Helmut), 3418.
Reinhard (Wolfgang), 4769.
Reinhardt (Volker), 4522.
Reinhart (Theodore R.), 6842.
Reinhold (Johann Gotthard), 7026.
Reininghaus (Mariella), 3440.
Reinmuth (Howard S.) Jr., 3939.
Reinsch (Diether), 2035.
Reischer (Franz), 4674.

Reiser (M.), 1913.
Reiss (Edmund), 2679.
Reiss (Louise Horner), 2679.
Reissner (Alexander), 3289.
Reitano (Joanne), 6449.
Reitmayer (Ladislav), 887.
Rejchrtová (Noemi), 4304.
Rejsner (L.I.), 7485.
Remini (Robert V.), 3660.
Remmer (Karen L.), 3151.
Rémond (René), 4548.
Remotti (Francesco), 7705.
Rémy (B.), 1623.
Rémy (Pierre-Jean), 5491.
Renaghan (Thomas M.), 3661.
Renan (Ernest), 5026.
Renato (Camillo), 4572.
Renfrew (Colin), 1049.
Rengakos (Antonios), 1492.
Renoir (Pierre Auguste), 5460.
Renoux (Charles), 1988.
Repgen (Konrad), 6882.
Ressaissi (Raouf), 5671.
Restelli (Giuseppe), 2758.
Restle (Marcell), 227.
Rettig (Rudi), 5672.
Reuss (Joseph), 1908.
Revault (Jacques), 917, 6684.
Revel (François), 3767.
Reverdin (Olivier), 4907.
Révész (T. Mihály), 482.
Reyd-Flaud (Bernadette), 1011.
Reydellet (Chantal), 280.
Reynolds (Christopher), 2841.
Reynolds (Jack), 3909.
Reynolds (Sir Joshua), 5274.
Reynolds (L.D.), 1320.
Reynolds (Susan), 2346.
Rhéaume (Luc), 6559.
Rheticus (Georg Joachim v. Lauchen, genannt), 5104.
Rhodes (Benjamin D.), 7115.
Rhodes (Cecil John), 3869.
Rhodes (P.J.), 1335.
Rhys (Jean), 5294.
Ribbe (Wolfgang), 4582.
Ribera (Catalina de), 79.
Ricci (M.), 4044.
Rice (Desmond), 7453.
Rice (M.), 7519.
Rice-Maximin (Edward), 7454.
Rich (J.W.), 1685.
Rich (Paul B.), 3175.
Richard I, king of England, 2825.
Richardson (Brian), 186.
Richardson (David), 7305.
Richardson (R.C.), 819.
Riché (Pierre), 3021, 3035.
Richelieu (Armand Jean Du Plessis, cardinal de), 3713, 3723, 6009, 6896.
Richer (Jean), 239.
Richeza, Gemahlin König Mieszkos II. von Polen, 2327.
Richmond (Douglas W.), 4098.
Richter (Friedrich), 5741.
Richter (Gerhard), 2092.
Richter (Karel), 686.
Richter (Michael), 2890.

Rickard (Peter), 17.
Ricken (F.), 994.
Ricken (Ulrich), 5075.
Ricklefs (M.C.), 6746.
Riddell (Francis A.), 7734.
Riddle (J.M.), 1805.
Ridgway (Brunilde Sismondo), 1880.
Ridley (Jane), 5392.
Ridley (Japser), 3940.
Rieber (Alfred J.), 4395.
Rieber (Josef), 6451.
Rieckhoff-Pauli (S.), 1105.
Riedinger (Rudolf), 951, 2207.
Riedmann (Josef), 830.
Rieger (Dietmar), 2746.
Riegler (Josef), 4552.
Riemann (Friedrich), 5686.
Riezler (Kurt), 3202.
Rigaudière (Albert), 2514.
Rigby (S.H.), 3094.
Rigg (J.A.), 4425.
Riker (William H.), 3662.
Riley (J.C.), 6265.
Riley (James C.), 6012.
Riley (James D.), 6843.
Rill (Gerhard), 3419.
Rimell (R.L.), 7116.
Rincon (Antonio), 6898.
Ringeling (J.H.A.), 5439.
Rinkewitz (W.), 1765.
Rfo (Ignacio del), 4559.
Riosa (Alceo), 6452.
Ritoók (Zsigmond), 2124.
Ritter (Ernst), 299.
Ritter (Gerhard), 467.
Riu (Manuel), 2649.
Rivera Garretas (Milagros), 2938.
Rivierre (Jean-Claude), 621.
Rizvi (Gowher), 6712.
Roark (James L.), 6203, 6204.
Rob (Klaus), 3292.
Robbe-Grillet (Ingrid), 1.
Robbins (Keith), 7117.
Robbins (Naomi C.), 4090.
Robert (Jean-Louis), 6329.
Roberts (Brian), 3941.
Roberts (D.H.), 1493.
Roberts (Elizabeth), 6266.
Roberts (J.), 6267.
Roberts (J.W.), 1370.
Roberts (W.A.), 6585.
Robertshaw (Peter), 1050.
Robertson (Andrew), 5290.
Robertson (Claire C.), 6268.
Robespierre (Maximilien de), 3735.
Robin (Gabriel), 7455.
Robinson (Ira), 2429.
Robinson (John), 4270.
Robinson (John Martin), 5412.
Robson (Graham), 5701.
Roch (Jerome), 5536.
Roche (Daniel), 846, 3750.
Rochefort (Victor Henri marquis de Rochefort-Luçay, dit Henri), 3824.
Rochna (Otto), 1117.
Rochus, Sanctus, 2982.
Rochussen (J.J.), 4120.
Rockefeller (John Davison), 4884.
Rockoff (Hugh), 6013.
Rodbertus (J. K.), 5576.

Roddaz (Jean-Michel), 1686.
Roden (Günter von), 2945.
Rodger (Richard), 817.
Rodgers (Nini), 7022.
Rodinson (Maxime), 648, 2443.
Rodríguez Carmona (A.), 1989.
Rodve (Olav), 6454.
Rodziewicz (Miecsysław), 1881.
Rodzińska-Chojnowska (Aleksandra), 2642.
Rodzinsky (W.), 7619.
Röder (Karl-Heinz), 694.
Rödhammer (Hans), 4553.
Röhr (Werner), 6453.
Roelevink (J.), 4119.
Roelink (J.), 770.
Rösener (Werner), 2650.
Rössl (Joachim), 64.
Roets (A.M.), 6613.
Rofe (Alexander), 1293.
Rogačevskaja (L.S.), 6384.
Roger (Jacques), 4444.
Rogers (Earl M.), 5860.
Rogers (Naomi), 5186.
Rogers (Susan H.), 5860.
Rogers (Thomas), 4670.
Rogerson (John), 1291.
Rogge (Friedrich Wilhelm), 3186.
Rohls (Jan), 4675.
Rohwehr (Jürgen), 7334.
Roi Soleil, v. Louis XIV, roi de France.
Roisman (H.), 1494.
Rojahn (G.), 6391.
Rolland (Henri), 1037.
Rolland (Ph.), 1914.
Rollet (Henry), 7041.
Roloff (Ernst-August), 3294.
Romaňák (Andrej), 686.
Romanelli (Giandomenico), 4812.
Romani (Paul-Marie), 5575.
Romano (Andrea), 2515.
Romano (Roberto), 5777.
Romano (Ruggiero), 468, 6844.
Romano (Yehuda), 2433.
Rombach (J.H.), 768.
Romeo (Rosario), 4063.
Romero (José Luis), 3361.
Romilly (Jacqueline), 1495, 4907.
Rommel (Erwin), 7330.
Romsics (Ignác), 7118.
Roncin (D.), 149.
Ronda (James P.), 4436.
Roodenburg (H.), 6144.
Roorda (Daniel J.), 469, 770, 5711, 6269.
Roos (Jeja-Pekka), 6270.
Roosevelt (Eleanor), 3691.
Roosevelt (Franklin Delano), 544, 3675, 7215, 7233, 7261.
Roosevelt (Theodore), 7003.
Roquelet (Alain), 2651.
Rordorf (Willy), 1990.
Rorty (Richard M.), 597.
Rosa (José María), 3362.
Rosas (Juan Manuel de), 3350.
Rose (Mark H.), 5778.
Rose (Richard), 3916.
Rosebery (Archibald Philip Primrose, 5th earl of), 7009.
Rosefielde (Steven), 4396.
Rosen (Josef), 2652.
Rosen (Minna), 7520.
Rosenberg (Alfred), 7254.
Rosenberg (Ethel), 3655.
Rosenberg (Julius), 3655.
Rosenberg (Norman L.), 3663.
Rosenberg (Shalom), 2877.
Rosenblum (Robert), 5445.
Rosenfeld (Günter), 7119, 7120.
Rosenthal (J.T.), 2653.
Rosetti (C.A.), 4240.
Rosicka (Janina), 5076.
Rosier (Bernard), 5610.
Rosińska (Grażyna), 5187.
Roška (I.), 7382.
Rosner (Erhard), 5188.
Rosow (Stephen J.), 5077.
Ross (Alf), 259.
Ross (Dorothy), 365.
Ross (Ronald J.), 3295.
Ross (Stephanie), 5447.
Rosscher (Ph. M.), 7151.
Rosselli (John), 5537.
Rosser (A.G.), 2654.
Rossetti (Livio), 1423.
Rossiter (Margaret W.), 5189.
Rosso (A.), 4557.
Rostocker (William), 7620.
Rostow (Nicholas), 7121.
Rostworowski (Emanuel),775, 4216.
Roth (Franz Otto), 6906.
Roth (Helmut), 2249.
Rothberg (Morey D.), 441.
Rothe (Hans), 1015, 4397.
Rothenberger (Karl-Heinz), 3296.
Rothfusz (Th.), 210.
Rott (Jean), 4572.
Rottermund (Andrzej), 5272.
Rouche (Charlotte), 2028, 2093.
Roumasset (James), 7746.
Rouse (M.A.), 206.
Rouse (R.H.), 206.
Rousseau (Adelin), 1907.
Rousseau (Jean-Jacques), 4988, 4992, 5001, 5008, 5053, 5056, 5083.
Roussille (Frédéric), 1344.
Rousso (Henry), 598.
Roux (Charles), 3814.
Roux (Charles), 981.
Roux (Jean-Paul), 782.
Roviello (Anne-Marie), 5078.
Rowe (William T.), 7621.
Rowell (George), 5538.
Rowley (Kelvin), 7564.
Rowley-Conwy (Peter), 1052.
Roxborough (Ian), 3152.
Roydson (Christine M.),656.
Rozanceva (N.A.), 7456.
Rozen (A.E.), 4398.
Rożiewicz (Jerzy), 4801.
Rozman (Gilbert), 7622.
Rozsnyói (Agnes), VIII.
Rtveladze (E.V.), 7521.
Rubenson (Sven), 266.
Rubin (Jay), 4077.
Rubio (L.), 2012.
Rubner (Heinrich), 5779.
Rubottom (Richard), 7457.
Rudbeck (Olof) Sen., 867.
Rudenskaja (M.P.), 4802.
Rudenskaja (S.D.), 4802.
Rudnickaja (E.L.), 4973.
Rudolf II., röm.-deutscher Kaiser, 3232.
Rudolf von Rheinfelden, 2356.
Rudolph (Günther), 5576.
Rudwick (Elliott), 358.
Rückert (Joachim), 3297.
Rueda Sabater (Mercedes), 150.
Rühfel (Hilde), 1568.
Ruello (Francis), 2846.
Rürup (Reinhard), 3298.
Rüsen (Jörg), 336, 384.
Rüskamp (Wulf), 5539.
Rüther (Günther), 6540.
Ruether (Rosemary Radford), 4459.
Rufinus Aquileiensis, 4.
Ruggero II, re di Sicilia, 2529.
Ruiz (Teofilo F.), 2516.
Ruloff (Dieter), 599.
Rumi, v. Jalal-ud-din Rumi.
Rumjanzewa (Nelly), 3664.
Runciman (W.G.), 2655.
Runia (D.T.), 1487.
Rury (John L.), 4908.
Rusanov (I.P.), 2732.
Ruschenbusch (E.), 1414.
Rusev (Penju), 2759.
Rusinowa (Izabella), 6845.
Rusiński (Władysław), 6070.
Ruskin (John), 794, 5295.
Russell (Colin), 6271.
Russell (Jeffrey Burton), 3036.
Russell (John Russell, 1st earl of), 6568.
Russo (E.), 2826.
Russo (Giuseppe), 6520.
Russocki (Stanisław), 2656.
Russu (Ioan I.), 1618.
Rusu (Adrian Andrei), 2408.
Rusu (Mircea), 2301.
Ruta Serafini (Angela), 1116.
Rutenburg (V. I.), 2264, 2683, 3153.
Rutherford (Ernest Rutherford, 1st baron of Cambridge a. Nelson), 5216.
Rutland (Robert A.), 3527.
Rutman (Anita H.), 6846.
Rutman (Darrett B.), 6846.
Ruttkay (Fraňo), 4948.
Rutz (Werner), 1610.
Ruusbroec, v. Jan van Ruusbroec.
Ruys de Beerenbrouck (C. J.M.), 4126.
Ruysbroek, v. Jan van Ruusbroec.
Rybakov (B.A.), 470, 1025, 1026, 2260.
Rybicki (Paweł), 5079.
Rybikowa (Alla), 6455.
Ryskamp (Charles), 5284.
Rysková Světlana), 7458.
Rystad (Göran), 7459.
Ryszewski (Bohdan), 272.
Rzepecki (Jan), 7363.
Ržeševskij (O. A.), 7200, 7271.

S

Saal (P.), 5708.
Saari (Heikki), 410.
Saba (rabbi Abraham),2424.
Sabatier (Jacqueline), 6272.
Sabbah (G.), 1806.
Sabbidēs (Alexēs G. K.), 2052, 2094.
Sabbione (C.), 1582.
Sabean (David Warren), 3299, 6157.
Sabetti (Filippo), 4064.
Sabia (Daniel R.) Jr., 4803.
Sabina (Vibia), épouse de l'empereur romain Hadrianus, 108.
Sablier (Edouard), 4974.
Sabloff (Jeremy A.), 7725.
Sablonier (Roger), 2657.
Sackville-West (Victoria), 5296.
Saddlemyer (Anne), 5298.
Sadeek (Wafaa el-), 1206.
Saffrey (H.D.), 489.
Safley (Thomas Max), 4460.
Safrai (Ze'ev), 1292.
Sagajllo (Witold), 7372.
Sagave (Pierre-Paul), 4959.
Sagi (Nana), 4738.
Sagona (A.G.), 1095.
Saguez-Lovisi (Claire),6546.
Saguier (Eduardo R.), 6847.
Sahel (Pierre), 5254.
Saint (Max), 6747.
Saint-Sernin (Bertrand),395.
Saint-Ygnan (Jean-Jaurès), 3815.
Saitta (Armando),600, 2261.
Saizu (Ioan), 7201.
Sajkowski (Alojzy), 6907.
Sajti (Eniko), 7202.
Sakai (Yûkichi), 4078.
Sakař (Vladimír), 1882.
Sakharov (A.N.), 2347.
Sakurai (Yumio), 7576.
Saladino (Gaspare J.), 3518.
Salamon (Maciej), 1991.
Salch (Charles-Laurent), 3037.
Salem (N.), 4315.
Salier, Dynastie,2348, 3061.
Salimbeni (Fulvio, 268, 457.
Saller (Richard P.), 1766.
Salles (Jean-François), 1161.
Sallustius Crispus (Gaius), 1622.
Salmon (J.B.), 1371.
Salmon (W.A.), 977.
Salmonowicz (Stanisław), 4524, 6687.
Saltzgaber (Jan M.), 6091.
Salvatore (A.), 1624.
Salzmann (Ulrich), 4525.
Samaran (Charles), 471.
Samardžić (Radovan), 793.
Samarin (Jurij Fëdorovič), 5017.
Samek (Jan), 5467.
Sampson (A.), 1070.
Samson (John), 5360.
Samsonov (A. M.), 3130, 5780.
Samsonowicz (Henryk), 2760.
Samuś (Paweł), 6456.
San Martino de Dromí (Laura), 3363.
Sánchez Albornoz (C.), 507.

Sánchez Herrero (José) 2761.
Sánchez Romero (Jaime), 2447a.
Sancho IV, rey de Castilla y de León, 2145.
Sandelowski (Margarete), 5190.
Sandon (Erika), 3038.
Sanders (E.P.), 2023.
Sanders (Sir Robert), Lord Bayford, 3832.
Sanderson (Michael), 5541.
Sandkühler (Hans Jörg) 601.
Sándor (Pál), 4016.
Sandos (James A.), 4099.
Sandström (Anders), 4277.
Sanfilippo (Cesare), 508.
Sangren (Steven P.), 7623.
Sanherib, v. Sennacherib, roi d'Assyrie.
Santamaria (Ulysses), 602.
Santamaría Lancho (Miguel), 2658.
Santerre (Jean-Marie), 2095.
Santini (Giovanni), 6520.
Santoni (Alberto), 7335.
Santos Canalejo (Elisa Carolina de), 2517.
Sanz Sancho (Iluminado), 3040.
Saperstein (Marc), 2431.
Sapieha (Adam Stefan), archevêque de Cracovie, 4510.
Saporetti (C.), 1225.
Sappho, 1469.
Sarašenidze (Dž. M.), 1242.
Sarianidi (V.I.), 7522.
Sarkar (Sir Jadunath), 7554.
Sarott (J.), 3070.
Sarova (P.N.), 5939.
Sartine (Antoine de), comte d'Alby, 3790.
Sartori (M.), 1496.
Sasaki (Junnosuke), 7675.
Sasso (Gennaro), 5080.
Satco (Emil), 5375.
Satô (Saburô), 6688.
Satô (Shinichi), 7676.
Satô (Tsugitaka), 7523.
Saturninus (Lucius Appuleius), 1637.
Sauer (Paul), 6614.
Sauer (Siegfried), 853.
Saugnieux (Joël), 4526.
Saul (Nigel), 2409.
Saul (Samir), 461.
Saulnier (C.), 1828.
Saulnier (Chr.), 1992.
Saulnier (Lydwine), 2827.
Saulnier (Verdun-L.), 5245.
Saussol (Alain), 6877.
Sautel (Gérard), 3816.
Sauzet (Patrick), 1114.
Savage (A.), 2121.
Savary des Brulons (Jacques), 5556.
Savickij (I.M.), 5781.
Savigny (Friedrich Karl von), 3297, 3306, 6517.
Savinel (P.), 1337.
Savinov (D.G.), 666.
Savonarola (Girolamo), 3049.
Savory (Roger M.), 516.
Savova (Elena), 6322.
Saward (Dudley), 5191, 7336.
Sawyer (Roger), 3942.

Saxer (Victor), 1993.
Saxinger (Franz), 3420.
Saxton (Alexander), 4975.
Sayers (Jane E.), 2903.
Sayes (Shelley Ann), 7751.
Sboronos (Nikos), 6273.
Scalia (Massimo), 5705.
Scandola (Pietro), 4863.
Scarano (Francisco A.)5940.
Scarisbrick (J.I.), 4675.
Scarlat (Mircea), 5230.
Scarman (Lord), 3844.
Scarpa Bonazza Buora (A.), 1497.
Scarr (Deryck), 6878.
Sčečilin (B.N.), 7159.
Sčerbákov (J.N.), 7218.
Schaab (Meinrad), 2283.
Schaaf (Peter), 6324.
Schaaf (U.), 1096.
Schachermeyr (Fritz), 472, 1328.
Schachermeyr (Hilde), 472.
Schachner (Daphna), 4976.
Schädlich (Karlheinz), 366.
Schäfer (Franz), 1015.
Schäfer (Peter), 1253.
Schäfer (Philipp), 933.
Schäffer (Roland), 5413.
Schaff (Adam), 4205.
Schapelhouman (M.), 5448.
Schaper (H.A.), 4142.
Schapiro (Leonard), 4399.
Schapiro (Morton Owen), 5792.
Schatz (Ronald W.), 6274.
Schauber (Gregor), 2939.
Schauenburg (K.), 1570.
Schaußberger (Norbert), 7272.
Scheiber (Alexander), 755.
Scheiber (Sándor), 631.
Scheibert (Peter), 4400.
Scheid (J.), 419.
Schein (S.L.), 1498.
Schelhaas (T.N.), 765.
Schepens (Luc), 3449.
Schepper (Hugo de), 770, 4150, 4158, 6014.
Schepper (M. de), 998.
Scherer (Peter), 6324.
Scherer (Wolfgang), 4823.
Scherft (P.), 5543.
Scherzenfeldt (Brigitta), 4272.
Schickler (Ulla), 6386.
Schieder (Theodor), 395, 437, 603, 7123.
Schieffer (Rudolf), 950.
Schiffkorn (Aldemar), 6275.
Schiffman (Zachary S.), 5081.
Schildhauer (Johannes), 2262.
Schiltberger (Johann), 2075.
Schimböck (Maximilian),721.
Schimetschek (Bruno), 2659, 6276.
Schimmelpenninck van der Oije (C.O.A.), 6490.
Schimmpfennig (B.), 939.
Schinzinger (Francesca), 5673.
Schirmacher (Wolfgang),612.
Schißler (Hanna), 3191, 5998.
Schlacter (Gail), 3511.
Schlatter (Richard), 367.

Schlegel (Friedrich von), 4993.
Schlegel (Joachim), 839.
Schleich (T.), 1767.
Schleich (Thomas), 5082.
Schleiermacher (M.), 1883.
Schless (Howard H.), 2762.
Schlesser (Norman D.), 2284.
Schloss (Chr.), 5449.
Schlosser (J.), 1261.
Schmädeke (Jürgen), 3209.
Schmale-Ott (Irene), 2204.
Schmaus (Michael), 933.
Schmid (Hermann), 4554.
Schmid (Karl), 2348.
Schmider (Béatrice), 1057.
Schmidlechner (Karin), 6376.
Schmidt (Benno C.) Jr., 6528.
Schmidt (Georg), 3300, 6547.
Schmidt (Hans), 6908.
Schmidt (Ludwig), 83.
Schmidt (Peter), 4909.
Schmidt (Peter), 6015.
Schmidt (Vera), 7624.
Schmidt (Walter), 368, 713.
Schmidt-Chazan (Mireille), 2763.
Schmiechen (James A.),5782.
Schmied (Erich), 815.
Schmitt (Bernadotte E.), 7124.
Schmitt (Eberhard), 4429, 4989.
Schmitt (Jean-Marie), 3751.
Schmitt (Karl), 4527.
Schmitz (Walter), 3301.
Schmugge (Ludwig), 3041.
Schnapper (B.), 6615.
Schneemelcher (Wilhelm), 1922.
Schneer (Jonathan), 3943.
Schneider (Max), 915.
Schneider (Reinhard), 976.
Schnell (Bernhard), 2198.
Schnierson (V.), 7632.
Schobel (Josef), 844.
Schober (Richard), 3421.
Schöffer (I.), 469.
Schöffmann (Irene), 6277.
Schöllgen (Georg), 1994.
Schöllgen (Gregor), 3302, 7033.
Schoeman (Elna), 4104.
Schoeman (Stanley), 4104.
Schöneburg (Karl-Heinz), 6457.
Schoeps (Julius H.), 612, 3303, 3304.
Schoeps (Hans-Joachim), 3304.
Schofield (John), 3095.
Scholliers (P.), 6298.
Scholz (Ursula), 705.
Schorn-Schütte (Luise), 369 449.
Schott (Clausdieter), 683.
Schouler (B.), 1499.
Schouten (M.J.B.), 6719.
Schrader (F.E.), 6391.
Schram (P.L.), 4584.
Schram (Stuart R.), 7625.
Schrama (M.), 3042.
Schramm (Gottfried), 6278.
Schramm (Tomasz), 7125.
Schratt (Katharina), 3410.
Schrattenbach (Siegmund Christoph Graf von), Erz-

bischof von Salzburg, 4525.
Schreiber (G.), 7203.
Schreiner (Klaus), 4804.
Schreiner (Peter), 2096.
Schreyer (Hermann), 3305.
Schröder (Brigitte), 370.
Schröder (Horst), 33°6.
Schröder (Rainer), 2518.
Schröder (Sibylle), 4305.
Schröter (Verena), 5674.
Schubert (W.), 1829.
Schück (Herman), 4278.
Schüppert (Helga), 2764.
Schüttpelz (Bert), 7423.
Schützeichel (Rudolf), 3096.
Schulenburg (Fritz-Dietlof Graf von der), 7369.
Schuler (Peter Johannes), 2211.
Schulte (Evelyn), 191.
Schulten (C.M.), 4152.
Schultheiß (Wolfgang), 4572.
Schultz (Helga), 5675.
Schultz (Stanley K.), 3665.
Schulz (Knut), 6072.
Schulze-Delitzsch (Hermann), 3193.
Schulzinger (Robert D.), 3666.
Schumacher (L.), 1536.
Schuman (Robert), 7405.
Schumann (Maurice), 3817.
Schumann (Wolfgang), 7158.
Schuring (J.M.), 1884.
Schuster (Gerhard), 5297.
Schuster (Oskar), 4242.
Schutte (G.J.), 6714.
Schutte (O.), 6683.
Schwabe (Calvin W.), 888.
Schwabe (Klaus), 467.
Schwager (Ernst), 3422.
Schwartz (Bonnie Fox),3667.
Schwartz (Eduard), 950.
Schwartz (Joel), 5083.
Schwartz (Stuart B.), 6825.
Schwarz (Hans-Peter), 3185.
Schwarz (Karl), 4677.
Schwarz (S.J.), 1606.
Schweiger (Werner J.),5387.
Schweikart (Larry), 6848.
Schweitzer (Arthur), 3154.
Schweitzer (C.C.), 3307.
Schwenckfeld von Ossig (Caspar), 4591.
Schwind (Fred), 2660.
Schwineköper (Berent), 2661, 2828.
Schwinges (Rainer Christoph), 889.
Scopes (John T.), 5140.
Scott (Anne Firor), 6279.
Scott (Christina), 413.
Scott (Margaret), 5293.
Scranton (Philip), 5783.
Scuderi (Rita), 1807.
Scull (Andrew), 5192.
Scurtu (Ioan), 4259.
Seager (Robert) II, 3516.
Sealy (Raphael), 1396.
Searle (Peter Whiford),7577.
Sebastini (Lucie), 955.
Sebestyén (Sándor), 7126.
Seccombe (Ian J.), 4082.
Seckinger (Ron), 7024.
Secoşan (Elena), 667.
Secrest (Meryle), 5388.
Sedov (A.V.), 7512.

Sedykh (V.N.), 6458.
Seeber (Eva), 7273, 7460.
Seeber (Gustav), 6457.
Seeck (G.A.), 1500.
Seegers (J.J.), 5676.
Seeligmann (Isaac Leo), 1293.
Seely (Bruce E.), 3668, 5193.
Segal (Arthur), 2097.
Segal (Erich), 1680.
Segeth (Wolfgang), 604.
Séguenny (André), 4572.
Ségur (Sophie Rostopchine, comtesse de), 6117.
Segura Graíno (Cristina), 2519, 3097.
Sehnal (Christine), 3423.
Sehr (Timothy J.), 4679.
Seibert (Hubertus), 6459.
Seibezeder (Franz), 6616.
Seibold (Gerhard), 5851.
Seibt (Ferdinand), 2245, 3155.
Seidel (Helmut), 1501.
Seidl (Horst), 1502.
Seidman (Steven), 803.
Seifert (Siegfried), 5260.
Seip (Jens Arup), 4108.
Seipel (Ignaz), 3429.
Seitenfus (Ricardo Silva), 7274.
Sejersted (Francis), 4110, 6521.
Šejnbaum (L.S.), 668.
Šejnis (Z.S.), 4401.
Sęk (Jan), 7138.
Sekio (Shirô), 7626.
Šekun (A.V.), 2610.
Šel (Zdeněk), 4285.
Selden (John), 6503.
Seldjoukides (les),dynastie, 2094.
Selecká-Mârza (Eva), 4222.
Selement (George P.), 6849.
Séléucides (les), dynastie, 1237.
Selinger (Maren), 6586.
Selinger (Suzanne), 4680.
Selivanov (B.I.), 3156.
Selle (Otto-Ehrenfried) 3225.
Sellier (François), 6280.
Selmeczi-Kovács (Attila), 431.
Šelokhaev (V.V.), 4402.
Šelov (D.B.), 146.
Semenjuk (N.N.), 172.
Semenov (Ju. I.), 1051.
Semenza (G.), 5194.
Semmel (Bernd), 5577.
Semple (John), 6850.
Senatorov (A.T.), 443.
Seneca (Lucius Annaeus), 1631, 1786, 1808.
Senenov (A.L.), 3818.
Senghor (Léopold Sédar), 7698.
Sennacherib, roi d'Assyrie, 1238.
Sepp (J.C.), 5784.
Sepp (Sieglinde), 315.
Septimus (Bernard), 2432.
Šeptunova (I.I.), 7555.
Šeptyćkyj (Andrij), 3384.
Serczyk (Władysław Andrzej), 4806, 6281.
Sereni (L.), 27.
Sergent (Bernard), 1521.

Serjeantson (S.W.), 7752.
Sermoneta (Giusseppi), 2433.
Serpotta (Giacomo), 5401.
Serra (Enrico), 760.
Servet (Jean-Michel), 151.
Servius (Marius Honoratus), 1629.
Šestak (Ju. I.), 4403.
Šestakov (V.A.), 4389.
Sethe (Kurt), 1177.
Seton-Watson (Hugh), 804.
Settas (Nikos Ch.), 5941.
Setton (Kenneth M.), 4480.
Ševjakov (A.A.), 6460.
Sev'jan (D.A.), 6461.
Sevost'janov (G.N.), 3534.
Seward (William Henry), 3572.
Seyrl (Harald), 327.
Sgard (Jean), 4935.
Sguaitamatti (M.), 1571.
Shaffer (Arthur H.), 3669.
Shahid (Irfan), 1687.
Shai (Aron), 6690.
Shakespeare (William), 4785, 5222, 5235, 5254, 5506.
Shalhope (Robert E.), 3670.
Shammas (Carole), 5677.
Shamshi-Ilu, roi d'Assyrie, 1241.
Shapiro (Edward S.), 7204.
Sharastâni (Muhammad ben 'Abd al-Karim al-), 2212.
Sharpe (J.A.), 6282.
Sharpe (Richard), 3043.
Shavit (Yaakov), 4739.
Shaw (Barton C.), 3671.
Shaw (Brent D.), 1768.
Shaw (William H.), 605.
Shawen (Neil McDowell), 4910.
Shear (T.L.), 1572.
Sheehan (Nancy M.), 4911.
Shelton (George), 805.
Shem Tov. v. Ibn Falaquera (Shemtob ben Joseph).
Shenton (Sir Thomas), 7572.
Shepherd (Naomi), 3308.
Sherwin-White (A.N.), 1688.
Shetty (B. Vasantha), 7556.
Shibata (Minoru), 941.
Shiloh (Yigal), 1294.
Shimada (Masao), 7524.
Shimizu (Mutsuo), 699.
Shimo (Hirotoshi), 7525.
shineberg (Dorothy), 6879.
Shirley (Rodney), 226.
Shlomowitz (Ralph), 5942.
Shôgakinai (Masahiro), 7627.
Short (Ian), 2285.
Shōwa, Japanese hist. period, 4071, 4073, 7046.
Showalter (Dennis E.), 3181, 3309.
Shrewsbury, earls of, 3845.
Shrimpton (Gordon S.), 1372.
Shubert (Adrian), 3508.
Shufeldt (Robert Wilson), 3577.
Sibora (Janusz), 606.
Sieben (Hermann Josef), 978, 3044.
Siebert (Donald T.), 5084.
Siegelbaum (L.H.), 4404.
Sieh-Burens (Katarina), 2520.
Siemens A.G. Österreich, 297.
Sienerth (Stefan), 1012.

Sierck (Jakob von), v. Jakob von Sierck, Erzbischof von Trier.
Sierpowski (Stanisław), 7127.
Sievers (Jakob Johann, Graf), v. Sievers (Jakov Efimovič).
Sievers (Jakov Efimovič), 4335, 4361.
Sievers (Susanne), 1117.
Siger de Brabant, 2213.
Sigrist (Marcel), 1226.
Sikelianos (Angelos), 5356.
Šikhsaidov (A.R.), 7526.
Siklós (András), 3424, 7128.
Sikorski (Janusz), 1689.
Sikorskij (N.M.), 51.
Siler (Douglas), 5418.
Silius Italicus (Tiberius Catius Asconius), 1783.
Silk (Mark), 4461.
Silva (Maria Beatriz Nizza da), 371.
Silver (Brian D.), 4825.
Silver (Christopher), 6073.
Silverman (Kenneth), 4681.
Silverstein (Mark), 6548.
Simányi (Tibor), 3435.
Simecka (Milan), 4306.
Simensen (Jarle), 485, 4682.
Simeon Veliki [le Grand], tsar de Bulgarie, 2239.
Simeoni (Héctor Rubén) 7461.
Simion (Aurică), 7228.
Simion (Ion), 4224.
Simmel (Georg), 5137.
Simmons (R.C.), 6788.
Simon (Bruno), 5852.
Simon (Dan), 6462.
Simon (Dieter), 500.
Simon (Heinrich), 997.
Simon (John Y.), 3521.
Simon (László), 2302.
Simon (Marcel), 1995.
Simon (Marie), 997.
Simon (Péter), 5943.
Simon (Róbert), 2448.
Simon (Walter B.), 3426.
Simonescu (Dan), 1013.
Simonija (N.A.), 7485.
Simonton (Dean Keith), 607.
Simopoulos (Kyriakos), 3978.
Šimovček (Ján), 7358, 7362.
Simpsas (M.), 7337.
Simpson (A.W. Brian), 6617.
Simpson (George Gaylord), 5195.
Simson (Gerhard), 5678.
Sinclair (David), 3157.
Sinclair (Fiona), 5414.
Sinclair (James), 7578.
Sindbjerg (Pia), 7599.
Singal (Daniel Joseph), 438.
Singer (David G.), 4462.
Singer (Itamar), 1250.
Singerman (Robert), 4936.
Singh (Darshan), 7381.
Singh (Giani Zail), 7545.
Singh (K.S.), 6748.
Singh (Ranjit), 6749.
Sinkovics (István), 6909.
Sinoto (Yoshiko), 7753.
Sipos (Attila), 4246.
Sipos (György), 3994.
Sipos (József), 4017.
Sipos (Péter), 6052, 6463, 7275.
Siraisi (Nancy G.), 5196.

Sirat (Colette), 18.
Sirks (A.J.B.), 1731.
Sirriyeh (Hussein), 7462.
Šišov (N.I.), 7276.
Sissa (G.), 1503.
Sitzia (Francesco), 2098.
Siverson (Randolph M.), 6692.
Sivéry (Gérard), 2214, 2663.
Sivolobov (A.M.), 6384.
Sjöblom (Paul), 3698.
Skaggs (David Curtis), 6850.
Skarżyński (Aleksander), 7355.
Skibiński (Franciszek), 7338.
Skibiński (Leonard), 7339.
Skidmore (Thomas), 3159.
Sklabenitēs (Triantaphyllos), 300.
Sklenář (Miroslav), 4285.
Skorodumov (D.E.), 4420.
Škorpil (Pavel), 7463.
Skoulatos (B.), 2042.
Skouterē-Didaskalou (Nora), 6283.
Skowronek (Jerzy), 6954.
Skripin (A.S.), 1118.
Skrynnikov (R. G.), 4393, 6284.
Slack (Paul), 3944.
Sladek (Paulus), 316.
Sladkovskij (M.I.), 7628.
Slapnicka (Harry), 3427.
Ślaski (Jan), 5255.
Slatter (John), 4405.
Slaughter (Thomas P.), 6851.
Slavin (Morris), 3819.
Slechte (C.H.), 2986.
Slehoferova (V.), 322.
Slicher van Bath (B. H.), 6852.
Śliwowska (Wiktoria), 4208.
Słodowa-Hełpa (Małgorzata), 6285.
Slot (B.J.), 274.
Slowiński (Jan), 6522.
Šmahel (František), 2410.
Smaranda (Aurica), 115.
Šmeleva (M.N.), 663.
Šmidt (S.O.), 4406.
Smiley (David), 7340.
Smiljanskaja (I.M.), 7502.
Smirnov (A.V.), 6286.
Smirnova (N.A.), 7269.
Smirnova (N.D.), 7277.
Smit (J.G.), 4119.
Smith (Adam), 5073, 5097, 5562, 6391.
Smith (Annette), 5085.
Smith (Arthur L.), 7464.
Smith (Bonnie G.), 372, 6211.
Smith (Carl S.), 5231.
Smith (G. Rex), 3107.
Smith (Harold L.), 5785, 6464.
Smith (Malcolm), 3945.
Smith (Myron J.) Jr., 7288.
Smith (Olivia), 5361.
Smith (Peter Charles), 7341.
Smith (Peter H.), 3159.
Smith (R.B.), 7465.
Smith (R. Morton), 979.
Smith (Richard M.), 838, 848, 2664.
Smith (Robert A.), 3946.
Smith (Robert Ernest F.), 4407.

Smith (Steven B.), 5086.
Smith (Truman), 7221.
Smith (Walter Bedell), 3672.
Smith (Woodruff D.), 6287.
Smolinsky (Heribert), 4683.
Smolka (Stanisław), 4206.
Smykov (Ju. I.), 6288.
Šneerson (L.M.), 7025.
Snelders (H. A. M.), 5108, 5944.
Snellman (Johan Vilhelm), 3697.
Snodgrass (Jon), 5197.
Snyder (Robert E.), 5945.
Snyder (William P.), 3672.
Soane (Sir John), 5415.
Sobczak (Jan), 6465.
Soberanes Fernández (José Luis), 6516.
Sobieski, famille, 4829.
Sobociński (Władysław) 6587.
Sobolewski (Marek), 4207.
Socolow (Susan M.), 3161.
Sodini (Jean-Pierre), 2056.
Söderberg (Johan), 849, 5679.
Sørensen (Villy), 1808.
Soete (J.L.), 3450.
Soetermeer (F.P.W.), 6618.
Sofronov (M.V.), 7607.
Soggin (Jan Alberto), 1295.
Sogrin (V.V.), 3673.
Sokal (Michael M.), 5198.
Sokoloff (Kenneth L.), 5786.
Sokolova (M.N.), 373.
Sokołowski (Marek), 7278.
Sōkratēs, 1370, 1418, 1438, 1440, 1472, 1485.
Solberg (Carl), 3674.
Soliman Ier le Magnifique, sultan ottoman, 5665, 6909.
Solinas (Piergiorgio), 847.
Solomita (V.P.), 670.
Solōn, 1381.
Solov'ev (S.M.), 473, 4408.
Solov'eva (A.M.), 6016.
Soloyov (Vladimir), 4409.
Soltész (Elisabeth), 47.
Soly (H.), 893, 4807.
Sólyom (László), 6523.
Sommer (C. Sebastian), 1690.
Sommerfeld (Arnold), 4816.
Sommerfeld (Walter), 1243.
Somogyi (Éva), 3428.
Somville (P.), 1522.
Sonderegger (Stefan), 187.
Song, v. Sung, Chinese dynasty.
Sonnemann (Rolf), 853.
Sonnet (Martine), 852.
Sonnleitner (Käthe), 2665.
Soós (Katalin), 6466.
Sophianos (Dēmētrios Z.), 2961, 4568.
Sophie, queen of the Netherlands, 4121.
Sophoklēs, 1454.
Sopko (Július), 374.
Šopov (Jordan), 3472.
Soproni (Sándor), 1130.
Soreanu (Mircea), 4324.
Sorelli (Fernando), 3045.
Sornay (Janine), 2215.
Soskin (V.L.), 4776.
Sosson (J.-P.), 925.
Souliōtēs-Nikolaïdēs (Athanasios), 2099.

Soulis (George Christos), 2100.
Southall (Roger), 3453.
Southard (Samuel L.), 3548.
Sovasteev (V.V.), 4079.
Spagnuolo Vigorita (T.), 1732.
Spahn (P.), 1321.
Spalding (Karen), 6853.
Spanjaard (S.J.), 5724.
Spanke (Hans), 2765.
Spartacus, 1667, 1681.
Spasov (Ljudmil), 7279.
Spears (Sir Edward), 7237.
Speelman (Cornelis), 5845.
Speet (B.M.J.), 210.
Speidel (Michael P.), 1733.
Speigl (Jakob), 2101.
Spencer (John H.), 3694.
Spencer (Patricia), 1207.
Sperber (Helmut), 2666.
Sperber (Jonathan), 4528.
Speroni (José), 7467.
Spicciani (Amleto), 375.
Spiertz (M.G.), 4464.
Spieser (J.-M.), 1996.
Spiewok (Wolfgang), 2766.
Spillane (John D.), 5199.
Spindler (K.), 1105.
Spindler (Max), 509.
Spinei (Victor), 2350.
Spinner (Thomas J.) Jr., 3981.
Spinoza (Baruch), 5054, 5088.
Spira (A.), 1906.
Spira (György), 4018.
Spitzer (J. Shlomo), 2217.
Spitzer (Shlomo), 2434.
Sprandel (Rolf), 2667.
Sprenger (M.), 1607.
Sprigge (Joshua), 3833.
Spriggs (Matthew), 7754.
Spring (David), 5946.
Springer (Cornelis), 5439.
Springer (Matthias), 1138.
Springschitz (Leopoldine), 152.
Spröte (Wolfgang), 7383.
Spruit (J.E.), 6493.
Sprunger (Keith L.), 4684.
Spufford (Margaret), 5787.
Spurlin (Paul Merrill), 6854.
Squillace (Leopoldo de Gregorio, marchese di Vallesantore e di), 3500.
Srebrny (Stefan), 890.
Sreznevskij (I.I.), 5317.
Šrom (František), 5947.
Srutwa (Jan), 1997.
Staab (Franz), 2940.
Stackmann (Karl), 2735.
Stafford (Robert A.), 6715.
Štaigl (Jan), 7328.
Stajnova (Mikhaila), 317.
Stajuda (Teresa), 3491.
Stalin (Iosip Vissarionovič Džugašvili, dit), 4345, 5213, 5693, 7264.
Stamatēs (Kostas M.), 6524.
Stambolijski (Aleksandǎr), 3461.
Stammnitz (Wolf), 1528.
Stamoulē (Rhodē-Angelikē), 3979.
Stan (Valeriu), 4260, 7008.
Staněk (Jan), 4285.
Stanislavskaja (A.M.), 6955.

Stanisław I Leszczyński, roi de Pologne, duc de Bar et de Lorraine, 4190.
Stanisław II August Poniatowski, roi de Pologne, 4170.
Stankiewicz (Witold), 314.
Stankiewicz (Zbigniew), 6549.
Stanton (Elizabeth Cady), 3597.
Stanton (G.N.), 1998.
Stanton (G.R.), 1373.
Stapert (D.), 1058.
Stapleton (Darwin H.), 5200.
Starcev (V.I.), 4353, 4411.
Starhemberg (Gundaker Thomas Graf), 3382.
Staritz (Dietrich), 3310.
Stark (Walter), 2537.
Starkova (N.K.), 876.
Starna (William A.), 7741.
Starnawski (Jerzy), 4912, 5232.
Statelova (Elena), 3473.
Stathē (Pēnelopē), 4437.
Staubach (Nikolaus), 3046.
Staudinger (Anton), 3429.
Staudinger (Eduard G.), 3430, 6376.
Staufer, Dynastie, 2315, 2319, 2345, 2999.
Stauffenegger (Roger), 4686.
Stavropoulos (Aristotelēs K.), 6074.
Steane (John), 3098.
Stearns (Peter Nathaniel), 6290.
Steblij (Feodosij J.), 4208.
Štěchová (Gabriela), 3364.
Steedman (Carolyn), 6589.
Steel (Tom), 752.
Steele (Richard W.), 3675.
Štefan Dušan, tsar de Serbie, 2100.
Ștefănescu (Ștefan), 780.
Steffen (Charles G.), 6467.
Stegemann (B.), 7203.
Steger (Hanns-Albert), 6386.
Steglich (Wolfgang), 7039, 7129.
Stegmann (Wilhelm), 6691.
Stein (Heinrich Friedrich Karl, Freiherr vom u. zum), 3191, 3224, 5998.
Stein (Kenneth W.), 7527.
Steinberg (Diane), 5088.
Steinböck (Erwin), 3431.
Steinbrecher (Michael), 1374.
Steindorff (Ludwig), 2351.
Steiner (Philippe), 5578.
Steinhagen (Harald), 5239.
Steinkellner (Friedrich), 3432.
Steinmann (Frank), 1208.
Stell (Geoffrey), 840.
Stel'makh (V.G.), 671.
Stemmler (Theo), 1007.
Stendhal (Henri Beyle, dit), 5362.
Stengers (J.), 3144.
Stenton (Michael), 7205.
Štěpánek (Vladimír), 5363.
Stepanova (M.G.), 473.
Stephan (John J.), 7342.
Stephanēs (I.E.), 1397.
Stephanus I, rex Hungariae, Sanctus, 2334.

Stephanus V, Papa, 2940.
Stephen, king of England, 2331.
Stephen (Sir Leslie), 5304.
Stephens (J.E.), 4913.
Stephenson (Alan M. G.), 4687.
Stephenson (David), 2352.
Stępień (Stanisław), 4977.
Stępiński (Włodzimierz), 5680.
Sterk (Harald), 4808.
Stern (Menachem), 703.
Stern (Samuel Miklos), 2449.
Sternin (G. Ju.), 4777, 5389.
Sternsher (Bernard), 3676.
Stevenson (John), 6291.
Stewart (George R.), 4438.
Stewart (Marianne C.), 3862.
Stichel (Rainer), 2102.
Stier (F.), 923.
Stier (Miklós), 3162.
Stilling (Benedict), 5110.
Stillman (Richard J.), 6590.
Stock (James H.), 5948.
Stockwell (A.J.), 6750.
Stöcker (Christa), 5289.
Stöckigt (Rolf), 3244.
Störmer (Wilhelm), 4544.
Stötzel (A.), 2022.
Støylen (Kaare), 4688.
Stoianovich (Traian), 5681.
Stoica (Georgeta), 672.
Stoicescu (Nicolae), 4261.
Stojkov (Atanas), 3458.
Stoker (David), 5725.
Stolpiak (Barbara), 376.
Stolypin (Pëtr Arkad'evič), 4349, 5933.
Stone (Doris), 7739.
Stone (Lawrence), 3947.
Stoob (Heinz), 510, 6067.
Stoop (M.W.), 1886.
Stopka (Krzysztof), 3047.
Stosz (Wit), 2813.
Šťovíček (Ivan), 7218.
Stoy (Manfred), 4262.
Strabōn, 1504.
Strachan (Hew), 3948.
Strandberg-Olofsson (Margaret), 1608.
Strange (James F.), 1284.
Stranges (Anthony), 5788.
Strassburger (Robert), 520.
Strassenreiter (Erzsébet), 4019.
Stratford (Neil), 2827.
Stratmann (Gerd), 1007.
Straub (Johannes), 950.
Strauss (Barry S.), 1375.
Stravinskij (Igor' Fedorovič), 5476.
Strawson (John), 3949.
Štrbáňová (Soňa), 5201.
Strea'feild (Noel), 5310.
Streich (Gerhard), 3048.
Ştrempel (Gabriel), 4218.
Stresemann (Gustav), 3221.
Stricker (B.H.), 1329.
Stricker (Gerd), 4689.
Strindberg (August), 5341.
Strnad (Alfred A.), 980.
Strnadová (Irena), 4934.
Strobel (A.), 1915.
Strobel (Karl), 1692.
Strogeckij (V.M.), 1376.
Stroick (Clemens), 2879.
Stromeyer (Rainald), 705.

Strong (Roy C.), 5390.
Stroud (Dorothy), 5415.
Strouhal (Eugen), 1209.
Stroyls (John J.), 2438.
Strozzi, famiglia, 2774.
Strukova (L.M.), 3534.
Strum (Harvey), 7206.
Strum (Philippa), 6550.
Struminger (Laura S.), 4837.
Strzelczyk (Jerzy), 1139, 2353.
Stuart, dynasty, 332, 3863, 3923.
Stuart (Charles), v. Charles Edward Stuart, the Young Pretender.
Stuart (Reginald C.), 6956.
Stubbs (George), 5430.
Stučevskij (I.A.), 1210.
Stucky (Rolf A.), 1244.
Studer (Elena F. S. de), 6855.
Studstill (John D.), 674.
Stueck (William), 7434.
Stückelberger (A.), 1322.
Štúr (L'udevit), 349.
Sturdza (Grigore M.), 4228.
Sturdza (Mihaïl Dim.), 6017.
Sturgill (Claude C.), 3820.
Sturlese (Loris), 2768.
Sturm (Caspar), 103.
Sturm (Heribert), 3311.
Sturzo (Luigi), 5554.
Stuurman (S.), 4154.
Stylow (A.U.), 1625.
Suarez (Francisco), 5099.
Subbotin (V.A.), 3129.
Sühnel (Rudolf), 1002.
Süßmuth (Hans), 640.
Suetonius (Gaius S. Tranquillus), 1628, 1780, 1788, 1794.
Sueur (Marc), 3821.
Sugár (István), 4529.
Sugar (Peter F.), 3163.
Suleiman, v. Soliman.
Sulejmanov (R. Kh.), 7503.
Sulla (Lucius Cornelius), 1668.
Sullivan (Sir Arthur Seymour), 5510.
Sullivan (Richard J.), 5949.
Sulpicius Severus, 1731.
Sultan (Dumitru), 4263.
Sultanov (T.I.), 2450.
Šumberová (Ludmila), 4308.
Sumi (Toshiteru), 7677.
Summers (Mark W.), 3677.
Šumova (M.N.), 5451.
Sun (Yat-sen), 7643.
Sung, Chinese dynasty, 7584, 7597, 7606, 7611, 7629, 7630.
Suprunenko (N.I.), 785.
Suratteau (Jean-René), 3822.
Surchat (Pierre Louis), XIV.
Sutcliffe (Anthony), 6076.
Sutherland (Daniel E.), 3678.
Sutherland (Lucy S.), 3164.
Sutherland (N.M.), 4465.
Sutter (Berthold), 7027.
Sutter (Jacques), 4530.
Suttner (Ernst Chr.), 4870.
Sutton (J.E.G.), 5950.
Suzuki (Tsuneyuki), 7579.
Svanadze (L.N.), 3950.
Svanidzé (Mihail H.), 5051.

Svenberg (Emanuel), 2118.
Svetačev (M.I.), 4412.
Svetlov (I.E.), 5452.
Svetovidov (A.N.), 215.
Svjatoslav, grand prince de Kiev, 2347.
Swain (G.), 4413.
Swan (Maureen), 5789.
Swan (Vivien G.), 1887.
Swart (K.W.), 6910.
Swartout (Robert R.) Jr., 7689.
Swedenborg (Emanuel), 4622.
Sweeney (J.R.), 2522.
Sweets (John F.), 265.
Swezey (William R.), 6827.
Świda (Andrzej), 4555.
Święchi (Tomasz), 4209.
Swift (Jonathan), 5266.
Swiggers (Pierre), 5089.
Swindeu (Patrick), 5364.
Swingewood (Alan), 850.
Sychra (Iljič), 4285.
Sydow (Jürgen), 2941, 3099.
Sydow (W. von), 1573.
Sykum-Nielsen (Niels), 2411.
Syme (Sir Ronald), 1693.
Syndikus (H.P.), 1809.
Synge (John Millington), 5298.
Szabad (György), 511.
Szabadváry (Ferenc), 5799.
Szabó (Ágnes), 6429, 6469.
Szabó (Árpád), 1158.
Szabó (Bálint), 4020.
Szabó (Ervin), 6330.
Szabó (Jolán), 4009.
Szabó (László), 3994.
Szabó (Miklós), 4021.
Szabó (Thomas), 2670.
Szádeczky-Kardoss (Samu), 2125.
Szaivert (Wolfgang), 153.
Szaka (Barbara), 4210.
Szakács (Sándor), 5952.
Szakály (Sándor), 4022.
Szalay (László), 3987.
Szántó (Konrád), 942.
Szarota (Tomasz), 7207.
Szasz (Ferenc Morton), 5203.
Szász (Zoltán), 7130.
Szávai (Nándor), 3985.
Széchenyi (István), 3990, 4018.
Szechi (Daniel), 3951.
Szefer (Andrzej), 7208, 7348.
Szegfű (László), 2957.
Székely (Gábor), 3312.
Székely (György), 757, 2354, 2705.
Szekfű (Gyula), 474, 3990, 4006.
Szelągowska (Grażyna), 379.
Szelińska (Wacława), 416.
Szentgyörgyi (Mária), 294.
Sznycer (Maurice), 421.
Szokolay (Katalin), 7373.
Szuchman (Mark D.), 3365.
Szűcs (Jenő), 700, 2671.
Szultke (Zygmunt), 6957.
Szusterman (C.), 3344.
Szvák (Gyula), 4414.
Szydłowski (Jerzy), 1140.

T

Tachinoslis (N.), 1333.
Tacitus (Publius Cornelius), 1304, 1619, 1792, 1798, 4733.
Tadmor (H.), 1295.
Täuber (Lelia), 4221.
Taillefer (Michel), 3823.
Taischô, Japanese historical period, 4070, 4075, 7076.
Tajima (Keiji), 5683.
Takabatake (Minoru), 6751.
Takahashi (Hideyuki), 5790.
Takahashi (Masaaki), 7678.
Takahashi (Yorhirô), 7630.
Takayama (Hiroshi), 2523.
Takeda (Sachiko), 7679.
Takenami (Takayoshi), 7631.
Takuma (Fumio), 3313.
Talbert (Richard J. A.), 1694.
Talbot (A.M.M.), 2103.
Tálos (Emmerich), 3380.
Talpeş (Ioan), 7291.
Tamara (Takeji), 7647.
Tamse (C.A.), 4121.
Tanahashi (Mitsuo), 7680.
Tanaka (Kakuei), 4076.
Tanaka (Mineo), 2769.
Taneev (Sergej Ivanovič), 5542.
T'ang, Chinese dynasty, 7613, 7638.
Tanguy (Bernard), 3770.
Taniuchi (Ken), 4410.
Tăpkova-Zaimova (Vasilka), 2043, 2164.
Tarantino (Antonio), 259.
Taras (Ray), 4211.
Tarble (Kay), 7742.
Tardieu (Jean-Pierre), 6856.
Tardieu (Michel), 1904.
Tareke (Gebru), 3695.
Tarnai (Andor), 2270.
Tarr (Joel A.), 5204.
Tatla (Darshan Singh) 6651.
Taton (René), 5205.
Tauer (Felix), 701.
Tautil (Christian), 3751.
Tavarès (A.), 1870.
Taverdet (Gérard), 188.
Taylor (A.J.), 6470.
Taylor (Alan J.P.), 475.
Taylor (Beverley), 2679.
Taylor (Graham D.), 7280.
Taylor (John H.), 1211.
Taylor (Sir Robert), 5396.
Taylor (Sandra C.), 6695.
Tazbir (Janusz), 4690, 5256.
Tec (Nechama), 7209.
Teck (Mary of), v. Mary, princess, duchess of T.
Tecuşan (Maria), 466.
Teensma (B.N.), 5258.
Těhle (Jaroslav), 6445.
Teichert (Eckart), 5684.
Teillet (S.), 2303.
Teitler (G.), 4155.
Teijman (Miroslav), 7281.
Teke (Zsuzsa), 2671a.
Teleki (József), 4756.
Tellenbach (Gerd), 2904.
Telles de Faro (Fernando), 6924.
Temporini (Hildegard), 1635.
Tencin (Pierre Guérin, cardinal de), 4472.
Tendille (Catherine), 1114.
Tenev (Ljubomir), 4763.
Tennefoss (Michael R.), 6692.
Tenxwind von Andernach, 2865.
Teodor (Dan Gh.), 3100.
Teodor (Pompiliu), 414, 466, 4258, 5091.
Tepljašina (E.I.), 6471.
Teranishi (Shigeo), 5685.
Terekhov (V.I.), 3679.
Terjék (József), 7500.
Ternois (Daniel), 5384.
Terraine (John), 7131.
Terry (George D.), 5169.
Tertsetēs (Geōrgios), 5338.
Tertullianus (Quintus Septimius Florens), 1916, 1917, 1938, 1994.
Teruoka (Shûzô), 5953.
Terwen (J.J.), 5416.
Terwersten (Mattheus), 5448.
Tessitore (F.), 695.
Testa (J.), 5453.
Testard (M.), 1804.
Testo (A.), 1609.
Teti, pharaon d'Egypte, 1214.
Tetz (M.), 1990.
Thackeray (Arnold), 5173.
Thaden (Edward C.), 6696.
Thaden (Marianna Forster), 6696.
Thälmann (Ernst), 6125.
Thamer (Theobald), 4572.
Thane (Pat), 495, 6472.
Thatcher (Margaret), 3852.
Thauer (Wolfgang), 312.
Thee (F.C.R.), 2000.
Theis (Laurent), 2355.
Theissen (G.), 2001.
Themel (Karl), 4582.
Themelis (P.G.), 1097.
Theoderich der Große, König der Ostgoten, 2287.
Theodora, impératrice de Byzance, 2066.
Théodore de Mopsueste, 1965.
Theodorescu (Răzvan), 912, 919, 1124.
Theodoretus, Ep. Cyrrhi, 1901, 1919, 1942, 1965.
Theodoros Podromos, 2033.
Theodosius I Magnus, empereur romain, 1639, 1791.
Theognis, 1475.
Theoktistos, codicographe byzantin, 2041.
Theophrastos, 1445.
Theophylaktos Simokattes, 2038.
Theophylaktos, patriarcha byzantinus, 2085.
Theuer (Franz), 3433.
Thewalt (Volker), 896.
Thibaut (André), 10.
Thielenhaus (Marion), 7282.
Thierry (Nicole), 2104.
Thiers (Jean-Baptiste), 4542.
Thiesse (Anne-Marie), 4809.
Thillet (P.), 1334.
Thikian (Alexandre), 6322.
Thireau (J.L.), 6619.
Thirsk (Joan), 821.
Thököly (Imre), 4023.
Thomas Aquinas, Sanctus, 2135, 2854, 2871, 2879.
Thomas Morus, Sanctus, 2962, 5063.
Thomas (A.-H.), 2220.
Thomas (Christiane), 3373.
Thomas (E.), 1888.
Thomas (E.E.), 7165.
Thomas (Hans Michael), 3049.
Thomas (Heinz), 3050.
Thomas (Jean-Charles), 1935.
Thomas (Ludmila), 5853.
Thomas (P.D.G.), 6788.
Thomas (Yvan), 1153.
Thompson (Anne-Gabrielle), 5791.
Thompson (Dorothy), 6473.
Thompson (F.M.L.), 835.
Thompson (Kenneth W.), 6697.
Thompson (Paul), 3952.
Thompson (Ruth), 6474.
Thomson (Dale C.), 3478.
Thomson (David), 2155.
Thoreau (Henry David) 5227, 5333, 5571.
Thornton (John), 4560.
Thornton (Peter), 5469.
Thornton (Tamara Plakins), 5954.
Thorp (Rosemary), 3165.
Thorpe (William), 6880.
Thraede (Klaus), 498.
Thränhardt (Dietrich), 7393.
Thrasyboulos, général athénien, 1375.
Thümmel (Hans Georg), 1920, 2002.
Thuilllier (Guy), 816.
Thukydidēs, 1349, 1435, 1450, 1463, 1492.
Thum (Nickel), 6057.
Thurn (Hans), 3058.
Thutmosis III, pharaon d'Egypte, 1213.
Thwaite (Ann), 5365.
Thyssen-Bornemisza (Heinrich), 2781.
Tibenský (Ján), 380, 6526.
Tiberg (Erik), 6911.
Tiberius (Claudius Nero), empereur romain, 153, 1703.
Tibullus (Albius), 1777.
Tichá (Zdeňka), 1014.
Tidl (Georg), 6292.
Tiedemann (Joseph S.), 6857.
Tiemann (Friedrich), 6361.
Tiepolo (Giovanni), 6888.
Tierney (Neil), 5544.
Tiffany (Paul A.), 5792.
Tignor (Robert L.), 3492.
Tijms (W.), 5955.
Tika (Serapheim), 512.
Tikhomirov (G.S.), 228.
Tikhvinskij (S. L.), 470, 7632.
Tilghman (Wendy B.), 3530.
Tilkovszky (Loránt), 4024, 7132.
Timm (Stefan), 3051.
Timofeenko (V.I.), 6077.
Timotheos, général athénien, 1379.
Timur, Turkic ruler, 7528.
Tindall (George B.), 3680.
Tingström (Bertel), 154.
Tinker (Hugh), 6717.

Tinschmidt (Alexander), 6625.
Tiškin (G.A.), 6293.
Tiškov (V.A.), 3479.
Tissot (James), 5459.
Tisza (István), 4014, 7130.
Tits-Dieuaide (Marie-Jeanne), 851.
Titulescu (Nicolae), 7090, 7135.
Titus (FlaviusVespasianus), empereur romain, 1665.
Titze (Hartmut), 4915.
Tizzoni (Marco), 1119.
Tjäder (Jan-Olof), 2.
Tjapkina (N.I.), 7633.
Tjul'panov (S.I.), 7469.
Tlapák (Josef), 5964.
Tłoczek (Ignacy), 5454.
Tobias (Leslie), 3525.
Tobias (Richard), 3830.
Tobin (Rosemary Barton), 2771.
Tobler (Felix), 3434.
Tobler (Hans Werner), 4100.
Toby (Ronald P.), 7681.
Toch (Michael), 2536.
Tocqueville (Charles Alexis Henri Clérel, baron de), 476, 565, 3788.
Todd (Janet), 5279.
Toderaşcu (Ion), 2286.
Todorich (Charles), 4916.
Todorov (Nikolaj), 729.
Todorova (Cvetana), 3474, 5793.
Todorova (Rumjana), 4810.
Tőkei (Ferenc), 698.
Török (László), 1212.
Togliatti (Palmiro), 6395.
Tokoro (Rikio), 7682.
Tokugawa, Japanese hist. period, 7681, 7682.
Tokušev (Dimităr), 6551.
Toledo (Pedro Álvarez de), 4060.
Tolstikov (V.P.), 1142.
Tolstoj (Lev Nikolaevič), 4380, 5305.
Tolstoj (N.I.), 669.
Tolstoj (V.P.), 5468.
Tolstova (L.S.), 675.
Tomasello (F.), 1865.
Tomasi (Elisabeth), 5956.
Tomaszewski (Jerzy), 7133.
Tomaszewski (Tadeusz),7290.
Tomczak (Andrzej), 272.
Tomeš (Josef), 4309.
Tomes (Nancy), 5206.
Tomicki (Ryszard), 6858.
Tomlinson (Howard), 3953.
Tommaso da Siena, 3045.
Tommila (Päiviö), 6075.
Tompkins (Mark E.), 3681.
Tonch (Hans), 7134.
Toniolo (Giuseppe), 375.
Tōno (Haruyuki), 7683.
Topik (Steven), 3456.
Topolski (Jerzy), 381.
Torbjörnsson (Otte), 2407.
Torelli (Mario), 1830.
Torkelsen (Edwin), 6552.
Torre Villar (Ernesto de la), 4101.
Tosh (John), 609.
Tóth (András), 318.
Tóth (Sándor), 2304.
Tóth (Sándor László), 6912.

Tóth (Tibor), 5957.
Touchais (Gilles), 1574.
Toullelan (Pierre-Yves), 6881.
Toupin (Robert), 4473.
Toussaint Louverture, 3982.
Toyama (Mikio), 7684.
Toyoshita (Naohiko), 7470.
Tozzi (Pierluigi), 1769.
Tracey (Gerard), 4469.
Träger (Claus), 5366.
Trajanus (Marcus Ulpius), empereur romain, 1692, 1862.
Trajkov (Veselin), 6078.
Tranfaglia (Nicola), 4065.
Tranié (Jean), 6947.
Transue (Pamela J.), 874.
Trapman (J.), 4691.
Trapp (E.), 496.
Trask (Roger R.), 7471.
Traulos-Tzanetatos (Dam.), 6513.
Trausch (Gilbert), 5958.
Travis (John), 2105.
Treggiari (S.), 1770.
Treitler (L.), 2943.
Tremp (Ernst), 2180.
Trench (Charles Genevix), 3954.
Tresmontant (Claude), 1935.
Treter (Tomasz), 5427.
Treue (Wilhelm), 3314, 5687, 5794.
Treue (Wolfgang),705, 3209.
Trexler (Richard C.), 2412.
Tribalat (Michele), 6065.
Tribe (Keith), 5579, 5905.
Triebel-Schubert (Charlotte), 1506, 1831.
Trifu (Valeria), 4218.
Trigg (J.), 2003.
Trigger (B.G.), 1179.
Trinquier (Roger), 7472.
Trisoglio (F), 1771.
Tristan (Flore Tristan-Morcoso, dite Flora), 6426.
Trócsányi (Zsolt), 4264.
Trofimova (L.I.), 4418.
Trōianos (Spyros), 2106, 4466.
Tromp (Gornelis), 4131.
Trost (Franz L.), 7706.
Trueba Gómez (Eduardo), 6620.
Trukhanovskij (V.G.), 3955.
Truman (Charles), 2781.
Truman (Harry S.), 3574, 3581, 3609, 3631.
Tryon (D.T.), 165, 7755.
Trzoska (Jerzy), 5795.
Tsang Yang Gyatso, 7e Dalaï Lama, 7634.
Tsaousēs (D.G.), 6109.
Tsaras (Giannēs), 2044.
Tschiedel (H.J.), 1507.
Tsirpanlēs (Zacharias N.), 5854.
Tsur (Yaron), 7210.
Tsurushima (Hirozaku) 2265.
Tubielewicz (Jolanta), 4080.
Tuca (Florian), 4227, 7145.
Tuchman (Barbara W.), 702.
Tucholski (Jędrzej), 7343.
Tucker (Cynthia Grant), 4692.
Tucker (Josiah), 805.
Tucker (Nancy B.), 7473.

Tudor, dynasty, 332, 808, 3845, 5551.
Tudor (Gheorghe), 882, 7145.
Tümmler (Hans), 6958.
Ţugui (Grigore), 5367.
Tulard (Jean), 816, 3817.
Tulhoff (Angelika), 1213.
Tummers (Paul M. J. E.), 2772.
Tuplin (C.), 1379.
Turcan (Robert), 155.
Turchetti (Mario), 4531.
Turcu (Constantin I.), 7135.
Turgot (Anne Robert Jacques), 5561, 5575.
Turner (Thomas), 6088.
Turney (C.), 4917.
Turrell (Rob), 5796.
Turtola (Martti), 6698.
Tusa (Ann), 6626.
Tusa (John), 6626.
Tusa (Vincenzo), 3066.
Tutankhamon, pharaon d'Egypte, 1199.
Tuthmosis III, pharaon d'Egypte, 1198.
Tuve (Jeannette E.), 3682.
Tvedt (Terje), 6784.
Twersky (Isadore), 2435.
Twohig (Dorothy), 6789.
Tych (Feliks), 6326.
Tyerman (C.J.), 2413.
Tyrrell (Alex), 6859.
Tyrrell (W.B.), 1523.
Tytgat (C.), 1533.
Tzaferis (Vassilios), 2107.
Tzamtzes (A.I.), 5797.

U

Ubl (Hannsjörg), 1614.
Ucakar (Karl), 6586.
Udal'cov (I.I.), 4310.
Udal'cova (Zinaida V.), 1810, 2053, 2077, 2108.
Ueda (Reed), 6294.
Uhland (Robert), 719.
Uhlíř (Dušan), 6959.
Uiblein (Paul), 2147.
Uitz (Erika), 2672.
Ujváry (Zsuzsanna), 4025.
Ulam (Adam B.), 7474.
Ulaščik (N.N.), 2222.
Ul'janovskij (R.A.), 6450.
Umetani (Noboru), 4081.
Unger (D.), 5545.
Unkart (Ralf), 3435.
Unwin (P.T.H.), 3445.
Urbán (Aladár), 4026.
Urban (Otto H.), 1889.
Urban (Wacław), 4919.
Urban (Wincenty), 4532.
Urban-Bornstein (Marianne), 6500.
Urbánková (Emma), 29.
Urbanus II [Odon de Lagery], Papa, 2895.
Urman (Dan), 1296.
Ursu (D.P.), 3166.
Ušakov (F.F.), 6955.
Usselman (Steven W.), 5798.
Utčenko (S.L.), 1695.

V

Vaccaro (Jean-Michel), 5480.
Vaculfk (Jaroslav), 4311.
Vadász (Sándor), 6475.
Vadet (Jean-Claude), 2212.
Vadillo Pinilla (Amelia), 2673.
Väisänen (Maija), 1626, 3121.
Vahtola (Jouko), 3052, 6913.
Vaisey (David), 6088.
Vajnštejn (S.I.), 660.
Vakseg (A.Z.), 6295.
Valdeón Baruque (Julio), 2414.
Válek (Vlastimil), 610.
Valence (R. de), 1546.
Valentin (Jean-Marie), 4541.
Valk (J.P. de), 4122, 6966, 7136.
Válka (Josef), 2415.
Valkenburg, Herren von, 2315.
Vălkov (Georgi), 3475.
Valle (James E.), 6960.
Vallée (Aline), 278.
Vallet (G.), 1560.
Valois, dynastie, 2833.
Valvekens (Jean-Baptiste), 4543.
Vámos (Eva), 5799.
Vána (Zdeněk), 2270.
Van Albada (Aggaeus), 4156, 4591.
Van Andel (T.H.), 223.
Van Arkel (D.), 6296.
Van Assche (H.), 998.
Van Atta (John R.), 6860.
Van Belle (A.), 949.
Van Bemmel (H.C.), 4125.
Van Berkel (K.), 4156, 5207.
Van Bleskijk (Nicolaas Meyndetsz.), 4707.
Van Buren (Martin), 3566, 3690.
Van Caenegem (R.C.), 770.
Van Campen (Jacob), 5407.
Vančev (Jordan), 4920.
Van Colijn (Hendrikus), 4115.
Vandalkovskaja (M. G.), 6476.
Van de Kieft (C.), 210, 513.
Van den Berg (J.), 4592.
Van den Biesen (J. W.), 4122.
Van den Broek (J.F.J.),274.
Vandenbroeke (Chr.), 6297.
Van den Broeke (W.), 5800.
Van den Broeke (W. P.), 1071.
Vandenbroucke (Lucien S.), 7475.
Van den Burg (F.), 5368.
Van den Eeckhout (P.), 6298.
Van den Eerenbeemt (H.F. J.M.), 514, 770, 5959.
Van den Hoek (J.A.), 274.
Van den Hoek Ostende (J. H.), 274.
Van den Valckert (Werner Jacobsz.), 5456.
Van der Bijl (M.), 4157.
Van der Eerden (P.C.), 513.
Van der Fluit (Th. P. M.), 767.
Van der Gouw (J.L.), 6555.
Van der Heide (A.), 4740.
Van der Horst (K.), 309.
Van der Horst (Pieter Willem), 1339.
Van der Kiste (John), 3956.
Van der Laan (P.H.J.), 274.
Van der Maas (J.), 5960.
Van der Meer (L.B.), 1890.
Van der Moer (W.G.), 4123.
Van der Plaat (G.N.), 4142.
Van der Spek (R.J.), 1245.
Van der Spoel-Walvius (M. R.), 1060.
Van der Veen (D.J.), 6302.
Van der Velden (M. J. G.), 4693.
Van der Voort (R. C. W.), 514, 5747.
Van der Waerden (B. L.), 72.
Van der Wal (S.L.), 6719.
Van der Wielen-Van Ommeren (F.), 1891.
Van der Woude (A.M.), 6036.
Van de Sande (A.W.F.M.), 7026.
Van de Sandt (H. W. M.), 4694.
Van Deursen (A.Th.), 4119, 4150, 4158.
Van Dieten (Jan Louis), 1921, 3053.
Van Dijk (Henk), 6299.
Van Dijk (J.), 1214.
Van Ditzhuyzen (R. E.), 4150.
Van Effenterre (Henri),1354.
Van Es (P.), 4153.
Van Eyck (Jan), 2792.
Van Fenstermaker (J.),6019.
Van Foreest (H.A.), 6933.
Vanhanen (Tatu), 3167.
Van Heel (C.), 274.
Van Helsdingen (H. W.), 5455.
Van Herwaarden (J.), 822, 2416, 2674, 3054.
Van Herwijnen (G.), 210, 513.
Van Heurck (Philippe),7634.
Van Hoboken (W. J.), 433.
Van Hogendorp (G.K.),4123.
Van Hoogenheim (Wolfert Simon), 6800.
Vanina (E. Ju.), 7557.
Van Kessel (P.), 382.
Van Kessel (Peter J.), 4921.
Van Leeuwenhoek (Antoni), 5108.
Van Lieburg (M.J.), 5208, 6300.
Van Maanen (R.C.J.), 6020.
Van Mook (H.J.), 6752.
Vann (James Allen), 3315.
Van Nierop (H.F.K.), 4159, 4811.
Van Norden, v. Norden (Günther van).
Van Orman (Richard A.), 4439.
Van Oss, v Oss (Adriaan C. van).
Van Overbeke (Aernout), 6144.
Vanpaemel (J.), 5801.
Van Poppel (F.), 6079.
Van Rij (H.), 2223.
Van Rooden (P.T.), 4695.
Van Ruller (S.), 6621.
Van Santem (H.W.), 5855.
Van Schie (H.A.J.), 274.
Vansina (Jan), 920, 7707.
Vansittart (Peter), 7040.
Van Soldt (W.H.), 1227.
Van Sterkenburg (P.G.J.), 189.
Van Stuijvenberg (J. H.), 514.
Van Stuijvenberg (P.),5688.
Van Tassel (David D.), 271.
Van Thiel (P. J. J.), 328, 5456.
Van Thienen (G.), 50.
Van Tijn (Th.), 3144.
Van't Spijker (W.), 4584.
Van Uytfanghe (Marc),2950.
Van Uytven (R.), 2773.
Van Young (Eric), 6861.
Van Zanden (J. L.), 5961, 6301, 6302.
Van Zeist (W.), 1059, 1060.
Van Zon (H.), 820.
Várady (László), 2287.
Varga (F. János), 7283.
Varga (János), 4978.
Varga (László), 5802, 6303.
Vargyai (Gyula), 4027.
Várkonyi (Agnes), R., 4265, 6934.
Varro Murena (Aulus Terentius), 1650.
Varsik (Branislav), 2266.
Vartíková (Marta), 7358.
Vărzaru (Simona), 4223.
Vasileva (Bojka), 7476.
Vašků (Vladimír), 4312.
Vasold (Manfred), 3055.
Vassberg (David E.), 6304.
Vatai (Frank L.), 1415.
Vater (Johann Severin), 4815.
Vatin (Claude), 1398.
Vatin (Jean-Claude), 3117.
Vatré (Eric), 3824.
Vaubel (Ludwig), 5586.
Vauchez (André), 970, 2202, 3056.
Vaughn-Roberson (Courtney Ann), 4922.
Vávra (Jan), 4313.
Vaysse (Jean-Claude), 2818.
Vaz (J. Eduardo), 7742.
Veber (A.B.), 6477.
Večev (Dimităr), 5369.
Večeva (Ekaterina), 4533.
Vedeler (Harold C.), 7124.
Vedoya (Juan Carlos), 4923.
Veenendaal (A.J.) Jr., 4116, 6721.
Vega (Garcilaso de la), 477.
Vegas (M.), 1297.
Vegetius (Flavius V. Renatus), 1615.
Veissière (Michel), 4534.
Veiter (Theodor), 7377.
Vejmarn (B.V.), 907.
Velázquez (María del Carmen), 4561.
Veld (N.K.C.A. in 't), 7212.
Vellacott (Philip), 1508.
Venedikov (Ivan), 1143.
Venturini (Alain), 2675.
Vera (D.), 1772.
Vera Cruz (Alonso de la), 6805.

Verbík (Antonín), 2668.
Verbraken (Pierre Patrick), 1936.
Vercingetorix, chef gaulois, 1659.
Verdi (Giuseppe Fortunato Francesco), 5537.
Verdon (Timothy Gregory), 983.
Verger (Jacques), 3057.
Vergilius (Publius V. Maro), 1776, 1781, 1785, 1787, 1811.
Verhaeghe (F.), 1017.
Verhulst (Adriaan), 770, 2528.
Verlet (Pierre), 903.
Verlinden (Charles), 4103.
Vernet (J.M.), 7408.
Vernière (Paul), 5092.
Vernon (Claire), 734.
Vernon (Richard), 5093.
Vértesy (Miklós), 318.
Vervliet (H.D.L.), 26.
Veselý (Zdeněk), 7477.
Vespasiano da Bisticci, 2774.
Vetter (Cesare), 5580.
Vial (Claude), 1399.
Viard (Georges), 4443.
Viard (Jules), 278.
Vicaire (M.H.), 2932.
Vicherek (Efrem), 4285.
Vickery (Michael), 7580.
Victor (Sextus Aurelius), 1782.
Victoria, queen of Great Britain a. Ireland, 3112, 3830, 3834, 3836, 3956.
Vida (István), 7275.
Vidal (D.), 4696.
Vidal-Naquet (Pierre), 1337, 1471.
Viebrock (Helmut), 6289.
Vieillard (Jeanne), 2166.
Vier (Jacques), 4535.
Vierhaus (Rudolf), 3316.
Vigezzi (Brunello), 497, 6678.
Vigini (Giuliano), 892.
Vigli (Marcello), 4885.
Vignaux (Paul), 2874.
Vikør (Knut S.), 611.
Viktorov (V.P.), 3825.
Vila (André), 1215.
Vila Vilar (Enriqueta),5856.
Vilar (Juan Bautista), 4728.
Vilkov (O.N.), 4359.
Villain-Gandosi(Christiane), 2417.
Villalobos y Martínez-Pontrémulti (María Luisa de), 984.
Villani (Giovanni), 2636.
Villanueva (Héctor), 3168.
Villard (François), 321, 1560.
Ville (Simon), 5857.
Villon (François), 2710.
Vince (R.W.), 1016.
Vincent de Beauvais, 2771, 2917.
Vincent (A.W.), 3857.
Vincent (K. Steven), 6478.
Vincenti (Walter G.), 5209.
Vineis (E.), 179, 180.
Vines (Vera F.), 2785.
Viniczai (István), VIII.

Vinogradov (Ju. G.), 1380.
Vinogradov (K.B.), 3317.
Vinogradov (V.M.), 301.
Vinogradova (V.S.), 916.
Violante (Cinzio), 375.
Viollet (Catherine), 5311.
Virágh (Ferenc), 5962.
Virgilio (V.), 1377.
Visconti, famiglia, 2393.
Visser (C. Ch. G.), 4697.
Visser (J.C.), 210.
Visser (Margaret), 1524.
Vitali (Daniele), 1120.
Viti (Paolo), 2774.
Vitruvius (Marcus V. Pollio), 1539, 1627.
Vittinghoff (Friedrich), 2004.
Vittmann (G.), 1176.
Vitus de Augusta, Stamser Mönch), 71.
Vlad (Matei D.), 4266.
Vladár (Jozef), 7358.
Vladimir Ier, grand-prince de Kiev, 3034.
Vladimirov (M. I.), 4377, 4386.
Vlăduțescu (Gheorghe), 1509.
Vlaicu, prince de Valachie, 2406.
Vlasova (I.V.), 6307.
Vocelka (Karl), 478, 6917.
Voci (Pasquale), 1734.
Vodoff (W.), 2225.
Völkl (Artur), 1735.
Vogel (D.), 7203.
Vogel (Jörgen), 2356.
Vogel (Roland), 3436.
Vogt (H.J.), 1911, 2016.
Voicu (Ioan), 7135.
Voigt (Martin), 3188.
Voilliard (Odette), 3751.
Vojnov (Mikhail), 2164.
Vojtěch Tomáš), 383.
Volk (Otto), 2942.
Volk (Robert), 2110.
Volkan (Vamik D.), 4325.
Volkmann (Hans-Erich), 5584, 7284.
Volkov (V.K.), 6700.
Volkova (Z.N.), 2775.
Volmuller (H.W.J.), 772.
Volobuev (O.V.), 6479.
Volpi (Giorgio), 477.
Vonder Luft (Eric), 5094.
Vondruška (Vlastimil), 5963.
Von Leyden (Wolfgang), 613.
Voroncova (V.B.), 4329.
Voskuil (J.J.), 6308.
Voss (J.A.), 1072.
Vox (O.), 1381.
Vozár (Jozef), 826.
Vraciu (Ariton), 159.
Vranković (Petar), 4536.
Vries (G.J. de), 1510.
Vries (Jan de), 770, 3119, 6021.
Vries (L. de), 5457.
Vucinich (Alexander), 5210.
Vuillemin-Diem (Gudrun), 2872.
Vul'f (E.N.), 4380.
Vulpe (Radu), 1131.
Vykhodcev (P.S.), 659.

W

Wacha (Georg), 3437, 6935.

Wachsmann (S.), 229.
Waddell (Louis M.), 6787.
Wade (Rex A.), 4415.
Wadl (Wilhelm), 302, 3438.
Waele (J.A. de), 1575.
Waggoner (N.M.), 135.
Wagner (Anton Hugo), 6961.
Wagner (Georg), 6914.
Wagner (J.), 220, 1171.
Wagner (Michael F.), 2880.
Wagner (Richard), 5488, 5507, 5517, 5522.
Wagner-Simon (Th.), 891.
Wagnerová (Jarmila), 6355.
Waitz (Georg), 707.
Wakefield (David), 5458.
Wakeman (Frederic) Jr., 7635.
Walace (Dewey D.) Jr., 4698.
Walbank (F.W.), 1164.
Walczak (Antoni Władysław), 378.
Walczak (Marian), 4925.
Walda (H.), 1892.
Waldemar IV Atterdag, König von Dänemark, 2411.
Waligórski (Andrzej), 652.
Waline (Jean), 6591.
Walker (David W.), 5689.
Walker (Franklin A.), 4926.
Walker (Malcolm), 5547.
Walker (S.), 1892.
Walkland (S.A.), 3879.
Wallace (Alfred Russel), 5113.
Wallace (Dewey D.), 5095.
Wallace (William A.), 5211.
Wallace-Hadrill (Andrew), 1628.
Walleck (Steven), 5096.
Wallenstein (Albrecht Eusebius Wenzel von), Herzog von Friedland, 6908.
Wallenstein (Peter), 6022.
Waller (Altına L.), 3603.
Wallis (John Joseph), 6023.
Wallisch (Kálmán), 6466.
Walpole (Sir Robert), 1st earl of Orford, 3849.
Walras Léon), 5564.
Walser (G.), 1382, 1773.
Walsh (Katherine), 980.
Walsh (Richard J.), 2229.
Walter (Christopher), 2111.
Walter (D.), 4927.
Walter (H.), 501.
Walter (Hans-Henning), 828.
Walter (Hans-Ulrich), 6706.
Walter (Richard J.), 3366.
Walther (Peter Th.), 386.
Walton (John), 3169.
Walton (Sir William Turner), 5544.
Wamers (Egon), 2249.
Wanderwitz (Heinrich), 2676.
Wandruszka (Adam), 478, 3439, 3440, 6915.
Wanner (Konrad), 3101.
Waquet (Françoise), 4758.
Waquet (Jean-Claude), 4067.
Ward (Herry F.), 6407.
Ward (Patricia C.), 5212.
Ward (W. Peter), 5212.
Ward (William Reginald), 4699.
Ward-Jackson (Peter), 5470.
Wardman (Alan E.), 1697.

Warner (Margaret), 3684.
Warner (Sam Bass) Jr., 6309.
Warren (Claude N.), 7734.
Warren (W.L.), 2524.
Warsberg (Alexander von), 4743.
Wasa, dynastie polonaise, 6235.
Waryński (Ludwik), 4175.
Washburn (Wilcomb E.), 230.
Washington (George), 3532, 3689, 6789.
Wasilewski (Tadeusz), 4212.
Waśniewska (Aleksandra), 5079.
Wassenaar (Gerard), 799.
Wasserburg (Philipp), 4539.
Wasserman (Mark), 4102.
Waszek (Norbert), 5097.
Watanabe (Shinichiro), 7636.
Waterbolk (H.T.), 1028.
Waters (K.H.), 1511.
Watson (Bruce W.), 7479.
Watson (James L.), 7637.
Watson (W.G.), 3075.
Watson (William), 7638.
Watt (D. Cameron), 6701.
Watterson (Barbara), 1216.
Watts (Sheldon J.), 6310.
Weaver (John), 5982.
Weaver (William), 5548.
Webb (Beatrice), 3835, 6447.
Webb (Sidney James), 6447.
Webb (Stephen Saunders), 6862.
Webb (Steven B.), 6024.
Webber (B.), 7213.
Weber (Christoph), 387.
Weber (Max), 585, 2555.
Weber (R.E.J.), 5803, 6933.
Weber (William), 5517, 5549.
Weber (Wolfgang), 388.
Webster (Daniel), 3530, 3544, 5223.
Webster (David S.), 4928.
Webster (Noah), 5000.
Wechsler (Harold S.), 4929.
Weckmann (Luis), 4103.
Wedberg (Anders), 5098.
Wedemeyer (A.C.), 7221.
Wedgwood (C.V.), 704.
Weenix (Jan), 5449.
Wegner-Korfes (Sigrid), 6025.
Wehler (Hans-Ulrich), 3191, 3318, 5998.
Wehrli (Max), 2776.
Wei (Yuan), 7609.
Weibull (Curt), 2305.
Weichsel (Lebrecht), 5181.
Weidenholzer (Josef), 3441.
Weigand (Rudolf), 6, 3058.
Weigl (Herwig), 2357.
Weiler (A. G.), 770, 893, 2970, 3059.
Weiler (I.), 2777.
Weimert (H.), 1172.
Weiner (Douglas R.), 5213.
Weinfurter (Stefan), 940.
Weinzierl (Ulrich), 7191.
Weir (David R.), 5690, 6081.
Weis (Eberhard), 3288.
Weiser (A.), 2005.
Weisman (Richard), 6863.
Weiss, famille, 6303.
Weiss (Carina), 1525.
Weiss (Manfred), 6303.

Weiss (P.), 1526.
Weiss (Tomasz), 503.
Weissensteiner (Friedrich), 3442.
Weisz (George), 4887.
Weitzmann (Kurt), 2800.
Weizendorf (Alfred), 6554.
Weizmann (Chaim), 7270.
Weizsäcker (Ernst von), 7282.
Welch (Cheryl B.), 3826.
Welch (Richard E.) Jr., 3485.
Welfen, Dynastie, 2380.
Wellington (Arthur Wellesley, 1st duke of), 3948, 6952.
Wells (Colin Michael), 1698.
Wells (Herbert George), 5370.
Wells (Norman J.), 5099.
Wells (Peter S.), 1122.
Wels (C.B.), 6702.
Welsby (Paul A.), 4700.
Welti (Manfred E.), 4701.
Weltin (Max), 303.
Wendebourg (D.), 2006.
Wendel (Albrecht), 5965.
Wendel (Günter), 5217.
Wendt (Bernd-Jürgen), 6311, 6640.
Wengert (R.G.), 2881.
Wengst (K.), 1902.
Wenner (Adam), 6889.
Wenskus (Reinhard), 2677.
Wentworth (Michael), 5459.
Werner (Karl Ferdinand), 515, 738.
Werner (Julia Stewart), 4702.
Wernham (R.B.), 6916.
Wernu, Egyptian noble, 1186.
Werth (Nicolas), 6312.
Wertheim-Gijse Weenink (A. H.), 4160.
Wesenberg (Burkhardt), 1893.
Wesselényi (Ferenc), 6934.
West (Anthony), 5370.
West (D.), 1803.
West (F.R.), 5371.
West (Martin L.), 1338.
West (William C.), I.
Westcott (Nicholas), 5858.
Western (J.R.), 3958.
Westerwolt [re Dutch-Cingalese treaty of 1638], 6722.
Westphal (Kenneth), 5100.
Westphal (Wilfried), 6716.
Westphalen (Raban Graf von), 5214.
Westwood (Howard C.), 3685.
Wetherell (Charles), 6864.
Weulersse (Georges), 5581.
Weyand (S.), 1736.
Weymuller (François), 764.
Wheeler (E.L.), 1400.
Whitcomb (Donald), 1181.
White (Barbara), 5460.
White (Carolyn W.), 3959.
White (Eugene Nelson), 6026.
White (Hayden), 614.
White (John), 2786.
White (Nicholas), 1512.
White (R.), 2123.
White (R.D.), 1323.
White (Sam), 3827.
Whites (Leeann), 3686.

Whiting (Allen S.), 7610.
Whiting (Charles), 7344.
Whitney (James B.), 4858.
Whitrow (Magda), 857.
Whitson (Robley Edward), 4703.
Whittaker (Molly), 1324.
Wibald von Stablo, 2310.
Wiblé (F.), 1894.
Wickens (Georg Michael), 516.
Widmannstetter (Georg), 46.
Wiebe (Robert H.), 3687.
Wieczorek (Mieczysław), 7345.
Wieringa (J.), 1028.
Wirschowski (Lothar), 1774.
Wierzbicki (Andrzej), 390.
Wiese (Benno von), 5239.
Wiesenberger (Doroethea), 6313.
Wiesflecker (Hermann), 3443.
Wilbur (C. Martin), 7639.
Wild (Werner), 2525.
Wilentz (Sean), 6480.
Wilhelm I., deutscher Kaiser, 3204.
Wilhelm (Jürgen), 6775.
Wilken (Robert L.), 1937.
Wilkie (J.S.), 1342.
Wilkinson (Norman B.), 5804.
Wilks (Ivor), 6481.
Willan (Brian), 6785.
Willaume (Małgorzata), 7029.
Willcox (William B.), 3520.
Wille (K.), 1737.
Willebrandt (Mabel Walker), 3558.
Willem I, prince d'Orange, stadhouder des Provinces-Unies, 4117, 4129, 4136, 4148, 4151, 4158, 4161, 4162, 4811, 6901, 6905, 6910.
Willems (H.O.), 1217.
Willen (Diane), 6314.
William I the Conqueror, king of England, 2311.
William II Rufus, king of England, 2325.
William IV, king of Great Britain a. Ireland, 5321.
William of Norwell, wardrobe-keeper, 2691.
William of Ockham, 2881.
Williams (Caroline), 2829.
Williams (G.), 800.
Williams (Glanmor), 517, 3870.
Williams (Henry), 6040.
Williams (John), 6870.
Williams (M.F.), 1352.
Williams (Roger), 4638.
Williamson (Jeffrey G.), 5691.
Williamson (Joel), 3688.
Williamson (Philip), 3960.
Willkie (Wendell Lewis), 3646.
Wills (Gary), 3689.
Wills (John E.) Jr., 7640.
Willvonseder (Reinhard), 1738.
Wilson (A.N.), 5372.
Wilson (Anne, Lady), 7531.
Wilson (Clyde N.), 3515.
Wilson (D.R.), 1895.
Wilson (David), 5215.

Wilson (David McKenzie), 2787.
Wilson (Dick), 7641.
Wilson (Major L.), 3690.
Wilson (N.G.), 1320.
Wilson (Olive), 5295.
Wilson (Robert J.) III,4704.
Wilson ([Thomas] Woodrow), 3531, 3593, 3594, 6653, 7073, 7089.
Wilson-Hoff (Joan), 3691.
Wiltse (Charles M.), 3530.
Wimmer (Franz), 592.
Wimshurst (Kerry), 6315.
Winchester (Richard C.), 3585.
Windisch (Aladárné), VIII.
Windsor, House of, 3874.
Winiarczyk (M.), 1325.
Winkel (H.W.), 5884.
Winkelman (P.H.), 5809.
Winkelmann (Friedrich), 2112.
Winkelmann (Wilhelm), 1144, 3225.
Winkler (Ulrike), III.
Winrich von Kniprode, Hochmeister, 2924.
Winslow (Deborah), 7558.
Winstanley (Michael J.), 5966.
Winter (E.), 4815.
Winter (E.K.), 3401.
Winter (Frederick E.), 1576.
Winter (Urs), 1298.
Winterbottom (Michael),1621.
Winterhagen (Wilhelm Ernst), 7137.
Winters (Margaret), 2209.
Wipszycka (Ewa), 2113.
Wirth (Eugen), 1166.
Wirth (Gerhard), 462.
Wisan (Winifred Lovell), 5216.
Wischmeyer (Wolfgang),2007.
Wisemann (James), 1775.
Wisner (Henryk), 4213.
Wissell (Rudolf), 6102.
Wissemann (M.), 1699.
Wistrich (Robert S.), 4741.
Witelo, 2853.
Withey (Lynne), 6865.
Witkam (P.P.), 6494.
Witke (C.), 1812.
Witkowski (Henryk), 7346.
Witos (Wincenty), 4175.
Witte (E.), 3144.
Wittelsbacher, Dynastie, 2382.
Wittgenstein (Ludwig [Josef Johann]), 5098.
Witthöft (Harald), 156.
Wittman (Tibor), 518.
Wittstock (Joachim), 5233.
Wohlfeil (Rainer), 2830.
Wohlfeil (Trudl), 2830.
Woirol (Gregory R.), 6482.
Wójcik (Alicja), 6483.
Wojna (Romuald), 4416.
Wojtasik (Janusz), 4203.
Wojtowicz (Jerzy), 4180.
Wolf (Arnim), 2288, 2526.
Wolf (Gunther), 2831.
Wolfe (K.), 4467.
Wolff (Erwin), 1007.
Wolff (Philippe), 745.
Wolff-Powęska (Anna), 6936.
Wolfs (S.P.), 2943, 4556.

Wolk (Monika), 3319.
Wollasch (Joachim), 2178, 2944, 3060.
Wollaston (William), 5039.
Wollgast (Siegfried), 5090.
Wollmann (Volker), 1618, 4221, 4222.
Wolny (Jerzy), 4510.
Wołoszyński (Ryszard Wacław), 4214.
Wolpert (Stanley), 7559.
Woltring (J.), 7036.
Womack (Brantley), 7642.
Wood (Betty), 6866.
Wood (James B.), 3828.
Wood (James E.) Jr., 4468.
Wood (John R.), 7560.
Wood (Peter H.), 4440.
Wood (Rega), 2847.
Woodfield (Ian), 2844.
Woodfield (J.), 5550.
Woodman (Harold D.), 3692.
Woodman (T.), 1803.
Woodmansee (Martha), 5234.
Woods (James M.), 7030.
Woods (Jean M.), 4813.
Woods (John E.), 7428.
Woodson (Carter G.), 358.
Woolf (Arthur G.), 5805.
Woolf ([Adeline] Virginia), 5296, 5299, 5328.
Woolverton (John Frederick), 4705.
Wordsworth (William), 5300.
Woronoff (Denise), 5806.
Worst (I.J.H.), 429.
Worster (Donald), 615.
Wray (William D.), 5807.
Wright (Orville), 5730.
Wright (Wilbur), 5730.
Wroniszewski (Józef Kazimierz), 7347.
Wrzesiński (Wojciech), 3320, 4215.
Wrzosek (Mieczysław), 4185.
Wu (Celia), 6082.
Wünsche (Harry), 7383.
Wünsche (Rosemarie), 709.
Würzner (H.), 7190.
Wulf (Dietmar), 5859.
Wulstan (David), 5551.
Wunder (Bernd), 6592.
Wurth (Rüdiger), 4814.
Wyatt (William F.) Jr., 1577.
Wybicki (Józef), 4216.
Wyclif (John), 3055.
Wyndham (Francis), 5294.
Wyrozumski (Jerzy), 4186.
Wysokiński (Eugeniusz), 7304.

X

Xenophōn, 1299, 1473.

Y

Yaglis (Dimitrios), 4931.
Yamada (Toru), 3321.
Yamaguchi (Zuihō), 7529.
Yamao (Yukihisa), 7685.
Yamauchi (Masayuki), 7031.
Yamazaki (Ryūzō), 7686.
Yasumoto (Minoru), 6083.
Yasuno (Masaaki), 3322.

Yeo (Richard), 5218.
Yetman (Norman R.), 616.
Yi, Corean dynasty, 7689.
Yokoyama (Hiroaki), 7643.
Yolton (John W.), 5101.
Yon (M.), 1578.
Yong Mun Cheong, 6752.
Yoshida (Hisaichi), 7687.
Yoshida (Takashi), 7688.
Yoshikawa (Tadao), 7644.
Youings (Joyce), 6316.
Young (Bailey K.), 3102.
Young (J.A.), 4932.
Young (J.W.), 7480.
Young (Robert J.), 7285.
Yrigoyen, v. Irigoyen.

Z

Zabarella (Francesco), cardinale, 2899, 3020.
Zaborov (M.A.), 985.
Zach (Cornelius R.), 4267.
Zacharias, propheta biblicus, 2424.
Zagidullina (G.N.), 6962.
Zagladin (V.V.), 736.
Zagladina (Kh. T.), 6484.
Zágoni (Jenő), 411.
Zahn (Lola), 6485.
Zahorski (Andrzej), 4177.
Zahrnt (Michael), 1383.
Zaisberger (Friedrike),4706.
Zajac (T.S.), 7645.
Zajewski (Władysław), 4180, 7032.
Zajončkovskij (P.A.), 4329.
Zakariya (Mona), 917, 2832.
Zakharieva (Liljana), 2794.
Zakharova (L.G.), 4417.
Zakhožaja (A.N.), 7581.
Zaki (Omar Hag El-), 240.
Zakovitch (Yair), 1293.
Zaleski (Eugène), 5693.
Zaliznjak (L.L.), 1061.
Zalman (Schneur), 4716.
Zammito (John H.), 5373.
Zamojski (Jan), 7375.
Zanardelli (Giuseppe), 4047.
Zander (Hartwig), 6403.
Zank (Wolfgang), 5694.
Zanotti (Gianpietro), 5421.
Zanzinger (Erich), 6622.
Zápoilya (János), roi de Hongrie, 6898.
Zápotocký (Antonín), 4279, 4308.
Zardin (Danilo), 4537.
Zarnickij (S.V.), 4418.
Żarnowski (Janusz), 4202, 6486, 7138.
Zarotto (Antonio), da Parma, 43.
Zartman (I. William), 7404.
Zastenker (N.E.), 6487.
Zatowskij (Dimitri W.),1000.
Zauner (Alois), 5967.
Zavala (Silvio), 4103, 6867.
Závodsky (Levente), 2590.
Zawadski (Konrad), 4937, 4979.
Zawadzki (Roman), 4510.
Zdatny (Steven), 6317.
Zdycha (Pavol), 4314.
Zea (Leopoldo), 3108.
Zečev (Nikolaj), 66a.
Zechariah, v. Zacharias.

Zechlin (E.), 7139.
Zeeden (Ernst Walter), 3290. 4509.
Zeender (John K.), 3184.
Zeigert (Dieter), 3323.
Zeilinger (Heidi), 5260.
Zeitlin (Maurice), 3481.
Zelin (Madeleine), 7646.
Zeller (Bernhard), 5374.
Zeller (Olivier), 6084.
Želtova (V.P.), 6347.
Zemskov (I.N.), 7286.
Zenkovsky (Betty Jean), 2191.
Zenkovsky (Sorge A.), 2191.
Zeppelin (Ferdinand, Graf von), 7116.
Zerdoun Bat-Yehuda (Monique), 18.
Zernack (Klaus), 479.
Zetterberg (Seppo), 7140.
Zetzel (G.), 1629.
Zhang (Shilian), 391.
Zhang (Zualin), 7603.
Zhou Enlai, Chou En-lai, 7641.
Zibelius (Karola), 1200.
Ziebura (Gilbert), 5695.
Zieger (Robert H.), 6488.
Ziegler (Hans-Ulrich), 25.
Ziegler (R.), 1630.
Zielińska (Krystyna), 4538.
Zielinski (Herbert), 3061.

Zientara (Benedykt), 479.
Zieseniss (Charles), 6963.
Žigalov (I.I.), 751, 3961.
Zijaev (Kh. Z.), 7486.
Zijlstra (S.), 4707.
Zilfi (Madeleine C.), 4933.
Žilin (P.A.), 4419.
Ziller (Leopold), 3444.
Zillich (Heinrich), 4242.
Zilynská (Blanka), 4824.
Zilynsky (Bohdan), 4299.
Zimmeck (Meta), 5808.
Zimmermann (A.F.), 2008.
Zimmermann (Albert), 2872.
Zimmermann (B.), 1513.
Zimmermann (Gunter), 4708.
Zimmermann Hans-Joachim), 1002.
Zimmermann (Harald), 2193.
Zimring (Fred), 3693.
Zinger (L.S.), 907.
Zink (Michel), 3062.
Zinzendorf und Pottendorf, (Karl Graf von), 4598.
Žišková-Moronová (K.), 7358.
Žitomirsky (D.V.), 5525.
Zlatev (Zlatko), 3476.
Znamierowski (Czesław), 652.
Zoctizoum (Y.), 3480.
Zögner (Lothar), 191.
Zöllner (Erich), 617, 727.
Zöllner (Martin), 7120.
Zöllner (Walter), 868.

Zoitl (Helge), 2289.
Zola (Emile), 6260.
Zola (Gary P.), 4742.
Zolotarev (V.A.), 4420, 7033.
Zolotukhin (M. Ju.), 7034.
Zombori (István), 4787.
Zonhoven (L.M.), 1173.
Zora (Geōrgios Th.), 519.
Zor'kin (V.D.), 4421.
Zotz (Thomas), 2359.
Zoumbos (N.), 264.
Zrinyi (Miklós), 6934.
Zsigmond (László), 5102.
Zub (Alexandru), 465.
Zucchi (Alberta), 7742.
Zucker (Stanley), 4539.
Zuev (F.G.), 7482.
Zull (Gertraud), 6318.
Zuppante (A.), 2197.
Zvelebil (Marek), 1052.
Zwanowetz (Georg), 830.
Zwarro (Brunon), 7146.
Zwierlein (O.), 1631.
Zwingli (Huldrych), 4621.
Zwolski (Edward), 2227.
Zyblikiewicz (Lubomir), 7483.
Zygmunt III Waza, roi de Pologne, 4213.
Zyrjanov (P.N.), 4569.
Zysberg (André), 598.
Żytkowicz (Leonid), 6319.

INDICE GEOGRAFICO

A

Aachen (Nordrhein-Westf., BRD), 2594, 3301. - Marienstift, 2934.
Abendland, v. Occident.
Abenaki Indians, 6836.
Abrittus (auj.Razgrad, Bulgarie), 1612.
Abyssinie, v. Ethiopie.
Accra (Ghana), 6268.
Acquarossa (Italia), 1608.
Acri (Calabria, Italia), 2343.
Acy-en-Multien (Oise, France), Obituaire de St.-Nicolas), 2937.
Admont (Steiermark, Österreich), Briefsammlung, 2119. - Stift, 4552.
Adriatique (mer), 2306.
Adrichem (près de Beverwijk, Hollande-Septentrionale, Pays-Bas), 4123.
Afghanistan, 896, 3171, 6726, 7423, 7535.
Afrique, 338, 685, 888, 902, 916, 920, 1038, 1678, 1957, 1993, 3125, 3149, 4439, 4560, 4682, 5950, 6553, 6682, 6706, 7404, 7445. - A. antique, 1302, 1611.- A. coloniale, 6753-6785. - A. de l'Est, 636, 1050, 5858.-A. de l'Ouest, 4724, 7061. - A. du Nord, 299, 957, 1032, 3143, 7251, 7326, 7330. - A. du Nord-Est, 1069. - A. du Sud, 3136, 7696. - A. précoloniale, 7693-7707. - A. romaine, 1837, 1876, 1997. - A. subsaharienne, 7400, 7705.- A. tropicale, 3166, 6134. - British A., 5702, 5746, 6759. - Horn of A., 2440.
Afroamericans, v. Noirs d'Amérique, s.v. Noirs.
Agüerito (Venezuela), Sitio archeol., 7742.
Aï Khanoum (Afghanistan), Fouilles, 1546.
Aigina (island a. town, Greece), Coins, 135.
Aitōlia (rég., Grèce), 650, 1363.
Ajusco (México), 5935.
Akhaeans (people of anc. Asia Minor), 1248.
Akhaltzikhé, v. Cıldır (Turquie).

Akkad (Mésopotamie), 1224, 1229.
Akron (O., U.S.A.), 6432.
Aksilogadi/Sarmisāqlū (Macédoine médiévale), 2540.
Alalah (Asie Mineure anc.), 1165.
Alabama (state, U.S.A.), 5908.
Alani (peuple de l'Antiquité), 7507, 7510.
Alasia, v. Enkomi.
Alatri (Lazio, Italia), 824.
Álava (prov., España), 2392.
Alba Iulia, Gyulafehérvár (Transylvanie, Roumanie), 2168.
Alcáçova de Santarém (Portugal), 1850.
Alemannen (german. Volk), Alemannien, 1123, 1138, 2233, 2292, 3078.
Aleppo, v. Haleb.
Alexandrie (Egypte), 122, 480, 1191. - Chrétiens, 1924, 1980. - Habitations romaines, 1881.
Alger: Complot royaliste, [1942], 7251.
Algérie, 4899, 5671, 6763, 6767, 6777.
Almeida (Portugal), Siège [1810], 6942.
Almería (España), 3097.
Alpen, Alpes: Ost-A., 1752.
Alsace (rég., France), 732, 4442, 4481, 4550, 4605, 4841, 7166, 7168.
Alta Ripa, v. Hauterive.
Altenfurt (Bayern, BRD), Rundkapelle, 3038.
Altiplano (reg., América del Sur), 6799.
Amathonte (Chypre), 1529, 1533.
American Indians, v. Indiens d'Amérique.
Amérique, 258, 298, 3160, 4428, 5068, 5663, 5856, 6174, 6783. - A. centrale, 3138, 4795, 6671, 7030, 7432.-A. coloniale, 6786-6867. - A. du Nord, 4705, 5982, 6788, 7213. - A. du Sud, 5195, 7024. - A. espagnole, 3135, 6832, 6856. - A. latine, 288, 3104, 3116, 3154, 3156, 3159, 3165, 4504, 5744, 6100, 6252, 6371, 6408, 6791, 6802, 6825, 6900,

7280. - A. précoloniale, 7708-7742.
Amoa (Nouv.-Calédonie), Vallée, 6877.
Amersfoort (Utrecht, Pays-Bas), Atlas hist., 210.
Amorbach (Bayern, BRD), Abtei, 4544.
Amsterdam, 5604, 6287, 6301, 6659. - Archives, 274. Int. Inst. for soc. Hist., 282. - Juifs, 5810, 5833. Plotinus Symposium, 1487. School songs, 5472.
Amstetten (NÖ., Österreich), 3392.
Amur Region (U. R. S. S.), 4331.
Anatolie (rég., Turquie), 163, 2541, 5614.
Ancona (Marche, Italia), 2306.
Andalucía (reg., España), 2399, 2519, 3506, 6794.
Andes (Cordillera de los), 7719, 7727, 7729.
Angers (Maine-et-Loire, France), Diocèse, 2965.
Angles (germanic people), 208. - Cf. Anglo-Saxons.
Anglo-Americans, 3131, 3173.
Anglo-Bretons, 141.
Anglo-Norman Isles, 138.
Anglo-Normans, 2344.
Anglo-Saxons, 2121, 2170, 2279, 2289, 2291, 2497, 2655, 2779, 2787, 2797, 3027, 3031, 3064.
Angoumois (rég., France), 181.
Anif (Schloß, Salzburg, Österreich), 5408.
Anjou (rég., France), 2817.
Anjouan (île, Comores), 6774.
Annapolis (Md., U.S.A.), Naval Acad., 4916.
Announa (Algérie), Trésor monétaire, 155.
Antarctique (région), Research Expedition, 4430.
Antilles (archipel et mer), 288, 6801, 7243. - Petites A., 7733. - Pirates, 6848. British Caribbean, 5613, 6046.
Antwerpen, Anvers (Belgique), 2594, 6659.
Apamea ad Orontem (Syrie anc.), 1532.
Aphrodisias (auj. Geyre, Turquie), 2093.

Apulia, v. Puglia.
Aquileia (Friuli-Venezia Giulia, Italia), Musei, 325.
Aquitaine (rég., France), 117, 2299, 2625, 3073.
Arabie, Arabes, 33, 695, 1161, 1273, 1663, 1687, 2062, 2441, 2446, 2447, 2870, 3051, 5303, 5582, 6899, 7438, 7492, 7496, 7502, 7517.
Aragón (reg., España), 2526, 2579.
Aral' (lac, U. R. S. S.), South A. region, 675.
Araméens (les), 1241, 1251.
Arctique (océan et région), 221, 228.
Ardennes (rég., Europe occid.), Bataille [1944], 7344.
Argentina, 632, 668, 3151, 3325-3366, 4484, 4923, 5846, 5928, 5992, 6474, 6543, 6676, 6983, 6990, 7006, 7471.
Argolis (rég., Grèce), 223.
Arkhangelsk (Russie), 7115.
Arménie (rég., Asie occid.), 220, 690, 1029, 1160, 1167, 1648, 3047, 7102. - Soviet A., 1162.
Armorique (rég., France), 1077. - Cf. Bretagne.
Arnhem (Gelderland, Netherlands), 4125. - Battle [1944], 7331.
Arriaga (Campo, Álava, España), Cofradía, 2392.
Asante, v. Ashanti.
Ascalon (anc. city, Israel), Walls, 2825.
Ashanti (people of Ghana), 5567.
Asie, 299, 916, 937, 3149, 6553, 6783, 7319, 7434, 7478, 7484-7692. - A. centrale, 620, 1044, 1151, 6665, 7484, 7492, 7505. - A. coloniale, 6717-6752.
- A. de l'Est, 7379, 7487.
- A. du Sud, 7533, 7542.
- A. du Sud-Est, 6193, 6736, 7189, 7569. - A. du Sud-Ouest, 620, 1018.
- A. Mineure anc., 1159-1172, 1561, 1703, 1826. - A. Mineure mod., 5976.
Assos (Asie Mineure anc.), 1545.
Assyria, 1220, 1226, 1241, 1245.
Athēnai, Athènes, 802, 1335, 1359, 1360, 1362, 1364-1366, 1370, 1372, 1374, 1374, 1384, 1385, 1388, 1391-1393, 1396, 1410, 1414, 1437, 1454, 1457, 1486, 1492, 1523, 1568, 5646. - Agora, 1572. - Akropolis, 1893. - Coins, 135. - Ecole franç., 256, 267.- Hēphaisteion, 1577. - Parthenōn, 1559. - Symposium "Mer Ionienne", 753.
Atlantique, 5853, 7334.

Attikē (rég., Grèce), 323, 1378, 1527, 1539.
Augsburg (Bayern, BRD), 715. - Konfession, 4563. - Stadtverfassung, 2520.
Aunis (rég., France), 181, 2928.
Augusta (Ga., U. S. A.), 3686.
Auschwitz, v. Oświęcim.
Außerfern (Landschaft, Tirol, Österreich), 3393.
Austerlitz, v. Slavkov.
Australia, 643, 2785, 3109, 3367-3372, 4430, 4917, 5590, 6004, 6031, 6107, 6661, 6871-6873, 7240.
Auxerre (Yonne, France), Evêché, 2905.
Avars (les), 1125a, 2125, 2302.
Aveyron (dépt., France), 2144.
Avignon (Vaucluse, France), Région, 2558.
Ayoun Mousa (wadi, Jordanie), 1984.
Aztec Indians, Aztèques, 7710, 7721, 7724, 7737.
Azerbajdžan (rép., U.R.S.S.), 1034.

B

Babylon, Babylonia, 1224, 1234, 1235, 1237, 1238, 1240. - Exilarchate, 2425.
Bácska, Bačka (rég., Hongrie et Yougoslavie), 7202.
Bactria (pays, Asie anc.), 1094, 7492, 7501, 7512, 7522.
Bad Homburg (Hessen, BRD), Lessing-Tagung, 5276.
Bad Pyrmont (Niedersachsen, BRD), 6222.
Bad Wiessee (Bayern, BRD), Tagung d. Collegiums Carolinum, 4914.
Baden (ehem. Territorium, BRD), 3221, 3253, 4617, 6324. - Markgrafschaft, 2504.
Baden-Württemberg (Land, BRD), 3290.
Badon (mount, Dorset, England), Battles of Arthur, 2123.
Bagdad (Iraq), Eisenbahn, 5753.
Bahrain, 3445, 7519.
Bajkal' (lac, U. R. S. S.), Région, 2236.
Bajuwaren (german. Volk), 3078.
Baku (Azerbaĭdjan, U.R.S.S.), 4378.
Bâle, v. Basel.
Bălgarija, Bulgarie: Sci. auxil., 66a. - Ouvrages gén., 317, 342, 728, 729. - Préhist., 1134, 1143. - Hist. byzant., 2076, 2082. - Moyen Age, 2164, 2188, 2234, 2239, 2277, 2360, 2493, 2680, 2681, 2714,

2767, 2794. - Hist. polit. mod., 3457-3476, 4348. - Hist. relig. mod., 4533, 4566. - Hist. Culture intellect. mod., 4775, 4778, 4799, 4810, 4826, 4827, 4833, 4873, 4920, 5317, 5337, 5344. - Hist. écon. et soc. mod., 5626, 5793, 5926, 6078, 6322. - Hist. Droit mod., 6529, 6551. - Relations internat. mod., 6638, 6647, 6650, 6986, 7034, 7076, 7107, 7109, 7234, 7313, 7476. - Volga B., 1134.
Balkans, Balkaniques(pays, peuples, etc.), 669, 691, 2417, 4775, 4778, 5981, 6638, 6986, 6988, 6999, 7018, 7027, 7038, 7083, 7087, 7106, 7134, 7313, 7443.
Ballanah (Nubie, Soudan), Sépultures, 1215.
Baltimore (Md., U.S.A.), 6467. - Mt. Vernon place, 6068. - Shipping, 5729.
Baltique (mer, pays, peuples, etc.), 333, 2662, 3091, 4269, 4394, 5604, 5809, 5818, 5832, 6659, 7295.
Bamberg (Bayern, BRD), Bistum, 25. - Dompropstei, 2509.
Bamboula (hill at Larnaka, Cyprus), Kition, 1578.
Banat (rég., Roumanie), 2406.
Bangladesh, 7581.
Baños (España), Cofradía de Nuestra Senora, 2517.
Bantu (African peoples), 3174, 7707.
Baranya (comitat, Hongrie), 2607.
Barbados (island a.state), 6817.
Barbarie, Barbaresques, 3145.
Barcelona (España), 6496.
Barlaam (monastère, Meteōra, Grèce), Archives, 296.
Barmen (Stadtteil v. Wuppertal, BRD), Theol. Erklärung [1934], 4644.
Basel, Bâle (Stadt u. Kanton, Schweiz), 2652. - Antikenmuseum, 322. - Kloster St. Alban, 3060. - Konzil, 2171, 3023, 3050. - Pestrezepte, 2721. - Sammlung Ludwig, 322.
Basques (peuple, Espagne et France), 637, 3498.
Batave (République, Pays-Bas), 4147.
Battle (Sus., England),Conference on Anglo-Norman Studies, 2344.
Bayern (Land, BRD), 509, 2297, 2318, 2488, 2676, 2923, 3211, 3233, 3285, 5405, 5986, 7239.
Bayonne (N.J., U.S.A.),Polish immigrants, 6126.
Béarn (rég., France), 637, 4611.

INDICE GEOGRAFICO

Beauce (rég., France), 5872.
Beaumont-sur-Oise (Val-d'Oise, France), Obituaire, 2937.
Bebenhausen (Stadtteil von Tübingen, Baden-Württ., BRD), Abtei, 2941.
Bechuanaland (formerly protectorate, Southern Africa), 6769. - Cf. Botswana.
Belgique, XII, 772, 2146, 2321, 2528, 3144, 3446-3450, 4608, 5424, 5643, 5996, 6090, 6298, 6387, 6569.
Belorussija, Russie Blanche (rép., U.R.S.S.), 673, 2222, 4173, 4716, 7374.
Bendor (île, Var, France), Journées d'études, 5151.
Benelux, 4571.
Benevento (Campania, Italia), 2503. - Bibliot. capitolare, 10. - Scrittura, 10.
Bengal (reg., India a. Bangladesh), 6751.
Benghazi (Libya), Excavations, 1219.
Benin (reg., Nigeria), 658, 5334.
Benninghausen (Nordrhein-Westf., BRD), Landarmen- u. Arbeitshaus, 6183.
Berbères (peuple, Afrique du Nord), 629.
Berbice (Guyana), Slave revolt [1763-64], 6800.
Berching (Bayern, BRD), Kelt. Siedlung B.-Pollanten, 1105.
Berenice, v. Benghazi.
Bergina, Verghina (Macédoine, Grèce), Antiquités, 1530.
Berlin, 718, 3289, 4582, 7221. - Akad., 4902, 5105, 5205. - Bibliographie, 705. - Blockade [1948, 1949], 7410. - Colloquium "Ämterhandel", 248. - Hist. Komm., 524. - Industriekultur, 3215. -, Konferenz [1884-1885], 6706.
Bern (Schweiz), Pietismus, 4609. - Univ., 4863.
Besançon (Doubs, France), Table ronde "Archéol. et rapports soc. en Gaule", 1835. - Table ronde "Cadastres et espace rural", 1746.
Bethlehem (Pa., U.S.A.), 5393.
Betuwe (rég., Pays-Bas), 207.
Bhimbetka (India), Prehist. rock painting, 7547.
Birkenau, v. s.v. Oświęcim.
Birmanie, v. Burma.
Bismarck Archipelago (Pacific Ocean), 7743.
Bithynia (Asie Mineure anc.), 1701, 1778, 1910.
Boğazköy-Ḫattuša (site archéol., Turquie), 1246, 1249, 1250.
Bohême, Bohemia, v. Čechy.
Bohuslän (rég., Suède), 6440.
Bois l'Abbé (Eu, Seine-Maritime, France), Monnaies gauloises, 112.
Bolivia, 3451, 3452.
Bologna (Emilia-Romagna, Italia), 3079. - Accad. Clementina, 5421. - Sant' Offizio, 3039.
Bonn (Nordrh.-Westf., BRD), Kolloquium Niebuhr, 462.
Borne (Overijssel, Netherlands), Firm S.J. Spanjaard, 5724.
Bosna, Bosnie (rég., Yougoslavie), 4536.
Bosporus (anc. royaume), 1142.
Boston (Lincs., England), 3094.
Boston (Mass., U. S. A.), 6119, 6309. - Great Awakening, 4630. - Suburbs, 6154.
Botoşana (Suceava, Roumanie), 3100.
Botswana, 3453. - Cf. Bechuanaland.
Bouches-du-Rhône (dépt., France), 1875.
Bourgogne (rég., France), 188, 2215, 2390, 2473, 2534, 2641, 2833, 5587, 6055.
Brabant (rég., Belgique et Pays-Bas), 2371, 4135.
Brăila (Roumanie), Ligne Focşani-Nămoloasa-B. [1944], 7294.
Braine (Aisne, France), Eglise gothique, 2138.
Brandenburg (ehem. Territorium), 6278, 6913. - Mark, 2310, 2353. - Provinz, 5903. - B.-Preußen, 3266, 3273, 3285, 4273.
Brasil, 371, 452, 3454-3456, 5146, 5936, 6825, 7024, 7263, 7274.
Braşov, Kronstadt (Roumanie), 778.
Braunschweig (Stadt u. ehemal. Territorium, BRD), 3237, 3294. - Freistaat, 3186. - Herzogtum B.-Lüneburg, 6492.
BRD (Bundesrepublik Deutschland), 299, 1099, 3189, 3223, 3307, 3322, 3822, 5617, 5844, 6537, 7388, 7393, 7446, 7463.
Bregenz (Vorarlberg, Österreich), Archiv, 285.
Bremen (Freie Hansestadt, BRD), Erzbistum, 940.
Brescia (Lombardia, Italia), 4047.
Breslau, v. Wrocław.
Brest (Finistère, France), Congrès des Soc. savantes, 735, 3709, 6594. - Sénéchaussée, 3770.
Bretagne (rég., France), 999, 2152, 2975, 3791. - Haute-B., 4486. - Cf. Armorique.
British Empire, 3878, 6704, 6736.
British West Indies, 5827.
Bronocice (Pologne), Site préhist., 1067.
Brucato (Sicilia, Italia), 3066.
Brunei (sultanate), 6749, 7562.
Brunn am Gebirge (NÖ., Österreich), 3382.
Bruxelles, 3448. - Colloque "Apamée de Syrie", 1532.
Bucarest, v. Bucureşti.
Buccino (Campania, Italia), Villa romana, 1852.
Buciumi (Roumanie), Camp romain, 1864.
Bucovina (rég., Roumanie-U.R.S.S.), 5375.
Bucureşti: Imprimerie, 66a.
Budapest, 3994, 6189, 6934. - Archives nat., 281, 294. - Biblioth. univ., 318, 2161. - Colloque "Idéologie fasciste", 3120. - Congrès Fédération internat. des assoc. d'éditeurs class., 1303. - Imprimerie univ., 65. - Juifs, 7160. - "Pesti Hirlap", 4978. - "Pesti Napló", 3214.
Budaszentlőrinc (Hongrie), Relique de saint Paul l'Ermite, 2024.
Buenos Aires, 3330, 3353, 3365, 6847. - Provincia, 3366. - Real Caja, 6793.
Bug [occidental] (riv., Europe de l'Est), 1125.
Buren (Gelderland, Pays-Bas), 4137.
Burgenland (Land, Österreich), 114, 6581.
Burma, Birmanie, 6717, 7292, 7571.
Bursa (Turkey), Silk industry, 5776.
Byzacène (rég., Afrique du Nord anc.), 2078.
Byzantion, 15, 45, 107, 126, 227, 966, 1632, 1687, 1810, 1910, 1991, 2025-2113, 2124, 2184, 2306, 2328, 2337, 2360, 2709, 2711, 2780, 6582.
Bzura (riv., Pologne), Bataille [1939], 7315.

C

Cabo Verde (Ilhas de), 6038.
Cádiz (España), Obispado, 2468.
Caen (Calvados, France), Congrès des Soc. savantes, 242, 243.
Caesarea Mauretaniae (auj. Cherchel, Algérie), 1674, 1869.
Caire (Le), Cairo (Egypte), 917, 2811, 5136. - Architecture, 2832. - Geniza,

1252, 1253.
Calabria (reg., Italia), 1886. - Stritture, 3.
Calatayud (Aragón, España), 2579.
California (rég., Etats-Unis et Mexique), 4561. - C. jesuítica, 4559.
California (state, U.S.A.), 3607, 6135, 6148, 6482, 6710, 7720, 7734.
Cambodge, 7376, 7563, 7564, 7580.
Cambridge (England), 3880, 6105. - Univ., 4918. - Univ. Press, 36, 57.
Cambridge (Mass., U.S.A.), 6849.
Cambridgeshire (England), 2646.
Canaan (anc. Palestine), 1084.
Canada, 3478, 3479, 4911, 5712, 5970, 5982, 6011, 6092, 6768, 7240, 7323.
Canarias (islas), 230.
Cannae (Puglia, Italia), Battaglia [216 a. C.], 1689.
Cannon's Point Plantation (Ga., U.S.A.), 6250.
Canosa di Puglia (Italia), 1891.
Canterbury (Kent, England), Cathedral priory, 3014.
Cap Bon (Tunisie), 1263.
Cape of Good Hope (prov., South Africa), Colony, 6778. - Dutch Reformed Church, 4649.
Cappadoce, v. Kappadokia.
Capua (Italia ant.), 1783, 2138.
Cardiff (Wales), 6159.
Caribbean, v. Antilles.
Carmel (mount, Israel), 1048.
Carnatic (dist., Southern India), 7553.
Carpates (montagnes), 633. - Bassin, 1130.
Cartagena (Murcia, España), Iglesia, 3040.
Carthago, Carthage, 1262, 1263, 1290, 1297, 1662, 1836, 1962, 1994, 2012. - Concile [256], 1960.
Casablanca, v. Dar el-Beida (Maroc).
Caspienne (mer), 215, 1699.
Cassino (Lazio, Italia),Battaglia [1944], 7299.
Castilla (reg., España), 200, 2376, 2392, 2414, 2508, 2516, 2565, 2579, 2640, 6304, 6572, 6611. - Reino, 2307.
Cataluña (reg., España), 2309, 2618, 6263.
Catawba Indians, 7731.
Čechy, Bohême: Sci. auxil., 29, 130. - Ouvrages gén., 383, 906, 1014. - Moyen Age, 2174, 2238, 2251, 2259, 2270, 2403, 2415, 2495, 2549, 2738, 2783, 2834, 2910, 3013. - Hist. polit. mod., 4286, 4295,

4296, 4298, 4309-4311. - Hist. Culture intellect. mod., 4765, 4914, 4948, 5202. - Hist. écon. et soc. mod., 5697, 5721, 5735, 5759, 5774, 5847, 5887, 5907, 5937, 5963, 5964, 5993, 6240. - Hist. Droit mod., 6609. - Relations internat. mod., 6891, 6900, 6928.
Celtes (les), Kelten (die), IV, 120, 124, 127, 134, 152, 1098, 1099, 1109, 1111, 1116, 1120, 1129, 1136, 1817.
Centrafricaine (Rép.), 3480.
Cerro del Mar (Málaga, España), 1836.
Československo, Tchécoslovaquie: Ouvrages gén., 214, 348, 445, 826. - Moyen Age, 2668, 2958. - Hist. polit. mod., 3105, 3139, 4279-4314. - Hist. Culture intellectuelle mod., 4939, 4948, 5153. - Hist. écon. et soc. mod., 5642, 5644, 5660, 5748, 5750, 5774, 5893, 6355, 6360, 6445. - Relations internat. mod., 6630, 6649, 7047, 7149, 7164, 7196, 7218, 7231, 7250, 7273, 7281, 7312, 7328, 7349, 7362, 7365, 7366, 7395, 7449, 7460, 7477.
Cévennes (massif montagneux, France), 4663.
Ceylon, v. Sri Lanka.
Chaco Canyon (N. Mex., U.S.A.), 7735.
Chalcedon (auj. Kadiköy, Turquie), Concile [451], 1952.
Chalkē (Ile des Princes), v. Heybeli (Turquie).
Champagne (rég., France), 3742.
Charente (fleuve, France), Pays, 2561.
Charleston (S.C., U.S.A.), 6204, 6375.
Châteauponsac (Haute-Vienne, France), 626.
Cherchel (Algérie), v. Caesarea Mauretaniae.
Cherokee Indians, 3583, 4659.
Chesapeake Bay (U.S.A.), 6815, 6864.
Chiavenna (Lombardia, Italia), 2330.
Chicago (Ill., U. S. A.), 3547, 4876, 5231, 6103, 6210. - Great fire [1871], 3651. - Haymarket Square riot [1886], 6336. - Public schools, 4864.
Chieti (Abruzzi, Italia), Symposium Heracliteum, 1423.
Chihuahua (México); 4102.
Chile, 3151, 3481, 6985, 7014.
China, 185, 391, 594a, 966, 2085, 4637, 5188, 5843, 6135, 6140, 6627, 6633,

6661, 6666, 6677, 6681, 6688, 6690, 6746, 6974, 7046, 7262, 7309, 7419, 7434, 7473, 7492, 7582-7646.
Chios (île, Grèce), 5355.
Chiusi (Toscana, Italia), Etruschi, 1592, 1597.
Chodové, Kotiner (slaw. Volk), 654.
Chota Nagpur (reg., India), 6748.
Christianssand, v. Kristiansand.
Chur (Graubünden, Schweiz), 486.
Chypre, v. Kypros.
Ciechanów (Pologne), Région, 7163.
Cıldır, Akhaltzikhé (Turquie), Vilâyet, 5951.
Cincinnati (O., U. S. A.), Temperance reform, 3575. - Western Museum, 324.
Cirta (auj. Constantine, Algérie), 1672, 1716.
Ciudad Rodrigo (León, España), Asedio [1810], 6942.
Cîteaux (Côte-d'Or, France), Ordre, 935, 2116, 2910, 2920, 2931, 2940, 2941, 2942, 2945.
Cluny (Saône-et-Loire, France), Ordre, 2914, 2937.
Cochinos (Bahía de, Cuba), 7475.
Colchester (Ess., England), Temple of Claudius, 1851.
Colditz (Leizpig, DDR), 7199.
Colombia, 3482, 5744, 6232, 6816.
Columbia (District of, U. S.A.), 3569.
Comores (îles), 6774.
Comtat Venaissin (rég., France), 3776.
Congo, Kongo (fleuve, Afrique), Kingdom, 4560.
Connecticut (state, U.S.A.), 6274. - Prehistory, 7728.
Constantine (Algérie), v. Cirta.
Copia Lucaniae (Italia ant.), Monetazione, 111.
Coptes, 1193, 3051.
Corcyra, v. Kerkyra.
Córdoba (España), 2372. - Grande mosquée, 2798. - Prov., 1625.
Corée, v. Korea.
Corfou, Corfu, v. Kerkyra.
Corinth, v. Korinthos.
Cornwall (co., England), 2192.
Corrientes (ARgentina),3336.
Corse (île, France), 3736, 3814.
Corvey (Nordrh.-Westf., BRD), Abtei, 5377.
Côte-d'Ivoire, 7702.
Cozumel (isla, Quintana Roo, México), 7725.
Creuse (dépt., France), 4843.
Crna Gora, Montenegro

(rép., Yougoslavie), 6674.
Croatie, v. Hrvatska.
Crotone (Calabria, Italia), 1582.
Csepel (quartier de Budapest), 5802.
Ču, Chu (river, Central Asia), 7506.
Cuba, 3483-3485, 3545, 5667, 6118, 6791, 7455.
Cucuteni (Roumanie), Civilisation néolith., 1065.
Cuenca (España), 241, 730, 2530.- Fuero, 2457, 2580, 2649. - Tierra, 2571, 2585.
Culemborg (Gelderland, Pays-Bas), 4137.
Culpeper (co., Va., U. S. A.), 6860.
Curia romana, v. Vaticano.
Curtea de Argeş (Roumanie), 2272.
Cuzco (Perú), Doctrinas, 6806.
Cyprus, v. Kypros.
Cyrene, v. Kyrene.

D

Dabrova Górnica (Katowice, Pologne), Bassin, 7348.
Dacca (Bangladesh), Division, 7550.
Dacia, Daci, 159, 1124, 1618, 1692, 1814. - Daco-Roumains, 337. - Cf. Getae.
Dagestan (rép., U.R.S.S.), 7526.
Dakota Indians, 3535.
Dalmacija, Dalmatie (rép., Yougoslavie), 2351.
Dan (tribe of Israel), 1264.
Danebury (Hants, England), 1102.
Danmark, 2305, 2411, 2753, 4327, 5588, 5894, 6392, 7137.
Danube, v. Donau.
Dardanelles (détroit, Turquie), 7016, 7076.
Dar el-Beida, Casablanca (Maroc), 6765.
Dauphiné (rég., France), 903, 3710.
Dax (Landes, France), Monnaies carolingiennes, 143.
DDR (Deutsche Demokratische Republik), 279, 368, 1020, 3177, 3244, 3269, 3310, 3822, 5844, 7378, 7411, 7442, 7463.
Deir el-Bahari (Egypte), Sanctuaire ptolémaïque, 1196. - Temple de Tuthmosis III, 1198.
Delhi (India), Mosques, 7535.
Delos (île, Grèce), 1374, 1399, 1538. - Oikos des Naxiens, 1547. - Sculptures, 1550.
Delphoi, Delphes (Grèce), 1367. - Congrès Théâtre antique", 5479.
Denver (Colo. U.S.A.), 5778.

Detroit (Mich., U. S. A.), Education, 4890. - Race relations, 6130.
Deutschland: Hilfswiss., 39, 54, 66, 84, 103, 167, 172, 187, 191. - Allg. Werke, 257, 260, 320, 336, 351, 378, 386, 388, 415, 479, 515, 524, 563, 566, 567, 705-719, 833, 860, 889, 940, 1000, 1001, 1008. - Altertum, 1291, 1755, 1759, 1843. - Mittelalter, 2143, 2189, 2228, 2283, 2326, 2336, 2363, 2375, 2398, 2481, 2487, 2525, 2527, 2533, 2563, 2576, 2661, 2689, 2749, 2763, 2764, 2769, 2776, 2926, 2974, 3017, 3026, 3927, 3061, 3084, 3099. - Allg. Gesch. d. Neuzeit, 3134, 3176-3324, 3792, 4142, 4232, 4269. - Religionsgesch. d Neuzeit, 4451, 4456-4458, 4460, 4495, 4503, 4511, 4528, 4539, 4541, 4596, 4606, 4645, 4666, 4709, 4738, 4741. - Bildungsgesch. d. Neuzeit, 4745, 4764, 4773, 4798, 4805, 4813, 4815, 4823, 4835, 4852, 4893, 4897, 4921, 4930, 4938, 4959, 4989, 5033, 5059, 5087, 5131, 5239, 5242, 5256, 5260, 5322, 5373, 5374, 5380, 5504, 5539. - Wi.- u. Sozialgesch. d. Neuzeit, 5576, 5584, 5586, 5596, 5603, 5615, 5648, 5649, 5651, 5672-5674, 5684, 5687, 5692, 5694, 5700, 5704, 5726, 5733, 5742, 5770, 5770, 5788, 5799, 5815, 5836, 5838, 5843, 5853, 5859, 5895, 5905, 5988, 5994, 6000, 6002, 6024, 6025, 6030, 6032, 6048, 6062, 6070, 6125, 6194, 6207, 6210, 6216, 6254, 6262, 6267, 6292, 6305, 6335, 6337, 6361, 6364, 6386, 6397, 6419, 6422, 6433, 6448, 6462, 6468. - Rechtsgesch. d. Neuzeit, 6501, 6507, 6510, 6539-6541, 6547, 6557, 6562. - Internat. Beziehungen d. Neuzeit, 6627, 6662, 6666, 6676, 6685, 6716, 6775, 6889, 6905, 6921, 6936, 6947, 6968, 7000, 7009, 7023, 7025, 7035-7375 passim, 7401, 7407, 7464, 7469.
Deventer (Overijssel, Niederlande), Stadtrechnungen, 2218.
Diên Biên Phu (Vietnam), 7421.
Dijon (Côte-d'Or, France), Bibliothèques, 307.- Congrès des Soc. savantes, 4445.
Dnepr (riv., U.S.S.R.), Middle D. area, 3072.

Dobiegniew (Zielona Góra, Pologne), Oflag Woldenberg, 7147.
Dobrogea (rég., Roumanie), 1702, 7357.
Dōdekanēsa (archipel, Grèce), 1070.
Dodeşti-Vaslui (Roumanie), 3100.
Dömös (Komárom, Hongrie), 2966.
Donau, Danube (fleuve), D.-Mündung, 2562.- D.-Raum, 4771. - D.-Reiter, 1863. Canal D.-Mer Noire, 5699. - Navigation, 7015. - Untere D., 2350. - Verkehrsregime, 6625.
Donaumonarchie, v. Österreich-Ungarn.
Dor (auj. Nasholim, Israël), 229.
Dortmund (Nordrh.-Westf., BRD), 2345.
Dousikou (monastère, Grèce), 4568.
Downham in the Isle (eccles. manor, Isle of Ely, England), 2912.
Drenthe (prov., Pays-Bas), 766, 771.
Dresden (DDR), Bezirk, 709.
Drezno (Pologne), 7304.
Drobeta (heute Turnu-Severin, Rumänien), Röm. Militärdiplom, 1682.
Družba (Varna, Bulgaria), Int. Conference on Bulgarian Studies, 728.
Dublin (Ireland), Viking buildings, 2452.
Dubuque (Iowa, U.S.A.), 4698.
Düsseldorf (Nordrh.- Westf., BRD), 4759.
Duisburg (Nordrh.-Westf., BRD), 3089.
Duissern (Stadtteil v. Duisburg, BRD), Kloster, 2945.
Dumbarton Oaks (estate in Washington, D.C., U.S. A.), Conference [1944], 7222, 7226. - Psalter, 2063.
Dunantúl, Transdanubie (région, Hongrie), 5957.
Durham (England), County, 2797.
Dymaczewo (Poland), Internat. Symposium, 1069.

E

East India, v. India (subcontinent).
Ebla (auj. Tell Mardikh, Syrie), 1092.
Ebrei, v. Juifs.
Egée (mer), 1027, 1070, 1081.
Eger (Heves, Hongrie), Evêques, 4529.
Egypte, 688. -E. ancienne, 1075, 1173-1217, 1330, 1358. - E. gréco-romaine, 1147, 1715. - E. romaine,

1183, 1647, 1712, 1727, 1739, 1756. - E. byzantine, 2113. - E. médiév., 3051. - E. moderne, 461, 3486-3492, 5910, 7031.
Eidgenossenschaft, v. Schweiz.
Eisenstadt (Burgenland, Österreich), 3998.
Eketorp (Öland, Sweden), Glasses, 1873.
Eleutherus (auj. al-Kabir, fleuve, Syrie et Liban), Plaine, 1239.
Emden (Niedersachsen, BRD), 3256.
England: Auxil. Sci., 12, 116, 139, 208, 211. - General Works, 808, 821, 848, 871, 898, 977, 1003, 1006, Middle Ages, 2155, 2244, 2265, 2276, 2279, 2369, 2374, 2386, 2400, 2485, 2507, 2511, 2527, 2536, 2542, 2595, 2597, 2638, 2653, 2655, 2664, 2715, 2752, 2754, 2769, 2778, 2795, 2804, 2806, 2823, 2903, 2947, 2987, 2994, 3064, 3068, 3090, 3093, 3098. - Mod. gen. Hist., 3829-3961 passim, 3973. - Mod. relig. Hist., 4451, 4471, 4491, 4606, 4613, 4622, 4646, 4662, 4670, 4676, 4684, 4687, 4700, 4738. - Hist. mod. Culture, 4750, 4877, 5247, 5275, 5313, 5364, 5378, 5432, 5463, 5470, 5485, 5489, 5523, 5541, 5550. - Mod. econ. a. soc. Hist., 5599, 5629, 5677, 5690, 5711, 5787, 5815, 5821, 5857, 5920, 5946, 5949, 5974, 6063, 6081, 6083, 6132, 6145, 6166, 6196, 6199, 6282, 6311, 6316, 6343, 6387, 6389, 6470. - Mod. legal Hist., 6514, 6532, 6567, 6489, 6607. - Mod. internat. Relations, 6859, 6895, 6897, 6916, 6933, 6951, 6962, 7009, 7023, 7064, 7076, 7103, 7104, 7121, 7234, 7243, 7259, 7283, 7288, 7413, 7428, 7444.
English Channel, la Manche, 7341.
Enkomi, Alasia (Chypre), 1073.
Enns (Fluß, Österreich), Steir. E.-Bereich, 639.
Enns (Stadt, OÖ., Österreich), Bibliogr., 721.
Ephesos (ant. Stadt, Kleinasie), Artemis- Heiligtum, 1534. - Inschriften, 1555.
Epire (rég., péninsule balkanique), 2235, 3963, 6642. - Despotat, 2282.
Erciyeş daği, Mt. Argaeus (Turkey), 5636.
Erfurt (DDR), Bezirk, 710.
Erkurgan (Kazakhstan, U.R.S.S.), Site archéol., 7503.

Erlangen (Bayern, BRD), 4631.
España: Ciencias auxil., 42, 152, 193. - Obras gen., 578, 730, 731, 812. - Hist. romana, 1833, 1836. - Edad media, 2290, 2606, 2709, 2907, 3019, 3092. - Hist. gen. mod., 3373, 3493-3508, 4098. - Hist. relig. mod., 4489, 4526. - Hist. Cultura mod., 4788. - Hist. econ. y soc. mod., 5628, 5654, 5820, 5823, 5828, 6353. - Hist. Derecho mod., 6620. - Relac. internac. mod., 6672, 6725, 6798, 6804, 6853, 6910, 6938, 6941, 6971, 6987, 7161, 7230, 7326, 7457.
Eßlingen (Baden-Württemb., BRD), E.er Mahzor, 4712.
Estonija, Eesti (rép., U.R.S.S.), 7140.
Ethiopie, 266, 1918, 2018, 3694, 3695, 6756, 6783, 7022.
Etruria, Etrusci, 321, 1583-1609.
Euboia (île, Grèce), 1397, 2343, 5941.
Eurasie, 1104.
Europe: Ouvrages gen., 510, 697, 700, 795, 803, 810, 817, 835, 901. - Préhist., 1055, 1062, 1122. - Moyen Age, 2231, 2237, 2245, 2354, 2526, 2588, 2621, 2780, 2890, 2918. - Hist. gén. mod., 3106, 3112, 3118, 3119, 3124, 3130, 3150, 3155, 3158, 3160, 3904. - Hist. relig. mod., 4429, 4474, 4509, 4699, 4710. - Culture intellect. mod., 4748, 4753, 4767, 4774, 4979, 5051, 5081, 5091, 5111, 5182, 5250, 5276, 5379, 5511, 5517, 5534. - Hist. écon. et soc. mod., 5560, 5657, 5663, 5830, 6009, 6010, 6015, 6027, 6059, 6085, 6156, 6208, 6209, 6247, 6265, 6287. - Hist. Droit mod., 6570. - Relations internat. mod., 6644, 6645, 6654, 6680, 6685, 6687, 6700, 6703, 6884, 6918, 6930, 6949, 6963, 7025, 7032, 7137, 7138, 7184, 7195, 7197, 7256, 7260, 7271, 7276, 7284, 7286, 7359, 7360, 7395, 7396, 7402, 7405, 7422, 7459, 7480, 7482. - E. centrale, 1042, 2805, 3123, 3147, 3176, 5050, 6238, 6588, 6885, 7038, 7055, 7133, 7198. - E. centrale-orientale, 65, 4523, 6044, 6192, 6245, 7075. - E. de l'Est, 363, 678, 2051, 2247, 2248, 3139, 3163, 5048, 5050, 6069, 6885, 7198. - E. de l'Ouest, 38, 204, 2346,

2589, 2884, 2927, 3122, 3142, 3903, 5999, 6085, 6310, 6387, 6588, 6916, 7205, 7338. - E. du Nord, 156, 1052, 1304, 2321, 2407, 2477, 2662, 4668, 5601, 6346, 7387. - E. du Nord-Ouest, 6177. - E. du Sud? 5669. - E. du Sud-Est, 98, 678, 3123, 3147, 4775, 6238, 6643, 6686, 6885, 6925, 7203.
Evenki-Oroči (people of Siberia, U.S.S.R.), 655.
Exeter (Dev., England), 3063.

F

Falkland Islands, 3339, 6656, 7390, 7394, 7461, 7479.
Fanjeaux (Aude, France), Session d'hist. relig., 2932.
Faradués (Zaragoza, España), 1833.
Far East, v. Extrême-Orient, s.v. Orient.
Fashoda (mod. Kodok, Sudan), Crisis [1898], 6972.
Fergana (rég., U.R.S.S.), 7493.
Fernando Póo (île, Afrique), 6772.
Ferrara (Emilia-Romagna, Italia), Commercio librario, 34. - Musica, 2837.
Fiji (archip., Oceania), 6878, 7751.
Filipinas, Philippines, 6725.
Finno-Ugrians (peoples), 2583.
Firenze, Florence (Toscana, Italia), 1890, 2547, 2622, 2636, 4045, 4054, 4067. - Catasto [1427], 2671a. - Ciompi, 2412.
Flandre (rég., Europe occid.), 851, 4136, 4586, 5747, 6186, 6297.
Florence, v. Firenze.
Florida (state, U. S. A.), 3617, 4431, 5398.
Focşani (Roumanie), Ligne F.-Nămoloasa-Brăila [1944], 7294.
Foix (Arriège, France), Cathares du comté, 2175.
Forchtenstein (Schloß bei Forchtenau, Burgenland, Osterreich), 3998.
Fort Ontario (Oswego, N.Y., U.S.A.), Refugee shelter, 7206.
Francavilla Marittima (Calabria, Italia), 1886.
France: Bibl. hist. gén., VI. - Sci. auxil., 17, 35, 44, 49, 86, 100, 149, 160, 173, 181, 190, 222. - Ouvrages gén., 265, 280, 288, 291, 307, 308, 321, 331, 334, 355, 356, 372, 492, 515, 561, 565, 622, 732-745, 816, 852, 870, 948, 959, 970. - Pré-

INDICE GEOGRAFICO 385

hist., 1055, 1064, 1066, 1098, 1152. - Moyen Age, 2140, 2144, 2151, 2195, 2214, 2268, 2284, 2285, 2366, 2402, 2413, 2481, 2483, 2514, 2527, 2546, 2564, 2604, 2618, 2623, 2628, 2663, 2720, 2730, 2763, 2775, 2840, 2921, 2928, 2932, 2984, 3067, 3102. - Hist. gén. mod., 3422, 3500, 3705-3828, 3903, 4249. - Hist. relig. mod., 4441, 4442, 4445, 4446, 4453, 4453, 4455, 4473, 4483, 4485, 4507, 4518, 4531, 4548, 4549, 4661, 4711, 4713. - Hist. Culture intellect. mod., 4753, 4755, 4809, 4821-4933 passim, 5009, 5075, 5082, 5136, 5141, 5159, 5160, 5221, 5238, 5244, 5248, 5280, 5316, 5334, 5404, 5409, 5425, 5458, 5465, 5477, 5492, 5496. - Hist. écon. et soc. mod., 5555, 5581, 5583, 5595, 5602, 5608, 5609, 5648, 5690, 5753, 5754, 5806, 5818, 5821, 5826, 5840, 5842, 5849, 5876, 5881, 5899, 5904, 5919, 5931, 5968, 5969, 5973, 5989, 5999, 6000, 6009, 6012, 6049, 6059, 6056, 6063, 6065, 6081, 6087, 6099, 6111, 6113, 6116, 6121, 6127, 6131, 6141, 6143, 6153, 6160, 6164, 6172, 6211, 6230, 6260, 6280, 6317, 6329, 6338, 6386, 6436, 6448, 6462, 6478. - Hist. Droit mod., 6498, 6500, 6544, 6546, 6560, 6566, 6573, 6574, 6591, 6594, 6610, 6612, 6615. - Relations internat. mod., 6639, 6684, 6711, 6758, 6765, 6770, 6854, 6922, 6936, 6940, 6944, 6954, 6962, 6984, 6993, 7002, 7005, 7020, 7037, 7041, 7050, 7075, 7086, 7096, 7111, 7118, 7121, 7125, 7143, 7175, 7215, 7231, 7251, 7260, 7285, 7318, 7370, 7375, 7389, 7426, 7454, 7456, 7460, 7464, 7480.
Franche-Comté (rég., France), 168.
Franken, Francs (german. Stamm), 515, 2292, 3031.
Franken (Landschaft, BRD), Markgrafentümer 6577. - Ober-F., 8. - Ost-F., 2233. - Rhein-F., 2297.
Frankfurt am Main (Hessen, BRD), 6419. - Armenwesen, 6207. - F.er Zeitung, 4954. - Nationalversammlung [1848-49], 3271.
Freiburg (Schweiz), v. Fribourg.
Freiburg im Breisgau (Baden-Württ., BRD), Kloster Adelshausen, 4554.

Fribourg, Freiburg i.Uechtland (Suisse), Handfeste, 2172. - Univ., 4912.
Friesland (prov., Pays-Bas), 998.
Fritzlar (Hessen, BRD), Dombibliothek, 2181. - Königswahl [919], 2329.
Fünen, v. Fyn.
Fyn, Fünen (Insel, Dänemark), Brakteaten, 2807.

G

Gänserndorf (NÖ., Österreich), 7325.
Galatia (rég., Asie Mineure anc.), 227.
Galesburg (Ill., U.S.A.), Knox College, 4892.
Galilaea (rég., Palestine anc.), Roman G., 1691.
Galicja, Galicija (rég., Pologne et Ukraine), 7097.
Galla (peuple africain), 4557.
Gallia, Gaule, 112, 113, 116, 152, 1623, 1818, 1835, 1985, 3127. - G. romana, 128, 1741, 1751, 1763, 1844, 1967.
Gand (Belgique), v. Gent.
Gandía (Valencia, España), 845.
Garonne (fleuve, France), Trésor monétaire, 117.
Gastein (Salzburg, Österreich), 3396.
Gdańsk, Danzig (Pologne), 5058, 5171, 6115, 6575, 7146. - Bibliothèque de l'Acad., 133. - Distillerie, 5795.
Gela (Sicilia, Italia), 1571.
Gelderland (prov., Pays-Bas), 4448, 5514, 6490.
Genève (ville et canton, Suisse), 4686, 6201. - Acad., 4894. - Compagnie des pasteurs, 4581. - Inscriptions romaines, 1620.
Genova (Liguria, Italia), 2562, 2593, 2675. - Conferenz [1921-22], 7062. - Convegno "Parlare fascista", 4060.
Gent, Gand (Belgique), Criminalité, 6613.
Georgia (state, U. S. A.), 3602, 3671, 3678, 5412, 6022, 6334, 6866, 7722.
Gera (DDR), Bezirk, 710.
Germanen (die), 646, 909, 1671, 1733, 2489, 2720.
Gergesa, v. Kursi.
Getae, Gètes (peuple de l'Antiquité), G.-Daces, 131, 1131, 1642.
Ghana, 6268.
Gießen (Hessen, BRD), 4891.
Gizeh (Egypte), Nécropole, 1206.
Glasgow (Scotland), 6969.
Goa (India), 6705.
Göttingen (Niedersachsen, BRD), 2552. - Univ., 4849.

Gokstad (Norway), Viking ship, 2696.
Gorée (île, Sénégal), 6757.
Gorizia (Friuli-Venezia Giulia, Italia), 1840.
Goten (german. Stamm), 107, 1139, 1632, 2086, 2128, 2227, 2303, 2475, 2685, 2758. - Cf. Ostrogoths, Visigothi.
Granada (España), 2261. - Ordenanzas de las aguas, 2469.
Gran Chaco (reg., América del Sur), Guerra, 7047.
Grande Comore (île), 6774.
's-Gravenhage, La Haye (Pays-Bas), 4121, 4123, 6924. - Cour de justice internat., 6623.
Graz (Steiermark, Österreich), 6200. - Buchdruck, 46. - Bürgermeisteramt, 2472.
Great Britain: Gen. hist. Bibliogr., VII. - Auxil. Sci., 127. - Gen. Works, 334, 366, 356, 372, 527, 746-752, 819. - Prehist., 1030, 1040, 1090, 1093, 1103. - Roman Hist., 1690, 1819, 1847, 1848, 1853, 1887, 1895. - Middle Ages, 3004, 3075. - Mod. gen. Hist., 3499, 3601, 3765, 3829-3961, 4342, 4405, 4430. - Mod. relig. Hist., 4450, 4467, 4595, 4633, 4721. - Hist. mod. Culture, 4874, 4882, 4904, 4957, 4960, 4961, 5074, 5101, 5141, 5156, 5173, 5218, 5279, 5321, 5322, 5390, 5399, 5464, 5466, 5513, 5548. - Mod. econ. a. soc. Hist., 5608, 5632, 5648, 5682, 5691, 5692, 5704, 5716, 5725, 5730, 5756, 5758, 5761, 5763, 5785, 5808, 5832, 5999-6001, 6008, 6010, 6132, 6171, 6205, 6242, 6291, 6416, 6417, 6464, 6472. - Mod. internat. Relations, 6634, 6640, 6651, 6690, 6701, 6707, 6708, 6713, 6715, 6731, 6734, 6750, 6784, 6788, 6812, 6841, 6887, 6922, 6956, 6983, 6986, 6995, 6998, 7008, 7016, 7038, 7053, 7057, 7061, 7063, 7102, 7110, 7165, 7219, 7220, 7222, 7241, 7257, 7261, 7265, 7268, 7335, 7386, 7389, 7409, 7412, 7426, 7438, 7462, 7480, 7483. - Hist. Asia, 7560.
Great Glenn (Invernesshire, Scotland), 3910.
Great Ouse (riv., England), Bronze age settlement, 1088.
Grèce: Sci. auxil., 147. - Ouvrages gén., 267, 432, 497, 661, 753, 754, 913, 4743. - Préhist., 1097. - Antiquité, 1, 72, 152,

163, 237, 323, 480, 890, 1147, 1164, 1304, 1309, 1310, 1316, 1317, 1320, 1323, 1324, 1326-1578, 1596, 1643, 1703, 1713, 1801, 1880, 1905, 4750, 5044, 7492. - Moyen Age, 2164, 2282, 2614. - Hist. polit. mod., 3962-3979. - Hist. relig. mod., 4714. - Culture intellect. mod., 4939, 5158, 5219, 5329, 5410, 5490, 5534. - Hist. écon. et soc. mod., 5769, 5797, 5925, 5941, 5976, 6074, 6089, 6109, 6179, 6273, 6398, 6434. - Hist. relig. mod., 6524, 6558. - Relations internat. mod. 6642, 6647, 6670, 6955, 6984, 7157, 7182, 7265, 7277, 7337, 7428, 7440.
Grenada (isl., W. Indies), 3980, 6811.
Grenoble (Isère, France), Congrès des soc. savantes, 3710. - Colloque Stendhal, 5362.
Grimsby (Lincs., England), 3094.
Groningen (Pays-Bas), Archives, 274. - Province, 6489.
Guadalajara (Jalisco, México), 4838. - Región, 6861.
Guadeloupe (île, Antilles), 7733.
Guam (isl., Pacific), 3637.
Guatemala, 6827, 7392.
Guinea-Bissau, 6776.
Guinée (Rép.), 635.
Guipúzcoa (prov., España), 2307.
Gujarat (state, Rep. of India), 5855, 7560.
Gulf Coast (reg., Texas, U.S.A.), 7738.
Gundestrup (Dänemark), Silberkessel, 2822.
Gurasada (Hunedoara, Roumanie), Eglise, 2824.
Guyana, 3981.
Gwynedd (anc. principality, Wales), 2352.
Gyulafehérvár, v. Alba Iulia.

H

Haarlem (Hollande-Septentrionale, Pays-Bas), 210, 4144.
Habsburgermonarchie, v. Österreich-Ungarn.
Härjedalen (rég., Suède), 2156.
Hässelby (Sweden), Finnish-Swedish Symposium, 3697.
Haifeng (Kuangtung, China), County, 7612.
Hainaut (prov., Belgique), 2146.
Haïti, 3982, 3893, 5918.
Haldensleben (Magdeburg, DDR), 2661.
Haleb, Aleppo (Syrie), 1166.

Halle (DDR), Bezirk, 708.
Hallstatt (OÖ., Österreich), H.er Kultur, 1106, 1112.
Hălmagiu (Roumanie), Peinture murale, 2796.
Hamburg (Freie u. Hansestadt, BRD), 2992, 3284, 3324, 6233, 6333, 6337, 6354, 6796. - Erzbistum, 940, 2118. - Erzstift H.-Bremen, 2777. - Hafenarbeiter, 6182.
Hampshire (co., England), 1102.
Hankow (city, conurbation of Wu-han, China), 7621.
Hanse (die), 2262, 2537, 2560, 2667, 6973.
Haro (La Rioja, España), Comunidad mudéjar, 2439.
Haţeg (Roumanie), 2159.
Haut-Rhin (dépt., France), 3751.
Hauterive (abbaye, Fribourg, Suisse), Liber donationum, 2180.
Hawaii (islands, Pacific), 3546, 7746, 7342, 7750.
Hawran (rég., Syrie), 1537.
Haye (La), v. 's-Gravenhage.
Haymarket Square (Chicago, U.S.A.), Workers' riot [1886], 6336.
Hazendonk (Pays-Bas), Site néolith., 1071.
Heiliges Land, v. Palestine.
Hejaz (reg., Arabia), 7517.
Helmstedt (Niedersachsen, BRD), Univ., 6491.
Helsinki, 4924. - Finnish-Italian hist. symposium, 3121. - Russian theatre, 5486.
Hemmaberg (Österreich), 3076.
Helveti (peuple de l'Antiquité), 1129.
Heptanēsos, Iles ioniennes (Grèce), 4466, 6228, 6246, 6995.
Hercegovina (rég., Yougoslavie), 4536.
Hermoupolis (île de Syros, Grèce), 6064.
Hessen (Land, BRD), 2249, 5698, 6342. - Rhein-H., 1096.
Heuneburg (Baden-Württ., BRD), 1117.
Heybeli, Chalkē (Iles des Princes, Turquie), 4790.
Hijaz, v. Hejaz.
Hildesheim (Niedersachsen, BRD), Bistum, 2974, 2997.
Hindustan (reg., India), 5855.
Hispania (péninsule ibérique anc.), 9, 1274, 1870.
Hittites, 1246-1250.
Hitzendorf (Steiermark, Österreich), 722.
Hoggar (massif, Algérie), 648.
Hohenlohe (Baden-Württemberg, BRD), Grafschaft, 3290.
Hohenmemmingen (Baden-Württemberg, BRD), Brakteaten, 2791.
Holland (territ., Pays-Bas), 2129, 4057, 4159, 5960, 6020, 6144, 6187. - Royaume, 4130.
Hongrie, v. Magyarország.
Honselersdijk (Hollande-Méridionale, Pays-Bas), 5407.
Hrtkovci (Voïvodine, Yougoslavie), 1108.
Hrvatska, Croatie (rép., Yougoslavie), 3133, 3402, 3434.
Huarochiri (Cordillera de, Perú), 6853.
Hubertusburg (Schloß, Bez. Leipzig, DDR), Frieden, 3316.
Hungary, v. Magyarország.
Huns, Hunnen (peuple), 183.
Hurrites (peuple de l'Antiquité), 1228.
Hustopeče (Tchécoslovaquie), 209.

I

Iaşi (Roumanie), Ateneul Tătăraşi, 4754. - Bataille I.-Kišinev [1914],7327.
Iban (people of Borneo), 7577.
Iberia, Ibérica (península), 897, 6942.
Ibo, Igbo (people of Nigeria), 4106.
IJsselstein (Utrecht, Pays-Bas), 4137.
Ile-de-France (rég., France), 1057, 2937.
Illinden (Bulgaria), I.-Preobraženie Uprising [1903], 3464, 3470, 3471, 3472, 6981.
Illyria, Illyricum (rég. hist., Balkans), 1305, 1696.
Incas (Indios, Perú), 6853, 7721, 7726.
India (subcontinent), 896, 972, 1337, 3888, 5306, 5306, 5399, 5670, 5789, 6724, 6727, 6731, 6732, 6734, 6737, 6743, 7232, 7484, 7530-7560 passim. - Dutch East Indian Comp., 5814, 5837, 5845, 5855.
India (Republic), 7441, 7536, 7539, 7541, 7548.
Indiens d'Amérique, American Indians, 671, 3563, 3588, 3605, 3649, 4436, 5174, 6805, 6807, 6819, 6827, 6839, 6861, 6867, 7731, 7733.
Indochine, 6738, 6739, 7267, 7350, 7566.- Banque d'I., 5989. - Guerre, 3726, 3777, 7408, 7472.
Indo-Européens, 180, 182.
Indo-Iraniens, 1082.
Indonésie, 877, 4142, 6719, 6723, 6728, 6735, 6752, 7172, 7570.
Innsbruck (Tirol, Öster-

INDICE GEOGRAFICO 387

reich), Univ., 4819.
Iōannina (Grèce), 5854. - Vilayët, 3977.
Iōnes, Ioniens (subdivision des Grecs anc.), 1312.
Ionienne (mer), 753.
Ioniennes (îles), v. Heptanēsos.
Iraklion (Kreta), Archäol. Museum, 89.
Iran, 628, 896, 926, 1004, 1082, 1161, 1245, 1299-1301, 1382, 4028, 4029, 7104, 7385, 7492, 7494, 7495, 7499, 7525, 7528.
Iraq, 4030, 7515, 7523.
Ireland: Gen. hist. Bibliogr., VII. - Auxil. Sci., 235. - General Works, 306, 905, 969. - Prehist., 1090, 1115. - Middle Ages, 2163, 2244, 2369, 2463, 2464, 2890, 3031, 3943, 3082. - Mod. polit. Hist., 3890, 3922, 4031, 4032. - Mod. relig. Hist., 4558. - Hist. mod. Culture, 5042, 5425, 5521. - Mod. econ. a. soc. Hist., 5817, 5966, 6484. - Mod. internat. Relations, 6651, 6872, 6920.
Iroquois Indians 6819, 7741.
Isel (Berg, Tirol, Österreich), Schlachten [1809], 6953.
Islam (pays, peuples, religion, etc.), 701, 961, 979, 2062, 2212, 2240, 2269, 2419, 2437-2450, 2615, 3019, 4724, 4726, 5330, 5490, 6735, 7511, 7515, 7520.
Island, 2506.
Israel, 1078, 2421, 3900, 4627, 7380, 7407, 7417, 7433. - Cf. Palestine.
Istanbul, Constantinople, 219, 6889, 6890, 6914, 7008. - Juifs, 4714. - Topkapi Sarayi, 789.
Italia: Sci. ausil., 27, 102, 107. - Opere gen., 268, 305, 310, 375, 382, 407, 758-762, 918, 973. - Antichità, 1309, 1542, 1579-1609, 1743, 1761, 1796, 1840, 1845. - Stor. bizantina, 2065, 2086. - Medioevo, 2169, 2420, 2533, 2555, 2603, 2623, 2631, 2669, 2709, 2758, 2782, 2885. - Stor. polit. mod., 3121, 3134, 4042-4067. - Stor. relig. mod., 4502, 4701. - Stor. movim. intell. mod., 4942, 5255, 5384, 5474, 5503, 5508, 5536, 5537, 5546. - Stor. econ. e soc. mod., 5760, 5773, 5777, 5825, 5851, 5915, 5932, 5988, 6041, 6101, 6148, 6173, 6213, 6256, 6339, 6452. - Relazioni internaz. mod., 6783, 6965, 6968, 7002, 7038, 7050, 7108, 7136, 7157, 7274, 7285, 7452, 7470.

Itálica (cité romaine, Espagne), 1717.
Ituraei (peuple de l'Antiquité), 1271.
Izmir, Smyrna (Turquie), Commerce, 5850.

J

Jacksonville (Fla., U.S.A.), Prairie School, 5397.
Jämtland (prov., Suède), 2156.
Jaén (España), Reino, 813.
Jaipur (India), 7538, 7554.
Jamaica, 6859.
Jannina, v. Iōannina.
Janville (Eure-et-Loir, France), Région, 5872.
Japon: Ouvrages gén., 763, 941. - Préhist., 1954. - Hist. polit. mod., 3455, 3607, 4068-4081. - Culture intellect. mod.,4941. - Hist. écon. et soc. mod., 5594, 5630, 5632, 5685, 5764, 5767, 5807, 5953, 6167, 6188, 6259. - Relations internat. mod., 6677, 6688, 6689, 6695, 6740, 6742, 6974, 7046, 7213, 7252, 7262, 7298, 7307, 7309, 7311, 7342, 7350, 7391, 7402, 7473. - Hist. (avant 1868), 7487, 7647-7688.
Jauntal (Kärnten, Österreich), 3076.
Java (île, Indonésie), 185, 6746, 7561, 7570.
Java (mer de), Bataille [1942], 7303.
Jerusalem, 1282, 2122, 2157, 7427, 7520. - Camp of the Xth Legion, 1861. - Congress of Jewish Stud., 703. - Excavations, 1729, 1294. - Jewish Agency, 7195. - Liturgie paléochrétienne, 1988. - Pèlerinages, 3054. - Royaume latin, 2338, 2426. - St.-Sépulcre, 2137. - Sephardi, 4721.
Jordan, Jordanie (Royaume), 1152, 4082.
Judaea (rég., Palestine anc.), 1663, 2814.
Jugoslavija, 792, 793, 1108, 1109, 4423, 4424, 6461, 6636, 6652, 6937, 7078, 7281, 7313, 7476.
Juifs, Jews: Ouvrages gén., 631, 679, 693, 695, 703, 755, 926, 975, 997. - Antiquité, 1202, 1251-1298 passim, 1324. - Hist. Eglise anc., 1931, 1972, 1995, 1998, 2023. - Moyen Age, 2217, 2240, 2428-2436, 2860, 2876, 2877. - Hist. polit. mod., 3195, 3220, 3228, 3230, 3249, 3250, 3304, 3308, 3600, 3900, 3974, 4138, 4147, 4182, 4189, 4255, 4318, 4319, 4355, 4364, 4374, 4390, 4403. - Hist. relig.

mod., 4461-4463, 4690, 4709-4742 passim. - Culture intellect. mod.,4936, 4976, 4995, 5048, 5054, 5070, 5258, 5271. - Hist. écon. et soc. mod., 5633, 5723, 5810, 5827, 5874, 6156, 6234, 6264, 6295, 6370, 6373. - Hist. Droit mod., 6500. - Relations internat. mod., 7150, 7160, 7163, 7164, 7176, 7177, 7187, 7188, 7193, 7195, 7204, 7209, 7210, 7256, 7371, 7375. - Hist. Asie, 7511. - Cf. Israel.
Jylland, Jütland (rég., Danemark), 2596.

K

Kabars (peuple), 2304.
Kabul (Afghanistan), 7493.
Kärnten (Land, Österreich), 302, 311, 651, 724, 2217, 2665, 3408, 3435, 3438, 5768, 6518, 7088. - Unter-K., 4674.
Kahlenberg (Wien, Österreich), Schloßkapelle K. - Leopoldsberg, 3399.
Kaiseraugst (Aargau, Schweiz), Röm. Silberschatz, 1885.
Kalabryta (Achaïe, Grèce), Monastère Mega Spēlaion, 4564.
Kalinin, Tver (Russie), 5863.
Kalisz (Pologne), Voïvodie, 4200.
Kalmucks (people, U.S.S. R.), 4272.
Kalymnos (île, Grèce), Femmes, 6258.
Kāmid el-Lōz (Liban), Site préhist., 1035.
Kampyr-tepe: Kushan fortress, 7217.
Kansas City (Kan., U.S.A.), 5778.
Kapfenstein (Steiermark, Österreich), Gräberfeld, 1889.
Kappadokia, Cappadoce (région, Turquie), Eglises rupestres, 2104.
Karana (Mésopotamie), 1234.
Karelija, Carélie (rép., U.R.S.S.), 3700.
Karl-Marx-Stadt (DDR), Bezirk, 709.
Karlskoga (Suède), 4641.
Karnataka (state, India), 7556.
Karpaten, v. Carpates.
Karpathos (île, Grèce) 6258.
Kartasura (Java), 6746.
Kasserine Pass (Tunisia), Battle [1943], 7344.
Kauns (Tirol, Österreich), Gemeindearchiv, 292.
Kavkaz, Caucase (montagnes, U.R.S.S.), 644, 1095, 1648, 4350, 4373, 6665, 7507.
Kazači, Cosaques (populations, U.R.S.S.), 6281.

Kronstadt, v. Braşov.
Kazan' (U.R.S.S.), Khanat, 2395.
Kazrin (Syrie), 1296.
Kelten (die), v. Celtes.
Kempen (rég., Belgique et Pays-Bas), 5801.
Kent (co., England), 2265.
Kerkoune (Tunisie),Cité punique, 1263.
Kerkyra, Corfou (île et ville, Grèce), 754, 1379. - Archives Guilford, 293. - Crise [1923], 7038.
Khiva (Ouzbékistan, U.R. S.S.), 4391.
Khorezm (rég., U.R.S.S.), 4391, 7491, 7506.
Kielce (Pologne), Région, 7174. - Résistance, 7353.
Kiev (Ukraine, U.R.S.S.), 2281, 2317, 3034. - Kievan Russia, 2711.
Kimberley (Cape of Good Hope, S. Africa), 5796.
King's Lynn (Norf., England), 2183.
Kišinev (Moldavie, U.R.S. S.), Bataille Iaşi-K. [1944], 7327.
Kisurra (Iraq), 1243.
Kition (Chypre anc.), 1578.
Klagenfurt (Kärnten, Österreich), Archiv des Geschichtsvereins, 302. - Landesmuseum, 152. - Protestanten, 4674.
Knossos (anc. city, Crete), Minoan mansion, 1327.
Knox College, v. s.v. Galesburg (Ill., U.S.A.).
Koblenz (Rheinland-Pfalz, BRD), 6459.
København (Danemark), Arnamagnaean Collection, 2156. - Bataille [1801], 6943.
Köln (Nordrh.-Westf., BRD), 836, 2359, 2985, 3074, 3096, 3250. - Armenwesen, 6207. - Erzbischöfe, 2318. - Franziskan. Ordensprovinz, 2933. - Minoritenkloster, 2933. - Protestanten, 4589. - Röm. Circus, 1888. - Röm. Gläser, 1857. - Richerzeche, 2484.
Kőszeg (Vas, Ungarn), Belagerung [1528], 6909.
Koevorden (Friesland, Pays-Bas), Prix, 5955.
Kollerschlag (OÖ., Österreich), 3420.
Kôm el-Dikka (Egypte), Fouilles, 1881.
Kommagēnē (territ., Syrie anc.), 1171.
Koné (Nouvelle-Calédonie), 6868.
Kongo, v. Congo (fleuve, Afrique).
Konstanz Baden-Württemb., BRD), Dekret [1417], 2893. - Konzil, 2899, 2987, 3020.
Konya (Turquie), Sultanat de Rum, 2094.

Korea, Corée, 125, 4941, 6974, 7379, 7440, 7689-7692.
Korinthos (Grèce), 135, 1371, 1542, 1543.
Korneuburg (NÖ., Österreich), 3391, 6598.
Kōrykion Antron (Phocée, Grèce), 1531.
Kōs (île, Grèce), Forteresse, 97.
Koznitsa (Grèce), Monastère, 2044.
Kraków, Cracovie (Pologne), 2960, 4176, 4186, 4192, 5187. - Archevêché, 4510. - Univ., 4829, 4888. - Ville libre, 6564. - Voïvodie, 4167, 4919.
Krems an der Donau (NÖ., Österreich), Konresse, 253, 551.
Kremsmünster (OÖ., Österreich), 6932.
Krētē, Crète (île, Grèce), 1354, 2062, 3966, 3975, 7031.
Kristiansand (Norwegen), Stift, 4688.
Kronstadt (Rumänien), v. Braşov.
Kruszwica (Pologne), 2569.
Krym, Crimée (péninsule, U.R.S.S.), 2370. - Conférence [1945], 7222. - Guerre, 6017, 6964, 6988, 7021.- Khanat, 789, 2395.
Kuchl (Salzburg, Österreich), 3444.
Kurds (people, W. Asia), 7514.
Kursi, Gergesa (archeol. site, Syria), 2107.
Kush (anc. empire, Ethiopia), 1212.
Kushan (anc. empire, Asia), 123.
Kypros, Chypre, Cyprus, 1074, 1083, 1552, 1553, 7430.
Kyrēnē, Cyrène (Afrique du N. anc.), 219. - Agora, 1218.
Kythēra (île, Grèce), 3976.
Kyūshū (île, Japon), 7659.

L

Lancashire (co., England), 6266.
Landeck (Tirol, Österreich), Gerichtsarchiv, 292.
Langobarden, Langobardi (german. Volk), 109.
Langres (Haute-Marne, France), 1872.
Languedoc (rég., France), 161, 831, 1114, 2474, 4513, 4696, 5591.
Laon (Aisne, France), 3009.
Laos, 7350, 7376, 7564.
Lapita (site archéol., Nouvelle-Calédonie), Civilisation, 7743, 7754.
Larisa (Thessalie, Grèce), Siège [1082-83], 2068.
La Tène (Suisse), Civilisation préhist., 1115, 1119, 1136.
Laterano (palazzo, Roma), Concilio [649], 951.- Concilio III [1179], 2512.
Latina (lingua), 1-3, 157, 158, 178, 179, 2247, 2765, 3010, 4503, 7492.
Laurolavinium, v.Lavinium.
Lavinium, Laurolavinium (Lazio, Italia ant.), 1785, 1830.
Lazio (reg., Italia), 2467.
Lebanon, v. Liban.
Lecce (Puglia, Italia), Giornate di studio su A. Ross, 259.
Leerdam (Hollande-Méridionale, Pays-Bas), 4137.
Leibnitz (Steiermark, Österreich), L.er Feld, 4552.
Leiden, Leyde (Hollande-Méridionale, Pays-Bas), Musée, 1227, 1891.-Univ., 6505.
Leipzig (DDR), Bezirk, 709. - Univ., 449, 859.
Leitmeritz, v. Litoměřice.
Leningrad (Russie), 4334, 4336, 4353, 5483, 5743, 6002, 6359. - Astronom. school, 5176. - Hermitage, 326.
Leoben (Steiermark, Österreich), Gefecht [1809], 6961.
León (España), Reino, 2640.
Lepcis Magna (auj. Labdah, Libye), 1892.
Lerbach (Niedersachsen, BRD), Symposium "Energy in history", 829.
Lesbos (île, Grèce), Eglise, 964.
Leuk (Wallis, Schweiz), 3070.
Leukos Limen, v. Ras Shamra.
Leuven, Louvain (Belgique), Univ., 6505.
Levant (rég.), 4480, 5816, 7237.
Liban, Lebanon, 4083, 7433.
Liberia, 4084.
Liblice (Tschechoslowakei), Wiss. Tagung, 5183a.
Liemers (rég., Pays-Bas), 207.
Lieto (Finland), Hillfort Vanhalinna, 1046.
Liguria (regione, Italia), 2224.
Lille (Nord, France), 4512. - Industrie textile, 5734.
Limburg (hist. Landschaft, Belgien u. Niederlande), 837. - Staurothek, 3002.
Limousin (rég., France), 626.
Lincoln (Lincs., England), Roman coins, 140.
Linz (OÖ., Österreich), 6935. - Festungssystem, 6047. - Juden in L.-Urfahr, 4729.
Lipari (isole, Italia), 1390.
Liquière (La, comm. de Calvisson, Gard, France),

Site préhist., 1114.
Litoměřice (Tchécoslovaquie), 7247.
Little Rock (Ark., U.S.A.), 6535.
Litva, Lituanie (rép., U.R.S.S.), 2222, 2225, 4364, 4374, 6456, 6911, 7177.
Liverpool (Lancs., England), 6341.
Livonija, Livland (rég., U.R.S.S.), 2500, 6911.
Ljady (Biélorussie, U.R.S.S.), 4716.
Locarno (Tessin, Suisse), Traité [1925], 7056.
Locri Epizephyrii (Calabria, Italia ant.), 1582.
Loja (Andalucía, España), Sublevación [1861], 3506.
London, 3095, 3853. - Bankers, 5979. - Clothing trades, 5782.-Coal trade, 5829. - Conferences [1912-1913], 7018. - House of Lords Record Office, 298. - Police guards, 6599. - Roman L., 1871. - Roy. College of Physicians, 3848. - Stage, 5533. - Toynbee Hall, 6122. - Trade, 5835.
Lorraine (rég., France), 2288, 2341, 3026, 4190, 4442, 4443, 6128.
Lot (dépt., France), 2144.
Lotharingie, 2637. -Cf. Lorraine.
Louba (peuple du Zaïre), 674.
Louisbourg (N.S., Canada), 5126.
Louisiana (state, U.S.A.), 7736.
Louvain, v. Leuven.
Lovö (Suède), 1113.
Low Countries, v. Pays-Bas (territoire hist.).
Luba, v. Louba.
Lublin (Pologne), Camp de concentration, 7186.-Mouvement ouvrier, 6483.
Lucca (Toscana, Italia), 2393. - S. Frediano, 2919.
Lucknow (Uttar Pradesh, India), 6744.
Lübeck (Schleswig-Holstein, BRD), 5237. - Ostseekolloquium, 2662.
Lugano (Tessin, Suisse), Alphabète, 13.
Lund (Malmöhus, Sweden), Conference on Ethiopian Studies, 266.
Lunenburg (co., Va., U.S.A.), 5873.
Luxembourg (Grand-Duché), X, 5958.
Luxor (Egypte), Temple, 1178.
Lycaonia (rég. hist., Asie Mineure), 227.
Lyon (Rhône, France), 1949, 1967, 2584, 3023, 3739. - Art, 5384. - Démographie, 6084. - Diocèse, 4505. - Industrie, 5714. - Séminaire "Temples et sanctuaires", 981.-Rég., 170.

M

Maastricht (Limbourg, Pays-Bas), Grotius colloquium, 6511. - Prix, 5955.
Macasar (auj. Ujungpandang, Celebes, Indonésie), 5845.
Macedonia, Macédoine (rég., Balkans), 1383, 1685, 1775, 2111, 2540, 3463, 3965, 3972, 3974, 4833, 4920, 6558.
McNeish (isl., Puget Sound, Wash., U.S.A.), Prison, 6606.
Macôn (Saône-et-Loire, France), Démographie, 6084.
Mactar (Tunisie), Recherches archéol., 1912.
Madagascar, 6754.
Madison (Wisc., U.S.A.), Univ. of Wisconsin, 5149.
Madrid, 2632. - Casa de Velázquez, 193, 5251. - Real Acad. de la Hist., 2179.
Madura (île, Indonésie), 6746.
Magdeburg (DDR), Bezirk, 708. - Reitersäule, 2828.
Maghreb (rég., Afrique du Nord), 2418, 3117, 5280, 5316, 5671, 5681, 6758, 7706.
Magna Graecia, 1570.
Magyarország, Hongrie: Bibliogr. hist. gén., VIII. - Sci. auxil., 47, 88, 169. - Ouvrages gén., 281, 294, 295, 304, 511, 558, 576, 631, 755-757, 841, 878, 1005.- Préhist., 1024, 1085, 1127. - Moyen Age, 2124, 2185, 2322, 2328, 2333, 2334, 2337, 2384, 2394, 2521, 2551, 2553, 2577, 2587, 2590, 2613, 2671, 2671a, 2705, 2738, 2770, 2949, 2966. - Hist. polit. mod., 3126, 3162, 3398, 3984-4027, 4251. - Hist. relig. mod., 4521. - Culture intellect. mod., 4751, 4772, 4787, 4861, 4871, 4875, 4894, 4966, 4978, 5050, 5052, 5226, 5526. - Hist. écon. et soc. mod., 5557, 5570, 5597, 5616, 5639, 5723, 5799, 5811, 5819, 5836, 5867, 5868, 5879, 5900, 5909, 5943, 5952, 5962, 5987, 6001, 6008, 6034, 6052, 6069, 6092, 6161, 6303, 6393, 6438, 6463, 6466, 6469. - Hist. Droit mod., 6561, 6563. - Relations internat. mod., 6648, 6650, 6883, 6904, 6909, 6982, 7028, 7095, 7105, 7113, 7126, 7130, 7155, 7244, 7275, 7283, 7313, 7332, 7382, 7395. - Cf. Österreich-Ungarn.
Maintenon (Eure-et-Loir, France), Région, 5872.
Mainz (Rheinl.-Pfalz, BRD), Colloquium on Gregory of Nyssa, 1906. - Erzstift, 2988.
Majdanek (faubourg de Lublin, Pologne), Camp de concentration, 7186.
Makkah, La Mecque (Arabie Saoudite), 2448.
Málaga (España), 2615.
Malawi, 4649.
Malaya, 6733, 6750.
Malaysia, 7565, 7568.
Malbork (Gdańsk, Pologne), Chapelle du château, 2810. - Terre, 4198.
Malta, 4085, 7171.
Malvinas (islas), v. Falkland Islands.
Man (Isle of, Irish Sea), 2142, 2456.
Manchuria (rég., China), 7059, 7298, 7608.
Mans (Le, Sarthe, France), Trésor de Coëffort, 2790.
Maresha-Beth Govrin (Israel), Necropolis, 1288.
Mari (Mésopotamie anc.), 1234. - Archives, 1222.
Maria Enzersdorf (Niederösterreich), 3412.
Markouna (Algérie), Portraits impériaux romains, 1837.
Marne (dépt., France) 1110.
Maroc, Morocco, 3805, 4086, 4087, 4735, 6771.
Marseille (Bouches-du-Rhône, France), 2644. - Commerce, 5813, 5816, 5826. - Corses, 3736.
Martinique (île, Antilles), 277.
Martigny (Valais, Suisse), Fouilles gallo-rom., 1894.
Maryland (state), U.S.A.), 4662, 6009, 6813, 6815, 6822, 6833.
Massachusetts (state, U.S.A.), 3542, 5938, 6863.
Matamoros (Tamaulipas, México), 6980.
Matrafüred (Hongrie), Colloque [1981], 5050.
Mattersburg (Burgenland, Österreich), Juden, 4730.
Mauretania (rég. hist., Afrique du Nord), 1656, 1674. - M. Caesariensis, 110, 2012.
Mauritanie (Rép., Afrique occid.), 4088.
Maya (Indios), 166, 6814, 7712, 7717, 7723, 7725, 7740.
Mazury (rég., Pologne), 4215.
Mecklenburg (ehem. Territorium, DDR), 706, 5675.
Mecklenburg (Schwerin, DDR), Obodritenburg, 3071.
Mecque (La), v. Makkah.
Media, Médie (rég. hist.), 2e Guerre, 1358.
Mediolanum, v. Milano.
Méditerranée (mer), 684, 975, 1074, 1141, 1287, 2048, 2079, 2232, 2536, 2593, 3145, 5151, 6894, 7203, 7288, 7289, 7324.

Megara (Grèce), 1475.
Megara Hyblaea (Sicilia ant.), Scavi, 1560.
Mélanésie, 621, 652.
Melbourne (Vict., Australia), 6875.
Melk (NÖ, Österreich), Codex Mellicensis, 64.
Memphis (Tenn., U.S.A.), 6345. - Riot [1866], 3683. -Sanitation strike [1968], 3636.
Meroe (Rep. of the Sudan), 240, 7703. - Kingdom, 7693.
Mesoamerica, v. Amérique centrale, s.v. Amérique.
Mesopotamia, 915, 1161, 1220.
Messana, v. Messina (Sicilia).
Messina (Sicilia), Congresso su Basilio di Cesarea, 2014. - Messana, 106.
Meteora (monastère, Grèce), 296.
Metz (Moselle, France), Bataille [1944], 7296.
Me'uchad (Kibbutz, Israel), 4039.
Meurthe-et-Moselle (dépt., France), 3751.
Meuse (dépt., France),3751.
Meuse-Inférieure (anc. dépt., Pays-Bas), 5585.
México (Estados Unidos de), 286, 764, 3585, 4089-4103, 4504, 4527, 4768, 4793, 5582, 5621, 5650, 5689, 5744, 5927, 5970, 6010, 6224, 6504, 6516, 6580, 6829, 6973, 7048, 7073, 7711.
México (ciudad), 5935. - Batalla de Tenochtitlan [1521], 6858. - Cancillería, 3108.
Mezőkeresztes (Borsod-Abaúj-Zemplen, Hongrie), Bataille [1596], 6912.
Michigan (state, U. S. A.), 5739.
Michoacan (estado, México), 4101.
Micronesia, 4629.
Middleburg (Zeeland, Pays-Bas), 4157.
Middlesex (co., Va., U.S. A.), 6846.
Midlands (reg., England), West M., 1848, 2568.
Mikulov (Moravie, Tchécoslovaquie), 209.
Milano (Lomgardia, Italia), 2393. - Editto [313], 1948, 1978. - Mediolanum, 1769. - Museo archeol., 1119. - Pataria, 3028. - Tipografia, 43.
Millstatt (Kärnten, Österreich), Stiftskirche, 2801.
Minden (Nordrhein-Westf., BRD), Fürstentum, 711.
Minnesota (state, U.S.A.), 5865.
Missiminia (Nubie, Soudan), Nécropole, 1215.
Mississippi (riv., U.S.A.),
Delta, 3589. - Upper M., Valley, 3535.
Missippi (state, U.S.A.), 5659.
Mobile (Ala., U.S.A.), 3685.
Moçambique (Rép.), 6781, 7414.
Mocha (Rép. arabe du Yémen), 5850.
Mogersdorf (Burgenland, Österreich), Kulturhist. Symposium, 4794.
Moissac (Tarn-et-Garonne, France), 3022.
Moldavija (Rép., U.R.S.S.), 673.
Moldova, Moldavie (rég., Roumanie), 20, 93, 625, 2378, 4228, 4262, 4267, 6629.
Molina de Aragón (Guadalajara, España), 2460.
Mongolia, Mongols, 1047, 7518, 7524, 7525.
Monroe (Mich., U. S. A.), 6147.
Montauban (Tarn-et-Garonne France), 739.
Montbéliard (Doubs, France), Pays, 4607.
Monte Bibele (Monterenzio, Italia), 1120.
Monte Cassino (abbazia, Cassino, Italia), 7305.
Monténégro, v. Crna Gora.
Monterenzio (Bologna, Italia), 1120.
Montpellier (Hérault, France), 740, 5237.
Montréal (Québec, Canada), 4842, 5212.
Morava, Mähren (Tschechoslowakei), 130, 209, 906, 2206, 2634, 4312, 5923, 6928.
Moravský Krumlov (Tchécoslovaquie), 209.
Moriscos (los), 2447a, 2694, 3505.
Morocco, v. Maroc.
Morte (mer), 1252.
Moskva, Moscou, 4353, 6911, 7238. - Foreign ministers conference [1943], 7222. - Muscovy, 2395.
Motul (Yucatán, México), Calepino maya, 166.
Mühlviertel (Landschaft, OÖ., Österreich), 5658.
München (Bayern, BRD), Abkommen [1938], 4297. - Internat. Kongreß f. Diplomatik, 23. - Kunstakademie, 5376. - Ministerpräsidenten-Konferenz [1947], 9322. - Univ., 4816.
Münsingen (Baden-Württ., BRD), Vertratg [1482], 2396.
Münster (Nordrh.-Westf., BRD), 3225, 3255, 4506. - Deutscher Historikertag, 257. - Fürstbistum, 3323. - Hist. Verein, 362. - Univ., 344.
Muntenia (rég., Roumanie), 1642.
Mur, Mura (Fluß, Österr. u. Jugoslawien), 3133.
Mykēnē, Mycène (Grèce), 7, 89, 184, 1326, 1453.
Mytilēnē (Lesbos, Grèce), 1349, 2829.

N

Nabataea (rég., Arabie ancienne), 144.
Nagykőrös (Pest, Hongrie), 2302.
Nagyszentmiklós, v. Sînnicolau Mare.
Nájera (Logroño, España), Sta. María la Real, 2465.
Nakhšeb (U.R.S.S.), Site archéol., 7506.
Namibia, 4104, 4105.
Nămoloasa (Roumanie), Ligne Focşani-N.-Brăila [1944], 7294.
Nanking (Kiang-sou, Chine), Massacre [1937], 7309.
Nantes (Loire-Atlant., France), Commerce, 5818. - Edit [1598], 4441, 4696.
Napoli (Campania, Italia), 6892. - Congresso internaz. di papirologia, 252. - Regno, 4058. - Viceregno, 4066.
Naq'a (Butana, Sudan), Löwentempel, 1200.
Nassau (ehem. Territorium, BRD), 2275.
Natal (prov., S. Africa), 1063, 5789.
Nauplia (Argolide, Grèce), Archives communales, 300.
Navarre (rég., France et Espagne), 2544.
Nebo (mont, Jordanie), 1984.
Nederland, Pays-Bas: Bibliogr. hist. gén., XI. - Sci. auxil., 50, 176, 189, 210. - Ouvrages gén., 274, 282, 284, 328, 335, 353, 765-772, 820, 895, 998. - Préhist., 1031, 1056, 1058, 1071. - Moyen Age, 2115, 2187, 2599, 2674, 2943. - Hist. polit. mod., 4464, 4487, 4488, 4495, 4497, 4584, 4588, 4592, 4636, 4684, 4685, 4691, 4695, 4697, 4722, 4732, 4734, 4740. - Culture intellect. mod.,4791, 4851, 4895, 4983, 5054, 5114, 5117, 5128, 5161, 5208, 5368, 5382, 5416, 5419, 5423, 5433, 5437, 5457, 5545. - Hist. écon. et soc. mod., 5604, 5623-5625, 5633, 5635, 5676, 5727, 5784, 5800, 5803, 5809, 5814, 5818, 5833, 5901, 5944, 5959, 5961, 6005, 6021, 6036, 6067, 6079, 6170, 6248, 6269, 6299, 6300, 6378. - Hist. Droit mod., 6531, 6621. - Relations internat. mod., 6683, 6702, 6714, 6719, 6720, 6728, 6746, 6752,

INDICE GEOGRAFICO

6897, 6902, 6905, 6926, 6933, 6939, 7026, 7036, 7136, 7151, 7167, 7172, 7187, 7190, 7212, 7216, 7248, 7249, 7314. - Hist. Asie, 7551, 7640. - Cf. Pays-Bas (territ. hist.).
Nederlandsch-Indië, Inde néerlandaise, 6720, 6721. - Cf. Indonesia.
Nedertorneå (Sweden), Infant mortality, 6120.
Negroes, v. Noirs.
Negroponte, v. Euboia.
Nene (river, England), Bronze age settlement, 1088.
Nepal, 7537, 7543.
Neubrandenburg (DDR), Bezirk, 706.
Neuenheerse (Rheinlandwestf., BRD), Kalandsbruderschaft, 797.
New England, 4626, 4628, 4704, 5127, 5871, 6019, 6029, 6849.
New Ha en (Conn., U.S.A.), Yale Univ., 4844.
New Mexico (state, U.S.A.), 4561.
New South Wales (state, Australia), 4917, 6710, 6876.
New York (state, U.S.A.), 3540, 3592, 6124, 6191, 6841, 6857.
New York (N.Y., U.S.A.), 3543, 3553, 3554, 3628, 5122, 5180, 6119, 6178, 6253, 6480. - Food riots [1917], 6366. - "Revolution" [newspaper], 4955.
New Zealand (islands, Pacific), 4114, 4430, 6872, 7259.
Newark (N.J., U. S. A.), Germans, 3626.
Newport (R.I., U. S. A.), 6865.
Nice (Alpes-Marit., France), Région, 6886.
Nicopolis ad Istrum (auj. Nikjub, Bulgarie), 1612.
Nieborów (Pologne), Symposium [1978], 4781.
Niederösterreich (Land, Österreich), 303, 725, 1125a, 2659, 5956, 6053.
Niedersachsen (Land, BRD), 506, 2572, 3186.
Nigeria, 330, 5655, 5841, 6762, 7695, 7704.
Nijmegen (Gelderland, Pays-Bas), Prix, 5955. - Röm. Legionslager, 1841.
Nile (fleuve), Bataille [1798], 6943. - Upper N., 6784. - Valley, 7094.
Nippur (Mésopotamie), 1235.
Nockgebiet (Kärnten, Österreich), 5965.
Nogai (Turkic people, Russia), Horde, 2404.
Noire (mer), Black Sea, 1141, 5626, 7084, 7279. - Northern B.S. area, 1026, 1039, 1169, 1420, 6077.
Noirs, Negroes, 3573, 3638,

5070, 5842. - N. d'Amérique, 338, 358, 3524, 3647, 3688, 4850, 4864, 4886, 5506, 5908, 5942, 6147, 6203, 6215, 6227, 6234, 6243, 6375, 6855, 6856, 6859, 6866, 7066.
Noord-Holland (prov., Pays-Bas), 274, 765, 767, 768.
Nord (dépt., France), 3821, 6177.
Nord (mer du), Nordsee, 6059, 7067.
Nord-Pas-de-Calais (région admin., France), 4442.
Nordgau (hist. Landschaft, Mitteleuropa), 3311.
Norge, Norvège, XI, 346, 379, 656, 925, 971, 1068, 4107-4113, 4612, 4667, 5588, 6094, 6217, 6454, 6542, 7308.
Noricum (prov. romaine), 1879.
Normandie (rég., France), 74, 91, 162, 244, 733, 4442. - Basse-N., 308, 2522, 2550, 2651, 7287, 7306, 7310.
Normans, Normannen, 3, 2068, 2138, 2312, 2325, 2523, 2524.
Norrbotten (prov., Suède), 5606.
North Carolina (state, U. S.A.), 3611, 5703, 6133.
Northern Ireland, 3894.
Northumberland (co., England), 2797.
Northumbria (Anglo-Saxon kingdom, England), 2291.
Nouvelle-Calédonie, 5791, 6858, 6874, 6877, 6879.
Novae (auj. Svistov, Bulgarie), 1612.
Novgorod (Russie), 700, 2598, 2742, 2812, 3083, 4376.
Nubie (rég., Afrique), 1330. - N. soudanaise, 1215.
Nürnberg (Bayern, BRD), 2627, 3300, 3309, 4761, 5851. - Bildepitaphien, 2830. - Burg, 5405. - Juden, 2436. - Prozeß, 6626. - Rassengesetze, 3254. - Religionsgespräch [1525], 4708.
Nueva España, 6580, 6797, 6840, 6843, 6852, 6867.
Nueva Granada, 6826, 6830.
Nuevo México, v. New Mexico (state, U.S.A.).

O

Ob (fleuve, Sibérie), 1101.
Oberammergau (Bayern, BRD), Passionsspiele, 5494.
Oberloiben (OÖ., Österreich), 6616.
Oberneukirchen (OÖ., Österreich), Brau- u. Rathaus, 5658.
Oberösterreich (Land, Österreich), 87, 3418, 3427,

3441, 4447, 4631, 4819, 5889, 5967, 6583.
Obodriten (slaw. Volk), 3071.
Occident, 192, 863, 2303, 2575, 2780, 2882, 2888, 3111, 6176.
Océanie, 176, 299, 877, 3109. - O. coloniale, 6868-6881. - O. précoloniale, 7743-7755.
Odenwald (Gebirge, BRD), 4544.
Odra (fleuve, Europe centrale), Bassin, 1125.
Öland (île, Suède), 1873.
Örnsköldsvik (Ångermanland, Sweden), District, 5652.
Österreich: All. hist. Bibliogr., III. - Hilfswiss., 84, 152, 198. - Allg. Werke, 289, 297, 388, 617, 676, 720-727. - Röm. Gesch., 1863, 1889. - Mittelalter, 2147, 2434, 2513, 2600, 2747. - Polit. Gesch. d. Neuzeit, 3162, 3179, 3373-3444. - Relig.-Gesch. d. Neuzeit, 4660, 4720, 4741. - Bildungsgesch. d. Neuzeit, 4771, 4808, 4814, 4845, 4951, 5146, 5155. - Wi.- u. Sozialgesch. d. Neuzeit, 5593, 5828, 5836, 5877, 5878, 6110, 6123, 6276, 6277, 6411, 6422, 6444, 6448. - Rechtsgesch. d. Neuzeit, 6509, 6519, 6554, 6592, 6596. - Internat. Beziehungen d. Neuzeit, 6693, 6914, 6915, 6945, 6970, 6989, 7025, 7034, 7043, 7065, 7191, 7257, 7272, 7313, 7354, 7368, 7400. - Inner O., 92, 4780.
Österreich ob der Enns, v. Oberösterreich.
Österreich-Ungarn, 3385, 3398, 3405, 3424, 3428, 3431, 3433, 3434, 3995, 3997, 3999, 4000, 5177, 5622, 5639, 5682, 5735, 6043, 6982, 6989, 6996, 7015, 7027, 7045, 7080, 7082, 7087, 7094, 7097, 7128.
Oituz (défilé, Roumanie), Batailles [1916-17], 7098.
Oklahoma (state, U.S.A.), 3586, 4922. - Prehistory, 7713.
Olbia (anc. colonie grecque, Ukraine), 7307.
Oltenia (rég., Roumanie), 4226.
Olympia (Grèce anc.), 1536, 1544, 1548, 1549, 1556, 1575.
Orient, 202, 554, 927, 1157, 1163, 1305, 1306, 1526, 3033, 3706, 5035, 5268, 6450, 6996, 7023, 7424. O. antique, 1145-1301. - Extrême-O., 876, 5989, 7261, 7616. - Moyen-O., 6641, 6694, 6699, 6734,

7398, 7438, 7504. - Proche-O., 319, 1034, 1151, 6694, 6699, 7498, 7504.
Orkney Islands (Great Britain), 1049.
Orte (Lazio, Italia), Pergamene medievali, 2197.
Ortigia (isola, Siracusa, Sicilia), 1577.
Osma (Soria, España), 2557.
Ostia (Lazio, Italia), 1827.
Ostpreußen, v. s.v. Preussen.
Ostrogothi (german. Stamm), 2296. - Cf. Goten.
Ostrumelien, v. Roumélie-Orientale, s.v. Roumélie.
Ostsee, v. Baltique.
Oświęcim, Auschwitz (Pologne), Camp de concentration, 7169. - O.-Brzezinska (Birkenau), 7154.
Ouargla (Algérie), 7701.
Ouïgours (peuple, Asie), 7627.
Oulu (Finlande), 6236.
Overijssel (prov., Pays-Bas), 274, 5961, 6302.
Oxford (England), 4927. - Ashmolean Museum, 319. - Conference on Patristic Stud., 1934. - Univ., 864.
Oxnard (Calif., U.S.A.), 5862.

P

Padova (Veneto, Italia), Univ., 4921.
Pakistan, 896, 7423, 7468, 7559, 7573.
Pákozd (Fejér, Hongrie), Bataille [1848], 4026.
Palembang (Sumatra, Indonésie), Royaume, 7579.
Palermo (Sicilia, Italia), Congresso "Marxismo e cultura merid.", 262. - Stuccatori, 5401.
Palestine (rég., Proche-Orient), 30, 202, 216, 688, 936, 1089, 1100, 1252, 2089, 2990, 4034, 4037, 4038, 4040, 4627, 4723, 5326, 5874, 7195, 7380, 7497, 7509, 7527.
Pamir (massif, Asie centrale), Région, 5930.
Pampa (reg., Argentina), 3359.
Pannonia (rég. hist.), 1879, 2287.
Papal monarchy, Papal state, v. Stato pontificio.
Papua-New Guinea, 7578.
Paraguay, 4900.
Paris, 2937, 3795, 5323, 6137, 6344. - Abbaye St. Germain-des-Prés, 2545, 2915. - Approvisionnement, 3809. - Archives Nat., 275-278. - Bassin, 1060. - Belleville, 6050. - Biblith. Mazarine, 44. - Biblioth. Nat., 310. - Cimetières, 5400. - Collège de France, 4907. - Colloque "Geographie hist. des villes", 204. - Coll. "La chronique ...", 255. - Coll. "Lamennais", 247. -Coll. "Temps chrétien", 982. - Commerce, 5834, 5835. - Dentellerie, 5710. - Domestiques, 6272. - Exposition industr. [1806], 5732. - "Le Charivari", 4959. - "Le Monde", 4974. - Louvre, 321, 1598, 5461. - Maison d'édition Brandus, 41. - Opéra, 5491. - Soc. de Géogr., 4817. - Table ronde "Langage et Soc.", 174. - Théâtre, 5529. - Univ., 2769, 2872.
Parral (Chihuahua, México), 6829.
Passchendaele, Passendale (Belgique), 7137.
Parthia (rég., Iran anc.), 1676.
Passau (Bayern, BRD), Bistumsstreit [1423-28], 2147.
Pasvik (riv., Scandinavie), 6094.
Patagonia (reg., Argentina), 7730.
Pátire, v. Santa Maria del Pátire.
Patras (Achaïe, Grèce), 6061. - Juifs, 4714.
Pays-Bas (territ. hist., Europe occid.), 2639, 3054, 4160, 4811, 5990, 6014, 6659. - Royaume, 6966. - P.-B. du Sud, 3030, 4807. - Cf. Belgique, Nederland.
Pearl Harbor (Hawaii), Attack [1941], 7307, 7342.
Pécine (Serbie, Yougoslavie), Nécropole celtique, 1109.
Pecos (N. Mex., U.S.A.), Grant, 3598.
Pécs (Hongrie), 1859.
Peelo (Drenthe, Pays-Bas), 1028.
Pelasques (les), 1580.
Peloponnesos (péninsule, Grèce), 1086, 1376, 2037, 6894.
Pennsylvania (state, U.S. A.), 173, 3663.
Perchtelsdorf (NO., Osterreich), 3412.
Perejaslav-Khmel'nickij (Ukraine, U.R.S.S.), Accord [1654], 6927.
Pergamon (heute Bergama, Türkei), Altertumer, 1528.
Pernambuco (Brésil), 5936.
Perpignan (Pyrénées-Orient., France), Congrès des Soc. savantes, 244, 2231.
Perú, 4163, 4164, 5653, 6795, 6838, 7714.
Perugia (Umbria, Italia), Convegno "Latino volgare", 179.
Pest (comitat, Hongrie), 96, 2127.
Petersburg (Russie), v. Leningrad.
Petersburg (Va., U.S.A.), 6231.
Pfalz (hist. Landschaft, BRD), 4620. - Ober-P., 1105, 3311. - Süd-P.; 3296.
Philadelphia (auj. Alasehir, Turquie), 2091.
Philadelphia (Pa., U.S.A.), 6227, 6834. - Blacks, 6243. - Cath. hospitals, 5119. - Lazaretto, 3644. - Mortality, 5120, 6040.
Philippines, v. Filipinas.
Philippopolis, v. Plovdiv.
Phoenicia, Phoenices (rég. et peuple, Proche-Orient anc.), 1274, 1287.
Phrygia (rég., Asie Mineure anc.), 237.
Piacenza (Emilia-Romagna, Italia), Fegato, 1599.
Piaui (Etat, Brésil), 7708.
Picardie (rég., France), 4442.
Picts (anc. people, Scotland), 3075.
Piemonte (reg., Italia), 6517.
Pigs (Bay of), v. Cochinos (Bahía de, Cuba).
Pisa (Toscana, Italia), 2342. - Ebrei, 4715.
Pittsburgh (Pa., U.S.A.), 4482, 5718.
Piuro (Lombardia, Italia), 2330.
Plata (Río de la, América del Sur), 3161, 3168, 4546, 6790, 6796, 6855.
Plataia (Grèce anc.), 1372.
Plovdiv (Bulgarie), 1137.
Plymouth (Dev., England), P. Brethren, 4600.
Podbrezová (Slovaquie, Tchécoslovaquie), Conférence [1944], 4302.
Pörtschach am Berg (Kärnten, Osterreich), Röm. Inschriften, 1614.
Poggersdorf (Kärnten, Osterreich), Röm. Inschriften, 1614.
Poitou (rég., France), 181.
Polesine, v. Rovigo (prov., Italia).
Poles'ye (rég., U.R.S.S.), 1061.
Pollanten (Bayern, BRD), Kelt. Siedlung Berching-P., 1105.
Polska, Pologne: Bibliogr. hist. gén., XIII. - Sci. auxil., 28, 63, 231. - Ouvrages gén., 272, 376, 378, 390, 416, 479, 773-776, 890, 1010. - Préhist., 1067, 1087, 1140. - Moyen Age, 2340, 2353, 2569, 2582, 2608, 2629, 2542, 2668, 2738, 2760, 2960, 3003. - Hist. polit. mod., 3320, 4165-4217, 4252. - Hist. relig. mod., 4493, 4498, 4500, 4514, 4516, 4538, 4615, 4624, 4690. - Culture intellect. mod., 4745, 4781, 4788,

INDICE GEOGRAFICO

4801, 4810, 4832, 4856, 4857, 4904, 4925, 4937, 4962, 4965, 4977, 4995, 5076, 5103, 5232, 5250, 5252, 5255, 5257, 5272, 5319, 5347, 5381, 5406, 5438, 5454, 5467, 5520, 5546. - Hist. écon. et soc. mod., 5596, 5637, 5775, 5818, 6005, 6027, 6042, 6070, 6126, 6156, 6226, 6252, 6264, 6285, 6319, 6320, 6348, 6349, 6373, 6413, 6421, 6430, 6443, 6456, 6465. - Hist. Droit mod., 6512, 6522, 6549. - Relations internat. mod., 6646, 6675, 6679, 6693, 6888, 6893, 6964, 6979, 6994, 6998, 7011, 7029, 7056, 7060, 7068, 7072, 7101, 7122, 7133, 7141-7483 passim.
Polynésie, 7745, 7753.
Pomakoi, Pomaques peuple de Grèce), 3970.
Pomorze, Pommern (rég., Pologne), 2200, 2336, 4180, 5383, 5892, 6957.
Pompeii (Italia ant.), 1757, 1849.
Ponape (île, Carolines), 4629.
Ponce (Puerto Rico), 5940.
Pont-de-Montvert (Lozère, France), Congrès "La forêt et l'homme", 831.
Pontus (anc. royaume et région, Asie Mineure), 220, 1167, 1172, 2094.
Porsuk (site archéol., Turquie), 1033.
Porto Corsini (Emilia-Romagna, Italia), 2919.
Porto Bello (Panamá), Ferías, 5056.
Portugal, 2907, 4767, 9258, 5833, 6353, 6705, 6926, 7640, 7656.
Posen, v. Poznań.
Potomac (riv., U.S.A.),Valley, 6850.
Potsdam (DDR), Konferenz [1945], 7219, 7222.
Powys Wenwynwyn (former state, Wales), 2352.
Poznań, Posen (Pologne), Voïvodie, 4200.
Praha, Prague: Art baroque, 5379. - Bibliothek d. St. Thomas-Klosters, 316. - Résistance, 7364. - Univ., 815, 886, 4824, 4905, 4914.
Prebeza, Preveza (Grèce), 3979.
Prémontré (Aisne, France), Ordre, 4543. - Status, 2220.
Preußen, Prusse, 577, 2365, 2909, 3191, 3198, 3199, 3216, 3243, 3266, 3272, 3277, 3302, 3313, 3314, 4198, 5790, 5794, 5903, 5998, 6003, 6028, 6033, 6169, 6584, 6687, 6947, 6970, 7369. - Ost-P., 5741. - West-P., 6948.

Priene (Asie Mineure anc.), Sanctuaire d'Athena Polias, 1540.
Primor'je, Maritime Territory (U.S.S.R.), 4331.
Principautés Roumaines, v. Moldova, Tara Româneasca.
Prista (auj. Ruse, Bulgarie), 1612.
Provence (rég., Turquie), 1745, 2620, 2675, 3037, 3776, 4593, 5922, 7302.
Providence (R.I., U.S.A.), 6865.
Premyśl (Rzeszow, Pologne), 776.
Pskov (Russie), 2501.
Pueblo (estado, México), 6831.
Pueblo Indians, 3578.
Puerto Rico, 5940, 6810.
Puglia (reg., Italia), 2138.
Puisaye (rég., France), chouannerie, 3765.
Pulpudeva, v. Plovdiv.
Punici, v. Carthago.
Puy-de-Dôme (dépt., France), 1066.
Pyrmont, v. Bad Pyrmont.

Q

Qal'at Sem'an (Syrie), 2056.
Quaden (german. Volk), 1653.
Québec (ville, Canada), 6559. - Presse, 4971.
Queens (co., N.Y., U.S.A.), 6857.
Queensland (state, Australia), 6880.
Querétaro (ciudad, México), Populación, 6082.
Quiriguá (ciudad maya, Guatemala), 7709.
Quweismeh-Amman (Jordanie), Eglises, 3029.

R

Radom (Kielce, Pologne), Résistance, 7353.
Rann (Kroatien, Jugoslawien), Pfandschaft, 5413.
Ranshofen (OÖ., Österreich), Kloster, 4545, 4553.
Ras Shamra (Tell, Syrie), v. Ugarit.
Rattenberg (Tirol, Österreich), Berggericht, 5765.
Redgrave (Suff., England), 2664.
Regensburg (Bayern, BRD), Damenstift Obermünster, 2133.
Réguibats (tribu, Mauritanie), 623.
Reims (Marne, France), 2160. - Abbaye de St. Remi, 2199.
Rennes (Ille-et-Vilaine, France), Diocèse, 6136.
Reno (Emilia-Romagna, Italia), Monasterio Santa Maria, 2919.

Rettel (Moselle, France), Abtei St. Sixtus, 2190.
Réunion (La, île), 164, 4520.
Reutte (Tirol, Österreich), Bezirk, 3393.
Rhein, Rhin (Fluß), 207, 1842. - Mittel-R., 2275, 2488. - Nieder-R., 2820.
Rheinlande, Rhénanie (Gebiet, W.-Europa), 2428, 3234, 3258, 3319, 4644. - Nördl. R., 3074. - Römische R., 1838. - R.-Bund, 3288. - Judentum, 3250. - Kurfürsten, 3275. - Montanindustrie, 5707.
Rheinland-Westfalen (Land, BRD), 3291.
Rhode Island (state, U.S. A.), 6865.
Rhodos (île, Grèce), 1357. - Chevaliers, 101.
Rhône (fleuve), Vallée, 113.
Richmond (Va., U. S. A.), 6073. - Bread riot, 3564.
Rif (massif, Maroc), 6771.
Río Verde (San Luis Potosí, México), 7732.
Roanoke Island (N.C., U. S.A.), Abandoned colony, 6823.
Rochelle (La, Charente-Maritime, France, 4661, 6895.
Roma, 802, 2132, 2153, 2294, 2636, 4062, 4201, 5409, 7026. - Arte barocca, 5379. - Calendario, 68. - Collegium Germanicum, 4909. - Colloque "Illyricum protobyzantin", 1696. - Confraternite, 377. - Crypta Balbi, 4044. - Domus aurea, 1877. - Fori imperiali, 1834. - Foro di Augusto, 1893. - "Monitore di R.", 4964.- Museo di Villa Giulia, 1107. - S. Catarina della Rosa, 4044. - Scultura, 2826. - Senato, 2459. - Table ronde "Supplices corporels...", 1153. - Via Appia, 1975. - Zecca, 137. - Imperium romanum, I, 108, 112, 140, 236, 249, 419, 480, 770, 909, 1269, 1280, 1289, 1304, 1310, 1316, 1317, 1320, 1323, 1324, 1387, 1401, 1579-1895, 1925, 1937, 1992, 2004, 2588.
România, Roumanie: Sci. auxil., 20, 90, 105, 115, 175. - Ouvrages gén., 359, 440, 627, 662, 667, 672, 777-780, 811, 900, 912, 919, 1013. - Hist. romaine, 1874. - Hist. byzant., 2025. - Moyen Age, 2286, 2301, 2408, 2562, 2824, 3100. - Hist. polit. mod., 4218-4267. - Culture intellect. mod., 4760, 4762, 5005, 5067, 5109, 5134, 5226, 5230, 5233, 5233. - Hist. écon.

et soc. mod., 5589, 5820, 5830, 5882, 6351, 6460. - Hist. Droit mod., 6545, 6582. - Relations internat. mod., 6642, 6645, 6975, 6975, 6977, 6979, 6992, 7008, 7012, 7029, 7077, 7078, 7090, 7130, 7134, 7145, 7152, 7153, 7198, 7201, 7228, 7233, 7235, 7258, 7266, 7291, 7294, 7327, 7420, 7429.
Romania (rég. hist., Empire byzantin), 2339.
Rossija, Russie: Sci. auxil., 145, 212, 221. - Ouvrages gén., 566, 619, 649, 657, 659, 783, 784, 786, 790, 814, 872, 908, 965. - Hist. byzant., 2082. - Moyen Âge, 2150, 2182, 2225, 2242, 2250, 2260, 2278, 2281, 2317, 2404, 2501, 2586, 2627, 2643, 2688, 2711, 2742, 2743, 2782, 2784, 2793, 2989, 3072. - Hist. polit. mod., 3227, 3657, 3704, 3876, 4189, 4214, 4327-4421 passim. - Hist. relig. mod., 4565-4567, 4569. - Culture intellect. mod., 4764, 4777, 4781, 4784, 4796, 4801, 4802, 4806, 4820, 4846, 4924, 4926, 4945, 4950, 4953, 4973, 5015, 5167, 5178, 5213, 5224, 5229, 5305, 5307, 5314, 5336, 5358, 5359, 5385, 5389, 5395, 5422, 5451, 5452, 5486, 5500, 5540. - Hist. écon. et soc. mod., 5669, 5713, 5715, 5853, 5859, 5863, 5886, 5911, 5912, 5924, 5933, 5939, 5978, 6006, 6016, 6025, 6037, 6071, 6078, 6094, 6099, 6155, 6181, 6192, 6220, 6261, 6293, 6312, 6347, 6378, 6388, 6396, 6405, 6409, 6410, 6413, 6420, 6435, 6441, 6455, 6476, 6479. - Hist. Droit mod., 6578. - Relations internat. mod., 6629, 6636, 6637, 6665, 6681, 6686, 6696, 6930, 6937, 6938, 6950, 6967, 6992, 6993, 6997, 7005, 7021, 7025, 7027, 7033, 7034, 7058, 7097, 7103, 7115, 7122, 7397.
Rostock (DDR), Bezirk, 706.
Rotterdam (Netherland), Grotius colloquium, 6527.
Roubaix (Nord, France), Industrie textile, 5734.
Rouen (Seine-Marit., France), Commerce, 5812. - Imprimerie, 58.
Roumélie (territ. hist., Balkans), R. Orientale, 3473, 6982.
Roussillon (rég., France), 244, 831, 5896.
Rovigo, Polesine (prov., Italia), 5898.
Ruanda, 6764.

Ruhrgebiet (Nordrh.-Westf., BRD), 5704.
Rum (sultanat), v. Konya.
Ruthenia, Ruthénie (rég., Europe de l'Est), 3047, 5911.
Rwanda, v. Ruanda.

S

Saarn (Stadtteil von Mülheim a.d. Ruhr, Nordrh.-Westf., BRD), Kloster, 2945.
Sabratha (Libia), Tempio, 1865.
Sachsen (ehem. Territorium, DDR), 709, 2462, 3262, 5986, 6891. - S.-Anhalt, 708. - Herzogtum, 4683. - Königreich, 5745. - Ottonisches S., 2677. Preuß. Provinz, 4967.
Sachsen (german. Stamm), S.-Spiegel, 2494. - Regnum Saxonum, 2703.
Sahara (désert, Afrique), 7706.
Sain'-Bernard (Grand-, col, Suisse-Italie), 1773.
Sain'-Bertin (abbaye à Saint-Omer, Pas-de-Calais, France), 2633.
Saint-Denis (Seine-Saint-Denis, France), 2154.
Sain'-Germain-des-Prés(anc. abbaye, Paris), 2545.
Saint Kitts (isl., West Indies), 6811.
Saint-Laurent, Saint Lawrence (fleuve), 4433.
Saint-Lô (Manche, France), Congrès "Rites de passage", 958.
Saint-Malo Ille-et-Vilaine, France), 741.
Saint-Renan (Finistère, France), Sénéchaussée, 3770.
Saintonge (rég., France), 181, 2928.
Saïs (auj. Sa al Hajar, Egypte), 1206.
Salamanca (España), Concilio, 2983.
Salamis, Salamina (Chypre anc.), 1569.
Salem (Baden-Württ., Württ., BRD), 976. - Ziesterzienserkirche, 2819.
Salento (reg. stor., Puglia, Italia), 1581.
Salerno (Campania, Italia), 2748.
Saliceta San Giuliano (Modena, Italia), 1111.
Salta (Argentina), 3334.
Salzach (Fluß), Schiffahrt, 2609.
Salzburg (Stadt u. Land, Osterreich), 2665, 3400, 3432, 4525, 4706. - Erzbischöfe, 2977.
Salzgitter (Niedersachsen, BRD), 5618.
Samoa (archipel, Océanie), 6870.

Samos (île, Grèce), 1364, 6258.
Samothrake (île, Grèce), 1517.
San Antonio (Texas, U. S. A.), 6112.
San Francisco (Calif., U. S.A.), 4499. - Conference of the United Nations [1945], 7222.
San Juan de las Abadesas (monasterio, Espana), 2673.
San Luis Potosí (estado, México), 7732.
San Pedro de Arlanza (Burgos, Espana), Dominio monástico, 2929.
Sankt Blasien (Baden-Württemberg, BRD), Kloster, 2356.
Sankt Gallen (Schweiz), 486, 2727.
Sankt Michael (Steiermark, Osterreich), Gefecht [1809], 6961.
Santa Cruz (prov., Argentina), 7730.
Santa Maria del Pátire (convento, Calabria, Italia), 2478.
Santa María del Puerto (Asturias, Espana), Monasterio, 2930.
Santa María la Real (monasterio, Nájera, Espana), 2465.
Santa Sede, v. Vaticano.
Santiago de Compostella (Espana), 2166, 3092. - Concilio, 2983.
Saqqara (Egypt), Tombs, 1186.
Sarajevo (Bosnie, Yougoslavie), Attentat [1914], 7042, 7049, 7054, 7070.
Saratoga Springs (N. Y., U.S.A.), Battles [1777], 6845.
Sarawak (state, Malaysia), 6747, 7577.
Sardegna (isola, Italia), 2342.
Sarmatae, Sarmates peuple de l'Antiquité), 1104, 1121, 1130, 1653.
Sarthe (dépt., France), 3719.
Savoie (dépt., France), 744.
Sayala (Egypte), 1209.
Scandinavia, 208, 689a, 967, 2743, 2900, 3090, 5588.
Scania, v. Skane.
Schaumburg-Lippe (ehem. Territ., Niedersachsen, BRD), Freistaat, 3186.
Schlesien, v. Slask Polen), Slezsko (Tschechoslowakei).
Schleswig-Holstein (Land, BRD), 3271.
Schlüchtern (Hessen, BRD), Kloster, 4508.
Schönbrunn (Schloß, Wien), Friede [1809], 6953.
Schwaben (Landschaft, BRD), 2332, 3319.
Schwäbisch Gmünd (Baden-

Württ., BRD), 3231.
Schweiz, Suisse, XIV, 322, 388, 781, 823, 1816, 2180, 2657, 2744, 4495, 4805, 5314, 5600, 6193.
Schwerin (DDR), Bezirk, 706. - Landhandwerk, 5675.
Scordisci, Scordiques (peuple de l'Antiquité), 148, 1108.
Scotland, 746, 749, 752, 840, 2153, 2273, 2280, 2379, 2453, 3858, 3894, 4684, 5414, 5463, 5731, 5817, 5885, 6499, 6574.
Scythae, Scythia, 1104, 1121, 1128, 1170, 1991. - S. Minor, 1618.
Segovia (España), 2535, 2658.
Seine-Maritime (dépt., France), 1037.
Selcups, Ostyak Samoyeds (people, Siberia), 634.
Sémites (peuples), 7498. - Cf. Juifs.
Semmering (Paß u. Landschaft, Österreich), 4779.
Seneca (co., N.Y., U.S.A.), 6091.
Sephardim, Jews S., 4179, 4721, 5633. - Cf. Juifs.
Serbie, v. Srbija.
Serdica (auj. Sofia, Bulgarie), Concile [343], 1943.
Sereer (peuple de l'Afrique), 7698.
Serrai, Serres (Grèce), 3470. - Juifs, 3974.
Sevilla (España), 79, 2399, 2761. - Biblioteca, 2709.
Sexaginta Prista (auj. Ruse, Bulgarie), 1612.
Sfiré (Syrie), Inscriptions araméennes, 1241.
Shirley Plantation (Va., U.S.A.), 6842.
Shivta (Negeb, Israel), Byzantine city, 2097.
Shqipria, Albanie, 3977, 5331, 5666, 7340.
Sibir', Sibérie, 666, 1045, 4352, 4359, 4370, 4393, 4412, 4776, 5229, 5781, 6307, 6390.
Sicilia (isola, Italia), 22, 67, 1309, 1362, 1573, 1811, 2014, 2523, 2529, 2913, 2999, 3066, 4064, 6173. - S. aragonese, 2525. - Regno, 2316.
Siculi (popolo, Sicilia ant.), 1856.
Siderokapisi (Grèce), Juifs, 3974.
Sidi Krebish (Benghazi, Libya), 1219.
Siebenbürgen, v. Transilvania.
Siebenbürger Sachsen, 844, 1012, 4242.
Siena (Toscana, Italia), 2466. - Territorio, 2581.
Silla (anc. Korean kingdom), 7692.
Simyra (auj. Sumar, Syrie), 1239.

Singapure, 6729, 7565, 7567, 7572.
Sînnicolau Mare (Banat, Rumänien), Goldschatz, 2816.
Sinop (Turquie), Conquête [1214], 2094.
Siracusa (Sicilia), 1566, 1722, 1856. - Cf. Ortigia.
Skåne (prov., Suède), 119.
Śląsk, Schlesien, Silésie (rég., Pologne), 2210, 2978, 3085, 4498, 6425, 7148, 7348. - S. de Dąbrowa, 7208. - S. d'Opole, 7183. - Ober-S., 6057.
Slaves (peuples), 14, 348, 669, 691, 699, 875, 1125, 1132, 2205, 2254, 2270, 3137, 4798, 4815, 4912, 5015, 7011, 7120. - S. de l'Est, 663, 1015. - Balto-S., 333.
Slavkov, Austerlitz (Mähren, Tschechoslowakei), Schlacht [1805], 6959.
Slezsko, Schlesien, Silésie (Tchécoslovaquie), 130, 209, 906.
Slovenija (rép., Yougoslavie), 3435, 6163.
Slovensko, Slovaquie (rég., Tchécoslovaquie), 134, 364, 374, 380, 909, 2185, 2226, 2263, 2266, 4280, 4281, 4284, 4287, 4292, 4296, 4301, 4307, 4314, 4482, 4875, 4948, 5598, 5799, 5831, 5913, 6526, 6679, 7051, 7318, 7356, 7358, 7365.
Smyrna, v. Izmir.
Sogdiana (anc. territoire, Asie), 7492.
Somerville (Mass., U.S.A.), 6294.
Sommavilla Sabina (Italia), 1585.
Somme (dépt., France), 3086.
Sommerein (NÖ., Österreich), Awar. Gräberfeld, 1125a.
Songhay (people of Africa), 4726.
South Africa (Rep.), 3172-3175, 4682, 6406, 6778, 6780, 7699.
South Australia (state, Australia), 4889, 6315.
South Carolina (state, U.S.A.), 5169, 6165, 6206.
Southern Rhodesia, v. Zimbabwe.
South-Holland, v. Zuit-Holland (prov., Pays-Bas).
Sparta (Grèce), 1368, 1374, 1387.
Srbija (rég., Yougoslavie), 1109, 2100, 4861, 6950, 7012, 7028.
Sri Lanka, Ceylon, 6722, 7551, 7558.
S.S.S.R. (Sojuz Sovetskikh Socialističeskikh Respublik): Sci. auxil., 62. - Ouvrages gén., 340, 570, 673, 678, 783-791, 907. - Préhist., 1026, 1053. -

Moyen Age, 2230, 2241, 2802. - Hist. polit. mod., 3139, 3469, 4269, 4310, 4327-4421. - Hist. relig. mod., 4689. - Culture intellect. mod., 4825, 5061, 5210, 5336, 5391, 5450, 5468. - Hist. écon. et soc. mod., 5693, 5694, 5720, 5947, 6151, 6251, 6284, 6286, 6295, 6384, 6479. - Hist. Droit mod., 6625. - Relations internat. mod., 6630, 6631, 6633, 6639, 6649, 6652, 6654, 6655, 6698, 6700, 7035-7483 passim. - Hist. Asie, 7608, 7622.
Stamboul, v. Istanbul.
Stams (Tirol, Österreich), Klosterbibliothek, 315. - Zisterze, 980.
Stato Pontificio, 2689, 4056, 6601.
Steiermark (Land, Österreich), 91, 224, 639, 1889, 2665, 2722, 3414, 5752, 5897, 6313, 6376, 6906, 6940.
Sterkrade (Stadtteil von Oberhausen, Nordrh.-Westf., BRD), Kloster, 2945.
Stiefing (Fluß, Steiermark, Österreich), Tal, 4552.
Stockholm: Armenfürsorge, 6202. - Makalös, 5394. - Riddarholm Church, 2815. - Symposium on climatic changes, 196. - Zionists, 4736.
Stokenham Manor (Devon, England), Court rolls, 6585.
Stralsund (DDR), 716.
Strasbourg (Bas-Rhin, France), 2176, 4651, 6214. - Clarisses, 94. - Congrès "Judaïsme hellénistique", 1261. - Protestants, 4603. Univ., 4841.
Suben (OÖ., Österreich), Strafvollzugsanstalt, 6622.
Sud-Malakula, South Malakula (archip. de Vanuatu), 165.
Sudan (area, Africa), 7694.
Sudan (Rep. of the), 1197, 1200, 1215, 6753, 7693.
Sudetendeutsche, 7349.
Südtirol (Italien), 7045, 7377, 7406.
Suhl (DDR), Bezirk, 710.
Sumar, v. Simyra.
Sumer (Mésopotamie), 1224, 1226.
Summus Poeninus, v. Saintbernard (Grand-).
Suomi, Finlande: Bibliogr. hist. gén., v. - Sci. auxil., 60, 85, 178. - Ouvrages gén., 618, 647. - Préhist., 1046, 1133. - Moyen Age, 3052. - Hist. polit. mod., 3121, 3696-3704, 4394. - Culture intellect. mod., 4869, 5505. - Hist. écon. et soc. mod., 5588, 5766, 5839,

5980, 6075, 6168, 6270. - Relations internat. mod., 6632, 6680, 6698, 7140, 7170, 7173, 7387, 7444.
Sutton Hoo (estate, Suff., England), Ship, 2057.
Svalbard, Spitzbergen (archipel, Norvège), 4112.
Sverige, Suède: Sci. auxil., 154. - Ouvrages gén., 270, 570, 867. - Moyen Age, 2391, 2407, 2619. - Hist. polit. mod., 3283, 3697, 3699, 4268-4278, 4327. - Hist. relig. mod., 4602, 4627, 4652, 4671. - Culture intellect. mod., 4752, 4766, 4834, 5262. - Hist. écon. et soc. mod., 5588, 5661, 5664, 5679, 5755, 5892, 6093, 6120, 6158, 6202. - Hist. Droit mod., 6525. - Relations internat. mod., 6698, 6913, 6921, 6930, 7156, 7242.
Swaziland, 6779.
Swifterbant (Netherlands), Prehist. site, 1056, 1059.
Sydney (N.S.W., Australia), Univ., 4932.
Syria, Syrie, 1232, 1233, 1239, 1955, 2056, 7492.
Szczecin (Pologne), 5680.
Szechwan (prov., China), 7583.
Szeklers(peuple, Roumanie), 7202.

T

Tábor (Bohême, Tchécoslovaquie), 2410.
Tahiti (île, Polynésie française), 6881.
Tamang (tribe of Nepal), Religion, 7543.
Tanagra (Böotien, Griechenland), Figuren, 1554.
Tantura (auj. Nasholim, Israel), 229.
Țara Românească, Valachie (rég., Roumanie), 1135, 2272, 2389, 2406, 4267, 5324, 6078.
Tărgoviște (Bulgarie), 1612.
Tarn (dépt., France), 2144.
Tărnovo (Bulgarie), Ecole littéraire, 2698.
Tarnów (Cracovie, Pologne), Région, 7194.
Tarshish (España ant.), 1274.
Tarsus (Turquie), 1630.
Tatars (peuple), 2562.
Tchécoslovaquie, v. Československo.
Tebtunis (Egypte anc.), 1756.
Tegea (Arcadia, ancient Greece), Temple of Athena Alea, 1563.
Teheran: Conference [1943], 7222.
Tel Yin'am (Israel), 1089.
Tell el-Far'ah (Cisjordanie), 1080.

Tenochtitlan, v. s.v. México (ciudad).
Terakia (Turkey), Anti-Jewish progrom [1934], 4319.
Terracina (Lazio, Italia), Foro emiliano, 1846.
Tétouan (Maroc), Juifs, 4728.
Texas (state, U.S.A.), 3559, 3560, 3573, 3590.
Texcoco (México), 7737.
Texel (isl., Netherlands), 1058.
Thailand, 7575.
Thasos (île, Grèce), 3969.
Thebai, Thèbes (Egypte ancienne), 1183, 1203. - Nécropole, 1187.
Thera (isl., Greece), 1091. - Ships, 1567.
Thessalia (rég., Grèce), 264, 1326, 2068.
Thessalonikē (Grèce), 1996, 2073, 2125. - Congress on Aristotle, 1491.-Juifs, 4714.
Thrakē, Thracia (pays et peuple, Balkans), 1076, 1128, 1137, 1141, 1318, 1341, 1612, 7017. - T. d'Andrinople, 4833. - T. occid., 3463.
Thüringen (Landschaft, DDR), 710, 2563.
Tibet (rég. auton., Chine), 7490, 7500, 7529, 7634.
Tichitt-Walata (Mauritanie), Site préhist., 1023.
Tiel (Gelderland, Netherlands), Chronicle, 2221.
Tilsit (auj. Sovetsk, U.R.S.S.), T.er Friede [1807], 6948.
Timpone della Motta (Francavilla Marittima, Italia), 1886.
Tine (Oued, Tunisie), 1764.
Tipasa (Algérie),Trésor monétaire, 155.
Tirol (Land, Österreich), 76, 723, 2382, 2510, 3387, 3421, 3443, 7354.
Toledo (España), 2648. - Ferias, 2492. - Iglesia, 3032.
Toledo (Ohio, U.S.A.), Museum of art, 323.
Tolfa (Lazio, Italia), Convegno "Agricoltura romana", 249.
Tonga Islands (Pacific), 7749.
Tongres (Belgique), v. Tungri.
Toprak-kala (Uzbekistan, U.S.S.R.), 7491.
Torino (Piemonte, Italia), 6066.
Toronto (Ont., Canada), 4842.
Toruń (Bydgoszcz, Poland), Uproar [1724], 4524.
Toscana (reg., Italia), 4061, 4830.
Touaregs (peuple, Afrique), 648.
Toulon (Var, France), Libération [1944], 7302.

Toulouse (Haute-Garonne, France), 745, 2648, 3823.
Tourcoing (Nord, France), Industrie textile, 5734.
Tours (Indre-et-Loire, France), 1986. - Colloque d'Et. humanistes, 4767. - Etats généraux [1484], 2377, 2869.
Toynbee Hall (dist., London), 6122.
Trabzon, Trébizonde (Turquie), 2417.
Trafalgar (Cabo, España), Bataille [1805], 6943.
Transdanubie, v. Dunantúl.
Transilvania, Siebenbürgen (rég., Roumanie), 778, 779, 844, 861, 1012, 2408, 4236, 4245, 4251, 4264, 4265, 4969, 5861, 6898, 7132. - Cf. Siebenbürger Sachsen.
Trapani (Sicilia, Italia), Convegno "Virgilio in Sicilia", 1811.
Trébizonde, v. Trabzon.
Treblinka (Białystok, Pologne), Camp, 7351.
Trento (Trento-Alto-Adige, Italia), Concilio, 933, 4645. - Sittimana di studio, 2533, 2588.
Treviso (Veneto, Italia), Convegno sull'emigrazione del Veneto, 250.
Trianon (châteaux, Versailles, France), Traité [1920], 7105.
Trier (Rheinl.-Pfalz, BRD), 2626, 3009. - Stift St. Simeon, 2922.
Trieste (Friuli-Venezia Giulia, Italia), 3381, 5828.
Trinity Site (N. Mex., U.S.A.), Nuclear explosion [1945], 5203.
Trobriand Islands (Papua-New Guinea), 652.
Troia, Troie (Aise Mineure anc.), 1076.
Troyes (Aube, France), Saint-Urbain, 2799.
Truro (Corn., England), 6568.
Tübingen (Baden-Württemb., BRD), Archäol. Inst. d. Univ., 320.
Türkiye, Turquie: Ouvrages gén., 317, 666, 729, 782, 806, 881. - Moyen Age, 2378. - Hist. polit. mod., 3126, 3145, 3377, 3970, 4265, 4316-4325. - Hist. relig. mod., 4714. - Culture intellect. mod., 4933, 4968, 5413. - Hist. écon. et soc. mod., 5607, 5614, 5662, 5665, 5681, 5826, 5850, 5852, 5879, 5906, 5951, 6017, 6051, 6078, 6114, 6146, 6273. - Hist. Droit mod., 6558, 6603. - Relations internat. mod., 6629, 6664, 6882-6936 passim, 6984, 7031, 7033. - Hist. Asie, 7509, 7517, 7528.

Tumaco (Colombia), 7718.
Tungri, Tongres (peuple de l'Antiquité), Cultes, 1820.
Tunis, 6684. - Juifs, 7210. - Régence, 5813.
Tunisie, 641, 1263, 1611, 1764, 1839, 4315, 6571.
Turku (Finlande), Inscriptions latines, 178.-Univ., 4869..
Tutzing (Bayern, BRD), Symposium [1982], 6032.
Tver, v. Kalinin (Russie).
Twenthe (rég., Pays-Bas), 5724.

U

Udine (Friuli-Venezia Giulia, Italia), Convegno "Lingue indo-europee", 180.
Uganda, 4326, 6773.
Ugarit (auj. Ras Shamra, Syrie), 1244.
Uigurs, v. Ouïgours.
Ukraine (rép., U.R.S.S.), 199, 673, 785, 4965, 6281, 7188.
Unterloiben (NÖ., Österreich), 6616.
Ural (monts, U. R. S. S.), 4783.
Uruguay (5870).
Uruk (Mésopotamie), 1237.
U.S.A. (United States of America): General Works, 254, 261, 269, 271, 298, 323, 338, 345, 354, 365, 372, 386, 438, 541, 671. - Mod. polit. Hist., 3499, 3509-3693, 4097, 4238, 4342, 4439. - Mod. relig. Hist., 4452, 4454, 4459, 4461-4463, 4496, 4500, 4606, 4637, 4658, 4664, 4727. - Hist. mod. Culture, 4746, 4785, 4800, 4821-4933 passim, 4936, 4958, 4963, 4975, 4982, 5051, 5118, 5140, 5144, 5137, 5179, 5180, 5189, 5190, 5193, 5198, 5204, 5209, 5225, 5228, 5231, 5279, 5315, 5318, 5398, 5403, 5426, 5440, 5519. - Mod. econ. a. soc. Hist., 5631, 5634, 5645, 5647, 5656, 5682, 5683, 5706, 5713, 5719, 5728, 5757, 5762-5764, 5783, 5786, 5793, 5798, 5804, 5805, 5823, 5838, 5850, 5864, 5883, 5891, 5902, 5942, 5945, 5948, 5954, 5968-6027 passim, 6043, 6045, 6069, 6096, 6118, 6129, 6140, 6210-6279 passim, 6352, 6365, 6368, 6380, 6382, 6404, 6409, 6432, 6480, 6488. - Mod. legal Hist., 6502, 6506, 6528, 6534, 6538, 6548, 6576, 6590, 6595, 6602. - Mod. internat. Relations, 6627-6703 passim, 6951, 6956, 6960, 6969, 6971, 6980, 6985, 6997, 7021, 7059, 7064, 7091-7093, 7109, 7114, 7167, 7200, 7221-7223, 7227, 7232, 7233, 7243, 7260, 7269, 7275, 7277, 7376-7483 passim. - Hist. Asia, 7590, 7593, 7689.
Ushuaia (Tierra del Fuego, Argentina), 3335.
Utrecht (Pays-Bas), Bibliothèque univ., 309.- Chroniques, 2129. - Municipality, 4133. - Officialis curiae, 2479. - Provost of St. Ulrich, 2470.

V

Valachie, v. Ţara Românească.
Valencia (España), Reino, 2240, 2269.
Vandali, Wandalen (german. Volk), 107.
Vanhalinno (prehist. hillfort, Lieto, Finland), 1046.
Vanuatu (archip. et rép., Océanie), 165, 638.
Varennes-en-Argonne (Meuse, France), 3748.
Vaticano (Città del), 3039, 3395, 3926, 4472-4480, 6672, 6966, 7002, 7004, 7136. - Archivio, 4535. - Concilio I, 4501.
Veneto (reg., Italia), 250, 1116.
Venezia (Italia), 759, 2037, 2343, 2622, 3976, 4812, 5852, 5854, 6608, 6888, 6919, 6935. - Arsenale, 758. - San Marco, 2800.
Venezuela, 4422, 4782, 6990, 7742.
Venlo (Limbourg, Pays-Bas), 4134.
Verghina, v. Bergina.
Versailles (Yvelines, France), Gouvernement [1871], 7004. - Paix [1919], 7056, 7096, 7138.
Verulamium (anc. Roman town, Herts., England), 1858.
Vézelay (Yonne, France), Sculptures, 2827.
Via Cassia (Italia ant.), Tomba di Nerone, 1855.
Vianen (Hollande-Mérid., Pays-Bas), 4137.
Vicksburg (Miss., U.S.A.), Battle [1862], 3685.
Vietnam, 7376, 7415, 7448, 7451, 7564, 7574, 7576. - Guerre, 3562, 3599, 7465.
Vikings, 2451-2456, 2560, 2696.
Villach (Kärnten, Österreich), 81.
Villanova (Emilia-Romagna, Italia), Cultura, 1107.
Vil'njus, Wilno (Lituanie, U.R.S.S.), 4364.
Vincennes (Val-de-Marne, France), Sainte-Chapelle, 2141.
Vindobona (heute Wien), Röm. Lager, 1867.
Virginia (state, U.S.A.), 3601, 3523, 3604, 4647, 4910, 5873, 6846, 6860.
Visigothi, Westgoten (german. Volk), 2606, 2625, 2648, 2709, 3018. - Cf. Goten.
Vlaanderen, v. Flandre.
Volga (fleuve, U.R.S.S.), 1118. - V. Bulgaria, 1134. Middle V. area, 6288.
Volta River (Ghana), Dam project, 7445.
Volterra (Toscana, Italia), Urne, 1588.
Volyn' (rég., Ukraine, U. R.S.S.), 4311. - Jewish family camps, 7188.
Vorarlberg (Land, Österreich), 95, 3383, 6381.
Vulci (Lazio, Italia ant.), Ponte Sodo, 1594.

W

Wachau (Landschaft, NÖ, Österreich), 6616.
Wadden (isl., Netherlands), Palaeolithic site, 1058.
Währing (Stadtteil, Wien), 3390. - Widerstand [1938-1944], 3388.
Waidhofen an der Ybbs NÖ., Österreich), 2357.
Waldviertel (Landschaft, NO, Österreich), 5641.
Wales (principality, Great Britain), 517, 851, 977, 2163, 3087, 3098, 3870, 3894, 3898, 5704, 7161. - South W., 6481.
Wallachei, v. Ţara Românească.
Wallons (population de la Belgique), Synode wallon (Pays-Bas), 4695.
Wandalen, v. Vandali.
Warmia (rég., Pologne), 4198, 4215.
Warszawa, Varsovie, 4165, 4168, 4174, 4177, 6235, 6945, 7322. - Arrondissement, 7346. - Bataille [1939], 7290, 7347. - Biblioth. nat., 314. - Brigade d'artillerie, 7339. - Château, 5406. - Confédération [1573], 4656. - Duché, 6587, 6944. - Insurrection [1944], 7355, 7363, 7367, 7371, 7373, 7375. - Presse, 4056.
Washington (D.C., U.S.A.), 3582. - Library of Congress, 273, 6321. - Library of the Cath. Univ., 2184. - Museum of Natural Hist., 1606. - White House, 3606.
Wassenberg (Nordrh.-Westf., BRD), 2316.
Waterloo (Brabant, Belgique), Bataille [1815], 6946.
Weichsel, v. Wisła.

JUL 1 9 1988